MARKETING

Eric N. Berkowitz

Frederick G. Crane

Roger A. Kerin

Steven W. Hartley

William Rudelius

Études de cas
Debi Andrus

Stéphane Maisonnas
École des sciences de la gestion
Université du Québec à Montréal

Denis Pettigrew
Université du Québec à Trois-Rivières

Stéphane Gauvin
Université Laval

William Menvielle

Consultants à l'édition française
Michel Dutremble
Rockland (Ontario)

Carole Gauthier
Orléans (Ontario)

Traduit de l'anglais par
Michèle Morin
Jean-Robert Saucyer

Chenelière/McGraw-Hill
MONTRÉAL • TORONTO

Marketing

Traduction de : *Marketing, Fourth Canadian Edition* de
Eric N. Berkowitz et coll. © 2000, McGraw-Hill/ Ryerson
(ISBN 0-07-086045-9)

Éditeur : Sylvain Ménard
Coordination : Samuel Rosa
Révision linguistique : Annick Loupias
Correction d'épreuves : Johanne Rivest et Anne-Marie Théorêt
Infographie : Infoscan Collette

Couverture : Sam Tallo/Rebus Creative
Maquette intérieure : Precision Graphics

Cette ressource est disponible grâce à l'appui financier de Patrimoine canadien/ Canadian Heritage, sous la gestion du ministère de l'Éducation de l'Ontario.

Veuillez noter que, dans le but d'alléger le texte, nous n'avons pas féminisé les termes employés au pluriel. Cependant, nous les avons féminisés lorsqu'ils sont employés au singulier. La lectrice ou le lecteur feront l'interprétation nécessaire selon le contexte.

Chenelière/McGraw-Hill
7001, boul. Saint-Laurent
Montréal (Québec)
Canada H2S 3E3
Téléphone : (514) 273-1066
Télécopieur : (514) 276-0324
chene@dlcmcgrawhill.ca

ISBN 2-89461-880-8

Dépôt légal : 1er trimestre 2004
Bibliothèque nationale du Québec
Bibliothèque nationale du Canada

Imprimé au Canada

1 2 3 4 5 A 07 06 05 04 03

Nous reconnaissons l'aide financière du gouvernement du Canada par l'entremise du Programme d'aide au développement de l'industrie de l'édition (PADIÉ) pour nos activités d'édition.

Gouvernement du Québec — Programme de crédit d'impôt pour l'édition de livres — Gestion SODEC

Avant-propos

À l'aube du XXIe siècle, nous présentons le manuel *Marketing*. Celui-ci reflète notre engagement profond dans une démarche inventive et active de l'étude du marketing. Des centaines d'enseignantes et d'enseignants utilisent notre ouvrage. Nous devons ce choix, d'une part, à l'enthousiasme des élèves pour le style de la présentation et, d'autre part, à l'acquisition effective des connaissances.

Ce manuel présente un contenu et des exemples traduisant les transformations du marketing et l'évolution du marché. Voici ses principales caractéristiques :

- une écriture facile à lire, accrocheuse et interactive qui capte l'attention des élèves au moyen de techniques d'apprentissage actives, d'exemples tirés de l'actualité canadienne et de publicités pertinentes et originales ;
- une description claire et précise des spécialistes et des entreprises de marketing s'appuyant sur des exemples, des exercices et des témoignages. Ainsi, les élèves peuvent se faire une idée personnelle de ce qu'est le marketing, cerner quelques-uns de leurs intérêts professionnels et trouver des modèles à suivre ;
- le recours à des exemples précis qui permettent aux élèves de se situer sans difficulté par rapport aux concepts énoncés dans le manuel ;
- la présentation détaillée et intégrée de concepts traditionnels et contemporains, qui sont illustrés à l'intérieur de textes décrivant le travail des spécialistes du marketing ;
- un cadre pédagogique rigoureux s'appuyant sur des objectifs d'apprentissage, des révisions, des mots clés et des résumés ;
- un ensemble d'outils pédagogiques permettant de respecter de nombreux modèles d'apprentissage.

UNE FORMULE PÉDAGOGIQUE AXÉE SUR INTERNET

Le chapitre 8 porte sur le marketing interactif et sur le commerce électronique. Nous avons élaboré une formule pédagogique à deux paliers qui traite du réseau Internet dans l'ensemble du manuel. Le premier palier est conçu sous la forme d'une rubrique pédagogique intitulée Branchez-vous !. Cette rubrique, qui apparaît à quelques reprises dans plusieurs chapitres, présente des exemples de cyberentreprises et incite les élèves à explorer Internet et à utiliser cette ressource incontournable dans leur pratique quotidienne. Par ailleurs, elle suscite leur intérêt et fait la démonstration d'une application de marketing au moyen de courtes activités désignées par des liens Internet.

« Les plus bas prix sur terre » : l'énoncé de positionnement le plus fou de tous les temps ?

Voici une nouvelle idée d'affaire : vendre 85 cents des pièces de un dollar !

C'est à peu près ce que fait Scott Blum, président-directeur général de Buy.com. Il vend des produits à des prix égaux ou inférieurs au prix coûtant. Il cherche ainsi à positionner sa compagnie comme synonyme de bas prix. « Les plus bas prix sur terre », dit le slogan. Comme on l'a vu, le positionnement du produit est la place qu'il occupe dans l'esprit des consommateurs. Dans le cas de Buy.com, cela signifie offrir les prix indiscutablement les plus bas. Complètement fou ? Visite le site de Buy.com et regarde. Compare les prix offerts avec ceux des autres vendeurs dans Internet. Sont-ils les plus bas ?

Si Buy.com ne fonctionne plus quand tu tenteras d'y accéder, c'est probablement que l'idée *était* vraiment folle !

Pour plus d'informations au sujet de Buy.com, rends-toi à l'adresse suivante : www.dlcmcgrawhill.ca.

Il est important de noter que tous les liens Internet qui figurent dans ce manuel renvoient les élèves au site de Chenelière/McGraw-Hill (www.dlcmcgrawhill.ca). En visitant ce site, les élèves pourront aisément trouver une liste détaillée des sites de toutes les entreprises mentionnées dans les chapitres.

Le deuxième palier vise à éveiller la curiosité et à susciter la réflexion des élèves à l'aide d'un enjeu, d'un problème ou d'une question dont la réponse se trouve dans Internet. Ce deuxième palier est atteint dans une section intitulée Exercices Internet. Ces exercices sont proposés à la fin de chaque chapitre. L'enseignante ou l'enseignant qui les donne en devoir à ses élèves pourra ainsi évaluer leur travail.

EXERCICES INTERNET

Une bonne analyse de l'environnement du marketing doit se pencher sur plusieurs sources de renseignements. Parmi les sites Web particulièrement utiles à cet égard, notons celui de Statistique Canada. Statistique Canada est la source des données et des statistiques sur les tendances de la population canadienne, sur les dépenses de consommation, etc. Avec l'aide de ce site, réponds aux questions suivantes :

1. À combien se chiffre la population du Canada en ce moment ? Selon les prévisions, combien serons-nous en 2016 ?
2. Combien de personnes de 90 ans et plus vivent au Canada ?
3. Combien de familles monoparentales trouve-t-on au Canada ?
4. La taille des familles au Canada a diminué. Trouve sur le site de Statistique Canada des informations pour appuyer cette affirmation. Comment cela peut-il influencer une entreprise ?
5. Toujours à l'aide du site de Statistique Canada, trouve des informations démographiques pour décrire ta région. Compare ces informations avec celles portant sur la démographie au Canada. Peux-tu reconnaître des particularités pour ta région ? En quoi ces particularités influenceraient-elles les marchés de consommation ?

Pour plus d'informations au sujet de Statistique Canada, rends-toi à l'adresse suivante : www.dlcmcgrawhill.ca.

DES CARACTÉRISTIQUES PÉDAGOGIQUES UTILES

Plusieurs caractéristiques facilitent la participation des élèves à l'étude du marketing. Lorsque c'est possible, l'enseignante ou l'enseignant incite les élèves à prendre des décisions ou à remettre en cause les raisons justifiant la commercialisation d'un produit. De plus, des exemples contemporains portent sur les représentants et les entreprises, ainsi que sur les décisions qui en émanent. Ils sont présentés en début de chapitre et dans les Études de cas en fin de chapitre.

Des rubriques pédagogiques signalent aux élèves les sujets d'intérêt particulier. La rubrique Tendances marketing traite de sujets tels que la valeur pour la clientèle, l'internationalisation des marchés, la technologie et les équipes interfonctionnelles. La rubrique Questions d'éthique porte sur les enjeux relatifs à la déontologie et à la responsabilité sociale.

Chaque chapitre propose des outils de soutien pédagogique. Les objectifs d'apprentissage sont présentés en début de chapitre afin de préciser la matière qui sera abordée. Une Révision des concepts étudiés termine chaque section de chapitre à l'aide de deux ou trois questions récapitulatives visant à vérifier le degré de compréhension. Enfin, un Résumé et les Mots clés et concepts employés dans le chapitre viennent appuyer davantage la matière étudiée.

CHAPITRE 17

LE COMMERCE DE DÉTAIL

17

APRÈS AVOIR LU CE CHAPITRE, TU SERAS EN MESURE

- de distinguer les détaillants selon les utilités qu'ils procurent ;
- d'expliquer les différents modes de classification des magasins de détail ;
- de comprendre les nombreuses techniques de vente au détail hors magasin ;
- de situer les détaillants dans la grille de positionnement du commerce de détail.

Pour plus d'informations au sujet de curling.ca, rends-toi à l'adresse suivante :

Pour plus d'informations au sujet d'Archambault, de Super Pet, du Canadian Internet Mall, de Rue des achats de la Ryerson Polytechnic University et d'Omer DeSerres, rends-toi à l'adresse suivante :

COMMERCE DE DÉTAIL ET CYBERMARCHÉ

Les adeptes de curling du monde entier peuvent acheter des souvenirs du Nokia Brier dans le confort de leur foyer. Ils n'ont, en effet, qu'à chercher le site curling.ca, puis à cliquer sur « General Store » (Magasin général). Ils y verront les produits et pourront en faire l'achat aisément et en toute sécurité. Ils peuvent également choisir des places et acheter des billets pour les matchs du Brier, car le site est pourvu d'un lien avec la billetterie en ligne.

Voilà un exemple simple de commerce de détail électronique. Dans le cybermarché, tu trouves des vitrines virtuelles individuelles, comme la vitrine d'Archambault, où tu peux voir et acheter de la marchandise. Il en est de même pour la vitrine de la chaîne Super Pet, où il est possible d'acheter des animaux et des accessoires. Tu trouves des cybercentres commerciaux, comme le Canadian Internet Mall ou ruedesachats.com, qui regroupent de 30 à 100 magasins électroniques de vente au détail. Le commerce de détail électronique propose des produits tangibles, mais aussi des produits intangibles comme des services bancaires et des réservations de voyages. Il suffit de quelques frappes sur un clavier pour que tout un monde virtuel de biens et de services soit soudain à ta portée. Aujourd'hui, le marché virtuel de détail est à l'avant-scène du commerce de détail. Pour en savoir plus sur le commerce de détail électronique au Canada, visite le Retail Information Centre parrainé par la chaire Eaton de commerce de la Ryerson Polytechnic University. Ce site Web est conçu à l'intention des détaillants, des chercheurs et des élèves en administration. Il comprend des hyperliens avec plus de 200 sites de commerce de détail canadiens[1].

Quels types de produits les consommateurs achèteront-ils directement par catalogue, par correspondance, par ordinateur ou par téléphone ? Dans quel genre de magasin chercheront-ils les produits qu'ils ne peuvent acheter directement ? Quelle est l'importance de l'emplacement d'un magasin ? La clientèle s'attend-elle à des services de retouches, de livraison, d'installation ou de réparations ? Quel prix devrait-on facturer pour chaque produit ? Voilà les questions à la fois difficiles et importantes qui sont reliées au commerce de détail. Dans le circuit de distribution, la clientèle et le produit entrent en contact lors de la vente au détail. Le commerce de détail rend l'échange

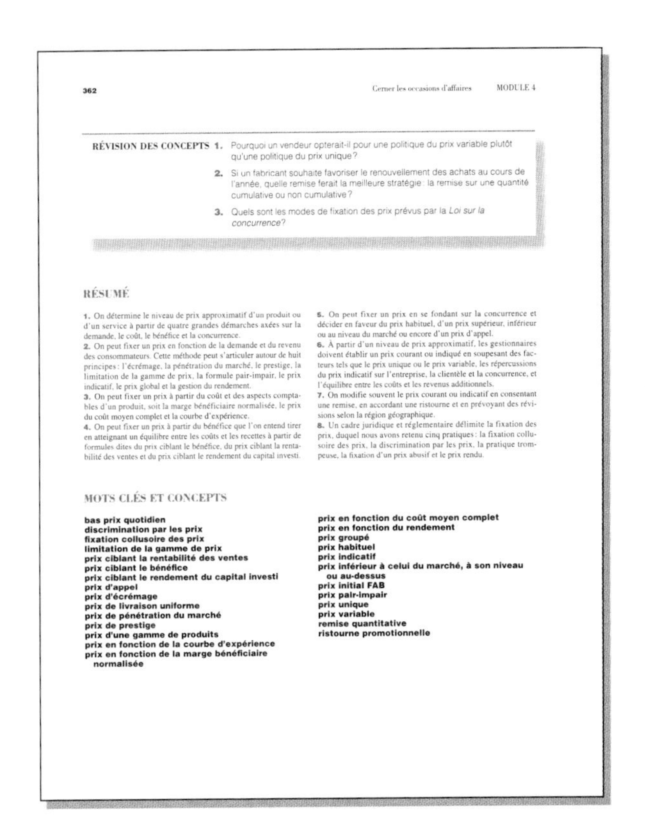

362 Cerner les occasions d'affaires MODULE 4

RÉVISION DES CONCEPTS

1. Pourquoi un vendeur opterait-il pour une politique du prix variable plutôt qu'une politique du prix unique ?
2. Si un fabricant souhaite favoriser le renouvellement des achats au cours de l'année, quelle remise ferait la meilleure stratégie : la remise sur une quantité cumulative ou non cumulative ?
3. Quels sont les modes de fixation des prix prévus par la *Loi sur la concurrence*?

RÉSUMÉ

1. On détermine le niveau de prix approximatif d'un produit ou d'un service à partir de quatre grandes démarches axées sur la demande, le coût, le bénéfice et la concurrence.
2. On peut fixer un prix en fonction de la demande et du revenu des consommateurs. Cette méthode peut s'articuler autour de huit principes : l'écrémage, la pénétration du marché, le prestige, la limitation de la gamme de prix, la formule pair-impair, le prix indicatif, le prix global et la gestion du rendement.
3. On peut fixer un prix à partir du coût et des aspects comptables d'un produit, soit la marge bénéficiaire normalisée, le prix du coût moyen complet et la courbe d'expérience.
4. On peut fixer un prix à partir du bénéfice que l'on entend tirer en atteignant un équilibre entre les coûts et les recettes à partir de formules dites du prix ciblant le bénéfice, du prix ciblant la rentabilité des ventes et du prix ciblant le rendement du capital investi.
5. On peut fixer un prix en se fondant sur la concurrence et décider en faveur du prix habituel, d'un prix supérieur, inférieur ou au niveau du marché ou encore d'un prix d'appel.
6. À partir d'un niveau de prix approximatif, les gestionnaires doivent établir un prix courant ou indiqué en soupesant des facteurs tels que le prix unique ou le prix variable, les répercussions du prix indicatif sur l'entreprise, la clientèle et la concurrence, et l'équilibre entre les coûts et les revenus additionnels.
7. On modifie souvent le prix courant ou indicatif en consentant une remise, en accordant une ristourne et en prévoyant des révisions selon la région géographique.
8. Un cadre juridique et réglementaire délimite la fixation des prix, duquel nous avons retenu cinq pratiques : la fixation collusoire des prix, la discrimination par les prix, la pratique trompeuse, la fixation d'un prix abusif et le prix rendu.

MOTS CLÉS ET CONCEPTS

bas prix quotidien
discrimination par les prix
fixation collusoire des prix
limitation de la gamme de prix
prix ciblant la rentabilité des ventes
prix ciblant le bénéfice
prix ciblant le rendement du capital investi
prix d'appel
prix d'écrémage
prix de livraison uniforme
prix de pénétration du marché
prix de prestige
prix d'une gamme de produits
prix en fonction de la courbe d'expérience
prix en fonction de la marge bénéficiaire normalisée
prix en fonction du coût moyen complet
prix en fonction du rendement
prix groupé
prix habituel
prix indicatif
prix inférieur à celui du marché, à son niveau ou au-dessus
prix initial FAB
prix pair-impair
prix unique
prix variable
remise quantitative
ristourne promotionnelle

Nous estimons que ce matériel d'apprentissage aidera les élèves à apprendre, à comprendre et à intégrer les nombreux sujets présentés dans ce manuel, et qu'il accroîtra leurs chances de réussite dans un cadre favorable.

LA STRUCTURE DE L'OUVRAGE

Le manuel *Marketing* compte cinq modules. Le module 1 s'intitule « Lancer l'opération marketing ». Le chapitre 1 donne une définition de cette discipline et décrit la manière d'engendrer de la valeur pour la clientèle et de nouer des relations avec celle-ci. Le chapitre 2 présente un survol du procédé stratégique utilisé dans une entreprise, lequel permet d'établir la structure du contenu. L'annexe A décrit en détail les différentes étapes de la rédaction d'un plan stratégique de marketing et présente le plan de marketing de la Commission canadienne du tourisme. Le chapitre 3 analyse les cinq principaux facteurs environnementaux qui influent sur le milieu où évoluent les spécialistes du marketing, alors que le chapitre 4 souligne l'importance de la déontologie et de la responsabilité sociale dans le processus décisionnel.

Le module 2 a pour titre « Le comportement des acheteurs et des marchés ». Le chapitre 5 explique la nature et la portée du commerce international ainsi que l'influence des différences culturelles sur les activités des spécialistes du marketing à l'échelle mondiale. Le chapitre 6 traite de la manière dont les consommateurs prennent leurs décisions d'achat. Enfin, le chapitre 7 porte sur les organismes sans but lucratif, les entreprises publiques et les marchés organisationnels.

Le module 3 s'intitule « La reconnaissance des possibilités commerciales ». Le chapitre 8 évalue l'importance croissante du marketing interactif et du commerce électronique. On y insiste sur le rôle prépondérant du réseau Internet en tant que mode d'identification, de compréhension et de communication en fonction des marchés cibles. Le chapitre 9 porte sur le rôle de la recherche en marketing, et le chapitre 10 traite de la segmentation et du ciblage des marchés ainsi que du positionnement des produits.

Le module 4, « Cerner les occasions d'affaires », présente les quatre P – Produit, Prix, communication (Promotion) et distribution (Place du produit) – qui sont les éléments du marketing mix. Le chapitre 11 présente l'élément « produit », qui est divisé selon la séquence chronologique qui débute avec l'élaboration de nouveaux produits et services pour ensuite s'intéresser à la gestion des produits au chapitre 12. Les chapitres 13 et 14 expliquent la fixation des prix sous l'angle de l'analyse sous-jacente et traitent de la détermination du prix à proprement parler. Trois chapitres portent sur le volet distribution : le chapitre 15 présente les circuits de marketing et de vente en gros, le chapitre 16, la gestion de la chaîne d'approvisionnement et de la logistique, et le chapitre 17, la vente au détail. Celle-ci constitue un chapitre distinct en raison de son importance et de l'intérêt professionnel qu'elle revêt pour nombre d'élèves. La promotion fait également l'objet de trois chapitres : le chapitre 18 porte sur le plan de communication intégré et le marketing direct, deux sujets dont l'importance s'est accrue récemment dans le secteur du marketing. Le chapitre 19 expose les formes élémentaires de communication de masse, soit la publicité, la promotion des ventes et les relations publiques.

Le module 5, intitulée « La gestion du processus de marketing », s'inscrit dans le prolongement du chapitre 2. En effet, le chapitre 20 présente les techniques et les enjeux reliés aux quatre éléments du marketing mix en vue de planifier, de mettre en œuvre et de surveiller les programmes de marketing. Enfin, l'annexe B décrit les possibilités offertes aux élèves qui désirent poursuivre leur formation en marketing au collège ou à l'université. Cette annexe présente également les diverses possibilités de carrières dans le domaine du marketing.

En outre, nous proposons des exemples à la fin de certains modules du manuel dans le but d'illustrer ce que sont le commerce électronique et le marketing interactif.

Table des matières

MARKETING

MODULE 1

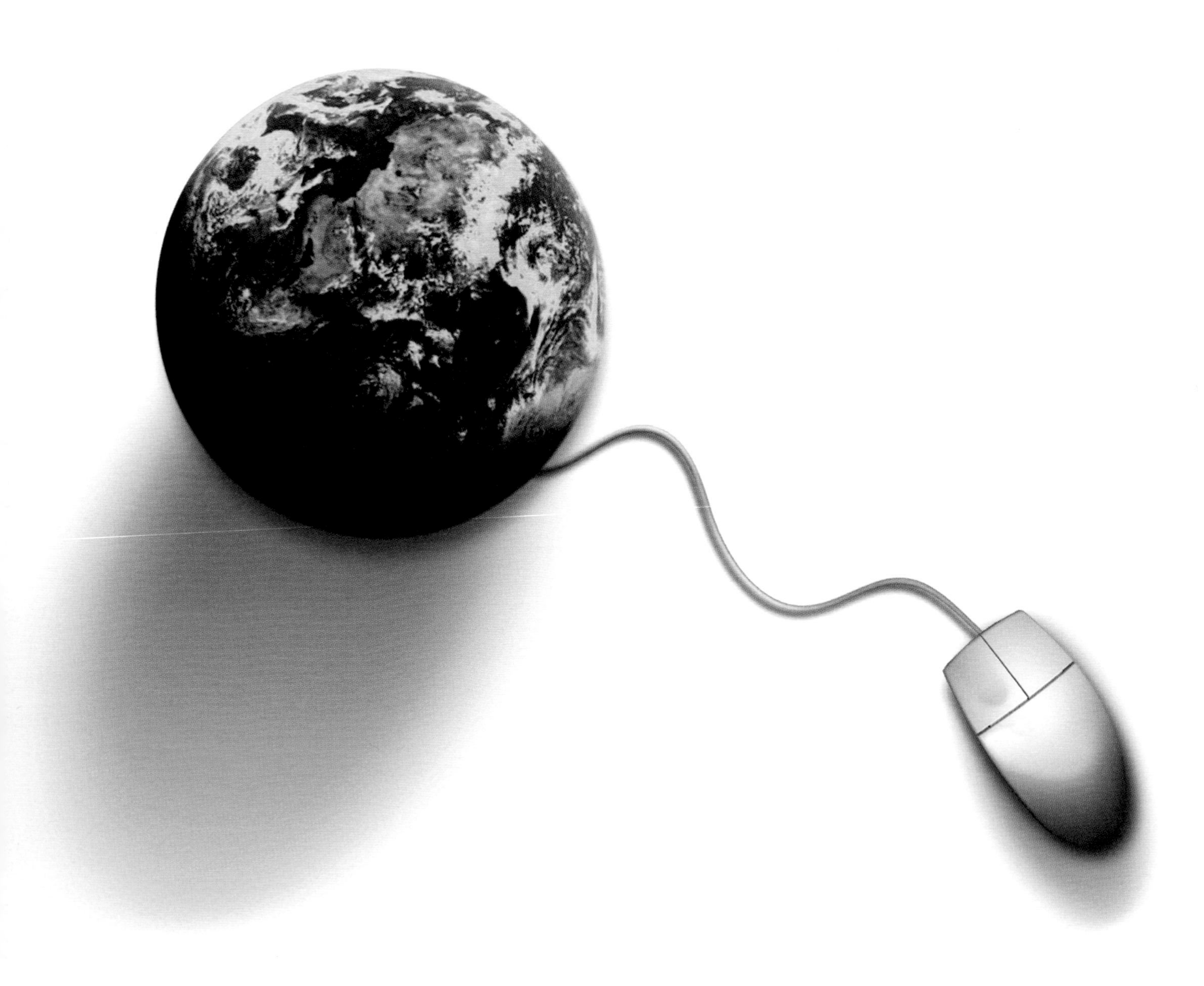

1

LANCER L'OPÉRATION MARKETING

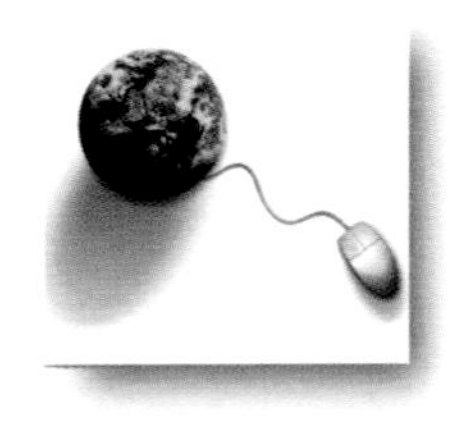

Faire naître le désir dans la clientèle et tisser des liens avec les consommateurs. Voilà le fondement des activités de marketing que nous aborderons en première partie. Le chapitre 1 présente le marketing selon l'exemple de David Samuels qui a élargi le marché de Rollerblade, Inc., une entreprise vieille de 10 ans à peine. En même temps, il consolidait toute une industrie. Le chapitre 2 aborde le marketing et les stratégies d'entreprise et l'annexe A présente le plan marketing de la Commission canadienne du tourisme. Le chapitre 3 traite de l'environnement commercial et de ses changements passés et à venir. Ces changements sont décrits du point de vue des environnements social, économique, technologique, concurrentiel et politico-légal. Enfin, le chapitre 4 aborde les considérations morales et les critères de responsabilité sociale découlant de la mise en marché de produits.

ROLLERBLADE

CHAPITRE 1

LE MARKETING

1

APRÈS AVOIR LU CE CHAPITRE, TU SERAS EN MESURE

- de définir le marketing et d'expliquer pourquoi il importe de : 1) cerner ; et de 2) satisfaire les besoins et les désirs de la clientèle ;
- de distinguer les composantes du marketing mix des facteurs du milieu ;
- de comprendre comment les entreprises établissent des liens solides avec leurs clientèles en se fondant sur la valeur-client et le marketing personnalisé ;
- de comprendre la signification du fondement moral et de la responsabilité sociale relatifs au commerce, ainsi que leur lien avec l'individu, les organismes et la société ;
- de connaître les éléments nécessaires à la pratique du marketing et savoir comment il crée une valeur-client pour l'entreprise et des services pour les consommateurs.

Pour plus d'informations au sujet de Rollerblade, rends-toi à l'adresse suivante : www.dlcmcgrawhill.ca

NATURE, CAMBROUSSE ET COYOTES : UN COURS DE SCIENCES NATURELLES 101 ?

Pas tout à fait !

David Samuels et ses collègues se retrouvent devant un problème propre à toute entreprise fondée sur l'interprétation des désirs populaires. Cette politique commerciale a donné naissance à une nouvelle industrie. Que pourraient-ils inventer pour aller plus loin ? Que faire pour innover, présenter des produits à la demande de la clientèle et la fidéliser ? Trois mots répondent à cette question : nature, cambrousse et coyotes ou, plus précisément, Nature^MC, Outback X^MC et Coyotes^MC[1]. Revenons d'abord à l'histoire de Rollerblade®.

Une invention vieille de trois siècles Au début du XVIIIe siècle, un inventeur hollandais cherche à reproduire le patinage sur glace pendant la saison estivale. Pour cela il fixe des bobines à ses chaussures. L'alignement des bobines demeurera la norme jusqu'en 1863, à l'apparition des premiers patins dotés de deux paires de roulettes. Ce nouveau modèle devient courant, et les patins à roues alignées disparaissent.

En 1980, deux frères, joueurs de hockey, dénichent une vieille paire de patins à roulettes dans une boutique d'articles de sport. Ils bricolent dans leur garage et modifient le patin en y ajoutant une chaussure moulée, des roulettes de polyuréthane et un frein à l'avant. Ils vendent leur produit, appelé « patins à roues alignées », à des joueurs de hockey et à des skieurs désireux de conserver la forme physique pendant l'été. Au milieu des années 1980, un homme d'affaires achète leur entreprise. Il fait appel à Mary Horwath, spécialiste du marketing, pour mettre ces patins sur le marché.

Comprendre à qui est destiné un produit « Lorsque j'ai pris mes fonctions, dit Mme Horwath, je savais qu'un changement s'imposait. » Rollerblade visait l'entraînement des athlètes professionnels. Les patins à roues alignées projetaient donc l'image d'un produit destiné à l'entraînement. Toutefois, des discussions avec des patineurs convainquent Mme Horwath que les patins Rollerblade possèdent les qualités suivantes :

- Ils procurent du plaisir ;
- Ils constituent un excellent exercice d'aérobie ;
- Ils demandent un type de patinage différent de celui pratiqué avec des patins à roulettes ordinaires. Le patin traditionnel se pratique principalement en solitaire, à l'intérieur, et par des adolescentes ;
- Ils sont attrayants pour beaucoup de gens. Ils ne sont pas seulement réservés aux skieurs et aux hockeyeurs, pendant l'été.

Mme Horwath cherche alors à modifier la perception du public à l'égard de ces patins. Elle repositionne le produit en valorisant ses qualités reconnues par les adeptes. Mme Horwath opte pour un **marketing de guérilla** (approche massive et radicale). Elle emploie son maigre budget annuel de 280 000 $ pour faire connaître les patins Rollerblade à l'aide de méthodes promotionnelles inhabituelles et bon marché. Par exemple, des fourgonnettes chargées de patins font la tournée de lieux stratégiques, et on propose aux gens d'en faire l'essai.

Une décennie porteuse de changement À la fin des années 1990, David Samuels est directeur principal de l'innovation chez Rollerblade, Inc. Ses problèmes de marketing sont très différents de ceux qui attendaient Mary Horwath à la fin des années 1980. Comme l'illustre la figure 1.1, l'entreprise et Mme Horvath ont réussi à populariser les patins à roues alignées. Elles ont aussi réussi à fonder une nouvelle industrie, comme en témoignent près de 30 millions d'adeptes en Amérique du Nord.

FIGURE 1.1
Le nombre de personnes pratiquant le patin à roues alignées en Amérique du Nord. Qu'est-ce qui a provoqué cette croissance en flèche ? La lecture du texte fournira quelques réponses à cette question.

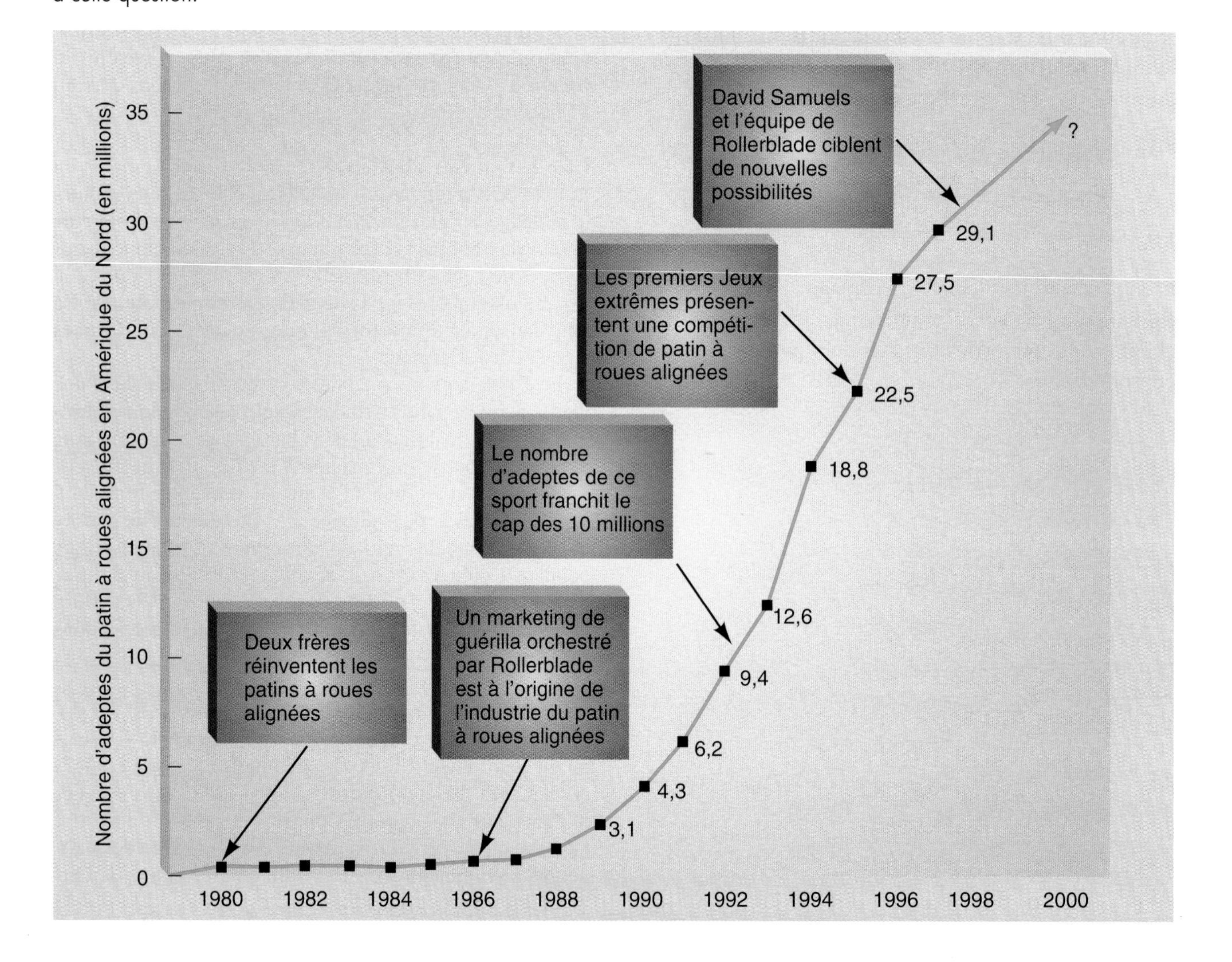

Toutefois, la réussite de Rollerblade, Inc. et la naissance d'une nouvelle industrie n'écartent pas le danger de la concurrence. Plus de 30 entreprises rivalisent avec David Samuels et Rollerblade, Inc. à l'aube du XXIe siècle. Rollerblade, Inc. détient 35 % des ventes annuelles de cette industrie. Elle doit toutefois affronter la concurrence de Bauer qui domine le segment des patins de hockey à roues alignées, en particulier au Canada[2]. L'objectif de M. Samuels est de mettre au point de nouveaux produits destinés à élargir et à fidéliser sa clientèle. Des innovations telles que Nature^MC^, Outback X^MC^ et Coyote^MC^ entrent en jeu. Cette situation présente une excellente leçon de marketing : changer les goûts des consommateurs et l'offre de la concurrence. Pour cela, une entreprise doit offrir à sa clientèle un rapport qualité-prix avantageux, sinon elle périra. Ainsi, l'avenir d'entreprises telles que Rollerblade, Inc. est entre les mains de personnes comme David Samuels qui comprennent bien les désirs et les besoins de la clientèle.

Les patins à roues alignées, le marketing et toi À quelle stratégie de marketing David Samuels et son équipe font-ils appel pour maintenir la croissance en flèche des ventes de leurs patins comme l'indique la figure 1.1 ? Lorsque tu auras lu ce chapitre, tu seras en mesure de répondre à cette question.

L'une des clés de la réussite de M. Samuels tient à l'objet du présent manuel : le marketing. Dans ce chapitre et dans ceux qui suivent, nous te présenterons des gens, des organismes, des idées, des activités et des emplois relatifs au marketing de produits et de services. Certains ont connu d'immenses succès, d'autres des échecs retentissants ou encore un accueil tiède.

Le marketing touche tous les individus, tous les organismes, toutes les entreprises et tous les pays. Ce manuel enseigne les concepts du marketing. En plus, il présente ses nombreuses applications et ses répercussions sur nous tous. Ces connaissances feront de toi une consommatrice ou un consommateur plus avisé. Elles te seront utiles dans ton travail et feront de toi une citoyenne ou un citoyen mieux renseigné.

Dans ce chapitre et dans les suivants, tu éprouveras l'enthousiasme qui naît du marketing. Nous te présenterons les changements qui nous toucheront tous. Tu feras la connaissance de femmes et d'hommes tels que Mary Horwath et David Samuels dont la créativité a conduit à des résultats éclatants, parfois extraordinaires. Qui sait ? La lecture de ces pages saura peut-être inspirer ton choix de carrière…

QU'EST-CE QUE LE MARKETING ?

Devenir spécialiste du marketing : une bonne et une mauvaise nouvelle

À plusieurs égards, tu es déjà spécialiste du marketing. Afin de mettre tes connaissances à l'épreuve, essaie de répondre aux questions du tableau 1.1 destinées aux spécialistes. Ces questions montrent par leur degré de difficulté les divers problèmes que rencontrent chaque jour les responsables du marketing. Tu trouveras les réponses à ces questions dans les pages qui suivent.

La bonne nouvelle : tu as déjà de l'expérience ! À ta manière, tu es déjà un spécialiste du marketing parce que tu le pratiques plus ou moins chaque jour. Tu connais plusieurs de ses principes, expressions et concepts. Ainsi, à quel prix vendrais-tu davantage de baladeurs : à 500 $ ou à 50 $? À 50 $ bien sûr ! Ton expérience de l'achat, peut-être de la vente, t'apporte de nombreuses connaissances nécessaires au marketing. En tant que consommatrice ou consommateur, tu as déjà pris des milliers de décisions touchant le marketing. En général, ton expérience concerne les achats et non la mise en marché.

TABLEAU 1.1
Une épreuve permettant de vérifier si l'on est un véritable spécialiste du marketing

RÉPONDS AUX QUESTIONS SUIVANTES. TU DÉCOUVRIRAS LES BONNES RÉPONSES AU FIL DE CE CHAPITRE.

1. Répondant aux questions d'un journaliste, une actrice célèbre a avoué « faire souvent du Rollerblade » pour le plaisir et la mise en forme. Quelle a été la réaction de Rollerblade, Inc. ? a) Elle a été ravie. b) Elle a été mécontente. c) Elle a été à la fois ravie et mécontente. Pourquoi ?
2. Qu'est-ce que la Polavision ? a) Un nouveau type de lentilles cornéennes perméables à l'air. b) Un réseau de télévision concurrençant Super écran. c) Des lunettes bifocales. d) Un type de cinécaméra. e) Un journal intéressé à la politique.
3. Au lendemain de la Seconde Guerre mondiale, International Business Machines Corporation (IBM) a commandé une étude afin d'évaluer le marché des ordinateurs. Les conclusions de cette étude faisaient état de : a) moins de 10 ordinateurs ; b) 1 000 ordinateurs ; c) 10 000 ordinateurs ; d) 100 000 ordinateurs ; e) un million et plus d'ordinateurs.
4. Vrai ou faux ? La fidélisation de la clientèle est devenue un enjeu de taille pour les spécialistes du marketing. On sait que les consommateurs loyaux à la marque Kleenex peuvent consommer pour plus de 1 000 $ (au prix actuel du marché) de mouchoirs de papier au cours d'une vie.
5. Vrai ou faux ? Les jeunes d'aujourd'hui s'amusent à surfer avec leurs planches à roulettes en se laissant glisser le long des mains courantes, sur les terre-pleins et sur les saillies des murs.

La mauvaise nouvelle : la surprise née d'une évidence Malheureusement, le bon sens n'explique pas toujours certains gestes ou décisions qui relèvent du marketing. Une actrice qui affirme dans un magazine qu'elle « fait souvent du Rollerblade » (voir la question 1, tableau 1.1) vous semble une formidable publicité, n'est-ce pas ? Rollerblade, Inc. s'est toutefois montrée mécontente. Sur le plan juridique, Rollerblade® constitue une marque de commerce déposée de Rollerblade, Inc. On ne peut employer ce nom que pour désigner les produits et services de cette entreprise.

Parfois le public s'empare d'une marque de commerce pour en faire un terme générique. Ainsi, les gens désignent un produit plutôt que l'origine de ce produit. En vertu du droit des marques, l'entreprise perd alors l'exclusivité des droits qu'elle détient sur ce nom, à l'exclusion du Québec. Les patins de marque Rollerblade deviendraient alors des *rollerblades*. Ce mot pourrait désigner les patins à roues alignées peu importe leurs fabricants. Cela s'est déjà produit avec d'autres marques dont le nom est passé dans la langue courante : linoléum, aspirine, cellophane, kleenex, yoyo et trampoline[3].

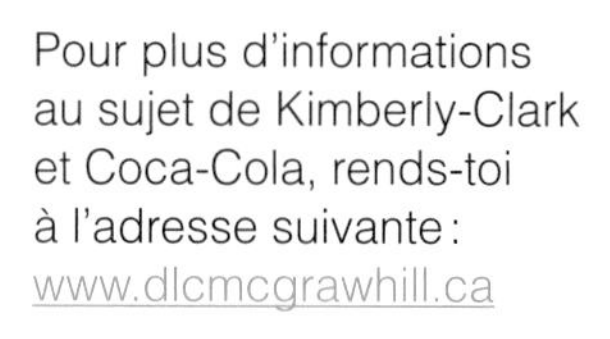

Pour plus d'informations au sujet de Kimberly-Clark et Coca-Cola, rends-toi à l'adresse suivante : www.dlcmcgrawhill.ca

Aujourd'hui, les entreprises consacrent des millions de dollars à la publicité et aux poursuites judiciaires afin de protéger leurs noms commerciaux. Par exemple, on peut penser à Kimberly-Clark pour ses mouchoirs de papier et ses essuie-tout de marque Kleenex, et à 3M pour son ruban adhésif de marque Scotch. Chaque année, Coca-Cola intente des dizaines de poursuites judiciaires contre des restaurateurs qui servent un autre cola que le sien, alors que la clientèle a demandé un Coca-Cola ou un Coke. Les enjeux juridiques et éthiques tels que l'appellation commerciale des patins à roues alignées sont donc au cœur de nombreuses décisions touchant le marketing. Nous y reviendrons souvent tout au long de ce manuel.

Cependant, si le bon sens suffit souvent à analyser les problèmes relatifs au marketing, il peut parfois induire en erreur. L'étude détaillée du marketing proposée dans ce manuel nourrira ton bon sens en te procurant une meilleure compréhension des concepts liés au marketing. Tu pourras ensuite évaluer les problèmes et prendre des décisions plus efficaces.

Le marketing ou l'échange visant à satisfaire des besoins

L'American Marketing Association (Association américaine de marketing) représente les professionnels de cette industrie en Amérique du Nord. Elle déclare que « [...] le **marketing** est le processus de la planification et de l'exécution d'un concept, de l'établissement des prix, de la communication et de la distribution d'idées, de biens et de services visant à créer des échanges qui répondent aux besoins des individus et des organismes[4] ». Selon le professeur Georges Hénault, coordonnateur du réseau Entrepreneuriat de l'Agence de l'Université d'Ottawa, on peut également définir le marketing de la façon suivante : « Le marketing est un processus d'échange entre une organisation privée, publique ou à but non lucratif et ses clients/consommateurs. Il cherche à mieux connaître et anticiper leurs besoins afin de mettre en marché des produits ou des services qui les satisfassent sans aliéner le mieux-être de la société à long terme. » Plusieurs croient à tort que le marketing est l'équivalent de la publicité ou de la vente aux individus. Les définitions ci-dessus indiquent que le marketing a une portée beaucoup plus large. De plus, ces définitions soulignent l'importance des échanges satisfaisant les objectifs d'individus ou d'entreprises, aussi bien du côté de l'achat que de la vente.

Afin de servir les personnes qui achètent et celles qui vendent, le marketing tente :

1) De connaître les besoins et les désirs de la clientèle éventuelle ;
2) De satisfaire les besoins et les désirs de cette clientèle.

On trouve d'abord les individus qui font leurs achats personnels et ceux de leur famille. On trouve aussi les organismes qui achètent en fonction de leurs besoins (par exemple les fabricants) ou pour la revente (par exemple les grossistes et les détaillants). Derrière les deux objectifs mentionnés ci-dessus il y a l'idée d'**échange.** Il consiste à donner quelque chose contre de l'argent. Après cet échange, les personnes qui achètent et les personnes qui vendent sont satisfaites. Nous aborderons ce volet important du marketing plus en détail.

Les divers facteurs influant sur le marketing

Bien sûr, toute entreprise cherche à évaluer et à répondre aux besoins de sa clientèle. Toutefois, de nombreuses autres parties entrent en scène afin de déterminer la nature des activités de l'entreprise (voir la figure 1.2). Au premier plan, on trouve l'entreprise elle-même. Sa mission et ses objectifs déterminent son type d'activités commerciales et les cibles qu'elle veut atteindre. À l'échelle de l'entreprise, c'est la direction qui établit ces objectifs. Le Service du marketing collabore étroitement avec les autres services et le personnel afin de livrer des produits répondant aux attentes de la clientèle. De cette façon, l'entreprise survit et prospère[5].

La figure 1.2 montre aussi les principales parties, à l'extérieur de l'entreprise, influant sur les activités liées au marketing. Le Service du marketing a, d'abord, la responsabilité de favoriser les relations avec les clients de l'entreprise. Ensuite, de servir ses actionnaires (ou souvent des représentants de groupes servis par des organismes sans but lucratif), puis ses fournisseurs et enfin d'autres sociétés. Les activités liées au marketing sont aussi déterminées en fonction d'éléments environnementaux. On peut citer : les facteurs sociaux, technologiques, économiques, concurrentiels et politico-juridiques. Enfin, les décisions liées au marketing sont déterminées par la société. Celle-ci est, à son tour, influencée par les conséquences de ses décisions.

L'entreprise doit, en permanence, équilibrer des intérêts souvent divergents. Ainsi, il est parfois impossible de fournir aux consommateurs des produits de première qualité à des prix très concurrentiels. Surtout si l'entreprise paie cher les fournisseurs, verse des salaires élevés aux employés et assure des dividendes enviables aux actionnaires.

Les exigences du marketing

La mise en place du marketing exige la présence d'au moins quatre facteurs :

1) Deux parties (individus ou entreprises) ou plus ayant des besoins insatisfaits ;
2) Une volonté et une capacité, de part et d'autre, de satisfaire ces besoins ;
3) Un mode de communication entre les parties ;
4) Quelque chose à échanger.

Deux parties ou plus ayant des besoins insatisfaits Imagine que tu aies un besoin insatisfait, par exemple le désir d'en apprendre davantage sur la décoration intérieure et ses nouvelles tendances. Cependant, tu ignores l'existence du magazine *Décoration*

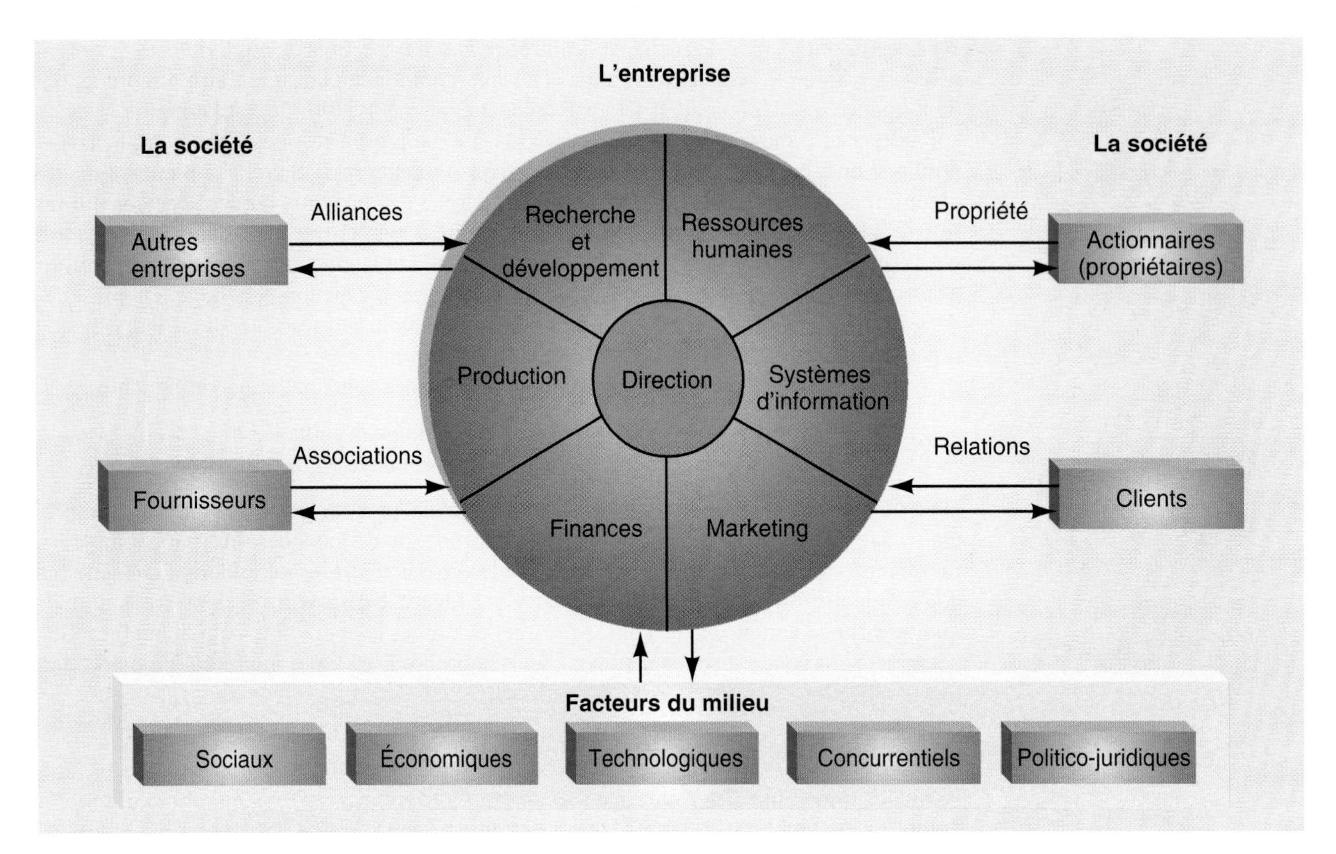

FIGURE 1.2
Le Service de marketing d'une entreprise dépend de nombreux facteurs, groupes et individus.

Chez-Soi. Plusieurs exemplaires de cette publication se trouvent dans un présentoir au supermarché. Nous sommes en présence de deux parties dont les besoins sont insatisfaits. Toi, tu désires des renseignements sur la décoration intérieure, et le propriétaire du supermarché, cherche à vendre le magazine *Décoration Chez-Soi*.

La volonté et la capacité de satisfaire ces besoins Le propriétaire du supermarché et toi cherchez à combler vos besoins insatisfaits. Tu as l'argent nécessaire pour acheter le magazine et le temps de te rendre au supermarché. Le propriétaire du commerce a le désir de vendre *Décoration Chez-Soi* et le moyen de le faire en l'exposant dans le porte-revues.

Un mode de communication entre les parties La transaction d'achat de *Décoration Chez-Soi* n'aura jamais lieu si tu ne sais pas que le produit existe et où le trouver. De la même manière, le propriétaire du supermarché ne stockera pas ce magazine s'il n'y a pas, à proximité de son commerce, une clientèle potentielle. Lorsque tu reçois un exemplaire gratuit par la poste ou que tu remarques le magazine sur le porte-revues à la caisse, l'obstacle à la communication entre le supermarché (celui qui vend) et toi (celui qui achète) est surmonté.

Quelque chose à échanger Le marketing trouve son sens quand s'effectue une transaction entre deux personnes qui échangent quelque chose ayant une valeur. Dans notre exemple, tu échanges de l'argent contre le magazine *Décoration Chez-Soi*. Les deux parties ont obtenu une chose et en ont cédé une autre. Elles s'en portent mieux, car elles ont comblé un besoin jusqu'alors insatisfait. Tu peux lire le magazine, mais tu as donné une somme d'argent. Le commerçant a donné le magazine, mais a reçu ton argent en retour. Ainsi, il peut exploiter son commerce. La nature même des échanges est au cœur du marketing[6].

RÉVISION DES CONCEPTS

1. Qu'est-ce que le marketing?
2. Les spécialistes du marketing cherchent à ________ et à ________ aux besoins de la clientèle.
3. Quels sont les quatre facteurs nécessaires à la mise en place du marketing?

COMMENT FAIRE POUR CONNAÎTRE ET SATISFAIRE LES BESOINS DE LA CLIENTÈLE?

Il est important de connaître et de satisfaire les besoins de la clientèle pour mettre en place une stratégie marketing. Nous étudierons ces deux étapes pour bien les comprendre.

Le lancement du Nouveau Coke a connu un échec retentissant.

Pour plus d'informations au sujet de Polaroid et IBM, rends-toi à l'adresse suivante: www.dlcmcgrawhill.ca

Connaître les besoins de la clientèle

En marketing, le premier objectif consiste à connaître les besoins des consommateurs éventuels. À première vue, cerner de nouveaux besoins paraît facile mais, à l'examen des détails concrets, les problèmes surgissent.

Quelques exemples de catastrophe Il y a une décennie, Coca-Cola a fait beaucoup de bruit lorsqu'elle a remplacé sa boisson traditionnelle (inchangée pendant 98 ans) par le « Nouveau Coke ». Polaroïd, forte du succès de ses appareils photographiques, lança Polavision (voir la question 2, tableau 1.1), la première caméra de cinéma instantanée destinée au grand public. Coca-Cola abandonnait le « Nouveau Coke » seulement 79 jours après son lancement. Polaroïd retirait sa caméra du marché grand public pour la rediriger vers l'industrie. Ces tentatives infructueuses ont fait perdre des millions de dollars aux deux multinationales.

Ces deux lancements catastrophiques sont parmi les plus connus. Chaque année, des milliers de nouveaux produits ne trouvent pas preneurs. Un tel échec s'explique par le fait que l'entreprise a mal évalué les désirs et les besoins des consommateurs. Dans le cas du Nouveau Coke, Coca-Cola a provoqué un soulèvement général de la clientèle appréciant la boisson originale. En effet, l'entreprise avait sous-estimé l'attachement de la clientèle au produit existant. Quant à Polaroïd, elle n'avait pas prévu que les consommateurs préféreraient la commodité du magnétoscope à sa cinécaméra Polavision.

Pour éviter ce genre d'échec, la solution semble pourtant évidente. D'abord, l'entreprise doit découvrir les désirs et les besoins du marché. Ensuite, elle doit fabriquer un produit dont les gens ont besoin et qu'ils désirent, et non le contraire. Cela n'est pas facile.

Il est souvent très difficile d'évaluer les désirs et les besoins des consommateurs confrontés à des produits révolutionnaires. Au lendemain de la Seconde Guerre mondiale, IBM demande à une prestigieuse société de conseil en gestion d'évaluer la taille du marché des ordinateurs destinés à l'entreprise, à la recherche scientifique, à l'ingénierie et à l'appareil gouvernemental (voir la question 3, tableau 1.1). Les experts déterminent que ce marché se chiffre à moins de 10 ordinateurs ! Par chance, la direction d'IBM écarte ce rapport et lance la fabrication d'ordinateurs. Dans quelle situation se trouverait IBM aujourd'hui si elle avait fondé ses décisions sur cette évaluation du marché ? La majorité des entreprises ayant fait l'acquisition d'ordinateurs cinq années après l'étude de marché avaient déclaré ne pas être intéressées par cet appareil. En effet, elles ignoraient alors ce que l'informatique pouvait leur apporter. Ces entreprises ne savaient pas qu'il devenait nécessaire de traiter l'information plus rapidement.

Les besoins et les désirs des consommateurs Le marketing doit-il tenter de satisfaire les besoins ou bien les désirs des consommateurs ? Il doit chercher à répondre aux uns et aux autres. Tout dépend des définitions que l'on donne à désir et à besoin, et du degré de liberté accordée à la clientèle pour prendre ses décisions.

Un *besoin* tient d'une privation physiologique des biens de première nécessité tels que la nourriture, le logement et l'habillement. Un *désir* naît d'un besoin conditionné par la personnalité, l'héritage culturel et les connaissances d'un individu. Ainsi, lorsque tu as faim, tu éprouves un besoin fondamental et tu désires manger. Supposons que tu souhaites manger une pomme ou une tablette de chocolat parce que tu sais qu'elles satisferont ta faim. Une stratégie marketing efficace met en valeur de bons produits dans des lieux judicieux et peut déterminer les désirs individuels. Rollerblade, Inc. en offre un bon exemple avec ses patins à roues alignées.

On se demande si le marketing persuade les consommateurs de faire l'achat de produits « à éviter ». On pense à une tablette de chocolat plutôt qu'à une pomme pour satisfaire notre faim. Bien sûr, le marketing tente d'exercer une influence sur nos décisions d'achat. Une question se pose : à quel moment veut-on que le gouvernement et la société interviennent pour défendre les consommateurs ? La plupart des consommateurs pensent que le gouvernement doit d'abord les protéger des produits dangereux et des véhicules en mauvais état. Ensuite, les préserver des tablettes de chocolat et des boissons gazeuses. La question n'est pas tranchée. C'est pourquoi des enjeux d'ordre social et juridique sont au cœur du marketing. Les psychologues et les économistes ne s'entendent pas sur la définition de *désir* et de *besoin*. Nous devons éviter les querelles de mots. Nous emploierons donc désir et besoin de façon interchangeable dans le reste du manuel.

Comme le montre la figure 1.3, avant de découvrir de nouveaux besoins on doit bien observer la clientèle cible. Il peut s'agir d'enfants qui achètent des bonbons, de jeunes qui achètent des patins à roues alignées ou d'entreprises qui achètent des photocopieuses. Le Service de marketing d'une entreprise doit observer avec soin sa clientèle afin de déterminer ses besoins. Il doit aussi étudier les tendances changeantes du secteur, examiner les produits concurrents et même analyser les besoins de ses propres clients.

Pour plus d'informations au sujet de Xerox, rends-toi à l'adresse suivante : www.dlcmcgrawhill.ca

Qu'est-ce qu'un marché ? Les consommateurs éventuels constituent un **marché** qui regroupe 1) des gens 2) qui ont des désirs et 3) la possibilité d'acheter un produit particulier. Tous les marchés se composent d'individus. Lorsqu'on affirme qu'une entreprise a acheté une photocopieuse Xerox, on veut dire qu'une ou plusieurs personnes membres de l'entreprise ont décidé l'achat. Les personnes conscientes de leurs besoins insatisfaits peuvent éprouver le désir d'acheter le produit, mais cela ne suffit pas. Les gens capables d'acheter doivent avoir l'autorité, le temps et l'argent pour le faire. La définition du marketing précise que les gens peuvent acheter ou se procurer autre chose que des biens ou des services. Ainsi, ils peuvent acquérir une idée qui se traduira en une action, par exemple arrêter de fumer ou régler leur thermostat de manière à économiser l'énergie.

FIGURE 1.3
La première étape du marketing : découvrir les besoins de la clientèle

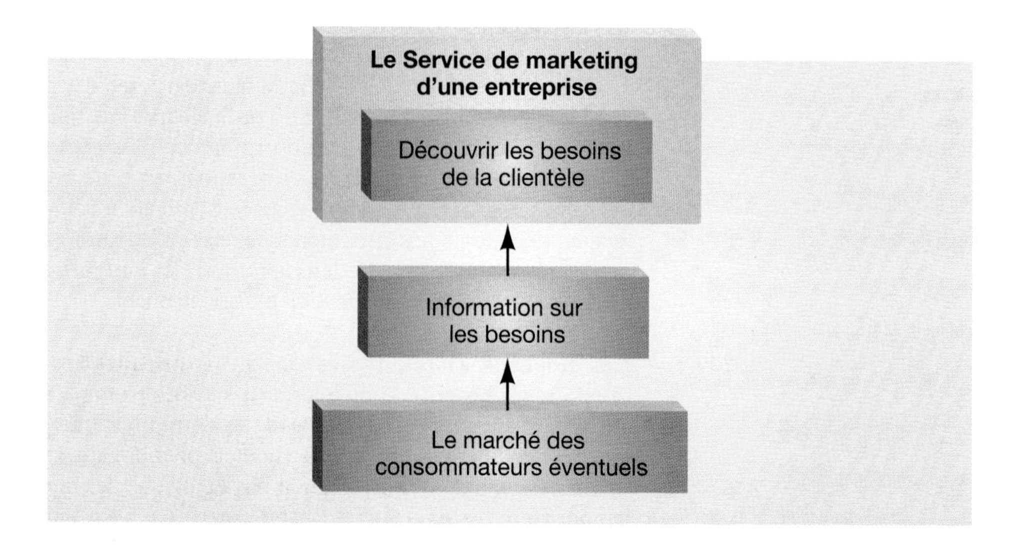

Satisfaire les besoins des consommateurs

Le marketing ne s'arrête pas à la découverte des besoins des consommateurs. Une entreprise ne peut répondre à toutes les attentes, elle doit concentrer ses efforts sur quelques besoins d'un groupe précis de consommateurs éventuels. On appelle cela un **marché cible.** Il comprend un ou plusieurs segments précis de l'ensemble du marché potentiel. L'entreprise dirigera ses campagnes marketing vers ce marché cible.

Les variables contrôlables du marketing mix : « les 4P du marketing » Après avoir sélectionné son marché cible, l'entreprise prend des mesures pour en satisfaire les besoins. Un gestionnaire du Service de marketing élabore un programme visant à atteindre les consommateurs ciblés. Il se sert des quatre variables suivantes, souvent appelées « les 4P du marketing » :

- *Produit :* un bien, un service ou une idée destiné à satisfaire les besoins de la clientèle ;
- *Prix :* la somme fixée en échange du produit ;
- *Communication (promotion) :* les moyens de communication entre les personnes qui vendent et celles qui achètent ; c'est-à-dire les moyens qui incitent le consommateur à acheter et qui stimulent la distribution de biens et de services ;
- *Distribution (place du produit) :* un moyen de livrer le produit aux consommateurs.

Nous définirons chacune de ces variables (les 4P) plus tard. Pour l'instant, il suffit de te rappeler qu'il s'agit des éléments du **marketing mix.** Le marketing mix regroupe les variables contrôlables du produit, du prix, de la communication (promotion) et de la distribution (place). Grâce à ces éléments, notre gestionnaire pourra résoudre un problème de mise en marché. Certaines variables du marketing mix sont appelées contrôlables parce que le Service de marketing d'une entreprise peut les maîtriser.

Les facteurs incontrôlables de l'environnement Un service de marketing ne peut contrôler tous les facteurs. Ces facteurs peuvent être classés en cinq groupes, comme l'illustre la figure 1.2 : les environnements social, technologique, économique, concurrentiel et politico-juridique. Il s'agit, par exemple, des désirs changeants des consommateurs, de l'évolution de la technologie, de la situation économique en croissance ou en récession, des actions des concurrents ou des restrictions imposées par le gouvernement. Ce sont les **facteurs du milieu.** Ils sont incontrôlables, car ils relèvent d'environnements non maîtrisables par l'entreprise. En revanche, les facteurs du milieu ont une

Wal-Mart et LifeScan Canada utilisent deux approches différentes pour cerner leur marché cible.

Pour plus d'informations au sujet de Wal-Mart et de LifeScan Canada, rends-toi à l'adresse suivante : www.dlcmcgrawhill.ca

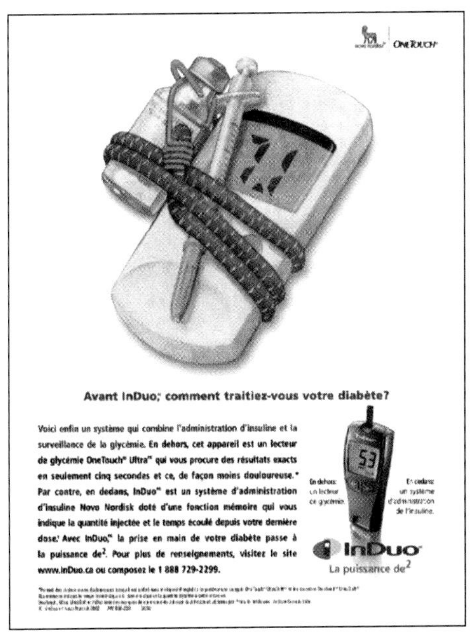

influence sur les décisions de marketing. Ces cinq environnements peuvent accélérer ou freiner les activités liées au marketing. Parfois, elles favorisent leur expansion ; parfois elles les restreignent. Nous parlerons des cinq environnements au chapitre 3.

Dans le passé, les responsables du marketing considéraient souvent l'environnement comme un ensemble de contraintes rigides sur lesquelles ils n'avaient aucune influence. Cependant, des études récentes et des stratégies couronnées de succès ont montré qu'une entreprise dynamique, axée sur l'avenir, peut influer sur l'environnement. Les percées techniques d'IBM ont entraîné la naissance de l'industrie électronique numérique. Pourtant, les premières estimations prévoyaient une demande très faible. Les sociétés de câblodistribution ont redéfini leurs activités en y incluant les sociétés de services téléphoniques, et inversement. Considérés comme des forces incontrôlables, ces environnements technologique, concurrentiel et politico-juridique auraient pu nuire à des mesures productives en marketing.

La valeur-client et les relations à la clientèle soumises à de nouvelles normes

La vive concurrence qui sévit à présent sur les marchés intérieur et international a entraîné une restructuration importante dans plusieurs entreprises et industries canadiennes. Les gestionnaires canadiens s'efforcent de connaître la réussite dans le nouveau cadre de la globalisation de la concurrence[7].

La nouvelle norme a incité de nombreuses entreprises prospères à s'aligner sur la notion de valeur de la clientèle qui est devenue un enjeu de taille tant pour les vendeuses et les vendeurs que les acheteuses et les acheteurs. Que les entreprises se gagnent la loyauté de leurs clientèles en offrant davantage de valeur en échange illustre bien en quoi consiste une stratégie marketing réussie. La nouveauté provient des efforts que déploie l'entreprise afin de mieux comprendre les perceptions que se font leurs clientèles de la valeur qui leur est offerte. En ce qui nous concerne, la **valeur-client** consiste en l'ensemble des avantages que tire la clientèle ciblée et qui regroupent la qualité, le prix, la commodité, la ponctualité de la livraison et le service avant et après la vente.

Les recherches indiquent qu'une entreprise ne peut atteindre la réussite en cherchant à plaire à tout le monde[8]. Elles doivent plutôt chercher à établir des liens durables avec les consommateurs, de manière à leur offrir une valeur unique qu'elles seules peuvent proposer aux marchés ciblés. De nombreuses entreprises prospères ont choisi d'offrir une valeur exceptionnelle aux consommateurs en se fondant sur l'une des trois stratégies suivantes : le prix le plus avantageux, le meilleur produit ou le meilleur service.

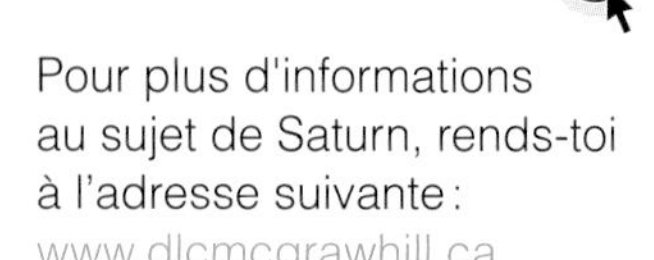

Pour plus d'informations au sujet de Saturn, rends-toi à l'adresse suivante : www.dlcmcgrawhill.ca

Des entreprises telles que Wal-Mart, Costco et Dell ont remporté beaucoup de succès en proposant les prix les plus avantageux. D'autres telles que Nike, Starbucks, Microsoft et Johnson & Johnson affirment commercialiser les meilleurs produits. Enfin, des entreprises telles que Saturn et Home Depot accordent à leur clientèle un service exceptionnel.

Toutefois, les caprices de la mode et les goûts peuvent entraîner l'échec de stratégies marketing qui ont fait leurs preuves. Ainsi, Levi Strauss a découvert que les adolescentes et les adolescents d'aujourd'hui n'achètent plus ses jeans et qu'ils leur préfèrent les marques mode telles que Old Navy, Gap, Tommy Hilfiger, MUDD et JNCO. En 1999, elle a dû fermer la moitié de ses 22 usines nord-américaines et licencier 5 900 employées et employés[9].

Le programme marketing

Les stratégies efficaces de marketing personnalisé permettent de découvrir les besoins des consommateurs. À partir de cette information, les responsables du marketing, élaborent des concepts de produits que l'entreprise pourra développer (voir la figure 1.4). Ces concepts servent ensuite à produire un **programme marketing** concret. Il intègre le marketing mix afin de proposer aux consommateurs un bien, un service ou une idée. Ces derniers réagissent ensuite de façon favorable (en achetant) ou défavorable (en n'achetant pas), et le processus reprend. Comme le montre la figure 1.4, au sein d'une organisation efficace, ce processus est continu. Les besoins des consommateurs font apparaître des concepts de produits qui sont ensuite réalisés. Ces produits servent ensuite à découvrir d'autres besoins chez les consommateurs.

FIGURE 1.4
La deuxième étape du marketing : satisfaire les besoins de la clientèle

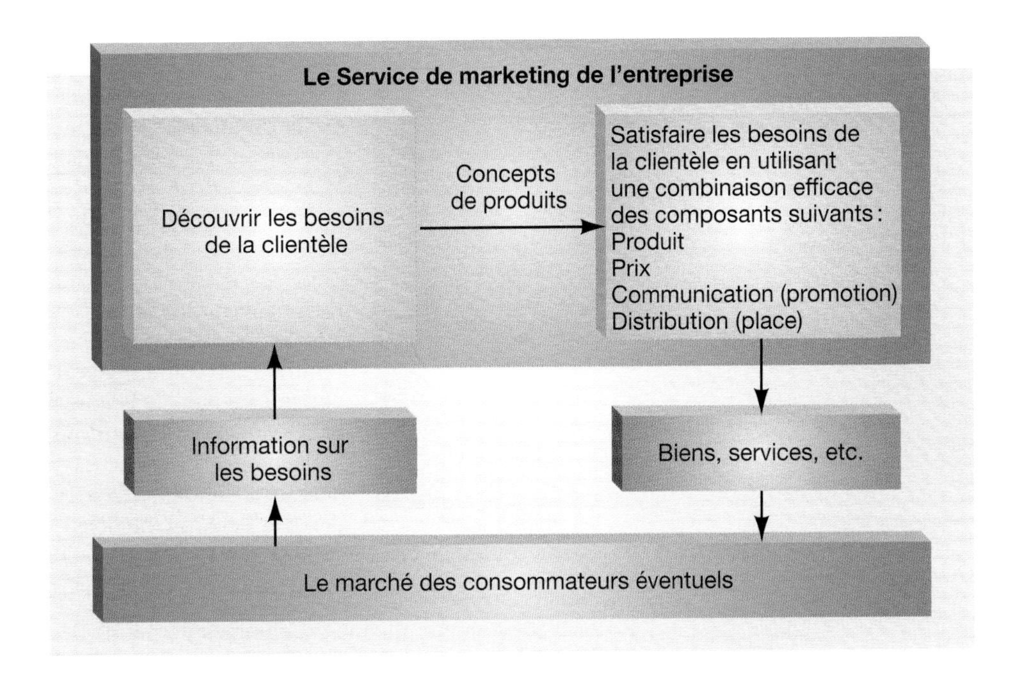

Le programme marketing de Rollerblade

Pour mettre en relief les détails d'un véritable programme marketing, retournons à David Samuels et aux patins à roues alignées de marque Rollerblade. En ce qui concerne l'avenir de ces patins, David Samuels dit que la stratégie à long terme de Rollerblade s'articule autour de trois axes :

1) Élargir le marché ;
2) Exploiter les forces relatives à la technologie ;
3) Devancer les nouvelles tendances. Ces trois axes sont étroitement liés. Nous nous pencherons en détail sur chacun d'eux.

Élargir le marché des patins à roues alignées Rollerblade Au sujet de l'expansion du marché, M. Samuels affirme : « Nos défis consistent à découvrir de nouvelles avenues, de nouvelles raisons de patiner. » Pour atteindre ces nouveaux objectifs, un programme marketing doit se fonder sur deux éléments :

- Déterminer des avantages judicieux. Citons des différences d'ordre concurrentiel (nous en parlerons au chapitre 11) que l'on présentera à la clientèle éventuelle. Les activités de marketing de Rollerblade dégagent trois avantages pour les consommateurs :

  1) Le plaisir ;
  2) La forme physique et la santé ;
  3) L'exaltation.

- Cibler des segments de consommateurs éventuels et répondre à leurs attentes en leur offrant les patins Rollerblade désirés. Dans les années 1980, le segment ciblé comprenait les femmes et les hommes de 18 à 35 ans, actifs, soucieux de leur santé et qui avaient de l'argent à dépenser pour un nouveau sport.

Aujourd'hui, les avantages présentés aux consommateurs sont les mêmes pour tous les fabricants. David Samuels tente d'atteindre des segments plus étroits, plus ciblés que par le passé. Ces segments se départagent désormais entre les enfants, le secteur récréatif, la mise en forme, la performance, le hockey et les activités casse-cou. Penchons-nous sur plusieurs de ces segments de marché. Examinons les produits développés par Rollerblade, et leurs avantages aux yeux des consommateurs visés[10] :

David Samuels et le modèle Coyote^MC

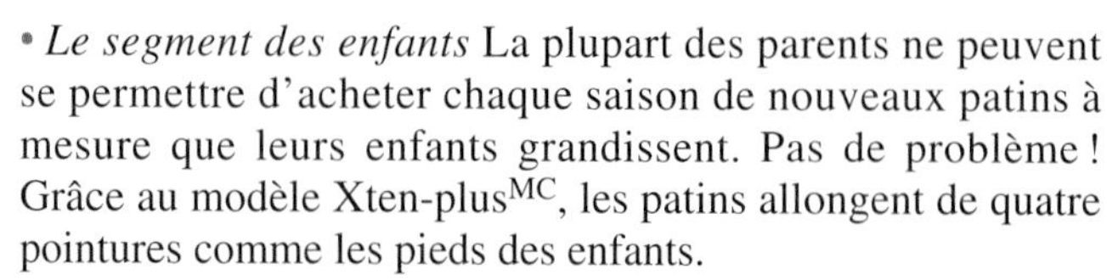

• *Le segment des enfants* La plupart des parents ne peuvent se permettre d'acheter chaque saison de nouveaux patins à mesure que leurs enfants grandissent. Pas de problème ! Grâce au modèle Xten-plus^MC, les patins allongent de quatre pointures comme les pieds des enfants.

• *Le segment des surfaces raboteuses* Patines-tu sur les chemins de campagne ou en ville dans les rues criblées de trous ? Le modèle Outback X^MC est fait pour toi. Ses roues gonflées d'air et son cadre de suspension amortiront le roulement sur les surfaces raboteuses.

• *Le segment des étudiants* Tu cherches des patins pour te rendre à tes cours, mais il te faut chausser autre chose en classe ? Le modèle Nature^MC te permet de détacher le cadre et les roues des bottillons. Il suffit de les remettre pour patiner après les cours.

• *Le segment tout terrain* Tu aimes descendre les pistes de ski pendant l'été ? Le modèle Coyote^MC s'adresse aux casse-cou. Ses roulettes pneumatiques de 15 cm sont dotées d'amortisseurs de 2,5 cm d'épaisseur et assurent un bon accrochage sur les surfaces glissantes.

Rollerblade compte plus de 20 gammes de patins destinées à différents segments de marché. Le tableau 1.2 illustre les programmes marketing pour les marques Xten-plus^MC et Outback X^MC. Les gammes de Rollerblade font appel à des programmes marketing différents pour atteindre les segments de consommateurs ciblés.

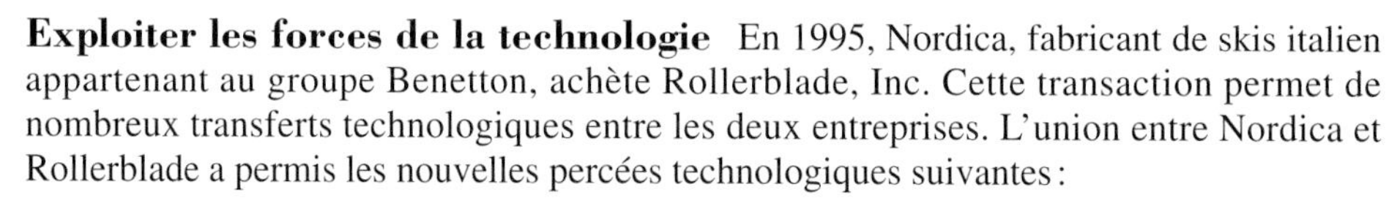

Exploiter les forces de la technologie En 1995, Nordica, fabricant de skis italien appartenant au groupe Benetton, achète Rollerblade, Inc. Cette transaction permet de nombreux transferts technologiques entre les deux entreprises. L'union entre Nordica et Rollerblade a permis les nouvelles percées technologiques suivantes :

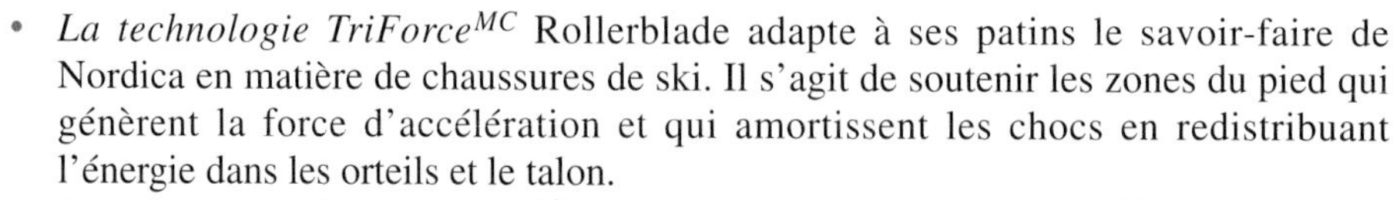

- *La technologie TriForce^MC* Rollerblade adapte à ses patins le savoir-faire de Nordica en matière de chaussures de ski. Il s'agit de soutenir les zones du pied qui génèrent la force d'accélération et qui amortissent les chocs en redistribuant l'énergie dans les orteils et le talon.
- *Le système de freinage ABT®* Avant l'arrivée des freins ABT®, les patineurs devaient soulever l'avant du pied servant au freinage. Ce mouvement actionnait le frein situé sous le talon. Grâce au système de freinage ABT®, le frein est actionné dès que le patineur glisse devant lui le patin. Les huit roues restent donc en contact avec le sol, et la sécurité est accrue.

On voit l'importance que Rollerblade accorde à la technologie. Ce fabricant détient plus de 200 brevets relatifs aux composants de ses patins. L'encadré Branchez-vous, à la page suivante, présente les stratégies de Rollerblade, ses percées technologiques et sa gamme d'accessoires.

Devancer les nouvelles tendances Les goûts des consommateurs changent vite ! C'est pourquoi David Samuels fait son possible pour que Rollerblade devance les nouvelles tendances. Voici quelques exemples :

- *La gamme Blade Runner®* Dans les années 1980, seules les boutiques d'articles de sport vendaient les patins Rollerblade®. Avec la venue de dizaines de nouveaux concurrents, les patins Rollerblade® sont désormais commercialisés dans les grandes surfaces telles que Wal-Mart. Rollerblade a donc lancé une gamme de patins bon marché vendus dans les grandes surfaces. Le modèle Blade Runner® s'adresse aux nouveaux adeptes, moins fortunés, intéressés par ce sport.
- *Des patins à roues alignées pour la clientèle féminine* À présent, les femmes constituent la moitié des adeptes du patinage à roues alignées. Un pied masculin n'a toutefois pas la physiologie d'un pied féminin. Celui-ci présente une voûte plantaire plus élevée et un talon plus étroit. Cette différence peut occasionner des problèmes

ÉLÉMENT DU MARKETING MIX	LES ACTIVITÉS DU PROGRAMME MARKETING À METTRE EN PLACE		JUSTIFICATION DES ACTIVITÉS DE MARKETING
	SEGMENT DES ENFANTS EN PLEINE CROISSANCE	SEGMENT DES SURFACES RABOTEUSES	
Produit	Offrir les patins Xten-plus^MC, un modèle pour enfants qui s'allonge en fonction de la croissance des pieds dans une proportion de quatre pointures.	Offrir le Outback X^MC, doté de roues gonflées d'air et d'un cadre de suspension qui assurent un roulement en douceur sur les routes raboteuses et dans les rues criblées d'ornières (traces causées par le passage fréquent des voitures).	Se fonder sur la recherche de nouveaux produits, la dernière technologie et de vastes essais pour offrir des patins de première qualité. Ils répondront alors aux désirs et aux besoins de segments de clientèle bien définis.
Prix	99 $ la paire.	199 $ la paire.	Tenter d'établir un prix vraiment avantageux pour le segment ciblé.
Communication (promotion)	Faire des tournées promotionnelles pour que les enfants puissent faire l'essai des patins. Annoncer ces tournées dans les journaux locaux avec la collaboration de nos détaillants.	Mettre en valeur la marque Rollerblade lors de compétitions présentées sur RDS et dans les magazines tels que *Shape, Fitness, Mademoiselle, Inline* et dans les journaux locaux.	Promouvoir les patins à roues alignées auprès des personnes qui ne les connaissent pas. Proposer des modèles qui répondent mieux aux attentes des connaisseurs.
Distribution (place)	Distribuer la marque Xten-plus^MC dans les boutiques d'articles de sport.	Distribuer ce modèle dans les boutiques d'articles de sport spécialisées en patins à roues alignées.	Faire en sorte que les acheteurs du segment trouvent facilement un point de vente où ils ont envie d'entrer.

TABLEAU 1.2
Les programmes marketing des patins de marque Rollerblade, Inc. ciblent deux segments de consommateurs différents : les enfants en pleine croissance et les amateurs de surfaces raboteuses.

aux femmes qui chaussent des patins d'homme. Rollerblade a donc mis au point des patins pour femmes, avec un bracelet moins large qui assure confort et protection.

- *Des chaussures pour les surfeurs urbains* Les jeunes casse-cou font du surf le long des mains courantes, sur les terre-pleins et les saillies des murs. Pour atteindre ce segment, M. Samuels a conçu et lancé les chaussures RB Grind Shoe^MC. Elles sont dotées de deux brides de roulement brevetées qui facilitent le surf et prolongent le roulement dans les courbes[11] (voir la question 5, tableau 1.1).

Après avoir lancé un nouveau sport et créé une nouvelle industrie, Rollerblade ne devrait plus avoir de problème, pas vrai ? Ce n'est cependant pas le cas. Dans un marché concurrentiel, la réussite favorise la concurrence et les imitations. En fin de chapitre, nous verrons les stratégies marketing que David Samuels élabore pour le siècle qui s'amorce.

RÉVISION DES CONCEPTS

1. Une entreprise ne peut satisfaire les besoins de tous les consommateurs. Elle doit donc s'attarder à un ou à plusieurs sous-groupes qui constituent ses ____________.
2. Quels sont les quatre éléments du marketing mix qui forment le programme marketing d'une entreprise ?
3. Quels sont les facteurs incontrôlables ?

BRANCHEZ-VOUS !

Quels sont les derniers modèles de la gamme de produits Rollerblade?

La stratégie marketing de David Samuels consiste à lancer de nouveaux produits répondant aux besoins d'un nombre croissant de segments. Citons, par exemple les segments visant les adeptes du tout terrain ou ceux des surfaces raboteuses. Les patins et accessoires destinés à ces segments comportent plusieurs des composants brevetés par Rollerblade.

Pour accéder au site de Rollerblade, rends-toi à l'adresse suivante: www.dlcmcgrawhill.ca. Quelles principales caractéristiques différencient le Coyote^{MC} de l'Outback X^{MC}? Quels sont les avantages du système de freinage ABT®?

LE MARKETING ET LE MARCHÉ DES JEUNES

Comme l'exemple de Rollerblade le démontre, le marketing recherche avant tout à trouver puis à combler les besoins de cibles bien spécifiques en utilisant différents outils (les 4P). Ainsi, les adolescentes et les adolescents, prochaine génération montante, deviennent une cible de choix pour les entreprises qui font tout pour apprendre à les connaître et réussir à les rejoindre.

Deux raisons à cela: les jeunes constituent un marché important. Après leurs parents (les *baby-boomers*), ils sont la deuxième génération la plus nombreuse au Canada et qui dit nombreux, sous-entend un grand nombre de consommateurs potentiels. Pense aux produits que tu aimes acheter (des disques compacts, des vêtements, un téléphone cellulaire et bientôt une voiture, etc.) et dis-toi que les entreprises qui les fabriquent espèrent que tu deviendras un de leurs clients. De plus, les jeunes sont aussi d'excellents prescripteurs, ce qui veut dire qu'ils ne se contentent pas seulement d'acheter, mais qu'ils conseillent aussi leurs parents dans leurs achats. Vers qui tes parents se tournent-ils lorsqu'ils veulent acheter un produit de technologie comme un ordinateur ou une chaîne

LE FONDEMENT MORAL

QUESTION D'ÉTHIQUE

Financement des écoles: l'entrée des entreprises dans le monde de l'éducation

Aujourd'hui, la commandite dans les écoles est devenue monnaie courante. Des écoles reçoivent d'importantes sommes d'argent en échange d'ententes d'exclusivité avec des fabricants de boissons gazeuses qui leur demandent de vendre uniquement leur produit. Des ordinateurs sont fournis aux écoles encore une fois contre une exclusivité. Certaines universités vendent le nom de leurs salles de classe à des entreprises. D'importantes agences de communication financent des réseaux de télévision dans les écoles où d'autres entreprises commerciales peuvent acheter du temps d'antenne pour y diffuser leurs publicités.

La commandite n'est pourtant pas un phénomène récent. Les commerces locaux (épiceries, pharmacies, etc.) ont toujours financé les équipes de hockey junior et les banques financent depuis longtemps des programmes d'éducation financière. Alors qu'est-ce qui a changé? En fait, de nos jours, on note un manque de ressources beaucoup plus important dans les institutions scolaires. C'est pourquoi on fait appel de façon plus systématique à ce genre de financement privé. Par ailleurs, les entreprises d'aujourd'hui sont moins dénuées d'intérêt que celles d'hier et cherchent un moyen détourné d'atteindre les plus jeunes.

Deux questions se posent alors: peut-on concilier l'éducation et le monde des entreprises commerciales? Doit-on limiter les commandites privées dans les écoles?

stéréo ? Séduire les jeunes, c'est donc se trouver de nouveaux clients et c'est aussi se donner une chance d'atteindre leurs parents.

Par contre, il devient plus difficile de les rejoindre, car ils ont été habitués depuis leur enfance à la télévision et à Internet. Saturés d'information, capables de décoder rapidement les messages publicitaires, débordants d'énergie, ils ne sont jamais faciles à suivre. Ainsi, des entreprises, décidées de s'adapter aux particularités de cette cible et laissant de côté les méthodes traditionnelles, ont inventé le **marketing de rue** (type de marketing associé au marketing de guérilla). Découragées de ne plus les rejoindre efficacement, ces entreprises vont chercher les jeunes sur le terrain, dans la rue, avec d'autres jeunes. De véritables escouades de jeunes sont engagées pour distribuer des feuillets publicitaires et des échantillons à la sortie des écoles, des concerts ou des cinémas. Autre nouvelle pratique : le **marketing viral** qui utilise Internet pour diffuser des informations et, tel un virus, créer cette « contagion » : « un ami m'a dit de te dire... ».

Le marketing n'est ni une discipline figée ni une fonction de l'entreprise. Comprendre et satisfaire un consommateur demande de se rapprocher de lui pour lui faire une offre qui correspondra à ses goûts et à ses envies. Faire du marketing, c'est avant tout être à l'écoute de son marché, c'est-à-dire des consommateurs qui le composent. C'est également saisir les tendances, les changements de goût et l'évolution des différents styles de vie de la population d'aujourd'hui. Le marché est en constante évolution, le marketing l'est également.

RÉVISION DES CONCEPTS

1. Qu'est-ce que le marketing de rue?
2. Le marché des jeunes est un marché intéressant, car non seulement ils sont ________, mais ce sont aussi des ________ pour leurs parents.
3. Pourquoi le marketing doit-il évoluer?

RÉSUMÉ

1. On pourra cerner et résoudre d'importants problèmes liés au marketing en se fondant sur l'expérience personnelle et des connaissances théoriques.

2. Le marketing consiste à planifier et à réaliser la conception, l'établissement du prix, la promotion et la distribution d'idées, de biens et de services. Le marketing favorisera un échange satisfaisant autant les objectifs de l'individu que ceux de l'entreprise. Cette définition se fonde sur les deux premiers buts du marketing :
  a) déterminer les besoins des consommateurs ;
  b) satisfaire ces besoins.

3. La mise en place du marketing exige la présence d'au moins quatre facteurs :
  a) deux parties (individus ou entreprises) ou plus qui ont des besoins insatisfaits ;
  b) une volonté et une capacité, de part et d'autre, de satisfaire ces besoins ;
  c) un mode de communication entre les parties ;
  d) un objet d'échange.

4. Une entreprise n'a pas toujours les ressources pour satisfaire les besoins de tous les consommateurs. En conséquence, elle définit un marché cible de consommateurs éventuels. Il s'agit d'un sous-groupe de l'ensemble du marché. L'entreprise dirige ses programmes marketing vers ce marché cible.

5. Les quatre variables d'un programme marketing destiné à satisfaire les besoins de la clientèle sont : le produit, le prix, la communication (promotion) et la distribution (place). Ces quatre éléments forment le *marketing mix*. On les nomme aussi les *variables contrôlables* parce que le Service de marketing d'une entreprise peut les maîtriser.

6. Il existe des *facteurs non contrôlables* par un service de marketing. Citons les environnements social, technologique, économique, concurrentiel et politico-juridique.

7. L'évolution des consommateurs force les gestionnaires en marketing à adapter leurs outils pour étudier et pour rejoindre le consommateur d'aujourd'hui.

MOTS CLÉS ET CONCEPTS

échange
facteurs du milieu
marché
marché cible
marketing
marketing de guérilla
marketing de rue
marketing mix
marketing viral
programme marketing
valeur-client

EXERCICES INTERNET

L'occasion t'est donnée d'acheter des disques compacts de qualité à partir d'Internet. Pour accéder au site Web de la Maison Columbia, rends-toi à l'adresse suivante : www.dlcmcgrawhill.ca.

1. Décris la façon par laquelle La Maison Columbia a décidé de vendre des disques compacts.
2. Quelles différences fais-tu entre cette façon de vendre des disques sur Internet et celle d'un disquaire dans son magasin ?
3. Quels sont les avantages et les inconvénients du commerce électronique de la musique par rapport au commerce traditionnel en magasin ?
4. Achètes-tu tes disques compacts à partir d'Internet ou chez un disquaire ? Explique les raisons de ton choix.
5. Énumère d'autres façons de vendre des disques compacts. Comme à la question 3, décris les forces et les faiblesses de ces différentes façons.

QUESTIONS DE MARKETING

1. Comme tout le monde, tu éprouves le besoin de te nourrir, de faire des activités sportives, d'aller acheter différents produits et de te déplacer. À quels produits ou services fais-tu appel pour combler tes besoins ?
2. Pour combler les besoins énumérés à la première question, tu peux manger des œufs et du lard ou le petit déjeuner instantané Carnation, tu peux porter des chaussures de course Nike ou Adidas, tu peux aller dans des magasins ou faire des commandes par téléphone, tu peux utiliser ton vélo ou prendre un autobus. Quels avantages présente chaque solution de rechange, en quoi certaines t'apportent plus de valeur que d'autres ?
3. Voici trois magazines ou journaux : le *Globe & Mail, LeDroit* et *Liaisons*. Penses-tu que les lecteurs de chacun soient différents ? Pourquoi est-ce important de savoir s'ils sont différents ?
4. Un collège veut augmenter sa clientèle. Définis le marché cible de ce collège.
5. Énumère les outils marketing que le collège utilise et ceux qu'il pourrait utiliser pour rejoindre les consommateurs cibles de la question précédente.
6. Au moment de la conception de son programme marketing, quels sont les facteurs du milieu (incontrôlables) dont la direction du collège devra tenir compte ?
7. Une entreprise a-t-elle le droit de faire naître de nouveaux désirs et de tenter de persuader les consommateurs d'acheter des biens et services qu'ils ne connaissent pas ? Fournis des exemples de nouveaux désirs positifs et négatifs. Qui devrait définir ce qui est bien et mal ?

ÉTUDE DE CAS 1-1 ROLLERBLADE, INC.

Quel est l'avenir de Rollerblade dans le marché féroce des patins ?

Selon David Samuels, Rollerblade continuera de devancer la concurrence en misant sur les percées technologiques. En effet, elles permettront de fabriquer de meilleurs patins. Rollerblade doit aussi élargir son marché. « Notre défi consiste à ouvrir de nouvelles avenues, à offrir aux gens de nouvelles raisons de patiner », explique-t-il.

LA SITUATION ACTUELLE

À sa fondation, Rollerblade était le seul fabricant de patins à roues alignées au monde. Aujourd'hui, plus de 30 concurrents se disputent le marché. Plusieurs concurrents vendent des patins moins chers que ceux de Rollerblade par l'entremise des grandes surfaces. Quelques grands fabricants d'articles de sport, comme Nike, s'intéressent maintenant aux patins à roues alignées pour élargir leur clientèle. De plus, M. Samuels se préoccupe du ralentissement qui touche maintenant cette industrie qui a connu une expansion depuis dix ans (voir la figure 1.1).

LE PROGRAMME MARKETING

Rollerblade doit son avantage stratégique à l'élargissement de son marché et à sa position de chef de file au chapitre de l'innovation. Elle transmettra ces avantages aux consommateurs en se fondant sur un marketing mix original et inventif.

Le produit est l'élément le plus important du marketing mix de Rollerblade. L'entreprise s'est toujours efforcée de prévoir les besoins et désirs des consommateurs dans tous les segments du marché. Par exemple, les RB Grind Shoe^MC sont des chaussures de sport ordinaires dotées de deux brides de roulement sous la semelle. Celui qui les chausse peut glisser le long des mains courantes, sur les terre-pleins et les saillies des murs en faisant crisser les roues. « Notre segment casse-cou faisait la même chose avec les planches à neige, les planches à roulettes, les patins et les vélos. Alors pourquoi pas en se rendant à l'école ? C'est ainsi qu'est née l'idée », explique M. Samuels. De la même manière, la gamme Nature^{MC} a vu le jour, car Rollerblade a constaté que les jeunes se rendant à l'école en patins avaient besoin de chaussures pour assister aux cours. L'entreprise a aussi lancé de nouveaux produits pour les enfants (Dazzle et Zoom), les femmes (Burner et Viablade, conçus en fonction du pied féminin). En plus des gammes Coyote^{MC} et Outback X^{MC} pour le segment tout terrain, Rollerblade touche le segment forme-santé (eSeries).

La stratégie promotionnelle de Rollerblade la démarque de ses concurrents. Sa nouvelle campagne publicitaire met en lumière ses freins ABT® et le slogan *Exercise your soul*. Son site Web compte parmi les outils promotionnels les plus populaires chez ses consommateurs fidèles. Le site comporte des forums de bavardage où les patineurs, coureurs et adeptes de la forme physique peuvent échanger leurs opinions (pour accéder au site de Rollerblade, rends-toi à l'adresse suivante : www.dlcmcgrawhill.ca).

Rollerblade ne dispose pas des ressources d'un géant tel que Nike. En conséquence, elle communique avec les consommateurs sans engager des sommes considérables. Ainsi, elle donne de l'information et distribue des échantillons aux médias. Ceux-ci présentent les patins à roues alignées dans des reportages ou des émissions télévisées. Rollerblade commandite des manifestations spéciales et organise des concours publicitaires en association avec d'autres entreprises. Récemment, Rollerblade a fait équipe avec Taco Bell, Curad, Wise Snacks et Honeywell à l'occasion d'une publicité collective. Cette opération promotionnelle profite à tous en répartissant les frais élevés d'une campagne publicitaire à l'échelle nationale.

Rollerblade fait aussi la promotion de ses marques en organisant des manifestations spéciales. Les compétitions Blade Cross^{MC} ont lieu l'été sur les pistes de ski pour promouvoir la gamme Coyote^{MC} et le programme d'entraînement sur roues Blade Fitness^{MC}. Ces produits ciblent les centres de conditionnement physique. Rollerblade fait aussi sa publicité grâce à ses activités caritatives (qui ont pour but d'aider les plus défavorisés) et sa participation aux ventes aux enchères par écrit.

Enfin, Rollerblade commandite une équipe de patineurs et de coureurs casse-cou. Ils prennent part à des compétitions partout dans le monde. Ces sportifs remportent régulièrement des prix lors d'événements tels que les Jeux extrêmes sur ESPN. L'entreprise s'est assurée les services de l'une des meilleures patineuses sur roues qui agit désormais comme porte-parole. Pour M. Samuels, de telles démarches inventives permettront à Rollerblade de devancer ses concurrents au cours du XXIe siècle.

Rollerblade applique une stratégie globale de la distribution et des prix. M. Samuels explique : « Nos circuits de distribution se chargent de toute la gamme. Nous sommes présents partout, des grandes surfaces aux petits établissements spécialisés. De plus, nos produits se vendent selon le plus grand choix de prix possible. Certains modèles s'adressent au marché haut de gamme. D'autres sont vendus 79 dollars. Nous commercialisons aussi des produits bon marché sous la marque Blade Runner® que l'on trouve dans toutes les grandes surfaces du monde. » En donnant un autre nom à ses produits moins chers, Rollerblade ne déprécie pas son image de marque et permet aux débutants de faire leurs premiers pas à ce sport.

LES ENJEUX DE DEMAIN

Parmi les enjeux que réserve l'avenir, notons l'expansion internationale, la création de nouveaux segments de patineurs et l'élargissement de la gamme de produits. M. Samuels explique : « En ce moment, l'Amérique du Nord représente plus de 50 % du marché mondial. Mais l'Europe occupe une part importante. Le patin à roues alignées connaît un véritable engouement en Allemagne. » Les autres zones en croissance sont l'Australie, la Nouvelle-Zélande, le Japon, le Mexique et la Corée. Rollerblade souhaite élargir sa marge de manœuvre sur le plan international.

Le segment jeunesse sera l'un des plus importants à l'avenir. « Le pouvoir des jeunes a transformé le monde et notre entreprise. Entre l'âge de dix ans et la vingtaine, les jeunes ont un impact retentissant avec peu d'argent », dit M. Samuels. Il prévoit que les jeunes continueront de définir le marché des sports récréatifs. Enfin, Rollerblade propose des produits autres que des patins : les chaussures RB Grind Shoe^{MC}, les casques de protection, les protège-poignets, les protège-coudes et les genouillères, les sacs à patins et les trousses d'outils. Rollerblade lancera d'autres produits qui répondront aux besoins et aux désirs des consommateurs. Elle s'efforcera sans cesse de perfectionner ses patins, d'en augmenter le degré de confort et la durabilité, en se fondant sur l'innovation technologique.

Questions

1. En t'arrêtant sur les facteurs du milieu présentés à la figure 1.2 (les forces sociales, économiques, technologiques, concurrentielles et politico-juridiques), explique comment chacun d'entre eux a pu influencer (a) favorablement et (b) défavorablement la croissance de Rollerblade, Inc.
2. De 1986, date de fondation de Rollerblade, Inc. à aujourd'hui, comment le marché de cette entreprise a-t-il évolué ? En quoi l'évolution du marché a-t-elle pu changer les objectifs des dirigeants et leurs programmes marketing ?
3. Quels sont a) les avantages et b) les désavantages découlant de l'union entre Rollerblade, Inc. et Benetton ?
4. Décris les différents éléments du programme marketing que tu retrouves dans le texte.
5. Pour assurer sa croissance dans les prochaines années, que conseillerais-tu à Rollerblade, Inc. ?

Canada

Plan stratégique de marketing 2003-2005

Une généreuse nature

LE MARKETING ET LES STRATÉGIES D'ENTREPRISE

2

APRÈS AVOIR LU CE CHAPITRE, TU SERAS EN MESURE

- de décrire les trois niveaux de stratégie des organisations et leurs composantes ;
- de décrire le processus de marketing stratégique et ses trois principales phases : la planification, la mise en œuvre et le contrôle ;
- de comprendre comment les entreprises explorent de nouvelles possibilités de commercialisation et choisissent des marchés cibles ;
- d'expliquer comment élaborer un programme de marketing cohérent à partir des éléments du marketing mix ;
- d'expliquer que le contrôle en marketing consiste à comparer les résultats et les objectifs d'un plan pour pouvoir intervenir en cas d'écarts.

COMMENT FAIRE DÉCOUVRIR LE CANADA AUX CANADIENS ?

« Le marché national, qui représente plus de 70 % des recettes touristiques et 80 % de toutes les visites en 2000, demeure le principal marché de l'industrie touristique canadienne. Si les tendances touristiques actuelles se poursuivent, le marché national deviendra encore plus important au fur et à mesure que les Canadiens restreindront leurs déplacements internationaux au profit de voyages au Canada.

Dans le cadre de son slogan « Le Canada, une généreuse nature », le Programme de marketing au Canada encourage une activité touristique accrue au pays au moyen de promotions auprès des consommateurs, des relations avec les médias, du développement de l'industrie, de partenariats de marketing et d'activités de recherche. En 2001, le Programme de marketing au Canada a bénéficié d'une affectation budgétaire de base de la Commission canadienne du tourisme qui se chiffrait à 5,4 millions de dollars et qui a produit 2,9 millions de dollars supplémentaires de ventes en partenariat, pour une dépense totale de 8,3 millions de dollars consacrés à la promotion du Canada auprès des Canadiens. Vers la fin de 2002, le même niveau de financement de base de la Commission canadienne du tourisme devait aboutir à un total de dépenses en partenariat de 10,8 millions de dollars.

Les événements du 11 septembre 2001 ont toutefois eu un effet préjudiciable immédiat sur l'industrie touristique canadienne dans le court terme. La rapide intervention de la Commission canadienne du tourisme afin d'obtenir un financement de marketing exceptionnel de 8 millions de dollars pour le programme national a créé une situation unique. Cette initiative a précipité le lancement d'une nouvelle campagne de publicité nationale, dans le but d'agir rapidement sur le marché et de stimuler l'activité touristique.

L'objectif de la campagne « Nouvelle réalité » était d'encourager les Canadiens et les Canadiennes à voyager au Canada et pendant l'hiver, ce qui n'est pas la saison la plus populaire pour voyager. Le message innovateur que l'on a cherché à faire valoir avait pour but d'inciter les gens à rester au pays. Une campagne publicitaire intensive s'étalant sur la période hivernale a débuté le 15 novembre 2001 et s'est poursuivie jusqu'en avril 2002.

La crise du 11 septembre et la campagne « Nouvelle réalité » qui en a découlé ont en fait déclenché plus tôt que prévu le processus de conversion des voyages à l'étranger. Le message incitant les gens à rester au pays sera donc présent dans toutes les communications portant sur le programme national en 2002.

Les consommateurs canadiens constituent et continueront de constituer le marché principal de l'industrie touristique canadienne. Il faut donner aux Canadiens des incitatifs ou des raisons de voyager au Canada, et non utiliser des méthodes dissuasives pour les empêcher de voyager à l'extérieur du pays. La réduction des voyages à l'étranger nécessite des mesures positives, et des actions multiples et soutenues sur le marché canadien pour promouvoir les activités, les expériences et les destinations touristiques fascinantes et diverses qu'offre la Canada pendant toute l'année[1]. »

On le voit ici, et on le verra encore davantage dans le présent chapitre, mettre en place un produit ou, comme dans l'exemple, une destination voyage, réclame de tenir compte de nombreux facteurs. On examinera ainsi comment les entreprises utilisent les stratégies de marketing pour réaliser leurs ambitions. Essentiellement, le chapitre 2 montre comment les entreprises ont recours au marketing pour créer de la valeur pour les consommateurs.

LES NIVEAUX DE STRATÉGIE DANS LES ORGANISATIONS

Nous décrirons d'abord les types d'organisations et leurs niveaux. Ensuite, nous comparerons les stratégies employées à trois différents niveaux de l'organisation.

Les types et les niveaux d'organisations aujourd'hui

De nos jours, les grandes organisations sont souvent très complexes, contrairement au restaurant du coin ou à certaines petites entreprises présentées dans ce manuel. Cependant, comme tu as affaire chaque jour à ces énormes organisations, il serait utile d'en connaître : 1) les deux principaux types ; 2) les niveaux qui les composent ; et 3) les quatre composantes essentielles à leur réussite.

Les types d'organisations De nos jours, il y a en gros deux types d'organisations : les entreprises commerciales et les organisations sans but lucratif (OSBL). L'*entreprise commerciale* est une organisation privée qui vend des produits ou des services à une clientèle afin de réaliser des profits. Le **profit** s'avère essentiel à la survie de ce genre d'entreprises. Il récompense l'entreprise des risques liés au lancement d'un produit. Le profit représente en fait l'excédent une fois tous les frais soustraits des recettes globales. À l'opposé de l'organisation commerciale, on retrouve l'organisation sans but lucratif qui, comme son nom l'indique, ne recherche pas le profit. L'organisation sans but lucratif est une organisation non gouvernementale au service de sa clientèle, comme l'entreprise commerciale. Nous emploierons les mots *firme, compagnie, entreprise, société commerciale* et *organisation* pour désigner tout autant l'entreprise commerciale que l'organisation sans but lucratif.

Les liens entre les niveaux de l'organisation et le marketing Toute organisation dispose d'une orientation stratégique, qu'elle soit implicite ou explicite. Le marketing doit contribuer à élaborer cette orientation et à en faciliter la mise en œuvre. La figure 2.1 fournit un aperçu de l'orientation stratégique propre à chaque niveau de l'organisation.

Pour plus d'informations au sujet de Hewlett-Packard, rends-toi à l'adresse suivante : www.dlcmcgrawhill.ca

Au **niveau de l'organisation,** la direction gère la stratégie d'ensemble de l'organisation. Des entreprises telles que Hewlett-Packard, Bombardier et Johnson & Johnson, qui comptent plusieurs marchés et produits, gèrent un véritable portefeuille d'entreprises. Ces entreprises peuvent porter des noms aussi différents que « unités d'activités stratégiques (SBU) », « secteurs stratégiques commerciaux » et « unités produit-marché »[2].

Le terme **unité d'activités stratégiques** renvoie à une organisation assurant la mise en marché d'un ensemble de produits apparentés, destinés à une clientèle définie. C'est au **niveau de l'unité d'activités stratégiques** que les gestionnaires déterminent

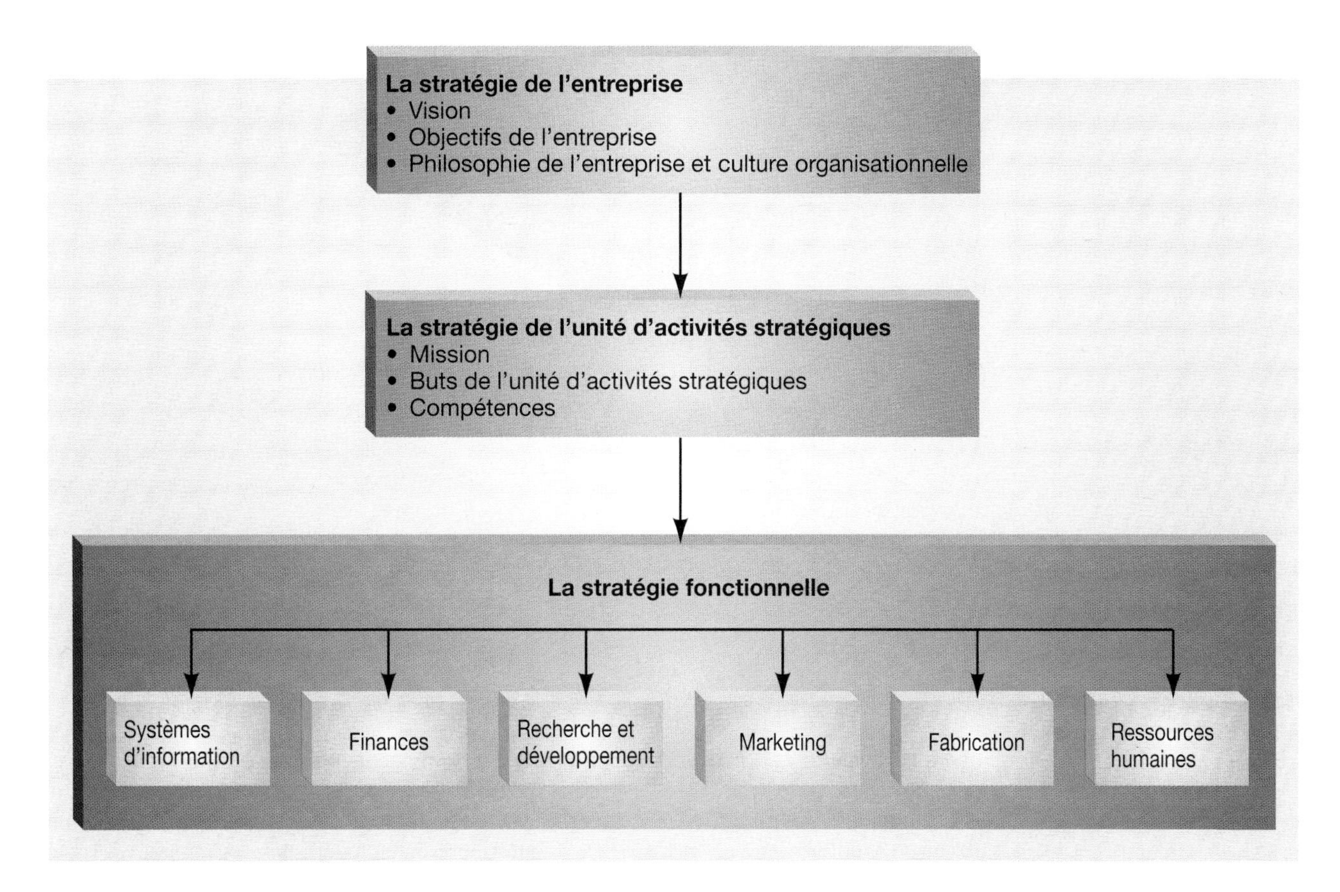

FIGURE 2.1
Les trois niveaux de stratégie des organisations

l'orientation de leurs produits et de leurs marchés. La direction stratégique est ici plus précise. Dans les entreprises moins complexes (les entreprises à produit unique), la stratégie de l'organisation et celle de l'unité d'activités stratégiques peuvent finir par se confondre.

Au **niveau fonctionnel,** là où les groupes de spécialistes créent de la valeur pour l'organisation, chaque unité d'activités stratégiques veille aux activités de marketing et à d'autres activités spécialisées (finances, recherche et développement, et gestion des ressources humaines). Le terme *service* désigne, en général, ces fonctions spécialisées telles que le Service du marketing ou les services d'information. Au niveau fonctionnel, la direction stratégique devient plus précise. Ainsi, tout comme il y a une hiérarchie de niveaux dans les organisations, les gestionnaires définissent aussi, au niveau fonctionnel, une direction stratégique hiérarchisée.

Le marketing joue un rôle à chaque niveau de l'organisation. Dans une grande société commerciale comptant plusieurs unités d'activités stratégiques, le marketing pourra, par exemple, contribuer à la création de l'image de marque de l'entreprise. Lors d'une analyse du portefeuille des unités d'activités stratégiques de l'organisation, le marketing pourra aussi être utile aux analyses comparatives de forces et des possibilités de certains marchés, comme nous le verrons plus loin. Dans l'entreprise, le Service du marketing assure le leadership nécessaire aux autres services pour appliquer le concept de marketing. Il peut toutefois aussi servir à l'élaboration et à la mise en œuvre de certains programmes au niveau fonctionnel mis de l'avant par les équipes de spécialistes. C'est pourquoi les équipes interfonctionnelles sont si importantes dans un monde de vive concurrence. Pour contribuer à la mise sur pied de ces programmes, le Service du marketing élabore des études de marché et évalue la concurrence pour déterminer les enjeux du marketing stratégique. Fort d'une bonne compréhension du marché, il établit ensuite les principaux marchés cibles et conçoit des programmes à l'avenant.

Les quatre composantes du succès d'une organisation Selon certains spécialistes des théories de la gestion, le succès d'une organisation repose sur : 1) les relations

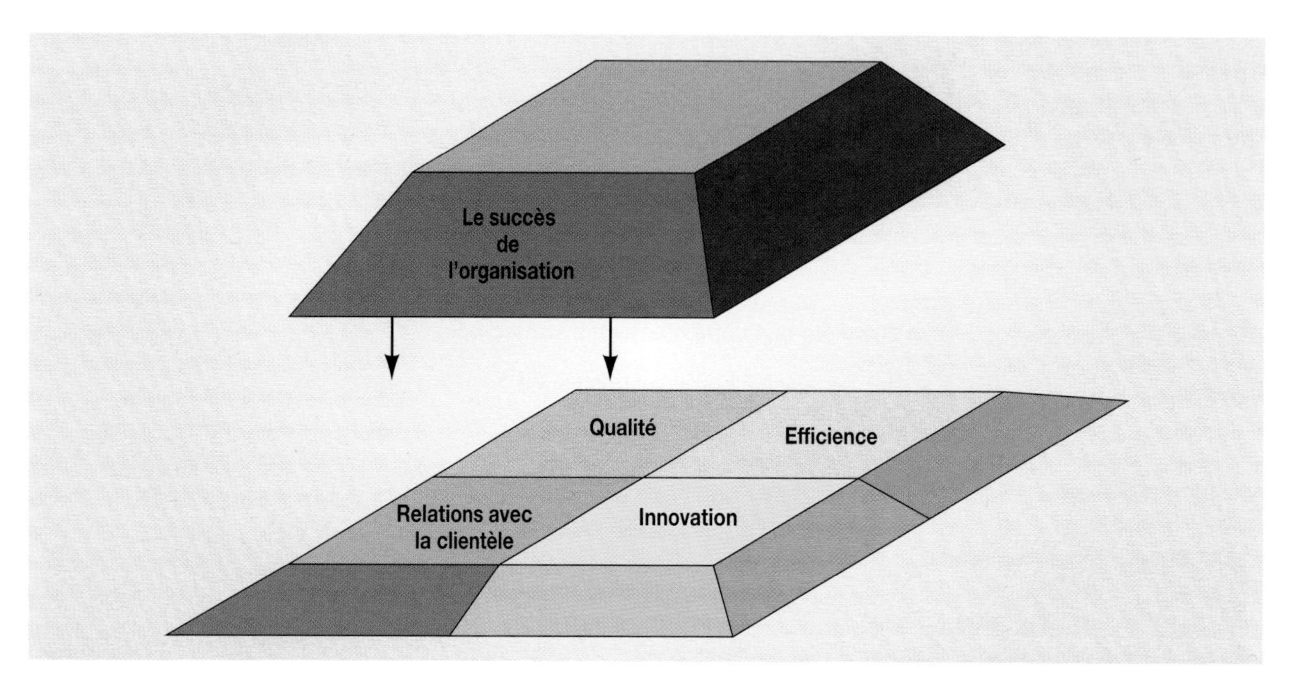

FIGURE 2.2
Le succès d'une organisation repose sur les relations avec la clientèle, l'innovation, la qualité et l'efficience.

avec la clientèle ; 2) l'innovation, pour que les consommateurs puissent profiter des dernières technologies ; 3) la qualité, seule garante de l'excellence et de la constance du produit ; et 4) l'efficience, pour réduire les coûts et, par conséquent, le prix à la consommation. Établir un juste équilibre entre ces quatre composantes représente un défi sans cesse renouvelé pour l'organisation, le succès de l'entreprise reposant sur ces quatre piliers[3].

La stratégie au niveau de l'organisation

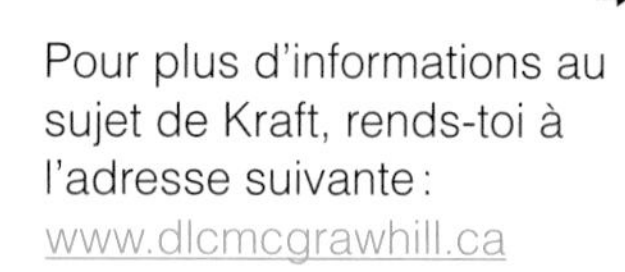

Pour plus d'informations au sujet de Kraft, rends-toi à l'adresse suivante : www.dlcmcgrawhill.ca

Les organisations complexes comme Coca-Cola, Kraft General Foods, Bombardier et Alcan doivent déterminer le *portefeuille d'activités de l'entreprise* dont elles sont membres. Comme l'illustre la figure 2.1, le portefeuille d'activités de l'entreprise va souvent de pair avec une stratégie de l'organisation comportant une vision d'entreprise, des buts et une philosophie communes. Nous définirons ces termes avec soin bien que, dans l'usage, ils soient l'objet d'un certain flottement et que leurs sens se confondent.

Définir la vision d'entreprise La **vision d'entreprise** est une image bien définie que se fait l'organisation de son avenir. Souvent idéaliste, cette vision se trouve à la base de l'orientation d'ensemble de l'organisation, décrivant ce qu'elle cherche à devenir. La vision veut inspirer un sain désir de dépassement. Les mots *vision* et *mission* sont souvent employés de façon interchangeable. La vision met en relief tout ce que l'organisation cherche à devenir ; la mission, comme nous le verrons plus loin, est la raison d'être de l'entreprise. Idéalement, la vision devrait être un énoncé bien senti, capable de rallier le personnel de l'entreprise, les investisseurs et la clientèle.

La vision de Coca-Cola est simple mais efficace : « Mettre un Coke à la portée de tous les consommateurs du monde entier »[4]. Pour concrétiser sa vision, Coca-Cola a éliminé les notions d'unité de production « nationale » et « internationale » au sein de son organisation. Aujourd'hui, les ventes nord-américaines de cette multinationale ne représentent que 25 % de ses revenus. Coca-Cola prend donc sa vision d'entreprise très au sérieux[5].

Établir les objectifs de l'entreprise D'une façon générale, un **objectif** constitue un niveau de rendement qu'on se propose d'atteindre. L'objectif de l'entreprise est donc un niveau de rendement que l'organisation entière cherche à atteindre pour concrétiser sa vision. Les entreprises commerciales cherchent à atteindre plusieurs objectifs, chacun ayant ses forces et ses faiblesses.

- *Le profit.* Les théories économiques auxquelles nous sommes habitués laissent sous-entendre que toute entreprise devrait chercher à maximiser ses profits à long terme afin de réaliser le meilleur rendement du capital investi possible. Qu'entend-on, toutefois, par *long terme ?* S'agit-il de un an ? De cinq ans ? De 20 ans ? Ainsi, en 1995, Barbara Thomas, présidente de Pillsbury du Canada, se fixe pour objectif de tripler les profits de l'entreprise d'ici cinq ans, c'est-à-dire atteindre l'objectif Vision 2000[6].
- *Le chiffre d'affaires.* Lorsque ses profits sont acceptables, l'entreprise décide parfois de soutenir ou d'accroître son niveau de vente, bien que cette décision n'ait pas pour effet d'accroître ses profits. En effet, l'augmentation du chiffre d'affaires est souvent synonyme d'avancement pour les hauts dirigeants.
- *La part de marché.* L'entreprise peut accroître ou non sa part de marché, même au détriment d'une augmentation de ses profits, lorsque son prestige ou la crédibilité du secteur d'activité est en jeu. La **part de marché** se traduit par le rapport entre le chiffre d'affaires de l'entreprise et le total des ventes du secteur d'activité à laquelle elle appartient.
- *Le nombre de produits vendus.* En période d'inflation, le chiffre d'affaires peut être trompeur quant au rendement de l'entreprise. L'entreprise se fixera alors des objectifs de maintien ou d'accroissement du nombre de produits vendus, qu'il s'agisse d'automobiles, de boîtes de céréales ou de téléviseurs, par exemple.
- *La qualité.* L'entreprise peut maintenir ou améliorer la qualité de ses produits et services, surtout lorsque la qualité a déjà laissé à désirer.
- *Le bien-être des employés.* L'entreprise peut souligner l'importance qu'elle accorde à ses employés en leur offrant de l'avancement et de bonnes conditions de travail.
- *La responsabilité sociale.* Pour être un fervent partisan de la responsabilité des sociétés, l'entreprise peut tâcher de concilier les besoins du personnel, des consommateurs et des actionnaires pour le bien-être de tous, bien ce que soit au détriment de ses profits.

Le Canada regorge aussi d'organisations sans but lucratif – musées, orchestres symphoniques, opéras et centres de recherche, pour ne nommer que ceux-là. L'organisation sans but lucratif a pour objectif de fournir des biens et des services le plus efficacement possible au moindre coût. Sa survie repose sur sa capacité à combler les besoins de sa clientèle. Bien que les organismes gouvernementaux ne répondent pas à la définition d'une « organisation sans but lucratif », ils s'adonnent néanmoins à des activités de marketing quand ils ont pour objectif de servir l'intérêt public. Présentes à tous les paliers de gouvernement (fédéral, provincial ou municipal), ces organisations comprennent aussi les écoles, les universités et les hôpitaux publics. Comme nous le verrons, le marketing constitue une activité importante autant pour les organisations sans but lucratif, les organismes gouvernementaux que pour les entreprises commerciales.

Élaborer une philosophie de l'entreprise et une culture organisationnelle

Une société peut élaborer une **philosophie de l'entreprise** illustrant ses valeurs et ses « règles de conduite »[7]. La philosophie de l'entreprise peut faire montre de respect envers son personnel ou montrer la situation de la société par rapport à son intégration à la vie sociale d'une collectivité. Une entreprise se distingue par sa **culture organisationnelle,** c'est-à-dire par l'ensemble des attitudes et des comportements de son personnel. Aujourd'hui, des entreprises du monde entier cherchent désespérément à changer leur culture organisationnelle pour faire face à la concurrence mondiale. Des sociétés telles que Hewlett-Packard, Apple Computer, 3M, Sony et Motorola sont maintenant célèbres du fait que leur culture organisationnelle a toujours encouragé l'innovation et la création de nouveaux produits. En remplaçant sa culture bureaucratique contre une culture d'entreprise dynamique, IBM Canada Ltée a connu une augmentation de ses revenus. Ainsi, elle a obtenu la plus grande part de marché des ordinateurs personnels. John Wetmore, ancien président-directeur général d'IBM Canada Ltée, affirme que les innovations et les nouveaux produits mis de l'avant par la société ont permis à l'entreprise de réaliser, à l'échelle de la planète, un chiffre d'affaires record, en particulier dans les secteurs des services et du commerce électronique[8].

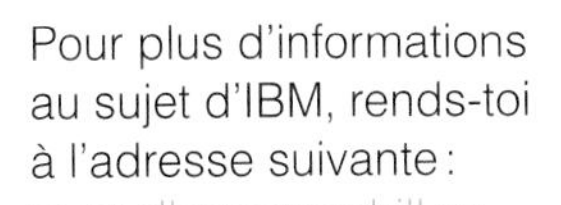

Pour plus d'informations au sujet d'IBM, rends-toi à l'adresse suivante : www.dlcmcgrawhill.ca

L'ÉTHIQUE

QUESTION D'ÉTHIQUE

La mondialisation et le développement durable

Les dirigeantes et les dirigeants d'entreprises et les chefs d'État sont de plus en plus sollicités pour qu'ils se préoccupent de développement durable. Chaque pays devra donc trouver un équilibre entre la protection de l'environnement et la création de biens et de services supplémentaires nécessaires au bien-être matériel de la population et à l'amélioration de son niveau de vie.

En Europe de l'Est et dans les pays de l'ex-URSS, le dilemme s'avère cruel. Dans nombre de ces pays, au sortir de sept décennies de communisme, l'air est contaminé, les rivières sont polluées à l'extrême, et plus de la moitié des ménages vivent sous le seuil de la pauvreté. Quel objectif doit prévaloir? Encourager un environnement plus sain ou la production accrue de nourriture, de vêtements, d'habitations et de biens de consommation? Que devraient faire les chefs de ces États? Comment l'Occident pourrait-il venir en aide à ces pays? Que devraient faire les entreprises occidentales qui cherchent à pénétrer ces nouveaux marchés en expansion?

Dans ce contexte, quelle devrait être la priorité? La protection de l'environnement ou la croissance économique? Examine les enjeux sociaux de ce dilemme.

RÉVISION DES CONCEPTS

1. De nos jours, quels sont les trois niveaux administratifs des grandes organisations?
2. En quoi la vision d'entreprise et les objectifs de l'entreprise sont-ils différents?

LE PROCESSUS DE MARKETING STRATÉGIQUE

Dans tous les types de planification, on doit répondre aux questions clés suivantes:

1. Quelle est notre situation?
2. Que voulons-nous qu'elle devienne?
3. Comment répartira-t-on les ressources pour aller là où nous le voulons?
4. Quelles actions nous permettront de réaliser nos plans?
5. Les résultats sont-ils conformes à nos plans? Faut-il élaborer de nouveaux plans et entreprendre de nouvelles actions pour rectifier les écarts entre les résultats obtenus et notre vision?

Le **processus de marketing stratégique** utilise le même genre d'approche pour répartir les ressources de son marketing mix de façon à atteindre ses marchés cibles. Ce processus comprend trois phases: la planification, la mise en œuvre et le contrôle (tableau 2.1).

Le processus de marketing stratégique est essentiel à l'activité commerciale. En conséquence, la plupart des entreprises le formalisent en un **plan de marketing.** Un plan de marketing est en quelque sorte un plan d'activités de commercialisation élaboré par une entreprise pour une période de temps déterminée, un ou cinq ans par exemple. Tu trouveras à la fin de ce chapitre des indications pour rédiger un plan de marketing. Il s'y trouve aussi l'extrait d'un plan de marketing de la Commission canadienne du tourisme, dont nous parlions en début du chapitre et qui vise à favoriser le Canada comme destination de vacances.

La section qui suit donne un aperçu du processus de marketing stratégique auquel on se référera des chapitres 3 à 19.

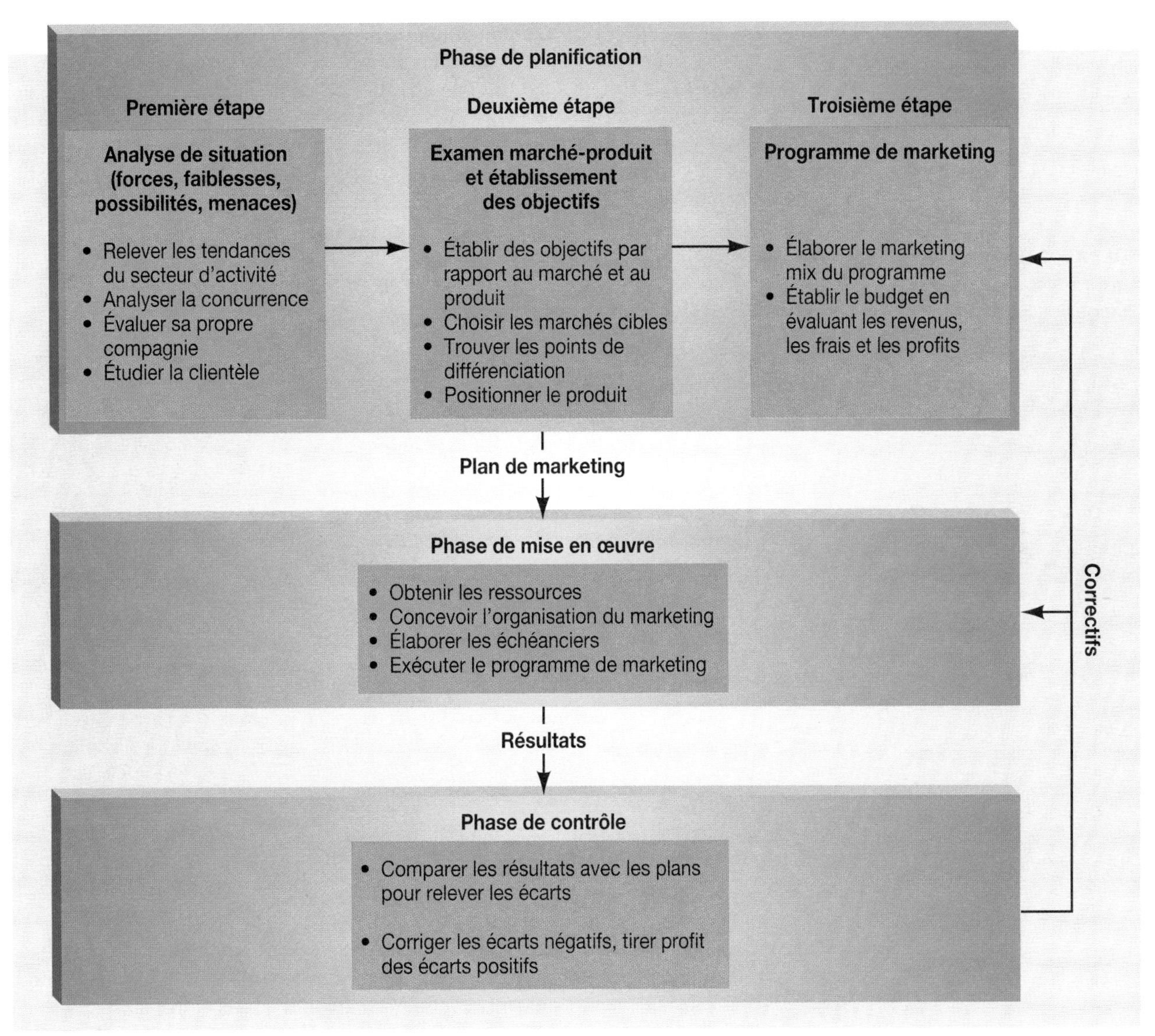

TABLEAU 2.1
Le processus de marketing stratégique

Le processus de marketing stratégique : la phase de planification

Comme on le voit au tableau 2.1, la phase de planification du processus de marketing stratégique se fait en trois étapes : 1) analyse de situation ; 2) examen du marché-produit et établissement des objectifs ; et 3) programme de marketing. Examinons chacune à l'aide d'exemples.

Première étape : Analyse de situation Quand on fait une **analyse de situation,** on établit ce qu'était la position récente de l'entreprise (ou d'un produit), ce qu'elle est maintenant et ce vers quoi elle va. Pour cela, on suit les plans de l'entreprise et on tient compte des facteurs externes et des tendances qui la touchent. Sur le schéma du tableau 2.1, le carré intitulé *Analyse de situation* représente la première des trois étapes de la phase de planification.

Pour faire une analyse de situation en raccourci, on peut évaluer les forces et les faiblesses internes d'une entreprise. De même, on considère les possibilités qui s'offrent à elle à l'extérieur et les menaces qui l'y guettent. Ces deux analyses, l'analyse de situation et l'**analyse des forces, des faiblesses, des possibilités et des menaces** (FFPM), sont applicables à l'ensemble d'une entreprise comme à une unité d'activités stratégiques, à une gamme de produits comme à un produit particulier. L'analyse portant sur un produit est plus détaillée que celle portant sur l'ensemble de l'entreprise. L'analyse de situation d'une entreprise de taille réduite ou ne possédant qu'une gamme de produits est la même que l'analyse de la situation d'un produit.

Te souviens-tu de Rollerblade, Inc. au chapitre 1 ? Le tableau 2.2 te permet de voir l'aspect d'une analyse raccourcie ou FFPM de cette entreprise. Le tableau est organisé en deux lignes, l'une présentant les facteurs internes (forces, faiblesses) et l'autre, les facteurs externes (possibilités, menaces). Les colonnes séparent les facteurs favorables des facteurs défavorables.

TABLEAU 2.2
Analyse raccourcie de l'entreprise Rollerblade, Inc.

QUALITÉ DU FACTEUR	TYPES DES FACTEURS	
	FAVORABLE	**DÉFAVORABLE**
Internes	**Forces** • Leader du secteur d'activité • Audacieux sur le plan des produits et du design • Forte notoriété de la marque • Bien positionné auprès des magasins de sport et des points de vente spécialisés	**Faiblesses** • Les prix élevés découragent les consommateurs « sensibles à la valeur » • Distribution limitée dans les points de vente non spécialisés
Externes	**Possibilités** • Découvrir de nouveaux segments de marché • Créer une nouvelle marque destinée aux consommateurs « sensibles à la valeur » • Élargir la distribution dans le monde • Étendre la gamme d'accessoires	**Menaces** • Concurrence féroce aux deux extrémités de la gamme de prix • La marque pourrait devenir le terme générique désignant tous les patins à roues alignées

Une analyse plus approfondie des forces, des faiblesses, des possibilités et des menaces énumérerait plus de facteurs internes et externes. Par exemple, les facteurs internes seraient détaillés pour prendre en considération les produits offerts et l'efficacité de services connexes au marketing, comme celle des ventes ou de la recherche et du développement. De même, les facteurs externes comprendraient la concurrence, le consommateur ou les tendances technologiques. Tu trouveras un exemple de ce type d'énumération détaillée dans l'analyse du plan de marketing de la Commission canadienne du tourisme présentée à l'annexe A.

L'analyse FFPM permet aux entreprises d'identifier les facteurs susceptibles de leur nuire ou de les aider à améliorer leur situation. Bien sûr, les facteurs d'analyse n'ont pas tous la même importance. Le but premier de l'analyse est de distinguer les facteurs *cruciaux*. Ils permettent à l'entreprise de puiser dans ses forces vives, de corriger ses faiblesses flagrantes, d'exploiter les possibilités intéressantes et d'échapper aux catastrophes. Il ne suffit pas de réaliser l'analyse des forces, des faiblesses, des possibilités et des menaces, car le plus difficile est de découvrir les actions qui aideront l'entreprise à croître et à réussir.

L'analyse des forces, des faiblesses, des possibilités et des menaces est une analyse de situation en raccourci, mais elle étudie complètement les quatre points sur lesquels la firme fondera son programme de marketing. Rappelons ici ces points énumérés à l'étape 1 du tableau 2.1 :

- Relever les tendances du secteur d'activité.
- Analyser la concurrence.
- Évaluer sa propre compagnie.
- Étudier sa clientèle actuelle et potentielle.

Tu trouveras une analyse plus poussée de ces quatre facteurs dans le plan de marketing présenté à l'annexe A et dans les chapitres auxquels il renvoie.

Une bonne façon de tirer profit des résultats d'une analyse raccourcie est d'élaborer des stratégies de marché-produit. Le tableau 2.3 présente quatre stratégies de ce genre. Ce sont en fait quatre façons de combiner : 1) les marchés actuels et les nouveaux marchés ; et 2) les produits actuels et les nouveaux produits.

Comme Rollerblade, Inc. tente d'accroître le produit de ses ventes, elle doit examiner ces quatre stratégies de marché-produit. Par exemple, l'entreprise pourrait essayer une *stratégie de pénétration de marché.* Elle chercherait alors à accroître les ventes de ses produits actuels dans ses marchés actuels. Rollerblade s'efforcerait donc de vendre davantage de ses patins à roues alignées aux Canadiennes et aux Canadiens. Cela ne nécessiterait ni modification de la gamme de produits ni changement de marché. Cependant, il faudrait probablement améliorer la publicité, baisser les prix ou élargir la distribution dans les points de vente au détail.

Une *stratégie de développement des marchés* pourrait être intéressante pour Rollerblade, Inc. Il lui faudrait alors vendre ses actuels patins à roues alignées sur de nouveaux marchés, l'Australie et l'Europe occidentale, par exemple.

TABLEAU 2.3
Quatre stratégies marché-produit : quatre moyens d'accroître les ventes de Rollerblade, Inc.

	PRODUITS	
MARCHÉS	**ACTUELS**	**NOUVEAUX**
Actuels	**Pénétration des marchés** Vendre plus de patins à roues alignées au Canada	**Développement de produits** Vendre un nouveau produit comme le Xten-plus au Canada
Nouveaux	**Développement du marché** Vendre ses patins à roues alignées en Australie	**Diversification** Vendre des accessoires pour patins à roues alignées (casques, vêtements) ou se lancer sur le marché de la bicyclette

On peut aussi chercher à accroître les ventes en faisant du *développement de produits,* c'est-à-dire en lançant un nouveau produit sur les marchés actuels. Comme tu le sais, Rollerblade, Inc. a développé le Xten-plus pour les enfants, le Outback X pour les surfaces raboteuses, la gamme Nature pour jeunes et les Bladerunners, des patins économiques pour les consommateurs sensibles aux bas prix. L'un des problèmes de cette stratégie de développement de produit est le **cannibalisme.** Il y a cannibalisme quand un nouveau produit d'une firme nourrit sa part du marché à même les ventes d'un produit déjà établi de la même firme.

Rollerblade, Inc. : ses stratégies de marché-produit

Rollerblade, Inc. a décidé d'adopter plusieurs stratégies de marché-produit pour accroître son chiffre d'affaires. Visite son site et vois à quelles stratégies la compagnie a recours actuellement. Réfléchis à ce que pourraient être ses plans d'avenir. Que crois-tu qu'ils seront ?

Pour plus d'informations au sujet de Rollerblade, rends-toi à l'adresse suivante : www.dlcmcgrawhill.ca.

Adidas a effectué de la diversification horizontale en lançant la fragrance Adrenaline.

Enfin, on fait de la *diversification* lorsqu'on développe de nouveaux produits pour les vendre sur de nouveaux marchés. Cela peut être risqué, car la plupart des entreprises n'ont d'expérience ni en production ni en commercialisation pour se guider. On peut cependant diversifier à des degrés divers. Une entreprise fait de la *diversification horizontale* quand ses nouveaux produits et marchés ont un rapport quelconque avec ses opérations actuelles. Par exemple, les casques et les vêtements vendus par Rollerblade, Inc. sont des accessoires de patins à roues alignées. Par contre, elle fait de la *diversification latérale* quand ses nouveaux produits ou marchés n'ont rien à voir avec ce qu'elle fait actuellement. Si Rollerblade se lançait sur le marché de la bicyclette, elle pratiquerait la diversification non apparentée. Visite le site de Rollerblade pour en savoir plus sur ses stratégies.

Deuxième étape : Examen du marché-produit et établissement des objectifs Pour pouvoir élaborer un programme efficace de marketing à l'étape 3, il est essentiel de déterminer à l'étape 2 quels produits on présentera et à quels consommateurs (tableau 2.1). Pour y parvenir, les entreprises procèdent à la **segmentation du marché** : elles regroupent par catégories, ou segments, la clientèle potentielle ayant les mêmes besoins et les mêmes comportements d'achat. Les entreprises se servent de la segmentation pour déterminer à quels segments elles s'attaqueront particulièrement. Puis, elles élaborent un ou plusieurs programmes de marketing pour atteindre ces segments cibles.

Il s'agit d'établir des objectifs de marketing mesurables, pour un marché précis, pour un produit ou une marque donnés ou pour l'ensemble du programme de marketing.

Illustrons les étapes 2 et 3 de la phase de planification du processus de marketing stratégique à l'aide du plan de marketing de la Commission canadienne du tourisme présenté à la fin de ce chapitre. Pour la période 2003-2005, la Commission canadienne du tourisme veut stimuler les voyages au pays des Canadiens aisés appartenant à la tranche d'âge 24-54 ans. L'étape 2 d'un plan de marketing comprend les activités suivantes :

- *Établir des objectifs de marketing et de produit.* Comme on le verra au chapitre 11, un nouveau produit aura de meilleures chances de succès, si on a d'abord précisé des objectifs quant au marché et au produit. Pour étendre son marché actuel, la Commission canadienne du tourisme veut faire évoluer l'image du Canada (le produit qu'elle met en vente) et développer des produits en réalisant des expériences.
- *Choisir des marchés cibles.* La Commission canadienne du tourisme vise à stimuler le goût des voyages chez les Canadiens appartenant à la tranche d'âge 24-54 ans, gagnant 50 000 $. La Commission souhaite aussi rediriger les segments de la population de 35 à 64 ans gagnant 50 000 $ et plus vers des destinations canadiennes dans les provinces pour lesquelles les départs vers l'étranger sont nombreux.
- *Trouver les points de différenciation.* Les **points de différenciation** d'un produit sont les caractéristiques qui le rendent supérieur aux produits analogues de la concurrence. C'est souvent sur les points de différenciation que repose la réussite ou l'échec d'un nouveau produit. Les points de différenciation du Canada comme destination de vacances sont des expériences, des conditions climatiques et des activités fascinantes, diversifiées et spécifiquement canadiennes.
- *Positionner le produit.* La Commission canadienne du tourisme utilise le thème « On est vraiment bien chez nous » comme thème central de son plan stratégique pour renforcer l'image du Canada à l'égard des autres destinations.

Les précisions concernant ces quatre points de l'étape 2 serviront à l'élaboration du programme de marketing. Il s'agit de la dernière étape de la phase de planification du processus de marketing stratégique.

Troisième étape : Le programme de marketing Grâce aux activités réalisées à la deuxième étape, la direction du marketing connaît maintenant ses clients cibles et leurs besoins auxquels peuvent répondre les produits de son entreprise. Bref, la direction détient le *qui* et le *quoi* de sa stratégie de marketing. Pour découvrir le *comment*, il faut réaliser la troisième étape de la phase de planification : élaborer le marketing mix du programme et en dresser le budget.

La figure 2.3 présente toutes les composantes des éléments du marketing mix à partir desquelles on élaborera un programme de marketing cohérent. Le marketing mix du plan de marketing de la Commission canadienne du tourisme s'articule de la façon suivante :

- *Stratégie de produit.* La Commission canadienne du tourisme vise à développer des destinations vacances par grappe (des thèmes), qui comprennent, pour le moment, le tourisme de plein air, le tourisme culturel et le tourisme d'hiver.
- *Stratégie de prix.* La Commission canadienne du tourisme n'est pas concernée directement dans la fixation des prix, car d'autres entreprises (hôtels, restaurateurs, voyagistes) fixent leurs propres prix de vente. Par contre, la Commission intervient pour favoriser et subventionner en partie des programmes de promotions (réductions temporaires des prix) pour inciter les clients à acheter.
- *Stratégie de communication (promotion).* La Commission canadienne du tourisme développe une campagne de promotion très intensive : des encarts saisonniers (cahiers publicitaires) dans les journaux, des annonces aux coopératives, un site Internet, des documents imprimés, des guides de vacances, ainsi qu'un programme de marketing relationnel.
- *Stratégie de distribution (place).* La Commission canadienne du tourisme vise à favoriser la diffusion de ses idées par ses partenaires appartenant à l'industrie du voyage.

FIGURE 2.3
Éléments du marketing mix composant un bon programme de marketing

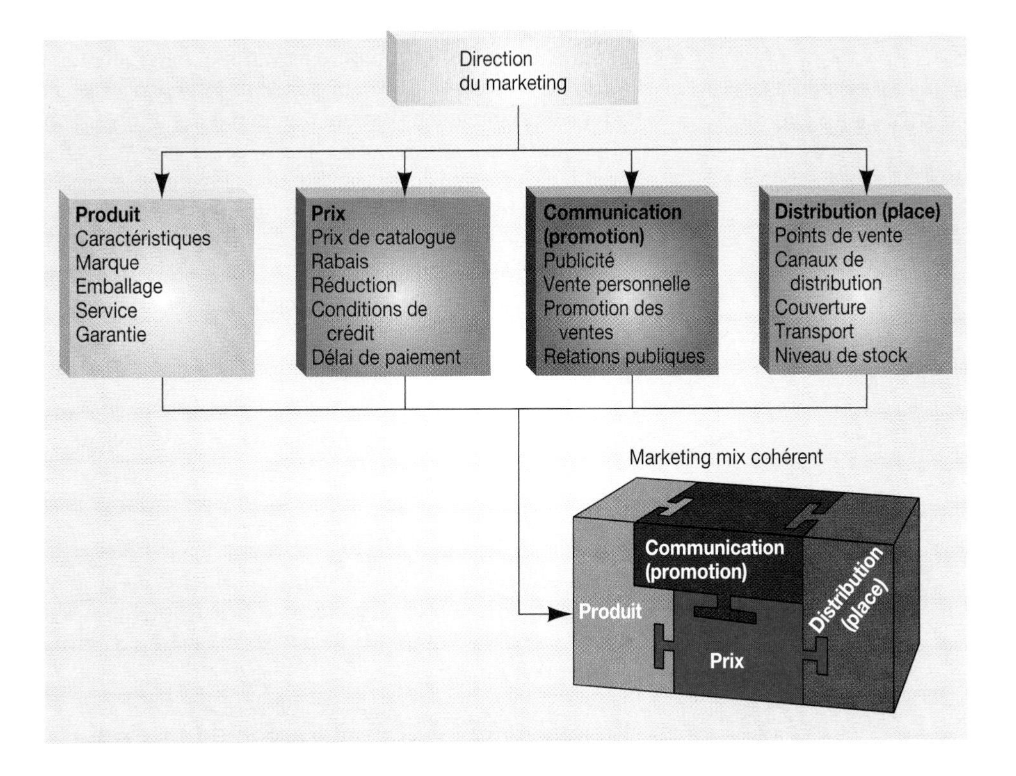

Pour mettre en place son programme de marketing, l'entreprise doit y consacrer du temps et de l'argent, c'est-à-dire un budget. Le processus budgétaire débute par des prévisions de ventes fondées sur une estimation du nombre d'unités vendues – généralement par mois, par trimestre et par année. On estime les frais nécessaires au marketing mix et au programme de marketing et on les compare aux revenus prévus de façon à évaluer la rentabilité du programme. Ce budget, il faudra le « vendre » à la direction pour obtenir les ressources nécessaires à la mise en œuvre du plan de marketing.

RÉVISION DES CONCEPTS

1. Quelle différence y a-t-il entre une force et une possibilité dans une analyse raccourcie?
2. Si Rollerblade, Inc. tentait de vendre en Australie les patins à roues alignées qu'elle fabrique déjà pour le Canada, à quelle stratégie aurait-elle recours?
3. Qu'est-ce que la segmentation du marché?

Le processus de marketing stratégique: la phase de mise en œuvre

L'élaboration d'un plan de marketing comme celui présenté au tableau 2.1 nécessite des dizaines et même des centaines d'heures de planification. La seconde phase du processus de marketing stratégique est la mise en œuvre. Elle consiste à réaliser ce plan de marketing. Si l'entreprise n'y parvient pas, tout l'effort de planification aura été inutile. Rappelons ici les quatre composantes de la mise en œuvre: 1) l'obtention des ressources; 2) la conception de l'organisation du marketing; 3) l'élaboration des échéanciers; et 4) l'exécution du programme. Le cas d'Eastman Kodak nous aidera à bien comprendre les phases de mise en œuvre et de contrôle du processus de marketing stratégique.

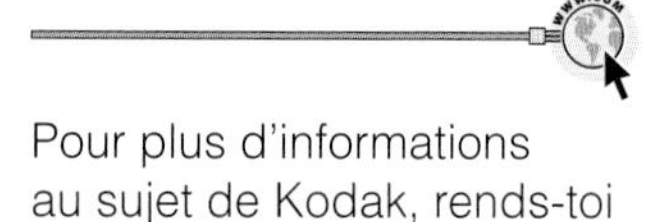

Pour plus d'informations au sujet de Kodak, rends-toi à l'adresse suivante: www.dlcmcgrawhill.ca

Avant l'arrivée de George Fisher à la tête de Kodak, l'entreprise était considérée comme une organisation bureaucratique, paternaliste, nonchalente et refermée sur elle-même. Ce président-directeur général a fait changer les choses et il continue de le faire. En effet, cet ex-président-directeur général, de la très prospère Motorola, a propulsé Kodak, ses inimitables petites boîtes jaunes et ses nouvelles technologies dans notre siècle. Les premières décisions de Fisher sont de classiques leçons de gestion et de typiques exemples de mise en œuvre et de contrôle du plan de marketing dans une multinationale.

L'obtention des ressources Dès ses premiers jours chez Kodak, George Fisher a déclaré: «Il y a des choses élémentaires qui ne vont pas ici. Personne ne prend de risques»[9]. Il a donc fait connaître certaines décisions qui ont pu paraître révolutionnaires, mais évidentes pour lui.

- Miser sur l'activité de base de Kodak: l'imagerie.
- Répondre mieux aux besoins des consommateurs et accentuer la qualité.
- Raccourcir les cycles de développement de produits.
- Encourager le dynamisme, le goût du risque et la prise de décision rapide.

Fisher avait besoin d'argent pour mettre en œuvre ces idées. Il a donc examiné les entreprises possédées par Kodak dans les secteurs de la santé, des produits ménagers et de la chimie. Il en a vendu certaines et a tiré de quelques autres des bénéfices inespérés. Il a ainsi rassemblé 8 milliards de dollars, ce qui lui a permis de s'attaquer à la croissance du secteur de l'imagerie.

La conception de l'organisation du marketing Pour mettre en œuvre un plan de marketing, il faut une organisation du marketing. Cela est particulièrement vrai pour des firmes comme Kodak, qui évoluent sur des marchés internationaux en constant changement. La figure 2.4 présente l'organigramme d'une compagnie de fabrication typique et certains détails de la structure du service du marketing. La vice-présidence marketing a sous ses ordres quatre directeurs ou directrices d'activités de marketing. Ces personnes dirigent la planification du produit, la recherche en marketing, les ventes, la publicité et la promotion. Dans une très grande entreprise, il peut y avoir plusieurs personnes dirigeant la planification du produit, chacune étant responsable d'une gamme particulière. De même, il se peut que la direction des ventes ait sous ses ordres plusieurs directrices ou directeurs régionaux ou internationaux. C'est à l'organisation du marketing qu'il revient de réaliser les plans de marketing.

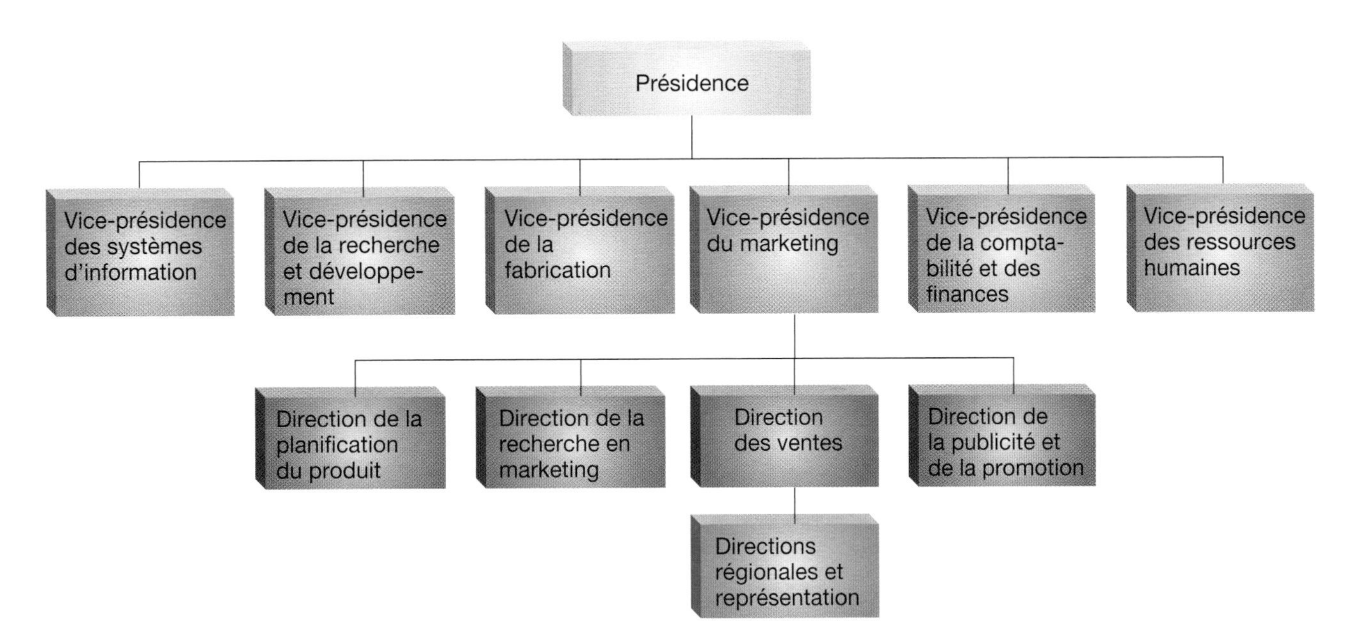

FIGURE 2.4
Organisation d'une entreprise de fabrication typique et détails du service du marketing

L'élaboration des échéanciers Pour s'assurer une mise en œuvre efficace, il faut fixer des échéances, élaborer des calendriers de réalisation précis et faisables. « La moitié du monde n'a pas encore pris sa première photo », dit Fisher. Il voit donc d'immenses possibilités pour Kodak sur les marchés internationaux en émergence et dans les technologies d'imagerie numériques pouvant remplacer le film dans plusieurs applications. Voici quelques-unes des échéances qu'il a fixées :

- Avoir 50 000 postes d'agrandissement Kodak en opération en 2001. Grâce à la technologie d'imagerie numérique de Kodak, tous pourront agrandir une petite photo vieille de 20 ans (pas le négatif de toutes façons perdu depuis longtemps !) en une image incroyablement belle de 10 sur 15 cm ou 20 sur 25 cm[10].
- Lancer PhotoNet, un service qui permet de voir ses propres photos en ligne dès 1998[11].
- Lancer le E200, un film de haute qualité destiné aux photographes professionnels dès 1998[12].
- Lancer, en 1996, le système Advantix (APS), un ensemble film et appareil photo intelligents permettant aux photographes d'obtenir des clichés de formats différents à partir d'un même film[13].
- Investir 1,1 milliard de dollars en Chine, d'ici 2002, auprès de trois manufacturiers chinois pour assurer la production et la distribution de films et d'appareils photo[14].

Pour inciter ses directeurs à respecter ces calendriers, Fisher a créé une nouvelle structure de rémunération liant étroitement le salaire au rendement.

L'exécution du plan de marketing Un plan de marketing non réalisé n'est qu'un tas de papiers inutile. Quand on exécute un plan, il faut appliquer rigoureusement les stratégies et les tactiques de marketing. Une **stratégie de marketing** est un moyen d'atteindre un but en marketing. Le terme *stratégie* est souvent mal employé. En effet, il faut savoir qu'il recouvre la notion de but à atteindre (le marché cible) et les moyens d'y parvenir (le programme de marketing).

La bonne mise en œuvre d'un programme de marketing nécessite des centaines de décisions détaillées concernant, par exemple, les messages publicitaires ou le nombre de réductions de prix temporaires. Ces décisions, appelées **tactiques de marketing,** sont prises au jour le jour dans le cadre des activités et sont essentielles à la réussite des grandes stratégies de marketing. Les tactiques diffèrent des stratégies, car elles sont généralement des actions à entreprendre immédiatement. Comme ce livre traite de la stratégie de marketing, nous nous contenterons ici de distinguer rapidement *tactique* et *stratégie* à l'aide des décisions prises par Fisher chez Kodak.

FIGURE 2.5
Évaluation et contrôle du programme de marketing de Kodak

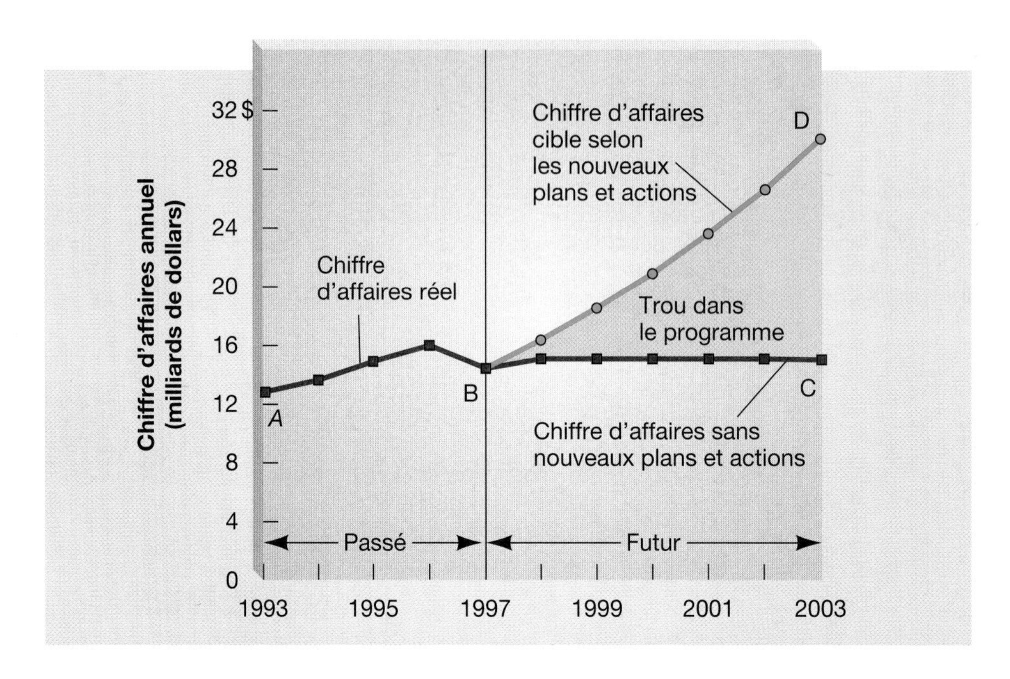

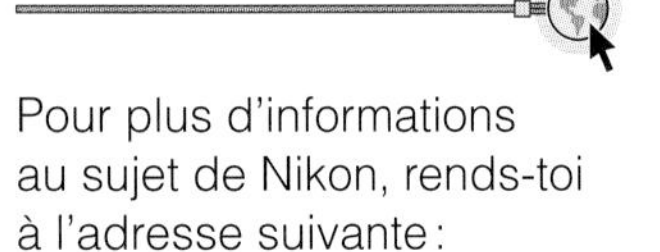

Pour plus d'informations au sujet de Nikon, rends-toi à l'adresse suivante: www.dlcmcgrawhill.ca

- Une décision de stratégie de marketing : former un partenariat avec cinq compagnies japonaises (incluant Fuji, Canon et Nikon) pour développer le système Advantix APS, son film et son appareil photo intelligents.
- Une décision de tactique de marketing : charger dix équipes nouvellement formées d'améliorer la durée du cycle de façon à réduire les pertes de temps et les frais dus à l'inefficacité du processus de développement des nouveaux produits chez Kodak.

Il arrive que des questions de niveau tactique deviennent des questions de stratégie ou même de stratégie d'ensemble. En effet, il n'y a pas de frontière nette entre les tactiques et les stratégies de marketing, car les unes reflètent les autres. Toutefois, la bonne mise en œuvre de tout plan de marketing exige que l'on prête une attention soutenue aux détails des tactiques et des stratégies.

Le processus de marketing stratégique : la phase de contrôle

La phase de contrôle du processus de marketing stratégique sert à garder le programme de marketing sur la voie qu'on lui a tracée (tableau 2.1). Pour y parvenir, la direction du marketing doit : 1) comparer les résultats du programme de marketing avec les objectifs inscrits dans les plans de marketing de façon à relever les écarts ; et 2) prendre les moyens pour remédier aux écarts négatifs et tirer profit des écarts positifs.

Comparer les résultats avec les objectifs pour relever les écarts En 1998, George Fisher examina le produit des ventes de la compagnie de 1993 à 1997 (pour les activités en cours). La courbe de croissance très plate (AB à la figure 2.5) ne lui plaisait pas. À l'époque, des innovations technologiques telles que les appareils photo numériques révolutionnaient le marché de la photographie d'amateurs. De plus, en 1997, Fuji s'était lancée dans une guerre de prix. En réduisant de moitié les prix de certains paquets de films, ce concurrent faisait chuter les ventes de films de Kodak. Voilà, entre autres, ce qui empêchait les possibilités de croissance de Kodak.

En transposant la tendance de 1993 à 1997 jusqu'en 2003 (BC sur la figure 2.5), on s'aperçoit que le chiffre d'affaires ne progresse plus, ce qui est tout à fait inacceptable. Fisher annonça que le but de Kodak devait être d'accroître les ventes et les profits d'au minimum 13 % par an. En appliquant ce taux annuel de croissance jusqu'en 2003, on obtient la courbe du chiffre d'affaires cible que l'on voit à la figure 2.5. On observe un écart, en ombré sur la figure. Cet écart, les planificateurs l'appellent *trou dans le programme*. C'est la différence entre le chemin à suivre pour atteindre un nouveau but (segment BD) et celui qui mène aux résultats d'un plan déjà en place (segment BC).

Le but premier du programme de marketing de la compagnie est de combler ce trou. Dans le cas de Kodak, il s'agissait de passer d'un chiffre d'affaires sans croissance (segment BC) au chiffre d'affaires en forte croissance représenté par le segment BD. Mais il ne suffit pas de chiffrer des objectifs de ventes pour les réaliser. Pour cela, on a besoin de l'évaluation. Elle sert à comparer les résultats réels avec les objectifs.

Traiter les écarts L'évaluation peut montrer que le rendement réel n'est pas à la mesure des attentes. En conséquence, il faut généralement ajuster ou améliorer le programme pour qu'il permette de réaliser les objectifs. Par contre, la comparaison des résultats avec les objectifs peut aussi montrer des résultats réels de beaucoup supérieurs aux objectifs. Une direction du marketing efficace cherchera à comprendre ce bon rendement pour en tirer profit.

Après quelques mois à la tête de Kodak, Fisher était convaincu de l'importance d'agir vite et de lancer sur le marché de nouveaux produits de haute qualité. Cela s'est produit en 1995 et 1996. Chez Kodak comme dans d'autres entreprises, il faut effectuer un contrôle efficace. On doit donc dresser le relevé des écarts, tirer profit de ceux qui sont positifs et corriger ceux qui ne le sont pas. Ainsi, en cours de route, Kodak a rectifié son programme de la façon suivante :

- *Tirer profit d'un écart positif.* Les consommateurs ont réservé un accueil extraordinaire à l'agrandisseur CopyPrint grâce auquel ils peuvent agrandir leurs photos rapidement et facilement. Misant sur ce succès inouï, Kodak a installé plusieurs milliers de ces machines dans le monde entier. Puis, la compagnie a mis au point d'autres machines que les gens peuvent faire fonctionner eux-mêmes chez le photographe du quartier.
- *Corriger un écart négatif.* En 1997, Kodak a dépensé 100 millions de dollars en lançant les films et appareils photo du Système APS. Pourtant, elle n'avait pas la capacité d'approvisionner les magasins et ne disposait pas d'assez d'endroits pour assurer le développement photo. Après avoir réglé ces problèmes, la compagnie a relancé APS avec succès en 1998.

RÉVISION DES CONCEPTS

1. En quoi consiste la phase de contrôle du processus de marketing stratégique?
2. Quel lien y a-t-il entre les objectifs du plan de marketing établis dans la phase de planification et la phase de contrôle du processus de marketing stratégique?

RÉSUMÉ

1. De nos jours, les grandes organisations, tant les entreprises commerciales que les organisations sans but lucratif, comptent souvent trois niveaux. Ce sont, du sommet de la hiérarchie à sa base, le niveau de l'organisation, le niveau de l'unité d'activités stratégiques et le niveau fonctionnel.

2. Au plus haut niveau, la stratégie de l'entreprise résume l'orientation stratégique de l'organisation entière. La direction énonce la mission de l'organisation, fixe les objectifs et définit la philosophie et la culture de l'entreprise.

3. Suivant le processus de marketing stratégique, l'entreprise utilise des ressources de son marketing mix pour atteindre ses marchés cibles. Ce processus a trois phases : la planification, la mise en œuvre et le contrôle.

4. La phase de planification du processus de marketing stratégique a trois étapes : l'analyse de situation ou l'analyse des forces, des faiblesses, des possibilités et des menaces, l'examen du marché-produit et l'établissement des buts, et le programme de marketing.

5. La phase de mise en œuvre du processus de marketing stratégique comprend quatre points principaux : l'obtention des ressources, la conception de l'organisation du marketing, l'élaboration des échéanciers et l'exécution du programme de marketing.

6. La phase de contrôle du processus de marketing stratégique consiste à comparer les résultats avec les objectifs, de façon à relever les écarts pour pouvoir corriger ceux qui sont négatifs et tirer profit des écarts positifs.

MOTS CLÉS ET CONCEPTS

analyse de situation
analyse des forces, des faiblesses, des possibilités et des menaces
cannibalisme
culture organisationnelle
niveau de l'organisation
niveau de l'unité d'activités stratégiques
niveau fonctionnel
objectif
part de marché
philosophie de l'entreprise
plan de marketing
point de différenciation
processus de marketing stratégique
profit
segmentation du marché
stratégie de marketing
tactique de marketing
unité d'activités stratégiques
vision d'entreprise

EXERCICES INTERNET

Tu aimerais posséder la franchise d'un bar laitier Ben & Jerry's ? Cela plairait à beaucoup de gens si l'on en juge par le déluge d'appels quotidiens que reçoit la compagnie à ce sujet. Tous ceux qui appellent disent avoir des idées formidables et connaître l'endroit parfait pour un nouveau Ben & Jerry's. Mais la compagnie choisit très prudemment ses emplacements et ses futurs franchisés. Quels sont ses critères ? Tu les trouveras sur le site de Ben & Jerry's.

Pour plus d'informations au sujet de Ben & Jerry's, rends-toi à l'adresse suivante : www.dlcmcgrawhill.ca.

QUESTIONS DE MARKETING

1. a) Explique ce en quoi consiste un énoncé de vision. b) À l'aide de l'exemple de Coca-Cola, indique l'orientation adoptée par cette organisation. c) Rédige un énoncé de vision de ta future carrière.
2. a) Que peut faire la direction pour changer la culture de son organisation ? b) Quelles mesures George Fisher a-t-il adoptées pour changer la culture d'entreprise de Kodak ?
3. Quel est le principal résultat de chacune des trois phases du processus de marketing stratégique : a) la planification ; b) la mise en œuvre ; c) le contrôle ?
4. Décris une faiblesse, une possibilité et une menace en partant de l'analyse raccourcie de Rollerblade, Inc., présentée au tableau 2.2. Suggère des actions pour chacun de ces points.
5. Plusieurs universités canadiennes offrent un diplôme (le produit) à des jeunes âgés entre 18 et 22 ans (le marché). Montre comment ces universités pourraient utiliser les quatre stratégies de croissance du marché-produit (tableau 2.3) pour se tailler une bonne part du marché dans les années 2000.
6. Les objectifs chiffrés établis dans la deuxième étape de la phase de planification du processus de marketing stratégique servent dans la phase de contrôle. Quelles actions devrait entreprendre la direction du marketing si les résultats sont inférieurs aux objectifs ? S'ils y sont supérieurs ?

ÉTUDE DE CAS 2-1 SPECIALIZED BICYCLE COMPONENTS, INC.

L'homme qui parle est droit, fier et intense. « Notre mission est de fabriquer un vélo qui, d'une fois à l'autre, procurera aux consommateurs la randonnée de leur vie », explique Chris Murphy, directeur du marketing de la société Specialized Bicycle Components, Inc., ou simplement Specialized, comme l'appellent les randonneurs sérieux. « Quand notre clientèle aperçoit le « *S* » rouge sur nos produits, elle se dit : « Voilà une entreprise qui comprend les besoins des cyclistes et qui fabrique des produits expressément pour eux. »

L'ENTREPRISE

Specialized est fondée par Mike Sinyard, un passionné de vélo. Monsieur Sinyard s'initie au domaine des affaires en 1974 grâce aux 1 500 $ qu'il a récolté de la vente de sa fourgonnette. Il commence par importer des pièces de rechange « spécialisées » difficiles à trouver. Deux ans plus tard, l'entreprise se met à fabriquer ses propres pièces. En 1980, Specialized révolutionne l'industrie de la bicyclette lorsqu'elle lance le premier vélo de montagne. Depuis, sa réputation n'est plus à faire. En matière de technologie, Specialized est considérée comme le chef de file des vélos et des pièces. En fait, la mission de l'entreprise n'a pas changé depuis sa fondation : « Procurer à chacun la meilleure randonnée de sa vie ! ».

À tes yeux, les modèles Stumpjumper et Rockhopper fabriqués par Specialized sont sans doute les vélos de montagne les plus populaires. Le Globe, bicyclette de ville de style européen, est un autre produit issu de l'ingéniosité de cette compagnie américaine. L'entreprise fabrique aussi des vélos de ville et une vaste gamme d'accessoires, dont des casques, des bouteilles d'eau, des maillots et des chaussures. Monsieur Murphy affirme : « Le client achète non seulement le vélo, mais aussi la randonnée et tout ce qui peut l'accompagner. »

Specialized a aussi organisé la première course de vélos de montagne professionnelle. Et qui a été couronné le tout premier titre de champion mondial de cette compétition ? Ned Overland, lui-même capitaine de l'équipe Specialized. M. Overland compte parmi les consultants en conception de l'entreprise. L'entreprise mise sur cette course pour exposer la technologie éprouvée de ses produits. À ses yeux, cette perception bien fondée profite à toute la gamme de ses produits et vélos.

L'ENVIRONNEMENT

L'innovation et la technologie sont au cœur de l'industrie de la bicyclette. Le nombre sans cesse croissant de nouveaux concurrents intensifie la lutte pour obtenir une part de marché. Le marché de Specialized comporte deux segments : 1) le détaillant indépendant ; et 2) les consommateurs finaux. L'entreprise dessine ses vélos en fonction des besoins des consommateurs finaux. Toutefois, comme elle vend ses produits seulement aux détaillants, la relation qu'elle établit avec eux sera déterminante.

Les consommateurs finaux se retrouvent au sein de plusieurs groupes cibles : les étudiantes et les étudiants des collèges et des universités dont l'âge varie entre 18 et 25 ans, et les « technos », des professionnelles et des professionnels âgés entre 30 et 40 ans. Pour se démarquer de la concurrence, Specialized se positionne comme un fabricant innovateur de vélos de montagne, dont les modèles sont imités par les concurrents.

La vente de vélos de montagne compte pour 67 % des ventes de l'industrie de la bicyclette, le reste du marché étant l'affaire des vélos de ville. Le vélo de montagne a connu un énorme succès entre 1989 et 1993. Les ventes, toutefois, ont chuté vers le milieu des années 1990. Cette tendance nuira-t-elle à Specialized ? « La croissance du marché devrait se poursuivre encore six ou sept ans, car notre clientèle désirera troquer un vélo moins sophistiqué pour un modèle haut de gamme », explique M. Murphy.

Dès 1982, Specialized conçoit un réseau de distribution qui allait bientôt s'étendre à l'échelle de la planète. Le « *S* » rouge, symbole des produits haute performance de Specialized, peut être vu notamment en Asie, en Amérique du Nord, en Europe et en Australie. L'entreprise chapeaute maintenant des filiales dans 25 pays.

LES ENJEUX DE DEMAIN

Comment Specialized s'y prendra-t-elle pour demeurer à l'avant-garde d'un secteur d'activité qui comprend maintenant une vingtaine de fabricants ? La mise en place stratégique sur le marché constitue un moyen. Specialized a récemment inauguré son propre serveur, le World Ride Web. Son site Web met à la disposition des internautes des annuaires, répertoriant les sentiers de randonnée en vélo de montagne et en vélo de route du monde entier, un service de courriel, permettant à la clientèle d'être en contact avec le personnel de Specialized, un réseau de protection des sentiers et un annuaire des détaillants présentant des liens Internet intéressants. Le serveur contient aussi de l'information sur les produits de Specialized. Le Globe, dernier modèle mis en marché, a fait une apparition dans les boutiques de vêtements Gap. Specialized croit que ces stratégies promotionnelles inhabituelles rappellent aux consommateurs que Specialized est toujours à la fine pointe.

Pour cibler le segment de marché des détaillants, Specialized a mis sur pied le *Best Ride Tour*. À l'occasion de la promotion « Tester avant d'acheter », des camions de Specialized chargés des derniers modèles ont effectué une tournée dans une trentaine de villes. Les détaillants et leur personnel ont ainsi pu en faire un essai sur route et choisir les vélos qu'ils vendraient l'année suivante.

Pour conserver son avance sur le plan technologique, Specialized demeure à l'affût de nouveaux partenaires. Ainsi, en 1989, l'entreprise développe la roue Composite, fruit d'un partenariat avec Du Pont. Cette roue est si aérodynamique qu'elle réduit d'une dizaine de minutes une randonnée de 160 km. Cinq ans plus tard, Specialized forme un partenariat de distribution avec le fabricant de dérailleurs GripShift, lui faisant profiter du même coup de son vaste réseau de détaillants. En quoi tout cela sert-il les intérêts de Specialized ? Specialized offre à ses détaillants des produits de premier ordre que ceux-ci peuvent offrir à leur tour à leurs clients.

Specialized commandite des courses, soutient des équipes de cyclistes, met sur pied des campagnes de sécurité à vélo et fait partie de groupes prônant une augmentation du nombre de sentiers de randonnée à vélo dans le monde entier. Une vingtaine d'années plus tard, M. Sinyard croit toujours que le succès de l'entreprise repose avant tout sur la conception de produits de première qualité. « Même si nous sommes en affaires depuis 20 ans, nous avons encore l'impression d'avoir quelque chose à prouver. Il devra toujours en être ainsi. »

Pour plus d'informations au sujet de Specialized, rends-toi à l'adresse suivante : www.dlcmcgrawhill.ca.

Questions

Les questions suivantes portent sur les trois étapes de la phase de planification de la stratégie marketing.

1. On te demande de réaliser une analyse des forces, des faiblesses, des possibilités et des menaces pour le compte de Specialized. Pour ce faire, inspire-toi du tableau 2.3, à la page 31, et du tableau A.1 de l'annexe A, à la page 42. Sers-toi du texte pour évaluer les facteurs internes (forces et faiblesses). Pour évaluer les facteurs externes (possibilités et menaces), complète le dossier du cas en t'inspirant des événements marquant l'industrie de la bicyclette.

2. Pour la deuxième étape de la phase de planification, inspire-toi de l'analyse des forces, des faiblesses, des possibilités et des menaces réalisée à la question précédente. Choisis les marchés cibles auxquels tu t'attaqueras pour atteindre les clientèles existante et potentielle.

3. Pour la troisième étape de la phase de planification, trace une ébauche des programmes de marketing de Specialized destinés aux segments de marché que tu as choisis, à l'aide de tes réponses aux deux questions précédentes.

LA RÉDACTION D'UN PLAN STRATÉGIQUE DE MARKETING

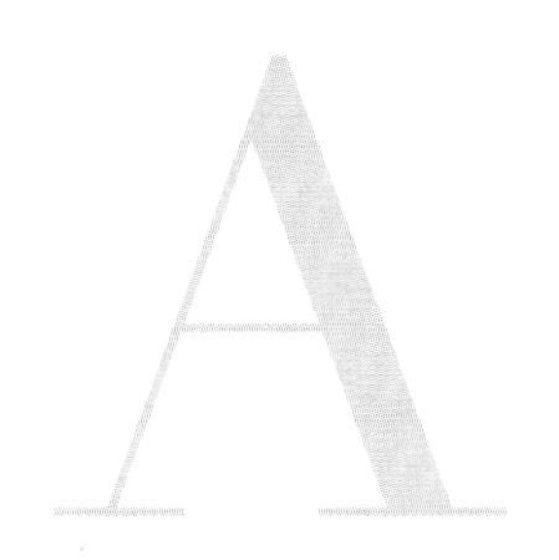

« De nouvelles idées, il s'en trouve à la pelle », dit Arthur R. Kydd. « C'est vrai aussi pour les nouveaux produits et les nouvelles technologies ». R. Kydd sait de quoi il parle. En effet, depuis 25 ans, il est le président-directeur général de St. Croix Venture Partners. Il a avancé la mise de fonds initiale et le capital de risque nécessaires au démarrage de plus de 60 nouvelles entreprises. Aujourd'hui, ces compagnies emploient plus de 5 000 personnes.

Kydd s'explique :

> « J'examine entre 200 et 300 plans de marketing chaque année, et St. Croix n'en finance que deux ou trois. Les chances de succès d'une idée, d'un produit ou d'une technologie sont leurs marchés et leur mise en marché. Si votre produit possède vraiment un point de différenciation répondant aux besoins de la clientèle, vous tenez probablement un numéro gagnant. Cela ressortira nettement d'un plan de marketing bien rédigé[1]. »

La présente partie comprend une description d'un plan de marketing, une explication de leur objet, de même que les règles générales de rédaction qui s'y appliquent. Elle contient aussi un exemple de plan de marketing.

LES PLANS DE MARKETING

Nous verrons d'abord à quoi servent les plans de marketing et à qui ils s'adressent. Nous passerons ensuite aux conseils de rédaction et nous expliquerons ce que d'éventuels investisseurs espèrent y trouver.

Les plans de marketing : définition, objets et destinataires

Un *plan de marketing* est un plan d'activités de marketing élaboré par une entreprise en prévision d'une période donnée, un ou cinq ans, par exemple[2]. Il faut retenir qu'il n'existe pas de plan de marketing applicable à toutes les entreprises ou convenant à toutes les situations. Au contraire, la forme du plan de marketing d'une entreprise dépend des points suivants :

- *Le destinataire et l'objet du plan.* Les éléments d'un plan de marketing dépendent étroitement 1) des destinataires et 2) de ce qu'on cherche à accomplir avec ce plan, c'est-à-dire son objet. Un plan de marketing interne a pour objet d'orienter les futures activités de marketing. On le remet à tous les membres de l'entreprise qui devront le mettre en œuvre ou dont le travail sera affecté par ce plan. L'objet du plan peut être de recueillir des capitaux auprès d'un auditoire externe composé, par exemple, d'amis, de banquiers, de spécialistes du capital de risque ou de potentiels investisseurs. Le document doit vendre le projet aux destinataires internes et externes. Dans ce cas, le plan de marketing comprend des éléments tels que les orientations stratégiques, la structure de l'entreprise, les biographies du personnel clé et des données rarement incluses dans un plan de marketing destiné à l'usage interne. De plus, comme un plan destiné à l'extérieur sert à recueillir des capitaux, l'information financière doit être beaucoup plus détaillée.
- *Le type d'organisation et sa complexité.* Il va sans dire que le plan de marketing du restaurant de quartier est assez différent de celui d'une multinationale comme Nestlé. Le plan du restaurant est plutôt simple. Il s'applique à desservir son marché : la clientèle du quartier. Par contre, chez Nestlé, il existe une hiérarchie de plans de marketing. Le plan sera élaboré par niveaux allant du général au plus détaillé. Par exemple, pour l'entreprise dans son ensemble, pour une unité d'exploitation ou une gamme de produits.
- *Le secteur d'activités.* Tous les plans analysent la concurrence : du restaurant de quartier servant un marché local à la grande entreprise comme Medtronic, qui vend des stimulateurs cardiaques dans le monde entier. Pour le restaurant et pour Medtronic, les zones géographiques, la complexité des produits et les périodes couvertes par les plans sont extrêmement différentes. Un plan d'un an pourrait suffire au restaurant, mais Medtronic pourrait avoir besoin d'un horizon de planification de cinq ans. En effet, le cycle de développement de dispositifs médicaux complexes est généralement de trois ou quatre ans.

Les questions les plus courantes des auditoires externes

Comme on peut le voir au tableau A.1, un plan de marketing destiné à un auditoire interne se distingue d'un plan de marketing destiné à un auditoire externe. Un plan de marketing destiné à recueillir des capitaux externes doit satisfaire les bailleurs de fonds (les institutions financières) ou les investisseurs potentiels qui sont très exigeants. En général, ils se posent les questions suivantes :

1. Cette entreprise ou cette idée de marketing est-elle valable ?
2. Ce produit ou service a-t-il quelque chose d'unique ou de caractéristique qui le distingue de produits analogues ou concurrents ?
3. Existe-t-il un marché bien défini pour ce produit ou ce service ?
4. Les projections financières sont-elles saines et réalistes ?
5. Les principaux gestionnaires et le personnel technique sont-ils compétents ? Ces gens ont-ils fait leurs preuves dans le secteur d'activités qu'ils veulent investir ?
6. Le plan indique-t-il clairement comment les fournisseurs de capitaux récupéreront leur mise et réaliseront des profits ?

Selon Rhonda M. Abrahms, auteure de *The Successful Business Plan* : « En moins de cinq minutes, les lecteurs de votre plan doivent sentir que vous avez bien répondu à toutes ces questions[4] ». Elle faisait ces commentaires en songeant aux plans servant à recueillir des capitaux. Mais ils s'appliqueraient tout autant aux plans destinés aux auditoires internes.

Des conseils d'écriture et de style

Il n'y a pas de recette universelle pour écrire de bons plans de marketing. Malgré cela, voici quelques bons conseils à suivre[5] :

- Adopte un style d'écriture direct et professionnel. Utilise correctement la terminologie des affaires, mais évite le jargon. Écris à la voix active, aux modes présent et futur. C'est généralement plus efficace qu'un texte écrit au passé ou à la voix passive.
- Sois affirmatif et précis, de façon à convaincre les lecteurs du potentiel de réussite. Évite cependant les superlatifs (comme « fantastique » ou « merveilleux »). Préfère les faits clairs et précis aux brillantes généralités. Crée de l'effet en donnant des chiffres

TABLEAU A.1
Éléments d'un plan de marketing classique répertoriés par destinataires

Éléments du plan	Plan de marketing	
	Destinataires internes (pour diriger l'entreprise)	Destinataires externes (pour recueillir des capitaux)
1. Sommaire	✓	✓
2. Description de la compagnie		✓
3. Plan et points stratégiques		✓
4. Analyse de la situation	✓	✓
5. Orientation du marché-produit	✓	✓
6. Programme de marketing stratégique et tactique	✓	✓
7. Projections financières	✓	✓
8. Structure de l'entreprise		✓
9. Plan de mise en œuvre	✓	✓
10. Évaluation et contrôle	✓	
Annexe A. Biographies du personnel clé		✓
Annexe B, etc. Détails sur divers sujets	✓	✓

et, autant que possible, justifie tes prévisions à l'aide d'hypothèses quantifiées et plausibles.
- Utilise des marques typographiques. Cela facilite la concision et fait ressortir les points importants. Comme on le voit en lisant la présente énumération, ces marques mettent efficacement en lumière les points essentiels.
- Utilise deux niveaux de titre (premier et second niveaux) à l'intérieur des sections numérotées, pour aider les lecteurs à passer aisément d'un sujet à l'autre. Cette présentation force aussi la personne qui rédige à organiser son plan plus rigoureusement. N'hésite pas à mettre des titres. Fais-le au moins tous les 200 ou 300 mots.
- Recours à des éléments graphiques quand cela est approprié. Les photos, les illustrations, les graphiques et les tableaux permettent de présenter succinctement des masses de données.
- Prévois un document d'environ 15 à 35 pages, sans compter les projections financières et les annexes. Pour une petite entreprise simple, 15 pages seraient suffisantes. Inversement, le démarrage d'une entreprise de haute technologie pourrait en nécessiter plus de 35.
- Soigne la mise en pages, le graphisme et la présentation. Tu obtiendras un document d'aspect plus professionnel en utilisant une imprimante à jet d'encre ou à laser plutôt qu'une imprimante matricielle ou qu'une machine à écrire. Utilise un corps de caractère de 10 ou 11 points. (Le présent texte est en 10,5 points.) Pour le texte courant, choisis un caractère à empattement comme celui-ci, car ce type de caractère est plus lisible. Réserve les caractères bâtons (sans empattement) pour les graphiques et les tableaux. Prévois une reliure et une page titre soignée pour une touche professionnelle supplémentaire.

LE PLAN STRATÉGIQUE DE MARKETING 2003-2005 DE LA COMMISSION CANADIENNE DU TOURISME

Pour plus d'informations au sujet de la Commission canadienne du tourisme, rends-toi à l'adresse suivante : www.dlcmcgrawhill.ca

Pour t'aider à interpréter le plan de marketing de la Commission canadienne du tourisme qui suit, nous décrirons tout d'abord cet organisme. Tu peux retrouver cette information sur le site Internet de la Commission.

La Commission canadienne du tourisme est une société d'État depuis le 2 janvier 2001. Son projet est d'« Être la meilleure organisation du marketing de destinations touristiques au monde ». Elle s'est chargée d'atteindre quatre objectifs :

- Veiller à la prospérité et à la rentabilité de l'industrie canadienne du tourisme ;
- Promouvoir le Canada comme destination touristique de choix ;
- Favoriser les relations de collaboration entre le secteur privé et les gouvernements du Canada, des provinces et des territoires en ce qui concerne le tourisme au Canada ;
- Fournir des renseignements touristiques sur le Canada au secteur privé et aux gouvernements du Canada, des provinces et des territoires.

Objectifs qu'elle poursuit dans deux grands types d'activités :

- La promotion du Canada comme destination touristique de choix ;
- La communication rapide de renseignements précis au secteur du tourisme pour faciliter la prise de décisions.

La Commission assume donc deux grands rôles : la mise en marché d'une destination (le Canada) et l'information des intervenants du secteur. C'est au premier point que nous nous intéresserons plus particulièrement avec le plan de marketing qui suit.

La table des matières permet une visualisation rapide des différentes parties du plan de marketing et permet d'y accéder plus facilement. On y retrouve les grands titres de section et de sous-section, ainsi que les numéros de page.

Canada – Plan stratégique de marketing

Table des matières

Pour simplifier la lecture et améliorer la présentation, chaque partie commence sur une nouvelle page.

L'analyse de la situation permet de répondre rapidement à la question : « Où en sommes-nous maintenant ? » (voir le chapitre 2).

CCT : Commission canadienne du tourisme

L'analyse économique permet de faire ressortir les facteurs marquants qui influent sur le secteur de l'entreprise. On peut aussi retrouver les autres forces de l'environnement (voir le chapitre 3).

Les tableaux, les figures et les graphiques doivent avoir un titre. On peut également les faire précéder de leur titre numéroté (par exemple Figure 1, Tableau 3, etc.) pour faciliter leur utilisation comme illustration dans le texte.

IPC : indice des prix à la consommation

Les tableaux permettent de résumer une information, souvent des chiffres, qu'il serait difficile d'énumérer les uns après les autres dans le texte.

Analyse de la situation

Introduction

L'intérêt des Canadiens pour le tourisme dans leur pays n'a jamais été aussi fort, ce qui offre aux spécialistes du marketing une opportunité sans précédent. Presque tous les Canadiens qui voyagent – 93 p. 100 – envisagent de faire un voyage cette année, une hausse de 8 p. 100. Près de 60 p. 100 de ces voyageurs canadiens déclarent qu'il est très probable que ce voyage ait lieu au Canada, une hausse de 7 p. 100. Ces statistiques sont significatives au plan de l'impact des recettes touristiques, de la conversion des voyages à l'étranger et de la baisse générale du déficit de la balance touristique. Une baisse parallèle des intentions des Américains de visiter le Canada, bien que de moindre ampleur, accentue l'importance de ce changement de comportement touristique.

Les attaques terroristes survenues aux États-Unis le 11 septembre 2001 ont confronté les consommateurs du monde entier à une nouvelle réalité difficile qui influe sur le comportement touristique. On ne sera pas surpris d'apprendre que l'un des effets de cette réalité est l'accroissement de l'intérêt des Canadiens pour le tourisme au Canada. La CCT avait planifié, avant le 11 septembre, de réorienter ses programmes et de cibler les adeptes des voyages à l'étranger dans les marchés canadiens où la tendance à ce type de tourisme était la plus forte. La taille de ce marché de conversion a progressé substantiellement depuis le 11 septembre, et 46 p. 100 des Canadiens envisagent aujourd'hui de remplacer par le Canada d'autres destinations de voyage.

S'ajoute à cette tendance la perspective d'une reprise économique en Amérique du Nord. À l'heure actuelle, une évolution à court terme vers un regain d'activité et la production de recettes sur le marché national compensera les pertes de revenu d'origine internationale. Toutefois, si l'économie nord-américaine commence à s'améliorer, le marché touristique américain devrait commencer à reprendre des couleurs au début de 2003. Dans l'alternative, le marché national canadien prendra une importance accrue avec chaque mois de retard de la reprise économique.

Analyse économique

L'économie canadienne a connu un ralentissement en 2001. Selon les premières estimations, le PIB réel n'a progressé que de 1,4 p. 100, moins de la moitié de son rythme normal pendant chacune des quatre précédentes années. Les dépenses de consommation des ménages et les investissements des entreprises ont ralenti, faisant que la demande nationale nette n'a progressé que de 2,2 p. 100, la plus faible hausse depuis 1996. Les dépenses de consommation des ménages ont augmenté de 2,4 p. 100, alors

Canada – Indicateurs économiques choisis

	1997	1998	1999	2000	2001
Variation du PIB réel (%)	4,3	3,9	5,1	4,4	1,4
Taux de chômage (%)	9,1	8,3	7,6	6,8	7,2
Variation de l'IPC (%)	1,6	1	1,7	2,7	2,7
Variations des dép. de cons. réelles (%)	4,6	3	3,4	3,6	2,0
Taux de change Canada/É.-U. (¢ US)	72,2	67,4	67,3	67,3	64,6

Économie canadienne 2002-2005

	2002	2003	2004	2005
Variation du PIB réel (%)	1,1	3,9	3,5	3,5
Taux de chômage (%)	7,6	7.4	7,1	7,1
Variation de l'IPC (%)	1,4	1,6	1,8	1,9
Variations des dép. de cons. réelles (%)	1,0	3,2	3,2	3,2
Taux de change Canada/É.-U. (¢ US)	65,4	68,0	69,0	69,5

2 Canada – Plan stratégique de marketing 2003-2005

INT : indicateurs nationaux du tourisme

EVC : enquête sur les véhicules au Canada

L'utilisation judicieuse de couleurs permet de faire ressortir les différents éléments d'un tableau ou d'une figure.

On indique toujours les références, les sources ou les façons d'obtenir les chiffres dans les tableaux.

Voyages d'une nuit ou plus des Canadiens au Canada

	1996	1997	1998	1999*	2000*	2001*
Personnes-voyages (en milliers)	70,502	64,777	73,302	73,457	77,259	78,125
Variation (%)	n/a	-8.2	13.2	0.2	5.2	1.1
Voyages intraprovinciaux	57,493	51,486	58,609	58,491	61,807	62,266
Variation (%)	n/a	-10.5	13.9	-0.2	5.7	3.7
Voyages interprovinciaux	13,009	13,488	14,693	14,966	15,452	15,859
Variation (%)	n/a	3.7	10.4	1.8	-3.2	2.6

* Estimations préliminaires de la CCT fondées sur les INT en l'absence de données définitives de l'EVC.

Voyages d'une nuit ou plus des Canadiens à destination de l'étranger

	1998	1999	2000	2001(p)
Voyages-pers. à destination É.-U. (en milliers)	13 430	14 116	14 648	13 518
Variation (%)	-11,2	5,1	3,8	-7,7
Dépenses (en millions de $)	7 902	8 401	8 975	8 287
Variation (%)	-3,3	6,3	6,8	-7,7
Voyages-pers. outre-mer (en milliers)	4 218	4 251	4 516	4 832
Variation (%)	5,9	0,8	6,2	7,0
Dépenses (en millions de $)	5 848	5 936	6 498	6 958
Variation (%)	8,1	1,5	9,5	7,1

(p) prévisions

que les investissements des entreprises en capital fixe ont été majorés de 0,7 p. 100 (l'investissement en machines et outillages a cependant chuté de 1,6 p. 100). Le ralentissement de l'activité économique aux États-Unis a eu des retombées au Canada et un impact direct sur les exportations, qui ont reculé de 3,6 p. 100.

En dépit des mauvais résultats annuels, le quatrième trimestre comportait des signes encourageants de reprise économique. Le gain de 2 p. 100 du PIB était attribuable à une augmentation des exportations nettes (exportations moins importations), à la croissance de la demande intérieure (due principalement au mouvement de reprise des dépenses de consommation, qui ont plus que compensé la forte baisse des investissements des entreprises en capital fixe), et à une baisse des stocks des entreprises.

Les transports aériens et l'hébergement ont été directement affectés par la réduction des voyages, dans la foulée du 11 septembre. À la fin de l'année, on constatait déjà une reprise par rapport au creux du mois de septembre. L'activité dans le secteur du transport aérien était en hausse de 5,1 p. 100 en décembre – la troisième augmentation mensuelle consécutive – et les secteurs de l'hébergement, de la location de voitures, des taxis et des excursions touristiques avaient presque retrouvé leur niveau du mois d'août. Mais le chiffre d'affaires des agences de voyage se situait encore à 3,1 p. 100 au-dessous du niveau du mois d'août.

Globalement, la situation économique continuera de s'améliorer pendant toute l'année 2002, au cours de laquelle on s'attend à ce que chaque trimestre soit meilleur que le précédent et que le dernier trimestre enregistre un taux de croissance record de 5 p. 100. On pense que l'économie canadienne croîtra de 1,1 p. 100 en 2002 et de 3,9 p. 100 en 2003. Quant au chômage, il devrait régresser de 7,6 p. 100 en 2002 à 7,4 p. 100 en 2003 et à 7,1 p. 100 en 2004 et 2005. L'inflation restera faible de 2001 à 2005. La consommation des ménages passera à 3,2 p. 100 en 2003 suite à une progression de 1 p. 100 en 2002. On s'attend à une remontée lente et graduelle du dollar canadien à moyen terme.

Canada – Plan stratégique de marketing 2003-2005 3

L'analyse de la concurrence démontre que la compagnie a une vision réaliste de ses principaux concurrents et qu'elle connaît leurs stratégies de marketing. Il s'agit de persuader les destinataires internes et externes du bien-fondé des futures activités de marketing (voir les chapitres 2, 3 et 8).

Cette analyse du secteur du tourisme est assez brève, comme l'était l'analyse du secteur de la concurrence. Elle montre aux lecteurs internes et externes que la compagnie comprend bien le secteur dans lequel elle évolue.

Prévisions de voyages d'une nuit ou plus des Canadiens au Canada

	2001	2002	2003	2004	2005
Voyage d'une nuit ou plus (en milliers)	15 859	16 192	16 597	17 111	17 282
Variation (%)	1,4	2,1	2,5	3,1	1,0
Dépenses (en millions de $)*	8 448	8 701	9 058	9 493	9 728
Variation (%)	1,6	3,0	4,1	4,8	2,5

* Selon des estimations fondées sur les indicateurs nationaux du tourisme

Tendances touristiques

Les estimations préliminaires indiquent que les dépenses touristiques à l'intérieur du Canada ont graduellement diminué pendant presque toute l'année 2001. Les Canadiens ont consacré près de 38,4 milliards de dollars à ces dépenses en 2001, soit une augmentation de ,3 p. 100 par rapport à 2000. Les événements du 11 septembre et le fléchissement de l'économie se sont traduits par une chute de 0,4 p. 100 des dépenses au cours du troisième trimestre, premier recul en 10 ans. Bien que les événements du 11 septembre aient eu un impact au troisième trimestre, la demande intérieure avait déjà commencé à régresser au cours du deuxième trimestre pendant lequel elle avait enregistré une progression de seulement 1,7 p. 100, par rapport à 5,4 p. 100 pour le premier trimestre.

Les Canadiens ont également limité leurs déplacements internationaux, notamment au sud de la frontière. En 2001, ils ont effectué environ 18,4 millions de voyages d'une nuit ou plus en dehors du pays, soit une baisse de 4,2 p. 100 par rapport à 2000. Les voyages d'une nuit ou plus aux États-Unis ont chuté de 7,7 p. 100, alors que les déplacements outre-mer ont en fait progressé de 7 p. 100. Une très forte baisse – 19,8 p. 100 – des voyages à destination des États-Unis pendant les mois de septembre à décembre explique cette régression. Le nombre des voyages à l'étranger a diminué pendant la même période, mais pas dans les mêmes proportions – en baisse de 7,2 p. 100.

Avant les événements du 11 septembre, au cours des huit premiers mois de l'année, les voyages internationaux d'une nuit ou plus effectués par les Canadiens avaient progressé de seulement 0,8 p. 100, par suite de la diminution du mouvement vers les États-Unis. Sur 12 mois, on a constaté une baisse du nombre des voyages à destination des États-Unis tous les mois, à l'exception de janvier. Par contraste, les déplacements des Canadiens outre-mer ont augmenté de 12,6 p. 100 sur la période janvier à août, et on a enregistré un nombre record de 3,6 millions de voyages.

Les recherches effectuées dans la foulée des événements du 11 septembre font ressortir qu'un nombre appréciable de voyageurs envisagent se déplacer au Canada plutôt que de se rendre aux États-Unis ou outre-mer. Ce groupe de substitution représente environ la moitié du marché des voyageurs canadiens, soit quelque 9 millions de touristes. Cependant, au fur et à mesure que les voyageurs reprennent confiance à l'égard des voyages internationaux, ce groupe s'amenuisera.

Analyse de la concurrence

La concurrence pour le dollar touristique canadien vient de l'étranger, des États-Unis et des destinations outre-mer. Dans la foulée des événements du 11 septembre, on a constaté à travers le monde une prolifération de publicités rivalisant pour attirer les consommateurs appréhensifs et attentifs au coût. Avant le 11 septembre, les voyages effectués par les Canadiens à l'étranger avaient augmenté de 12,6 p. 100, pour atteindre un niveau record. Le coup d'arrêt pendant le dernier trimestre s'explique largement par le sentiment d'insécurité des voyageurs à la suite du 11 septembre, la réduction de la capacité dans le secteur du transport aérien et l'incertitude économique.

Toutefois, certains de ces effets s'estompent au fur et à mesure que les voyageurs recommencent à voyager à l'étranger. Les ventes anticipées de billets d'avion en janvier 2002 ont augmenté, aussi bien pour les destinations américaines que non américaines, par rapport à la même période de l'an passé. Bien que la grande majorité des voyages à l'étranger effectués par les Canadiens aient les États-Unis pour destination (environ les deux tiers du total des voyages à l'étranger), l'attraction des destinations outre-mer continuera de se solder par une perte de touristes canadiens qui, s'il en était autrement, voyageraient au Canada.

L'industrie touristique américaine a réagi à la désaffection des Canadiens par la mise en place d'incitatifs économiques comme la parité des monnaies. Les Canadiens qui, traditionnellement, voyagent surtout aux États-Unis pendant les mois d'été pourraient être tentés par de telles formules, répondant peut-être à une demande contenue. Toutefois, un dollar canadien plus faible, ajouté à une reprise économique relativement peu vigoureuse, risque de convaincre un grand nombre de voyageurs d'agir autrement.

L'analyse de la concurrence fait ressortir les forces et les faiblesses de l'organisation (ici les possibilités et les contraintes) vis-à-vis de ses concurrents. L'analyse permet d'asseoir les actions développées plus loin dans le plan de marketing. Elle positionne aussi le Canada vis-à-vis des autres destinations.

Les marques typographiques donnent plus de poids au texte et soulignent l'importance des différents points d'une énumération.

Voyages d'une nuit ou plus des Canadiens à destination des États-Unis 1991-2000

	Total	Affaires	VRP	Agrément
Voyages en 1991 (en milliers)	19 113	2 006,9	2 809,6	14 296,5
Voyages en 2000 (en milliers)	14 648	2 738,8	2 880,9	9 027,9
Variation moyenne (%)	-3,0	3,5	0,3	-5,0
1991 (en millions de $)	7 846	1 117	605	6 124
2000 (en millions de $)	8 975,0	2 562,4	815,8	5 596,8
Variation moyenne (%)	1,5	9,6	3,4	-1,0

Voyages d'une nuit ou plus des Canadiens outre-mer 1992-2000

	Total	Affaires	VRP	Agrément
Voyages en 1992 (en milliers)	3 103	477,9	605,1	2 020,0
Voyages en 2000 (en milliers)	4 515,5	760,8	803,5	2 951,2
Variation moyenne (%)	4,3	5,3	3,2	4,3
1991 (en millions de $)	3 805	854	588	2 363
2000 (en millions de $)	6 497,6	1 632,8	853,5	4 011,3
Variation moyenne (%)	6,1	7,5	4,2	6,1

Possibilités et contraintes

Afin d'accroître la part du Canada dans le marché des voyages d'une nuitée ou plus, une présence nationale est nécessaire pour influencer l'offre et la demande touristiques sur les quatre saisons au Canada et stimuler les voyages interprovinciaux en ciblant les efforts sur l'intersaison et les vacances hors saison. Au cours de la période 2003 à 2005, le Programme de marketing au Canada mettra en œuvre une gamme complète de stratégies et de tactiques de marketing (communication, ventes, développement de l'industrie, développement de produits et de recherches) afin de relever les défis et saisir les opportunités particulières au contexte du marché intérieur.

Possibilités

- Le vaste paysage canadien offre une série de destinations, d'expériences, de conditions climatiques et d'activités fascinantes et incroyablement diversifiées.
- Démographie : les différents marchés territoriaux et provinciaux offrent des possibilités de marketing exceptionnelles pour promouvoir les voyages de moyenne ou de longue distance en fonction de motivations saisonnières ou démographiques.
- Langue : un programme entièrement bilingue donne une perspective supplémentaire et une grande portée aux efforts de marketing destinés à un auditoire national.
- Concurrence : compte tenu du grand nombre de fournisseurs nationaux qui ciblent le marché canadien et qui fonctionnent dans le cadre d'une stratégie de positionnement semblable, la réserve de ressources possibles est élevée.
- Produits concurrentiels : bien que l'accès aux États-Unis soit facile, le Canada offre une excellente valeur concurrentielle sur de nombreux produits similaires, ainsi qu'un ensemble particulier d'attractions et d'expériences spécifiquement canadiennes.
- Liens culturels : le Canada est composé d'une riche mosaïque culturelle reflétant une histoire et un patrimoine stimulants qui offre des produits touristiques éclectiques. En outre, le sentiment de fierté nationale et d'identification au Canada permet de placer un programme national dans une perspective exceptionnelle : Le Canada, une généreuse nature.

Canada – Plan stratégique de marketing 2003-2005 5

La taille des titres doit donner une allure professionnelle au rapport sans surcharger le texte.

Pour une meilleure lisibilité, l'énumération suit un modèle. Ici, chaque point commence par un verbe d'action à l'infinitif.

Contraintes

- Géographie : le vaste paysage canadien couvre un territoire immense à parcourir.
- Démographie : bien que le programme s'étende au trois territoires et aux dix provinces, les clientèles clés sont très largement concentrées dans un petit nombre de marchés urbains.
- Langue : en vertu de la loi fédérale, le Programme de marketing au Canada doit être entièrement bilingue au plan national.
- Concurrence : comme le marché intérieur est un marché primaire pour la plupart des OMD régionales et provinciales et le secteur privé de l'industrie touristique, leurs efforts peuvent paraître se concurrencer.
- Proximité des États-Unis : à cause de l'accès facile aux États-Unis par différents moyens de transport à partir de la plupart des centres urbains, la capacité de voyager à l'étranger est forte.
- Liens culturels : en tant que nation bâtie autour d'une mosaïque culturelle, les affinités et les liens internationaux rendent les destinations outre-mer très attrayantes.

Objectifs, stratégies et groupes cibles

Au cours de la période 2003-2005, la perspective triennale du Programme de marketing au Canada permettra de :

1. accroître les visites et les recettes et stimuler la fidélité au tourisme canadien;
2. mettre l'accent sur les principaux déclencheurs démographiques, saisonniers, d'activité et de motivation;
3. augmenter la visibilité et la disponibilité des produits canadiens;
4. cibler de façon agressive les marchés régionaux à haut potentiel pour la conversion des voyages à l'étranger;
5. encourager des activités de marketing et des ententes de partenariat à plus long terme;
6. accroître les possibilités de développement de produits et la participation des PME;
7. étendre les partenariats pour qu'ils offrent plus de flexibilité aux partenaires traditionnels et non traditionnels;
8. faire évoluer l'image du Canada et saturer le marché par de multiples canaux.

Afin de réaliser ces objectifs, voici les initiatives stratégiques recommandées pour 2003-2005 :

1. continuer de rehausser la visibilité du Canada comme destination intéressante à chaque saison de l'année;
2. stimuler les voyages au pays des Canadiens aisés appartenant à la tranche d'âge 24-54 ans;
3. mettre l'accent sur la réduction de la croissance des voyages à l'étranger en se concentrant sur les provinces d'où il y a le plus de départs (Ontario, Québec, Colombie-Britannique), notamment en ce qui concerne les segments aisés de la population âgée de 35 à 64 ans;
4. axer les messages de marketing et dans les médias sur les facteurs de motivation des voyages au pays ou à l'étranger et sur les variations saisonnières;
5. renforcer la présence sur l'Internet et mettre au point des méthodes pour cibler les clients éventuels à travers des campagnes de marketing électronique;
6. soutenir le développement de nouveaux produits touristiques et les initiatives de mise en marché;
7. surveiller le marché et évaluer le programme.

Faits saillants de l'orientation stratégique du programme en 2003

1. Utiliser pleinement le thème « On est vraiment bien chez nous » dans le contexte de toutes les publicités liées au renforcement de l'image du Canada.
2. Promouvoir les produits canadiens sur une base expérientielle (modèle de grappes de produits) par le biais du guide de vacances, des encarts de journaux, du marketing électronique, des listes d'envoi de bases de données et des relations avec les médias.
3. Investir dans des recherches pour segmenter les bases de données sur les consommateurs, en fonction des préférences et des profils touristiques.
4. Mettre un fort accent sur les activités de marketing dans certains marchés de conversion des voyages à l'étranger.

Cette partie « Stratégie – Programme 2003 » établit l'orientation stratégique de l'ensemble de l'organisation. Les actions proposées dans le plan de marketing doivent bien sûr répondre à cette orientation.

Cette section répertorie les principales niches ou les marchés cibles visés par la Commission canadienne du tourisme. Si cela est utile et qu'on dispose d'espace, on ajoute à cette section une grille marché-produit (voir le chapitre 9). Elle répond à la question : « Qui sont nos clients ? ».

Les objectifs du plan de marketing stratégique (ici les orientations) sont formulés aussi simplement que possible pour permettre aux lecteurs de juger la qualité du plan et sa faisabilité. Ces objectifs servent aussi à mesurer l'efficacité des activités de marketing dans les phases de mise en œuvre et de contrôle.

Stratégie – Programme 2003

On trouvera ci-dessous les principales orientations stratégiques du programme en 2003 :

1. Exploiter l'image de marque du Canada et faire en sorte que le Canada soit perçu comme une destination de vacances pendant toute l'année;
2. Promouvoir les produits canadiens au moyen du modèle de grappes de produits, notamment en se focalisant sur les nouveaux produits ou les nouvelles catégories de produits touristiques;
3. Enrichir la base de données sur les consommateurs pour les messages publipostés et les activités de marketing électronique, et mettre l'accent sur le développement de groupes de bases de données segmentés en fonction des préférences touristiques;
4. Développer les activités publicitaires coopératives afin de cibler les marchés de conversion des voyages à l'étranger en fonction des mouvements saisonniers;
5. Offrir des possibilités de marketing coopératif dans le domaine des messages publipostés et du marketing électronique, dans le but de promouvoir différents thèmes auprès de groupes cibles spéciaux;
6. Continuer à soutenir et à mettre en œuvre le Programme de voyages de plein air, conjointement au programme de marketing axé sur les É.-U. de la CCT, et le présenter à l'industrie comme un débouché nord-américain;
7. Mettre en place ou développer de nouveaux partenariats promotionnels à long terme, susceptibles d'être exploités par l'industrie touristique et élargissant l'envergure du programme national;
8. Poursuivre la promotion de nouvelles formules de voyages à forfait dans le cadre du Programme d'initiatives régionales de marketing touristique;
9. Accroître le nombre de partenaires du programme national et le niveau de soutien des partenariats;
10. Sensibiliser les professionnels de l'industrie aux produits touristiques canadiens et poursuivre la mise en œuvre des programmes éducatifs;
11. Élaborer un programme intégré de relations avec les médias en se concentrant sur l'information des médias touristiques grâce à une plate-forme multimédia de type portail.

Détermination des cibles

Achats médias :	Groupe-cible prioritaire de consommateurs :	âgés de 25 à 54 ans, revenu de ménage de 50 K$ ou plus, éducation supérieure
	Groupe-cible secondaire de consommateurs :	âgés de 55 à 64 ans, revenu de ménage de 50 K$ ou plus, éducation supérieure
Marchés cibles : À l'échelle nationale	Marchés anglophone et francophone d'un bout à l'autre du Canada.	
Segments :	Anglophone :	Victoria, Vancouver, Calgary, Edmonton, Regina, Saskatoon, Winnipeg, Toronto, Hamilton, Kitchener, London, Ottawa, Montréal, Saint-Jean, Halifax, Charlottetown et St. John's.
	Francophone :	Ottawa, Montréal, Québec, Sherbrooke, Trois-Rivières et Chicoutimi.
	Conversion des voyages à l'étranger :	Anglophone et francophone, agglomérations de 500 000 habitants et plus (+ Halifax), Vancouver, Calgary, Edmonton, Winnipeg, Toronto, Ottawa, Montréal, Québec et Halifax.

Canada – Plan stratégique de marketing 2003-2005 7

L'en-tête « Mesure du rendement » est de plus haute importance que celui intitulé « Performance de l'industrie ». Ces en-têtes renseignent sur l'organisation des sujets et leur importance relative. Ce livre est structuré de la même façon.

Des indicateurs sont présentés pour permettre de mesurer le rendement du programme de marketing de l'organisation.

Les outils de mesure des indicateurs de rendement ainsi que leurs sources sont précisés à l'avance.

Mesure du rendement

En 2003 des dispositions seront prises pour mesurer de façon efficace le rendement du programme de marketing et pour obtenir, à propos du marché, les données plus complètes dont on a besoin pour améliorer la planification stratégique et la prise de décisions dans le domaine du marketing.

Trois types de recherches seront effectuées :

- Performance de l'industrie et participation au programme.
- Efficacité de certaines activités publicitaires et promotionnelles; taux de conversion.
- Études de marché visant à combler les écarts entre les données sur le marché et les intentions de voyage.

Performance de l'industrie et participation au programme

L'enquête sur les voyages des Canadiens réalisée par Statistique Canada sera utilisée pour retracer le nombre de voyages effectués par les Canadiens dans leur pays ainsi que les dépenses afférentes. Les voyages d'agrément interprovinciaux d'une nuitée ou plus et les dépenses afférentes représenteront les principaux indicateurs utilisés pour la mesure du rendement. D'après les prévisions pour 2002 et 2003, les voyages d'agrément interprovinciaux d'une nuit ou plus devraient augmenter de 2,5 p. 100, alors que les dépenses liées aux voyages d'agrément interprovinciaux d'une nuitée ou plus progresseront d'approximativement 5,5 p. 100 pendant la même période.

Parmi les mesures figureront les suivantes :

Indicateur	2003	Mesure
Voyages interprov. (en millions de $)	+2,5 %	Statistique Canada
Dépenses interprov. (en millions de $)	+5,7 %	Statistique Canada
Contribution des partenaires	7,0 millions de $	Données de la CCT/CTX

Efficacité des actions publicitaires et promotionnelles

Il y a plusieurs façons de mesurer l'efficacité de certaines activités : on peut mesurer la participation à l'activité, les réactions qu'elle suscite, ainsi que les visites et les ventes qui en résultent.

La CCT se servira des mesures suivantes pour déterminer le rendement des actions publicitaires ou promotionnelles mises en œuvre au Canada.

Les buts et objectifs mesurables de 2003 seront précisés en 2002 de façon à ce que des données à jour puissent être recueillies et que des bases de comparaison puissent être établies.

Action	Mesure
Campagne publicitaire sur l'image et la notoriété (p. ex. campagne 2001-2002 « Nouvelle réalité »)	Études de suivi de la notoriété et des conversions, pour évaluer les campagnes de publicité (MarketFacts 2001-2002).
Programmes de marketing direct et de marketing électronique	Suivi des taux de réponse des consommateurs aux trousses d'information, selon la source de la promotion (BCP et Publicis Dialog).
Programme d'encarts dans les journaux nationaux	Nombre de partenaires participant au programme; nombre de consommateurs participant aux concours dans les encarts ou demandant des renseignements additionnels et ajoutés à notre base de données (BCP et APR).
Programme des initiatives de marketing touristique	Investissements des partenaires dans les campagnes de promotion et de publicité; nombre de nuitées à l'hôtel et de forfaits vendus (partenaires et recettes d'après le CTX).
Activités de relations médias	Un appel d'offres a été lancé pour évaluer le nombre d'articles publiés, la valeur publicitaire équivalente et l'impact de la CCT sur le marché.

Études de marché

En 2003, les projets suivants pourront être entrepris pour mesurer le rendement du programme intérieur :

- suivi des publicités;
- analyse des voyages à l'étranger effectués par les Canadiens;
- sondage de suivi des voyages à l'étranger des Canadiens réalisé par l'ICRT;
- segmentation de la base de données des consommateurs.

Indicateurs de rendement

Les mesures de performance de l'industrie comprendront les données fournies sur le tourisme par diverses sources. Les Indicateurs nationaux du tourisme donnent une information globale sur les recettes intérieures pour le Canada. Au cours des trois premiers trimestres de 2001, les Canadiens ont consacré un peu plus de 30 milliards de dollars au tourisme au Canada, soit 69 p. 100 du total des recettes touristiques. Les non-résidents ont dépensé les 31 p. 100 restant, soit environ 13,9 milliards de dollars.

Demande touristique au Canada

	2000	Variation (%)	2001
Total de la demande (en millions de $)	54 076	0.9	54 577
Canadiens	37 881	1.3 %	38 357
Non-résidents	16 195	0.2	16 220
Part du total de la demande	100 %		100 %
Canadiens	70 %		70 %
Non-résidents	30 %		30 %

La Commission canadienne du tourisme présente le plan d'action justifié par tous les éléments qui précèdent. Il comprend la description de l'utilisation des 4 P. Dans notre exemple, il s'agit surtout des outils de communication (promotion).

Plan d'action

Éléments de programme recommandés pour 2003 – Information détaillée

1. Encarts saisonniers dans les journaux

- Trois éditions : printemps-été (avril), automne (septembre), hiver (janvier 2004).
- Même plan de distribution régional qu'en 2002 (cinq éditions régionales).
- Introduction d'un plan rédactionnel modifié, centré sur de nouveaux produits et expériences ainsi que sur l'industrie du tourisme, et prévoyant davantage de contenu rédactionnel.

2. Annonces coop dans les journaux – marchés sélectionnés

- Trois vagues saisonnières d'annonces coop en partenariat dans les journaux publiés dans des marchés de plus de 500 000 habitants (y compris Halifax), pour faire une campagne de promotion intensive là où le potentiel de conversion des voyages à l'étranger est le meilleur.
- Quatre à six encarts par vague d'annonces.

3. Programme d'expériences de plein-air

- Poursuite de l'initiative de marketing combinée avec le programme de la CCT axé sur les É.-U.; un seul programme nord-américain est présenté aux entreprises, ce qui accroît sa visibilité sur le site voyagecanada.ca et dans les documents imprimés.
- Initiatives à l'échelle nationale pour promouvoir le site Internet et les documents imprimés, et pour sensibiliser la clientèle au tourisme d'aventure au Canada, notamment :
  - bandeaux publicitaires sur certains portails Internet canadiens;
  - marketing par courrier électronique pour intensifier la fréquentation du site Internet;
  - publipostages axés sur le tourisme d'aventure inclus dans les envois aux consommateurs des bases de données au printemps, à l'automne et en hiver;
  - guide des expériences de plein-air et Guide de vacances au Canada inclus dans les réponses aux demandes de documentation de base.

4. Guide de vacances au Canada 2003

- Document principal du programme global de marketing.
- 150 000 exemplaires, de 82 à 90 pages.
- Plan rédactionnel modifié en 2003 pour intégrer certains nouveaux produits, thèmes et expériences de voyage.
- Comprendra une section de type présentoir de plaquettes publicitaires d'un huitième de page pour les plus petits annonceurs.
- Sera envoyé avec le guide des expériences de plein-air 2003.

Éléments de programme recommandés pour 2003-Information détaillée

5. Programme de marketing relationnel	Recouvre deux activités principales ciblées sur le développement de bases de données permettant de rejoindre la clientèle par courrier et par courrier électronique, et sur l'essor de l'intérêt des voyageurs pour le Canada. a) Développement de la base de données - Série de six campagnes publicitaires par courrier et courrier électronique, sur des thèmes particuliers, pour promouvoir de nouvelles catégories de produits, à l'aide de listes louées correspondant à des critères précis. - Participation des partenaires : publicité de certains forfaits, prix offerts dans le cadre de concours, hyperliens. b) Base de données existante - Série de trois envois par courrier et courrier électronique pour promouvoir les voyages saisonniers – Printemps/Été, Automne et Hiver. - Publipostages à l'intention des consommateurs les plus portés à voyager – le premier tiers de la liste. Base de données actuelle : 450 000 personnes (courriel : 35 000).
6. Offres promotionnelles	· Seront négociées avec des partenaires non traditionnels et auront des objectifs à long terme (pourraient également constituer la vague des offres de 2003 dans le cadre d'un partenariat établi en 2002). · Négociations en cours – par exemple, avec Postes Canada, Radio-Canada, Jeep – à propos d'activités en partenariat s'étalant sur 2002 et 2003. · Valeur estimée des partenariats à l'heure actuelle : ratio de 3:1 (contribution des partenaires : contribution de la CCT).
7. Programme des initiatives de marketing touristique	· La CCT financera la promotion de forfaits hors saison offerts par des consortiums régionaux de l'industrie touristique. · Valeur estimée des partenariats à l'heure actuelle : ratio de 3:1.
8. Services à la clientèle	· Services réguliers offerts dans le cadre du programme de marketing, notamment : - télémarketing; - documentation; - tenue à jour de la base de données et profilage dans l'optique de la location de listes; - recherches électroniques dans la base de données et tenue à jour des profils; - suivi et diffusion des résultats.

Éléments de programme recommandés pour 2003-Information détaillée

9. Programme de l'industrie touristique	· Accroître la connaissance des produits touristiques canadiens et leur disponibilité afin d'établir des programmes intégrés pour éduquer et soutenir les détaillants. · Organiser et offrir des séminaires et des ateliers éducatifs sur la façon de vendre le Canada. · Programme relationnel qualifiés inclus dans la base de données. · Négocier des accords intégrés de développement et de promotion avec les forfaitistes.
10. Programme de relations avec les médias	· Catégoriser les médias touristiques afin de mieux identifier les principales perspectives et les perspectives éventuelles selon la préférence pour certains produits, l'intérêt pour les régions et les facteurs démographiques. · Exploiter les possibilités qu'offrent dans les médias le programme de publicité et de marketing de base. · Mettre au point des tactiques et des actions pour stimuler la sensibilisation aux expériences de voyage au Canada ainsi que leur couverture dans les médias. · Surveiller et mesurer les résultats du programme de relations avec les médias. · Organiser des voyages d'information pour les médias à titre d'incitatifs et pour leur donner l'occasion de faire l'expérience et d'avoir une connaissance concrète des produits. · Élaborer un programme rédactionnel électronique et des documents afférents comme des synopsis et des images. · Créer et assurer un service électronique de nouvelles et de rédaction à l'intention des médias dont la spécialité est le tourisme au Canada.
11. Recherche	· Produire une série de rapports sur des sujets comme le suivi de la publicité ou la conversion des voyages à l'étranger, sur les profils TAMS individualisés basés sur certains segments du marché et sur les enquêtes de l'Institut canadien de recherche sur le tourisme concernant les voyages des Canadiens à l'étranger. · Financer des recherches sur la segmentation de la base de données dans le but d'améliorer sa commercialisation et les communications afférentes.

Budget : 5,540 millions de dollars			
	Budget de base	Budget des partenaires	Total
Encarts saisonniers – Nationaux	1 400 000	1 400 000	2 800 000
Annonces coop – Marchés sélectionnés des voyageurs se rendant à l'étranger	600 000	600 000	1 200 000
Programme de voyages de plein air	250 000	150 000	400 000
Guide de vacances	175 000	175 000	350 000
Marketing relationnel -			
a) Publipostages – base de données : publipostages thématiques (nouveaux produits)	500 000	300 000	800 000
b) Marketing électronique – base de données : promotion thématique par courriel (nouveaux produits)	200 000	75 000	275 000
Offres promotionnelles	750 000	2 250 000	3 000 000
Programme d'initiatives de marketing touristique	600 000	1 800 000	2 400 000
Services à la clientèle	500 000	100 000	600 000
Programme de l'industrie touristique	100 000	-	100 000
Programme de relations avec les médias	200 000	200 000-	400 000
Recherche	140 000	-	140 000
Admin.	125 000	-	125 000
Total	5 540 000 $	7 050 000 $	12 590 000 $

Canada – Plan stratégique de marketing 2003-2005 13

Tout plan de marketing stratégique doit démontrer sa viabilité financière qui fait l'objet du budget.

L'ENVIRONNEMENT DYNAMIQUE DU MARKETING

3

APRÈS AVOIR LU CE CHAPITRE, TU SERAS EN MESURE

- de comprendre en quoi l'analyse de l'environnement peut fournir des renseignements sur les environnements social, économique, technologique, concurrentiel et politico-juridique;
- d'expliquer en quoi les environnements sociaux tels que la démographie et la culture, et l'ensemble des conditions économiques influent sur le marketing;
- de préciser en quoi les innovations technologiques ont un impact sur le marketing;
- de saisir les formes de concurrence à l'intérieur d'un marché, les principales composantes de la concurrence et l'impact de cette dernière sur les structures de l'entreprise;
- de présenter la principale loi chargée d'assurer la concurrence et de réglementer les éléments du marketing mix.

LA RÉVOLUTION NUMÉRIQUE TRANSFORME (PRESQUE) TOUT!

Appareil photo numérique, radiodiffusion numérique par câble, téléphone numérique, livre numérique, aide-mémoire numérique, courrier électronique, magazine électronique, commerce électronique, Internet. Si l'une de ces techniques t'est familière, c'est que tu participes à l'une des plus importantes transformations touchant le marketing: la révolution numérique. Les innovations technologiques transforment nos façons de communiquer, d'acheter, de vendre, d'apprendre et de travailler. Avec le passage à l'ère numérique, de nombreux produits font place à des versions plus rapides et plus faciles à utiliser. De nouveaux produits, impossibles à offrir hier encore, sont désormais proposés aux consommateurs. Dans nos maisons, les ordinateurs et les connexions à Internet vont faire partie du mobilier, comme le téléviseur et le magnétoscope. À mesure que cette tendance s'accentue, nous sommes témoins d'une révolution qui transforme presque tous les éléments de la culture et du marché.

De nombreuses personnes tentent de s'adapter aux changements qui nous touchent. Au contraire, des millions de jeunes gens de moins de 25 ans, la génération Internet, ont grandi avec les nouvelles technologies et sont experts dans l'art de les maîtriser. L'ère numérique s'articule autour du réseau mondial télématique, et la génération Internet est la première à y recourir systématiquement afin de se divertir, de s'informer, de communiquer et d'effectuer des achats. La génération Internet a comme particularités une culture mondiale, l'exposition à un éventail diversifié d'idées et d'opinions, et une préférence pour la communication interactive. Ces quelques particularités permettent de croire que la génération Internet façonnera de nouvelles habitudes de vie, décidera autrement de ses achats et aura d'autres préférences en matière de produits et services.

On constate déjà quelques changements lorsqu'on observe le marché. Par exemple, la génération Internet se montre peu réceptive à la publicité non sollicitée. Aussi, les publicitaires élaborent des campagnes discrètes offrant une valeur en échange au moyen du divertissement, de l'éducation ou de l'intégration à une autre transaction. Pepsi adopte cette approche en offrant, sur son site Web,

Pour plus d'informations au sujet de Pepsi, Sympatico, MSN, rends-toi à l'adresse suivante: www.dlcmcgrawhill.ca

une expérience interactive qui allie jeux, concours, économiseurs d'écran et extraits de film. On assistera, sans doute dans un avenir rapproché, à une modification des activités des intermédiaires tels que les agences de voyages, les maisons de courtage et les agences immobilières. En effet, la génération Internet recourt au réseau télématique et aux sites Web tels que celui de Sympatico ou de MSN pour se renseigner et communiquer avec les vendeurs[1].

La génération Internet est en train de transformer l'environnement du marketing. Ces transformations représentent une modification de la démographie, une influence économique et une force susceptible d'accroître le recours aux technologies numériques. On observe ce genre de changement et on doit y réagir à temps, car la réussite ou l'échec d'une stratégie marketing en dépend. Dans le présent chapitre, nous verrons comment les changements sociaux ont transformé les pratiques commerciales dans le passé et comment l'avenir ne s'annonce pas différent à cet égard.

L'ANALYSE DE L'ENVIRONNEMENT DE CE NOUVEAU MILLÉNAIRE

Les changements qui marquent le cadre dans lequel on pratique le marketing constituent une source d'occasions d'affaires à saisir et de menaces à éviter. On parle de l'**environnement** pour décrire l'activité étudiant l'ensemble des événements extérieurs à l'entreprise afin de déterminer et d'interpréter les tendances à venir.

Dégager les tendances de l'environnement

En général, les tendances de l'environnement ont cinq points de départ: les environnements social, économique, technologique, concurrentiel et politico-juridique. Comme le montre la figure 3.1 et comme nous le verrons plus loin dans ce chapitre, ces environnements influent sur les activités de marketing d'une entreprise de plusieurs façons. Afin de montrer l'utilité d'une analyse de l'environnement, penchons-nous sur la tendance suivante[2]:

> Les spécialistes du marketing au service des producteurs de café ont observé que le pourcentage d'adultes qui consomment cette boisson a chuté de 75 % en 1962 à moins de 50 % aujourd'hui. Une analyse fondée sur les tranches d'âges indique que la consommation de café a chuté auprès de tous les groupes, celui des 18-24 ans compris, malgré la perception populaire voulant que le café connaisse un regain de popularité auprès des jeunes adultes.

FIGURE 3.1
Les environnements influant sur l'entreprise, les fournisseurs et les consommateurs

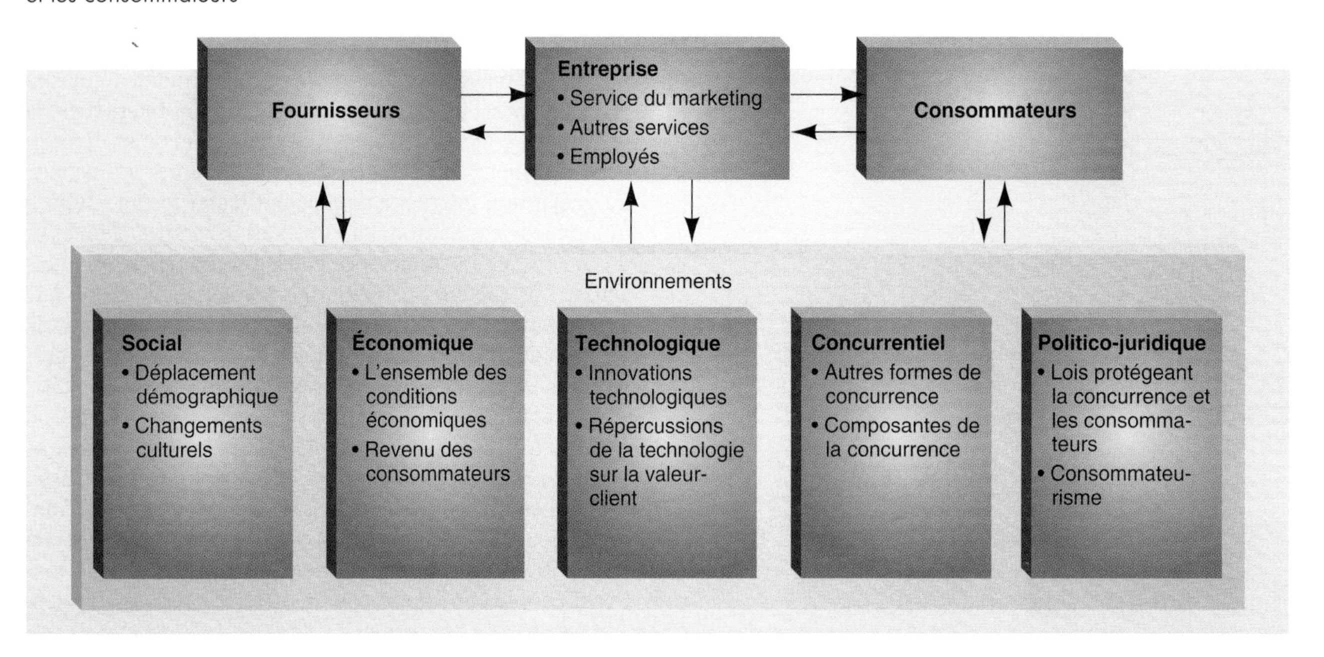

Pour plus d'informations au sujet de Van Houtte, rends-toi à l'adresse suivante : www.dlcmcgrawhill.ca

Quelles sont les catégories d'entreprises susceptibles d'être influencées par cette tendance ? Quelles sont les perspectives d'avenir du café ?

Tu en as peut-être conclu que les producteurs de café et les marchands seront influencés par cette tendance. Le cas échéant, tu as raison. Les producteurs ont réagi en proposant de nouvelles saveurs. Les marchands ont aménagé dans les supermarchés des étalages spécialisés et ils proposent des marques gourmet telles que Van Houtte afin d'inverser cette tendance[3]. Pour prédire l'avenir réservé au café, on doit se demander combien d'années la tendance à la baisse se maintiendra. On doit aussi évaluer la vitesse du déclin dans les diverses tranches d'âges. Ces enjeux ont-ils pesé dans ton analyse ? Les spécialistes se basent sur différentes hypothèses de départ, et leurs prévisions oscillent entre une baisse de 30 % et une hausse de 13 % d'ici 2005. Tes propres prédictions se situent sans doute quelque part entre les deux !

L'analyse de l'environnement exige que l'on explique les tendances. Pourquoi la consommation du café a-t-elle diminué ? Certains avancent que les consommateurs se sont tournés vers d'autres boissons telles que les eaux gazeuses, les jus de fruit et l'eau. D'autres expliquent que les consommateurs préfèrent à présent des cafés de meilleure qualité, mais plus chers. En conséquence, ils en consomment moins pour consacrer la même somme à ce poste de dépense. Afin de réussir une analyse de l'environnement, on doit déterminer et interpréter les tendances. Par exemple, on essaie d'expliquer la diminution de la consommation du café pour proposer ensuite une explication telle que celles offertes ci-dessus.

Une analyse du contexte canadien

Quelles sont les tendances susceptibles d'influer sur le marketing au cours des prochaines années ? Une entreprise chargée d'effectuer une analyse du contexte canadien pourrait dégager de grandes tendances comme celles énumérées au tableau 3.1 pour chacun des cinq environnements[4]. La liste des tendances n'est pas complète, mais elle révèle l'ampleur de l'analyse du contexte. Cette analyse va de la concentration des populations dans les régions métropolitaines de recensement (RMR) à l'accroissement du commerce électronique, et jusqu'à l'émergence de sociétés en réseau. Ces tendances touchent les consommateurs ainsi que les entreprises et les organismes sans but lucratif (OSBL) qui les desservent. Ces tendances s'inscrivent dans l'un ou l'autre des environnements, et nous les aborderons dans les pages suivantes.

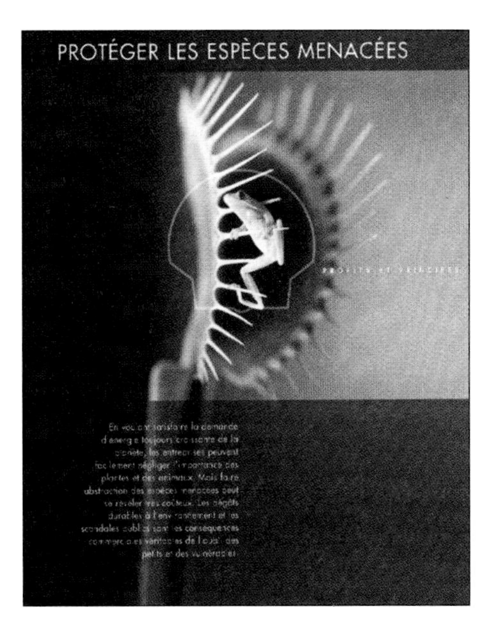

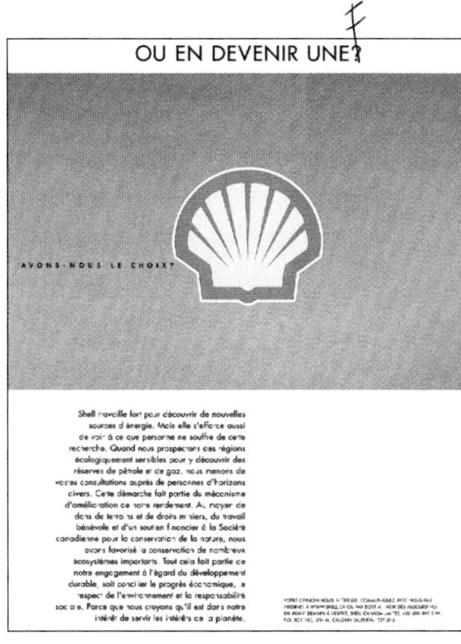

L'entreprise Shell se soucie de l'environnement.

ENVIRONNEMENTS DE L'ENTREPRISE	TENDANCES DÉGAGÉES PAR UNE ANALYSE DE L'ENVIRONNEMENT
Social	• Mouvement en faveur des produits naturels et des habitudes plus saines • Importance accrue des personnes âgées en raison de leur nombre croissant • Concentration des populations dans les régions métropolitaines de recensement (RMR) • Plus grande volonté de voir des publicités fondées sur la simplicité et l'honnêteté • Importance accrue accordée à l'éducation, aux voyages et aux loisirs • Préoccupation accrue pour la protection de l'environnement
Économique	• Croissance exponentielle du commerce électronique • Adaptation des entreprises canadiennes aux effets des crises des marchés internationaux (mondialisation de l'économie) • Forte dette publique, taux de chômage élevé et lourd fardeau fiscal
Technologique	• Recours accru aux technologies de l'information et de la communication • Importance grandissante d'Internet à mesure que les consommateurs et les entreprises effectuent des transactions en ligne • Puissance accrue des ordinateurs et accroissement des produits dits « intelligents » • Utilisation plus répandue de l'argent électronique ou du cyberargent
Concurrentiel	• Nouveaux cadres de travail variables et expansion du télétravail (travail effectué hors des bureaux d'un employeur à l'aide des nouvelles technologies [Internet, courriel, télécopieur, etc.]) • Émergence de sociétés en réseau efficaces et réceptives • Frais réduits des économies d'échelle découlant des fusions • Concurrence internationale plus soutenue en provenance des pays émergents
Politico-juridique	• Accentuation du libre-échange et de la déréglementation • Préoccupation accrue envers la pollution et le réchauffement de la planète • Nouvelle loi relative à la collecte de renseignements et à la protection de la vie privée

TABLEAU 3.1
Une analyse du contexte canadien

L'ENVIRONNEMENT SOCIAL

L'**environnement social** d'un milieu regroupe les caractéristiques démographiques de la population, ses valeurs et ses comportements. Le moindre changement peut avoir des répercussions considérables sur une stratégie marketing.

Les données démographiques

La **démographie** est l'étude des caractéristiques d'une population humaine. Parmi ces caractéristiques, on trouve la taille de la population, son taux de croissance, le sexe, l'état matrimonial, le niveau d'éducation, l'appartenance ethnique, le revenu, etc.

La taille de la population et son taux de croissance Actuellement, la population canadienne dépasse les 31 millions d'habitants, et elle enregistre un taux de croissance moyen qui excède de peu 1 % par année. On prévoit que la population se chiffrera à plus de 35 millions en 2011[5].

Les tranches d'âges L'âge a des incidences sur les besoins, les valeurs et les habitudes d'achat des consommateurs. On doit donc tenir compte de leurs tranches d'âges au moment d'une analyse de l'environnement. L'analyse de l'environnement s'intéresse de près au nombre d'individus, aux habitudes et au pouvoir d'achat relatif des différentes tranches d'âges.

La population canadienne vieillit. En 1999, l'âge moyen de la population était de 35 ans, ce qui signifie qu'une moitié de la population n'avait pas atteint cet âge et que l'autre le dépassait. On prévoit qu'en 2011 l'âge moyen de la population canadienne passera à 40 ans. La figure 3.2 montre la répartition prévue de la population selon les tranches d'âges en 2011[6]. Comme tu le vois, plus de 34 % de la population aura plus de 50 ans à cette date. Il s'agit d'une importante tendance démographique qui indique le vieillissement de la population au pays.

La tranche d'âge de 50 ans et plus, parfois appelée **marché d'âge mûr,** est un segment en rapide progression. Depuis quelques années, les spécialistes du marketing lui accordent une grande importance. En effet, les gens de plus de 50 ans possèdent une bonne partie des *capitaux acquis* du pays. Il s'agit de la valeur de l'actif net que cumulent les ménages sous forme de biens réels, de garanties financières, de fonds bancaires et d'avoirs de retraite. Ce marché important a conduit plusieurs entreprises canadiennes à réagir avec vigueur. Elles n'ont pas hésité à élaborer des produits et services conçus expressément à son intention. Ainsi, nous avons pu constater l'aménagement de villages de retraités, la présence de personnalités âgées dans les publicités et le grossissement des caractères imprimés sur les étiquettes des produits[7].

Le vieillissement de la population canadienne a obligé les spécialistes du marketing à accorder plus d'importance au segment démographique parfois appelé le « marché d'âge mûr ».

FIGURE 3.2
La répartition prévue de la population canadienne selon les tranches d'âges en 2011

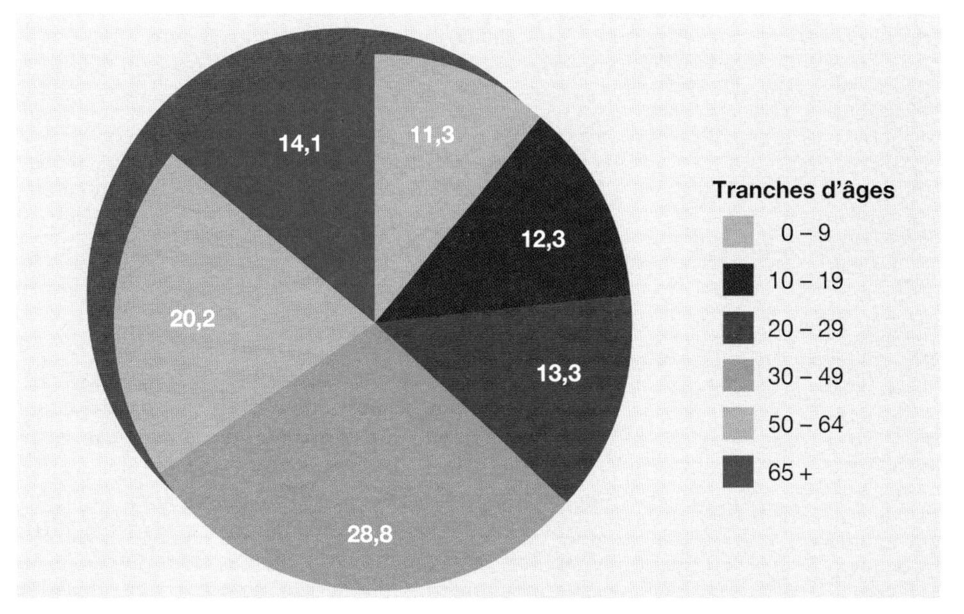

La population canadienne vieillit parce que la génération issue du *baby-boom,* c'est-à-dire les enfants nés entre 1946 et 1964, avance en âge. Des millions d'entre eux ont vieilli, leur participation au marché du travail et leurs avoirs se sont accrus, ce qui a fait d'eux un important segment du marché. On évalue que ce groupe effectue la majorité des achats dans la plupart des catégories de produits de consommation et de services. Les premiers **baby-boomers** entrent sur le marché d'âge mûr, et leurs habitudes d'achat traduisent une plus grande préoccupation pour l'avenir de leurs enfants et leur propre retraite. Même les plus jeunes de cette génération se préoccupent davantage de leurs fonds de retraite et de planification financière.

Sur le plan collectif, la génération du *baby-boom* laisse de côté les plaisirs et le luxe au profit de la qualité et de la valeur des choses[8]. Des entreprises telles que le Club Med et le fabricant de jeans Lee rajustent leurs stratégies en fonction d'un marché plus âgé. Le Club Med a une image de paradis pour célibataires. L'entreprise tente d'y ajouter une image de vacances familiales et d'activités destinées aux enfants, sans délaisser les couples et les célibataires pour autant. De son côté, Lee s'adapte aux *baby-boomers* vieillissants en proposant des modèles amples sous un slogan qui lance *You're not a kid anymore* (« Tu n'es plus un enfant[9] ! »).

La **génération X** regroupe les personnes nées entre 1965 et 1976. Les représentants de cette génération représentent près de 15 % de la population canadienne. Cette tranche de consommateurs n'aime pas l'extravagance. On peut prédire qu'elle favorisera des habitudes, des produits et des services très différents de ceux de leurs prédécesseurs, les *baby-boomers*. On croit aussi qu'ils seront des consommateurs plus exigeants. Les spécialistes du marketing observent ce groupe de consommateurs qu'ils suivent de près afin de déterminer les valeurs qui domineront les habitudes de consommation au XXIe siècle[10].

La **génération Y** regroupe les personnes nées depuis 1977. On l'appelle aussi la « génération Internet » dont nous avons parlé plus tôt. L'influence de la génération Y se fait déjà sentir sur les achats touchant la musique, les sports, l'informatique et les jeux vidéo. Plus tard dans le siècle, ce groupe influencera les marchés, les attitudes et la société dans son ensemble, comme le font les *baby-boomers* en ce moment et comme le fera sous peu la génération X[11].

La famille canadienne Au Canada, les types de familles se transforment tant en taille qu'en structure. La taille de la famille moyenne est de trois personnes. En 1971, une famille canadienne sur trois réunissait le mari qui travaillait en dehors de la maison, sa femme qui tenait la maison et leurs enfants. Aujourd'hui, seule une famille sur sept entre dans cette catégorie. La famille bi-active, dont les deux conjoints travaillent à l'extérieur, est désormais la norme au Canada où elle représente 61 % des familles[12].

Au Canada, environ 50 % des gens qui se marient pour la première fois finissent par divorcer. Ainsi, le modèle de famille monoparentale se généralise et, selon des recherches, devient plus acceptable aux yeux de la société canadienne[13]. Toutefois, la majorité des personnes divorcées se remarient un jour et donnent lieu à une **famille reconstituée,** c'est-à-dire formée de la fusion de deux familles jusque-là distinctes. À présent, de nombreux Canadiens se retrouvent dans le rôle de beau-parent, de belle-fille, de demi-frère ou de membre d'une famille reconstituée. La société Hallmark conçoit des cartes de souhaits expressément à l'intention de telles familles. Pourtant, plusieurs ne se remarient pas, et les familles monoparentales représentent environ 15 % des cellules familiales au Canada[14].

Les déplacements de population Depuis le milieu des années 1970, nous avons assisté à un déplacement des populations rurales vers les zones urbaines. En fait, plus de 80 % des Canadiennes et des Canadiens sont des citadins[15]. La majorité de la population canadienne habite une **région métropolitaine de recensement (RMR).** Il s'agit d'une zone principale du marché du travail d'une région urbaine comptant une population de 100 000 personnes et plus. Toronto, Montréal, Vancouver, Ottawa et Edmonton comptent parmi les 25 régions métropolitaines de recensement (RMR) du Canada et regroupent plus de 60 % de la population canadienne. En raison de la concentration de la population dans les régions métropolitaines de recensement et dans leurs banlieues, les spécialistes du marketing peuvent atteindre d'importants segments de marché de façon efficace. On prévoit que, d'ici 2010, la plupart des Canadiens et des Canadiennes habiteront à l'intérieur de sept ou huit villes où les spécialistes du marketing n'auront aucun mal à les atteindre[16].

Les déplacements ont eu peu d'effet sur la répartition de la population du pays. Près de 62 % de la population canadienne se trouve dans deux provinces, le Québec et l'Ontario. Au cours des 10 prochaines années, on prévoit que la population augmentera en Ontario, au Québec, en Alberta, en Colombie-Britannique, au Manitoba et en Saskatchewan, et qu'elle sera stable ou décroissante dans les autres provinces et territoires.

Le marketing régional Les spécialistes du marketing s'intéressent depuis quelque temps aux déplacements géographiques de la population, par exemple l'exode des campagnes au profit des villes. Ils s'intéressent aussi aux différences relatives en fonction des lieux d'habitation. Cette nuance est la base de ce qu'on appelle le **marketing régional.** Le marketing régional consiste à élaborer des plans marketing tenant compte des préférences, des besoins ou des intérêts tels qu'ils sont perçus dans des régions précises. En raison de l'étendue du Canada, les spécialistes du marketing le subdivisent souvent en régions telles que le Canada atlantique, le Québec, l'Ontario, l'Ouest canadien et la Colombie-Britannique. Au chapitre 10, nous étudierons en détail cette démarche axée sur la *segmentation géographique*.

En raison des différences économiques et topographiques, et des différentes ressources naturelles, les comportements de consommation varient entre les régions du Canada. Quelques marques et produits qui se vendent bien dans une région sont moins populaires dans une autre. Les stratégies et tactiques employées pour les vendre varient également. Colgate-Palmolive s'est rendu compte que sa stratégie de lavage en eau froide (moins consommateur d'énergie) pour vanter son détersif Artic Power avait du succès au Québec. Il en va différemment dans l'Ouest où la lessive en eau froide n'était pas synonyme de grande propreté. Colgate-Palmolive a donc rectifié sa stratégie en conséquence.

Pour plus d'informations au sujet de Palmolive, rends-toi à l'adresse suivante : www.dlcmcgrawhill.ca

La technologie aide les spécialistes du marketing à saisir les nuances sur le plan des préférences régionales. Ainsi, les caisses enregistreuses informatisées permettent aux entreprises de coordonner et d'analyser les données relatives aux ventes selon les régions géographiques. Elles déterminent alors ce qui se vend et ne se vend pas dans diverses régions. Pepsi-Cola peut être leader dans une région et Coca-Cola dans une autre. Devant les percées du marketing direct, le marketing régional permet de mieux cibler les produits et les publicités. Cela dit, les pratiques commerciales du marketing régional tiennent aux variations entre les préférences selon les régions et aussi à la taille d'une région et au coût des activités qui s'y déploient. Souvent les activités limitées aux régions coûtent davantage qu'une même activité à l'échelle nationale. Toutefois, une meilleure connaissance des régions géographiques du Canada et des préférences qui en découlent sert bien le marketing. Par exemple, la chaîne de restaurants Harvey's vend les mêmes produits d'un océan à l'autre. Cependant, elle diffuse au Québec une campagne publicitaire originale mettant en vedette Bernard Fortin, comédien connu et apprécié du public. L'originalité de cette campagne a rapporté gros à Harvey's. Des célébrités font la page de couverture du catalogue de Sears Canada. Michelle Wright paraissait dans la version anglaise, tandis que la chanteuse québécoise Julie Masse posait pour la version française. Enfin, Pizza Hut Canada diffuse une publicité télévisée conçue expressément pour le Québec mettant en vedette un produit vendu seulement aux Québécois : une pizza format moyen à croûte farcie.

Wal-Mart est l'une des sociétés qui tiennent compte de la diversité ethnique du Canada.

Certaines femmes ont les moyens de se payer un repas au restaurant chaque jour.
Aimeriez-vous connaître leur secret?
Elles achètent leurs cosmétiques chez Wal-Mart!

La diversité ethnique On croit souvent que le Canada se compose d'anglophones et de francophones canadiens, mais près de 3 personnes sur 10 ne sont pas d'origine française ni britannique. La majorité des personnes qui ne sont pas d'ascendance française ou britannique sont d'origine européenne. On a constaté une croissance parmi les autres groupes ethniques et les minorités visibles. Près de 70 % des personnes qui immigrent au Canada sont considérés comme des minorités visibles, principalement les personnes originaires de Chine, d'Asie du Sud-Est, d'Afrique et d'Inde. Les Chinois de

Pour plus d'informations au sujet de la Banque Royale, rends-toi à l'adresse suivante : www.dlcmcgrawhill.ca

Hong-Kong et les Asiatiques du Sud-Est sont les groupes ethniques qui augmentent le plus dans le pays et ils représentent près de 3 % de la population canadienne. On prévoyait que les minorités visibles compteraient pour près de 18 % de la population canadienne en 2001[17].

Les groupes ethniques se trouvent principalement dans les grandes zones métropolitaines telles que Toronto, Vancouver, Montréal, Ottawa, Calgary et Edmonton. Près de 20 % de la population de ces régions déclare que sa langue maternelle n'est ni le français ni l'anglais. Les spécialistes du marketing tiennent compte de la diversité ethnique grandissante du Canada. De nombreuses sociétés, par exemple la Banque Royale, Wal-Mart, Ultramar et Bell Canada, montrent des visages de toutes les ethnies dans leurs publicités grand public. D'autres encore, telles que Cantel et American Express, font des efforts pour cibler précisément certains groupes ethniques, par exemple en diffusant des publicités dans leur langue et en embauchant du personnel qui les parle. Récemment, la promotion de l'équipe de basket-ball les Raptors de Toronto a ciblé les Canadiens et les Canadiennes d'origine asiatique, misant sur l'enthousiasme que ces derniers manifestent pour la National Basketball Association (NBA)[18].

La culture

Le deuxième facteur social, la **culture,** réunit les valeurs, les idées et les attitudes d'un groupe homogène qui sont transmises de génération en génération. La culture touche autant les éléments abstraits que matériels. Aussi, repérer et suivre les tendances culturelles dans tout le Canada est une entreprise aussi ardue que nécessaire pour l'efficacité d'une stratégie marketing. Nous nous intéresserons dans la présente section aux tendances culturelles importantes au Canada. Il sera question de l'analyse interculturelle nécessaire au marketing à l'échelle mondiale au chapitre 5.

Alliant commodité, rapidité et santé, les plats surgelés de Stouffer's sont destinés aux consommateurs qui ont un horaire surchargé.

La mutation des rôles des femmes et des hommes Parmi les transformations remarquables survenues au Canada depuis les trois dernières décennies, on trouve l'évolution des rôles réservés aux femmes et aux hommes. Ces changements ont eu d'importantes répercussions sur les pratiques commerciales. Les rôles attribués traditionnellement aux femmes et aux hommes selon leur sexe sont désormais moins bien définis. L'arrivée en force des femmes sur le marché du travail représente une nouvelle tendance importante. À l'échelle du pays, plus de 65 % des femmes occupent un emploi en dehors de leur foyer. Le nombre de femmes travaillant à l'extérieur grandit, le nombre de leurs tâches s'accroît et le temps dont elles disposent diminue. On parle de *manque de temps* pour décrire ce phénomène. Par conséquent, le conjoint ou l'époux doit exécuter certaines tâches domestiques. Davantage d'hommes font les courses, s'occupent des enfants et accomplissent des besognes domestiques. À mesure que l'horaire des consommateurs se surcharge, les plats surgelés s'envolent des armoires réfrigérées des supermarchés. Stouffer's, filiale de Nestlé Canada, dit que les plats principaux représentent le segment qui connaît la plus forte croissance de la catégorie des surgelés au Canada. En effet, les gens n'ont plus de temps et recherchent des propositions de repas alliant commodité et rapidité.

Les spécialistes du marketing sont de plus en plus conscients des stéréotypes à éviter quand il s'agit d'aborder les préférences et les comportements des femmes et des hommes. Le magazine *Parents,* par exemple, a revu ses reportages de façon à tenir compte davantage de son lectorat masculin[19]. De plus, dans une tentative d'aider les gens à contrer leur manque de temps, de nombreux marchands mettent à leur disposition des caisses-éclair, allongent les heures d'ouverture, servent directement dans l'auto et assurent la livraison.

Des attitudes et des valeurs en évolution La culture est aussi une affaire d'attitudes et de valeurs. Ces dernières années, les Canadiennes et les Canadiens ont effectué d'importants changements d'attitude dans leur travail, leur mode de vie et leurs habitudes de consommation. Certains pensent que la morale puritaine qui veut que l'on vive pour travailler s'énoncera bientôt : « Je travaille pour vivre. » On perçoit de plus en plus le travail comme un moyen qui justifie la fin, c'est-à-dire les activités récréatives, les loisirs et le divertissement. Les consommateurs canadiens accordent plus d'importance à la qualité de vie qu'au travail. Cette attitude a fait gonfler les ventes des articles de sport, des forfaits vacances, des systèmes audiovisuels domestiques et des plats vite préparés.

On se préoccupe davantage de sa santé et de son bien-être. La hausse des activités de mise en forme et de la pratique sportive en témoigne partout au Canada. Cette tendance profite à des firmes telles que Nike et Reebok. Les consommateurs canadiens se soucient de plus en plus de leur alimentation, particulièrement en raison du lien entre les aliments et la santé. Ainsi, McDonald's offre depuis peu des menus santé à sa clientèle. La vente des aliments sans matières grasses, à faible teneur en matières grasses et sans cholestérol montre une hausse qui atteste de cette préoccupation. Les fabricants de boissons n'ont pas été épargnés par le changement. On consomme des boissons plus saines, notamment de l'eau et des jus embouteillés, et plus seulement des boissons gazeuses. Les épiceries canadiennes vendent plus de 100 millions de litres d'eau de source par année, en plus des boissons santé de toutes sortes. Par exemple, Northpole Beverage Co. de Montréal a mis sur le marché une boisson au goût de fruits et de ginseng qui s'appelle « $E = MC^2$ ». Clearly Canadian Beverages de Vancouver vend une nouvelle eau suroxygénée appelée « O_2 », formulée pour les gens actifs[20].

Comme d'autres entreprises, Kamouraï mise sur la vague pro-santé qui se manifeste au Canada.

Les Canadiens et les Canadiennes soucieux de leur santé font l'achat de trousses d'autodiagnostic. Lifescan Canada Ltd., de Burnaby en Colombie-Britannique, met en marché plusieurs de ces trousses qui servent à mesurer le taux de cholestérol et à déceler un cancer colorectal. Cette entreprise pense que les consommateurs scolarisés et vieillissants se sentent plus responsables de leur santé et qu'ils s'initient désormais à l'autodiagnostic. Planta Dei Plant Medicines Inc., de Nackawic au Nouveau-Brunswick, mise aussi sur la vague pro-santé qui déferle au Canada. Cette société commercialise des produits phytopharmaceutiques, fabriqués à partir de plantes médicinales, dans 2 000 pharmacies du pays.

On constate aussi un changement d'orientation de la consommation. Les 20 dernières années ont été marquées par un mode de consommation ayant pour but le prestige et l'étalage des richesses. À présent et pour l'avenir prévisible, L'**évolution des valeurs,** ou rapport à la consommation, se fonde sur la valeur que l'on tire d'un produit ou service. C'est-à-dire que l'on se soucie d'obtenir la première qualité, assortie des caractéristiques et d'un rendement de premier choix. Les spécialistes de marketing audacieux ont réagi à cette nouvelle tendance de nombreuses façons. Holiday Inn Worlwide a inauguré les hôtels Holiday Express où l'on offre un hébergement confortable à des prix inférieurs à ceux pratiqués par la chaîne Holiday Inns. Sobeys, Inc., l'un des premiers détaillants en alimentation au Canada, propose désormais aux consommateurs la gamme de produits Signal, sa marque maison, qui offre un rapport avantageux entre qualité et bas prix[21]. Même les principales banques canadiennes sont conscientes du souci des clients de tirer le maximum des services offerts. C'est pourquoi elles ont lancé des cartes de crédit à taux d'intérêt réduits et assorties de primes telles que les points de grand voyageur et les remises au comptant[22].

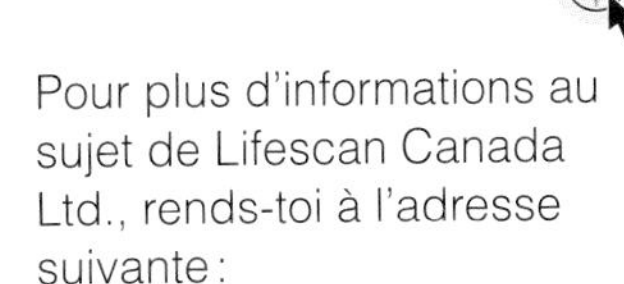

Pour plus d'informations au sujet de Lifescan Canada Ltd., rends-toi à l'adresse suivante : www.dlcmcgrawhill.ca

Pour plus d'informations au sujet de Sobeys, Inc., rends-toi à l'adresse suivante : www.dlcmcgrawhill.ca

RBC Banque Royale
VOYAGES
VISA
Profitez de la semaine de relâche pendant la semaine de relâche. Génial.
(Demandez-la maintenant et obtenez 7 500 points en prime.)
La carte *Visa* Voyages Or de RBC Banque Royale. Une carte de premier choix pour les voyageurs. Elle vous permet d'échanger vos points contre des vols par plus de 60 compagnies aériennes au Canada et partout dans le monde. Sans période d'interdiction. Avec location de voiture, forfaits vacances et plus encore. Un point pour chaque dollar dépensé. Génial.
RBC Banque Royale
Composez le 1-877-ROYAL 8-3 (1 877 769-2583) ou rendez-vous au rbcbanqueroyale.com/cartes/voyages18. L'offre prend fin le 30 novembre 2002.

RÉVISION DES CONCEPTS
1. Qu'est-ce qu'une analyse de l'environnement?
2. Qu'est-ce qu'une région métropolitaine de recensement (RMR)?
3. Quels effets les familles reconstituées ont-elles sur le marketing?

L'ENVIRONNEMENT ÉCONOMIQUE

L'**économie** constitue une autre composante de l'analyse de l'environnement, qui touche le revenu, les dépenses et les ressources qui influent sur le coût d'exploitation d'un organisme ou l'administration d'un ménage. Nous nous intéresserons à deux aspects des facteurs économiques: le marché vu sous l'angle macroéconomique (l'ensemble des conditions économiques) et le revenu des consommateurs.

Les conditions macroéconomiques

Sur le plan macroéconomique, on s'emploie à déterminer si l'économie du pays est en phase d'inflation ou de récession réelle ou perçue comme telle par les consommateurs ou les entreprises. Dans une conjoncture inflationniste, le coût lié à la production et à l'achat de biens et services augmente avec l'escalade des prix. Du point de vue marketing, lorsque les prix augmentent plus vite que le revenu des consommateurs, ces derniers achètent en moindre quantité.

Alors que l'inflation se caractérise par une montée des prix, la récession marque un ralentissement de l'activité économique. Les entreprises freinent leur production, le chômage augmente et les consommateurs disposent en général de moins d'argent. L'économie canadienne a connu des périodes de récession au début des années 1970, 1980 et 1990.

Au moment d'une analyse de l'environnement, il est important d'évaluer les attentes des consommateurs en période d'inflation ou de récession. Les dépenses de consommation représentent les deux tiers de l'activité économique au Canada, et elles sont influencées par les perspectives d'avenir. On sonde périodiquement les consommateurs afin de connaître leurs impressions sur les perspectives d'avenir. On leur demande, par exemple, s'ils croient qu'au cours des 12 prochains mois leur situation financière se trouvera améliorée ou détériorée. Les sondeurs notent le pourcentage de réponses positives et négatives à ce genre de question afin de déterminer l'indice de confiance des consommateurs. Plus cet indice est élevé, plus les perspectives d'avenir sont favorables dans l'esprit des consommateurs. Plusieurs entreprises élaborent leur volume de production à partir de ce genre d'indice. Ainsi, Chrysler planifie sa production à partir d'un tel indice pour éviter de construire un trop grand nombre de véhicules en période de récession.

Le revenu des consommateurs

Cette tendance économique constitue un enjeu important pour les spécialistes du marketing qui doivent tenir compte du revenu des consommateurs. À quoi servirait de proposer un produit qui répond aux besoins de ces derniers s'ils sont incapables de se le procurer? Le pouvoir d'achat des consommateurs est lié à leur revenu global. On le subdivise en revenu brut, revenu disponible et revenu discrétionnaire.

Le revenu brut Le **revenu brut** est la somme totale que gagne une personne, un ménage ou une famille au cours d'une année. La figure 3.3 montre la répartition du revenu annuel des ménages canadiens[23]. En moyenne, le revenu brut d'une famille s'élève à un peu plus de 57 000 $ au Canada. Toutefois, le revenu familial varie selon les provinces, de même que le niveau d'instruction et la profession du ou des chefs de famille. Ainsi, la majorité des familles dont le revenu se chiffre à 75 000 $ sont des titulaires de diplômes universitaires.

FIGURE 3.3
Une répartition du revenu des ménages canadiens

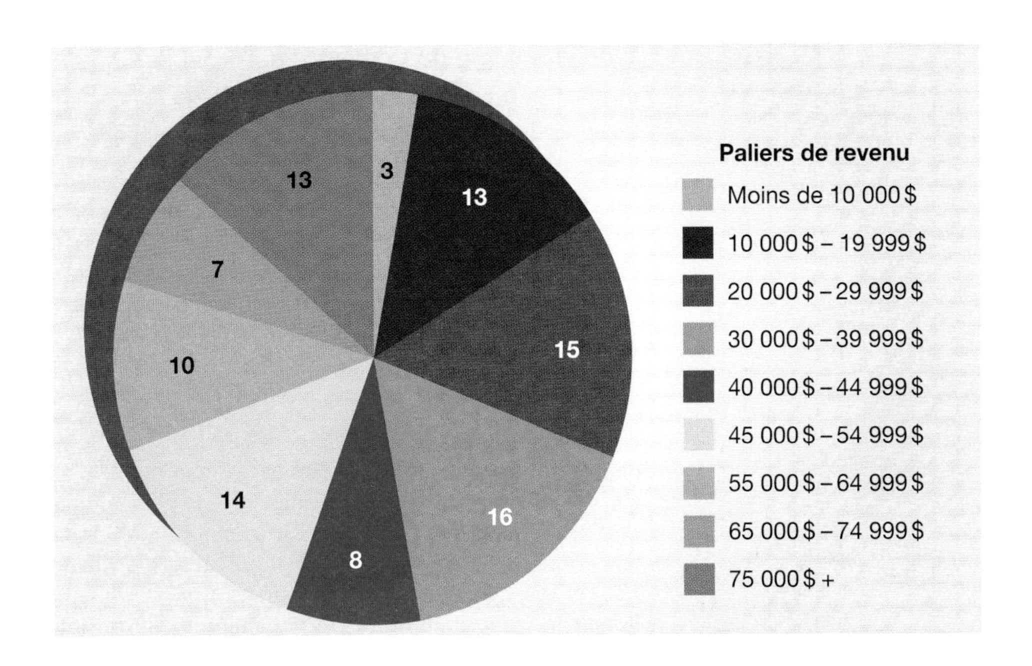

Le revenu disponible Le **revenu disponible** est l'argent dont dispose un consommateur après avoir payé ses impôts pour se procurer les biens essentiels tels que l'hébergement, la nourriture et les vêtements. Lorsque les impôts augmentent plus rapidement que le revenu disponible, les consommateurs doivent économiser. Ces dernières années, la répartition du revenu des consommateurs s'est modifiée. Par exemple, la proportion du revenu disponible consacrée aux sorties au restaurant a diminué. Deux facteurs du milieu expliquent cette baisse : la récession du début des années 1990 a contraint les gens à resserrer leurs dépenses et donc à moins fréquenter les restaurants. En outre, de nombreux *baby-boomers* sont occupés à élever leurs enfants, ce qui provoque une hausse du budget des ménages consacré aux repas à la maison[24].

Le revenu discrétionnaire Le **revenu discrétionnaire** est l'argent qui reste après avoir payé les impôts et les biens essentiels. Cet argent peut être consacré à des articles de luxe ou à des vacances. La distinction est parfois floue entre le revenu disponible et le revenu discrétionnaire, car elle repose sur la définition que chacun se fait du luxe et de la nécessité. Une simple observation permet souvent de trancher. Lorsqu'une famille possède un service de vaisselle en porcelaine de Sèvres, des montres Rolex et des berlines de luxe, on peut penser qu'elle dispose (ou qu'elle a disposé) d'un revenu discrétionnaire. On doit cependant préciser que le luxe est affaire de perception et que ce qui est luxueux pour l'un ne l'est pas toujours pour l'autre. Quelques-uns estiment, par exemple, qu'un lave-vaisselle est un objet de première nécessité (essentiel), alors que d'autres y voient un luxe.

L'ENVIRONNEMENT TECHNOLOGIQUE

Notre société traverse une période de transformation technologique sans précédent. La **technologie** est l'un des principaux facteurs de l'environnement. Elle désigne les inventions ou innovations issues de la science appliquée ou de la recherche. Chaque nouvelle vague d'innovation technologique peut entraîner le remplacement de produits ou d'entreprises existants.

La technologie de demain

Le changement technologique est le fruit de la recherche, aussi est-il difficile à prévoir. Parmi les futurs changements technologiques importants, on peut citer :

1. La miniaturisation poussée des microprocesseurs qui va de pair avec l'augmentation de leur puissance et la diminution de leur coût.
2. La convergence des technologies de la télévision, de l'informatique et de la téléphonie. Pensons notamment au service numérique de communications personnelles qui offre un téléavertisseur et l'accès à un courrier électronique sur un téléphone cellulaire numérique doté d'un écran d'affichage.
3. La généralisation des connections par le Web.
4. L'émergence de la biotechnologie.

On constate ces tendances technologiques sur le marché actuel. La puissance des microprocesseurs a doublé tous les 18 mois ces 25 dernières années. Cela laisse croire que des microprocesseurs au moins 10 fois plus puissants que le Pentium actuel existeront d'ici cinq ans (à raison d'environ 25 $ l'unité). Internet propose déjà des magazines, du commerce virtuel et de la publicité en ligne. Chaque mois, on crée entre 20 000 et 25 000 nouveaux sites Web. D'autres innovations telles que l'antenne parabolique, le disque vidéo numérique, le téléchargement de fichiers MP3, la télévision à haute définition et le logiciel de reconnaissance vocale remplaceront sans doute la câblodistribution, la vidéocassette, le disque compact, la télévision hertzienne et les activités manuelles comme la saisie de données sur le clavier d'un ordinateur[25].

L'effet de la technologie sur la valeur-client

Les percées technologiques se répercutent sur le marketing. D'abord, le coût de la technologie diminue fortement. On assiste donc à un déplacement de la valeur que la clientèle accorde aux produits technologiques au profit d'autres critères tels que la qualité, le service et la personnalisation du lien entre les clients et les fournisseurs. Par exemple, quand Microsoft a lancé son système d'exploitation Windows 95, elle a distribué gratuitement 500 000 copies de ce programme pour que les clients en fassent l'essai et achètent des versions ultérieures. Plusieurs compagnies de téléphone cellulaire préconisent une stratégie semblable et donnent presque l'appareil si les acheteurs s'engagent à signer un contrat d'exclusivité avec elles[26].

Le développement de nouveaux produits crée aussi de la valeur. Oldsmobile offre à présent aux consommateurs un navigateur automatique. Il fonctionne à partir de signaux

Les changements technologiques contribuent au développement de nouveaux produits. Quels produits pourraient être remplacés par les innovations présentées sur ces trois publicités ?

reçus par satellites et aide le conducteur à parvenir à destination. Un système anticollision est actuellement à l'étude. Il désembrayerait le régulateur de vitesse, réduirait la vitesse du moteur, et appliquerait même les freins[27]. Parmi les nouveaux produits qu'on nous proposera sous peu, il y a les skis intelligents dotés de microprocesseurs intégrés qui régleront la souplesse de la lame en fonction de l'état de la neige. Des indicateurs injectables achemineront des données sur le taux de glucose, d'oxygène et autres informations cliniques sur un moniteur que l'on portera comme une montre-bracelet. On téléchargera des cyberlivres que l'on pourra lire sur des pages enduites d'encre électronique, et auxquelles seront intégrés des électrodes[28].

La technologie peut modifier les produits existants et leur mode de fabrication. De plus en plus de sociétés font appel aux innovations technologiques pour permettre le *recyclage* répétitif des produits au cours du cycle de fabrication. En Allemagne, Ford fait valoir que ses véhicules sont construits à partir de pièces pouvant être recyclées. Une publicité montrant un jouet a pour slogan : *J'étais une automobile*. D'autres entreprises ont mis au point le *précyclage,* c'est-à-dire qu'elles réduisent les déchets à la source. Par exemple, le développement de nouveaux matériaux d'emballage a permis à DuPont de lancer une poche repliable qui remplace les cartons à lait dans les boîtes-repas des écoliers[29].

La technologie de l'information

Au bout du compte, les innovations liées à la technologie de l'information s'avéreront les plus importantes pour les spécialistes du marketing. De meilleures méthodes de collecte, de mémorisation, d'analyse et de distribution des données relatives aux consommateurs permettront de mieux comprendre et desservir leurs clientèles. Afin d'offrir un service personnalisé, il importe de bien connaître les clients, leurs préférences en matière de produits ou services, le lien qui les unit à une entreprise et leur mode d'achat. L'entreprise MCI a mis au point un système de service à la clientèle évolué. Ce système identifie les appelants, évalue leur dossier et achemine les appels jugés prioritaires le temps de trois sonneries pour qu'ils reçoivent un service de premier ordre. Dans l'avenir, un logiciel intelligent pourra interviewer la clientèle par courrier électronique et répondre automatiquement à des questions simples. Il saura aussi résoudre certains problèmes, enregistrer des commandes ou établir une communication avec un préposé chargé des dossiers plus complexes[30].

Les consommateurs peuvent profiter des avantages de la technologie de l'information employée par les spécialistes du marketing. Elle leur donne souvent droit à un service plus rapide, plus accessible et plus efficace. Grâce aux percées de la technologie de l'information, les banques canadiennes peuvent offrir à la clientèle un système de télépaiement automatisé. À partir de ce système, ils peuvent virer, par voie téléphonique, une somme d'argent sur une carte intelligente[31]. La technologie de l'information permet aussi aux clients de vérifier les taux d'intérêt 24 heures sur 24 et même de présenter, un samedi soir, une demande d'emprunt par voie électronique depuis leur domicile. Ceux qui négocient des titres sur le marché boursier savent combien la technologie est utile quand ils doivent obtenir une information rapide concernant leur portefeuille.

L'ENVIRONNEMENT CONCURRENTIEL

La concurrence est un composant de l'analyse de l'environnement. On entend par **concurrence** l'ensemble des autres entreprises en mesure de proposer un produit qui répond aux besoins d'un marché ciblé. La concurrence peut prendre plusieurs formes. Une entreprise doit tenir compte de ses concurrents réels et éventuels lorsqu'elle conçoit sa stratégie marketing.

Les différentes formes de concurrence

Il existe quatre types de concurrence qui forment un ensemble homogène : la libre concurrence, la concurrence monopolistique, l'oligopole et le monopole (voir le tableau 3.2). Nous verrons au chapitre 14 comment s'établit la fixation des prix en fonction de chaque type de concurrence.

La *libre concurrence,* à une extrémité de l'ensemble concurrentiel, s'exerce lorsque plusieurs entreprises proposent un produit semblable. Ainsi, les sociétés proposant des produits de base au négoce agricole, par exemple du blé, du riz et d'autres céréales, se retrouvent souvent en position de libre concurrence. Dans cette situation, la distribution, au sens de l'expédition des produits, est importante, mais les autres éléments du marketing ont peu d'effet.

La *concurrence monopolistique,* deuxième élément de l'ensemble, a lieu lorsque plusieurs vendeurs se livrent une concurrence avec des produits de substitution. Par exemple, lorsque le prix du café est trop élevé, les consommateurs peuvent se tourner vers le thé. Les coupons-rabais et les soldes fréquents constituent des tactiques auxquelles les entreprises recourent souvent en présence d'une concurrence monopolistique.

Il y a *oligopole* lorsqu'un petit nombre d'entreprises contrôle une multitude d'acheteurs. Dans un cadre oligopolistique, il existe peu de vendeurs. Il n'est donc pas souhaitable que les entreprises se livrent à la concurrence des prix, car elle entraînerait une baisse des revenus pour tous les fabricants. On engage plutôt une autre forme de concurrence à partir des autres éléments du marketing mix tels que la qualité des produits, la distribution ou la promotion. Certains économistes affirment que le Canada est une « terre oligopolistique », parce qu'on y retrouve une concentration de grandes entreprises peu nombreuses se partageant un large marché, comme les banques et les compagnies pétrolières et aériennes.

À l'autre extrémité de l'ensemble se trouve le *monopole.* Il s'agit d'une situation où la concurrence n'existe pas, car une seule entreprise vend le produit ou le service en cause. Les producteurs de biens et de services jugés essentiels à la collectivité sont souvent en situation de monopole : notamment l'eau, l'électricité (Hydro-One) ou le téléphone. En général, le marketing occupe peu de place dans un monopole, car la situation est réglementée par l'un des niveaux de gouvernement. La réglementation officielle vise d'ordinaire à assurer la protection des prix en faveur de l'acheteur. Pendant longtemps, la concurrence

TABLEAU 3.2
Les différentes formes de concurrence

	TYPES DE CONCURRENCE			
CARACTÉRISTIQUES	**LIBRE CONCURRENCE**	**CONCURRENCE MONOPOLISTIQUE**	**OLIGOPOLE**	**MONOPOLE**
Nombre d'entreprises	Un très grand nombre d'entreprises	Plusieurs entreprises	Quelques entreprises	Une seule entreprise
Nature du produit	Produit semblable/homogène	Produit de substitution ou différencié	Produit semblable ou de substitution	Produit unique ou sans substitut
Influence sur les prix	Aucune. Le prix est déterminé par l'offre et la demande	Une certaine influence sur le prix, mais à l'intérieur de certaines limites	Influence considérable atténuée par l'interdépendance	Influence considérable
Barrières à l'entrée	Aucune. L'entrée et la sortie des entreprises sont faciles	Il est relativement facile pour les entreprises de franchir ce marché	Importantes. Il est difficile pour de nouvelles entreprises de pénétrer ce marché	Infranchissable
Promotion	Aucune. La compétition est basée sur la qualité et le prix du produit	Accent mis sur la publicité, la marque et les techniques de vente	Importante en ce qui concerne la publicité, la marque, et les techniques de vente pour la différenciation du produit	« Campagne d'image »
Exemples	Agriculture, marché boursier, etc.	Commerce de détail, vêtement, chaussures, etc.	Aciérie, automobile, équipement agricole, etc.	Hydro-One, LCBO

Pour plus d'informations au sujet de Bell, rends-toi à l'adresse suivante : www.dlcmcgrawhill.ca

était inexistante dans le secteur des communications interurbaines au Canada. La déréglementation a cependant ouvert la porte à de nouveaux participants tels que MCI, AT&T Canada et Sprint. Ainsi, Bell Canada et les diverses compagnies de téléphone provinciales doivent désormais se concurrencer dans un cadre différent, à la fois monopolistique et concurrentiel. À présent, le marketing tient un rôle important au sein des compagnies de téléphone traditionnelles. La récente déréglementation de l'industrie des communications a ouvert le marché des services téléphoniques locaux au Canada. Pendant un siècle, les compagnies de téléphone qui assuraient le service local ont détenu un monopole, mais cette situation a pris fin. Les fournisseurs locaux, les télécommunicateurs interurbains et les câblodistributeurs se concurrencent désormais sur leurs marchés respectifs[32].

Les éléments de la concurrence

Lorsque les entreprises élaborent une stratégie marketing, elles doivent tenir compte des éléments qui alimentent la concurrence. Par exemple, elles considèrent le nombre de participants, le pouvoir de négociation des acheteurs et des fournisseurs, les rivalités (sur le marché intérieur et à l'étranger) et les possibilités de substitution[33]. Pour procéder à l'analyse du contexte, on doit se pencher sur chacun de ces éléments. Ils sont en corrélation avec les décisions relatives au marketing mix et peuvent servir à dresser un obstacle à l'entrée du marché, à faire valoir la notoriété d'une marque ou à intensifier le combat pour l'obtention d'une part de marché.

L'accès au marché Une entreprise qui s'intéresse à la concurrence doit évaluer les probabilités que de nouveaux participants s'avancent sur son terrain. Un plus grand nombre de fabricants signifie l'accroissement de la capacité de production qui entraîne généralement une baisse des prix. Une entreprise qui analyse le contexte dans lequel elle évolue doit envisager de dresser des barrières à l'entrée d'éventuels participants. Il peut s'agir de pratiques commerciales ou de conditions qui empêcheront l'accès au marché. Les **barrières à l'entrée** sont multiples : normes pour l'obtention du capital, frais promotionnels, image d'un produit, circuit de distribution ou coûts de transition. Plus les frais à l'entrée sont élevés, plus ils sont susceptibles de dissuader de nouveaux participants. IBM, par exemple, a mis en place un coût de transition à l'intention des entreprises qui envisageaient d'acquérir des ordinateurs Apple, car le langage de programmation de leurs systèmes respectifs est incompatible.

Le pouvoir des acheteurs et des fournisseurs Une analyse de la concurrence doit tenir compte de la puissance des acheteurs et des vendeurs. Les acheteurs sont puissants lorsqu'ils sont peu nombreux, lorsque les coûts de transition sont peu élevés ou que le produit représente une part importante du coût total à la charge de l'acheteur. Ce dernier élément pousse l'acheteur à exercer d'importantes pressions en faveur de prix concurrentiels. Un fournisseur acquiert du pouvoir lorsque l'acheteur a grand besoin de son produit et lorsqu'il parvient à imposer des coûts de transition élevés.

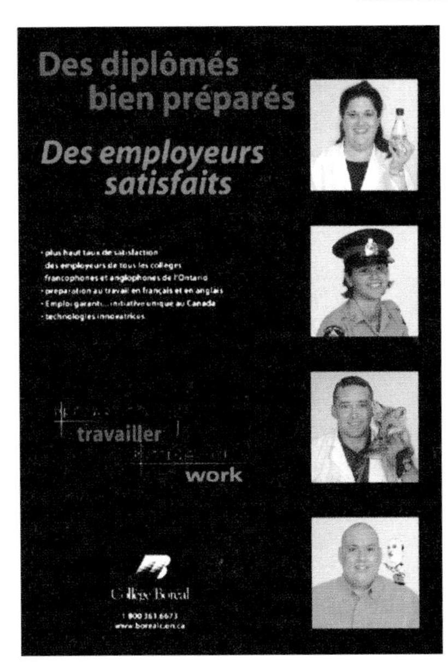

Les concurrents et les possibilités de substitution Le taux de croissance du secteur d'activité détermine la force des pressions concurrentielles entre les entreprises. En présence d'une croissance lente, la concurrence s'intensifie pour l'obtention de nouvelles parts du marché. Des prix fixes à la hausse exercent aussi une pression concurrentielle sur les entreprises qui doivent alimenter leur potentiel de production. Par exemple, plusieurs universités et collèges de l'Ontario revoient à la hausse leurs budgets de publicité et de relations publiques afin de remplir leurs salles de cours qui représentent un coût fixe élevé.

Le nouveau visage des sociétés canadiennes

La concurrence du commerce dans Internet a eu une répercussion importante sur les sociétés canadiennes.

La concurrence sur Internet La venue d'Internet a modifié les attentes des clients relatives à la commodité, au prix, à la qualité et au service. Par conséquent, les entreprises dont la structure est hiérarchique et bureaucratique voient apparaître un nouveau modèle d'entreprises en réseau (ou cyberentreprises) qui les concurrencent. Ces entreprises allient l'informatique, le Web et les logiciels pour modifier leur exploitation en profondeur. L'un des exemples les plus frappants d'un tel changement touche les activités de courtage. Des milliards de dollars en titres sont désormais échangés par les sites Web des maisons de courtage. Schwab ne vendait aucun titre sur le Web en 1995. Aujourd'hui, plus de quatre milliards de dollars en titres sont échangés sur sa page Web chaque semaine. Ce fait n'est pas passé inaperçu chez ses concurrents. Merrill Lynch, notamment, s'est lancée dans le commerce électronique. Les clients de sociétés telles que Schwab, Fidelity et E-Trade peuvent accéder à leurs comptes bancaires par Internet. Ces clients peuvent aussi mener des recherches, trouver de l'information, placer des ordres d'achat ou de vente et recevoir la confirmation de leurs transactions en temps réel.

Pour plus d'informations au sujet de Merrill Lynch, rends-toi à l'adresse suivante : www.dlcmcgrawhill.ca

Internet donne lieu à une nouvelle forme de concurrence qui touchera tous les secteurs d'activité et toutes les entreprises. À ce jour, près de 400 000 sociétés sont présentes sur le Web. Pendant que les consommateurs modifient leur mode d'achat, les employés et les chefs de service changent aussi leurs habitudes. Les préposés à la vente et au service à la clientèle deviennent des consultants accessibles à tous les clients. Les chefs de service deviennent des coordonateurs de renseignements. Les entreprises restructurent leur fonctionnement à partir d'équipes spécialisées qui ciblent étroitement certains besoins de la clientèle. On devra surveiller les changements qui atteindront vite plusieurs secteurs, comme les voyages de vacances, l'édition, la musique, le divertissement, le matériel et les logiciels informatiques, et les services de documentation[34]. Les chercheurs canadiens disposent d'un nouveau service de documentation en ligne appelé Electric Library Canada. Étudiants, entrepreneurs et télétravailleurs ont accès à une collection complète d'archives en texte intégral sur presque tous les sujets sans avoir à se déplacer[35].

Pour plus d'informations au sujet de Electric Library Canada, rends-toi à l'adresse suivante : www.dlcmcgrawhill.ca

BRANCHEZ-VOUS ! Fusionner ou ne pas fusionner?

La Banque de Montréal et la Banque Royale ont conclu un accord en vue de fusionner. Afin de justifier leur fusion, elles ont fait valoir la férocité de la concurrence, en particulier celle de banques étrangères telles que la Citibank, l'ING, la Fidelity et la Wells Fargo. Elles ont aussi motivé leur décision par les demandes plus précises de la part de leurs clientèles en faveur de meilleurs produits et services. Toutefois, quelques-unes de leurs concurrentes, sans parler du gouvernement fédéral, n'ont pas cru que cette fusion était nécessaire ou avantageuse pour l'ensemble du marché. Pourquoi, selon toi, le gouvernement a-t-il empêché la transaction ? Que penses-tu de cette fusion ?

RÉVISION DES CONCEPTS

1. En quoi le revenu disponible et le revenu discrétionnaire se distinguent-ils ?
2. En situation de libre concurrence, les vendeurs sont en nombre ____________________.
3. Qu'est-ce qu'une organisation en réseau ?

L'ENVIRONNEMENT POLITICO-JURIDIQUE

Au sein d'une entreprise, les décisions touchant le marketing et les activités commerciales en général sont limitées, déterminées et influencées par des facteurs politico-juridiques. Les lois fédérales et provinciales imposent une **réglementation** aux entreprises dans le cadre de leurs activités. La réglementation veille à protéger les entreprises autant que les consommateurs. La réglementation en place aux niveaux fédéral et provinciaux vise à assurer une concurrence et des pratiques commerciales loyales. La loi vise également à protéger les consommateurs contre les pratiques commerciales déloyales et à assurer leur protection.

La défense des consommateurs

L'avènement des sociétés de consommation à la fin du XIXe siècle et au début du XXe siècle, fait naître, dans les grandes villes, les premiers regroupements d'acheteurs, d'usagers et de consommateurs. En France, le journal *Le Consommateur* a pour devise : « Je dépense, donc je suis ». Il faut attendre les années cinquante pour voir progressivement s'institutionnaliser les mouvements de protection des consommateurs. Ainsi, ils s'organisent de façon à faire entendre leurs doléances.

L'objectif de tous ces mouvements est de rééquilibrer les rapports entre les consommateurs et les commerçants (producteurs ou revendeurs). Il s'agit également de réunir les efforts des consommateurs bien souvent seuls face à une machine industrielle toute puissante. Leurs plaintes pourront plus facilement être déposées et entendues.

Au Canada, il faut considérer trois types d'organisation de défense de la consommatrice et du consommateur. Au premier rang de ces organisations, nous retrouvons naturellement l'État qui a créé des organismes publics et adopté différentes lois protégeant les consommateurs. Viennent ensuite des organismes développés par les consommateurs eux-mêmes, une forme d'autodéfense contre les abus des entreprises. Enfin, dans de nombreux domaines de la consommation, les entreprises ont aussi mis sur pied des associations professionnelles de protection des consommateurs. Elles assurent en quelque sorte une certaine autorégulation ou autodiscipline de leurs secteurs respectifs.

Une hypothèse assez simple serait de dire qu'un consommateur protégé est un consommateur averti. En ce sens, une meilleure éducation couplée à plus d'informations a rendu les consommateurs plus prudents et plus exigeants. Il est loin le temps du « *caveat emptor* » (à l'acheteur de se méfier ou à vos risques et périls). Naturellement, l'arrivée de l'autoroute de l'information a bouleversé les sources de protection des consommateurs et n'a fait que les amplifier. En effet, les sources d'informations accessibles se sont multipliées et leur ont permis de contacter plus facilement d'autres consommateurs. Par contre, le commerce électronique a engendré un domaine où la protection des consommateurs n'en est qu'à ses débuts.

L'État et les organismes publics de défense des consommateurs

Par l'intermédiaire d'Industrie Canada, le gouvernement fédéral joue deux rôles vis-à-vis des consommateurs : les protéger et les informer.

La protection des consommateurs passe par différentes lois et règlements. En voici quelques exemples : la **Loi sur la concurrence,** la *Loi sur l'emballage et l'étiquetage des produits de consommation,* la *Loi sur l'étiquetage des textiles* et la *Loi sur le poinçonnage des métaux précieux.* Leur administration et leur application relèvent du Bureau de la concurrence. À titre d'exemple, tu peux lire dans l'encadré suivant l'objet de la *Loi sur la concurrence.* Si tu as du courage, tu peux aussi retrouver sur le site du ministère de la Justice le texte complet de cette loi.

Le gouvernement s'assure avant tout que les marchés reposent sur une concurrence équitable. En réglementant certaines pratiques commerciales, il s'assure aussi de la protection des consommateurs.

Tu peux aussi consulter les amendes imposées par les tribunaux en vertu de la *Loi sur la concurrence.*

Pour plus d'informations au sujet des organismes de défense des consommateurs, rends-toi à l'adresse suivante : www.dlcmcgrawhill.ca

La *Loi sur la concurrence* – Objet

1.1 La présente loi a pour objet de préserver et de favoriser la concurrence au Canada dans le but de stimuler l'adaptabilité et l'efficience de l'économie canadienne, d'améliorer les chances de participation canadienne aux marchés mondiaux tout en tenant simultanément compte du rôle de la concurrence étrangère au Canada, d'assurer à la petite et à la moyenne entreprise une chance honnête de participer à l'économie canadienne, de même que dans le but d'assurer aux consommateurs des prix compétitifs et un choix dans les produits.

Ministère de la Justice du Canada (2001). *Loi sur la concurrence.* L.R. (1985), ch. C-34, art. 1 ; L.R. (1985), ch. 19 (2e suppl.), art. 19.

« Un consommateur averti sait se renseigner », annonce le sous-titre du *Guide du consommateur canadien*[36]. Le gouvernement a compris que l'information est essentielle pour protéger les consommateurs. Il a donc créé le Bureau de la consommation qui a pour objectifs de promouvoir et de protéger les intérêts des consommateurs canadiens lorsque le marché ne réussit pas à le faire.

Cet organisme publie aussi deux guides d'informations. Le premier est disponible dans Internet. Il s'agit de la passerelle d'information pour les consommateurs qui englobe plus de 35 ministères et organismes du gouvernement fédéral, ainsi que 250 partenaires provinciaux et territoriaux. Ce portail vise à rendre plus facile la recherche d'informations en matière de consommation et permet de déposer une plainte aisément en suivant plusieurs étapes.

Le second guide est une publication papier, véritable bible de la protection des consommateurs, disponible aussi dans Internet en version électronique. Il s'agit du *Guide du consommateur canadien.* Il renferme une mine de renseignements généraux comme les moyens de se plaindre efficacement, des conseils concernant différents aspects de la consommation (par exemple, la publicité trompeuse, le télémarketing, les vendeurs itinérants), ainsi qu'un répertoire d'organismes et d'associations de défense des consommateurs.

Les gouvernements provinciaux ne sont pas en reste concernant la défense des consommateurs, en particulier en Ontario. Le ministère des Services aux consommateurs et aux entreprises possède d'ailleurs un site très dynamique. Tu pourras également y trouver un formulaire de plainte en ligne.

Parmi les initiatives de ce ministère, notons :

Le calendrier anti-fraudes 2003 qui contient diverses informations sur les fraudes et autres escroqueries, ainsi qu'une liste de numéros de téléphone et d'adresses Internet d'organismes qui offrent de l'aide aux personnes âgées.

Le Consommateur averti est un site d'informations sur la consommation, regroupées par thème : réparation de véhicules automobiles, déménageurs, fraudes téléphoniques, etc.

Les consommateurs s'organisent et se protègent

Pour plus d'informations au sujet des associations et des magazines de consommateurs, rends-toi à l'adresse suivante : www.dlcmcgrawhill.ca

Les consommateurs ont petit à petit organisé leur propre défense, c'est ce qu'on appelle le **consommateurisme** (ou consumérisme pour utiliser un anglicisme). Ce mouvement vise à accroître l'influence, le pouvoir et les droits des consommateurs qui négocient avec les entreprises. Il est possible de distinguer deux grands moyens d'autodéfense, à savoir les associations et les magazines de consommateurs.

Les associations ont en général comme mandat d'aider les consommateurs, de les protéger et de les informer dans des secteurs très variés : du plus général comme l'Association des consommateurs du Canada au plus spécifique comme le Conseil canadien d'évaluation des jouets. Elles sont nombreuses, mais les sites Internet sont pour la plupart en anglais.

L'Association des consommateurs du Canada (ACC), fondée en 1947, est un organisme sans but lucratif dont la mission est d'informer, d'éduquer, de représenter les intérêts des consommateurs auprès des gouvernements et des industries, de travailler avec ces derniers et de résoudre des problèmes de marché.

Le Conseil des consommateurs du Canada (Consumers Council of Canada) est aussi un organisme sans but lucratif créé en 1994 et visant à aider les entreprises et le gouvernement à gérer les problèmes des consommateurs et à améliorer les marchés.

L'Association pour la protection des automobilistes (APA) est un organisme sans but lucratif qui vise à protéger les consommateurs dans leurs relations avec les constructeurs automobiles, l'industrie pétrolière, les compagnies d'assurances et divers fournisseurs d'équipement automobile.

Le Conseil canadien d'évaluation des jouets (CCEJ), fondé en 1952, a pour mission de favoriser la conception, la production et la distribution de jouets. Des familles ont testé leur fonctionnement, leur durabilité et leur intérêt, et les ont approuvés. Le CCEJ publie également un bulletin annuel d'informations intitulé *Information Jouets,* qui révèle les tests effectués sur plus de 1 600 jouets.

Les magazines en français proviennent du Québec. Nous pouvons noter entre autres : la revue *Protégez-vous* et le magazine *Consommation* de l'association québécoise Option Consommateurs.

Enfin, des forums de consommateurs se développent de plus en plus dans Internet.

Les associations professionnelles privées

Les entreprises privées elles-mêmes sont une source de protection des consommateurs. Il arrive en effet que ces dernières se regroupent par secteur ou domaines d'activités, afin de mettre en place ensemble des codes de conduite, des codes de déontologie, des codes volontaires ou des normes.

Ces codes visent à influencer, à façonner, à surveiller ou à encadrer les pratiques commerciales lorsque la loi ne prévoit rien de précis pour une activité donnée. Ils indiquent aux consommateurs que l'entreprise respecte certaines règles et agit de façon honnête envers ses clients.

Le Programme de protection des automobilistes du Canada (PPAC) a par exemple pour mission de « consolider la relation entre les automobilistes et l'industrie de la réparation automobile en informant les automobilistes et les fournisseurs de services ainsi que par la création de normes dans l'industrie ».

L'Association canadienne du marketing (ACM) est un regroupement d'entreprises dans le marketing (institutions financières, assurance, éditeurs, détaillants, organisations de bienfaisance, agences de marketing, etc.). Ces entreprises sollicitent les consommateurs dans le cadre de programmes de communication marketing et de marketing direct. L'ACM offre, entre autres services, la possibilité de radiation des listes de sollicitation téléphonique et des listes d'envoi de courrier postal en provenance des membres de cette association.

L'Association des banquiers canadiens (ABC) regroupe, sur une base volontaire, l'ensemble des banques à charte du Canada et la plupart des banques étrangères opérant sur le territoire canadien. En plus de procurer à ses membres (des banquiers) plusieurs services, cette association fournit aux consommateurs divers renseignements sur la résolution des plaintes, des thèmes du domaine bancaire, de la confidentialité, de la protection de la vie privée, etc.

Les Bureaux d'éthique commerciale (BEC) sont généralement des organismes sans but lucratif formés par des entreprises géographiquement proches les unes des autres. Ces organismes visent à promouvoir l'éthique et l'honnêteté des pratiques commerciales envers les consommateurs. Ils informent les consommateurs, les aident à résoudre leurs problèmes avec des entreprises et leur permettent de déposer des plaintes. Voici un des BEC en Ontario :

> Ces codes réglementent effectivement une profession en apportant des garanties au consommateur, et ils sont également un excellent outil de communication des entreprises qui les utilisent. En effet, ils donnent à ces entreprises une forme d'avantage concurrentiel sur celles qui ne les utilisent pas.

Le contexte de la mondialisation et de la globalisation a rendu nécessaire l'existence d'organisations internationales de protection des consommateurs. Parmi ces organisations, nous retrouvons :

L'Organisation internationale des consommateurs (OIC), qui s'emploie à défendre les droits de tous les consommateurs, en particulier ceux des pauvres et des groupes marginalisés, en renforçant le pouvoir d'action des organisations nationales de consommateurs et en faisant campagne sur le plan international.

L'Organisation internationale de normalisation est une organisation non gouvernementale, créée en 1947. Elle a pour mission de favoriser le développement de la normalisation et des activités connexes dans le monde, en vue de faciliter entre les nations les échanges de biens et de services, et de développer la coopération dans les domaines intellectuel, scientifique, technique et économique.

L'Organisation de coopération et de développement économique (OCDE) et les Nations Unies ont aussi des programmes visant la consommation dans le contexte de la mondialisation.

L'ÉTHIQUE

QUESTION D'ÉTHIQUE

L'image ternie du télémarketing

Le télémarketing a mauvaise réputation auprès de la plupart des consommateurs. Les sondages montrent qu'une majorité de consommateurs interrogés estiment que le télémarketing porte atteinte à la vie privée et leur font perdre leur temps. Pourquoi le télémarketing dérange-t-il tant de gens? On trouve parfois des télévendeurs qui s'adonnent à des pratiques douteuses, frauduleuses, voire illégales. Prenons à titre d'exemple une société de télémarketing qui entre en contact avec des consommateurs pour leur annoncer qu'ils ont gagné un prix. Pour toucher ce prix, les consommateurs doivent parfois payer des frais de manutention et d'expédition qui excèdent de beaucoup les frais réels et la valeur du prix en question.

Parfois encore, les représentants d'une société de télémarketing laissent sous-entendre qu'ils sont bénévoles au sein d'un organisme de charité et font appel à leur générosité. En réalité, il s'agit de solliciteurs de fonds rémunérés qui touchent une commission. Que dire des télévendeurs qui utilisent le courrier pour acheminer une publicité directe aux consommateurs, après quoi ils doivent composer un numéro en libre appel s'ils désirent obtenir davantage de renseignements? Ensuite, à leur insu, le télévendeur emploie un système d'identification automatique qui affiche le numéro de l'appelant sans que ce dernier le sache. Lorsque les consommateurs n'achètent rien au moment du premier appel, l'entreprise, possédant son numéro, tentera de les joindre de nouveau afin de leur proposer autre chose. Par ce moyen, les télévendeurs peuvent aussi connaître les numéros de téléphone confidentiels et les revendre.

Dans plusieurs cas, les télévendeurs sont coupables de tromperie au sens de la loi, alors qu'en d'autres ils s'adonnent à des pratiques douteuses, à défaut d'être illégales. Ce comportement a terni l'image non seulement des télévendeurs intègres, mais de tous les spécialistes du marketing. As-tu eu connaissance de manœuvres douteuses ou frauduleuses de la part d'un télévendeur? Que peut-on faire pour les prévenir?

RÉVISION DES CONCEPTS

1. Quelles sont les différentes lois fédérales visant à protéger le consommateur?
2. Quels sont les deux axes choisis par le gouvernement pour défendre le consommateur?
3. Qu'est-ce que le consommateurisme?

RÉSUMÉ

1. On évalue la population canadienne à plus de 31 millions d'individus. Cette population vieillit et le nombre de familles traditionnelles comme on les rencontrait dans les années 1950 est à la baisse. La famille bi-active est désormais la norme au Canada et la famille reconstituée se voit de plus en plus.
2. On évalue que près de 80 % des Canadiennes et des Canadiens sont des citadins et que la majorité habitent une région métropolitaine de recensement (RMR). Pour atteindre les gens de ces régions, les spécialistes du marketing doivent recourir au marketing régional. Il consiste à élaborer des marketing mix tenant compte des préférences, des besoins ou des intérêts tels qu'ils sont perçus dans des régions précises.
3. La diversité ethnique prend de l'ampleur au Canada, en raison notamment de l'augmentation de population des minorités visibles.
4. La culture englobe les valeurs abstraites et les biens matériels. On assiste à une évolution des valeurs relatives au travail, à la qualité de la vie, aux rôles attribués aux femmes et aux hommes, et à la consommation.
5. Le revenu disponible est l'argent dont on dispose après avoir payé ses impôts. Le revenu discrétionnaire est l'argent dont on dispose après s'être procuré les biens essentiels.
6. La technologie fait augmenter la valeur dont profite le client, car elle réduit le coût des produits, en propose de nouveaux et améliore la qualité de ceux qui existent. Les plus récentes percées de la technologie de l'information pourraient s'avérer des plus importantes pour les commerçants, car elles permettront de personnaliser davantage leurs services.
7. La concurrence a eu comme effet d'accroître le recours à Internet pour commercer.
8. Dans une entreprise, les décisions touchant le marketing et les activités commerciales en général sont limitées, déterminées et influencées par des facteurs réglementaires. Au Canada, la *Loi sur la concurrence* est la principale mesure législative destinée à protéger la concurrence et les consommateurs.
9. Les consommateurs ont un rôle actif pour influencer le marché. Le consommateurisme est un mouvement visant à accroître l'influence, le pouvoir et les droits des consommateurs qui négocient avec les entreprises. Le consommateurisme actuel revendique des produits écologiques et prône des pratiques commerciales axées sur la responsabilité sociale et morale des entreprises.

MOTS CLÉS ET CONCEPTS

baby-boomer
barrière à l'entrée
concurrence
consommateurisme
culture
démographie
économie
environnement
environnement social
évolution des valeurs
famille reconstituée
génération X
génération Y
Loi sur la concurrence
marché d'âge mûr
marketing régional
région métropolitaine de recensement (RMR)
réglementation
revenu brut
revenu discrétionnaire
revenu disponible
technologie

EXERCICES INTERNET

Une bonne analyse de l'environnement du marketing doit se pencher sur plusieurs sources de renseignements. Parmi les sites Web particulièrement utiles à cet égard, notons celui de Statistique Canada. Statistique Canada est la source des données et des statistiques sur les tendances de la population canadienne, sur les dépenses de consommation, etc. Avec l'aide de ce site, réponds aux questions suivantes :

1. À combien se chiffre la population du Canada en ce moment ? Selon les prévisions, combien serons-nous en 2016 ?
2. Combien de personnes de 90 ans et plus vivent au Canada ?
3. Combien de familles monoparentales trouve-t-on au Canada ?
4. La taille des familles au Canada a diminué. Trouve sur le site de Statistique Canada des informations pour appuyer cette affirmation. Comment cela peut-il influencer une entreprise ?
5. Toujours à l'aide du site de Statistique Canada, trouve des informations démographiques pour décrire ta région. Compare ces informations avec celles portant sur la démographie au Canada. Peux-tu reconnaître des particularités pour ta région ? En quoi ces particularités influenceraient-elles les marchés de consommation ?

Pour plus d'informations au sujet de Statistique Canada, rends-toi à l'adresse suivante : www.dlcmcgrawhill.ca.

QUESTIONS DE MARKETING

1. Durant de nombreuses années, Gerber a préparé des aliments pour bébé vendus en petits pots d'une portion. En procédant à une analyse du contexte, détermine trois tendances ou facteurs qui pourraient modifier considérablement les activités futures de cette entreprise. Ensuite, propose des solutions qui permettraient à Gerber de réagir à ces changements.
2. Toutes les données démographiques conduisent à la même constatation : la population canadienne est vieillissante. Comment un constructeur automobile peut-il tenir compte de cette tendance pour adapter son produit ?
3. Internet est à la fois un nouveau moyen de communication et une nouvelle façon de mettre en marché les produits et les services. Que penses-tu de cette affirmation ? Quels types d'entreprises seront les plus touchés par Internet ? En quoi les pellicules et appareils photo Kodak, Air Canada ou le Musée des beaux-arts peuvent-ils être influencés par Internet ?
4. Au cours des dernières années, le marché de la bière a beaucoup évolué. Les grandes brasseries canadiennes qui se partagent depuis toujours le marché (Labatt et Molson) subissent de plus en plus la concurrence de micro-brasseries régionales. Comment expliques-tu ce changement de la concurrence ? Ce changement correspond-il à une évolution des modes de vie dans la population ? Si oui, laquelle ?
5. La déréglementation de l'industrie canadienne des appels interurbains a fait apparaître des concurrents de plus en plus nombreux. Cela a-t-il transformé le rôle du marketing ? Quels éléments du marketing mix sont plus ou moins importants depuis cette déréglementation ?
6. Ce chapitre a montré l'exemple d'une publicité ethnique avec le détaillant Wal-Mart. As-tu d'autres exemples de publicité ethniques ? Comment les entreprises peuvent-elles tenir compte de la diversité ethnique de plus en plus importante en publicité ?
7. Les consommateurs d'aujourd'hui ont davantage conscience de la valeur des choses. Comment un quincaillier spécialisé dans les matériaux de rénovation devrait-il s'y prendre pour vendre les mêmes produits tout en semblant offrir davantage aux consommateurs ? Quelles mesures précises ce détaillant devrait-il mettre en place ?
8. Nomme les produits concurrents d'un Game Boy de Nintendo. Les produits concurrents nommés sont-ils uniquement des consoles de jeux ? Un livre peut-il être considéré comme un produit concurrent ? Qu'en est-il d'un vélo de montagne ? Comment définirais-tu un produit concurrent ?
9. Trouve des marchés qui pourraient illustrer les quatre formes de concurrence abordées dans ce chapitre.

ÉTUDE DE CAS 3-1 EVILLUSION INC.

Incarner plusieurs personnages clés de l'histoire biblique comme Loth, Moïse et Jésus. Voir par les yeux de ces personnages et revivre certains moments forts de leurs vies. Faire des « voyages dans le temps », depuis la Création jusqu'à l'Apocalypse, et vivre les aventures de ces personnages bibliques. Affronter ou aider des anges de plus en plus puissants. Combattre ou servir des démons et autres créatures déchues. Déchiffrer le code de la Bible pour en maîtriser la puissance. Mais avoir aussi le choix entre le Bien et le Mal et, à la fin, décider du sort réservé au monde. Le sauver en utilisant son pouvoir pour combattre les créatures du mal ou le laisser sombrer dans la noirceur pour bâtir son propre empire de terreur. Voici les grandes lignes du nouveau jeu *Eon of Tears : The Bible Code* produit par l'entreprise canadienne Evillusion inc. et qui sera sur le marché à la fin de l'année 2004.

L'ENTREPRISE

« Devenir une entreprise internationale de création de jeux et nous imposer comme un chef de file de l'industrie. » Voici l'énoncé de la mission d'Evillusion inc., une entreprise montréalaise spécialisée dans les jeux interactifs pour PC et consoles. Cette entreprise, fondée en 2000, est installée à Montréal. L'équipe est composée de professionnels venant du Canada, de France, de Belgique et de Suède.

LE CONTEXTE CHANGEANT

Comme dans les autres entreprises, les gestionnaires d'Evillusion inc. surveillent de près les tendances sociales, économiques, technologiques, concurrentielles et réglementaires qui peuvent influencer l'entreprise ou l'industrie des jeux pour PC et consoles.

Le secteur des logiciels et des services informatiques (CTI 772) est un secteur en pleine croissance. De 1995 à 2001, le nombre d'entreprises canadiennes de ce secteur a augmenté de plus de 200 % et le nombre d'employés de plus de 130 %. Le PIB (produit intérieur brut) a augmenté de 119 % (hors de l'effet de l'inflation). Les logiciels de jeux interactifs forment un segment à l'intérieur du marché des logiciels. Ces produits allient la vidéo, l'animation, l'image fixe, la voix, la musique, les graphiques et le texte sur un support, en général un cédérom, aux fins d'éducation ou de divertissement. Les ventes de titres sur cédérom ont doublé annuellement depuis plusieurs années et excèdent à présent 1,2 milliard de dollars.

Parmi les tendances connexes, on constate une présence croissante des ordinateurs dans les foyers en raison de leurs prix décroissants, et un nombre de plus en plus élevé de lecteurs de cédéroms. À l'échelle internationale, le nombre d'ordinateurs dotés d'un lecteur de cédéroms a augmenté à un rythme annuel de 25 %. Cependant, il ne représentait jusqu'ici qu'une faible part de l'ensemble des ordinateurs en usage. Le prix des logiciels est en baisse et les attentes des consommateurs sont en hausse.

Comme pour tous les secteurs, le volume de ventes a un effet direct sur les profits des entreprises développant des logiciels. Toutefois, une contrainte se dresse sur le chemin du succès : l'éditeur. Si un jeu est accepté et qu'une entente de distribution est signée, alors l'éditeur avance automatiquement un montant approximatif de 1,6 million de dollars canadiens. Tous les exemplaires du logiciel vendus par la suite viendront augmenter les profits. Cependant, la signature de l'entente de distribution reste au cœur de la réussite ou de l'échec du projet. C'est un peu comme si le produit n'était vendu qu'à une seule personne, l'éditeur, et qu'on ne le vendait qu'une seule fois. Les gestionnaires d'Evillusion inc. n'ont donc pas intérêt à manquer leur coup !

LE MARCHÉ

Afin de toucher le plus grand marché possible, le jeu sera destiné à un public d'adultes, ce qui permet d'étendre le marché cible de la clientèle. En effet, les habitudes de comportements révèlent que les jeunes aiment le matériel pour adultes. De plus, le marché des adultes est plus intéressant, car les consommateurs ont plus de moyens financiers et s'intéressent à des jeux plus stimulants que les jeux pour enfants. Selon l'IDSA (*Interactive Digital Software Association*)[37], l'âge moyen du joueur est de 28 ans et 68 % des jeux sont cotés « E » (pour tous, jeunes et adultes)[38]. Le marché est largement dominé par les jeunes adultes, puisque plus de 96 % des ventes sont faites à des personnes de 18 ans ou plus. Beaucoup d'achats sont faits par les parents pour leurs enfants. Aux États-Unis seulement, le nombre de clients potentiels est supérieur à 25 millions. Les marchés de l'Europe et de l'Asie font plus que doubler ce chiffre. Le marché de l'Europe est lui-même supérieur à celui des États-Unis ou du Japon.

L'industrie du jeu est divisée en deux grandes familles : les jeux sur PC et les jeux sur consoles. *Eon of Tears : The Bible Code* est conçu de telle sorte qu'on peut l'utiliser sur PC ou sur console. Les contrôles et le mode de jeu permettent l'utilisation avec une manette autant qu'avec un clavier et une souris. Le marché des jeux sur plateforme PC est très intéressant, mais il n'est pas aussi vaste que celui des consoles. Pour faire une approximation rapide, le marché des consoles (toutes marques réunies) est environ trois fois plus important que celui du PC. Toute société de jeux doit donc s'assurer que son produit est utilisable sur l'une d'elles.

Questions

1. Réalise une analyse du contexte pour l'entreprise Evillusion inc. Dans quel sens les cinq facteurs du milieu (social, économique, technologique, concurrentiel et réglementaire) risquent-ils d'influencer les ventes de son jeu ?
2. Le circuit de distribution est un élément crucial dans la stratégie d'une firme comme Evillusion inc. Quels défis représente-t-il pour cette entreprise ?
3. Quels arguments pourraient convaincre un éditeur d'accepter de commercialiser un jeu comme *Eon of Tears : The Bible Code* ? Que conseillerais-tu à Evillusion inc. ?

Est-ce que vous me confiez vos clés si je vous donne 20 $?

Que ce soit une question d'âge ou d'intoxication, les représentants du Service à la clientèle de la LCBO se trouvent souvent dans la situation peu enviable où ils sont obligés de dire « non » à un client. C'est ce que l'on appelle « contestation et refus », et cela se produit plus souvent que vous ne le pensez. C'est pourquoi les employés de la vente au détail de la LCBO reçoivent une formation sur la façon de gérer tout problème qui peut se présenter dans leur succursale relativement à l'âge ou à l'état d'intoxication de certains clients. Mais personne n'a appris à John Steadman du Service à la clientèle de Waterdown à offrir 20 $ à un client en état d'ébriété en échange de ses clés de voiture. « Il était 10 h le matin et le client était clairement en état d'ébriété », raconte John. « Je savais que c'était à moi de faire quelque chose pour prévenir une tragédie, et je lui ai donc offert de payer son taxi. » Grâce à une solide formation et à une réaction tout à fait opportune, John a réussi à enlever les clés de voiture à une personne qui aurait autrement conduit en état d'ébriété. La LCBO rend hommage à ses employés hors pair.

John Steadman,
Représentant du Service à la clientèle,
Waterdown, Ontario
(récemment promu directeur de succursale à Seaforth, Ontario)

SERVICE RESPONSABILITÉ COMMUNAUTÉ QUALITÉ BIENFAISANCE

CHAPITRE 4

LA RESPONSABILITÉ ÉTHIQUE ET SOCIALE DU MARKETING

4

APRÈS AVOIR LU CE CHAPITRE, TU SERAS EN MESURE

- de comprendre la nature et le sens de l'éthique en marketing ;
- de distinguer un comportement conforme à la loi d'un comportement éthique en marketing ;
- de reconnaître les facteurs influant sur la prise de décisions éthiques et non éthiques en marketing ;
- de distinguer les concepts d'éthique et de responsabilité sociale ;
- de comprendre l'importance du comportement éthique et de la responsabilité sociale envers les consommateurs.

LA LCBO (*Liquor Control Board of Ontario*) S'ENGAGE À PROMOUVOIR LA RESPONSABILITÉ SOCIALE

Pourquoi une compagnie dépenserait-elle des millions de dollars pour convaincre les gens de consommer ses produits avec modération ? Pose cette question aux dirigeants de la LCBO, l'entreprise responsable de la vente et de la distribution des boissons alcooliques en Ontario. Depuis 1927, elle poursuit cet objectif qui est de servir et de satisfaire sa clientèle tout en générant des revenus pour le gouvernement de l'Ontario. Mais depuis ses origines, la LCBO a aussi joué un rôle en matière d'éducation et d'information sur la consommation responsable d'alcool et la conduite en état d'ébriété. Ses activités de vente et de responsabilité sociale sont tout aussi importantes pour l'entreprise.

La LCBO met en œuvre depuis plusieurs années, en partenariat avec MADD Canada (Les mères contre l'alcool au volant), des campagnes publicitaires sur la responsabilité sociale. En 1999, elle a lancé une campagne ayant pour titre *L'alcool au volant, c'est fatal*. Les éléments de cette campagne comprenaient des panneaux publicitaires en trois dimensions, incluant des carrosseries accidentées d'automobiles. Une particularité de cette campagne était le fait d'utiliser de véritables véhicules accidentés (motoneiges, véhicules tout-terrains, embarcations, etc.).

Lors du dévoilement de la campagne, Bill Kennedy, directeur exécutif des Communications de l'entreprise à la LCBO, affirmait que l'utilisation d'une véritable carrosserie avait l'intérêt d'attirer davantage l'attention du public cible et ferait mieux réfléchir les gens sur leurs propres habitudes de consommation, propos repris par Andrew Murie, directeur exécutif national de MADD Canada.

Dans le cadre d'une campagne publicitaire sur la responsabilité sociale, la LCBO a fait paraître des annonces qui soulignent l'apport du personnel. Cinq annonces ont paru en 2002-2003 dans le magazine gratuit de la LCBO : *À bon verre, bonne table*. Les cas relatés montrent combien le personnel de la LCBO prend à cœur le bien-être des individus et des communautés qu'il sert. Ces pages publicitaires sont centrées sur les employées et les employés qui ont fait preuve d'un dévouement exceptionnel en matière de bienfaisance, de collecte de fonds, d'assurance de la qualité, de service et de responsabilité.

Le directeur de succursale John Steadman, en vedette sur la page publicitaire présentée en ouverture de chapitre, a offert personnellement 20 $ à un client en état d'ébriété, à qui le service venait d'être refusé, pour que celui-ci lui remette ses clés de voiture et prenne un taxi. Il a ainsi empêché ce client de conduire en état d'ébriété. À l'aide de son programme de contestation et de refus, le personnel de la LCBO conteste le droit d'acheter de l'alcool à plus de un million de personnes chaque année.

Ce chapitre est consacré à l'éthique et à la responsabilité sociale en marketing. Tu verras que, si certaines organisations reconnaissent que les comportements éthiquement et socialement responsables sont parfois coûteux, elles savent que les comportements inverses le sont souvent encore plus. Bref, dans le marché d'aujourd'hui, les compagnies peuvent « bien faire en faisant le bien ».

LA NATURE ET LA SIGNIFICATION DE L'ÉTHIQUE EN MARKETING

L'**éthique** est un ensemble de principes moraux et de valeurs gouvernant les actions et les décisions d'un individu ou d'un groupe[1]. Plus simplement encore, l'éthique sert de guide aux règles de conduite justes et équitables. Pour le directeur du marketing, l'éthique se traduit par l'application des valeurs et des principes moraux propres aux décisions de marketing.

Le cadre éthique et le cadre légal en marketing

Commençons par distinguer la légalité et la valeur éthique d'une décision pour bien saisir la nature et la signification du terme « éthique ». La figure 4.1 te permettra de visualiser la relation entre les **lois** et l'éthique[2]. L'éthique est un ensemble de principes moraux et de valeurs morales de l'individu. Les **lois** représentent les valeurs et les normes de la société. Les tribunaux veillent au respect des lois[3].

FIGURE 4.1
Une classification des décisions de marketing selon la légalité et l'éthique

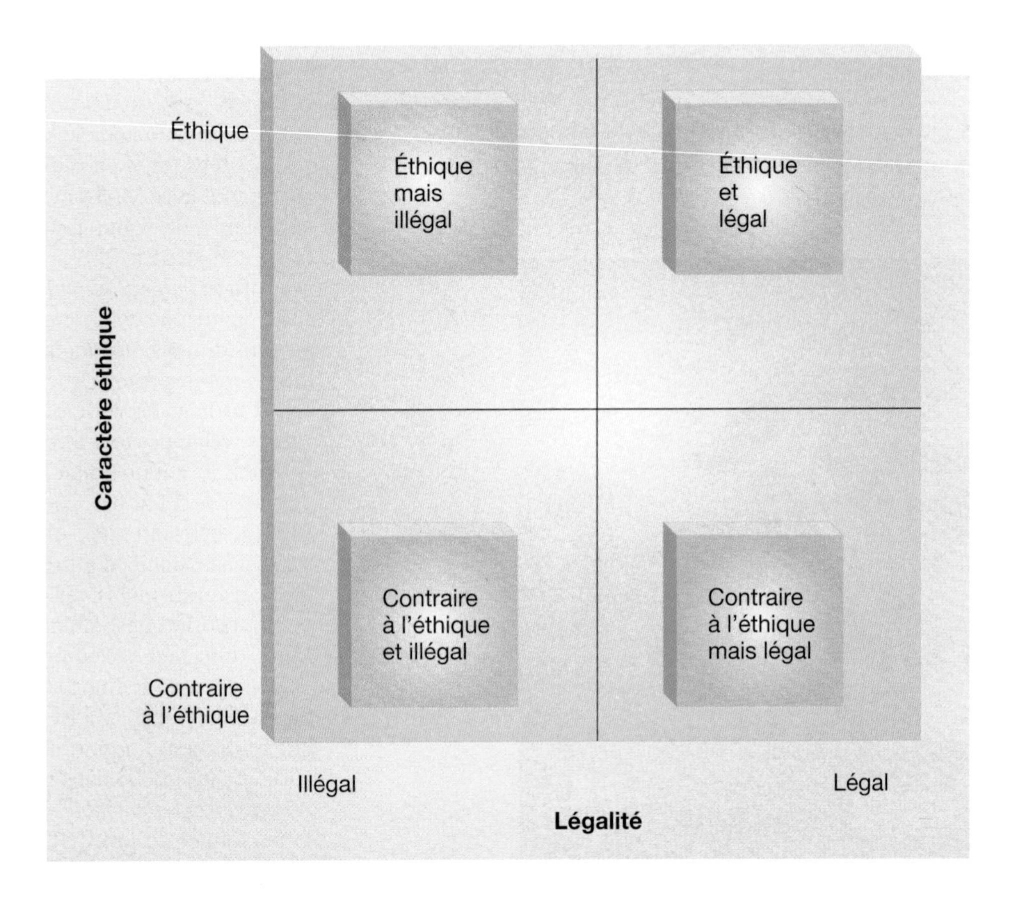

En général, ce qui est illégal est aussi contraire à l'éthique. Par exemple, la publicité trompeuse est illégale. Elle est aussi contraire à l'éthique, parce qu'elle ignore les principes moraux d'honnêteté et de justice. Ce qui est contraire à l'éthique n'est pas toujours illégal. La surfacturation, par exemple, n'est généralement pas illégale. On la perçoit cependant comme non éthique. Des situations délicates forceront les directeurs de marketing à départager ce qui est éthique et ce qui est légal. Pour certains, un comportement situé dans les limites de la légalité n'est pas contraire à l'éthique. Par exemple, lors d'un récent sondage, on a posé la question suivante à un groupe d'élèves canadiens inscrits en administration : « Est-il acceptable d'exiger un prix supérieur au prix courant, sachant que la clientèle doit, de toute façon, se procurer le produit, indépendamment du prix demandé ? Près de 35 % ont répondu « oui » à cette question[4]. Et toi, qu'aurais-tu répondu ?

Considère les situations suivantes. Place chacune d'elles dans la case appropriée du schéma représenté à la figure 4.1.

1. Plusieurs entreprises s'entendent pour truquer les offres lors d'un dépôt de soumissions cachetées pour obtenir un contrat gouvernemental. Le trucage des offres est illégal aux termes de la *Loi sur la concurrence,* car il disqualifie la libre concurrence et les appels d'offres ouverts.
2. Pour gagner de la clientèle, une société prétend mener une enquête. Une fois que les gens acceptent de répondre, le personnel de vente procède alors à son « baratin » publicitaire (il passe à l'acte de vente).
3. Une personne se porte acquéreur d'une copropriété parce qu'elle offre une vue magnifique sur la ville. Au moment de la vente, l'agent immobilier savait que, dans un an, on construirait un autre édifice en hauteur qui obstruerait la vue. Malgré tout, l'agent décide de ne pas en parler à son acquéreur.
4. Une entreprise cherche à combler un poste pour la vente de matériel industriel. Elle convoque en entrevue une femme qui se révèle beaucoup plus compétente que tous les candidats masculins. Toutefois, sachant que la clientèle préfère travailler avec du personnel masculin, l'entreprise embauche un homme.

En te référant à la figure 4.1, les situations décrites précédemment sont-elles éthiques et légales ou contraires à l'éthique et illégales ? Tu devras te pencher sur d'autres problèmes d'éthique, tout au long du chapitre.

RÉVISION DES CONCEPTS

1. Qu'est-ce que l'éthique ?
2. Qu'est-ce que la loi ?

COMPRENDRE LE COMPORTEMENT ÉTHIQUE EN MARKETING

Des chercheurs ont déterminé un grand nombre de facteurs qui exercent une influence sur le comportement éthique en marketing[5]. La figure 4.2 illustre ces facteurs et leurs interrelations. Nous les détaillerons tour à tour.

La culture et les mœurs

Comme nous l'avons expliqué au chapitre 3, la *culture* réunit les valeurs, les idées et les attitudes d'un groupe homogène. Elle se transmet de génération en génération. La culture exerce aussi une influence sur l'éthique des rapports entre les individus et les groupes, les institutions et les organisations. La culture est un facteur social qui dicte le bien et le juste, sur le plan moral. En d'autres termes, les mœurs dépendent des sociétés en cause. Ces mœurs se reflètent dans les lois et les réglementations. De plus, elles influent sur les comportements économiques et sociaux, y compris les pratiques commerciales. Les mœurs peuvent aussi être à l'origine de dilemmes moraux. La violation des droits de la

Pour plus d'informations au sujet de Levi Strauss, rends-toi à l'adresse suivante : www.dlcmcgrawhill.ca

personne en Chine a forcé Levi Strauss à mettre fin à plusieurs de ses relations d'affaires dans ce pays. « La Chine regorge d'occasions d'affaires formidables. Toutefois, nous tentons de donner la préséance aux questions éthiques lorsqu'elles sont confrontées aux considérations commerciales[6] », explique le vice-président du marketing de l'entreprise.

De nombreux pays, dont le Canada, considèrent qu'il est immoral de faire obstacle au commerce, de fausser les prix, de tromper les acheteurs et de vendre des produits dangereux. Toutes les cultures ne partagent cependant pas cette position. Considérons, par exemple, l'utilisation non autorisée des idées d'autrui, du droit d'auteur, des marques de commerce et des brevets. Au Canada, où l'on reconnaît la propriété intellectuelle, ce genre d'utilisation est illégal et contraire à l'éthique. Ailleurs, il peut en être tout autrement[7].

En effet, l'utilisation non autorisée du droit d'auteur, des marques et des brevets est courante en Chine, au Mexique et en Corée. Elle prive les propriétaires de milliards de dollars de revenus chaque année. En Corée, par exemple, la reproduction non autorisée fait presque partie de la culture. Selon des agents de commerce internationaux, de nombreux Coréens considèrent que la collectivité a le droit de tirer profit des idées d'un individu. D'ailleurs, les autorités coréennes poursuivent rarement les contrevenants en justice. Nous t'invitons à lire l'encadré, à la page suivante[8], tout en gardant à l'esprit le contenu de la figure 4.1. Le piratage de logiciels protégés par la loi sur le droit d'auteur devrait-il être considéré comme contraire à l'éthique, bien qu'il soit fréquent ?

FIGURE 4.2
Une illustration du comportement éthique

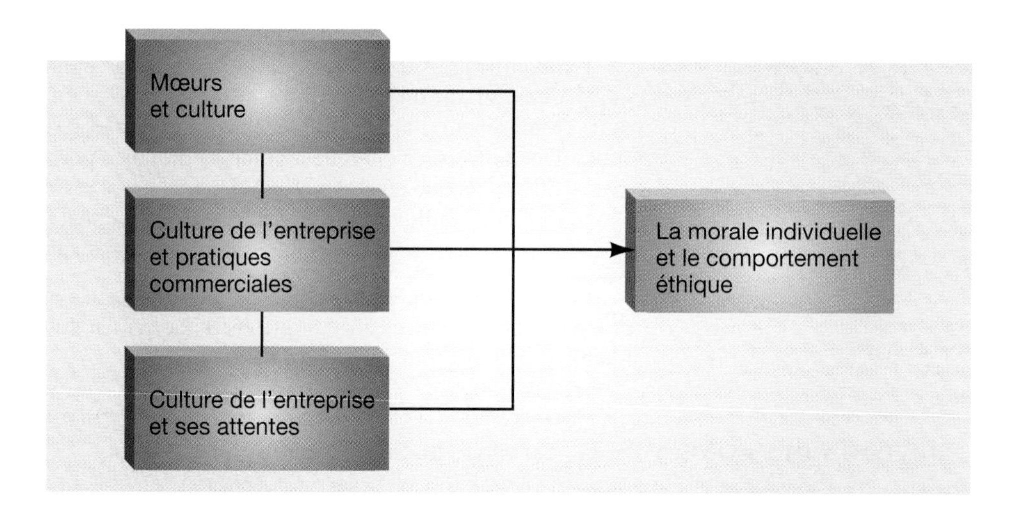

La culture de l'entreprise et ses attentes

L'éthique des affaires est aussi influencée par la culture de l'entreprise. La *culture de l'entreprise* reflète les valeurs, les convictions et les buts partagés par les employés. Elle exerce une influence sur le comportement individuel et le comportement du groupe. La culture de l'entreprise transparaît dans la tenue vestimentaire (« Nous ne portons pas la cravate »), dans la couleur des vêtements (les employés d'UPS, par exemple, ne portent que du brun), dans la formulation (à la façon IBM) et dans la méthode de travail des employés (le travail d'équipe ou les équipes semi-autonomes de Saturn). La culture de l'entreprise se traduit aussi dans les aspirations éthiques et les comportements de la direction, des collègues de travail et des codes en vigueur.

Les codes d'éthique Un **code d'éthique** est un texte réglementaire énonçant des principes moraux et des règles de conduite. En général, les codes d'éthique et les comités d'éthique réglementent les contributions versées aux partis politiques et aux représentants du gouvernement, les relations avec la clientèle et les fournisseurs, les conflits d'intérêts et l'honnêteté de la comptabilité. General Mills (qui produit, entre autres, les céréales Cheerios®) a énoncé des directives concernant les fournisseurs, les concurrents et la clientèle. Cette entreprise n'embauche que des employés souscrivant à ses principes.

L'ÉTHIQUE

TENDANCES MARKETING Le piratage informatique

As-tu déjà copié un logiciel ? Si oui, tu fais ce que font 33 % de élèves des écoles secondaires. Eh oui, comme eux, tu es une ou un pirate informatique, car il est illicite de copier un logiciel sans autorisation. Les cas de piratage sont innombrables, et leurs conséquences sont énormes. La SPA (Software Publishers Association) estime que 40 % des nouveaux logiciels de gestion qu'on installe dans le monde sont piratés, c'est-à-dire copiés illégalement. Cette reproduction non autorisée de logiciels prive annuellement les producteurs de revenus de ventes mondiaux d'approximativement 16 milliards de dollars.

Le piratage informatique se pratique maintenant couramment dans plusieurs pays et régions du monde. Selon la SPA, 77 % des logiciels sont piratés en Europe de l'Est, 65 % au Moyen-Orient et en Afrique, 62 % en Amérique latine, et 39 % en Europe occidentale. Les pays où le taux de piratage est le plus élevé sont le Viêtnam (98 %), la Chine (96 %), la Bulgarie (93 %) et la Russie (89 %). Environ 25 % des logiciels utilisés au Canada ont été copiés illégalement.

Les logiciels sont une propriété intellectuelle, et leur utilisation non autorisée est illégale dans nombre de pays. Pourtant, certains individus considèrent qu'il n'est pas contraire à l'éthique de les reproduire et de les redistribuer. D'ailleurs, une étude récente menée auprès des élèves a révélé que 42 % d'entre eux ne considère pas cette façon de faire comme répréhensible !

À lui seul, le **code de déontologie** (ensemble de règles et de devoirs pour une profession donnée) ne peut garantir le comportement éthique. Johnson & Johnson, par exemple, dispose d'un code de déontologie et insiste pour que le comportement de ses employés soit juste et éthique. Ce code n'a toutefois pas empêché quelques-uns d'entre eux de détruire des documents. Ces employés voulaient ainsi faire obstacle à l'enquête du gouvernement sur la mise en marché du Retin-A, une crème contre l'acné[9].

Les codes de déontologie sont l'objet de violations, car ils sont imprécis. Les employés doivent alors juger par eux-mêmes si leur comportement est ou non contraire à l'éthique. L'Association canadienne du marketing (ACM), qui représente les spécialistes de la profession, s'attaque au problème. L'ACM a proposé un code de déontologie détaillé auquel tous ses membres ont souscrit. Ce code est présenté au tableau 4.1, page xx.

Pour plus d'informations au sujet de l'Association canadienne du marketing (ACM), rends-toi à l'adresse suivante : www.dlcmcgrawhill.ca

Le comportement éthique de la direction et des collègues de travail La violation des codes de déontologie est aussi liée au comportement de la haute direction, des collègues de travail, et à la perception personnelle de chaque employé[10]. L'observation des pairs et des supérieurs, et de leurs réactions face aux comportements non éthiques, exerce en effet une grande influence sur les actions individuelles. Comment les employés réagiront-ils si certains collègues sont récompensés malgré de flagrants manquements à l'éthique ? Comment les employés réagiront-ils si des collègues ont été punis pour avoir respecté l'éthique ? Les décisions faisant appel à l'éthique soulèvent, de toute évidence, de nombreux conflits personnels et professionnels. Dans plusieurs cas, les **dénonciateurs** signalant des manquements à l'éthique ou des actes illicites commis par leur employeur font l'objet de critiques. Des entreprises telles que General Dynamics et Dun & Bradstreet ont recruté des conseillers en éthique dont le rôle est de protéger ces employés[11].

TABLEAU 4.1
Le code de déontologie de l'ACM (Association canadienne du marketing).

CODE DE DÉONTOLOGIE

Code de déontologie de l'Association canadienne du marketing (extraits)

A. Introduction et raisons d'être du code

Le présent code de déontologie a pour but de fixer et de maintenir des normes qui régiront la conduite des activités de marketing fondé sur l'information au Canada.

Les membres de l'Association canadienne du marketing reconnaissent leur obligation envers le public, à l'égard de l'intégrité de la profession et envers les autres membres. Les membres ont l'obligation d'adopter une pratique professionnelle respectueuse des normes les plus élevées de l'honnêteté, de la vérité, de l'exactitude et de l'équité.

B. Véracité des représentations

Véracité : les offres doivent être claires et véridiques. Elles ne doivent pas représenter faussement un produit, un service, une sollicitation ou un programme. Enfin, elles ne comporteront aucun énoncé, aucune technique de démonstration, ni aucune comparaison visant à tromper la clientèle.

Preuves : les agents de marketing doivent être en mesure de défendre, pièces à l'appui, toute affirmation ou comparaison.

Dissimulation : personne ne présentera des offres ou des sollicitations sous la forme de recherches ou d'enquêtes lorsque l'objectif réel est de vendre des produits ou des services, ou de recueillir des fonds.

Représentation : les photographies, les dessins et les présentations audiovisuelles doivent illustrer de manière exacte et équitable le produit offert.

C. Caractéristiques de l'offre

Divulgation : l'offre doit contenir une publication claire et visible des éléments suivants :
- la nature exacte de ce qui est offert ;
- le prix ;
- les modalités de paiement, y compris tous les frais additionnels ;
- l'engagement du consommateur et toutes les obligations découlant de sa commande.

Comparaisons : il faut que les comparaisons incluses dans les offres soient véridiques et vérifiables, et qu'elles n'induisent pas le consommateur en erreur.

D. Pratiques liées au traitement des commandes

Expédition : on expédiera les biens offerts dans les 30 jours suivant la réception d'un bon de commande rempli correctement, ou dans les délais prévus dans l'offre initiale.

Retard : on avisera la clientèle d'un éventuel retard de livraison dans les 30 jours suivant la réception du bon de commande, ou dans les délais prévus dans l'offre initiale.

E. Normes spécifiques à certains médias

En plus des normes générales qui régissent l'ensemble du marketing au Canada, il existe d'autres normes. Celles-ci sont particulières aux médias utilisés pour mener à bien les activités de marketing. On peut citer : la radio, la télévision, les imprimés, le téléphone, Internet et les autres médias électroniques.

F. Sûreté du produit

Les produits offerts par les agents de marketing ne présenteront aucun risque dans le cadre d'une utilisation normale.

L'information fournie avec le produit comprendra des instructions complètes d'assemblage et d'utilisation appropriée du produit. Une information complète et juste exposera les risques connus associés à l'utilisation, à la manipulation, à l'entreposage ou à l'élimination inappropriée du produit.

G. Considérations spéciales se rapportant au marketing ciblant les enfants

Responsabilité : le marketing ciblant les enfants exige une responsabilité spéciale de la part des agents de marketing. Ces derniers doivent reconnaître que les enfants ne sont pas des adultes et que les techniques de marketing ne sont pas toutes appropriées pour les enfants.

Transactions commerciales : les agents de marketing ne peuvent accepter aucune commande d'un enfant sans le consentement exprès d'un parent ou du tuteur.

H. Protection de l'environnement

Responsabilité à l'égard de l'environnement : Les agents de marketing reconnaissent qu'ils ont la responsabilité de gérer leurs entreprises de manière à minimiser les répercussions sur l'environnement.

Les « trois R » : les agents de marketing respecteront le principe des « trois R » dans leur gestion des déchets. Plus précisément, ils s'assureront de : réduire l'utilisation des matériaux ; de les réutiliser ; et de les recycler.

I. Protection de la vie privée

Principe 1 : permettre aux consommateurs de déterminer comment les renseignements à leur sujet sont utilisés.

Principe 2 : accorder aux consommateurs le droit d'accès à l'information.

Principe 3 : permettre aux consommateurs de réduire la quantité de courrier qu'ils reçoivent.

Principe 4 : contrôler l'utilisation des renseignements par les tierces parties.

Principe 5 : adopter des mesures de sécurité pour le stockage des renseignements sur les consommateurs.

Principe 6 : respecter la confidentialité des renseignements.

Principe 7 : application.

Source : traduit et adapté du code de déontologie de l'ACM. Reproduction autorisée.

La morale personnelle et le comportement éthique

En dernier ressort, les choix éthiques reposent sur la morale personnelle de la décideure ou du décideur. Or, cette morale est le fruit de la socialisation par les amis, les membres de la famille et les études. L'éthique est aussi influencée par la société, les pratiques commerciales et la culture de l'entreprise. On distingue deux types d'éthique :

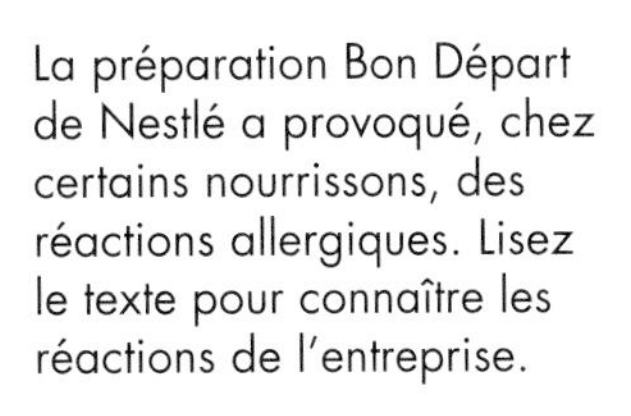

La préparation Bon Départ de Nestlé a provoqué, chez certains nourrissons, des réactions allergiques. Lisez le texte pour connaître les réactions de l'entreprise.

1) L'idéalisme moral ;
2) L'utilitarisme[12].

L'idéalisme moral L'**idéalisme moral** considère certains droits ou obligations individuels comme universels. Citons, entre autres, le droit à la liberté. Cette façon de penser a la faveur des philosophes moralistes et des groupes de consommateurs. Cette philosophie inclut les obligations morales des fabricants, car elle permet au public d'être informé des dangers d'un produit. Ainsi, le rappel d'une marchandise protège le droit à la sécurité de la consommatrice ou du consommateur, indépendamment du coût qui en découlera. On peut penser, par exemple, au cas de Firestone. En effet, à la suite d'accidents mortels causés par des pneus défectueux (en 2000 au Canada et aux États-Unis), cette entreprise a dû rappeler plus de 13 millions de pneus.

L'utilitarisme L'**utilitarisme** consiste à évaluer les coûts et les bénéfices découlant du comportement éthique. Cette façon de penser cherche à établir si « le plus grand bien satisfait le plus grand nombre ». Si les entrées d'argent excèdent les coûts, les utilitaristes considèrent alors le comportement comme éthique. Sinon, il sera contraire à l'éthique. Cette philosophie est liée au capitalisme. Tu ne seras pas surpris d'apprendre que de nombreux gestionnaires et élèves en administration approuvent cette doctrine[13].

Pour plus d'informations au sujet de Nestlé, rends-toi à l'adresse suivante : www.dlcmcgrawhill.ca

La politique de marketing de la préparation pour nourrissons Bon Départ de Nestlé était fondée sur un raisonnement utilitaire. Ce produit ne devait provoquer aucune allergie. Il était vendu par Carnation, filiale de Nestlé. La préparation était destinée à prévenir ou à réduire les coliques dues à une allergie au lait de vache. Cette allergie touche 2 % des nourrissons. Des enfants fortement allergiques au lait ont été cependant victimes d'effets secondaires majeurs, dont des vomissements accompagnés de convulsions. Médecins et parents se sont alors élevés contre l'étiquette du produit. Ils ont prétendu qu'elle était mensongère. Le gouvernement a dû mener sa propre enquête pour trancher la question. « Je ne vois pas pourquoi notre produit devrait être à toute épreuve », explique un vice-président chez Nestlé. Pour défendre l'étiquette et l'entreprise, il ajoute : « Le cas échéant, nous aurions apposé la mention "anallergique" ou "antiallergique" sur l'emballage. Or, l'étiquette de notre produit porte la mention "hypoallergénique", c'est-à-dire "qui n'est pas susceptible de provoquer d'allergies" »[14]. La direction de Nestlé considérait que la préparation Bon Départ pouvait être consommée par la plupart des enfants souffrant d'une allergie au lait – « le plus grand bien pour le plus grand nombre ». Une autre façon de trancher la question l'a cependant emporté : la mention « hypoallergénique » ne figure plus sur l'étiquette du produit.

Il est important de bien comprendre la nature de l'éthique et les déclencheurs du comportement non éthique. Ainsi, tu pourras mieux saisir à quel moment et de quelle façon les questions morales surgissent lors de la prise de décisions de marketing. En dernier ressort, le comportement éthique dépend de l'individu, mais les conséquences qui en découlent toucheront de nombreuses personnes.

RÉVISION DES CONCEPTS

1. Quelle influence la culture peut-elle avoir sur l'éthique?
2. Qu'est-ce qu'un code d'éthique?
3. Qu'entend-on par « idéalisme moral » ?
4. Qu'entend-on par « utilitarisme » ?

COMPRENDRE LA RESPONSABILITÉ SOCIALE EN MARKETING

Comme nous l'avons vu au chapitre 1, la commercialisation d'un bien ou d'un service ne limite pas la responsabilité sociale du marketing uniquement à la satisfaction des besoins des consommateurs. Cette responsabilité s'étend aussi au bien-être de l'ensemble de la société. Le principe de **responsabilité sociale** implique que toute entreprise fait partie de la société et qu'elle est responsable de ses actes devant la société. Comme avec l'éthique, il est difficile de s'entendre sur la nature et sur l'étendue de la responsabilité sociale. En effet, il existe une grande diversité de valeurs présentes dans la société, l'entreprise et les organismes[15].

Les concepts de responsabilité sociale

La figure 4.3 illustre trois concepts de responsabilité sociale :

1) La responsabilité de profit ;
2) La responsabilité de la partie intéressée ;
3) La responsabilité sociétale.

FIGURE 4.3
Les trois concepts de responsabilité sociale

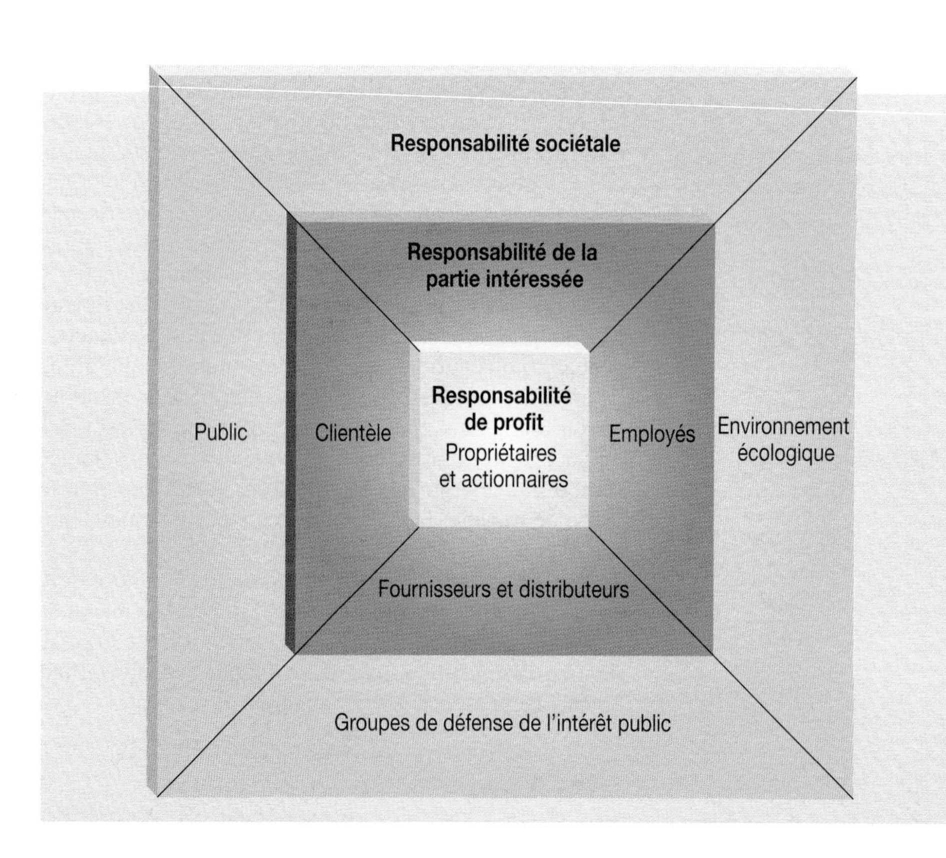

La responsabilité de profit Selon la *responsabilité de profit,* la raison d'être des entreprises à but lucratif est unique. Elle consiste à maximiser les profits au bénéfice des propriétaires et des actionnaires. Milton Friedman, Prix Nobel d'économie, illustre cette conception de la façon suivante : « L'entreprise ne doit assumer qu'une seule responsabilité sociale : celle d'utiliser ses ressources productives dans des activités spécifiquement choisies pour accroître les profits, tout en observant les règles du jeu. Elle respectera un esprit de libre concurrence excluant toute forme de tromperie ou de fraude[16] ». Le produit Ceredase est issu du laboratoire Genzyme. Ce médicament permet de traiter la maladie de Gaucher, une affection héréditaire dont souffrent 20 000 personnes dans le monde. La politique de prix de l'entreprise, qui semblait épouser les vues de M. Friedman, a été critiquée, car les prix étaient trop élevés. Un porte-parole de Genzyme a défendu cette politique de prix. Il affirmait que les profits du Ceredase se situaient sous le seuil des profits normaux du secteur médical. De plus, la société faisait don du médicament aux patients non assurés[17].

L'entreprise Perrier a appris que son eau embouteillée était de qualité douteuse. Quel concept de responsabilité sociale, parmi les trois possibles, Perrier a-t-elle appliqué ? Lis le texte pour en apprendre davantage au sujet de la réaction et du raisonnement de l'entreprise.

Pour plus d'informations au sujet de Perrier, rends-toi à l'adresse suivante : www.dlcmcgrawhill.ca

La responsabilité de la partie intéressée La responsabilité de profit a fait l'objet de nombreuses critiques. Celles-ci ont fait évoluer le concept de responsabilité sociale. La *responsabilité de la partie intéressée* concerne les obligations de l'entreprise envers les parties exerçant une influence sur la réalisation de ses objectifs. Il s'agit de la clientèle, des employés, des fournisseurs et des distributeurs. Perrier S.A., fournisseur de l'eau embouteillée Perrier, a endossé cette responsabilité en reprenant 160 millions de bouteilles dans plus de 120 pays. En effet, on avait signalé des traces de produits toxiques dans 13 bouteilles. Le retour de marchandise a coûté 35 millions de dollars à l'entreprise. Perrier a subi en plus une baisse de ses ventes d'environ 40 millions de dollars. Cependant, le taux de benzène trouvé dans les bouteilles n'avait aucun effet néfaste sur la santé. Le président de Perrier dit avoir agi dans les intérêts fondamentaux de la clientèle, des distributeurs et des employés : « Nous devions éliminer le moindre doute, pour éviter de ternir l'image de qualité et de pureté de notre produit[18] ».

La responsabilité sociétale Le concept de responsabilité sociale s'est élargi ces dernières années. La *responsabilité sociétale* est l'obligation des entreprises de protéger l'environnement écologique et le public en général. Les préoccupations environnementales et de bien-être collectif sont représentées par des groupes de revendication et des groupes d'intérêts. Citons, à titre d'exemple, Greenpeace, un mouvement militant en faveur de la protection de l'environnement.

Le chapitre 3 traite en détail de l'importance grandissante des enjeux écologiques en marketing. Les entreprises ont pris en compte cette préoccupation par l'entremise du **marketing vert.** Le marketing vert encourage et réclame la promotion et la fabrication des écoproduits (produits écologiques). Il se présente sous plusieurs formes[19]. Les usines d'aluminium canadiennes recyclent près des deux tiers des canettes d'aluminium. Les fabricants de produits alimentaires et de consommation du Canada (FPACC) ont élaboré le Protocole national sur l'emballage. Il incite à l'élimination responsable des déchets et au recyclage des produits. En Ontario, Black Photo est très respectueuse de l'environnement. Cette attitude touche la conception du produit, la fabrication, la distribution et la vente. Sais-tu que les berlines de classe S et les coupés de luxe SEC500/600 de Mercedes-Benz sont des automobiles entièrement recyclables ? D'autres constructeurs d'automobiles tels que Toyota proposent des voitures dont les composantes sont pour la plupart recyclables. La classe verte Toyota Evergreen pousse la notion du marketing vert

Pour plus d'informations au sujet de Toyota Evergreen, rends-toi à l'adresse suivante : www.dlcmcgrawhill.ca

encore plus loin. Ces mesures touchant la protection de l'environnement représentent peu de frais pour le consommateur.

Près de 8 500 entreprises détiennent une certification ISO 14 000. Elles répondent ainsi aux normes de qualité de l'environnement et du marketing vert. Le Japon compte le plus grand nombre d'entreprises détentrices d'un certificat de conformité à l'ISO 14 000.

Pour plus d'informations au sujet de ISO 14 000, rends-toi à l'adresse suivante : www.dlcmcgrawhill.ca

L'Organisation internationale de normalisation (ISO), dont le siège social est situé à Genève, en Suisse, fait la promotion du marketing vert à l'échelle mondiale. Cette organisation préconise les *Normes ISO 14 000 sur les systèmes de management environnemental.* L'**ISO 14 000** a pour objectif d'aider les entreprises à relever leurs défis en matière d'environnement. Ces normes ont été ratifiées par une quarantaine de pays, dont le Canada, les membres de l'Union européenne (UE) et la plupart des pays du littoral du Pacifique[20].

Des entreprises ontariennes telles que Hydro One ou Enbrige comptent améliorer leur performance environnementale par des programmes spéciaux. Depuis quelque temps, ces deux entreprises tablent sur l'utilisation responsable des ressources. Hydro One et Enbrige visent un développement durable, la protection et la mise en valeur de l'environnement. Elles favorisent la participation des communautés locales aux évaluations environnementales de leurs activités et de leurs projets.

Pour plus d'informations au sujet d'Hydro One et d'Enbrige, rends-toi à l'adresse suivante : www.dlcmcgrawhill.ca

Par ailleurs, on compte un nombre croissant d'efforts dits « socialement responsables » en faveur du bien-être des collectivités. Une entreprise peut encourager le **marketing à vocation humanitaire.** Elle contribue alors à des œuvres de bienfaisance en fonction du chiffre d'affaires de l'un de ses produits[21]. Cette forme de contribution est bien différente des dons de charité purs et simples.

Tim Hortons, par exemple, consacre une journée de ventes d'un produit sélectionné pour financer un camp pour handicapés. MasterCard International, de son côté, manifeste son appui aux organismes qui luttent contre le cancer, les maladies du cœur, la violence faite aux enfants, la toxicomanie et la dystrophie musculaire. L'entreprise verse un pourcentage aux organismes concernés chaque fois que l'une de ses cartes est utilisée. Pour sa part, Avon parraine plusieurs causes dans différents pays : le cancer du sein aux États-Unis, au Canada, aux Philippines, au Mexique, au Venezuela, en Malaysie et en Espagne. L'entreprise a aussi élaboré, au Japon, des programmes destinés aux femmes qui s'occupent des aînés. Enfin, Avon procure une aide psychologique et financière aux mères en Allemagne et soutient avec ardeur la lutte contre le sida en Thaïlande. Les programmes de marketing à vocation humanitaire intègrent les trois concepts de responsabilité sociale : ils veillent aux préoccupations du public, satisfont les besoins de la clientèle et font augmenter les ventes, donc les profits des entreprises[22].

Le bilan social

Pour convertir leurs idées en actes concrets, les entreprises doivent élaborer des programmes précis et en assurer le suivi avec soin. Nombre d'entreprises se servent du **bilan social** pour développer, mettre en œuvre et évaluer les efforts à déployer sur le plan social. Le bilan social évalue systématiquement les objectifs, les stratégies et le rendement de l'entreprise dans le domaine social. En général, les programmes de marketing et de responsabilité sociale sont intégrés, comme le prône McDonald's. Pour venir en aide aux familles d'enfants atteints de maladies chroniques ou en phase terminale, McDonald's mise sur 130 manoirs Ronald McDonald, répartis dans le monde. Il y en a 12

Les programmes de marketing et de responsabilité sociale sont souvent intégrés, comme le prône McDonald's. L'inauguration d'un manoir Ronald McDonald pour les enfants et leur famille montre bien l'intérêt que voue l'entreprise aux enfants dans le besoin.

Pour plus d'informations au sujet des Œuvres pour enfants Ronald McDonald du Canada, rends-toi à l'adresse suivante : www.dlcmcgrawhill.ca

au Canada dont un à Ottawa. Ces installations, construites à proximité des centres de soins, permettent à la famille d'accompagner l'enfant malade pendant toute la durée du traitement. McDonald's contribue ainsi au bien-être d'une partie de son marché cible.

Le bilan social comporte cinq étapes[23] :

1. La formulation des attentes de l'entreprise sur le plan social et les justifications de son engagement dans le domaine social ;
2. La détermination de causes sociales ou de programmes s'inscrivant dans la mission de l'entreprise ;
3. L'établissement des objectifs de l'entreprise et de ses priorités en matière de programmes et d'activités ;
4. La description du type et de la quantité de ressources nécessaires à la réalisation des objectifs à vocation sociale ;
5. L'évaluation des programmes de responsabilité sociale, des activités entreprises et une revue des engagements futurs.

L'économie mondiale voue un intérêt de plus en plus marqué au développement durable et à l'amélioration de la qualité de vie. Il est évident que les entreprises s'intéresseront davantage aux bilans sociaux[24]. Le **développement durable** se fonde sur des activités respectueuses de l'environnement tout en permettant de réaliser des progrès économiques. Des initiatives écologiques telles que le marketing vert respectent totalement cette tendance. Il en est de même des recherches sur la qualité de vie. Elles se concentrent sur les conditions de travail dans les usines hors frontières. Surtout si ces usines sont spécialisées dans la fabrication de produits destinés aux entreprises nord-américaines. Certains sondages d'opinion révèlent que les consommateurs se soucient des conditions de travail dans les usines asiatiques et latino-américaines[25]. En réponse à ces préoccupations, les entreprises préconisent une supervision accrue de leurs activités

Pour plus d'informations au sujet de Reebok et de J. D. Irving Co., rends-toi à l'adresse suivante : www.dlcmcgrawhill.ca

manufacturières hors frontières. Reebok, par exemple, s'assure maintenant que la fabrication de ses vêtements et de ses équipements sportifs ne donne lieu à aucune forme de violence faite aux d'enfants[26].

Renversons maintenant les rôles : que penser de l'éthique et de la responsabilité sociale des consommateurs ?

L'utilisation et l'élimination des produits sont aussi l'affaire des consommateurs. Ils doivent, eux aussi, afficher un comportement éthique et responsable. Malheureusement, leur manière d'agir fait piètre figure sur ces deux plans.

Les pratiques douteuses de certains consommateurs préoccupent au plus haut point les spécialistes du marketing[27]. Les réclamations au titre de la garantie après la date limite, les échanges frauduleux de coupons-rabais, les retours malhonnêtes de marchandises, les déclarations mensongères lors d'une demande de crédit, la manipulation des compteurs d'électricité, le branchement clandestin à un réseau de câblodistribution, la violation du droit d'auteur par l'enregistrement illicite de musique et de films et les fausses demandes d'indemnité sont courants. Ces pratiques condamnables occasionnent des pertes de ventes et des coûts de prévention astronomiques. Ainsi, les consommateurs qui encaissent des coupons-rabais pour des articles qu'ils n'ont pas achetés ou qui utilisent des coupons-rabais destinés à d'autres produits coûtent des millions de dollars aux fabricants chaque année. La reproduction illégale d'œuvres musicales prive l'industrie du disque de plusieurs millions de dollars chaque année. La copie illégale des vidéocassettes fait perdre des millions de dollars aux producteurs. Enfin, les producteurs d'électricité perdent entre 1 % et 3 % de leurs revenus annuels à cause de la manipulation de leurs compteurs.

La responsabilité sociale de la consommatrice ou du consommateur l'incite à se procurer des écoproduits, d'en faire bon usage et de les éliminer de façon écologique[28]. Certaines études révèlent que les consommateurs sont sensibles aux questions environnementales. Toutefois, il est clair qu'ils refuseraient de se priver d'un produit pratique. De même, ils seraient opposés à l'idée de le remplacer par un écoproduit plus coûteux. Ces études démontrent aussi que les consommateurs connaissent peu les écoproduits. Ils savent encore moins les choisir judicieusement, les utiliser et les éliminer[29].

De nombreux spécialistes du marketing croient que les consommateurs devraient être davantage sensibilisés à ce phénomène et réclamer plus de produits écologiques. Le marché canadien du « bois vert » est très restreint, au dire des producteurs de bois certifiés. Le produit étiqueté « bois vert » est le fruit du travail de sociétés forestières qui ont à cœur le développement durable et qui s'occupent de reboiser les forêts après la coupe. Ces entreprises s'efforcent de causer le moins de dommages possible à l'environnement. La société forestière et énergétique J. D. Irving cherche à faire homologuer ses terrains forestiers. Elle prétend que les consommateurs devraient rechercher et exiger des produits issus de forêts homologuées. Ainsi, ils imposeraient la fin des « coupes à blanc » sur de grandes étendues, la fin de la vaporisation de produits chimiques et la fin des pratiques destructives. On reconnaît les produits forestiers « verts » à la marque de commerce qu'ils arborent : une croix verte et un globe terrestre[30].

En fin de compte, les comportements éthiques et la responsabilité sociale dépendent à la fois des spécialistes du marketing et des consommateurs. Au XXIe siècle, on mettra ces façons d'être au banc d'essai.

RÉVISION DES CONCEPTS

1. Qu'entend-on par « responsabilité sociale » ?
2. ____________ encourage et réclame la promotion et la fabrication des écoproduits.
3. Qu'est-ce qu'un bilan social ?

RÉSUMÉ

1. L'éthique est un ensemble de valeurs et de principes moraux gouvernant les actions et les décisions d'un individu ou d'un groupe. Les lois représentent les valeurs et les normes de la société. Les tribunaux veillent au respect des lois. Le respect de la loi, toutefois, ne peut garantir à lui seul le comportement éthique.
2. En fin de compte, les choix éthiques dépendent de la morale personnelle de la personne qui décide. Les deux principales doctrines morales sont : a) l'idéalisme moral et b) l'utilitarisme.
3. Les entreprises ont une responsabilité sociale, c'est-à-dire qu'elles font partie de la société et qu'à ce titre, elles doivent rendre compte de leurs actions auprès de cette société.
4. Il y a trois concepts de responsabilité sociale : a) la responsabilité de profit, b) la responsabilité envers les parties intéressées, et c) la responsabilité sociétale.
5. Avec l'intérêt croissant par rapport à la responsabilité sociale, les entreprises ont dû trouver une façon systématique d'évaluer leurs objectifs, stratégies et rendement en ce domaine. C'est ainsi qu'on a mis au point le *bilan social.*
6. Le comportement éthique et la responsabilité sociale des consommateurs sont aussi importants que l'éthique en affaires et la responsabilité sociale des entreprises.

MOTS CLÉS ET CONCEPTS

bilan social
code de déontologie
code d'éthique
dénonciateur
développement durable
éthique
idéalisme moral
ISO 14 000
loi
marketing à vocation humanitaire
marketing vert
responsabilité sociale
utilitarisme

EXERCICES INTERNET

Le commerce équitable fait de plus en plus parler de lui. Cette façon de voir le commerce international se répand dans la plupart des pays occidentaux. Elle prône un partage plus équitable du fruit des échanges et du commerce. Le commerce équitable veut assurer une juste rémunération aux petits producteurs dans les pays en voie de développement.

Pour accéder aux sites de Produits du monde, Commerce équitable, Équiterre, rends-toi à l'adresse suivante : www.dlcmcgrawhill.ca. Après la visite de ces sites, réponds aux trois questions ci-contre :

1. Commence par tester tes connaissances du commerce équitable en allant à la rubrique Vrai ou Faux du premier lien.
2. Décris ce qu'est le commerce équitable et comment il peut influer sur la mise en marché des produits concernés.
3. Quels sont les critères à respecter pour obtenir la certification Commerce Équitable ?

QUESTIONS DE MARKETING

1. Énumère les lois et règlements qui régissent ta vie d'élève au sein de ton école. Ensuite, énumère les principes d'éthique que tu peux suivre en tant qu'élève. Quelles différences fais-tu entre les deux ?
2. Quel impact le multiculturalisme peut-il avoir sur l'éthique dans un pays comme le Canada ?
3. « L'éthique, une nouvelle marque de commerce, un autre outil pour mettre en marché un nombre croissant d'entreprises ». Que penses-tu de cette affirmation ?
4. Compare et établis la distinction entre l'idéalisme moral et l'utilitarisme.
5. Une entreprise est confrontée à trois niveaux de responsabilité sociale, lesquels ? Décris chacun d'eux.
6. Que penses-tu du point de vue de Milton Friedman sur la responsabilité d'une firme à faire des profits ?
7. Les programmes de marketing à vocation humanitaire sont désormais populaires. Décris deux programmes de ce genre que des entreprises de ta région ont pu mettre en place.
8. Pourrais-tu rédiger le code d'éthique d'une entreprise comme Coca-Cola ? La Baie ?
9. En tant que consommatrice ou consommateur, fais une liste de tes responsabilités sociales.

ÉTUDE DE CAS 4-1 LES PRIX DANS L'INDUSTRIE PHARMACEUTIQUE

Les Canadiens dépensent annuellement des milliards de dollars en médicaments destinés au traitement de maladies graves et chroniques. Le secteur pharmaceutique au Canada a souvent été critiqué pour ses politiques de prix. De nombreux représentants de la santé publique, des organismes ou des services gouvernementaux, de même que des groupes de pression soutiennent que l'industrie vend ses produits trop cher. À leur décharge, les dirigeants des sociétés pharmaceutiques ont rappelé les coûts élevés de la recherche et du développement. Les nombreuses expérimentations, nécessaires à l'approbation gouvernementale de mise en marché et l'incertitude du marché s'ajoutent à ces coûts.

UNE POLITIQUE DE PRIX JUSTE ET RAISONNABLE

Un « prix juste et raisonnable » des médicaments est au cœur du débat. Ceux qui critiquent les politiques de prix des médicaments citent en permanence les prix excessifs. Ainsi, les médicaments pour le traitement des ulcères coûtent à un patient entre 1 300 $ et 1 400 $ annuellement. Il faut débourser entre 1 015 $ et 1 265 $ par an pour une médication contre le cholestérol. Les personnes souffrant de pression artérielle paient presque 850 $ par année pour leur traitement. Ces frais incombent souvent aux aînés de plus de 65 ans, dont certains ont peu de revenus. Ainsi, 49 % des ventes de médicaments traitant la pression artérielle sont réalisés auprès des personnes âgées et démunies.

Les sociétés pharmaceutiques répondent aux critiques sur leurs politiques de prix en invoquant toute une variété d'arguments. Elles font remarquer que les coûts de recherche et de développement de nouveaux médicaments peuvent s'élever à plus de 150 millions de dollars sur une période de dix ans. De plus, ces sociétés courent le risque de ne jamais commercialiser les remèdes expérimentés. L'industrie pharmaceutique dépense chaque année des milliards pour faire connaître ses nouveaux remèdes auprès des médecins et des consommateurs.

Le débat sur un prix « juste et raisonnable » pour des médicaments oppose évidemment facteurs économiques et facteurs sociaux. Ces discussions rappellent l'importance relative des parties intéressées d'une compagnie dans sa politique de prix. Souvent, le prix d'un médicament dépendra du jugement personnel et de la sensibilité morale des directeurs qui prendront la décision.

PROLIFE : LE PRIX DE L'ADL

Le problème de la détermination d'un prix s'est posé récemment chez Prolife. Cette petite compagnie pharmaceutique allait mettre en marché l'ADL. Ce médicament traite la maladie d'Alzheimer affligeant les aînés. La détermination du prix avait été confiée à un groupe de travail composé des directrices et des directeurs de l'entreprise. Deux points de vue s'affrontaient :

1) Opter pour une stratégie de prix élevé de façon à récupérer rapidement les coûts du médicament et à prendre le pas sur la concurrence ;
2) Opter au contraire pour une stratégie de prix bas de façon à rendre le produit plus accessible aux victimes de la maladie.

Steve Vaughn, adjoint au chef de produit, était le principal partisan de la politique de prix bas. Il estimait qu'une stratégie de prix modérés pour l'ADL était bien indiquée. Bien entendu, il faudrait plus de temps pour éponger l'investissement initial. M. Vaughn avait dans sa famille une personne atteinte de la maladie. Il trouvait juste de considérer la capacité financière des malades avant de fixer le prix d'un produit comme l'ADL. Toutefois, le groupe de travail ne retint pas sa façon de voir. Steve Vaughn croyait que son point de vue méritait qu'on s'y arrête. Les considérations sur les profits éventuels n'étaient pas en contradiction avec sa position. Il s'employa à convaincre les membres du groupe de travail et la direction de Prolife. Bill Compton, son chef de produit et mentor, tâcha de l'en dissuader. Il expliqua à Steve Vaughn que Profile était une entreprise commerciale et qu'en « brouillant les cartes », il risquait de nuire à son avancement.

Questions

1. Quelles parties intéressées doit-on considérer quand on détermine le prix de médicaments ?
2. Comment pourrait-on appliquer les morales personnelles d'idéalisme et d'utilitarisme à la détermination du prix de médicaments ? Considère le cas général et le cas bien précis de l'ADL.
3. Tu étudies la détermination du prix des médicaments en général et dans le cas particulier de l'ADL. Comment pourrais-tu appliquer les trois concepts de responsabilité sociale décrits dans le présent chapitre ?
4. À la place de Steve Vaughn, qu'aurais-tu fait ?

CAS DU MODULE 1
COMMENT LA TECHNOLOGIE CHANGE-T-ELLE LE MARCHÉ ET NOS VIES ?

L'innovation technologique fait partie de notre quotidien, que nous en soyons conscients ou pas. Nous nous éveillons au son d'un radioréveil numérique. Le confort que nous procurent des produits fabriqués dans le monde entier a fini de nous étonner. Notre qualité de vie s'est améliorée d'une foule de manières. Nous pouvons manger des repas rapidement cuits au four à micro-ondes. Les systèmes de télécommunications par satellite et numériques nous permettent de communiquer rapidement et sur de longues distances. Bien plus vite et plus loin qu'il y a dix ans. La technologie, sous toutes ses formes, s'est infiltrée dans les affaires et a changé la façon dont les produits sont conçus, fabriqués et achetés. La diffusion de la technologie est une réalité et les façons dont elle nous touche sont innombrables. La technologie a changé nos modes de communication dans les affaires et meuble nos vies de toutes sortes de commodités. La croissance des affaires dans Internet est l'un des moteurs de cette récente métamorphose sociale et économique.

DES MARCHÉS EN RAPIDE ÉVOLUTION

L'influence d'Internet est profonde dans les affaires et le marché de consommation. Elle est envahissante et suscite de nombreux changements sociaux, politiques, économiques et comportementaux. Ces changements sont encore facilités par la convergence des technologies : ordinateurs, télécommunications et Internet. On appelle convergence le développement des infrastructures de communication. Grâce à elles, le câble, les satellites et le fil de cuivre transmettent le téléphone, Internet et les services de télévision sur un même réseau[1]. La transformation de notre monde, passe par le réseau numérique.Ce réseau crée une concurrence fantastique entre de gigantesques multinationales et fait pression sur l'infrastructure mondiale. Dans le monde entier, les gouvernements surveillent de près ce phénomène. Ils s'ingénient à déterminer dans quelle mesure tel ou tel média devrait être réglementé et comment. Les pays, compagnies et individus, sont liés les uns aux autres sur la toile mondiale. Ils bénéficient de plus d'information et d'occasions d'affaires que ceux qui n'ont pas accès ou ne savent pas utiliser ce monde numérique.

Bien sûr, d'autres inventions ou innovations comme l'automobile, l'électricité, le téléphone, les microcircuits et l'imprimerie ont amélioré notre qualité de vie. Nos infrastructures actuelles résultent de ce besoin continuel d'innovation et de cette recherche incessante de nouvelles occasions d'affaires. L'innovation technologique crée de nouvelles industries et transforme celles qui sont parvenues à maturité. Présentement, la convergence de plusieurs technologies est l'occasion d'explorer de nombreuses occasions de croissance. Elle transforme aussi la façon dont les entreprises fonctionnent et les individus communiquent. L'émergence du commerce électronique fait partie de ce phénomène appelé le World Wide Web.

POUR COMPRENDRE LE COMMERCE ÉLECTRONIQUE

S'adapter et adhérer à la technologie permet des interactions mondiales entre les individus et les entreprises. La presse économique utilise maintenant ces termes : affaires électroniques, commerce électronique, magasinage en ligne, vente au détail en ligne, diffusion dans Internet, culture Internet, âge Internet, monde virtuel, portails. Ces expressions décrivent les nouvelles façons de faire des affaires dans Internet[2].

Alors qu'est-ce que le commerce électronique ? La société PricewaterhouseCoopers s'est beaucoup intéressée au développement des applications dans Internet. Elle répondait à sa clientèle réclamant de l'aide pour gérer ses sites Web et trouver des applications efficientes et rentables dans Internet. PricewaterhouseCoopers a acquis une expertise dans le domaine. La société est maintenant bien au fait du commerce et des affaires électroniques. Voici ses définitions : « On fait des affaires électroniques quand on utilise de l'information électronique pour améliorer son rendement, créer de la valeur et établir de nouvelles relations entre une entreprise et sa clientèle. On fait du commerce électronique quand on met en marché, vend ou achète des produits ou des services dans Internet[3]. »

Le Boston Consulting Group, société internationale de conseils, croit que le volume de vente au détail en ligne va continuer de tripler chaque année. L'étude menée auprès de 127 détaillants démontre que le commerce de détail en ligne n'a pas entravé le marché de détail courant. Au contraire, le commerce électronique aurait généré des ventes qui n'auraient probablement pas eu lieu autrement. Selon A. C. Nielsen, au Canada, 36 % des internautes ont fait des achats en ligne. Cela représente une augmentation de 20 % par rapport à 1974.

FAIRE TOUTES SES COURSES EN LIGNE

La popularité des achats en ligne s'accroît à mesure que diminue la crainte de la fraude par cartes de crédit. La publicité autour d'amazon.com, l'un des plus importants sites de vente au détail, a ouvert la voie à d'autres détaillants en ligne. Tous peuvent maintenant tabler sur la confiance qu'Amazon a su inspirer à sa clientèle. Les 10 commerces de détail en ligne qui attirent le plus de Canadiens sont tous basés aux États-Unis. Ils comprennent, entre autres, amazon.com, Dell Computer Corp., Lands' End, et Charles Schwab.

Mais amazon.com est difficile à suivre pour ses concurrents. Depuis qu'elle a ouvert sa cyberlibrairie en 1995, cette compagnie de Seattle est considérée comme le précurseur du commerce électronique[4]. Auparavant, les gens croyaient qu'il n'était pas prudent d'utiliser son numéro de carte de crédit dans des transactions en ligne. Amazon.com a changé cette perception en adoptant une approche marketing novatrice et en offrant un service hors pair à la clientèle. Pour se faire connaître, l'entreprise a placé des liens dans des services importants comme Yahoo !, America on Line (AOL), Excite, Netscape Communications, GeoCities, Microsoft, et AltaVista[5]. Une fois sur le site d'amazon.com, les bouquineurs d'occasion deviennent des acheteurs en ligne. Amazon.com a élargi son éventail de produits et de services pour offrir aussi des disques compacts, des bandes vidéo, des DVD et des logiciels. Puis amazon.com a ajouté un service de vente aux enchères. Enfin, l'entreprise a élargi son portefeuille d'affaires (mix détail) en achetant 50 % des actions de pet.com[6].

En prenant les devants, amazon.com a favorisé la croissance du commerce éléctronique. De plus, l'entreprise a convaincu les consommateurs de considérer Internet autrement : il est pas seulement un moyen de communication, mais un outil d'achat.

POSSIBILITÉS D'ACHAT EN LIGNE AU CANADA

La majorité des entreprises canadiennes n'ont fait le saut dans Internet que récemment. Certains analystes ont estimé qu'il était déjà trop tard. La compagnie torontoise Bid.Com, un pionnier des enchères en ligne, fait exception. En effet, la plupart des compagnies canadiennes considéraient leur site Web comme un outil de relations publiques. Elles ont mis beaucoup de temps à utiliser leur site autrement. Mais trop tard ou pas, il reste que le temps des Fêtes de 1998 a été rentable pour les détaillants en ligne. Citons particulièrement Cornucopia, petite boutique de cadeaux de Montréal. Elle a reçu des commandes de l'ensemble du Canada et des États-Unis, et d'endroits aussi éloignés que l'Arabie Saoudite. Ses paniers de Noël contenaient une préparation de lait de poule, du cidre de canneberges, des biscuits et des bonbons. On achetait ce produit pour en faire cadeau à la famille, aux amis et aux collègues de travail[7]. Environ 10 % des commandes ont été faits en ligne. Une partie de la clientèle préférait voir les produits exposés sur le site et téléphoner ensuite pour commander à l'aide des numéros sans frais mis à sa disposition. En effet, tous les gens ne veulent pas acheter en ligne ; certaines personnes préfèrent encore le contact humain.

En ligne, on peut maintenant acheter des jouets, des livres, des ordinateurs, des vêtements et faire des investissements. Mais tout n'est pas parfait. Les gens du monde entier peuvent accéder à un site, mais c'est une autre histoire pour leur offrir un service et assurer la livraison. Les sites de eToys et Toys "R" Us sont très populaires, mais ces entreprises ne livrent pas au Canada. Zellers a vu dans cette lacune une occasion favorable de desservir le marché canadien. En octobre 1998, La Baie, société mère de Zellers, s'est mise au commerce électronique. Les compagnies ont lancé en ligne un magasin de jouets proposant 500 produits. Les consommateurs canadiens qui achètent en ligne aux États-Unis doivent être prudents. Les prix sont en dollars américains, les frais de livraison souvent astronomiques, et il y a parfois une limite d'achat minimale. Comme on le voit, les détaillants canadiens doivent prendre au sérieux le commerce en ligne.

LES ENTREPRISES ACHÈTENT AUTREMENT

Toute la publicité qui a entouré la capacité commerciale d'Internet s'est surtout porté sur les achats en ligne. Le commerce de détail en ligne est du marketing dirigé vers le consommateur. Il offre d'immenses possibilités qui ne sont pas encore complètement développées. Cependant, les transactions interentreprises pourraient bénéficier grandement de ce puissant outil de communication sans frontières. Ces transactions pourraient être encore plus nombreuses que dans le commerce de détail.

MedSite.com est un exemple d'application pour le domaine médical développée sur le Web. Grâce à son site, l'entreprise entend devenir un magasin où les professionnels de la santé pourront trouver toutes les fournitures médicales dont ils ont besoin[8]. Ce détaillant vend des livres, des instruments médicaux et d'autres fournitures. MedSupplies.com est un catalogue électronique contenant 2 000 instruments médicaux, produits par près de 100 fabricants. Il a l'intention d'offrir d'autres services tels que le suivi de commandes, le financement, la vérification d'états financiers et les demandes de cartes de crédit en ligne. Pour faire fonctionner ce genre de transactions Web, il lui faudra gagner la confiance de la profession médicale. MedSite.com doit donc établir de solides relations avec ses fournisseurs. En même temps, le site doit gagner une réputation de sûreté, de compétitivité des prix et de services exceptionnels auprès des médecins et des hôpitaux.

Le commerce électronique est aussi en train de changer les transactions d'affaires. L'automatisation des achats interentreprises n'est qu'une des innombrables applications. Ces applications sont importantes pour des secteurs d'activités comme le camionnage, l'assurance et la sidérurgie. E-Steel a créé un site indépendant, qui est devenu une place d'affaires mondiale, où acheteurs et vendeurs envoient des demandes, font des soumissions et négocient des prix. On peut aussi y remplir des commandes en ligne. Ce concept a également été mis au point dans le secteur du papier et dans celui des textiles. Ce marché virtuel permet à des compagnies du monde entier de se « rencontrer » et de faire des affaires tout en économisant des frais de voyages. Cela permet un certain nivellement en donnant la possibilité aux petites entreprises d'évoluer sur le terrain international[9]. Même les scientifiques peuvent bénéficier d'un commerce électronique spécialement conçu pour répondre à leurs besoins. Lancée en 1997, Chem Dex offre, dans son catalogue, des produits pour la recherche applicables à différents types d'expérimentation. Elle gère des transactions d'environ 150 millions de dollars américains. La communauté scientifique dispose maintenant d'un endroit où des produits tels que les anticorps anti-virus sont mis en vente. Les fournisseurs de produits médicaux présentent leurs nouveaux produits et services à leur marché cible.

Les entreprises électroniques envahissent aussi le secteur des services financiers. E-loan est une société de prêts hypothécaires en ligne. Cette entreprise traditionnelle a su utiliser la technologie pour offrir des services supplémentaires à sa clientèle. En septembre 1998, La Banque Royale lançait au Canada le premier service de paiement de norme SET (*Secure Electronic Transaction*)[10]. Visa Banque Royale permet aux gros et petits marchands d'offrir à leur clientèle en ligne un mode de paiement hautement sécuritaire. Dans ses futures innovations, la banque songe à offrir aux détenteurs de carte l'option de signature numérisée pour améliorer encore la sûreté du commerce électronique.

BÂTIR LA CONFIANCE

Les entreprises dotées de stratégies vite adaptables pensent qu'Internet est un moyen efficace d'atteindre les marchés internationaux. Certaines ont assez de vision pour faire le saut sur le Net et y proposer de nouvelles applications capables d'améliorer les modes traditionnels de communication et de distribution. Ces entreprises pourraient y trouver beaucoup d'avantages. Mais ces nouvelles possibilités soulèvent toutefois un grand nombre de problèmes sur lesquels il faut se pencher. Les questions de confiance et de confidentialité sont importantes dans toute transaction en ligne. La clientèle doit être assurée de la sécurité de la transaction et de la confidentialité des données personnelles. Les gens qui achètent cherchent la tranquillité d'esprit et veulent savoir que leur numéro de carte de crédit ne peut être utilisé frauduleusement. Comme la clientèle ne peut toucher la marchandise, elle doit pouvoir se fier aux présentations visuelles. Par ailleurs, les inconvénients des retours postaux pourraient l'emporter sur les avantages d'acheter partout et en tout temps. Inversement, les détaillants en ligne doivent pouvoir faire confiance à la clientèle. Quand ils expédient des produits, ils doivent avoir l'assurance que les cartes de crédit utilisées ne sont pas des cartes volées. Les entreprises qui désirent faire du commerce en ligne doivent donc engager des frais pour s'assurer de la sécurité de leur système. Le stockage des données et leur réseau doit être à l'abri d'intrusions électroniques ou d'abus de la part des employés[11].

L'avènement du commerce par Internet soulève des problèmes sociaux et politiques. Ceux-ci ont un impact sur la croissance des entreprises de commerce électronique, de même que sur le comportement d'achat des individus. Dans le monde entier, les gouvernements hésitent à prendre des mesures de surveillance ou de contrôle de la pratique des affaires dans Internet. Les compagnies utilisant la technologie pour faire des affaires comprennent que la clientèle en ligne détient maintenant un grand pouvoir. La technologie donne accès à plus de données d'information et à davantage de produits. Le phénomène soulève donc des questions sociales. Les groupes socioéconomiques n'ayant pas accès à Internet sont de plus en plus coupés du reste du monde. Le commerce électronique est en train de révolutionner les achats de produits et de services pour les consommateurs et les entreprises. Le marché virtuel est en place.

SITES À VISITER

Amazon et Cornucopia sont deux exemples d'entreprises qui vendent sur Internet et qui sont pourtant de taille bien différente.

La rubrique gouvernementale com-e diffuse des statistiques concernant le commerce électronique et son impact au Canada.

Branchez-vous est un magazine en ligne sur Internet.

Strategis, un autre site gouvernemental, décrit l'impact du commerce électronique sur les industries de services.

Pour accéder à tous ces sites, rends-toi à l'adresse suivante : www.dlcmcgrawhill.ca.

Questions

1. À ton avis, qu'est-ce qu'Internet et le commerce électronique apportent de plus à la stratégie marketing d'une entreprise ?
2. Nomme des facteurs environnementaux incontrôlables qui résultent de la croissance du commerce électronique. Choisis une industrie et explique comment ces facteurs la modifient.
3. Le marketing personnalisé est un important concept. Selon toi, quel effet le commerce électronique a-t-il sur les relations d'une compagnie avec ses fournisseurs et sa clientèle ?
4. Quelles questions sociales et d'éthique soulève le commerce électronique ?

MODULE 2

2

LE COMPORTEMENT DES ACHETEURS ET DES MARCHÉS

CHAPITRE 5
Le marketing et le commerce à l'échelle internationale

CHAPITRE 6
Le comportement du consommateur

CHAPITRE 7
Le comportement des acheteurs et des marchés industriels

Le module 2 de l'ouvrage porte sur la compréhension du comportement d'achat des individus, sur leurs habitudes personnelles et sur les activités des entreprises, à l'échelle locale et internationale. Le chapitre 5 définit la nature et la portée du commerce international. Il traite des démarches marketing de sociétés de calibre international telles que 3M, Coca-Cola, Colgate-Palmolive, Ericsson, IKEA, Kodak, L'Oréal et Volvo. Le chapitre 6 analyse les gestes des consommateurs lors de l'achat et de l'utilisation d'un produit, et détermine pourquoi on préfère une marque à une autre. Au chapitre 7, Gary Null, directeur du développement commercial international chez Honeywell, explique pourquoi les acheteurs industriels se procurent des produits et applications fondés sur la technologie laser pour leur propre usage ou aux fins de revente. Ces trois chapitres te permettent de mieux saisir les habitudes d'achat individuelles, familiales et organisationnelles dans une variété de contextes culturels.

Het is

even

slikken...

...maar dan ben je wel mooi van je hoest af.

Speciaal voor kinderen is er een zoete, zachte hoestsiroop.

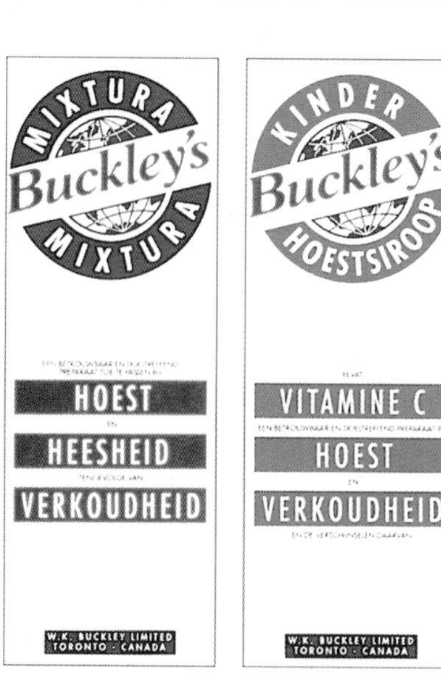

Buckley's

HOESTSIROOP

BUCKLEY'S REKENT AF MET HEESHEID EN HOEST.

CHAPITRE 5

LE MARKETING ET LE COMMERCE À L'ÉCHELLE INTERNATIONALE

5

APRÈS AVOIR LU CE CHAPITRE, TU SERAS EN MESURE

- de décrire la nature et la portée du commerce international et ses répercussions au Canada ;
- de comprendre les enjeux du débat opposant partisans et adversaires de la mondialisation, et d'expliquer les conséquences du protectionnisme économique et les répercussions de l'intégration économique sur la pratique du marketing international ;
- de saisir l'importance de l'environnement (culturel, économique et politique) sur le développement des activités de marketing ;
- de déterminer les défis des spécialistes du marketing pour concevoir un programme de marketing international.

Pour plus d'informations au sujet de Buckley, rends-toi à l'adresse suivante : www.dlcmcgrawhill.ca

LA CONCURRENCE SUR LE MARCHÉ INTERNATIONAL

Les spécialistes du marketing au Canada ne peuvent se permettre de négliger l'imposant potentiel du marché international. Plus de 99 % de la population mondiale vit à l'extérieur du Canada. Dans l'ensemble, ces consommateurs potentiels détiennent un immense pouvoir d'achat. Toutefois, la taille des marchés internationaux compte moins que leur taux de croissance souvent plus élevé que ceux des marchés canadiens comparables. Les petites et grandes entreprises canadiennes aux visées internationales ne peuvent ignorer ce facteur.

Au Canada, les spécialistes du marketing ont saisi les trois types d'opportunités que présente le marché mondial. Premièrement, profiter d'un tel marché pour satisfaire les besoins d'une clientèle avertie achetant des produits et services en fonction de leur qualité. Par exemple, la société ontarienne W. K. Buckley Ltd. est une petite entreprise livrant une concurrence efficace sur les marchés étrangers grâce à un produit de grande qualité, un antitussif appelé « sirop Buckley ». La publicité axée sur le mauvais goût et sur l'efficacité du sirop a touché les consommateurs du monde entier, des États-Unis à l'Australie et des Pays-Bas à la Chine[1].

Deuxièmement, nos spécialistes du marketing ont profité du libre-échange entre les pays industrialisés du monde. Ainsi, l'*Accord de libre-échange nord-américain* (ALÉNA) a ouvert les marchés américain et mexicain aux entreprises canadiennes. Plusieurs y ont trouvé des débouchés dans divers secteurs, notamment dans les télécommunications et les services d'ingénierie. Troisièmement, les stratèges du marketing canadien, comme les restaurants McDonald's du Canada, ont saisi les possibilités qu'offraient les nouvelles démocraties d'Europe de l'Est et de l'ancienne Union soviétique.

La venue des spécialistes du marketing de toutes nationalités sur les marchés mondiaux donne lieu au commerce international. Dans ce chapitre, nous abordons la nature et la portée du commerce international. Nous mettons en relief les défis soulevés par le marketing à cette échelle.

LA DYNAMIQUE DU COMMERCE INTERNATIONAL

La valeur en dollars du commerce international a plus que doublé au cours de la dernière décennie. Elle excédera 11 000 milliards de dollars en 2003. Les produits manufacturés (industriels) et les produits de consommation représentent 75 % du commerce international. Les secteurs du service, notamment les télécommunications, les transports, l'assurance, l'éducation, les services bancaires et le tourisme, constituent les 25 % restants.

Canon et Mirage ont pénétré le marché mondial avec succès tout en demeurant très compétitifs dans le marché intérieur.

Le flux des échanges commerciaux à l'échelle internationale

Les nations et les régions du monde ne participent pas d'égale façon au commerce international. Le flux des échanges commerciaux reflète l'interdépendance entre les secteurs d'activité, les pays et les régions. Ce flux pèse sur les importations et les exportations des pays, des entreprises, des secteurs d'activité et des régions.

Une perspective d'ensemble La figure 5.1 montre la valeur approximative en dollars des exportations et importations entre les pays de l'Amérique du Nord, de l'Europe de l'Ouest, de la région Asie-Pacifique, et du reste du monde, ainsi que les flux commerciaux intrarégionaux[2]. Les États-Unis, l'Europe de l'Ouest, le Canada et le Japon comptent pour 20 % de la population du globe. Ils représentent toutefois les deux tiers du commerce mondial[3].

Le commerce n'est pas toujours fondé sur l'échange de produits ou services contre de l'argent. Environ 70 % des pays n'ont pas de devise convertible. De plus, leurs entreprises appartiennent à l'État et ne disposent pas d'assez d'argent ou de crédit pour acquérir des importations. Ces pays doivent donc recourir à d'autres modes de paiement. On évalue à 20 % la part du commerce international fondée sur le **commerce compensé.** Le commerce compensé comprend les opérations de troc et l'emploi de solutions de rechange aux devises nationales dans les transactions internationales.

Le commerce compensé se pratique couramment dans plusieurs nations d'Europe de l'Est, de la Russie et de plusieurs pays d'Asie. Ainsi, le gouvernement malaisien a récemment échangé 20 000 tonnes de riz contre une quantité équivalente de maïs philippin. La filiale nord-américaine de Volvo a livré des véhicules à la police sibérienne même si cette

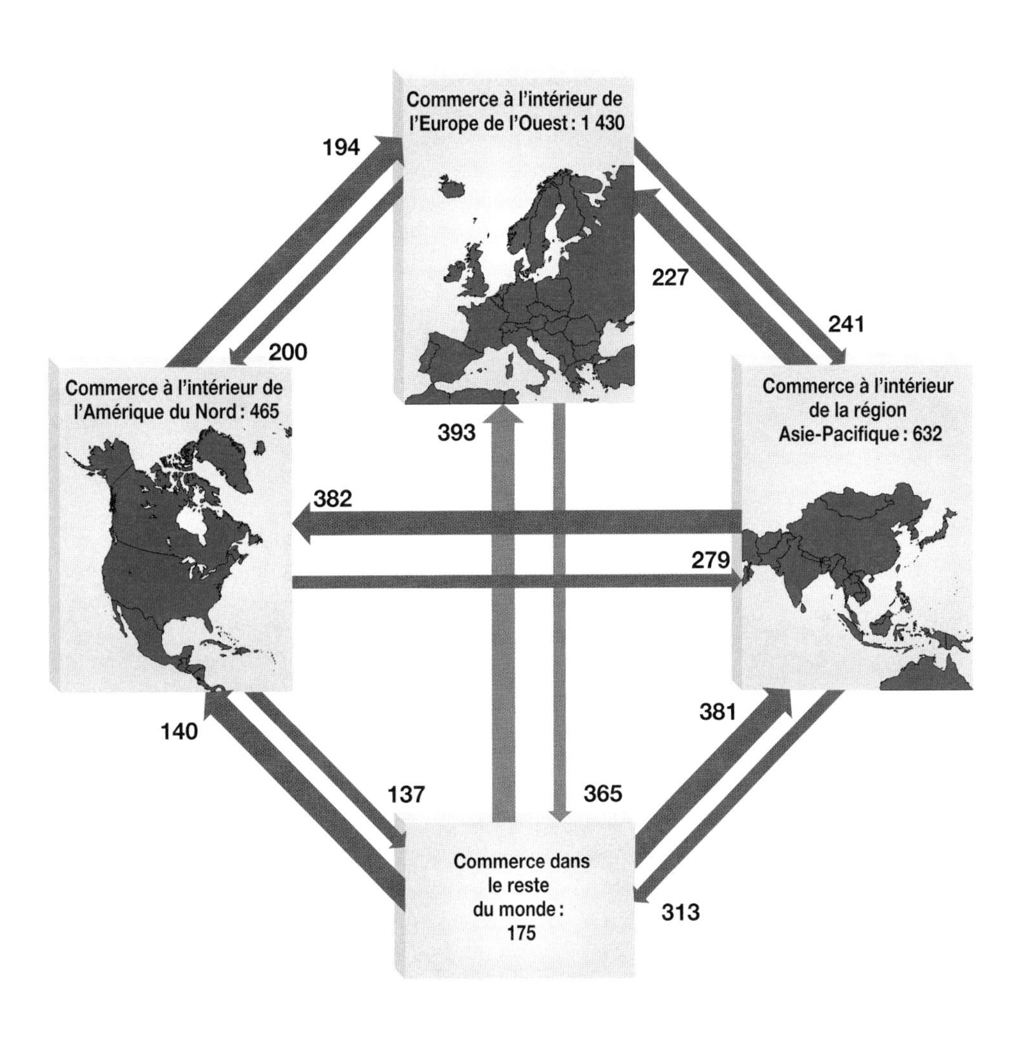

FIGURE 5.1
Une illustration des flux commerciaux dans le monde (en milliards de dollars)

dernière n'avait pas d'argent liquide pour les payer. Volvo a accepté d'être payée en carburant qu'elle a revendu afin de couvrir ses publicités dans les médias[4].

Pour plus d'informations au sujet de Volvo Canada et de Milltronics, rends-toi à l'adresse suivante : www.dlcmcgrawhill.ca

Le commerce international, vu dans une perspective d'ensemble, présente les exportations et les importations comme des échanges commerciaux complémentaires. Le total des importations mondiales est identique au total des exportations. Toutefois, même à l'échelle d'une économie nationale, le niveau des exportations d'un pays influe sur ses exportations et inversement, car les exportations procurent les devises étrangères servant à payer les importations. Quand les exportations d'un pays sont en hausse, sa production intérieure et son revenu national augmentent. Le phénomène entraîne une demande accrue en faveur des importations. Cette demande stimule les exportations des autres pays ainsi que leur activité économique. Elle provoque une hausse du revenu national, lequel stimule à son tour la demande pour les importations. Bref, les importations se répercutent sur les exportations et vice versa. On parle de **boucle de rétroaction commerciale** afin de désigner ce phénomène qui est l'un des arguments en faveur du libre-échange entre les pays.

Le point de vue canadien Au Canada, le **produit intérieur brut** (PIB) – la valeur monétaire de l'ensemble des biens et services produits dans un pays au cours d'une année – est évalué à plus de 900 milliards de dollars. Le Canada exporte un pourcentage important des biens et services qu'il produit. En fait, il exporte plus de 35 % de son PIB, ce qui en fait un important pays commerçant[5].

La différence entre la valeur monétaire des exportations et des importations d'un pays porte le nom de **balance commerciale.** Lorsque les exportations d'un pays excèdent ses importations, sa balance commerciale présente un surplus. Lorsque ses importations excèdent ses exportations, sa balance commerciale accuse un déficit. Le Canada affiche traditionnellement une balance commerciale favorable : la valeur des biens et services exportés à partir du Canada excède la valeur des biens et services achetés sur les marchés internationaux.

Nous sommes tous touchés, plus ou moins directement, par l'activité commerciale internationale du Canada. L'impact variera en fonction des classes de produits que nous achetons (par exemple les ordinateurs Samsung de la Corée, le cristal Waterford de l'Irlande, les vins Lindemans de l'Australie) et de ceux que nous vendons (la bière Moosehead à la Suède, les dispositifs de mesure Milltronics Ltée à la Nouvelle-Zélande, les droits de la télésérie *Un gars, une fille* à des producteurs italiens). Nos importations augmentent l'éventail de choix et exercent une pression à la baisse sur les prix. Certaines de nos industries sont ainsi menacées de disparition quand elles sont mal équipées pour faire face à la concurrence extérieure. Par ailleurs, nos exportations génèrent des revenus supplémentaires pour nos entreprises qui stimulent notre économie locale et accroissent notre niveau de vie.

Les échanges commerciaux en provenance ou à destination du Canada traduisent les interdépendances de la demande et de l'offre des biens et services entre pays et industries. Le Canada commerce surtout avec une douzaine de pays. Toutefois, les trois plus grands importateurs de biens et services produits au Canada sont les États-Unis (pour plus de 80 %), le Japon et l'Union européenne. Ces pays sont aussi les trois principaux exportateurs à destination du Canada. L'Union européenne et le Japon enregistrent des surplus commerciaux chez nous, alors que les États-Unis accusent un déficit[6].

L'ÉMERGENCE D'UN MONDE SANS FRONTIÈRES ÉCONOMIQUES

Au cours du XXe siècle, trois tendances ont particulièrement marqué le commerce international. D'abord, on a assisté au recul progressif du protectionnisme économique. L'intégration économique officielle et le libre-échange entre les pays sont ensuite apparus. Enfin, nous sommes désormais confrontés à une concurrence internationale entre sociétés internationales désirant une clientèle de consommateurs internationaux.

Le recul progressif du protectionnisme économique

Le **protectionnisme** est un des modes de défense du système économique d'un pays contre la concurrence étrangère. On l'encourage en particulier au moyen de droits perçus sur les importations ou de contingentements (limitations) de produits importés. Il existe un argument économique principal en faveur du protectionnisme. En effet, il permet de sauvegarder les emplois, de protéger la sécurité politique de la nation, de décourager la dépendance économique aux autres pays et de favoriser le développement des industries à l'intérieur du pays. Lis le prochain encadré et demande-toi si le protectionnisme a une dimension morale et sociale[7].

Comme l'illustre la figure 5.2, les droits sur les importations et les quotas freinent le commerce international. Les **droits sur les importations** sont des taxes imposées par le gouvernement sur les biens et services importés dans un pays. Ces taxes servent surtout à hausser le prix des importations. Dans les pays industrialisés, on perçoit en moyenne des droits de 4 % sur les produits manufacturés[8].

Les conséquences de ces droits sur le commerce international et les prix à la consommation s'avèrent considérables. Citons, par exemple, les exportations de riz vers le Japon. Imaginons que le marché du riz japonais s'ouvre à l'importation par une réduction des obstacles au commerce international. Selon les experts, la différence de prix permettrait aux consommateurs nippons d'épargner annuellement 8,4 milliards de dollars. De même, les droits imposés sur les bananes dans les pays d'Europe de l'Ouest coûtent aux consommateurs 4,2 milliards de dollars par année. L'Équateur, le plus important exportateur de bananes au monde, le Mexique, le Guatemala et le Honduras tentent de mettre un terme à cette pratique[9].

Un **quota** est une restriction sur la quantité d'un produit entrant ou sortant d'un pays. Le quota peut être obligatoire ou volontaire. Le gouvernement peut légiférer à ce sujet ou

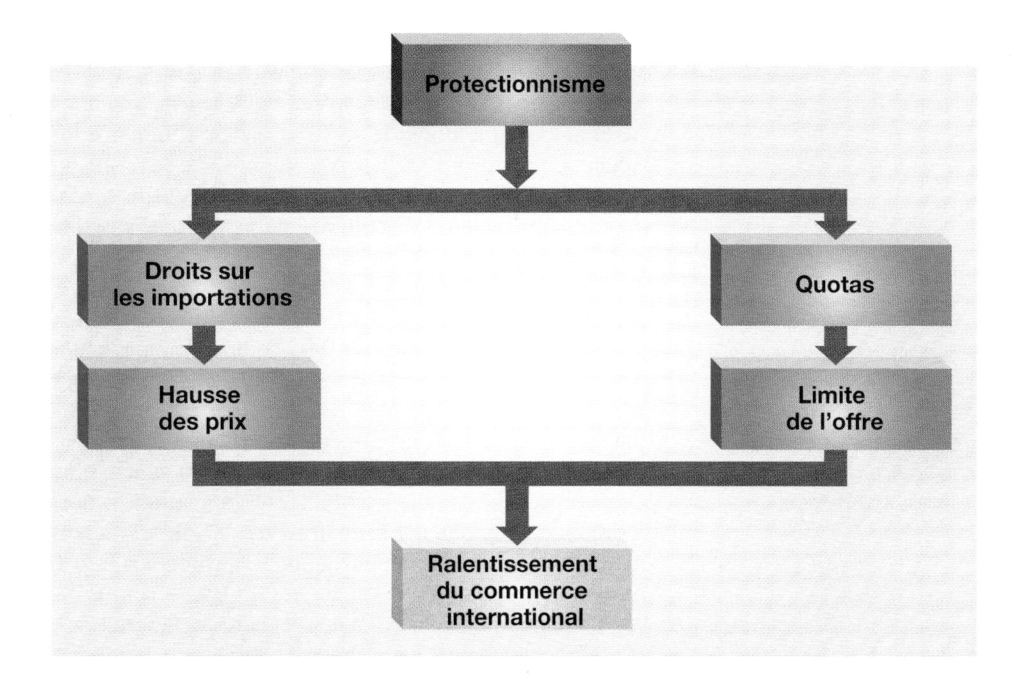

FIGURE 5.2
L'action exercée par le protectionnisme sur le commerce international

encore négocier ses modalités. Le quota des importations vise à garantir aux industries nationales l'accès à un pourcentage de leur marché intérieur. Le quota le plus répandu concerne les limites obligatoires ou volontaires imposées aux ventes d'automobiles étrangères dans plusieurs pays. En raison des quotas imposés dans les pays européens, les véhicules de fabrication européenne coûtent 25 % de plus que des modèles semblables vendus au Japon. Cette mesure coûte annuellement aux consommateurs européens 56 milliards de dollars. Des quotas moins apparents frappent l'importation de produits courants et de matériel électronique. Les droits d'entrée et l'imposition de quotas ont pour effet de hausser les prix à la consommation[10].

FONDEMENT MORAL

QUESTION D'ÉTHIQUE

Le fondement moral et économique du protectionnisme

Le commerce international profite d'échanges commerciaux libres et équitables entre les pays. Néanmoins, les gouvernements de plusieurs pays continuent d'imposer des droits et des quotas sur les importations afin de protéger leurs industries nationales. Pourquoi? Le protectionnisme génère des bénéfices pour les producteurs nationaux et des recettes douanières pour les gouvernements. Cette pratique comporte cependant un désavantage. Les politiques protectionnistes du Japon, par exemple, coûtent annuellement aux consommateurs nippons des milliards de dollars. Les consommateurs canadiens sont aussi touchés par la hausse des prix découlant de mesures tarifaires et d'autres limitations à l'importation.

Le quota des importations de sucre aux États-Unis, les quotas d'importation sur les automobiles dans plusieurs pays d'Europe, les mesures tarifaires sur l'importation de bière au Canada et de riz au Japon protègent les industries nationales. Ils empêchent toutefois le commerce international de ces mêmes produits. Il existe des accords commerciaux régionaux dans l'Union européenne et dans la Zone de libre-échange nord-américaine. Ces accords peuvent donner lieu à un traitement préférentiel sur le plan des quotas et des mesures tarifaires pour les pays membres, tandis que les pays non-membres sont pénalisés.

Le protectionnisme, quelle qu'en soit la forme, soulève une question digne d'intérêt: est-il moral?

Tous les gouvernements s'adonnent plus ou moins au protectionnisme. Cependant, cette mesure a perdu de sa popularité au cours des 50 dernières années. Cela est dû, en grande partie, à l'*Accord général sur les tarifs douaniers et le commerce*. Ce traité international visait à limiter les restrictions au commerce international et à le favoriser par la réduction des droits sur les exportations. Ce but a été atteint. Cependant, le traité n'abordait pas de façon explicite les entraves autres que tarifaires. Par exemple, il ne tenait pas compte des quotas et du commerce international des services qui provoquaient souvent de vifs différends entre les pays.

Pour plus d'informations au sujet de l'Organisation mondiale du commerce, rends-toi à l'adresse suivante : www.dlcmcgrawhill.ca

En conséquence, les principaux pays industrialisés ont mis sur pied l'**Organisation mondiale du commerce** (OMC). Elle tranche les nombreuses questions liées au commerce international. L'OMC compte 132 pays membres, dont le Canada. Ces pays représentent plus de 90 % des échanges commerciaux internationaux. L'OMC est un organisme permanent. Il établit les règlements régissant le commerce entre ses membres grâce à des groupes d'experts qui tranchent en cas de conflits. Les décisions des groupes d'experts sont exécutoires. Chaque année, plus de 100 différends commerciaux sont présentés devant l'OMC. L'Organisation a, par exemple, rejeté la demande en dommages-intérêts d'Eastman Kodak. Celle-ci réclamait plusieurs millions de dollars parce que le gouvernement japonais protégeait Fuji Photo contre la concurrence des importations. Dans un autre dossier, l'OMC a permis à la Grande-Bretagne, à l'Irlande et à l'Union européenne (UE) de reclasser le matériel de configuration des réseaux locaux de fabrication américaine sous la rubrique « matériel de télécommunication ». La nouvelle classification a fait doubler les droits d'importation de ces produits américains[11].

L'accélération de l'intégration économique

Au cours des dernières années, un grand nombre de pays partageant des objectifs économiques communs ont formé des groupes d'échange transnationaux ou signé des traités d'accords commerciaux afin de promouvoir la libre circulation entre les pays membres et d'améliorer leurs situations économiques respectives. Les trois exemples les plus représentatifs sont l'Union européenne, l'ALÉNA et les accords de libre-échange asiatiques.

Pour plus d'informations au sujet de l'Union européenne, rends-toi à l'adresse suivante : www.dlcmcgrawhill.ca

L'Union européenne En 1993, 12 pays d'Europe ont supprimé, entre eux, la plupart des obstacles à la libre circulation des biens, des services, des capitaux et de la main-d'œuvre. Après plusieurs décennies de négociations serrées, ils ont réussi à former un marché unique composé de 390 millions de consommateurs. Les premiers membres de l'UE étaient la Grande-Bretagne, l'Irlande, le Danemark, la Belgique, les Pays-Bas, le Luxembourg, l'Allemagne, la France, l'Italie, la Grèce, le Portugal et l'Espagne. L'Autriche, la Finlande et la Suède sont devenues membres de l'UE en 1995, faisant passer à 15 le nombre d'États membres (voir la figure 5.3). Les Suisses ont décidé de ne pas adhérer à l'UE.

L'UE fait naître de nombreuses possibilités sur le plan du marketing, car les entreprises ne voient plus la nécessité de commercialiser leurs produits et services en fonction de chaque pays. Elles préfèrent élaborer des stratégies marketing pour l'ensemble de l'UE. Ces stratégies sont rendues possibles en raison d'une plus grande uniformité des normes régissant les produits et les emballages. Ces stratégies profitent aussi d'une diminution des réglementations nationales touchant le transport, la publicité et la promotion, et du retrait de la plupart des mesures tarifaires influant sur la fixation des prix[12]. Ainsi, Colgate-Palmolive commercialise désormais son dentifrice sous une seule forme, un seul emballage et un seul prix dans tous les pays de l'UE. Cette pratique était autrefois impossible en raison des mesures tarifaires et des règlements différents d'un pays à un autre. L'ouverture des frontières permet aussi d'assurer une distribution sur l'ensemble de l'UE à partir d'un nombre inférieur de centres de distribution.

Le fabricant de pneus Michelin a récemment fermé 180 de ses centres de distribution en Europe pour n'en conserver que 20 desservant les pays de l'UE. L'entrée en circulation de l'euro, nouvelle devise, a aussi fait naître de nouvelles possibilités sur le plan du marketing[13].

L'ALÉNA L'Accord de libre-échange nord-américain (ALÉNA) est entré en vigueur en 1994 en levant de nombreuses restrictions commerciales entre le Canada, les États-Unis, le

FIGURE 5.3
Les pays membres de l'Union européenne en 2003

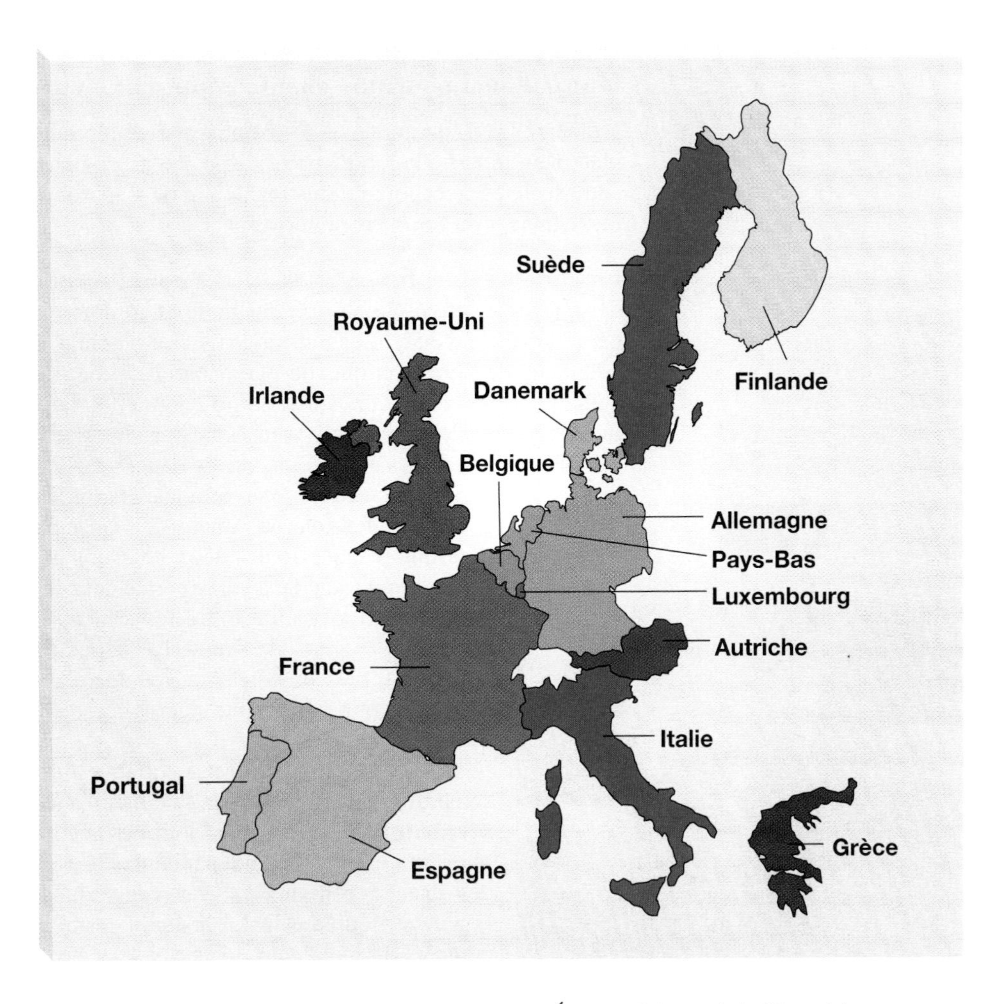

Pour plus d'informations au sujet de l'ALÉNA, rends-toi à l'adresse suivante : www.dlcmcgrawhill.ca

Mexique et le Chili. En Amérique du Nord, L'ALÉNA et l'Accord de libre-échange entre le Canada et les États-Unis, en vigueur depuis 1988, ont donné lieu à un arrangement commercial semblable à celui de l'Union européenne. La réduction des mesures tarifaires et les autres dispositions de l'ALÉNA ont favorisé une zone de libre-échange entre le Canada, les États-Unis, le Mexique et le Chili. Elles ont donné naissance à un marché d'environ 380 millions de consommateurs. Des négociations sont en cours en vue d'étendre la portée de l'ALÉNA. Celle-ci comprendrait 34 pays pour créer une zone de libre-échange des Amériques d'ici 2005. L'accord lierait le Canada, les États-Unis, le Mexique, les pays d'Amérique latine et les Caraïbes[14].

L'ALÉNA a stimulé les échanges commerciaux entre les pays membres, de même que la fabrication et l'investissement transfrontaliers. Ainsi, la filiale canadienne de Whirlpool Corporation a cessé de fabriquer des machines à laver au Canada pour concentrer cette activité en Ohio. Elle a ensuite déplacé sa production de compacteurs de déchets, de cuisinières et de sécheuses à linge au Canada. Ford a investi 84 millions de dollars dans son usine d'assemblage de Mexico afin d'y construire des véhicules plus petits et des camions légers destinés au marché mondial.

Les accords de libre-échange asiatiques Des pays de l'Asie de l'Est déploient des efforts en vue d'assouplir les conditions du commerce dans cette région. Le Japon s'associe à ceux que l'on surnomme les « dragons » (Hong-Kong, Singapour, la Corée du Sud et Taïwan), à la Thaïlande, à la Malaisie et à l'Indonésie, malgré les difficultés économiques de la fin des années 1990. Ces accords commerciaux sont moins officiels que dans le cadre de l'UE ou de l'ALÉNA, mais ils ont réduit les mesures tarifaires et favorisé le commerce entre ces pays[15].

Une nouvelle réalité : la concurrence entre sociétés de calibre international pour une clientèle internationale

L'émergence d'un monde où les frontières économiques sont moins nombreuses a complètement modifié la réalité pour le spécialiste du marketing. À présent, la concurrence entre sociétés de calibre international, afin de s'approprier une clientèle mondiale, constitue le moteur du commerce international.

Pour plus d'informations au sujet de Pepsi-Cola et de Nortel, rends-toi à l'adresse suivante : www.dlcmcgrawhill.ca

La concurrence internationale La **concurrence internationale** existe lorsque des sociétés mettent au point, fabriquent et commercialisent leurs produits et services partout dans le monde. Les industries de l'automobile, des produits pharmaceutiques, du vêtement, de l'électronique, de l'aérospatiale et des télécommunications comptent des vendeurs et des acheteurs sur les cinq continents. Parmi les secteurs de taille internationale, notons les boissons gazeuses, les produits de beauté, les céréales prêtes à consommer, les croustilles et le commerce de détail.

La concurrence internationale élargit le champ d'action du spécialiste du marketing. Pensons au fameux défi lancé par Pepsi-Cola à Coca-Cola afin de déterminer laquelle des deux boissons gazeuses a le meilleur goût. Cette idée, née au Canada, a été exportée dans le monde, notamment en Inde et en Argentine. La rivalité entre les couches jetables Pampers de Procter & Gamble et Huggies de Kimberly-Clark a été déplacée du Canada à l'Europe de l'Ouest. Les constructeurs Boeing et Airbus se concurrencent sur presque tous les continents pour décrocher de lucratifs contrats d'assemblage d'avions commerciaux.

Nous voyons s'établir des collaborations entre grands fabricants afin de satisfaire aux exigences de la concurrence internationale. Les **alliances stratégiques** mondiales sont des accords de coopération entre deux ou plusieurs entreprises indépendantes. Ces alliances ont pour but d'atteindre des objectifs communs tels que gagner un avantage concurrentiel ou créer de la valeur ajoutée. Ainsi, plusieurs des plus importants fabriquants d'équipements du monde des télécommunications, notamment Ericsson (Suède), Northern Telecom devenue Nortel Networks (Canada), Siemens (Allemagne), 3Com et Worldcom (deux entreprises américaines) ont formé Jupiter Networks, Inc. Cette société est destinée à fabriquer des dispositifs qui permettront d'accélérer la communication sur le réseau télématique mondial (Internet). Les sociétés suisses General Mills et Nestlé ont fondé Cereal Partners Worldwide (CPW) dans le but d'améliorer le marketing européen des céréales Nestlé et la distribution internationale des céréales General Mills. En 2002, les ventes nettes de CPW ont totalisé 820 millions de dollars américains, à l'échelle internationale[16]. Le réseau Star Alliance est une autre alliance stratégique regroupant une douzaine des plus importants transporteurs aériens du monde : Air Canada, Air New Zealand, All Nippon Airways, Austrian Airlines, bmi British Midland, Lufthansa, Mexicana Airlines, SAS – Scandinavian Airlines, Singapore Airlines, Thai Airways International, United Airlines et VARIG. Leur mission ? Faciliter les vols internationaux.

Pour plus d'informations au sujet de Star Alliance, rends-toi à l'adresse suivante : www.dlcmcgrawhill.ca

Les sociétés de calibre international
Trois types d'entreprises occupent le marché international et s'y livrent concurrence : les entreprises mondiales, les entreprises multinationales et les entreprises transnationales[17]. Toutes trois emploient du personnel de

nombreux pays. Plusieurs d'entre elles disposent de services d'administration, de marketing et de fabrication (souvent appelés « divisions » ou « filiales ») partout dans le monde. Cependant, une entreprise se caractérise en fonction de son orientation sur le marché mondial et de sa stratégie marketing.

Une *entreprise mondiale* pratique le commerce et le marketing dans plusieurs pays. Elle s'appuie sur la stratégie déployée dans son pays d'origine. En général, ce type d'entreprise commercialise ses produits et services dans différents pays. Elle commercialise sans adaptation majeure, comme elle le fait dans son pays d'origine. Avon, par exemple, distribue avec succès sa gamme de produits de beauté par la vente directe en Asie, en Europe et en Amérique du Sud. Pour ce faire, elle s'appuie presque entièrement sur sa stratégie marketing nord-américaine.

Une *entreprise multinationale* aborde le monde sous ses différentes facettes et ajuste son marketing en fonction de chacune. Les multinationales adoptent une **stratégie marketing multiforme.** Elles ont autant de variations de produits, de marques nominales et de campagnes publicitaires que de pays où elles se trouvent. Ainsi, une division d'Unilever, Lever Europe, commercialise l'assouplissant connu au Canada sous le nom de Snuggle dans 10 pays d'Europe sous 7 marques différentes, par exemple Kuschelweich en Allemagne, Coccolino en Italie et Cajoline en France. Ces produits ont des emballages, des publicités et parfois des compositions différents[18].

Une *entreprise transnationale* envisage le monde comme un seul marché. Elle met en relief les similitudes culturelles entre les pays ou les désirs et besoins universels des consommateurs plutôt que leurs différences. Les stratèges de ces entreprises s'appuient sur une **stratégie marketing international.** Cette forme de stratégie repose sur la standardisation des activités de marketing lorsqu'il existe des similitudes culturelles et leur adaptation lorsque les différences sont évidentes. Cette démarche est avantageuse, car elle permet de réaliser des économies d'échelle sur la production et la mise en marché.

Les stratégies de marketing international sont appréciées des stratèges pratiquant le marketing inter-entreprises, par exemple Carterpillar et Komatsu (matériel de chantier lourd) et Texas Instruments, Intel, Hitachi et Motorola (semiconducteurs). Les spécialistes du marketing de biens de consommation tels que Timex, Seiko et Citizen (montres), Coca-Cola et Pepsi-Cola (boissons gazeuses), Gillette (produits d'hygiène et de beauté) et McDonald's (restauration rapide) s'appuient avec succès sur ce genre de stratégie.

Pour plus d'informations au sujet de Gillette, rends-toi à l'adresse suivante : www.dlcmcgrawhill.ca

Pour plus d'informations au sujet d'IKEA, rends-toi à l'adresse suivante : www.dlcmcgrawhill.ca

La clientèle internationale Sur la scène internationale, la concurrence entre sociétés s'articule souvent autour de la détermination et de la recherche de consommateurs à l'échelle mondiale. La **clientèle internationale** se compose de groupes de consommateurs présents dans plusieurs pays ou régions du monde. Ces groupes ont des besoins semblables ou recherchent des caractéristiques ou avantages similaires dans les produits et services[19]. Des indices montrent l'émergence internationale d'une classe moyenne, d'un marché jeunesse et d'un segment d'élite. Chacun de ces groupes consomme un même assortiment de produits et services indépendamment de sa situation géographique. Plusieurs entreprises misent sur la clientèle internationale. Whirlpool, Sony et IKEA ont profité du désir croissant de posséder de la classe moyenne internationale. Ce désir se porte sur : des électroménagers de cuisine, des appareils électroniques grand public et des accessoires d'ameublement. Levi's, Nike, Nintendo et L'Oréal s'adressent au marché mondial de la jeunesse, comme l'illustre l'encadré ci-dessous[20]. DeBeers, Chanel, Gucci et Rolls Royce satisfont aux goûts de l'élite qui recherche les produits de luxe partout dans le monde.

À L'ÉCHELLE MONDIALE

TENDANCES MARKETING

Le marché mondial de la jeunesse ou 240 millions de consommateurs

Le marché mondial des jeunes représente 240 millions d'adolescentes et d'adolescents âgés de 13 à 19 ans. Ces jeunes vivent en Europe, en Amérique du Nord et en Amérique du Sud et dans les pays industrialisés d'Asie. Ils ont voyagé et ont été grandement exposés à la télévision (la chaîne MTV diffuse dans plus de 75 pays), au cinéma et aux publicités internationales de sociétés telles que Benetton, Sony, Nike et Coca-Cola. Les similitudes entre les jeunes de ces pays s'avèrent plus nombreuses que leurs différences. Ainsi, une étude réalisée sur les chambres d'adolescents de 25 pays a révélé la difficulté, voire l'impossibilité, de distinguer la ville où ils habitaient. Pourquoi ? Les adolescents se procurent une gamme de produits identiques, par exemple, les jeux vidéo Nintendo, les vêtements griffés Tommy Hilfiger, les jeans Levi's, les chaussures de sport Nike, les produits de beauté L'Oréal et le produit d'hygiène pour le visage Clearasil. Comme le montrent les deux publicités ci-contre, L'Oréal diffuse le même message aux jeunes francophones et aux jeunes anglophones.

RÉVISION DES CONCEPTS

1. Qu'est-ce que le protectionnisme ?
2. Entre quels pays l'ALÉNA vise-t-il à favoriser les échanges commerciaux ?
3. En quoi une stratégie marketing multiforme et une stratégie marketing international se distinguent-elles ?

UNE ANALYSE DU CONTEXTE INTERNATIONAL

Les entreprises présentes à l'échelle internationale procèdent sans cesse à des analyses du contexte en se fondant sur les environnements illustrés à la figure 3.1, à la page 60. Rappelons qu'il s'agit des environnements sociaux, économiques, technologiques, concurrentiels et réglementaires. Nous nous penchons sur trois types de variables incontrôlables : les variables culturelles, économiques ou réglementaires. Toutes trois influent sur la pratique du marketing à l'échelle mondiale de manière totalement différente de celles qui agissent sur les marchés intérieurs.

La diversité culturelle

Les spécialistes du marketing doivent tenir compte des bases culturelles des différentes sociétés. Cela, afin d'amorcer et de pratiquer des échanges mutuellement avantageux avec une clientèle internationale. Pour ce faire, ils procèdent à une **analyse interculturelle.** L'analyse interculturelle s'appuie sur l'étude des similitudes et des différences entre les consommateurs de deux ou plusieurs pays ou sociétés[21]. Une analyse interculturelle sérieuse repose sur une compréhension et une appréciation des valeurs, des coutumes, des symboles et des langues de sociétés autres que la sienne.

Les valeurs Les **valeurs** d'une société tiennent aux comportements personnels et sociaux préférés ou aux façons d'être persistantes. Il importe de bien saisir ces nuances et de les maîtriser avec doigté afin qu'une stratégie marketing internationale touche le but visé. Voyons les exemples suivants[22].

- McDonald's ne vend pas de hamburgers en Inde où près de 85 % de la population considère la vache comme un animal sacré. Elle y sert plutôt des McMaharajah, deux pâtés de mouton haché garnis de sauce, laitue, fromage, cornichons et oignon servis entre deux petits pains au sésame.
- Les Allemands ne se sont pas montrés trop réceptifs à l'utilisation de cartes de crédit telles que Visa ou MasterCard et à l'achat à crédit. On doit savoir qu'en allemand le mot *schuld,* qui désigne une dette de crédit, est synonyme de culpabilité.

Ces exemples illustrent en quoi les valeurs culturelles peuvent influer sur le comportement dans différentes sociétés. Les valeurs culturelles se manifestent dans les valeurs des individus. Elles influencent leurs attitudes, leurs convictions et l'importance que ces individus accordent à des comportements précis et aux caractéristiques des biens et services. Les valeurs personnelles se répercutent sur les valeurs liées à la consommation, telles que le recours à l'achat à crédit chez les Allemands. Les valeurs personnelles ont aussi une influence sur les valeurs liées aux produits, telles que l'importance accordée aux taux d'intérêt des cartes de crédit.

Les coutumes Les **coutumes** regroupent les normes et les attentes relatives à la façon de faire dans un pays. Les coutumes peuvent beaucoup varier selon les pays. Les dirigeants de 3M étaient découragés devant le peu d'enthousiasme à l'égard des tampons à nettoyer le sol Scotch-Brite aux Philippines. Un employé leur a appris que les Philippins avaient l'habitude de nettoyer le sol en poussant de leurs pieds des copeaux de noix de coco. 3M a donc modifié la forme des tampons pour qu'ils épousent celle du pied. Les ventes du produit ont aussitôt augmenté ! Au Japon, contrairement au Canada, ce sont les femmes qui offrent des chocolats aux hommes à la Saint-Valentin.

Les coutumes touchent aussi le comportement non verbal des individus dans différents contextes culturels[23]. Ainsi, dans plusieurs pays d'Europe, il est impoli de ne pas poser les deux mains sur la table lors d'une réunion professionnelle. Dans une publicité, un simple geste comme montrer du doigt est tout à fait acceptable dans le monde occidental, alors qu'il est perçu comme une insulte au Moyen-Orient et en Extrême-Orient. Regarder les gens droit dans les yeux est un signe d'honnêteté en Amérique du Nord et en Amérique latine, mais au Japon, c'est inacceptable. Au Japon, toucher les gens est impoli. Au Moyen-Orient, les hommes se tiennent la main en signe d'amitié. Les dirigeants japonais prennent du temps avant d'émettre leurs opinions, ils écoutent celles d'autrui plus longtemps et ils s'accordent une pause avant d'intervenir dans les discussions commerciales. Les dirigeants nord-américains jugent parfois le silence comme un manque d'intérêt de leurs interlocuteurs.

Les symboles culturels Les **symboles culturels** englobent tout ce qui représente les idées et les concepts. Le symbolisme tient une part importante dans une analyse interculturelle parce que la signification accordée aux choses varie selon les cultures. Le rôle des symboles est si important qu'il a donné naissance à un domaine d'étude appelé **sémiotique.** La sémiotique étudie la correspondance entre les symboles et leur articulation dans la pensée. Les spécialistes du marketing international cherchent à manier adroitement les symboles culturels. Ainsi, ils peuvent entourer leurs produits et services d'un symbolisme positif pour en augmenter l'attrait auprès des consommateurs. Par contre, un mauvais usage des symboles peut entraîner des catastrophes. Le spécialiste du marketing international à la recherche des subtilités culturelles doit connaître certains symboles[24].

- Une superstition nord-américaine veut que le nombre 13 porte malheur. Au Japon, le mot *Shi,* désignant le nombre 4, est synonyme de mort. Sachant cela, Tiffany & Co. vend son cristal et sa porcelaine en ensemble de cinq, et non de quatre pièces, à sa clientèle japonaise.
- Au Canada, le pouce en l'air constitue un signe positif. Toutefois, en Russie et en Pologne, ce geste est offensant lorsqu'on aperçoit la paume de la main. AT&T a donc inversé ce geste dans ses publicités de manière à présenter le revers de la main et non la paume.

Les symboles culturels évoquent de profonds sentiments. Les dirigeants italiens de Coca-Cola avaient lancé une série de publicités destinées aux vacanciers italiens. Une bouteille de Coca-Cola remplaçait la tour Eiffel, l'Empire State Building et la tour de Pise. Les Grecs se sont dits outragés lorsque les bouteilles de Coca-Cola ont remplacé les colonnes du Parthénon couronnant l'Acropole d'Athènes. En Grèce, l'Acropole est considérée comme une citadelle sacrée. Un porte-parole du gouvernement a affirmé que le Parthénon est un « symbole international de l'excellence » et que « quiconque insulte le Parthénon insulte aussi la culture internationale ». Coca-Cola a dû retirer ses publicités et présenter ses excuses[25].

Les marchés mondiaux réagissent aussi à la notoriété des pays où sont fabriqués les produits et services. Ces pays peuvent être synonymes de qualité supérieure ou inférieure, selon les pays en cause. Les consommateurs russes croient que les produits fabriqués au Japon et en Allemagne sont de qualité supérieure à ceux faits en Amérique du Nord et au Royaume-Uni. Les consommateurs japonais pensent que leurs produits sont supérieurs à ceux fabriqués en Europe et en Amérique du Nord[26].

La langue Le spécialiste du marketing international doit connaître les langues maternelles des pays où il commercialise ses produits et services. Il doit aussi en saisir les nuances et en maîtriser les idiomes. On compte environ 100 langues officielles en usage dans le monde. Les anthropologues estiment que 3 000 langues, au moins, sont parlées. L'Union européenne reconnaît 11 langues officielles, alors que le Canada en compte 2, l'anglais et le français. À elle seule, l'Inde abrite17 langues d'importance.

L'anglais, le français et l'espagnol sont les principales langues de la diplomatie et du commerce international. Toutefois, le meilleur véhicule de communication avec les consommateurs est leur langue maternelle. Tous les spécialistes du marketing international, habitués à cette technique, l'affirment. En publicité, les mauvais calembours et les sous-entendus involontaires ont donné lieu à des phrases absurdes ou obscènes[27].

- L'agence de publicité responsable du lancement du shampooing Pert de Procter & Gamble au Canada s'est rendu compte que ce mot équivalait à « perte » en français. Elle a inversé quelques lettres pour ainsi former Pret, dont l'homonyme « prêt » est positif.
- En Italie, Cadbury Schweppes, troisième fabricant de boissons gazeuses au monde, a découvert qu'elle devait renommer son célèbre tonique *Schweppes Tonica* parce que *il water* renvoie plutôt à la salle de bains.
- Le mot *Vicks,* nom des pastilles bien connues aux États-Unis, est un germanisme désignant les rapports sexuels. En conséquence, Vicks porte désormais le nom Wicks en Allemagne.

Pour plus d'informations au sujet de Cadbury Schweppes, rends-toi à l'adresse suivante : www.dlcmcgrawhill.ca

Le spécialiste aguerri du marketing international fait appel à la **retraduction dans la langue d'origine** afin de repérer les erreurs éventuelles[28]. Ainsi, la première traduction du slogan d'IBM « Solutions for a small planet » se lisait « Des réponses qui rapetissent les gens ». L'erreur a été découverte et corrigée. Des erreurs de sens surviennent de façon incroyable. Un fabricant de pneus japonais a dû s'excuser publiquement à Brunei (un sultanat sous protectorat britannique dans l'île de Bornéo) à cause des rainures qui apparaissaient sur l'un de ses modèles. Certaines personnes prétendaient que les rainures du pneu ressemblaient à l'un des versets du Coran, livre saint des musulmans écrit en arabe.

L'ethnocentrisme culturel Chacun considère ses valeurs, ses coutumes, ses symboles et sa langue de façon favorable. Cependant, certains privilégient des facettes de leur culture et les jugent supérieures aux autres. Cette tendance s'appelle « ethnocentrisme », et elle constitue un obstacle important au marketing international.

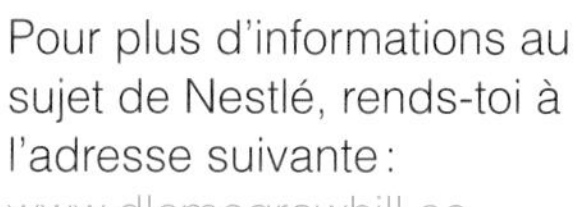

Pour plus d'informations au sujet de Nestlé, rends-toi à l'adresse suivante : www.dlcmcgrawhill.ca

Au Japon, un pays où l'on boit surtout du thé, Nestlé a transformé les habitudes non seulement en faveur du café, mais du café instantané.

L'ethnocentrisme culturel peut se manifester dans l'achat et l'utilisation de produits et services étrangers. Le spécialiste du marketing international sait très bien que certains groupes à l'intérieur d'un pays défavorisent les produits importés. Ils le font non pas en fonction de leurs prix, de leurs caractéristiques ou de leur rendement, mais simplement parce qu'ils sont d'origine étrangère. L'**ethnocentrisme du consommateur** est cette tendance à percevoir l'achat de produits de fabrication étrangère comme un acte immoral et inopportun[29]. Aux yeux de la consommatrice ou du consommateur ethnocentrique, l'achat de produits importés est antipatriotique. Cette habitude nuit aux industries nationales et elle provoque le chômage parmi ses compatriotes[30].

Le changement culturel La culture est en constante et lente évolution. Néanmoins, une diminution des restrictions au commerce international peut accélérer le rythme du changement culturel dans les sociétés du monde entier. Le spécialiste du marketing international doit donc s'efforcer de prévoir la nature de ces changements, en particulier pour l'achat et l'utilisation des biens et services.

La société Nestlé constitue le plus important fabricant d'aliments emballés, de café instantané et de chocolat au monde. Elle est passée maître dans l'art de prévoir les changements culturels et d'y réagir rapidement. Nestlé réalise 98 % de son chiffre d'affaires en dehors de son pays d'origine, la Suisse. Pourquoi ? Parce qu'elle a toujours une longueur d'avance sur ses concurrents pour cerner les changements dans les habitudes de consommation des diverses cultures. Prenons la Grande-Bretagne et le Japon, deux sociétés très différentes partageant une même passion pour le thé. Nestlé a été la première à commercialiser le café dans ces deux pays, avec son café instantané Nescafé. La préférence culturelle pour le thé se modifiait peu à peu, et Nestlé a alors misé sur ce changement. À présent, les Britanniques consomment une tasse de café contre deux tasses de thé. Il y a 30 ans, la proportion était de une tasse de café contre six tasses de thé. Les Japonais comptent maintenant parmi les plus grands consommateurs de café instantané par personne. Nestlé domine les ventes de café dans les deux pays[31].

Les considérations économiques

Les considérations économiques influent aussi sur le marketing mondial. En conséquence, une analyse du marché international devrait regrouper une analyse comparative du développement économique dans différents pays et une évaluation de l'infrastructure économique de ces pays. Cette analyse devrait aussi comprendre une évaluation du revenu national des consommateurs et une prise en compte du taux de change des devises nationales.

Le niveau de développement économique

On compte à présent plus de 200 pays dans le monde. Chacun se trouve à une étape particulière de son développement économique. Cependant, on peut les classer en deux grands groupes qui permettront au spécialiste du marketing mondial de mieux comprendre leurs besoins :

- Les économies des *pays industrialisés* sont mixtes. L'entreprise privée y est dominante, mais leurs secteurs publics y tiennent une place importante. Le Canada, les États-Unis, le Japon et la plupart des pays d'Europe de l'Ouest sont des pays dits « industrialisés ».
- Les *pays en voie de développement* sont en passe de transformer une économie agricole en économie industrielle. Cette catégorie se subdivise en deux sous-groupes : ceux déjà passés de l'une à l'autre et ceux à l'étape préindustrielle. Des pays tels que la Pologne, la Hongrie, Israël, le Venezuela et l'Afrique du Sud s'inscrivent dans le premier sous-groupe. Le Pakistan, le Sri Lanka, la Tanzanie et le Tchad appartiennent au second sous-groupe, car le niveau de vie y est faible et le progrès lent à s'y manifester. On estime qu'en 2003 les économies des pays en développement connaîtront une croissance moyenne de 5 %, alors qu'elle a été de 1,5 % dans les pays industrialisés membres de l'Organisation de coopération et de développement économiques (OCDE).

Le niveau de développement économique d'un pays est en étroite corrélation avec les facteurs économiques, comme nous le verrons ci-après.

L'infrastructure économique L'**infrastructure économique** réunit les systèmes de communication, de transport, de distribution et financiers d'un pays. Elle constitue un élément déterminant de la commercialisation d'un produit ou service dans un pays. Certains composants de l'infrastructure économique que les Nord-Américains ou les Européens de l'Ouest tiennent pour acquis peuvent poser de graves problèmes ailleurs, non seulement dans les pays en développement, mais aussi dans les pays

Reader's Digest a appris d'importants principes valant pour presque tous les spécialistes du marketing mondial qui tentent de percer les marchés étrangers lorsqu'elle a lancé ses éditions russe et hongroise.

d'Europe de l'Est et dans l'ancienne Union soviétique où l'on considère qu'une telle infrastructure est en place. Prenons par exemple les systèmes de transport et de distribution de ces pays. Les routes à deux voies où circulent des charrettes tirées par des chevaux qui limitent la vitesse moyenne à 55 km/h ou 65 km/h y sont chose courante. Elles donnent bien du souci aux entreprises misant sur une livraison rapide par camion. Les commerces de gros et de détail y sont modestes. La majorité est exploitée par des propriétaires qui en sont à leurs premiers pas dans un marché libre. Une telle situation a convaincu Danone, société agroalimentaire française, d'établir ses propres grossistes, détaillants et modes de livraison. Danone livre ses produits à 700 commerces en Russie. Elle a aménagé 60 boutiques à l'intérieur de commerces indépendants où s'affaire son propre personnel de vente[32].

L'infrastructure des communications de ces pays, notamment la poste et les télécommunications, est aussi différente de la nôtre. Environ une personne sur 10 a le téléphone. En ce qui concerne la poste, *Reader's Digest* a appris à expédier ses magazines sous enveloppe brune par courrier recommandé ou à les confier à un service de messagerie, les colis attrayants parvenant rarement à leurs destinataires. Ce genre de problème a entraîné de nombreux investissements de l'ordre de plusieurs milliards de dollars afin de remettre à jour les systèmes de télécommunication et les services postaux de ces pays.

Même le système financier et l'appareil judiciaire peuvent occasionner des problèmes. Sous le régime communiste, il n'existait aucune procédure d'exploitation officielle entre les institutions financières, et la propriété privée n'existait pas. En conséquence, on pense que les deux tiers des transactions commerciales en Russie reposent sur des modes de paiement non monétaires[33]. Les tracasseries administratives nécessaires à l'obtention des titres de propriété d'immeubles ou de terrains pour y aménager un établissement de fabrication ou de vente de gros ou de détail ont aussi causé d'importants problèmes. Néanmoins, la société Coca-Cola a investi 750 millions de dollars entre 1991 et 1998 afin de construire des usines d'embouteillage et des centres de distribution en Russie. Allied Lyons a consacré 30 millions de dollars à la construction d'une usine où elle fabrique la crème glacée Baskin-Robbins. Et Mars a inauguré récemment une usine de fabrication de bonbons à proximité de Moscou[34].

Le revenu du consommateur et son pouvoir d'achat Quiconque vend des biens de consommation sur le marché national doit tenir compte du revenu moyen par ménage ou par personne à l'intérieur d'un pays et de la répartition du revenu afin de déterminer le pouvoir d'achat de ce pays. Le revenu par personne varie beaucoup selon les pays. Au sein de l'Union européenne, le revenu annuel moyen par personne est de 28 000 $. Il est

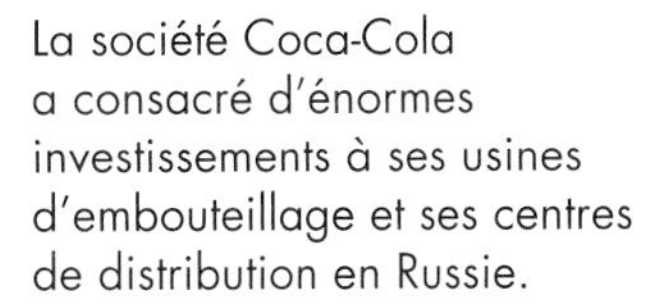
La société Coca-Cola a consacré d'énormes investissements à ses usines d'embouteillage et ses centres de distribution en Russie.

inférieur à 250 $ dans certains pays en voie de développement comme le Vietnam. La répartition du revenu à l'intérieur d'un pays constitue un facteur important, car elle donne un meilleur aperçu du pouvoir d'achat national. En général, le pouvoir d'achat d'un pays s'accroît à mesure que la proportion de ménages de classe moyenne augmente. La figure 5.4 illustre la disparité qui existe dans le monde au chapitre de la répartition des ménages selon leur pouvoir d'achat[35]. Dans les économies de marché bien établies, par exemple en Amérique du Nord et en Europe de l'Ouest, 65 % des ménages ont un pouvoir d'achat annuel de 28 000 $ et plus. Par comparaison avec ce chiffre, 75 % des ménages des nations en développement de l'Asie méridionale ont un pouvoir d'achat annuel inférieur à 7 000 $.

La et le spécialiste du marketing d'expérience savent que les habitantes et les habitants des pays en développement reçoivent souvent une aide gouvernementale pour se nourrir, se loger et obtenir des services de santé afin de compléter leur revenu. Par conséquent, les gens touchant un revenu apparemment faible peuvent se révéler des clientes et des clients prometteurs pour un éventail de produits. Ainsi, en Asie méridionale, les consommateurs touchant l'équivalent de 350 $ par année peuvent se procurer des lames Gillette. Lorsque le revenu des consommateurs passe à 1 400 $, il peuvent se permettre l'achat d'un téléviseur Sony. Ils peuvent envisager l'achat d'une voiture Volkswagen ou Nissan avec un revenu annuel de 14 000 $. Dans les pays en voie de développement d'Europe de l'Est, on peut se procurer un réfrigérateur avec un revenu annuel de 1 400 $ et un lave-vaisselle moyennant le double, soit 2 800 $. Ces données n'ont pas échappé à Whirlpool qui commercialise agressivement ces produits en Europe de l'Est.

On prévoit que la hausse du revenu dans les pays en voie de développement de l'Asie, de l'Amérique latine, de l'Amérique centrale et de l'Europe de l'Est stimulera le commerce international au cours du siècle qui s'amorce. D'ici 2005, le nombre de consommateurs dans ces pays qui gagneront en moyenne 14 000 $ par année devrait excéder l'ensemble des consommateurs de l'Amérique du Nord, du Japon et de l'Europe de l'Ouest[36].

FIGURE 5.4
Les écarts du pouvoir d'achat en différentes régions

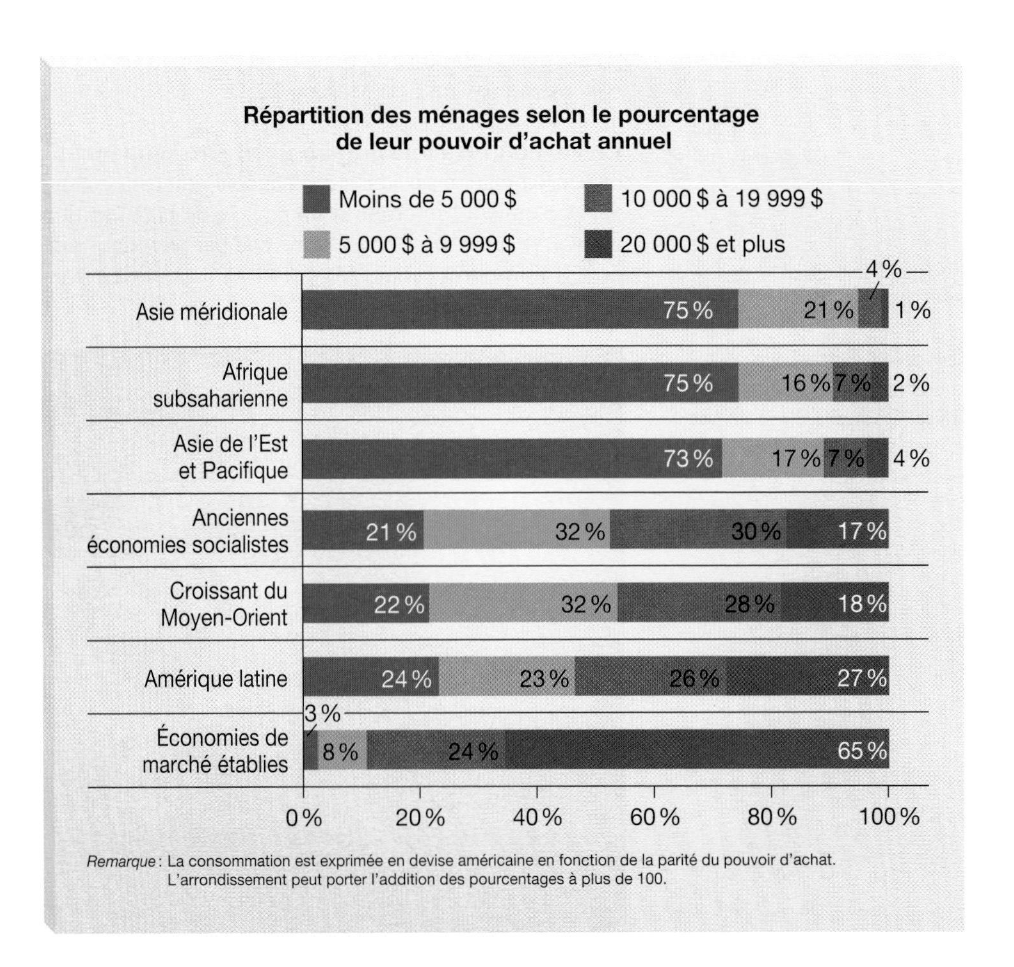

Les taux de change Les fluctuations des taux de change ont une importance déterminante sur le marketing international. Ces écarts se répercutent à la fois sur les touristes et sur les sociétés multinationales.

Le **taux de change** est le prix de la monnaie d'un pays exprimé en fonction d'une devise étrangère. Par exemple le dollar canadien peut être exprimé en yen (au Japon) ou en euro (en Europe). Il est essentiel de tenir compte du taux de change lorsque l'on fixe les prix de produits destinés aux marchés étrangers. Dans le cas contraire, les conséquences seront désastreuses[37].

Les fluctuations des taux de change ont une conséquence directe sur les ventes et les bénéfices des entreprises présentes à l'échelle internationale. Un changement du cours des devises modifie la position concurrentielle d'une entreprise. Par exemple, une réduction du cours du dollar canadien permet d'acheter davantage de dollars canadiens avec les devises étrangères. Ainsi, les produits canadiens sont moins chers pour les détenteurs de ces devises. De même, la position concurrentielle du produit canadien s'en trouvera améliorée. Cependant, les variations de courte durée entraînent d'importantes répercussions sur les bénéfices des entreprises présentes à l'échelle internationale. Grâce aux fluctuations du taux de change, Hewlett-Packard a enregistré au cours d'une année un bénéfice additionnel de près de un million de dollars. À cause des fluctuations du franc suisse par rapport à d'autres devises, Nestlé a perdu un million de dollars en six mois[38]. Ces impacts sont dus aux contrats d'approvisionnement qui prévoient un prix non négociable à chaque changement de cours des devises. Le commerce international implique donc un risque dû aux devises.

Le climat politique et la réglementation

Afin de commercer dans un pays ou une région du monde, il importe de connaître son climat politique et la réglementation qui y a cours, et de déterminer la durée d'un climat favorable ou défavorable. Pour évaluer le climat politique et la réglementation ayant cours dans un pays ou une région, on doit analyser sa stabilité politique et sa réglementation commerciale.

La stabilité politique Le commerce entre pays ou régions repose sur la stabilité politique. Des milliards de dollars ont été engloutis au Moyen-Orient et dans l'ancienne Yougoslavie à cause des conflits politiques et des guerres qui ont ravagé ces régions. Des pertes d'une telle ampleur invitent à la prudence au moment de choisir un pays ou une région où s'installer.

Plusieurs facteurs déterminent la stabilité politique d'un pays, notamment la politique gouvernementale à l'égard des entreprises étrangères et du commerce avec d'autres pays. Ces facteurs s'assemblent pour former un climat politique favorable ou défavorable à l'investissement dans un pays ou une région du monde. Le gestionnaire en marketing observe la stabilité politique en fonction de nombreuses mesures. Il se fonde souvent sur les taux de risque politique évalués par des organismes tels que le PRS Group. Le site Web de ce groupe te fournira les dernières données relatives aux taux de risque politique de plusieurs pays.

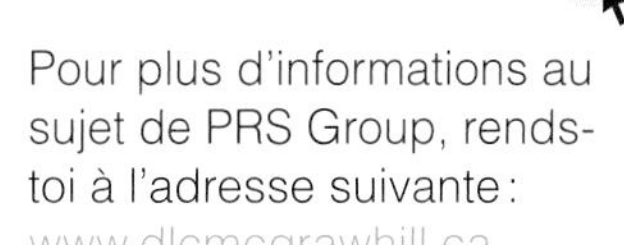

Pour plus d'informations au sujet de PRS Group, rends-toi à l'adresse suivante : www.dlcmcgrawhill.ca

La réglementation commerciale Les gouvernements adoptent de nombreux règlements régissant les pratiques commerciales à l'intérieur des frontières nationales. Une telle réglementation entrave souvent le commerce[39]. À lui seul, le Japon compte 11 000 règlements en la matière. En vertu des règlements sur la sécurité des véhicules japonais, toutes les pièces de rechange doivent être de fabrication japonaise et non nord-américaine ou européenne. Les règlements sur la santé publique interdisent la vente d'aspirine ou des médicaments contre le rhume sans la présence d'un pharmacien. Le gouvernement malaisien a mis en place des règles sur la publicité énonçant que « les publicités ne doivent pas projeter ou promouvoir un mode de vie ambitieux à l'excès ». La Suède, de son côté, interdit la publicité destinée aux enfants.

La réglementation commerciale s'inscrit dans les accords de libre-échange entre les États. Les pays membres de l'Union européenne acceptent de se conformer à quelque

BRANCHEZ-VOUS ! Connaître le risque politique d'un pays

Le climat politique de tous les pays est en constante évolution. Les gouvernements peuvent édicter de nouvelles lois ou faire exécuter leurs politiques de manière différente. De nombreux cabinets d'experts-conseils préparent des analyses de risque politique tenant compte de plusieurs variables telles que le risque de troubles intérieurs, de conflit extérieur, les restrictions gouvernementales sur l'exploitation des sociétés, les entraves tarifaires et non tarifaires au commerce.

Le PRS Group tient de multiples bases de données sur de nombreux pays et détermine, entre autres, les échelles de risque politique. On consulte ces données à l'adresse www.prsgroup.com/gptop.html. Dans quels pays le climat est-il le plus propice et le moins propice au commerce?

10 000 règles précisant la fabrication et la mise en marché des produits. Les règles concernant, par exemple, la fabrication du système électrique d'une machine à laver sont détaillées sur plus de 100 pages dactylographiées. Il existe aussi des lois relatives à la communication avec les consommateurs sans leur consentement préalable et à la publicité des jouets pour enfants. Les normes de qualité **ISO 9000** en place dans l'Union européenne, bien qu'elles ne constituent pas une règle commerciale, ont les mêmes conséquences sur les pratiques commerciales. Les normes de qualité ISO, définies par l'Organisation internationale de normalisation établie à Genève, en Suisse, correspondent aux critères d'enregistrement et de certification du mode de gestion et du contrôle de la qualité chez un fabricant. Plusieurs entreprises européennes exigent de leurs fournisseurs potentiels une certification ISO 9000 avant de faire affaire avec eux. Pour obtenir cette certification, les entreprises se soumettent à une vérification. Le contrôle comprend une visite de leurs établissements visant à s'assurer que les procédures de contrôle de la qualité censées être en place le sont effectivement, et que tous les employés les comprennent et les observent. Les normes ISO 9000 ont cours dans plus de 100 pays, et 60 000 certifications ont été accordées à l'échelle internationale[40].

RÉVISION DES CONCEPTS

1. La sémiotique est l'étude de ____________________.
2. Lorsque l'on peut se procurer davantage de dollars canadiens avec des devises étrangères, les produits fabriqués au Canada coûtent-ils plus ou moins cher à l'étranger?

L'ÉLABORATION D'UNE STRATÉGIE MARKETING À L'ÉCHELLE MONDIALE

L'entreprise élargissant ses activités à l'échelle mondiale doit, dans un premier temps, déterminer une stratégie en vue de pénétrer ce marché. Dans un second temps, elle doit concevoir, mettre en œuvre et diriger ses plans marketing partout dans le monde.

La stratégie de produit et la stratégie promotionnelle

Les entreprises de calibre international disposent de cinq stratégies pour imposer leurs produits et leurs promotions sur les marchés internationaux. Comme le montre la figure 5.5, ces stratégies s'articulent autour de l'extension de produits ou de leur adaptation en fonction

FIGURE 5.5
Les stratégies de produits et les stratégies promotionnelles destinées au marketing international

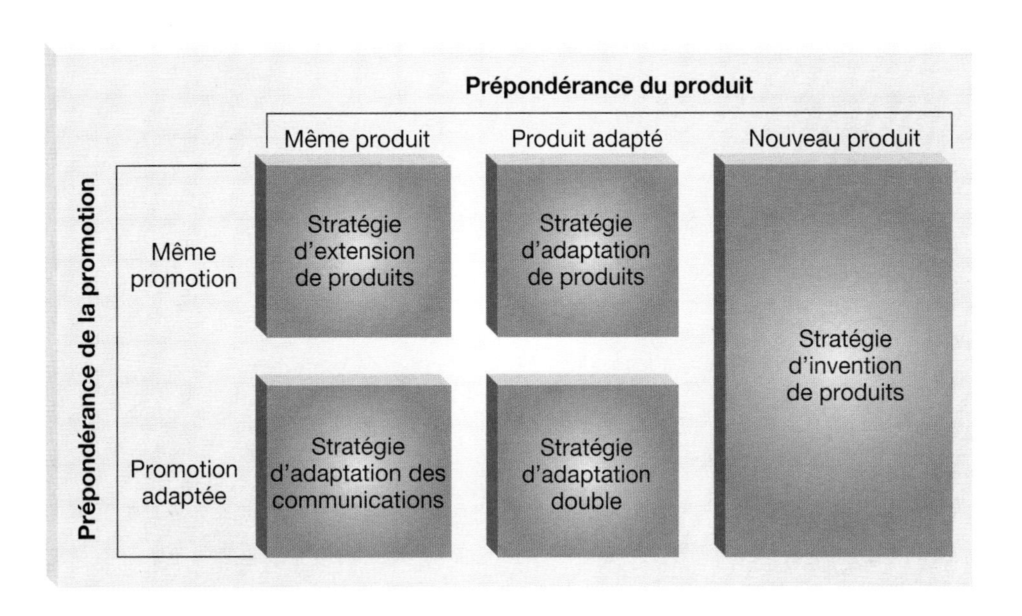

du marché. Elles s'organisent pour recourir à une même promotion ou à une adaptation afin de promouvoir les ventes de ces produits dans différents pays.

On peut vendre un produit partout dans le monde de trois manières : sous sa forme originale, en l'adaptant aux marchés locaux ou en en produisant de nouveaux[41].

1. *La stratégie d'extension de produits* La stratégie d'extension de produits consiste à vendre à peu près les mêmes produits partout dans le monde. Elle convient à des articles tels que les boissons Coca-Cola, les lames Gillette, les bandelettes nasales Breathe Right, la gomme à mâcher Wrigley's et les jeans Levi's. Toutefois, cette stratégie s'est révélée décevante pour les desserts Jell-O (on a préféré une gélatine plus ferme en Angleterre) et les gâteaux Duncan Hines (trop moelleux au goût des Anglais à l'heure du thé).
2. *La stratégie d'adaptation de produits* La stratégie d'adaptation de produits consiste à modifier les produits pour tenir compte du climat ou des préférences d'un pays. Les aliments pour bébé Gerber sont proposés avec différentes saveurs selon les différents pays. On préfère le lapin et les légumes en Pologne. Au Japon, les bébés adorent les sardines lyophilisées et le riz.
3. *La stratégie d'invention de produits* La stratégie d'invention de produits consiste à concevoir de nouveaux produits répondant aux besoins exprimés dans divers pays. C'est ce qu'a fait Black & Decker avec sa lampe de poche électrique à maillons flexibles. Cet article a été conçu pour répondre à une demande mondiale en faveur d'une lampe de poche électrique souple. Le produit a connu un franc succès en Amérique du Nord, en Europe, en Amérique latine et en Australie. De tous les nouveaux produits de Black & Decker, c'est celui qui a connu le plus grand succès.

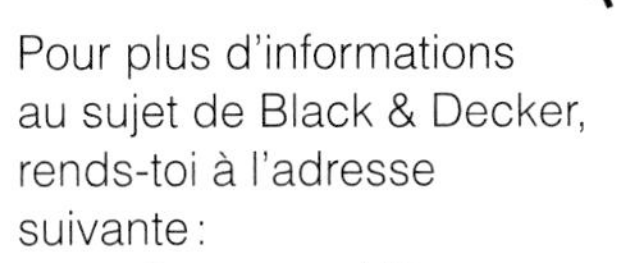

Pour plus d'informations au sujet de Black & Decker, rends-toi à l'adresse suivante : www.dlcmcgrawhill.ca

Les stratégies d'extension et d'adaptation de produits font appel à un message promotionnel identique à l'échelle mondiale. En Amérique du Nord et en Europe de l'Ouest, Gillette annonce ses articles de toilette pour homme avec un même slogan : *Gillette, the Best a Man Can Get*. Gilette utilise également le même slogan en France et au Canada français : « La protection au masculin ».

Les entreprises de calibre international peuvent adapter leurs messages promotionnels. Ainsi, un même produit peut être vendu dans plusieurs pays à partir de publicités différentes. Le fabricant de produits de beauté français L'Oréal, par exemple, a lancé sa marque de cosmétiques antisolaires *Golden Beauty* par l'intermédiaire de sa filiale Helena Rubinstein en Europe de l'Ouest en adaptant ses messages. Il existe différentes perceptions culturelles au sujet des produits de beauté et des protections solaires. La publicité de la gamme *Golden Beauty* insiste sur un bronzage foncé dans le nord de l'Europe, sur la protection antirides dans les pays européens d'origine latine et sur la beauté de la peau

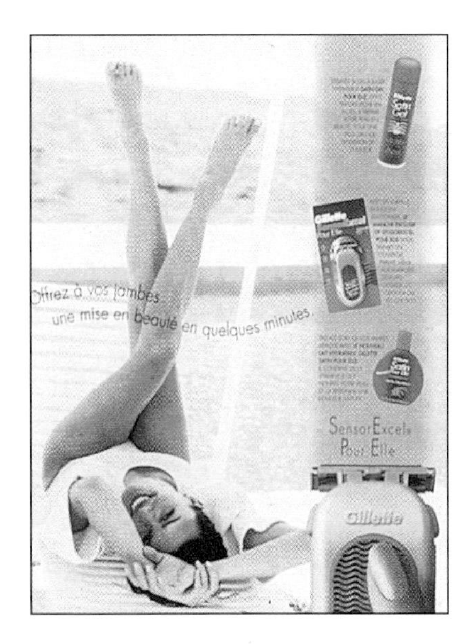

Gillette diffuse, si possible, le même message, comme le montre cette publicité vantant le rasoir Sensor à une clientèle féminine en France, en Norvège et au Canada.

dans les pays bordant la Méditerranée. Cependant, ces produits sont partout les mêmes. D'autres sociétés emploient une stratégie d'adaptation double. Pour ce faire, elles modifient à la fois leurs produits et leurs messages promotionnels comme le fait Nestlé pour Nescafé. Ce café instantané est commercialisé dans différentes saveurs à partir de diverses campagnes promotionnelles correspondant aux préférences des consommateurs des pays ciblés.

La stratégie de distribution

La distribution constitue un élément clé d'une stratégie de marketing international. La disponibilité et la qualité des détaillants et des grossistes, de même que les transports, les communications et les lieux d'entreposage sont souvent fonction du niveau de développement économique d'un pays. La figure 5.6, ci-dessous, illustre le circuit d'un produit fabriqué dans un pays jusqu'à sa destination dans un autre. La première étape est le siège social du vendeur. La responsabilité de la distribution auprès des consommateurs visés repose sur lui.

La deuxième étape concerne les circuits par lesquels le produit sera acheminé entre deux pays. Des intermédiaires peuvent se charger de cette responsabilité. Il s'agit, par exemple, des acheteuses et acheteurs résidant dans un pays étranger, des grossistes indépendants achetant et vendant le produit ou des agents facilitant les rencontres entre acheteurs et vendeurs.

En pays étranger, les circuits de distribution en place dans ce pays se chargent du produit[42]. Ces circuits de distribution peuvent être courts ou longs, selon la gamme de produits. Au Japon, le poisson frais passe par trois intermédiaires avant d'atteindre le détaillant. À l'inverse, les chaussures ne trouvent qu'un intermédiaire. D'autres fois encore, le circuit de distribution ne passe pas par le pays hôte. Aux Philippines, Procter & Gamble recourt à la vente porte-à-porte pour ses savons, car de nombreux endroits de l'archipel n'ont aucune structure de vente. La complexité des circuits de distribution évolue en fonction de l'infrastructure du pays. Les supermarchés favorisent la vente de produits dans plusieurs pays. Ils sont toutefois impopulaires ou inexistants là où les habitudes culturelles ou l'absence de réfrigération imposent de faire les courses chaque jour plutôt qu'une fois par semaine. Ainsi, lorsque Coke et Pepsi se sont implantés en

FIGURE 5.6
Les circuits de distribution présents à l'échelle mondiale

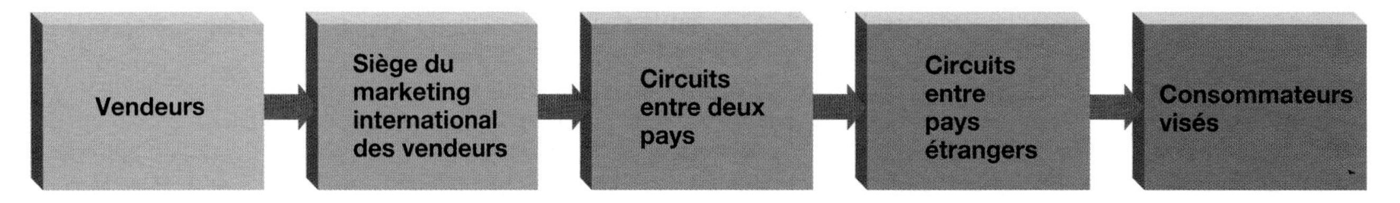

Chine, toutes deux ont dû établir leurs circuits de distribution directe, acheter des parcs de camions et fournir des armoires réfrigérées aux petits détaillants[43].

La stratégie prix

Plusieurs défis attendent l'entreprise de calibre international au moment d'élaborer ses stratégies prix pour le marché mondial. Certains pays, même les signataires d'accords de libre-échange, peuvent imposer de nombreuses contraintes concurrentielles, politiques et juridiques liées à la fixation des prix. Les facteurs économiques tels que les coûts de production, de vente et les prélèvements tarifaires jouent sur la fixation des prix à l'échelle internationale.

Un prix trop faible ou trop élevé peut avoir des conséquences désastreuses. Lorsque les prix semblent trop faibles dans ce pays, son gouvernement peut être accusé de dumping. Cette pratique est passible de dommages et intérêts contractuels et d'amendes. On parle de **dumping** lorsqu'une entreprise vend dans un pays étranger un produit à un prix inférieur à celui pratiqué dans ce pays ou à son coût de fabrication. On agit souvent ainsi pour se tailler une part de marché en défiant la concurrence. On pratique aussi le dumping pour se défaire de surplus. C'est un moyen d'éliminer des marchandises invendables dans leur pays de fabrication et représentant un fardeau pour l'entreprise. D'ailleurs, l'entreprise souhaite s'en défaire à peu près à n'importe quel prix.

Lorsque l'entreprise fixe des prix très élevés dans certains pays et des prix concurrentiels dans d'autres, elle se retrouve devant un **marché gris** ou semi-clandestin. On appelle ce marché ainsi parce que les marchandises sont vendues par des intermédiaires non autorisés. Un marché gris se forme lorsque des individus se procurent des produits auprès de détaillants autorisés dans les pays où ils sont moins chers. On expédie alors ces produits dans les pays où ils sont vendus plus cher. Cependant, ils sont revendus moins cher que le prix suggéré par le fabricant, à des détaillants non autorisés. Nombre de produits connus ont été vendus sur le marché gris, par exemple les appareils photo Olympus, les montres Seiko, les ordinateurs personnels IBM et les berlines Mercedes-Benz[44].

RÉVISION DES CONCEPTS

1. On peut vendre des produits à l'échelle mondiale de trois manières. Quelles sont-elles?
2. Qu'est-ce que le dumping?

RÉSUMÉ

1. La valeur en dollars du commerce international a plus que doublé au cours de la dernière décennie. Elle atteindra 11 billions de dollars en 2002. Les produits manufacturés et les produits de consommation représentent 75 % du commerce international alors que les services comptent pour 25 %.

2. Le commerce n'est pas toujours fondé sur l'échange de produits ou de services contre de l'argent. On évalue à 20 % la part du commerce international fondée sur le commerce compensé. Il s'agit d'opérations de troc et non l'emploi d'argent dans les transactions internationales.

3. Le commerce international, vu dans une perspective d'ensemble, perçoit les exportations et les importations comme des échanges commerciaux complémentaires. Les importations d'un pays touchent ses exportations et, inversement, ses exportations influent sur ses importations. On parle de « boucle de rétroaction commerciale » afin de désigner ce phénomène.

4. Au XXe siècle, trois tendances ont marqué le commerce international : a) le retrait progressif du protectionnisme économique ; b) l'intégration économique officielle ; et c) le libre-échange entre les nations et la concurrence entre sociétés de calibre international se disputant une clientèle internationale.

5. Le marketing, qu'il soit à l'échelle mondiale ou nationale repose sur les mêmes principes. Cependant, l'entreprise qui souhaite s'imposer à l'échelle mondiale doit réévaluer plusieurs hypothèses de départ. Une analyse du contexte international s'intéresse à différentes variables incontrôlables, entre autres la diversité culturelle et les taux de change internationaux.

6. Une entreprise qui décide d'une stratégie en vue de percer le marché mondial doit concevoir, mettre en œuvre et diriger un plan marketing. Celui-ci doit uniformiser les éléments du marketing mix là où existent des similitudes culturelles et les adapter en présence de différences.

MOTS CLÉS ET CONCEPTS

alliance stratégique
analyse interculturelle
balance commerciale
boucle de rétroaction commerciale
clientèle internationale
commerce compensé
concurrence internationale
coutume
droit sur les importations
dumping
ethnocentrisme du consommateur
infrastructure économique
ISO 9000
marché gris
Organisation mondiale du commerce
produit intérieur brut
protectionnisme
quota
retraduction dans la langue d'origine
sémiotique
stratégie marketing international
stratégie marketing multiforme
symbole culturel
taux de change
valeur

EXERCICES INTERNET

Ainsi que tu l'as vu dans ce chapitre, le Canada est un pays commerçant et son gouvernement incite beaucoup les entreprises à exporter. Visite les différents sites gouvernementaux pour en connaître plus sur le Commerce International.

Rends-toi tout d'abord dans le site Web du ministère des Affaires étrangères et du Commerce international, en particulier dans la section sur le commerce international. Va ensuite dans les sites traitant d'exportation. Tu verras les différentes étapes à franchir par une entreprise désirant exporter et les services qui lui sont offerts.

Pour plus d'informations au sujet du ministère des Affaires étrangères et du Commerce international, d'export source.ca et d'edc.ca, rends-toi à l'adresse suivante: www.dlcmcgrawhill.ca.

Réponds aux questions suivantes:

1. Quelle était la valeur des exportations canadiennes lors du dernier exercice?

2. Quelles sont les priorités canadiennes en matière de commerce international?

3. Décris différents accords commerciaux auxquels participe le Canada.

4. Énumère différents services d'aide à l'exportation offerts aux entreprises canadiennes.

QUESTIONS DE MARKETING

1. Le commerce international existe depuis toujours. Déjà au Moyen Âge, des épices allaient de l'Orient vers l'Occident, la soie venait de Chine, du vin circulait à travers toute l'Europe. Le commerce de la fourrure avec le Canada a commencé plus tard. Aujourd'hui, qu'est ce qui a changé et qui influence les échanges internationaux?

2. Mesure l'importance du commerce international en identifiant l'origine des produits que tu consommes. D'où viennent-ils? Quel pourcentage d'entre eux est fabriqué au Canada?

3. Une entreprise qui veut exporter doit particulièrement tenir compte de facteurs environnementaux incontrôlables. Lesquels?

4. L'anglais est la langue officielle de l'Australie. Quelques entreprises canadiennes de calibre international pourraient y voir un marché facile à pénétrer. D'autres croient qu'une langue commune ajoute des difficultés au moment de percer un marché. Qui a raison? Pourquoi?

5. Une entreprise qui exporte a plusieurs stratégies possibles. Les deux principales seraient d'adapter son produit au marché étranger visé (tu as vu des exemples de telles adaptations dans le chapitre) ou, à l'opposé, de vendre le même produit que dans son pays d'origine (c'est ce que fait Coca-Cola, quand elle propose le même Coke sur toute la planète). Quels sont, selon toi, les avantages et les inconvénients de ces deux stratégies marketing? Dans quel contexte peuvent-elles fonctionner? Risquent-elles d'échouer?

ÉTUDE DE CAS 5-1 CNS, INC. ET 3M : LES BANDES NASALES BREATHE RIGHT®

« Lorsque nous avons lancé la commercialisation de ce produit, le plus gratifiant pour un médecin a été les milliers de lettres et de coups de fil de personnes qui disaient mieux dormir depuis qu'elles s'étaient procuré les bandes nasales. La plupart des lettres débutaient par "trois fois merci !" Après quoi, les gens avouaient n'avoir pas dormi de la sorte depuis dix ans. »

De quoi parle le Dr Cohen, président et chef de la direction de CNS, Inc. ? Ses bandes nasales Breathe Right®, une sorte de coussinets adhésifs, élargissent les voies nasales et facilitent la respiration. Depuis leur mise en marché, ces bandes nasales sont convoitées par les athlètes qui souhaitent améliorer leur performance par l'accroissement du débit d'oxygène respiré. Les personnes qui ronflent (et leurs compagnons de lit) et souhaitent trouver un sommeil profond, de même que les personnes souffrant d'allergies et de rhumes et espérant dégager leurs sinus, recherchent ces bandes nasales.

QUI A INVENTÉ CES BANDES BIZARRES ?

On doit la bande nasale Breathe Right® à Bruce Johnson, qui souffrait de congestion nasale chronique. Il lui arrivait d'insérer des pailles ou des trombones à l'intérieur de ses narines afin d'élargir ses voies nasales. Après avoir bricolé dans son atelier pendant des années, il a réalisé un prototype de bande nasale. Bruce Johnson présenta ces bandes à CNS qui commercialisait alors du matériel de diagnostic de troubles du sommeil. Le Dr Cohen sut tout de suite que cette découverte intéresserait un immense marché. Après obtention des autorisations gouvernementales, le produit a été mis en marché et a connu, dès le départ, un succès retentissant. CNS a abandonné ses autres intérêts afin de centrer son exploitation sur cette bande.

Vu la taille modeste de l'entreprise, CNS ne disposait pas du budget qui lui aurait permis d'orchestrer une campagne marketing à large échelle. Elle a obtenu le coup de pouce nécessaire de Jerry Rice, le receveur des 49ers de San Francisco. En effet, il portait une bande nasale au moment où son équipe remporta le Superbowl en 1995. Du coup, tout le pays connaissait le produit et la demande a crû considérablement. On s'est mis à en discuter dans les émissions de variétés et l'on vit des personnages de bandes dessinées accoutrés de cet article.

PUISQUE TOUT LE MONDE A UN NEZ, INVESTISSONS LE MONDE !

Les problèmes de ronflement et de congestion nasale auxquels Breathe Right® met fin ne sont pas exclusifs à l'Amérique du Nord. L'internationalisation des médias a permis de montrer des athlètes portant des bandes nasales, et les gens d'un peu partout ont cherché à s'en procurer. C'est alors que CNS a décidé de les commercialiser à l'échelle internationale. Toutefois, l'entreprise était modeste et n'avait aucune expérience en marketing international. Elle a donc choisi de s'allier, pour la distribution, à un partenaire qui disposait déjà de nombreux points de vente dans le pays. Ce partenaire devait être aussi en mesure de commercialiser le produit à l'étranger. 3M, le fabricant des billets autocollants Post-ItMC et le chef de file mondial des produits qui collent à la peau, est ainsi devenu le distributeur international des bandes Breathe Right®.

David Reynolds-Gooch, chef du Service du commerce international chez 3M, explique que les bandes nasales cadrent bien avec la gamme d'adhésifs de premiers soins de la société. De plus, 3M peut compter sur un circuit de distribution sans égal : pharmacies, hypermarchés et chaînes d'alimentation. 3M s'est engagée à diriger le marketing, les communications et la distribution du produit, en échange d'un pourcentage du chiffre de vente. Sur les marchés internationaux, les bandes nasales portent une double marque : Breathe Right® et 3M paraissent toutes deux sur l'emballage.

UN SOUPIR DE SATISFACTION AUTOUR DU MONDE

3M a sorti les bandes nasales au Japon, puis en Europe. On les retrouve à présent dans plus de 40 pays, de l'Australie à l'Amérique du Sud. 3M a misé sur la stratégie qui a fait le succès de CNS en Amérique du Nord. Elle a fait valoir la notoriété du produit pendant la période de lancement au moyen des relations publiques lors de manifestations sportives ou autres. « La première année, nous avons connu une réussite monstre sur le plan des relations publiques », raconte M. Reynolds-Gooch. « Nous estimons que nous avons eu droit à l'équivalent de 20 millions de dollars en temps d'antenne radio et télé, et en imprimé gratuits, dans le monde entier ». CNS et 3M y sont parvenus en usant de différentes tactiques. Par exemple, elles avaient demandé à l'équipe de rugby de l'Afrique du Sud de porter des bandes nasales lors du match où elle a remporté la Coupe du monde. Ils ont aussi délégué des pneumologues et des spécialistes des difficultés respiratoires dans les émissions de variétés au Japon, en Australie, en Europe et en Amérique latine.

CNS a vite constaté qu'il fallait positionner le produit différemment à l'étranger. Comme l'explique Gary Tschautscher, vice-président, Marketing international chez CNS : « Au Canada et aux États-Unis, nous avons positionné et

distribué les bandes dans la section des produits contre le rhume et la grippe. Lorsque nous avons effectué la transition au plan international, nous nous sommes rendu compte qu'en bien des points de vente une telle section n'existe pas. Alors, où mettre en marché le produit ? De plus, poursuit-il, on trouve peu de chaînes de pharmacies. Dans la plupart des pays, les magasins doivent être autonomes en vertu de la loi. Il nous a fallu passer par plusieurs circuits de distribution. En bout de ligne, nous avons pu influencer les pharmaciens à cause des autres produits 3M qu'ils tiennent. » Enfin, le couponnage est une pratique inexistante dans la plupart des pays. On ne peut donc pas miser sur ce véhicule d'incitation à l'essai d'un nouveau produit. Par conséquent, il faut augmenter la quantité d'échantillons distribués en magasins.

UN NOUVEAU SOUFFLE POUR LE XXIe SIÈCLE

CNS et 3M sont en présence d'enjeux stimulants à mesure que les bandes nasales Breathe Right® gagnent en popularité partout dans le monde. Le segment sportif obtient une grande part de la publicité. Pourtant, les personnes qui ronflent forment la majorité de la clientèle internationale. M. Reynolds-Gooch a déterminé qu'il fallait cerner les grands consommateurs, c'est-à-dire les gens qui emploient les bandes chaque nuit. Ils représentent le plus important segment marketing de l'avenir, devant les personnes souffrant de rhume ou d'allergie.

Toutefois, plusieurs des nouveaux marchés en émergence ne sont pas nécessairement preneurs de bandes nasales Breathe Right®. Ainsi, en Amérique latine et en Asie (surtout en Chine), marchés en émergence à la population croissante, l'âge moyen est pour l'instant inférieur à 30 ans. Les personnes de cet âge ne ronflent pas autant que leurs aînés.

Questions

1. Pour CNS, quels sont les avantages et les désavantages liés à l'exportation de son produit à l'échelle internationale ?
2. Quels avantages CNS tire-t-elle de l'accord passé avec 3M ? Quels sont les avantages pour 3M ?
3. Sur quels critères de sélection CNS et 3M pourraient-elles choisir les pays où commercialiser leur produit ? En t'appuyant sur ces critères, trouve cinq ou six pays où tu tenterais une percée.
4. Quel segment de marché viserais-tu en pénétrant les marchés internationaux : les personnes qui ronflent, les athlètes, les personnes souffrant de congestion chronique ou d'allergie, ou un nouveau segment ?
5. À ton avis, sur quels éléments du marketing mix CNS devraitelle concentrer ses activités afin de connaître le succès international ? Explique ta réponse.
6. Voici une bande dessinée qui pourrait servir de support à une campagne de publicité dans les journaux pour Breathe Right®. Comment l'adapterais-tu dans les pays que tu as choisis précédemment ?

La nouvelle Ford Focus ZX5 5 portes.
Vous pouvez la conduire à 16 ans,
mais il faut en avoir 18 pour la regarder.
Focus
Dites bonjour à la Focus ZX5.
Entièrement dessinée et conçue en Europe, garniture en aluminium brossé... c'est plus qu'une voiture, c'est une inspiration.
exigez recevez
Ford

CHAPITRE 6

LE COMPORTEMENT DU CONSOMMATEUR

6

APRÈS AVOIR LU CE CHAPITRE, TU SERAS EN MESURE

- de décrire les étapes du processus de décision d'achat;
- d'expliquer comment certains facteurs psychologiques influent sur le comportement du consommateur, en particulier lors du processus de décision d'achat;
- de déterminer les principaux facteurs socioculturels influant sur le comportement du consommateur et leurs effets sur ses décisions d'achat;
- de saisir comment la et le spécialiste du marketing utilisent sa connaissance du comportement du consommateur pour comprendre davantage les achats de l'individu et de la famille et exercer une influence sur ces achats.

L'INDUSTRIE AUTOMOBILE CONNAÎT BIEN SA *CLIENT'ELLE*

Qui achète au moins la moitié de toutes les voitures neuves en 2003 ? Qui a déjà dépensé des milliards de dollars en achat de voitures neuves ou d'occasion, en camions et en accessoires d'automobile ? Qui influence 80 % de tous les achats de voitures ? Les femmes. Oui, oui, les femmes !

Au Canada, les femmes constituent l'élément moteur de l'industrie automobile. Les constructeurs de véhicules automobiles éclairés ont donc embauché des ingénieures conceptrices et des directrices du marketing pour mieux comprendre cette précieuse *client'Elle*. Ces nouvelles embauches ont permis aux constructeurs d'apprendre beaucoup sur les femmes. En premier lieu, elles préfèrent les voitures « d'allure sportive », économiques et agréables à conduire aux voitures sport, aux voitures de luxe et aux gros camions coûteux dotés d'un puissant moteur. En deuxième lieu, les femmes attachent une grande importance à la « sensation » que leur procure un véhicule. L'apparence soignée, l'habitacle conçu pour les conductrices de petite taille et la facilité d'ouverture des portières, du coffre arrière et du capot sont autant d'éléments significatifs à leurs yeux.

En troisième lieu, les femmes ont une approche plus méthodique pour l'achat d'une voiture. Elles considèrent l'achat, l'utilisation et l'entretien d'un véhicule du point de vue féminin. En général, elles consultent des sites Web spécialisés dans la vente d'automobiles pour y recueillir de l'information. De plus, elles visitent en moyenne trois concessionnaires avant d'acheter leur véhicule. En quatrième lieu, hommes et femmes recherchent les mêmes caractéristiques dans une voiture, mais leurs priorités demeurent différentes. À leurs yeux, la fiabilité du véhicule s'avère primordiale. Cet aspect revêt une plus grande importance chez les femmes. Le sexe féminin, plus que les hommes, préfère les véhicules peu coûteux, la facilité d'entretien et la sécurité. Les hommes attachent plus d'importance à la puissance du moteur et à la vitesse d'accélération. En dernier lieu, les constructeurs de véhicules automobiles ont appris que 66 % des femmes détestent le processus d'achat d'un véhicule.

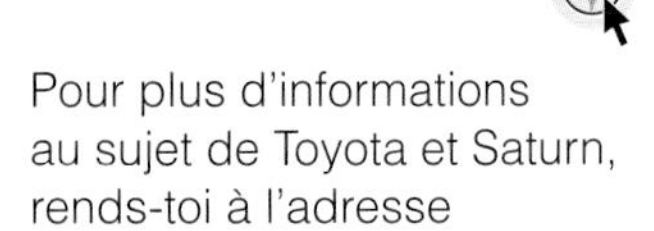

Pour plus d'informations au sujet de Toyota et Saturn, rends-toi à l'adresse suivante : www.dlcmcgrawhill.ca

Les concessionnaires ont dû modifier leurs pratiques commerciales, car les femmes ont maintenant la réputation d'acheter et d'influencer le marché des automobiles et des camions. Chez plusieurs concessionnaires, la politique de prix unique remplace la négociation du prix. Toyota, avec son programme Accès Toyota, et Saturn ont adopté la formule du prix unique. Rappelons que 68 % des acheteuses et des acheteurs de véhicules neufs ne se sentent pas à l'aise avec cette forme de négociation et que les femmes, en général, s'y refusent. C'est ce que révèlent des recherches menées par l'industrie automobile[1].

Le présent chapitre porte sur le **comportement du consommateur.** Le comportement du consommateur fait référence à l'ensemble des façons d'agir ou de réagir d'une acheteuse ou d'un acheteur entre le moment où il prend conscience d'un besoin à satisfaire et le moment où il choisit d'acquérir un bien ou un service – les processus mentaux et sociaux précédant et suivant ces moments. Grâce aux sciences du comportement, tu comprendras pourquoi la consommatrice ou le consommateur préfère une marque ou un produit à un autre. Tu saisiras aussi les motifs de ces choix et comment cette connaissance permet de créer de la valeur pour la consommatrice et le consommateur.

LE PROCESSUS DE DÉCISION D'ACHAT DE LA CONSOMMATRICE ET DU CONSOMMATEUR

Derrière l'action d'acheter, il y a un important processus de décision qu'il faut examiner. La consommatrice ou le consommateur, en choisissant les produits ou services, passe par des étapes qui constituent le **processus de décision d'achat.** Ce processus se compose des cinq étapes présentées à la figure 6.1, soit : 1) la reconnaissance d'un problème, 2) la recherche d'information, 3) l'évaluation des solutions possibles, 4) la décision d'achat, et 5) le comportement ultérieur à l'achat.

La reconnaissance d'un problème : la perception d'un besoin

Tout achat commence par la *reconnaissance d'un problème.* Cela peut être simple comme de constater que le carton de lait est vide. Ou de s'apercevoir que nos vêtements d'adolescente et d'adolescent sont plutôt dépassés lorsqu'on les porte à l'université. On peut aussi se rendre compte que son ordinateur portable ne fonctionne pas bien. En fait, un problème apparaît lorsque l'individu perçoit une différence suffisamment importante entre sa situation actuelle et une situation idéale dont il rêve[2]. Par exemple, lorsque tu dois te rendre à l'école, tu prends l'autobus et, durant tout le trajet, tu t'ennuies. Ton problème : trouver un moyen pour occuper agréablement ce temps passé dans l'autobus.

En marketing, on peut aussi enclencher ce processus de décision d'achat en se servant des annonces publicitaires. Ceux qui savent vendre font ressortir les failles des produits de la concurrence, celles des produits possédés par les consommateurs ou encore insistent sur d'éventuels problèmes.

Par exemple, une publicité pour des lecteurs de disques compacts suscite la reconnaissance d'un problème en comparant la qualité sonore des lecteurs de disques compacts à celle de ton ancienne chaîne stéréo.

FIGURE 6.1
Le processus de décision d'achat

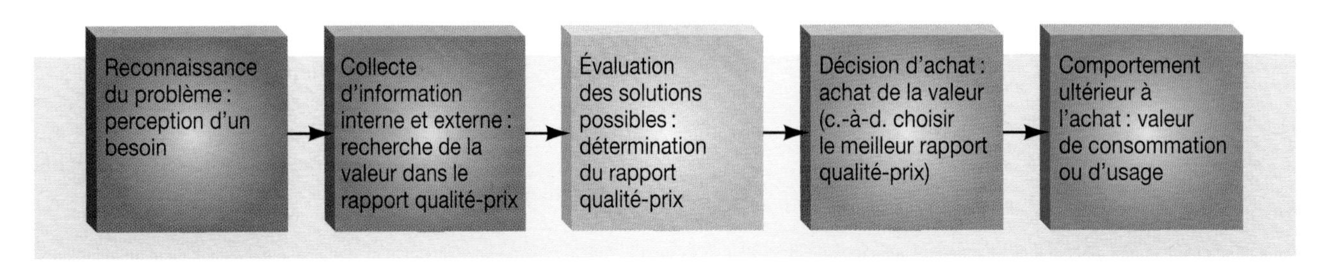

Pour plus d'informations au sujet de Consumer Reports, rends-toi à l'adresse suivante : www.dlcmcgrawhill.ca

La collecte d'information : la recherche de la valeur

Si l'individu reconnaît avoir un problème, il voudra le résoudre. Il va donc chercher des solutions : il entame alors la deuxième étape du processus de décision d'achat : une *collecte d'information*. Tu commences peut-être par faire appel à ton expérience sur certains produits et sur certaines marques[3]. C'est ce qu'on appelle la *recherche interne*. Pour les produits que tu achètes couramment, comme le shampooing, ta recherche pourrait s'arrêter là. Mais tu entreprendras peut-être une *recherche externe*[4]. Elle est nécessaire quand on ne s'y connaît pas suffisamment, quand le risque de prendre une mauvaise décision d'achat est élevé et quand il ne coûte rien de se renseigner. Les principales sources d'information externes sont : 1) les sources personnelles : les parents et les amis en qui on a confiance ; 2) les sources publiques : des associations de consommateurs qui expérimentent et classent les produits, par exemple *Consommateur canadien, Protégez-vous* ou *Consumer Reports* (la figure 6.2 présente un extrait d'étude sur les lecteurs de disques compacts portatifs), certains organismes gouvernementaux, des magazines télévisés de consommation ; et 3) les sources d'information commerciales : la publicité, le personnel de vente et les présentoirs en magasin.

Pour plus d'informations au sujet de Mon Mannequin Virtuel, de Blair, de Land's End, de Paintcafé, d'Archambault, de General Motors et de Chrysler, rends-toi à l'adresse suivante : www.dlcmcgrawhill.ca

L'achat par ordinateur : créer de la valeur pour la cliente et le client dans le cyberespace

Pour un grand nombre de consommateurs, la technologie de l'information a changé leurs façons de rechercher de l'information, d'évaluer les choix qui leur sont offerts et de prendre leurs décisions d'achat. Pense seulement aux nombreux procédés que d'astucieux spécialistes du marketing ont mis au point sur Internet pour créer de la valeur pour la cliente et le client et faciliter le processus de décision du consommateur. Le site Mon Mannequin Virtuel, par exemple, te permet de créer ton double virtuel et de procéder à un essayage de vêtements virtuels sur des sites comme Blair ou Land's End. Le site paintcafe.com t'offre la possibilité de remplir un questionnaire-projet afin d'obtenir des

FIGURE 6.2
Extrait d'une évaluation de lecteurs de disques compacts effectuée par *Consumer Reports*

Marque	Modèle	Prix	Écouteurs	Correction d'erreurs	Mémoire antichoc	Vitesse de repérage
Panasonic	SL-SX500	150 $	Très bon	Excellent	Très bon	Excellent
Phillips (Une bonne affaire *CR*)	AZ7383	100	Bon	Excellent	Excellent	Très bon
Phillips	AZ7583	120	Bon	Très bon	Excellent	Très bon
Sony	D-E409CK	140	Bon	Bon	Excellent	Bon
Aiwa	XP-SP1200	145	Très bon	Honnête	Bon	Bon
Sony	D-E401	100	Bon	Bon	Très bon	Bon
Panasonic	SL-SW505	150	Honnête	Excellent	Excellent	Excellent
JVC	XL-P34	80	Bon	Excellent	Bon	Excellent
Sony	D-ES55	200	Bon	Très bon	Bon	Honnête
Panasonic	SL-S230	80	Bon	Bon	Très bon	Excellent
Aiwa	XP-570	75	Bon	Bon	Bon	Honnête

Note : Excellent ; Très bon ; Bon ; Honnête ; Médiocre

Source : « Portable CD Players », *Consumer Reports Buying Guide*, 1998, p. 70-71.

suggestions précises à l'occasion d'un projet de décoration. Tu peux ainsi t'inspirer des décors proposés pour créer ton propre environnement de couleurs. Archambault te propose d'écouter des extraits des disques compacts en vedette avant de te les procurer.

Tu éprouves peu d'intérêt pour les vêtements, les meubles et la musique ? En est-il ainsi pour les voitures ? General Motors et Chrysler proposent aux futurs acheteuses et acheteurs de véhicules plusieurs options. Ces sites leur offrent la possibilité de comparer des prix et d'obtenir un prix par téléphone ou par courriel, sans qu'ils aient à se déplacer chez un concessionnaire. Des sondages au sein de cette industrie révèlent que 25 % des acheteuses et des acheteurs de véhicules neufs font appel à Internet. Au cours du présent siècle, un grand nombre d'acheteuses et d'acheteurs de nouvelles voitures visiteront un site Web pour collecter de l'information, évaluer les choix qui leur sont offerts et faire l'achat d'un véhicule.

Ces quelques exemples illustrent la façon dont l'achat par ordinateur participe à la formation de consommateurs plus avisés. Tout compte fait, la technologie de l'information crée de la valeur pour la consommatrice et le consommateur et facilite le processus de décision.

Supposons que tu parles à ton entourage de ton ennui et de ton inactivité dans l'autobus. Des amis te suggèrent d'avoir un lecteur de disques compacts portatif et tes parents te conseillent de prendre un livre.

L'évaluation des solutions possibles : l'estimation du rapport qualité-prix

La cueillette d'information a permis à la consommatrice ou au consommateur de trouver des solutions pour résoudre son problème. Mais, il peut trouver plusieurs solutions, ou encore il peut avoir devant lui plusieurs marques. En fin de compte, il doit choisir : « Quelle solution ou quelle marque acheter ? ». Il prendra sa décision lors de l'étape suivante du processus : l'*évaluation des solutions possibles.*

Lors de cette étape, la consommatrice ou le consommateur va : 1) établir des critères d'achat ; 2) déterminer parmi les solutions ou les marques celle qui pourrait satisfaire ses critères ; et 3) se faire une idée de la valeur des produits.

Tu veux acheter un lecteur de disques compacts portatif, en te fondant uniquement sur les données présentées à la figure 6.2. Quels critères de sélection utiliseras-tu ? Est-ce que ce sera le prix, la facilité d'utilisation, la qualité des écouteurs ou une combinaison de ces critères et de quelques autres ? Quelle marque te satisferait le mieux ?

Les consommateurs ont souvent plusieurs **critères d'évaluation** d'une marque. Était-ce ton cas dans l'exercice précédent ? Les compagnies tentent de déterminer les critères d'évaluation les plus importants pour le consommateur, afin de les réutiliser dans leur campagne publicitaire.

La décision d'achat : l'achat de la valeur

Quand la consommatrice ou le consommateur a trouvé les solutions, il doit choisir : 1) de qui acheter ; et 2) quand le faire. Il recherche donc la solution qui satisfait au mieux ses critères d'achat. La décision d'acheter ou de reporter l'achat dépend aussi de facteurs comme l'atmosphère du magasin, le plaisir du lèche-vitrine, la force de persuasion du personnel de vente, les contraintes de temps et la situation financière[5].

Poursuivons l'exemple du lecteur de disques compacts portatif. Tu peux acheter le modèle en deuxième position dans ton choix, mais dans un magasin dont les options de retour ou de remboursement sont avantageuses. Tu peux renoncer à ton article préféré si le magasin a une politique commerciale restrictive. Tu pourrais également opter pour ton second choix si le magasin te le propose avec une bonne réduction alors que ton premier choix est vendu sans réduction.

Le comportement ultérieur à l'achat : la valeur de consommation ou d'usage

Après avoir acheté un produit, la consommatrice ou le consommateur se demande s'il comble ou non ses attentes. C'est alors qu'il éprouve de la satisfaction ou de l'insatisfaction. Quand il y a insatisfaction, les spécialistes du marketing doivent établir si le produit est en cause ou si les attentes de la consommatrice ou du consommateur étaient trop élevées. Dans un cas comme dans l'autre, il faut trouver un moyen de satisfaire la clientèle. Sa satisfaction ou son insatisfaction influe sur le conseil qu'ils donneront à d'autres personnes au sujet du produit et sur leur comportement en vue d'un nouvel achat.

La clientèle satisfaite fait part de ses bonnes expériences aux autres. La clientèle insatisfaite fait connaître son mécontentement à neuf personnes en moyenne[6] ! Acheteuses et acheteurs satisfaits ont tendance à acheter au même vendeur chaque fois qu'ils en ont l'occasion. L'impact économique du comportement d'achat répétitif est considérable. En effet, la compagnie Ford estime que chaque fois qu'elle accroît de 1 % le nombre de ses acheteurs répétitifs, ses profits augmentent de 100 millions de dollars.

Ce processus de décision d'achat, tel que nous venons de le voir, reprend les étapes essentielles par lesquelles tout individu va suivre pour faire l'acquisition d'un produit ou d'un service. Toutefois, ce processus évolue selon les consommateurs, les biens achetés ou les circonstances de l'achat. Par exemple, une personne achète un ordinateur pour la première fois. Ne connaissant rien en informatique, elle va passer du temps à chercher de l'information, elle va consulter des amis, des vendeurs, acheter des revues spécialisées, avant de prendre une décision. Dix ans plus tard, ayant tout ce temps utilisé des ordinateurs, la consommatrice ou le consommateur franchira l'étape de recherche d'informations plus rapidement. En effet, grâce à son expérience, notre consommatrice ou consommateur n'éprouvera plus la nécessité de se renseigner auprès de ses amis.

En résumé, dans les deux situations, la consommatrice ou le consommateur passe par une phase de recherche d'informations. Dans le premier cas, cette recherche est longue, dans le second, beaucoup plus courte. Il en va de même pour les autres étapes.

Dans la suite du chapitre, nous allons aborder les différents facteurs qui peuvent justement influencer le processus de décision d'achat. La figure 6.3 présente ces différents facteurs.

FIGURE 6.3
Les facteurs influant sur le processus de décision d'achat

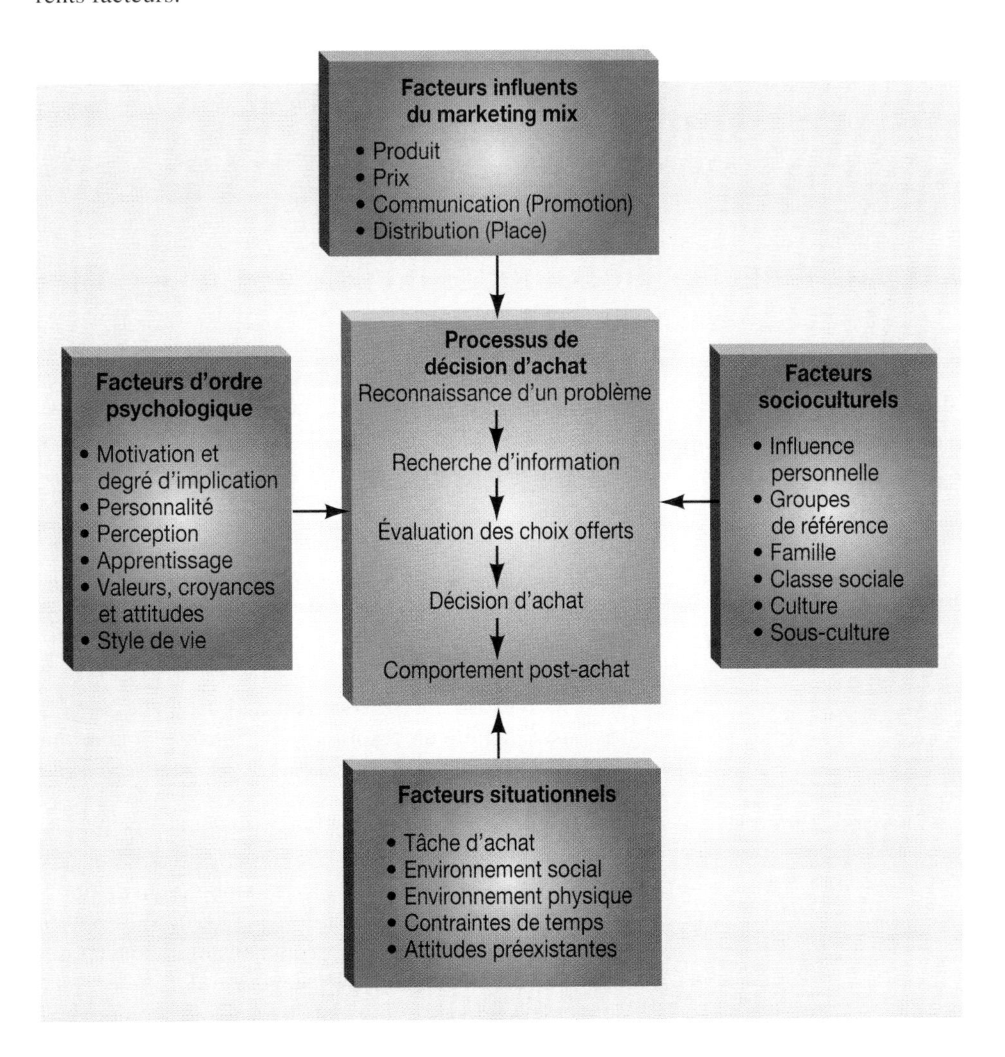

Les facteurs situationnels

En général, la situation d'achat exerce une influence sur le processus de décision d'achat. Les **facteurs situationnels** sont au nombre de cinq : 1) la tâche d'achat ; 2) l'environnement social ; 3) l'environnement physique ; 4) les contraintes de temps ; et 5) l'état antérieur[7]. La tâche d'achat se trouvera à la base de la décision. La recherche d'informations et l'évaluation des possibilités diffèrent selon qu'il s'agit d'un cadeau, ce qui suppose une visibilité sociale, ou d'un achat pour soi. L'environnement social, qui comprend aussi les personnes présentes au moment de la décision d'achat, exerce une influence sur le choix. L'environnement physique, le décor, la musique et l'achalandage ont le même effet sur la consommatrice et le consommateur. Les contraintes de temps, telles que l'heure du jour ou le temps dont on dispose, exercent également une influence. On ne choisit pas le même menu selon que l'on déjeune ou que l'on dîne. De même, les attitudes préexistantes, dont les humeurs de la consommatrice ou du consommateur et l'argent qu'il a en poche, influent sur le comportement d'achat et les achats.

Les facteurs agissant sur le processus de décision d'achat sont présentés à la figure 6.3. La décision d'achat comprend d'importants facteurs d'ordres psychologique et socioculturel dont il sera question plus loin dans le présent chapitre. Nous parlerons de l'influence du marketing mix au cours des chapitres 11 à 20.

RÉVISION DES CONCEPTS

1. Quelle est la première étape du processus de décision d'achat de la consommatrice et du consommateur ?
2. Comment la consommatrice ou le consommateur évalue-t-il les différentes marques qui s'offrent à lui ?
3. Le processus de décision d'achat de la consommatrice et du consommateur peut-il varier ? Si oui, qu'est ce qui va le faire varier ?

LES FACTEURS PSYCHOLOGIQUES INFLUANT SUR LE COMPORTEMENT D'ACHAT

À l'aide de certaines notions de psychologie, les spécialistes du marketing comprendront mieux pourquoi et comment la consommatrice ou le consommateur agit. On peut citer : la motivation et la personnalité, la perception, l'apprentissage, les valeurs, les croyances et les attitudes, de même que le style de vie. Ces éléments sont très utiles pour comprendre les processus d'achat et bien centrer les efforts de marketing.

La motivation et la personnalité

La motivation et la personnalité sont deux concepts de psychologie très importants en marketing. Tous deux servent à décrire pourquoi l'individu fait certaines choses plutôt que d'autres.

La motivation La **motivation** est l'action des forces qui déterminent un comportement visant à satisfaire un besoin. Les besoins de la consommatrice et du consommateur étant au cœur du concept de marketing, le spécialiste du marketing s'efforce de susciter ces besoins.

Les besoins de l'individu sont illimités. Celui-ci a des besoins physiologiques primaires : eau, activités sexuelles et nourriture, par exemple. Il a aussi des besoins acquis : l'estime de soi, la réussite et l'affection. Selon de nombreux psychologues, il existe une hiérarchie des besoins. Ainsi, lorsque les besoins physiologiques sont satisfaits, les individus chercheront à satisfaire leurs besoins acquis. La figure 6.4 présente une hiérarchie des besoins comprenant cinq catégories[8]. Les *besoins physiologiques* sont nécessaires à la survie de l'individu et doivent être satisfaits en tout premier lieu. Une annonce de Burger

FIGURE 6.4
La hiérarchie des besoins

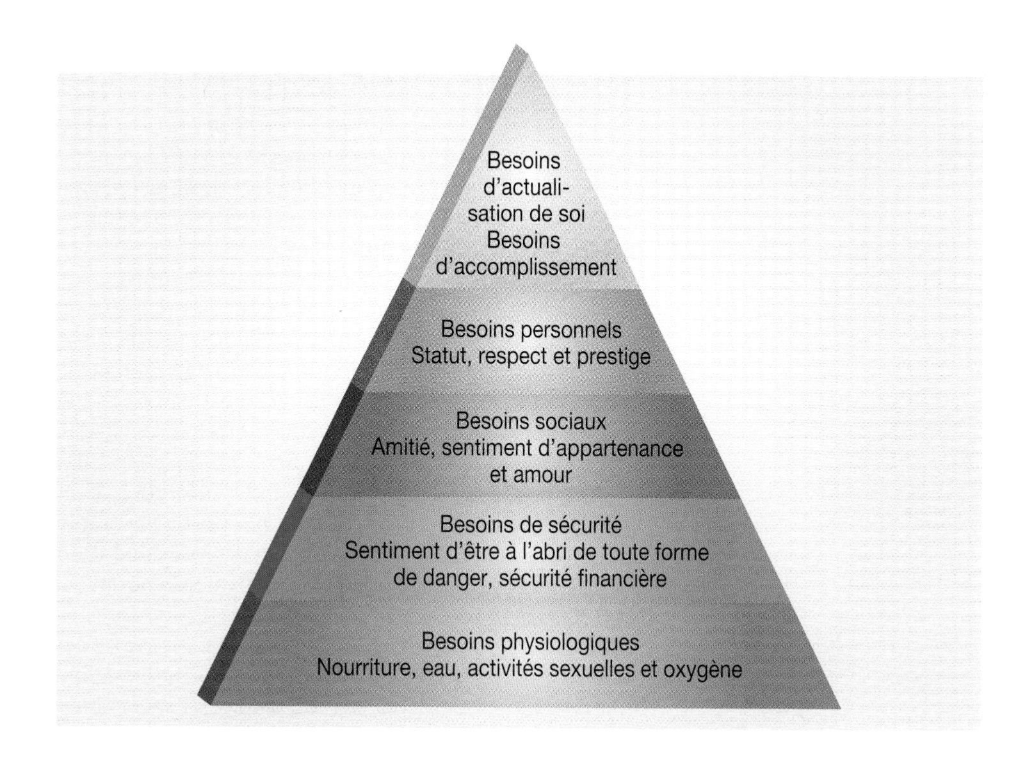

King mettant en vedette un hamburger juteux, par exemple, cherchera à susciter le besoin de nourriture ou une publicité de la Fédération des producteurs de lait montrant un verre de lait au chocolat rafraîchissant visera à satisfaire le besoin d'apaiser sa soif. Les *besoins de sécurité* renvoient à la conservation de soi et au bien-être physique de l'individu. Le fabricant de détecteurs de fumée et d'alarme contre le vol se concentre sur ces types de besoins. Les *besoins sociaux* ont trait à l'amour et à l'amitié. L'agence de rencontres et le fabricant de parfum tentent de stimuler ces besoins. Les *besoins personnels* touchent tout ce qui concerne la réussite et le statut social, le prestige et le respect de soi. American Express et Visa, par l'entremise de la Carte en Or American Express^MC et Visa Platine, cherchent à satisfaire ces besoins personnels. Les entreprises tentent de susciter de multiples besoins dans l'espoir de déclencher le processus de reconnaissance d'un problème. Michelin, par exemple, allie sécurité et amour parental pour promouvoir l'achat de ses nouveaux pneus. Les *besoins d'actualisation de soi,* de leur côté, ont trait à

Cette publicité de Visa platine cible le besoin personnel de prestige.

l'épanouissement personnel que procurerait l'obtention d'un diplôme d'études, par exemple.

La personnalité La **personnalité** se réfère aux comportements ou aux réponses uniques et particuliers à un individu lors de situations récurrentes. Il existe de nombreuses théories de la personnalité, mais la plupart s'entendent sur l'existence de traits stables. Ce sont les caractéristiques propres à l'individu ou à ses relations avec les autres. Ces caractéristiques comprennent notamment l'affirmation de soi, l'extraversion, le conformisme, la dominance et l'agressivité. Des recherches démontrent que l'individu docile préfère les marques connues et qu'il utilise davantage de rince-bouche et de savons de toilette que les autres. À l'opposé, l'individu plus dynamique utilise un rasoir à lames plutôt qu'un rasoir électrique, il se parfume davantage d'eau de Cologne et de lotion après-rasage. Il se procure des produits griffés tels que Gucci, Yves St-Laurent et Donna Karan. En effet, à ses yeux d'individu dynamique, ces produits et ces marques constituent des indicateurs de son statut[9]. Certaines analyses interculturelles démontrent l'existence d'un **caractère national.** Le caractère national est un ensemble de traits sociaux, d'attitudes et d'habitudes communs à la population d'un pays ou d'une société[10]. Américaines, Américains, Allemandes et Allemands s'affirmeraient davantage que les Canadiennes ou les Canadiens, par exemple.

En général, ces traits se révéleront dans le **concept de soi.** Le concept de soi est l'ensemble des perceptions et des croyances qu'un individu a de lui-même et l'image qu'il croit projeter[11]. Les spécialistes du marketing savent que chaque individu est habité par un concept de soi réel et un concept de soi idéal. Le concept de soi réel se réfère à la représentation que l'individu a de lui-même. Le concept de moi idéal se réfère à l'image que l'individu aimerait avoir de lui-même. Ces deux « images » de soi se reflètent dans les achats de produits et de marques. Il s'agit, par exemple, de l'achat d'une automobile, d'un électroménager, d'un mobilier, d'un magazine, d'un vêtement, d'un produit de toilette, d'un loisir ou du magasin lui-même. Un directeur de Barnes & Noble a bien cerné l'importance du concept de soi : « Les individus se procurent aussi des livres pour ce qu'ils révèlent d'eux, soit leurs goûts, leur degré de culture et leur côté branché[12]. »

La perception

Un individu voit la Cadillac comme un symbole de réussite. Aux yeux d'un autre, ce véhicule représente tout ce qu'il y a de plus prétentieux. Cette différence résulte de la **perception.** La perception est une représentation mentale grâce à laquelle l'individu sélectionne, organise et interprète l'information qui lui est soumise pour obtenir une image du monde empreinte de sens.

La perception sélective La consommatrice ou le consommateur moyen évolue dans un environnement complexe. Pour organiser et interpréter l'information qui lui est soumise, son cerveau fait appel à la *perception sélective.* La perception sélective est un processus de filtration qui comprend quatre phases : l'exposition, l'attention, la compréhension et la mémoire sélectives. La consommatrice ou le consommateur ne s'expose qu'à une partie de l'information et des messages circulant sur le marché ; c'est l'*exposition sélective.*

Tu regardes, par exemple, des émissions du réseau TV Ontario (TFO), mais aucune de la Société Radio-Canada (SRC). De ce fait, tu n'es pas exposé à recevoir l'information diffusée par la SRC. Comme l'exposition est sélective, le spécialiste du marketing détermine où la clientèle est la plus susceptible d'être exposée à recevoir l'information qu'il veut transmettre.

Pour plus d'informations au sujet de Radio-Canada, rends-toi à l'adresse suivante : www.dlcmcgrawhill.ca

L'ÉTHIQUE

QUESTION D'ÉTHIQUE

L'éthique et les messages subliminaux

La perception subliminale et les publicités subliminales sont l'objet de nombreux débats depuis près d'un demi-siècle. Aux yeux de certains, le concept de message subliminal est un canular. Pour d'autres, l'idée qu'une personne puisse capter des messages sous le seuil de sa conscience a quelque chose d'excitant ou, au contraire, de terrifiant. Quantité d'experts considèrent les messages subliminaux comme malhonnêtes, peu importe leur efficacité. À leurs yeux, le spécialiste du marketing qui les utilise fait preuve d'un manque d'éthique flagrant.

Il y a toutefois des spécialistes du marketing qui cherchent à créer ce genre de messages à l'occasion. La trame sonore du casse-tête interactif Endorfun de Time Warner, par exemple, contient plus d'une centaine de messages subliminaux destinés à réconforter les joueurs incapables de résoudre l'énigme. « Je suis un gagnant », dit l'un de ces messages. Les joueurs savent toutefois que cette trame contient des messages subliminaux. Des instructions leur expliquent comment les arrêter au moment désiré.

Selon toi, les messages subliminaux sont-ils toujours malhonnêtes et contraires à l'éthique? En fais-tu uniquement une question de principe?

La consommatrice ou le consommateur s'expose à recevoir un message, avec intention ou de façon accidentelle, mais rien ne garantit qu'il y prête attention. En général, il écoute les messages en accord avec ses attitudes et ses croyances et ignorera les autres : c'est l'*attention sélective*. La consommatrice ou le consommateur est plus enclin à écouter les messages qui le touchent ou l'intéressent. Il s'intéresse à une annonce concernant un produit qu'il a récemment acheté ou qu'il compte se procurer.

La *compréhension sélective* consiste à interpréter l'information pour qu'elle soit en accord avec nos attitudes et nos croyances. Le spécialiste du marketing auquel cette idée échappe court à la catastrophe. Par exemple, Toro introduisait sur le marché une souffleuse de poids léger appelée « Snow Pup » (« Chiot des neiges »). L'appareil fonctionnait bien, mais les ventes restaient bien en deçà des attentes. Toro a fini par comprendre que l'appareil était perçu comme un jouet ou comme une machine trop fragile pour projeter la neige. Tout cela à cause de son nom. Il s'agissait d'un problème de perception sélective. Depuis que la machine a été rebaptisée « Snow Master » (« Maître des neiges »), les ventes ne cessent de croître[13].

La *mémoire sélective* consiste à retenir certains messages vus, lus ou entendus mieux que d'autres, seulement quelques minutes après l'exposition de la consommatrice et du consommateur. La mémoire sélective exerce une influence sur la recherche d'informations internes et externes relative au processus de décision d'achat. C'est pourquoi les personnes qui vendent des automobiles ou des meubles remettent aux consommateurs des brochures avant qu'ils ne quittent la salle d'exposition.

La perception joue un rôle crucial dans le comportement de la consommatrice et du consommateur. Il n'est donc pas étonnant que la perception subliminale fasse l'objet d'un si grand nombre de discussions. La **perception subliminale** consiste à voir ou à entendre des messages sous le seuil de la conscience. Les effets possibles de la perception subliminale sur le comportement font l'objet de débats aussi passionnés que dénués de fondement scientifique. En effet, il semble bien que de ces messages exercent peu d'influence sur le comportement[14]. S'il en était tout autrement, serait-il éthique d'y recourir (voir l'encadré ci-dessus[15]) ?

Le risque perçu Le risque associé à l'achat d'un produit ou service demeure une question de perception. Le **risque perçu** se traduit par l'anxiété ressentie lorsque, incertain de l'issue de sa démarche, la consommatrice ou le consommateur craindra des conséquences négatives de son achat.

Les entreprises font appel à diverses stratégies pour atténuer le risque perçu du consommateur.

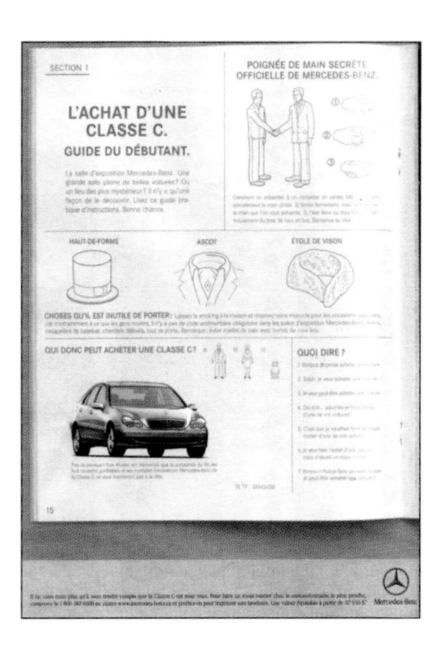

L'importance du débours nécessaire à l'acquisition d'un produit (« Ai-je les moyens de dépenser 500 $ pour des skis ? »), le risque de blessure (« Le saut à l'élastique ne représente-t-il vraiment aucun danger » ?) et le rendement du produit (« Serai-je satisfait de cette coloration capillaire ? ») constituent tous des exemples de conséquences négatives. Sur un plan plus abstrait, les conséquences négatives peuvent être d'ordre psychosocial (« Que diront mes amis quand ils me verront porter ce chandail ? »). Le risque perçu exerce une influence sur la recherche d'informations car, plus le risque perçu est grand, plus la recherche externe est longue.

Les entreprises sont très conscientes de l'importance du risque perçu. Les stratégies qu'elles élaborent visent à réduire le risque perçu chez la consommatrice ou le consommateur et à l'encourager à faire des achats. Voici comment elles s'y prennent :

- Elles obtiennent des sceaux d'approbation tels que ceux du Good Housekeeping et de l'Association canadienne de normalisation (CSA) ;
- Leurs porte-parole sont souvent des personnalités publiques. Tide, Corbeil Électroménagers et Ameublements Tanguay ont ainsi fait appel, respectivement, à Sonia Vachon, Yves Corbeil et Michel Barrette pour assurer la promotion de leurs produits. Sans compter les athlètes qui vantent les mérites et les bienfaits du lait ;
- Elles font parvenir des échantillons gratuits par la poste. Procter & Gamble postait ainsi des emballages de ses biscuits au beurre d'arachide Duncan Hines à des milliers de consommateurs ;
- Elles mettent à la disposition du public des modes d'emploi détaillés de certains produits particuliers. Clairol fournit ainsi ces modes d'emploi pour ses colorations capillaires ;
- Elles offrent des garanties prolongées. Citons le Programme Cadillac d'entretien sans frais, valable pendant quatre ans ou 80 000 km.

L'apprentissage

La consommatrice ou le consommateur apprend une bonne part de son comportement. Quelles sources d'information permettent d'obtenir de l'information au sujet des produits et services ? Quels critères d'évaluation servent au choix d'un produit ou d'un service ? Et, de façon plus générale, comment doit-on prendre ses décisions d'achat ? Ces questions font toutes partie de l'apprentissage de la consommatrice et du consommateur. L'**apprentissage** renvoie à ces comportements découlant 1) d'expériences répétées et 2) de la réflexion.

L'apprentissage du comportement L'*apprentissage du comportement* est le processus par lequel l'individu, à force d'être exposé à une situation, y répond par des automatismes. Quatre principales variables se trouvent au cœur de l'apprentissage par expérience du consommateur : la pulsion, le signal, la réponse et le renforcement. La *pulsion* est ce besoin qui pousse l'individu à l'action. Les pulsions, la faim par exemple, peuvent être représentées par des mobiles. Le *signal* est un stimulus ou le signe perçu par la consommatrice ou le consommateur. La *réponse* est une action entreprise par la consommatrice ou le consommateur pour satisfaire sa pulsion. Enfin, le *renforcement* se présente sous forme de récompense. Une conductrice ou un conducteur affamé (pulsion) aperçoit un panneau-réclame (signal), se procure un hamburger (entre en action) et le mange (récompense).

Le spécialiste du marketing fait appel à deux concepts du behaviorisme en matière d'apprentissage : la généralisation du stimulus et la discrimination du stimulus. La *généralisation du stimulus* survient quand deux stimuli (signaux) suscitent une même réponse. En marketing, ce concept intervient lorsque le même nom de marque sert à plusieurs produits. Songeons à Tylenol Rhume, Tylenol Grippe et Tylenol duo pratique PM, par exemple. La *discrimination du stimulus* est un processus contraire à la généralisation du stimulus. Elle se réfère à la capacité de l'individu à percevoir des différences dans les stimuli. Le consommateur tend à percevoir les bières légères comme étant identiques. Cette perception a forcé Budweiser à concevoir une annonce publicitaire distinguant la Bud Light des autres bières dites « légères ».

L'apprentissage cognitif L'apprentissage de la consommatrice et du consommateur ne se limite pas à l'expérience directe. Cet apprentissage s'effectue aussi par la pensée, par le raisonnement et par la résolution mentale de problèmes. Cette forme d'apprentissage, appelée *apprentissage cognitif*, consiste à établir des liens entre un minimum de deux idées, à observer le comportement des autres ou à s'ajuster selon le contexte. Les entreprises exercent une influence sur ce type d'apprentissage. La publicité à répétition, « Advil est un remède efficace contre les maux de tête », par exemple, sert en effet à lier la marque (Advil) à une idée (remède contre les maux de tête).

La fidélité à la marque L'apprentissage s'avère important parce qu'il est lié aux habitudes. Celles-ci forment la base de la résolution de l'achat de produits courants. De plus, il existe un lien étroit entre les habitudes et la **fidélité à la marque.** La fidélité à la marque est un préjugé favorable. En effet, elle maintient les habitudes de comportement d'achat du consommateur par rapport à cette marque. La fidélité à la marque résulte du renforcement positif découlant d'actions passées. L'achat répété de la même marque de shampooing, par exemple, permet au consommateur de réduire le risque d'achat de ce produit. La fidélité lui fait gagner du temps et obtenir les résultats attendus : une chevelure saine et lustrée. De nombreux achats relèvent de la fidélité à la marque, au Canada et à l'étranger. Cependant, elle semble actuellement sur son déclin en Amérique du Nord, au Mexique, dans l'Union européenne (UE) et au Japon[16].

Les valeurs, les croyances et les attitudes

Les valeurs, les croyances et les attitudes jouent un rôle prépondérant dans la prise de décision du consommateur et dans les activités de marketing.

La formation des attitudes Une **attitude** est une « prédisposition apprise pour réagir à un objet ou à une classe d'objets d'une manière invariablement favorable ou défavorable[17] ». Nos attitudes sont modelées par les valeurs et les croyances que nous apprenons. Les valeurs diffèrent selon leur degré de spécificité. Nous parlons des valeurs canadiennes, dont le bien-être matériel et l'humanitarisme font partie. Nous revendiquons aussi des valeurs personnelles telles que notre sens de l'économie et notre ambition. Le spécialiste du marketing se préoccupe des deux. Il se concentre davantage sur les valeurs personnelles. En effet, ces valeurs modèlent nos attitudes et influent sur l'importance accordée aux attributs d'un produit donné. Supposons que l'épargne soit une de tes valeurs personnelles. Ainsi, quand tu compares plusieurs modèles de voiture, tu tiens compte de la consommation d'essence (un attribut du produit) du véhicule. Tu as un préjugé favorable à l'égard des modèles écologiques et économes en carburant. C'est sur cette base que repose la campagne publicitaire de la FCX fabriquée par Honda.

Les croyances jouent aussi un rôle dans la formation des attitudes. En marketing, les **croyances** consistent dans la perception subjective de la consommatrice et du consommateur par rapport aux attributs d'un produit ou d'une marque. Elles se fondent sur l'expérience personnelle, la publicité et les discussions et revêtent une grande importance. Pourquoi ? Parce que, tout comme les valeurs personnelles, les croyances exercent une influence favorable ou défavorable sur l'attitude de la consommatrice et du consommateur envers certains produits ou services.

La modification des attitudes Le spécialiste du marketing privilégie trois approches afin de modifier les attitudes des consommateurs à l'égard des produits et des marques, comme l'illustrent les exemples suivants[18] :

Pour plus d'informations au sujet de Bayer, rends-toi à l'adresse suivante : www.dlcmcgrawhill.ca

1. *Changer les croyances par rapport à certains attributs d'une marque* Bayer a apaisé les inquiétudes de la consommatrice et du consommateur à propos des maux d'estomac dus à la consommation d'aspirine. La firme insiste sur la douceur de l'aspirine Extra forte pour estomacs sensibles.
2. *Changer l'importance des attributs* Pepsi-Cola a révélé à la consommatrice et au consommateur l'importance de la fraîcheur d'une boisson gazeuse. Peu de consommateurs se souciaient auparavant de cet attribut. L'entreprise a dépensé près de 35 millions de dollars en publicité et en promotion en faisant apparaître une date de péremption sur chacun de ses produits. Une enquête effectuée auprès des consommateurs révèle que 61 % des buveurs de cola considèrent maintenant que la date de péremption est un attribut de première importance[19].
3. *Greffer de nouveaux attributs au produit* Colgate-Palmolive a consacré une somme de 140 millions de dollars à la mise en marché de la marque Colgate Total. Ce dentifrice possède un système antibactérien à action prolongée assuré par la présence de triscolon. Résultat de la campagne ? Colgate a délogé Crest, leader du marché depuis 25 ans[20].

Le style de vie

Le **style de vie** est une façon de vivre. Il s'organise autour du temps et des ressources de l'individu (activités), de ce qu'il juge important dans son environnement (intérêts), de la perception qu'il a de lui-même (voir la publicité de Mercedes) et du monde qui l'entoure (opinions). L'analyse des styles de vie, aussi appelée *psychographie,* a permis aux spécialistes du marketing de mieux comprendre le comportement du consommateur. Elle s'est, de plus, révélée utile au ciblage et à la segmentation des marchés, anciens et nouveaux (voir le chapitre 10).

Pour plus d'informations au sujet de SRI International, rends-toi à l'adresse suivante : www.dlcmcgrawhill.ca

En général, l'analyse du style de vie consiste à établir différents profils de consommateurs. L'exemple le plus connu est l'analyse de valeurs et de style de vie, mise au point par SRI International[21]. Ce programme a déterminé huit styles de vie adultes interreliés reposant sur l'orientation personnelle et les ressources de l'individu. L'orientation personnelle se rapporte aux modèles d'attitudes et d'activités servant au renforcement du moi social. On a établi trois modèles, chacun étant orienté vers les principes, le statut et l'action.

Avec cette publicité, Mercedes veut faire réfléchir les consommateurs sur l'image qu'ils ont d'eux-mêmes.

Les revenus, l'éducation, la confiance en soi, l'état de santé, la propension à l'achat, l'intelligence et le niveau d'énergie font tous partie des ressources de l'individu. Cette dimension se présente comme un continuum, allant de la pauvreté à l'opulence. Le programme VALS est le système d'analyse de styles de vie ou de psychographie le plus connu en Amérique du Nord, mais il a peu servi au Canada. En général, on lui préfère des systèmes de segmentation canadiens, dont le plus élaboré porte le nom de « segments de Goldfarb ».

Les segments de Goldfarb Plusieurs experts croient que les valeurs et les comportements d'achat des populations canadiennes diffèrent de ceux des populations américaines. Ils prétendent aussi qu'un système psychographique indigène conviendrait davantage à une analyse du marché canadien. Les segments de Goldfarb résultent d'une étude effectuée à partir d'un vaste échantillonnage composé de Canadiennes et de Canadiens d'âge adulte. Cette étude contenait une centaine de questions au sujet des activités, des intérêts et des opinions de ces personnes. Après avoir analysé les réponses, les spécialistes ont dégagé six styles de vie, ou segments psychographiques, qu'ils ont baptisés « segments de Goldfarb ». Trois d'entre eux s'avèrent plutôt conformistes, deux le sont un peu moins, alors que le dernier varie entre les deux. Comme l'illustre le tableau 6.1, 50 % de la population fait partie du segment plus conformiste, 31 % se retrouve dans le segment moins conformiste et 19 % se situe dans le segment flottant. Le tableau 6.1 expose les styles de vie et les caractéristiques comportementales propres à chaque segment.

RÉVISION DES CONCEPTS

1. Au début, les ventes de la souffleuse Snow Pup de Toro étaient bien en deçà des attentes de l'entreprise. Ce modèle illustre un exemple de perception ________________.
2. Le spécialiste du marketing privilégie trois approches afin de modifier les attitudes des consommateurs à l'égard des produits et des marques. Lesquelles?
3. Qu'entend-on par « style de vie » ?

TABLEAU 6.1
Les segments de Goldfarb

SEGMENT	POURCENTAGE DE LA POPULATION	CARACTÉRISTIQUES
PLUS CONFORMISTE		
Structuré	19	Les membres de ce segment revendiquent un système de valeurs traditionnelles et sont religieux. Ils se contentent de la vie telle qu'elle se présente. Ils représentent un faible risque et constituent des suiveurs précoces quant à l'adoption des produits.
Mécontent	16	Les membres de ce segment se disent peu satisfaits de leur vie familiale, de leurs amitiés ou de leur travail. Ils affectionnent les forfaits et sont sensibles aux messages résolument optimistes.
Craintif	15	Les membres de ce segment sont calmes, réservés, prudents et craintifs. Ils rejettent la biotechnologie, ne comprennent pas le fonctionnement des ordinateurs et ne veulent pas se faire remarquer par leurs comportements ni par leurs achats.
MOINS CONFORMISTE		
Amer	18	Les membres de ce segment sont solitaires, avides de pouvoir et d'argent. Ils aiment dépenser avec exagération, affectionnent les jeux de hasard et sont capables de contourner les règlements pour parvenir à leurs fins.
Assuré	13	Les membres de ce segment sont des meneurs d'avant-garde. Ils sont sûrs d'eux, optimistes et individualistes. Ils sont avides d'expériences nouvelles et réceptifs aux nouvelles marques et aux nouvelles idées. Travailleurs assidus, ils savent aussi s'arrêter et se relaxer.
SEGMENT FLOTTANT		
Bienveillant	19	Les membres de ce segment ont pour priorité la famille. Ils cultivent leurs relations ; possèdent une solide éthique de travail et représentent un apport pour la société. Ils achètent des biens et services en fonction de leurs moyens.

LES INFLUENCES SOCIOCULTURELLES SUR LE COMPORTEMENT DU CONSOMMATEUR

Les influences socioculturelles évoluent au fil des rapports formels et des relations informelles. Elles ont aussi grand un impact sur le comportement du consommateur. Ces influences comprennent les influences personnelles, les groupes de référence, la famille, la classe sociale, la culture et la sous-culture.

L'influence personnelle

En général, les achats d'une consommatrice et d'un consommateur sont influencés par les façons de voir les opinions ou les comportements d'autrui. En marketing, deux aspects de l'influence personnelle s'avèrent importants : les leaders d'opinion et le bouche à oreille.

La ou le leader d'opinion Le **leader d'opinion** est une personne qui, par sa position sociale, et d'une façon directe ou indirecte, exerce une influence sur les opinions des autres. En général, le leader d'opinion est important dans la mise en marché des produits impliquant l'expression de soi. Les voitures, les vêtements, l'adhésion à un groupe, les équipements de vidéo domestique et les ordinateurs personnels sont tous des produits sur lesquels le leader d'opinion exerce une influence. Il n'en a aucune sur les appareils électroménagers[22]. Une étude récente commandée par le magazine *Popular Mechanics* a déterminé les 18 millions d'hommes qui influencent les achats d'articles de bricolage de 85 millions de consommateurs[23].

Seul un faible pourcentage d'adultes constitue de véritables leaders d'opinion[24]. Les découvrir, les atteindre et les influencer demeurent un défi de taille pour les entreprises. Certaines firmes misent sur des vedettes du sport ou des célébrités pour annoncer leurs produits. C'est ainsi que le guitariste de blues B. B. King et la pianiste de jazz Diana Krall sont devenus les porte-parole respectifs de LifeScan Canada et de Daimler Chrysler Corporation. Ces entreprises espèrent que leurs porte-parole se révèleront de grands leaders d'opinion. D'autres entreprises préconisent des approches plus directes. Récemment, Chrysler Corporation invitait des leaders communautaires influents et des dirigeants d'entreprise à un essai sur route de ses modèles Dodge Intrepid, Concord et Eagle Vision. La firme a reçu 6 000 réponses favorables, et 98 % des participants ont recommandé le véhicule dont ils ont fait l'essai. Tout compte fait, Chrysler Corporation estime avoir reçu 32 000 recommandations favorables[25].

Pour plus d'informations au sujet de *Popular Mechanics* et de Chrysler, rends-toi à l'adresse suivante : www.dlcmcgrawhill.ca

Les entreprises demandent souvent à des célébrités de devenir des porte-parole pour leurs produits. LifeScan Canada et Chrysler Corporation espèrent que B. B. King et Diana Krall se montreront d'excellents leaders d'opinion.

Le bouche à oreille Le **bouche à oreille** est un témoignage ou une opinion spontanée véhiculée par des personnes qui influencent les décisions d'achat de leurs proches lors de conversations en tête-à-tête. Le bouche à oreille constitue sans doute la source d'information la plus déterminante pour les consommateurs, car il émane habituellement d'amis dignes de confiance. Au moment d'opter pour une institution bancaire, 70 % des personnes interrogées affirment se fier au bouche à oreille et 95 % disent se fier à leurs amis pour choisir un médecin, révèle un sondage réalisé au Canada[26].

Le bouche à oreille a un tel pouvoir que les entreprises sont forcées de susciter avant tout des commentaires positifs afin de retarder les avis négatifs[27]. Par exemple, la campagne de publicité-mystère précédant le lancement d'un produit, a pour effet d'exciter la curiosité, de maintenir l'attention du public et d'alimenter les conversations. Le slogan publicitaire, la musique et l'humour provoquent aussi des commentaires positifs. Par contre, les rumeurs, même sans fondement, ne causent que du tort aux entreprises. McDonald's, par exemple, a dû dissiper le bruit selon lequel ses hamburgers contenaient des vers. Le brasseur Corona a dû apaiser la rumeur selon laquelle sa bière était contaminée. Il s'avère difficile et coûteux de surmonter ou de faire taire ce type de rumeurs. Les renseignements précis et concrets, les numéros de téléphone sans frais et les démonstrations sont d'un grand secours pour étouffer les rumeurs. Comme l'illustre l'encadré ci-dessous, les rumeurs sans fondement constituent un problème particulièrement épineux pour le spécialiste du marketing global[28].

Le groupe de référence

Le **groupe de référence** est un groupe social auquel un individu s'identifie en lui empruntant ses principes, ses valeurs et ses normes. Ce groupe exerce une influence sur les achats du consommateur, l'information véhiculée, les attitudes et les niveaux d'aspiration dont il se sert pour établir ses propres normes. « Quels vêtements porteras-tu ? » est l'une des premières questions posées aux gens qui se rendent à un événement mondain. Le groupe de référence a une grande influence sur l'achat de produits de luxe, mais peu sur celui de produits de première nécessité. Il exerce de l'influence sur la marque choisie quand l'emploi ou la consommation du produit implique une grande visibilité[29].

La consommatrice ou le consommateur dispose de plusieurs groupes de référence, dont trois occupent une très grande place en marketing. Le *groupe d'appartenance* est un groupe social dont l'individu fait partie. Les associations, les amicales et la famille constituent des exemples de groupes d'appartenance. Ces groupes facilement reconnaissables

---

À L'ÉCHELLE MONDIALE

TENDANCES MARKETING

Psst. Il paraîtrait que. . . Le discrédit véhiculé par les rumeurs du marketing global

Le spécialiste du marketing global a appris avec douleur que le bouche à oreille est une puissante source d'information dans les pays en voie de développement. Les rumeurs dénigrantes y circulent fréquemment. En Indonésie, par exemple, le bruit a couru que de nombreux produits, dont certains vendus par Nestlé, contenaient du porc. Cet aliment est interdit aux 160 millions de consommateurs musulmans de ce pays. Pour démentir la rumeur, Nestlé a dû engloutir 350 000 $ sous forme de publicité. En Russie, Mars inc. a dû se défendre contre une autre calomnie : plus de 200 000 jeunes Moscovites souffraient de diabète parce qu'ils avaient consommé des tablettes de chocolat Snickers. En Chine, la rumeur démentie par le fabricant voulait que la bière Pabst Blue Ribbon contienne du poison. En réalité, on s'était servi de bouteilles

de Pabst pour embouteiller et vendre de la bière artisanale.

Les rumeurs dénigrantes nuisent à la crédibilité d'une entreprise et influent sur les intentions d'achat des consommateurs. Leurs effets sont encore plus pervers quand il s'agit de nouvelles entreprises.

sont ciblés par les firmes spécialisées dans la vente d'assurance, de produits armoriés (produit affichant un logo spécifique à une entreprise ou à une association) et de voyages organisés. Le *groupe d'aspiration* est un groupe social auquel une personne souhaite ou désire adhérer, une association professionnelle, par exemple. Pour atteindre ces groupes, les entreprises misent sur des porte-parole ou des cadres de vie qui concordent avec les aspirations de leurs marchés cibles. Enfin, le *groupe de dissociation* est un groupe social ayant des valeurs ou un comportement inadmissibles pour une personne. Celle-ci voudra donc se distancier de ce groupe.

L'influence de la famille

La famille exerce aussi une influence sur le comportement du consommateur. Tout dépend de la socialisation du consommateur, des étapes du cycle de vie de la famille et de la prise de décisions au sein de cette famille.

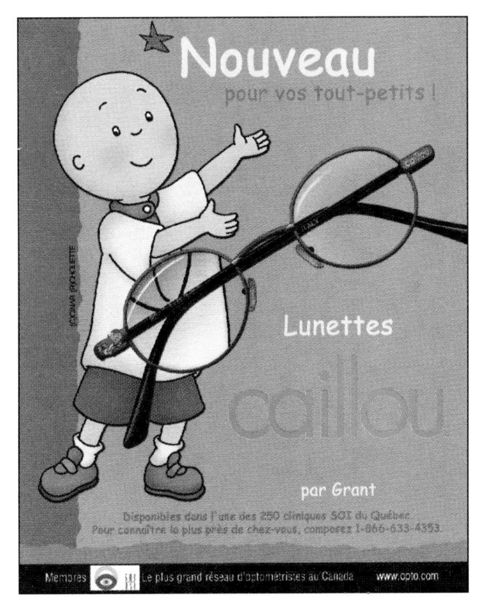

La socialisation du consommateur La **socialisation du consommateur** est un processus par lequel l'individu acquiert les habiletés, le savoir et les attitudes nécessaires à la consommation[30]. Les enfants apprendront ainsi à consommer 1) en interagissant avec les adultes dans des situations d'achat, 2) en effectuant des achats et en faisant eux-mêmes usage de produits. Selon certaines études, des enfants de deux ans démontrent déjà des préférences de marque qui persisteront pendant toute leur vie[31]. Pour cette raison, Sony a introduit sur le marché « Mon premier Sony », une gamme de produits audio pour enfants. Time, Inc. lui emboîtait le pas en publiant *Sports Illustrated for Kids.* Dans la même veine, Polaroïd poursuivait en créant le caméscope Cool Cam, conçu pour les enfants de 9 à 14 ans. Que dire des lunettes Caillou offertes par Grant ? Que penser de la Mini Z, une motoneige pour enfants, et des véhicules tout-terrains (VTT) conçus pour les plus jeunes, fabriqués par Bombardier ?

Le cycle de vie d'une famille Le comportement d'achat change au fil des ans. Le concept de **cycle de vie d'une famille** comprend cinq étapes distinctes, depuis la formation de la famille jusqu'à sa dissolution. À chacune correspondent des comportements d'achat distincts[32]. La figure 6.5 illustre la progression traditionnelle d'une famille et les variations du cycle de vie d'une famille contemporaine. On y tient compte des familles monoparentales. On y note que les jeunes célibataires se procurent de préférence des biens non durables : plats cuisinés, vêtements, produits d'hygiène et de beauté, produits de divertissement, etc. Les jeunes célibataires représentent un bon marché cible pour les voyagistes offrant des forfaits vacances, les constructeurs de véhicules automobiles et les boutiques d'appareils électroniques. On y remarque que les jeunes couples mariés sans enfants et dont les deux conjoints travaillent sont, en général, plus à l'aise que les jeunes célibataires. Ces couples montrent des préférences pour les meubles, les articles ménagers et les cadeaux. Les jeunes mariés ayant des enfants cherchent à combler avant tout les besoins de leur progéniture. Ils représentent un vaste marché pour les compagnies d'assurance-vie, les produits pour enfants, les fournitures et les accessoires d'ameublement. Les chefs de famille monoparentale s'avérent les plus vulnérables sur le plan financier. Leurs préférences d'achat reflètent les restrictions que leur impose leur situation économique. Ils ont tendance à se procurer des aliments cuisinés et des produits d'hygiène et de beauté, et à faire appel à des services de garde d'enfants.

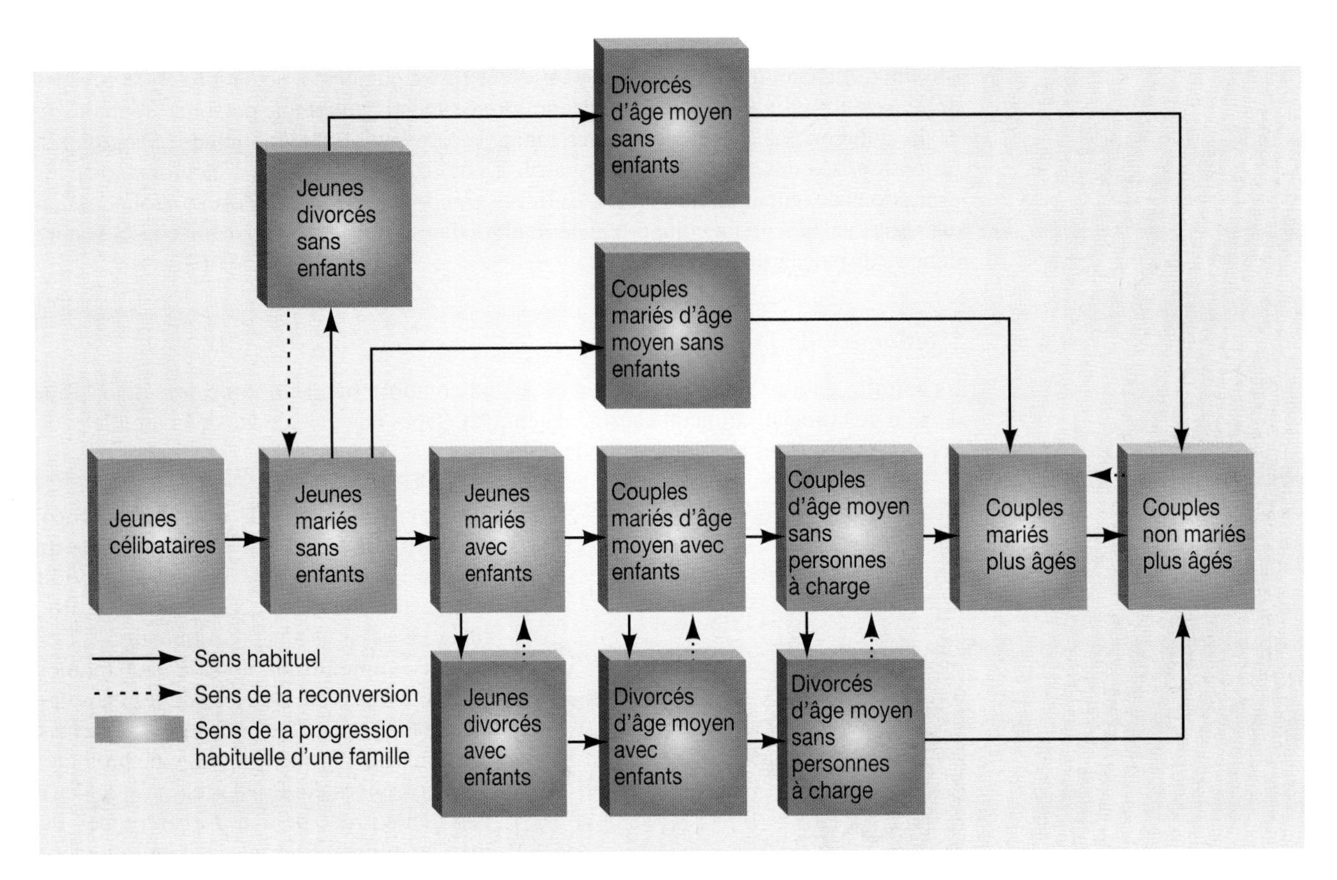

FIGURE 6.5
Le cycle de vie d'une famille moderne

En général, les couples mariés d'âge moyen avec enfants sont plus à l'aise sur le plan financier que les couples plus jeunes. Ils constituent un important marché pour les articles de loisirs, de bricolage et de décoration. Les couples d'âge moyen sans enfants représentaient, à la fin des années 1990, le segment le plus nombreux de cette étape du cycle de vie d'une famille. En général, ces couples disposent de bons revenus dont une partie sera consacrée à l'achat de meubles de qualité, de voitures de prestige et de services financiers.

Les couples plus âgés mariés ou non constituent des marchés appréciables pour les médicaments, les services médicaux, les voyages de détente et les cadeaux offerts à la parenté. L'accélération de la croissance de ce segment de consommateurs a été très forte à la fin des années 1990.

Les processus décisionnels au sein de la famille Le troisième facteur influant sur le processus de prise de décision demeure la famille. Il existe deux styles de prises de décision : la décision avec influence dominante et la décision conjointe. Comme son nom l'indique, la décision avec influence dominante est prise par l'un des conjoints. La décision conjointe est assumée par les deux membres du couple. En général, la femme prend les décisions concernant l'épicerie, les jouets, les vêtements et les médicaments. L'homme exerce davantage d'influence sur les achats servant à l'entretien de la maison ou de la voiture. Ce sont là les tendances qui se dégagent de certaines études. En général, l'achat d'une maison, d'une automobile, d'électroménagers et d'appareils électroniques est le fruit d'une décision conjointe. Il en est ainsi pour les soins médicaux, les destinations des vacances et les services interurbains. La fréquence des décisions conjointes est fonction de la scolarité des membres du couple[33].

Les membres de la famille jouent aussi un rôle dans les processus décisionnels. Les rôles sont au nombre de cinq : 1) le rassembleur d'information ; 2) le prescripteur ; 3) le décideur ; 4) l'acheteur ; et 5) l'utilisateur. Le rôle des membres de la famille varie selon les produits ou les services qu'elle compte acheter. Le spécialiste du marketing doit tenir compte de ces

Pour plus d'informations au sujet de Haggar Clothing Co., rends-toi à l'adresse suivante : www.dlcmcgrawhill.ca

rôles[34]. Ainsi, 89 % des conjointes exercent une influence sur l'achat de vêtements pour hommes ou procèdent à l'achat pur et simple de ces vêtements. La firme américaine Haggar Clothing Co., par exemple, spécialisée dans la mode masculine, fait paraître certaines de ses annonces publicitaires dans des magazines féminins tels que *Vanity Fair, Mademoiselle* et *Red Book*. Cette entreprise a constaté que la femme joue un rôle très important dans le choix de vêtements pour homme. En effet, un bon pourcentage des publicités de l'entreprise sont destinées aux femmes, puisque celles-ci exercent beaucoup d'influence sur l'achat de vêtements pour hommes. Les femmes prennent souvent les décisions en matière d'épicerie, mais elles n'achètent pas nécessairement elles-mêmes. En effet, plus de 40 % des sommes consacrées aux denrées alimentaires sont dépensées par des hommes. Le nombre de conjoints et de chefs de famille monoparentale travaillant à l'extérieur croît. De plus en plus de jeunes dans la préadolescence et adolescence jouent le rôle de rassembleur d'information, de prescripteur, de décideur et d'acheteur de produits et services destinés à la famille. De nos jours, en effet, les enfants de moins de 18 ans pèsent sur de nombreuses décisions d'achat familiales[35]. On comprend maintenant pourquoi la publicité d'un grand nombre d'entreprises cherche à atteindre les jeunes.

La classe sociale

La classe sociale exerce une influence moins évidente sur le comportement du consommateur que le contact direct avec les autres. La **classe sociale** est un ensemble de personnes de condition relativement homogène. Les membres d'une classe sociale ont en commun des valeurs, des intérêts et des comportements. La classe sociale est déterminée par l'occupation, la source de revenu (et non par le niveau de revenu) et le degré d'instruction des personnes. En général, il existe trois grandes classes sociales : la classe supérieure, la classe moyenne et la classe inférieure, et chacune comprend des sous-classes. On observe cette structure au Canada, aux États-Unis, en Grande-Bretagne, en Europe occidentale et en Amérique latine[36].

Les membres de la même classe sociale ont sensiblement les mêmes attitudes, le même style de vie et les mêmes comportements d'achat. Comparativement aux membres de la classe moyenne, ceux des classes inférieures ont une vision à plus court terme et raisonnent plus avec leurs émotions qu'avec leur logique. Ils pensent en termes concrets plutôt qu'abstraits et ont peu de chances d'avancement. Les membres des classes supérieures se concentrent davantage sur leur réussite et leur avenir ; ils pensent en termes abstraits et symboliques.

BMO Nesbitt Burns.
C'est pas pour rien qu'il y a un s.
BMO Nesbitt Burns

Les entreprises se fondent sur les classes sociales pour déterminer et atteindre des acheteuses ou des acheteurs potentiels de leurs produits et services. Les entreprises spécialisées dans la vente de produits financiers, de voitures de luxe et de tenues de soirée ciblent les casses supérieures. La classe moyenne constitue le marché cible des centres de rénovation, des magasins de pièces d'automobile et des boutiques de produits d'hygiène personnelle. Les entreprises savent aussi que les préférences médiatiques varient selon les classes sociales. Ainsi, les classes inférieures et la classe ouvrière préfèrent les magazines de sports et les journaux à scandales. La classe moyenne a un faible pour les magazines de mode, les romans d'amour et les revues à potins. Enfin, les classes supérieures lisent plus volontiers des revues littéraires, des magazines de voyages et des revues d'actualités.

La culture et la sous-culture

Comme nous l'avons expliqué au chapitre 3, la culture réunit les valeurs, les idées et les attitudes d'un groupe homogène qui sont transmises de génération en génération. On fait allusion à ces éléments lorsque l'on parle des cultures canadienne, américaine, anglaise, japonaise, etc. Nous décrivons les habitudes de consommation des Canadiennes et des Canadiens au chapitre 3. Nous expliquons le rôle de la culture dans le marketing global au chapitre 5.

La **sous-culture** est un groupe social dont les membres partagent des valeurs, des idées et des attitudes qui leur seront propres. Les sous-cultures peuvent être déterminées par l'âge (par exemple, la génération des baby-boomers par opposition à la génération X), par la géographie (les Canadiens habitant dans l'Ouest par opposition à ceux de l'Atlantique) et par l'origine ethnique. Nous nous concentrerons sur dernier point.

Une *sous-culture ethnique* est un segment de société. Ses membres ont la même origine. Ils se perçoivent, se reconnaissent comme tels et se livrent à des activités propres à leur culture[37]. Ses membres seront unis par des traits communs tels que les coutumes, la langue, la religion et les valeurs. Le Canada constitue une société multiculturelle. Les communautés culturelles n'adhérent pas nécessairement à la culture dominante. On qualifie ce phénomène de « mosaïque culturelle ». La mosaïque culturelle est un vaste tableau composé d'individus qui se mêlent aux autres sans toutefois s'y fondre. C'est ce qui permet de préserver leurs valeurs et leurs traditions.

La sous-culture canadienne francophone On dénombre plus de 7 millions de Canadiennes et de Canadiens francophones au pays, soit environ 25 % de la population. La majorité d'entre eux vivent au Québec. Selon certaines études, le comportement du consommateur québécois francophone est très différent de celui des autres consommateurs au Canada[38]. Les francophones québécois associent le prix à la valeur perçue et achètent rarement à crédit. Ces personnes paient volontiers plus cher pour des produits de consommation courante et des marques de luxe. Elles sont plus sensibles à la publicité que la consommatrice ou le consommateur canadien moyen. Au Québec, 56 % des personnes consultent la circulaire hebdomadaire de Metro-Richelieu Inc., confirment certaines recherches de l'entreprise.

Pour plus d'informations au sujet de Metro, rends-toi à l'adresse suivante : www.dlcmcgrawhill.ca

Les francophones du Québec se montrent prudents par rapport à un nouveau produit. Aussi ils attendent que ce produit ait fait ses preuves avant de se le procurer. Ces personnes sont fidèles à une marque. Cependant, elles optent pour un produit équivalent afin de profiter d'une aubaine. Elles préfèrent les dépanneurs et les magasins d'aliments naturels aux entrepôts alimentaires et aux épiceries de quartier. Les francophones québécois achètent peu d'articles d'épicerie par impulsion et se révèlent de plus en plus économes en matière de produits alimentaires. Metro-Richelieu Inc. a répondu à cette tendance en mettant sur pied le programme Écono-Metro. Ce programme offre des coupons-rabais, des promotions hebdomadaires et propose des astuces pour économiser. Les francophones québécois se soucient des soins personnels et de la mode. Cette clientèle fréquente les boutiques spécialisées pour ses achats de vêtements.

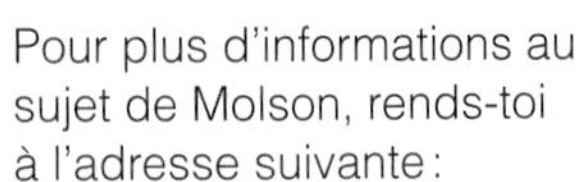

Pour plus d'informations au sujet de Molson, rends-toi à l'adresse suivante : www.dlcmcgrawhill.ca

Le Québec compte un plus grand pourcentage de gens aimant le vin et la bière, et davantage de fumeuses et de fumeurs que dans le reste du Canada. Les francophones québécois affectionnent ces produits, mais des recherches menées par Molson révèlent que ces personnes préfèrent une bière offrant un pourcentage d'alcool plus élevé. Molson a donc lancé, en exclusivité sur le marché québécois, la O'Keefe 6.2, qui contient 6,2 % d'alcool. Le Québec compte aussi moins d'adeptes du golf, du jogging et du jardinage. Le nombre de personnes qui vont au cinéma et qui reçoivent est aussi moindre que dans le reste du Canada. Par contre, on y compte plus d'adeptes du vélo, du ski et du théâtre.

Les francophones québécois achètent un grand nombre de billets de loterie. Ces personnes s'abonnent davantage aux clubs de livres, mais effectuent moins d'appels interurbains. Elles voyagent moins souvent, que ce soit pour affaires ou par plaisir. Beaucoup de francophones québécois ont une assurance, mais les cartes de crédit ont moins de succès qu'ailleurs. Ces personnes font davantage affaire avec les caisses populaires qu'avec les banques.

Certains affirment que la communauté francophone du Québec se caractérise par un ensemble de valeurs traditionnelles, durables et relativement statiques. Pourtant, les changements sautent aux yeux. Les valeurs familiales demeurent solides, on se marie pour avoir des enfants et leur donner une éducation religieuse convenable, mais la contraception y est à la hausse, et le taux de mariage, inférieur à la moyenne nationale.

Certains produits et certains éléments du marketing mix doivent être modifiés pour obtenir du succès auprès de la clientèle québécoise francophone. Les spécialistes du marketing sont obligés de comprendre ces deux réalités et d'intégrer les différences culturelles : au Québec, la publicité destinée aux enfants est interdite et la publicité des boissons alcoolisées fait l'objet d'importantes restrictions. Rappelons que la loi québécoise exige aussi que les étiquettes et les emballages soient rédigés dans les deux langues officielles et que les vitrines montrent une nette prédominance du français sur l'anglais. Pour obtenir du succès auprès de la communauté francophone du Québec, les entreprises sont amenées à examiner et à analyser ce marché avec beaucoup d'attention.

La sous-culture franco-ontarienne Au Québec, il est évident que les francophones sont majoritaires. Ainsi, les services, les programmes et les outils de communication sont élaborés selon un cadre de référence qui reflète leur culture, leurs valeurs et leurs croyances.

Or, la situation est différente pour les Franco-Ontariens. Les francophones établis en Ontario ne représentent que 5 % de la population de la province. Ils sont, pour la plupart, concentrés dans l'est de la province (plus de 220 000) et dans le nord-est de la province (environ 150 000). Plusieurs d'entre eux sont sous-scolarisés : une personne sur trois a moins de 13 ans de scolarité et seulement 20 % des individus possèdent un diplôme universitaire.

Il va sans dire que les services, les programmes et les outils de communication sont en grande majorité conçus dans le monde culturel de la majorité anglophone. La plupart du temps, les Franco-Ontariens reçoivent un « message traduit » qui ne représente ni leur culture ni leurs valeurs ni leurs croyances.

Ajoutons à la liste la difficulté à se faire servir en français malgré les combats constants d'associations et d'organisations francophones pour faire reconnaître les droits d'une minorité. Les Franco-Ontariens s'habituent progressivement à mener leurs activités quotidiennes en anglais. Ils disposent de très peu de ressources sur les plans médiatique, politique et économique. À moins d'une attention spéciale accordée à cette partie de la population ontarienne, les spécialistes du marketing peuvent facilement négliger ce marché cible, car il ne constitue pas un segment commercial important. D'ailleurs, les Franco-Ontariens profitent, d'une part, de la culture québécoise et, d'autre part, de la culture anglophone (fortement influencée par les médias américains). Les spécialistes du marketing n'ont pas à se préoccuper vraiment de la clientèle formée par la population franco-ontarienne. Ils rejoignent automatiquement ce marché par l'entremise de ces deux marchés cibles.

La sous-culture acadienne Beaucoup de gens croient que tous les francophones du pays sont identiques et qu'ils demeurent tous au Québec. Or, il y existe d'autres communautés francophones hors du Québec. Ainsi, les Acadiennes et les Acadiens vivent pour la plupart au Nouveau-Brunswick et se sentent fiers de leur héritage distinct. En marketing, ils font souvent figure de « laissés-pour-compte du marché francophone ».

La consommatrice ou le consommateur acadien se distingue des francophones québécois sur plusieurs plans. En matière de consommation, il a tendance à suivre la mode et à aller au restaurant plus souvent que la consommatrice et le consommateur québécois. La clientèle acadienne est aussi très sensible aux prix. Elle préfère les entreprises s'adressant à elle dans sa langue, qui est différente du français parlé au Québec.

La sous-culture canadienne d'origine chinoise Le marché des Canadiennes et des Canadiens d'origine chinoise représente un peu plus de 3 % de la population canadienne. La croissance de cette sous-culture connaît une accélération importante. Ce groupe ethnique se compose principalement d'immigrants de Hong Kong et de Taïwan, et se concentre à Toronto et à Vancouver.

Les Canadiennes et les Canadiens d'origine chinoise ont leurs valeurs propres. La culture canadienne présente une structure mentale linéaire (logique), celle des originaires de Chine est circulaire (en boucles récursives). Le travail, la famille et l'éducation sont au centre de leurs valeurs. Les originaires de Chine ont des habitudes de consommation différentes et perçoivent les produits différemment des autres communautés canadiennes. Ce groupe apprécie également que les compagnies s'adressent à eux dans leur langue. Ainsi, plusieurs entreprises élaborent des annonces publicitaires en mandarin et en cantonais, et les font paraître dans des publications spécialisées telles que le *Sing Tao*. Le *Sing Tao* est un journal torontois dont le lectorat est chinois.

La consommatrice ou le consommateur moyen d'origine chinoise affiche un revenu supérieur à celui des autres personnes. Il est plus scolarisé et moins susceptible de chômer. Il est aussi beaucoup plus jeune que la population canadienne en général. La clientèle d'origine chinoise constitue un marché cible attrayant pour une large variété de produits. La Banque Royale, par exemple, voit en elle une clientèle potentielle pour ses plans d'épargne enregistrés et ses fonds communs de placement. Cantel tente de commercialiser ses téléphones cellulaires auprès de la clientèle d'origine chinoise. Ford au Canada consacre une partie de son site Web à la communauté chinoise.

Pour plus d'informations au sujet de Ford au Canada, rends-toi à l'adresse suivante : www.dlcmcgrawhill.ca

Les autres sous-cultures ethniques Au Canada, beaucoup de gens appartiennent à des ethnies différentes qui sont regroupées dans les grands centres métropolitains ou certaines zones géographiques. À Kitchener-Waterloo, par exemple, de nombreuses personnes sont d'origine allemande. À Winnipeg elles sont d'origine ukrainienne, à Toronto beaucoup sont d'origine italienne. Au Canada, 70 % des immigrantes et des immigrants appartiennent à des minorités visibles. Il s'agit d'un phénomène nouveau. L'immigration vient d'Asie, de l'Afrique et de l'Inde. Les spécialistes du marketing doivent comprendre que les comportements sociaux et culturels de ces nouvelles arrivantes et nouveaux arrivants sont distincts des nôtres et qu'ils exercent une influence sur leurs habitudes de consommation. La recherche et la sensibilité permettraient aux entreprises de mieux comprendre ces groupes et d'élaborer des stratégies de marketing capables de les atteindre avec efficacité. Le pouvoir d'achat des immigrantes et des immigrants n'est pas moindre que celui des originaires du Canada. Les études révèlent que les nouvelles arrivantes et les nouveaux arrivants disposent de beaucoup de capitaux. C'est particulièrement vrai des personnes en provenance de Hong Kong qui continuent d'affluer depuis que tout son territoire est retourné sous la souveraineté de la Chine. Enfin, les personnes d'origine étrangère gagnent plus d'argent que celles nées au Canada[39].

RÉVISION DES CONCEPTS

1. Quelles sont les deux principales formes d'influence personnelle ?
2. À quels types de groupes de référence le spécialiste du marketing s'intéresse-t-il ?
3. Qu'est-ce qu'une sous-culture ethnique ?

RÉSUMÉ

1. Quand une consommatrice ou un consommateur achète un produit, il n'accomplit pas une action, il mène à bien un processus. Le processus de décision d'achat comprend cinq étapes : la reconnaissance d'un problème, la collecte d'information, l'évaluation des solutions possibles, la décision d'achat et le comportement ultérieur à l'achat.
2. Les consommateurs évaluent les solutions en jugeant les attributs d'un produit. Le spécialiste du marketing doit donc découvrir quels attributs sont les plus importants pour les consommateurs et comment ils jugent le rendement du produit par rapport à ces attributs. Cela peut faire toute la différence entre un produit qui réussit et un qui échoue.
3. La perception est importante pour les responsables du marketing, vu la sélectivité de ce qu'une consommatrice ou un consommateur voit ou entend, comprend et retient.
4. Chez la consommatrice et le consommateur, une bonne part du comportement observable est apprise. Les consommateurs apprennent par la répétition d'expériences et par le raisonnement. La fidélité à la marque résulte d'un apprentissage.
5. Les attitudes sont des prédispositions apprises qui amènent une personne à réagir à un objet ou à une classe d'objets d'une façon invariablement favorable ou défavorable. Les attitudes se fondent sur les valeurs et les croyances qu'une personne entretient sur les attributs de certains objets.
6. Le style de vie est une façon de vivre qui se définit par les activités, les intérêts et les opinions que les gens ont d'eux-mêmes et du monde.
7. L'influence personnelle se diffuse sous deux formes : par les leaders d'opinion et par le bouche à oreille. Le groupe de référence est un autre type d'influence personnelle.
8. L'influence de la famille sur le comportement du consommateur découle de trois facteurs : la socialisation du consommateur, le cycle de vie d'une famille et le processus de décision familial.
9. Au Canada, les classes sociales et les sous-cultures influent sur les valeurs et le comportement de la consommatrice et du consommateur. Les agents du marketing doivent donc se montrer sensibles aux influences socioculturelles en élaborant le marketing mix.

MOTS CLÉS ET CONCEPTS

apprentissage
attitude
bouche à oreille
caractère national
classe sociale
comportement du consommateur
concept de soi
critère d'évaluation
croyance
cycle de vie d'une famille
facteur situationnel
fidélité à la marque
groupe de référence
leader d'opinion
motivation
perception
perception subliminale
personnalité
processus de décision d'achat
risque perçu
socialisation du consommateur
sous-culture
style de vie

EXERCICES INTERNET

Pour établir les perceptions qu'une consommatrice ou un consommateur a de la valeur, il est extrêmement important de connaître son expérience de consommation ou d'usage d'un produit ou d'un service. De plus, l'expérience postérieure à l'achat peut mener à du bouche à oreille positif ou négatif et influencer le comportement de réachat.

Restaurant.ca est un site d'informations sur les restaurants dans les grandes villes canadiennes. Ce site présente une foule d'informations sur les restaurants : le type de cuisine servie, les tarifs, les heures d'ouverture et naturellement leur adresse. Mais il permet aussi aux internautes de faire part de leurs expériences, bonnes ou mauvaises, sur les restaurants. Ainsi, on peut voter et inscrire des commentaires sur les restaurants visités.
Pour plus d'informations au sujet de Restaurant.ca, rends-toi à l'adresse suivante : www.dlcmcgrawhill.ca.

1. Quels sont les critères proposés pour juger de la qualité et de la valeur d'un restaurant ? Es-tu d'accord avec ces critères ?
2. Quels commentaires reviennent le plus souvent chez les clients ? Sont-ils majoritairement positifs ou négatifs ?
3. Ce genre de site est-il important ? Connais-tu d'autres secteurs avec des sites similaires ?

QUESTIONS DE MARKETING

1. Relis l'extrait de *Consumer Reports* présentant les attributs des lecteurs de disques compacts à la figure 6.2. Quels attributs sont importants pour toi ? Quels autres attributs considérerais-tu ? Quelle marque préfères-tu ?
2. Supposons qu'Apple Computer ait appris, en réalisant une étude de marché, que les acheteuses et acheteurs potentiels craignent l'achat d'ordinateurs personnels. Quelles stratégies recommanderais-tu à la compagnie pour réduire cette peur des consommateurs ?
3. Un vendeur de Porsche a dû mettre des commandes en attente parce qu'il manquait de voitures neuves pour satisfaire la demande. Deux semaines après avoir passé leur commande, plusieurs clientes et clients se sont ravisés. Comment expliques-tu ce comportement et que recommanderais-tu pour y remédier ?
4. Tu travailles au service marketing d'un fabricant d'automobiles. On te demande de recommander des améliorations sur les véhicules et de communiquer pour mieux atteindre les différents segments de la population tel que définis par Goldfarb. Que proposes-tu pour ces différents groupes de consommateurs ?
5. Voici cinq produits ou services : des fleurs, un compte-chèques, une chemise, une console de jeux et une bicyclette. Trouve le besoin principal auxquels ces produits s'adressent. Répondent-ils à d'autres besoins ? Si oui, lesquels et comment pourrions-nous les utiliser pour adapter leur mise en marché ?
6. Pourquoi est-il important de s'intéresser à la famille quand on fait du marketing ?
7. Reprends le cycle de vie de la famille et trouve des produits qui s'adressent spécifiquement à certaines étapes de la vie de la famille. Choisis maintenant un produit ou un service (par exemple les voyages) et décris comment ce dernier doit être adapté, si on veut le vendre à des familles à chaque étape de leur cycle de vie.
8. Quelles sont les sources de risque qui existent lors de la consommation d'un produit ou d'un service ? Qu'est-ce qu'une entreprise peut faire pour réduire ces risques perçus par la consommatrice et le consommateur ?
9. En tant que responsable du marketing d'une entreprise offrant des téléphones cellulaires, on te convoque au bureau du président pour que tu expliques le comportement du consommateur. En premier lieu, tu lui décris les différentes étapes du processus décisionnel suivi par la consomatrice ou le consommateur. Il faut que tu expliques très clairement chacune de ces étapes en insistant sur les agissements de la consommatrice ou du consommateur lors de chaque étape, et comment le marketing doit agir sur cette consommatrice ou ce consommateur. Ensuite, tu énumères les facteurs qui peuvent modifier ce processus (ceux qui risquent de l'allonger, ceux qui risquent de le réduire).

ÉTUDE DE CAS 6-1 LE CAFÉ DES TROIS SŒURS

Le Café des Trois Sœurs est un restaurant très chic de taille moyenne (120 places) ouvert depuis cinq ans. Les propriétaires, trois sœurs bien sûr, sont satisfaites du rendement du restaurant, mais voudraient faire mieux. Elles croient que les clients se plaisent chez elles et qu'ils reviennent régulièrement. Dans un marché hautement concurrentiel, les trois femmes sentent qu'elles doivent trouver un moyen d'accroître la clientèle. Après d'innombrables discussions et débats, elles décident de faire mener une étude de la clientèle par une firme-conseil. Elles veulent savoir : 1) quels attributs devrait posséder un restaurant licencié pour se constituer une clientèle d'habitués ; 2) comment leur restaurant se classe de ce point de vue ; et 3) ce qui plaît ou déplaît aux clients du café. La firme-conseil mène un sondage téléphonique auprès de gens fréquentant les restaurants. Les personnes sondées devaient avoir dîné à l'extérieur dans les quatre semaines précédentes. Sur 320 personnes, 140 avaient mangé au Café des Trois Sœurs au moins une fois durant ces quatre semaines.

LES RÉSULTATS DE L'ÉTUDE DES BESOINS DE LA CLIENTÈLE

La firme-conseil a établi d'abord les niveaux de notoriété des autres restaurants du même genre dans la zone. Cela était particulièrement important, la connaissance d'un produit ou d'une marque étant préalable à l'achat. Il est en effet peu probable qu'un restaurant ne jouissant que d'une faible notoriété vienne à l'esprit de gens qui songent à aller dîner. Le Café des Trois Sœurs avait un score de notoriété de 60 %, c'est-à-dire que 60 % de la clientèle sondée connaissait l'établissement. Plusieurs des concurrents du Café avaient des scores inférieurs, allant de 25 % à 55 %. Le plus haut score de notoriété, 85 %, revenait à un concurrent pas très éloigné.

La firme-conseil a déterminé les attributs recherchés par la clientèle d'un restaurant. Le tableau 6.2 décrit les attributs « idéaux » d'un tel établissement. Les pourcentages de réponses qualifiant l'attribut de « Très important » ou d'« Essentiel » ont permis d'établir ce tableau. Un élément est considéré comme idéal si 70 % des réponses le reconnaissent très important ou essentiel. On ne faisait pas de différence entre la clientèle du Café des Trois Sœurs et celle des autres établissements. Le tableau 6.2 présente ces attributs idéaux vus par la clientèle du Café des Trois Sœurs.

La firme-conseil avait par ailleurs étudié la satisfaction des clients du Café des Trois Sœurs. L'analyse révéla que 87 % étaient satisfaits de leur expérience tandis que 13 % ne l'étaient pas. De plus, 70 % critiquaient la nourriture, et 30 % les prix trop élevés. Les trois sœurs examinèrent les résultats et s'interrogèrent sur les cotes de leur restaurant, sur les scores de notoriété et sur l'indice de satisfaction. Il leur restait maintenant à décider ce qu'elles allaient faire de toute cette information.

Questions

1. Dans ce cas, quels attributs (critères d'évaluation) importent le plus à la consommatrice ou au consommateur qui évalue des restaurants afin de choisir celui où aller manger ? Sont-ils différents de ceux présentés précédemment dans la rubrique Exercices Internet ?

2. Que penses-tu des niveaux de satisfaction obtenus par le Café des Trois Sœurs ? Crois-tu qu'il y ait là un ou plusieurs problèmes à régler ? Si oui, propose une ou des solutions aux propriétaires des Trois Sœurs.

3. Retrace le processus décisionnel d'une consommatrice ou d'un consommateur ayant décidé d'aller déjeuner au restaurant en semaine ? Comment l'influencer ?

4. Ce processus serait-il similaire pour la même personne, mais voulant y aller le soir ? ou encore le dimanche avec sa famille ? Qu'est-ce qui va modifier le processus ?

TABLEAU 6.2
Attributs qu'un restaurant doit posséder et comment le Café des Trois Sœurs a été coté sur chacun.

	ATTRIBUTS IDÉAUX (% CONSIDÉRÉS COMME TRÈS IMPORTANTS OU ESSENTIELS, TOUS LES RÉPONDANTS)	COTES DU CAFÉ DES TROIS SŒURS PAR LES UTILISATEURS (% L'AYANT COTÉ BON À EXCELLENT SUR CET ATTRIBUT)
Bonne nourriture	95,0%	66,0%
Atmosphère	90,0	84,0
Service efficace	83,0	82,0
Service aimable	80,0	77,0
Confort des sièges	78,0	87,0
Décoration	77,0	92,0
Bons prix	76,0	26,0
Disposition de la table	75,0	85,0
Bonne carte des vins	73,0	76,0
	N = 320	N = 140

SPCA

CENTRE NATIONAL DES ARTS
NATIONAL ARTS CENTRE

POSTES CANADA
CANADA POST
De partout... jusqu'à vous

LES ORGANISMES SANS BUT LUCRATIF, LES ENTREPRISES PUBLIQUES ET LES MARCHÉS ORGANISATIONNELS

7

APRÈS AVOIR LU CE CHAPITRE, TU SERAS EN MESURE

- de reconnaître l'importance du marketing pour un organisme sans but lucratif et pour une entreprise gouvernementale ;
- de faire la distinction entre un organisme sans but lucratif et une entreprise commerciale ;
- de reconnaître les similitudes et les différences entre un échange commercial et un échange élargi ;
- de comprendre les stratégies de marketing pour un organisme sans but lucratif ;
- de faire la distinction entre le marché de l'industrie, de la revente et du gouvernement ;
- de reconnaître les principales caractéristiques de l'achat organisationnel qui le distinguent de l'achat personnel.

L'INDUSTRIE DU DON DE CHARITÉ : PAS DE MAGIE DANS LA PHILANTHROPIE

Concurrence accrue

Les organisations humanitaires sont de plus en plus nombreuses. Elles doivent donc rivaliser d'imagination et d'originalité pour sensibiliser la population ontarienne à leur cause. « Tant mieux s'il y a de plus en plus d'œuvres de bienfaisance. Selon moi, c'est un signe de la santé de notre société, croit Michèle Thibobeau-De Guire, présidente-directrice générale de Centraide du Grand Montréal. Mais c'est sûr qu'il faut éviter les éparpillements. »

Toutes les causes n'ont pas le même attrait aux yeux des donateurs potentiels. Daniel Asselin (président du Groupe Épisode, une firme de consultation spécialisée dans les collectes de fonds) en sait quelque chose : « Les enfants malades, c'est "gagnant", mais les causes comme le logement social ou les problématiques entourant de jeunes contrevenants, par exemple, rendent plus laborieuses les démarches de sollicitation auprès des gens d'affaires. En contrepartie, les campagnes de financement impliquant la santé des enfants comportent des objectifs souvent plus élevés, ce qui rend la tâche plus ardue. Mais c'est une carte de visite plus intéressante sur le plan marketing. »

Certaines stratégies ont fait leurs preuves. Centraide mise sur les déductions à la source auprès des employés du secteur public et des entreprises pour récolter la moitié des contributions faites à titre individuel. La Société canadienne de la sclérose en plaques atteint ses fidèles à l'aide d'envois postaux. Elle complète sa collecte de dons par l'organisation d'activités diverses : marches, marathons de lecture, campagne de l'œillet, etc. D'autres comptent sur l'organisation de soirées-bénéfice, de tournois de golf, de tirages et de bingo. Certaines personnes aiment particulièrement les tirages et le bingo. Cette constatation ne réjouit pas les gestionnaires d'organismes de bienfaisance. Ceux-ci prétendent que les adeptes de tirages et de bingo n'appuient pas une cause mais espèrent plutôt gagner des prix. Et souvent, ils ne savent même pas à qui sont destinés les profits.

Mauvaise réputation

D'autres formules ne font pas l'unanimité. La sollicitation téléphonique a mauvaise réputation. Daniel Asselin ne la conseille pas à ses clients, car la majorité des gens ne veulent pas se faire déranger à la maison. Ainsi, l'expérience peut être pénible pour les organismes qui choisissent cette méthode. La réputation des téléthons a baissé ces dernières années. Deux organisations importantes ont dû y renoncer, compte tenu de la baisse des recettes et des coûts élevés d'un tel événement. Au bout de 13 ans, la Fondation Jean-Lapointe a mis fin à son téléthon en 1998. Du coup, elle a économisé 500 000 $. Guy Nadeau, son directeur général, indique qu'on a malgré tout réussi à maintenir les recettes au même niveau qu'à l'époque du téléthon : « Sauf qu'on se rend compte que, sans la visibilité de la télévision, c'est plus difficile. Éventuellement, il faudra imaginer un autre moyen d'aller chercher cette visibilité si on veut rester en vie. »

L'organisation de collectes de fonds et la gestion d'œuvres de charité deviennent de plus en plus complexes. En effet, leur organisation s'apparente désormais à la gestion d'entreprises commerciales. Ainsi, dans le but de former des spécialistes dans ce domaine, certaines universités canadiennes offrent maintenant des cours spécialisés.

Cela illustre l'importance prise par le marketing pour des organismes charitables ou humanitaires. À la fin de ce chapitre, tu comprendras que le marketing ne s'applique pas seulement aux entreprises commerciales, mais qu'il peut être utilisé par des entreprises sans but lucratif ou des organisations gouvernementales. Tu verras également que la cible du marketing n'est pas forcément les consommateurs et qu'il peut s'adresser aussi aux acheteurs organisationnels et aux autres entreprises.

« MARKETING, VOUS AVEZ DIT MARKETING ? »

L'association des termes « marketing » et « **organisme sans but lucratif** » peut sembler étrange de prime abord. En effet, associer ces deux termes suppose de lutter contre deux idées largement répandues : la situation du marketing et celle des organismes sans but lucratif face à l'argent.

Marketing et argent Première idée à écarter : le marketing ne sert qu'à faire de l'argent sur le dos des consommateurs. Cet objectif méprisable est naturellement contraire à l'optique d'organismes ayant des visées philanthropiques, sociales ou humanitaires. Après avoir lu les chapitres précédents, il faut espérer que tu es convaincu que le marketing ne s'arrête pas à cet objectif ! Rappelons que l'objectif du marketing est de comprendre et de satisfaire les besoins des consommateurs. La vente et l'argent transmis pour obtenir un bien ne sont pas des fins en soi. Il s'agit de moyens pour officialiser l'échange du bien d'un propriétaire (producteur ou détaillant qui le possède) avec la personne qui le désire. Il s'agit, d'autre part, de rémunérer les services apportés lors de l'acquisition du bien en question, et qui sont sources d'une utilité valorisée par les clients.

Organisme sans but lucratif et argent La seconde idée préconçue veut qu'un organisme sans but lucratif n'existe ni pour réaliser des transactions commerciales ni même pour manipuler de l'argent. L'objectif d'une organisation venant en aide aux personnes démunies peut être de redistribuer de la nourriture à une catégorie défavorisée de la population. Effectivement, cette opération se fait sans contrepartie monétaire. Cependant, il faut, au préalable, aller chercher cet argent pour financer l'achat de la nourriture. Dans un autre cas, un musée réclame un montant d'argent à ses visiteurs en échange de la diffusion d'œuvres d'arts.

Dans ces deux cas, les organismes sans but lucratif manipulent bien de l'argent et, dans le second exemple, le musée génère des revenus. Nous voyons donc que certains organismes sans but lucratif se trouvent engagés dans des transactions similaires à celles des entreprises commerciales.

Quelle différence fais-tu entre un cinéma te projetant un film en échange d'une certaine somme d'argent et un théâtre présentant une comédie en échange d'une autre somme

d'argent, souvent plus importante que celle du cinéma ? Quelle différence fais-tu entre ces deux échanges, ces deux transactions ? Ne comblent-elles pas le même besoin de divertissement chez toi ? Pourtant, la plupart des cinémas sont des entreprises privées à but lucratif alors que les théâtres peuvent être des organismes à but non lucratif. Pourquoi une de ces entreprises (le cinéma) pourrait-elle utiliser le marketing, la démarche et les outils qui lui sont propres, et l'autre non ?

Les échanges Le montant d'argent, négocié entre deux parties, n'est pas au centre de nos préoccupations. Et il ne nous permet pas de dire si les organismes sans but lucratif peuvent ou non utiliser le marketing. En revanche, les **échanges** doivent être au cœur de notre réflexion dans cette partie du livre et ils nous permettront de comprendre l'intérêt du marketing pour les organismes sans but lucratif.

Un organisme sans but lucratif opère-t-il des échanges ? Oui (nous verrons lesquels un peu plus tard dans ce chapitre). Alors, pourquoi se priver des connaissances et des savoir-faire acquis par le marketing dans l'optimisation des échanges ? Ce serait bien dommage, n'est-ce pas ?

Après avoir lu cette partie, tu seras en mesure de mieux comprendre l'application du marketing pour des organismes sans but lucratif. Tu verras comment ces derniers peuvent utiliser la démarche et les outils traditionnels du marketing pour mettre en place des stratégies efficaces pour eux, comme pour leurs clients.

Le marketing des organismes sans but lucratif n'est pas très différent de celui des entreprises commerciales. Nous allons passer en revue les différents outils qu'une organisation sans but lucratif peut utiliser en faisant référence à des éléments abordés tout au long des chapitres de ce livre. Par contre, nous insisterons sur des notions qui peuvent être plus importantes pour les organismes sans but lucratif : les campagnes de financement, le rôle des bénéficiaires et des donateurs, etc.

En premier lieu, nous donnerons une définition des organismes sans but lucratif. Ensuite, nous insisterons sur l'importance que le marketing peut avoir pour ces organismes, puis sur les stratégies de marketing et l'utilisation du marketing mix. Enfin, nous conclurons sur les particularités des organismes gouvernementaux et aborderons des contextes où le marketing s'adresse à d'autres cibles que les consommateurs.

LES CARACTÉRISTIQUES D'UN ORGANISME SANS BUT LUCRATIF

Définissons tout d'abord un organisme sans but lucratif, appelé aussi **organisme à but non lucratif, organisme de bénévoles** et **organisme volontaire.** Le mieux pour trouver une définition précise est de se référer à la législation canadienne. Pour connaître cette définition, tu peux lire l'encadré Branchez-vous ! qui suit.

BRANCHEZ-VOUS ! L'organisme sans but lucratif

L'Agence des douanes et du revenu du Canada définit un organisme sans but lucratif par la loi de l'impôt sur le revenu à l'alinéa 149 (1). Cette loi est présentée sur le site de l'Agence. Un organisme à but non lucratif est toute organisation : « [...] constituée et administrée uniquement pour s'assurer du bien-être social, des améliorations locales, s'occuper des loisirs ou fournir des divertissements, ou encore exercer toute autre activité non lucrative. Une association peut aussi être constituée et administrée uniquement en vue d'atteindre une combinaison quelconque de ces buts. [...] En général, assurer le *bien-être social* signifie aider les groupes défavorisés ou contribuer au bien commun et au bien-être général de la collectivité. Les *améliorations locales* comprennent la mise en valeur ou l'amélioration de la qualité de la vie communautaire ou du civisme ; par exemple, une association qui travaille au progrès de la collectivité en encourageant l'établissement de nouvelles industries, de parcs, de musées, etc. Lorsqu'une association a des objectifs liés au bien-être social et aux améliorations locales, il faut s'assurer que ses buts ne sont pas ceux d'un organisme de bienfaisance. *S'occuper des loisirs ou fournir des divertissements* signifie offrir des occasions de plaisir ou des moyens de repos ou de divertissement ; par exemple, des clubs sociaux, des clubs de golf, de curling ou de badminton, qui sont constitués et administrés dans le but de fournir des installations récréatives pour le plaisir des membres et de leur famille. Enfin, l'expression « *toute autre activité non lucrative* » est interprétée comme une catégorie générale applicable à toutes les autres associations constituées et administrées dans des buts autres que commerciaux ou financiers[1] ».

Pour plus d'informations au sujet de l'Agence des douanes et du revenu du Canada, rends-toi à l'adresse suivante : www.dlcmcgrawhill.ca.

Nous retrouvons naturellement beaucoup d'organisations sous cette définition : des écoles, des hôpitaux, des musées, des organismes religieux, des entreprises culturelles, des coopératives d'habitation, des regroupements d'entreprises, etc. Statistique Canada estimait à environ 80 000 le nombre d'organismes à but non lucratif enregistrés en 2000[2]. Nous incluons aussi dans ce chapitre les associations enregistrées de sport amateur, les organismes de services nationaux dans le domaine des arts et les organismes de bienfaisance qui comprennent les œuvres de bienfaisance, les fondations publiques et privées. Ils ne répondent pas à cette définition légale, mais connaissent les mêmes problématiques. Cela dit, nous venons de doubler l'estimation précédente du nombre de ces organisations. Qu'est-ce qui, dans cette définition, les distingue des autres organisations ?

Voici les logos de trois écoles secondaires francophones situées dans les régions de Rockland, Chapleau et Kingston. Comme la plupart des institutions scolaires, ces écoles sont considérées comme des organismes sans but lucratif.

Entreprises commerciales et organismes sans but lucratif Les entreprises commerciales et les entreprises sans but lucratif sont deux types d'organisations qui présentent des similitudes. Toutes les deux possèdent et recherchent une clientèle, et les secteurs d'activités dans lesquels elles opèrent sont très divers. Ce n'est donc pas en examinant ces deux points que nous pourrons trouver la spécificité des organismes à but non lucratif.

Les différences tiennent parfois à une question de philosophie et de vision organisationnelle. Prenons, par exemple, des musées, des théâtres et des orchestres. Certains sont des entreprises commerciales, d'autres des organismes sans but lucratif. Par exemple, le Musée McCord de Montréal et l'Ontario Puppetry Association sont des organismes à but non lucratif. Les compagnies de théâtre franco-ontariennes le Trillium d'Ottawa et le Nouvel Ontario de Sudbury sont subventionnées en partie par le Conseil des arts de l'Ontario. Le Musée des sciences et de la technologie du Canada à Ottawa est une société d'État autonome. Ce n'est donc pas le secteur d'activités qui nous aidera à définir les organismes à but non lucratif.

La seule différence ne repose que sur le principe selon lequel les organismes sans but lucratif, comme leur nom l'indique bien, n'intègrent pas le **profit** dans les objectifs de leur organisation.

Le profit Le profit est l'argent restant à une entreprise une fois tous les frais soustraits de ses revenus. Cela revient à dire que les organismes sans but lucratif ne se fixent pas comme objectif de générer un profit au moyen de leurs activités. Par contre, un organisme à but non lucratif peut quand même générer des revenus. En effet, la loi précise qu'« une association peut gagner un revenu supérieur à ses dépenses, autrement dit un profit, à condition de satisfaire aux exigences de la loi. L'excédent peut provenir de l'activité pour laquelle l'association a été constituée ou d'une autre activité. Toutefois, si une partie importante de l'excédent est accumulée chaque année et si le solde de l'excédent dépasse, à un moment quelconque, les ressources dont l'association a raisonnablement besoin pour exercer ses activités non lucratives, on considère que l'association est administrée en partie pour réaliser un profit[3] ».

En définitive, une définition assez simpliste, mais ayant le mérite de nous éclairer, serait de dire qu'un organisme à but non lucratif a comme objectif de ne pas s'enrichir par son activité. Au mieux, il a comme objectif de s'autofinancer à l'aide de son activité, mais cela reste encore secondaire en comparaison de l'activité elle-même.

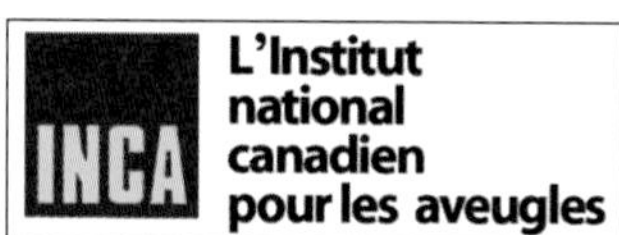

Ainsi, cette définition ne sous-entend pas forcément la gratuité des services ou des produits des organismes sans but lucratif. La gratuité est un cas particulier pour certains d'entre eux (la Fondation Mira, par exemple). Plus souvent, ces organismes visent l'**autofinancement** de leurs activités (soit la paie de leurs employés, la location de locaux ou de matériel, des investissements ou encore le financement d'une campagne de publicité, etc.). En conséquence, ils font payer leurs prestations. Certains fonctionnent intégralement à partir de dons de l'État ou de particuliers, et d'autres doivent générer leurs revenus auprès de leur clientèle. Bien souvent, il s'agit d'un mélange des deux, des dons et des revenus générés à l'intérieur de l'organisation (l'Institut national canadien pour les aveugles, par exemple). Un organisme à but non lucratif a donc pour objet de ne pas faire de profit, et non de ne pas « faire d'argent ». S'ils veulent continuer à vivre, la plupart de ces organismes doivent en effet générer des revenus.

Ainsi, la distinction entre une entreprise commerciale et un organisme à but non lucratif repose bien souvent sur cette mince distinction : ne pas chercher à générer du profit. Tout le reste peut être très similaire : leurs secteurs d'activités, le produit ou le service à échanger, la nécessité d'établir une tarification, etc.

Une classification des organismes sans but lucratif Hansmann[4] nous fournit une classification qui pourra nous éclairer et mieux repérer les différents types d'organismes sans but lucratif. Cet auteur appuie sa classification sur deux dimensions. La première distingue l'origine des fonds (de l'argent) servant au fonctionnement de l'organisation. Ainsi, ils peuvent provenir de dons privés ou publics, ou bien être commerciaux, c'est-à-dire provenir de la clientèle, des bénéficiaires ou des utilisateurs de l'organisme. Sa seconde dimension repose sur l'origine des gestionnaires de l'organisme : des professionnels indépendants des utilisateurs ou les utilisateurs eux-mêmes.

Les organismes peuvent alors se situer dans ces deux dimensions selon leurs statuts, comme le montre la figure 7.1. Dans les quadrants inférieurs (c'est-à-dire qui fonctionnent à l'aide d'un financement commercial), les organismes utilisent le marketing au même titre que les entreprises commerciales. Les autres l'utilisent aussi, mais après l'avoir adapté à leurs besoins.

FIGURE 7.1
Classification des organismes sans but lucratif
Source : adapté de Hartmann, 1980

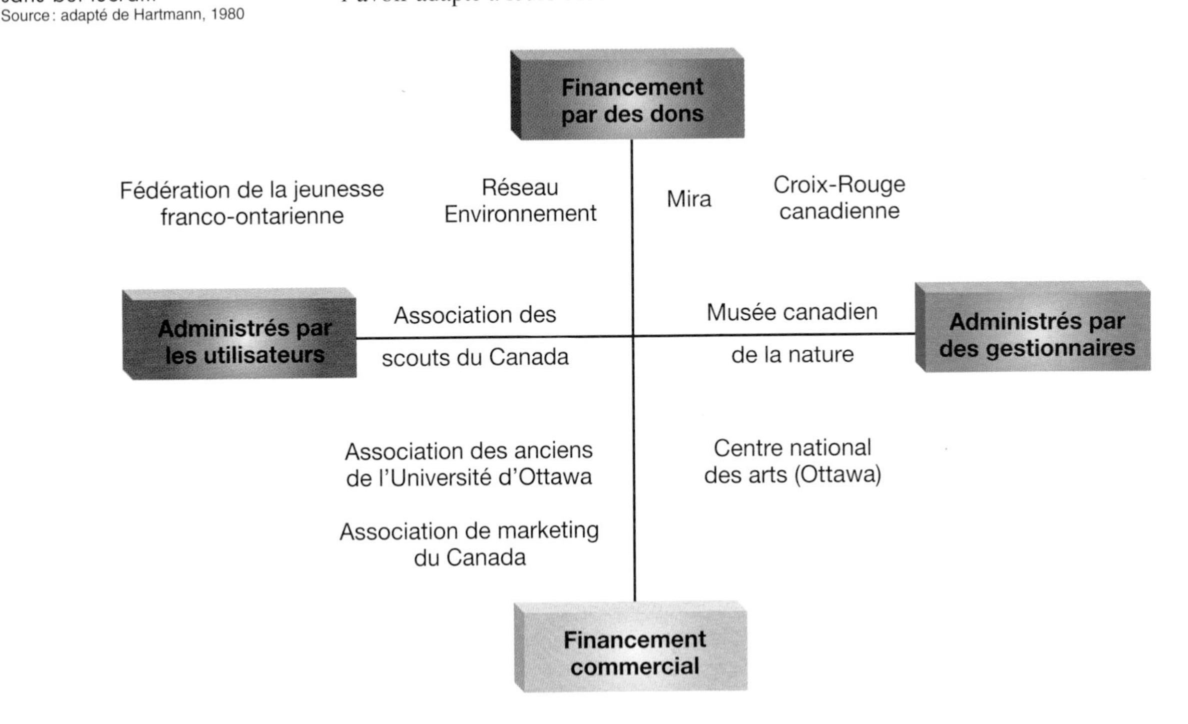

Existe-t-il vraiment une différence entre une entreprise commerciale et un organisme sans but lucratif ? Oui et non. Ainsi, il y a des différences, mais ces dernières sont hors du cadre d'un livre de marketing. Aussi nous n'entrerons pas dans ces considérations (différences juridiques, comptables, de gestion interne, etc.). Par contre, comme nous allons le voir par la suite, l'importance des stratégies, de la démarche et des outils marketing est tout aussi grande dans le cas des organismes à but non lucratif que dans celui des entreprises commerciales. Entreprises et organismes sont animés par la même volonté : celle de réussir des échanges avec différents interlocuteurs.

Si tu as bien compris cela, tu as compris l'essentiel de ce chapitre, sinon reprends-en la lecture ! Le reste du chapitre abordera des exemples d'utilisation du marketing et de ses outils dans des organismes sans but lucratif.

RÉVISION DES CONCEPTS

1. Le profit, c'est ___________ restant à une entreprise une fois tous les ___________ soustraits des ___________________.
2. Certains organismes sans but lucratif génèrent des revenus, car ils doivent assurer l'_______________ de leurs activités.

L'IMPORTANCE DU MARKETING POUR UN ORGANISME SANS BUT LUCRATIF

Dans cette partie, nous essayerons de comprendre pourquoi le marketing et tout ce qu'il comprend (sa démarche et ses outils) peuvent être importants pour un organisme sans but lucratif. Pour comprendre son importance et surtout son utilité pour un tel organisme, nous allons tout d'abord revenir sur la définition du marketing et sur son rôle dans les échanges. En élargissant cette notion d'échange, nous verrons alors que le marketing peut s'appliquer à un contexte plus large que celui des entreprises engagées dans des **échanges commerciaux** avec les consommateurs, contexte que le livre a présenté jusqu'à maintenant. Par la suite, et afin d'éviter d'utiliser le marketing à outrance, nous présenterons des contextes précis dans lesquels il prendra réellement tout son sens pour un organisme sans but lucratif.

La définition du marketing Revenons à la définition du marketing donnée au chapitre 1 par le professeur Georges Hénault, coordonateur du réseau Entrepreneuriat de l'Agence de l'Université d'Ottawa : « Le marketing est un processus d'échange entre une organisation privée, publique ou à but non lucratif et ses clients/consommateurs. Il cherche à mieux connaître et anticiper leurs besoins afin de mettre en marché des produits ou des services qui les satisfassent sans aliéner le mieux-être de la société à long terme[5] ». Toujours au chapitre 1, il était écrit : « Le marketing trouve son sens quand s'effectue une transaction entre deux parties qui échangent quelque chose ayant une valeur ». Le marketing semble donc prendre de l'importance au moment d'un échange.

La nature de l'échange Traditionnellement, et c'est ce que le livre a présenté jusqu'à maintenant, l'échange inclut deux parties, une entreprise et une cliente ou un client. Le plus souvent, l'échange nécessite un bien (produit et service) fabriqué ou possédé par l'entreprise en contrepartie d'une somme d'argent cédée par la clientèle, comme le montre la figure 7.2. Toute entreprise opérant de tels échanges peut faire appel au marketing afin de créer, d'optimiser et de maintenir ces échanges.

Notons bien que ce n'est pas parce qu'il y a échange qu'il faut utiliser le marketing. Entre autres aspects, le chapitre 1 a présenté l'optique production, dans laquelle il y avait bien des échanges entre les entreprises et les consommateurs, sans pourtant faire appel au marketing. Le marketing facilite l'échange quand ce dernier existe, mais il ne lui est pas indispensable.

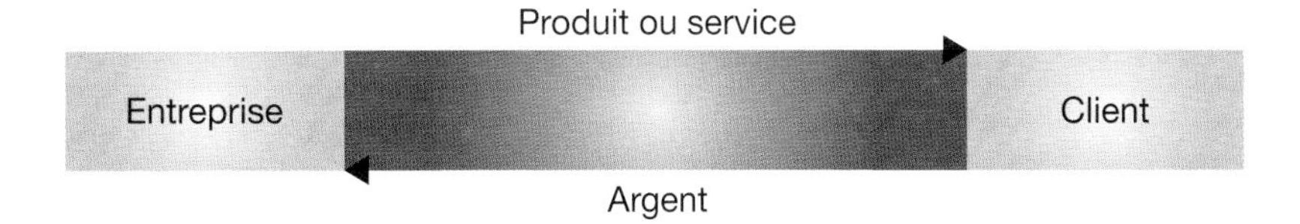

FIGURE 7.2
L'échange commercial traditionnel

Toutefois, cette définition de l'échange ne convient pas vraiment pour décrire ce qui se passe dans une organisation comme l'Armée du Salut qui fournirait un repas sans contrepartie, ou Centraide qui vient chercher des fonds auprès de donateurs. Dans le premier cas, l'argent n'apparaît pas comme contrepartie au service offert (le repas). Dans le second, rien ne semble fourni contre l'argent donné : ni un produit ni un service précis. Faut-il alors abandonner le marketing ? Non ! Pour les organismes à but non lucratif, il faut cependant que nous revoyions la notion d'échange et les personnes engagées dans ce processus.

LES PERSONNES ENGAGÉES DANS UN ÉCHANGE SANS BUT LUCRATIF

Commençons par préciser la nature des personnes avec lesquelles l'organisme sans but lucratif réalise des échanges. Quand nous parlons d'une entreprise commerciale, nous employons les termes fournisseurs et clients pour définir les acteurs de cette entreprise. C'est avec eux que l'entreprise procède à des échanges. Dans le cas d'un organisme à but non lucratif, nous pourrions aussi parler de clients et de fournisseurs. Cependant, la nature de ces derniers évolue un peu comparativement à l'entreprise commerciale.

Traditionnellement, les clients sont ceux qui donnent de l'argent pour recevoir un bien. Les fournisseurs sont ceux auxquels l'entreprise donne de l'argent en échange d'un produit ou d'un service nécessaire à son fonctionnement. Dans le cas des organismes sans but lucratif, il s'agit de l'inverse : les fournisseurs sont les personnes qui donnent de l'argent à l'organisme pour qu'il puisse fonctionner. Parfois, certains clients reçoivent des services ou un produit de l'organisme sans échange monétaire. Pour être plus précis, nous appellerons dorénavant les clients des **bénéficiaires** (quand il n'y a pas d'argent en jeu) ou des **utilisateurs** (quand l'organisme demande une rémunération pour le bien qu'il cède) et les fournisseurs, des **donateurs.** Il existe l'exception où les donateurs et les utilisateurs peuvent être les mêmes personnes. Par exemple, quand un organisme comme un musée ou une association professionnelle fait payer l'entrée ou perçoit une cotisation de membre.

Nous avons redéfini la nature des acteurs concernés pour mieux comprendre les échanges dans lesquels s'engagent les organismes à but non lucratif.

LA NOTION D'ÉCHANGE ÉLARGI

Lovelock et Weinberg[6] nous apprennent qu'il est possible d'élargir la notion d'échange et de ne pas considérer l'argent, les produits ou les services comme les seuls éléments de l'échange. Ces auteurs préfèrent décrire les éléments en jeu comme étant des bénéfices et des coûts. En effet, plutôt que de parler simplement de produits, disons que le client vient rechercher des **bénéfices** et que, pour les obtenir, il est prêt à engager certains **coûts.**

Les bénéfices recherchés peuvent être un produit ou un service, les coûts peuvent être monétaires, comme dans le cadre d'un échange commercial traditionnel. Bénéfices et coûts peuvent aussi prendre d'autres formes :

- Sensoriels : les bénéfices sont les plaisirs sensitifs et esthétiques retirés de l'échange (le bon goût, l'ambiance agréable) et les coûts, les inconforts liés à l'échange (le bruit, un siège inconfortable, etc.).
- Psychologiques : les bénéfices renvoient à un état d'esprit positif (sentiment de liberté, du devoir accompli, bonheur, gratitude) et les coûts à un état d'esprit négatif (frustration, colère). Deux états d'esprit dans lesquels se trouvent les parties engagées dans l'échange.
- Spatiaux : les bénéfices englobent les avantages (une navette pour t'accompagner jusqu'à ton avion) et les coûts, les inconvénients (un stationnement complet) de l'endroit où le produit ou le service est obtenu.
- Temporels : ils concernent naturellement les aspects liés à la durée de l'échange sous forme de bénéfices (rapidité, ponctualité) ou de coûts (attente, délai).
- Monétaires : la valeur retirée de l'échange sous forme de bénéfices et les coûts directs et indirects engendrés par l'échange.

Ainsi décrit, l'échange peut couvrir un nombre plus important de situations dont celle des organismes sans but lucratif. C'est ce que nous appellerons l'**échange élargi** que montre la figure 7.3.

FIGURE 7.3
L'échange élargi

Par exemple, lorsque tu vas dans un musée, il est exceptionnel que tu repartes avec le tableau que tu es venu admirer. Tu retires de cet échange un plaisir visuel à regarder les œuvres exposées (le bénéfice de l'échange). En contrepartie, tu as dû effectuer un

déplacement pour te rendre au musée, et il s'agit bien d'un coût à rajouter au prix d'entrée (les coûts de l'échange). De même, l'Armée du Salut qui offre des repas s'engage dans un échange où le repas devient un bénéfice évident en contrepartie de coûts temporel (il faut attendre) et spatial (il faut se déplacer).

Du point de vue du marketing, faciliter et optimiser un échange élargi revient à comprendre les bénéfices recherchés par la clientèle et les coûts engendrés qu'elle doit supporter, puis à utiliser cette connaissance à des fins de gestion.

Le recadrage de l'activité marketing Ainsi défini, l'échange est très large et correspond à de nombreuses activités : deux personnes qui discutent ou quatre personnes qui jouent aux cartes sont dans un processus d'échange. Il convient donc de restreindre un peu le contexte de l'échange pour pouvoir y appliquer le marketing.

Kotler et Andreasen (1996)[7] nous y aident en amenant l'idée que le marketing n'est utilisé seulement lorsque l'organisation vise avant tout à changer le comportement de sa cible. Autrement dit, le marketing tend à modifier les gestes accomplis par l'individu (acheter un produit ou non, s'arrêter de faire quelque chose, etc.). Par exemple, une organisation cherchant uniquement à transmettre de l'information ou des savoirs n'entre pas dans le cadre du marketing (un professeur en train d'enseigner). N'y entre pas non plus celle qui vise seulement à modifier les attitudes (un orateur cherchant juste à se faire apprécier). Transmettre de l'information et modifier des attitudes sont des moyens et non des fins pour le marketing. Il transmet des informations et modifie des attitudes pour, finalement, transformer les comportements de sa cible.

L'organisation voudra peut-être modifier ou influencer le comportement de l'individu, le persuader, lui donner des raisons de faire ce qu'il n'aurait pas fait naturellement. Par exemple, l'empêcher de boire de l'alcool et de conduire, lui faire choisir une organisation plutôt qu'une autre. Dans ce cas, cette organisation aura donc avantage à adopter une approche marketing.

Grâce à l'analyse de marchés, le marketing est aussi utile lorsque l'organisation doit trouver son client, c'est-à-dire quand les deux parties ne sont pas automatiquement connectées.

Nous avons donc redéfini les acteurs concernés par l'échange (des bénéficiaires et des donateurs, plutôt que des clients et des fournisseurs) et les éléments échangés (des bénéfices contre des coûts plutôt que des biens contre de l'argent). Nous avons vu que le marketing peut être utilisé par les organismes à but non lucratif, mais en se limitant toutefois à ceux qui cherchent à modifier le comportement de leur cible.

Les problématiques des organismes sans but lucratif Pour se convaincre de l'importance du marketing pour les organismes sans but lucratif, nous pouvons nous arrêter sur quelques problèmes rencontrés par ces derniers.

Les organismes sans but lucratif qui cherchent des individus ou des entreprises pour se financer sont nombreux. Ils doivent trouver ces individus et ils doivent les persuader de faire un don. Ils doivent aussi se doter d'une bonne image, car personne ne donnerait de l'argent à une organisation ayant mauvaise réputation ou n'ayant pas l'image de travailler pour le bien-être de la société. Ces organismes doivent satisfaire leurs donateurs en leur démontrant qu'ils ont bien utilisé leurs dons. Comme tu l'as vu dans le texte d'introduction, la concurrence se fait de plus en plus pressante pour les organismes sans but lucratif, car le portefeuille des donateurs potentiels n'est pas mieux rempli. D'autres devront trouver ce que le donateur cherche à obtenir en échange de son don (quoi offrir en échange à ceux qui versent de l'argent à un musée ?).

Toutes ces différentes problématiques sont très proches de celles des entreprises commerciales : trouver une clientèle, la satisfaire, la conserver, développer son image, lutter contre la concurrence, etc. Confrontées à ces problèmes, les entreprises commerciales font logiquement appel à la démarche marketing. Pourquoi des organismes à but non lucratif ayant des problèmes similaires ne l'utiliseraient-elles pas ?

En définitive, il faut comprendre une chose très importante : si la nature de l'entreprise change, si le produit ou le service qu'elle essaie d'échanger avec les consommateurs change et si l'échange doit être redéfini, la nature du marketing, elle, ne change pas. Ses objectifs restent les mêmes. De la même façon qu'il apporte des solutions aux entreprises commerciales, le marketing est utile aux organismes sans but lucratif pour créer, faciliter, optimiser et maintenir des échanges élargis.

RÉVISION DES CONCEPTS

1. Les personnes engagées dans un échange avec un organisme sans but lucratif s'appellent des ______________ ou ______________ et des ______________.
2. Quel genre de bénéfices recherchés et de coûts entrent en jeu lors d'un échange élargi?
3. Pour les organismes sans but lucratif, à quoi sert le marketing?

LES STRATÉGIES DE MARKETING POUR LES ORGANISMES SANS BUT LUCRATIF

Décrite au chapitre 2 de ce livre, la stratégie englobe à la fois la vision de l'entreprise et ses objectifs. Elle est présente à trois niveaux : niveau organisationnel, niveau de l'unité d'activités et niveau fonctionnel. Comme une entreprise commerciale, l'organisme sans but lucratif doit savoir où il veut aller et où il va. Comme toute organisation, l'organisme à but non lucratif doit se doter d'une stratégie.

La stratégie organisationnelle

La vision Rappelons-nous que la stratégie organisationnelle comprend en premier lieu la vision de l'organisation, soit l' image qu'elle se fait de son avenir, décrivant ainsi ce qu'elle cherche à devenir. Cette vision, difficile à définir, doit être la plus réaliste possible, car elle va motiver les membres de l'organisation et être à la base de l'image qui rend cette organisation unique aux yeux du public. Tu trouveras différentes missions d'organismes sans but lucratif dans l'encadré Tendances marketing et tu constateras qu'elles sont très orientées vers le bénéficiaire potentiel, très proches de l'optique marketing.

Les valeurs Il faut mettre au point la culture ou la philosophie organisationnelle établissant les valeurs et les règles de conduite de l'organisation. Dans le contexte des

TENDANCES MARKETING — La mission de la Société canadienne de la Croix-Rouge et du Musée canadien de la nature

La mission de la Société canadienne de la Croix-Rouge, définie aussi comme un organisme de bienfaisance bénévole, s'énonce ainsi : « Nous aidons les gens à faire face aux situations qui menacent leur survie, leur sécurité, leur bien-être et leur dignité humaine, au Canada et partout dans le monde »[8].

« Le Musée canadien de la nature a pour mission d'accroître, dans l'ensemble du Canada et à l'étranger, l'intérêt et le respect à l'égard de la nature, de même que sa connaissance et son degré d'appréciation par tous par la constitution, l'entretien et le développement, aux fins de la recherche et pour la postérité, d'une collection d'objets d'histoire naturelle principalement axée sur le Canada ainsi que par la présentation de la nature, des enseignements et de la compréhension qu'elle génère »[9].

organisations étudiées ici, les notions d'éthique et de responsabilité sociale prennent naturellement tout leur sens.

Voici par exemple les principes fondamentaux de la Croix-Rouge canadienne:

- «Les principes fondamentaux d'humanité, d'impartialité, de neutralité, d'indépendance, de volontariat, d'unité et d'universalité guident tous les programmes et activités de la Croix-Rouge. Ces principes nous permettent de venir en aide immédiatement à ceux qui sont dans le besoin, sans distinction de race, d'appartenance politique, de religion, de condition sociale ou de culture»[10].
- Le Musée canadien de la nature défend cinq valeurs[11]: honnêteté, intégrité, respect des personnes et de la nature, poursuite de l'excellence et acquisition continue du savoir.

Les objectifs Les objectifs de l'organisation et les niveaux de rendement à atteindre constituent autant d'éléments quantifiables permettant de mesurer l'évolution de cette organisation. Le chapitre 2 citait sept objectifs. Trois d'entre eux sont mis en premier plan dans les organismes sans but lucratif: l'engagement social, le bien-être des employés et la qualité. Le nombre de produits ou de services vendus, la part de marché et le chiffre d'affaires deviennent secondaires et, par définition, le profit n'est pas recherché. On peut aussi chercher à adapter ces objectifs à chaque organisation. Ainsi, il peut s'agir du nombre de bénéficiaires, de l'étendue géographique couverte, du nombre de repas servis par une organisation de bienfaisance, du nombre de diplômés d'un collège ou d'une université, de la satisfaction des membres d'une organisation professionnelle, etc. Contrairement aux entreprises commerciales, on ne recherche pas forcément «le plus», mais parfois «le moins»: la réduction du nombre d'illettrés pour une organisation d'alphabétisation, la disparition de certaines maladies pour une fondation, etc. Bien souvent, certaines organisations à but non lucratif, en particulier humanitaires ou sociales, préféreraient ne pas exister, et leur plus grande victoire serait de devenir inutiles, une fois leur mission accomplie...

La stratégie des unités d'activités

Au deuxième palier de stratégie, on trouve les différentes unités d'activités ou services. Il faut chercher à définir la mission de chaque unité d'activités et la façon dont elle aide l'organisation à atteindre sa vision en dotant ces unités d'une mission, d'objectifs et de moyens. L'organisation sans but lucratif peut aussi avoir plusieurs unités d'activités et devoir gérer chacune d'elles.

La Croix-Rouge canadienne regroupe par exemple cinq services comme tu peux le lire dans l'encadré Branchez-vous! qui suit.

Le Musée canadien de la nature s'est doté de quatre services: le service de la recherche (trois projets de recherches portant sur les enjeux de la biodiversité, la paléobiologie et les éléments rares), le service des collections (la collecte de spécimens retraçant l'histoire de la Terre), le service d'exposition (huit galeries permanentes, des expositions spéciales et des mini-expositions) et le service communautaire (ateliers, conférences, expositions itinérantes, etc.).

La stratégie sur le plan fonctionnel

La stratégie doit aussi être définie sur le plan fonctionnel. Naturellement, nous insisterons davantage sur le service marketing et le processus de marketing stratégique. Rappelons que ce processus comprend trois phases: la planification, la mise en œuvre et le contrôle. La phase de la planification comprend trois étapes. Nous traiterons d'abord des deux premières: l'analyse de la situation, puis l'examen du marché-produit et l'établissement des objectifs. Nous étudierons la suivante, le programme de marketing, dans la prochaine partie de ce chapitre.

La Croix-Rouge canadienne

Services aux sinistrés

La Croix-Rouge canadienne vient en aide aux personnes touchées par des situations d'urgence et des sinistres (un incendie d'habitation jusqu'à des inondations perturbant une région entière du pays). À la suite d'un sinistre, la Croix-Rouge collabore avec divers ordres gouvernementaux et d'autres organismes humanitaires. Elle vise à subvenir aux besoins essentiels des sinistrés en matière de vivres, de vêtements, d'hébergement temporaire, de premiers soins, de soutien psychologique et de réunion des familles. Ces services particuliers sont offerts en fonction des besoins de la collectivité et du rôle que la Croix-Rouge remplit dans le cadre du plan d'intervention local en cas de sinistre.

Volet international

La Croix-Rouge canadienne collabore à l'étranger avec d'autres membres du Mouvement international de la Croix-Rouge et du Croissant-Rouge, c'est-à-dire 178 Sociétés nationales de la Croix-Rouge ou du Croissant-Rouge, la Fédération internationale et le Comité international de la Croix-Rouge. Grâce à l'appui des Canadiens et de l'Agence canadienne de développement international (ACDI), la Croix-Rouge canadienne travaille dans des situations de guerre et à l'occasion de catastrophes naturelles pour fournir des secours dont le besoin est urgent, réunir des familles et aider à reconstruire des collectivités. La Croix-Rouge canadienne soutient et gère un éventail de programmes de développement et de relèvement, depuis les soins de santé primaires jusqu'à l'épuration de l'eau. Chaque année, la Croix-Rouge canadienne envoie environ 100 intervenants professionnels de l'urgence en mission à l'étranger.

Services de secourisme

L'objectif du programme de secourisme de la Croix-Rouge est de réduire le nombre de décès et de souffrances dus aux traumatismes et aux maladies soudaines. Depuis plus de 50 ans, elle travaille à la réalisation de cet objectif en formant au secourisme le plus grand nombre possible de Canadiennes et de Canadiens. La Croix-Rouge leur enseigne les connaissances et les habiletés nécessaires pour réagir à toute situation d'urgence avec assurance, empathie et savoir-faire... Et, surtout, pour prévenir les traumatismes dans la mesure du possible.

Services de sécurité aquatique

Beaucoup de Canadiennes et de Canadiens découvrent pour la première fois la Croix-Rouge canadienne à la plage ou à la piscine. Grâce aux Services de sécurité aquatique, plus de 27 millions de personnes ont appris à nager et à pratiquer des activités aquatiques en toute sécurité depuis 1946. Au Canada, le taux de mortalité par noyade a diminué considérablement, chutant, en 50 ans, d'un sommet de 8 pour 100 000 habitants à 2,5 pour 100 000 habitants aujourd'hui.

Services de soins à domicile

Depuis plus de 70 ans, la Croix-Rouge canadienne offre des services communautaires de soutien à domicile en Ontario afin d'aider des gens à vivre de la façon la plus autonome possible. Ces services, qui s'étendent maintenant au Canada atlantique, rehaussent le mieux-être des intéressés et leur dignité. Ces services s'adressent aux personnes fragiles ou âgées, aux enfants à risque, aux personnes handicapées ou aux patients en phase palliative.

Pour plus d'informations au sujet de la Croix-Rouge canadienne, rends-toi à l'adresse suivante : www.dlcmcgrawhill.ca.

L'analyse de la situation L'analyse de la situation est à la fois interne et externe. Elle doit faire ressortir la position de l'organisation, ce qu'elle est maintenant et ce vers quoi elle tend, en tenant compte des facteurs et des tendances externes qui la touchent. Rappelons que cette analyse conduit à définir les forces et les faiblesses de l'organisation, ainsi que les possibilités et les menaces auxquelles elle fait face dans son environnement. Pour une entreprise commerciale, comme pour un organisme sans but lucratif, cette analyse engendre quatre stratégies de marketing de base. Ces stratégies se décrivent selon deux directions : les produits ou les marchés. Ceux-ci peuvent prendre à leur tour deux aspects, soit ce qui existe déjà (marchés et produits actuels), soit des innovations (nouveaux marchés et produits).

Les gestionnaires de l'organisme sans but lucratif disposent de quatre stratégies de base, comme le montre la figure 7.4.

FIGURE 7.4
Les différentes stratégies

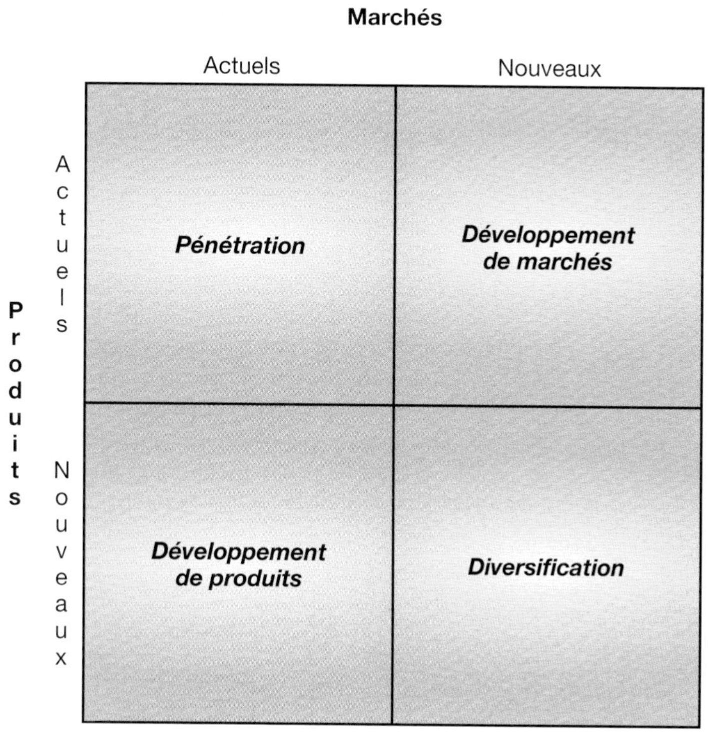

Produits \ Marchés	Actuels	Nouveaux
Actuels	***Pénétration***	***Développement de marchés***
Nouveaux	***Développement de produits***	***Diversification***

La *pénétration des marchés* : en s'adressant aux donateurs actuels, par exemple, Centraide cherche à augmenter les dons ou à offrir davantage à ses bénéficiaires actuels.

Le *développement de marchés* : une université peut favoriser la formation continue pour les adultes ou bâtir un nouveau campus et, ainsi, viser de nouveaux marchés. Une organisation de bienfaisance peut s'implanter à l'étranger.

Le *développement de produits* : une université peut élargir sa gamme de cours, développer une nouvelle faculté et, ainsi, offrir de nouveaux services (ou programmes).

La *diversification* : un musée d'art contemporain peut décider d'offrir des cours de formation dans un domaine artistique. Pour sa part, à partir de 1946, la Croix-Rouge canadienne a offert son service de sécurité aquatique.

Ajoutons à cela deux stratégies d'*intégration*, selon la direction prise par cette intégration : en amont ou en aval. Un théâtre peut créer une école de théâtre pour former des acteurs (intégration en amont). À l'inverse, une compagnie d'acteurs peut acheter son propre théâtre pour y jouer ses pièces (intégration en aval).

En définitive, les stratégies de l'organisme sans but lucratif sont les mêmes que celles de l'entreprise commerciale et doivent naître d'un même processus d'analyse interne et externe.

L'examen du marché-produit La deuxième étape de la phase de la planification est l'examen du marché-produit et l'établissement des objectifs. Cette étape consiste en premier lieu à déterminer quels produits seront présentés à quels marchés, puis à se fixer des objectifs spécifiques. Au moment de cette étape, deux démarches sont importantes : la *segmentation* et le *positionnement*. Au chapitre 10, nous verrons que ces deux décisions vont ensemble : l'entreprise définit la segmentation de son marché, cible un ou plusieurs segments pour finalement s'y positionner, surtout en regard de la concurrence. Ces démarches sont d'autant plus importantes qu'elles soulèvent des questions pour les organismes sans but lucratif.

La segmentation Pour un organisme sans but lucratif, la segmentation consiste toujours à « classer par groupes les clients potentiels qui 1) ont en commun des besoins et 2) répondront de façon similaire aux efforts de mise en marché ».

Il faut faire attention à cette notion de segmentation. En effet, dans le cas d'une entreprise commerciale, la segmentation du marché relève surtout d'un souci d'efficacité. Elle cherche à définir les cibles les plus payantes, laissant parfois de côté les cibles les moins intéressantes. En revanche, un organisme à but non lucratif peut avoir comme vision de servir l'intérêt général de la société, c'est-à-dire l'ensemble de la population. Or, l'utilisation d'une segmentation rejetant certains segments irait à l'encontre de la vision de base d'un tel organisme et serait écartée avec raison.

Lorsqu'on élabore le marketing des organismes sans but lucratif, il est important d'exclure l'idée d'une segmentation visant l'élimination de certains segments. En particulier lorsqu'on travaille avec les bénéficiaires ou les utilisateurs. L'objectif de la segmentation n'est pas d'éliminer des segments, mais de découvrir les différences entre les segments, donc de mieux les connaître. Il ne s'agit pas de refuser certains segments, mais de s'adapter à leurs caractéristiques propres. Traiter tous les bénéficiaires de la même façon n'est possible que si ces derniers éprouvent les mêmes besoins. Si ce n'est pas le cas, il faudra bien segmenter la population cible et adapter l'offre de l'organisme.

Les musées, par exemple, poursuivent l'objectif de desservir l'ensemble de la population, mais ils peuvent appliquer une segmentation et adapter leur prix selon l'âge des visiteurs, comme le montre la figure ci-dessous.

FIGURE 7.5
Voici la politique tarifaire du Musée de l'aviation du Canada à Ottawa.

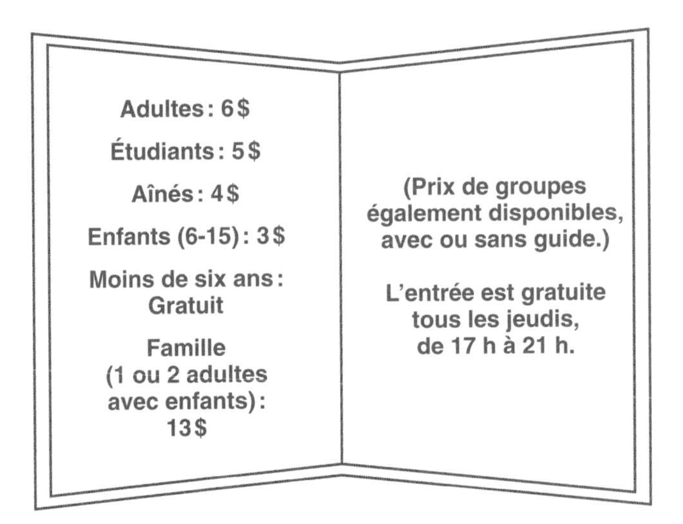

Adultes : 6 $
Étudiants : 5 $
Aînés : 4 $
Enfants (6-15) : 3 $
Moins de six ans : Gratuit
Famille (1 ou 2 adultes avec enfants) : 13 $
(Prix de groupes également disponibles, avec ou sans guide.)
L'entrée est gratuite tous les jeudis, de 17 h à 21 h.

Toutefois, la segmentation peut conserver tout son sens (trier et définir les segments les plus prometteurs) lorsqu'il s'agit de s'adresser à la seconde cible des organismes à but non lucratif, à savoir les donateurs. Demander du financement à l'ensemble de la population est non seulement beaucoup trop coûteux, mais complètement inutile. Atteindre chaque personne exige un coût (un timbre, du papier, même le temps des bénévoles doit être économisé, car il demeure une ressource rare). De plus, il est effectivement inutile d'atteindre tout le monde, car il est évident que tous ne répondront pas à la **campagne de financement.**

Pour ces raisons, il est nécessaire d'être sélectif et de ne retenir que les catégories de personnes qui ont le plus de chances de faire un don. On peut utiliser différents critères pour segmenter : les donateurs potentiels et les donateurs passés, les montants déjà donnés, le type de profession, le lieu d'habitation, les styles de vie, etc.

Ainsi, une bonne segmentation se révèle une aide précieuse lorsqu'il s'agit de lancer une campagne de financement. Il faut donc éviter de cibler des publics qui ont peu de chance de faire un don et s'adapter aux autres.

Le positionnement Le positionnement consiste à « placer les attributs d'un produit ou d'un service dans l'esprit des clients et relativement aux produits ou services de la concurrence ». Nous nous interrogerons sur le terme de concurrence, car il prend des sens différents dans le cas des organismes à but non lucratif.

En effet, certains organismes sans but lucratif opèrent dans des milieux hautement compétitifs, tout comme les entreprises commerciales. En conséquence, ils doivent convaincre leur clientèle de venir les visiter. C'est le cas d'un musée confronté à la concurrence d'autres musées, mais aussi des parcs d'attraction et des cinémas, s'ils veulent combler le besoin de loisir de leurs clients. Pour ces organismes, la concurrence n'est pas un vain mot et ils doivent en tenir compte dans leurs stratégies marketing vis-à-vis des utilisateurs.

Enfin, certains organismes sans but lucratif sont tellement spécialisés qu'ils n'ont pas de concurrence directe. Ainsi, il n'existe qu'une seule Association canadienne du marketing.

La concurrence vis-à-vis des bénéficiaires ou des utilisateurs n'a donc pas toujours lieu d'être, ce qui rend le positionnement secondaire pour certains organismes sans but lucratif.

La concurrence pour les bénéficiaires peut être limitée, voire même inexistante, mais elle risque d'être très féroce quand il s'agit des donateurs. En effet, le nombre et l'argent disponible des donateurs sont en quantités limitées, un donateur ne pouvant peut-être faire qu'un seul don par an. Pour un organisme à but non lucratif qui cherche du financement public, il va falloir convaincre le donateur, lui donner des raisons de verser son argent à un organisme plutôt qu'à un autre.

Dans ce cas, la stratégie de positionnement vis-à-vis de la concurrence acquiert donc une importance beaucoup plus grande. D'une manière plus générale, l'image perçue par le public est très importante, car c'est d'elle que dépendent les ressources de l'organisation.

Une fois que ces stratégies ont été élaborées et définies, il faut mettre en place les moyens de les atteindre, autrement dit établir le programme de marketing et élaborer le marketing mix. C'est l'objet de la prochaine partie.

L'UTILISATION DU MARKETING MIX POUR UN ORGANISME SANS BUT LUCRATIF

Ayant établi sa stratégie comprenant, entre autres aspects, la définition de ses produits ou services (« quoi ») et celle de ses cibles (« qui »), l'organisation doit élaborer et mettre en œuvre des moyens pour l'atteindre, c'est-à-dire décider du « comment ». Les moyens dont elle dispose se rassemblent dans le marketing mix. Ce dernier regroupe les facteurs entre les mains des gestionnaires pour les aider à atteindre leur clientèle. Il s'agit alors des classiques quatre P : produit, prix, communication (promotion) et distribution (place).

Dans la suite de cette partie, nous passerons en revue l'utilisation de chacun des quatre P et nous insisterons sur les spécificités des organismes sans but lucratif, car chaque P fait l'objet de chapitres détaillés dans la suite du livre.

Nous aborderons chaque P l'un après l'autre, mais retenons que le succès d'une mise en marché dépend avant tout d'une gestion cohérente et coordonnée de ces différents outils. Par exemple, il serait désastreux qu'une organisation de bienfaisance fasse la promotion d'une campagne d'aide à la population et qu'elle ne puisse la réaliser faute de moyens adéquats de distribution.

Le produit, le service ou l'idée

Commençons avec le P, produit. L'offre d'un organisme sans but lucratif est généralement multiple, elle comprend plusieurs biens à offrir avec divers objectifs. Ainsi, non seulement la nature des biens (produits, services ou idées) varie, mais la raison pour laquelle ils sont offerts varie aussi : remplir la mission ou financer l'organisme. La raison d'être de chaque produit, service ou idée de l'organisme sans but lucratif se définit au regard de sa mission. Il faut ainsi distinguer :

L'**offre de base** répond à la mission centrale de l'organisation et à sa raison d'être. Cette dernière est bien souvent l'organisme lui-même et les actions qu'il mène ou les idées qu'il veut transmettre.

L'**offre complémentaire** sert à agrémenter ou à faciliter l'utilisation ou l'obtention de l'offre de base (par exemple : un musée offre un service de stationnement, un restaurant loue ses salles pour des réceptions).

L'**offre servant à attirer des ressources** et à obtenir du financement. Bien souvent, elle reflète les idées centrales de la mission de l'entreprise (par exemple les cartes de vœux de l'UNICEF avec des dessins d'enfants), mais elle peut aussi être sans rapport direct avec cette mission (ventes de chocolat ou de biscuits par les scouts).

La gestion du portefeuille comporte trois éléments : le lien du bien considéré avec la mission de base de l'organisation, le revenu qu'il génère et les coûts qu'il engendre. En effet, même si le profit n'est pas recherché dans ce cas, la survie de l'organisation dépendra de l'équilibre entre ses coûts et ses revenus. Le tableau 7.1 reprend ces trois éléments et présente différentes décisions concernant la gestion de l'offre.

TABLEAU 7.1
Éléments de la gestion du portefeuille

ÉQUILIBRE ENTRE LES REVENUS ET LES COÛTS

		REVENUS > COÛTS	REVENUS = COÛTS	REVENUS < COÛTS
Lien avec la mission centrale de l'organisation	Direct	• Accroître l'offre • Statu quo	• Accroître l'offre • Statu quo	• Trouver des sources de financement • Diminuer les coûts • Réduire l'offre • Augmenter les prix
	Sans lien	• Accroître l'offre • Resserrer le lien avec la mission	• Resserrer le lien avec la mission • Améliorer l'équilibre	• Resserrer le lien avec la mission • Améliorer l'équilibre • Éliminer
	Incompatible	• Externaliser • Éliminer	• Externaliser • Éliminer	• Éliminer rapidement

Concernant l'offre, il faut décider de l'introduction de nouveaux biens dans le portefeuille de l'organisation. Les éléments traditionnels entrent en ligne de compte dans la gestion des innovations. L'introduction d'un nouveau produit, d'un nouveau service ou d'une nouvelle idée dans les organismes sans but lucratif doit toujours être raisonnée en lien avec la mission centrale de l'organisation. Il faut donc se poser la question : « À quoi servira ce nouveau bien et comment viendra-t-il s'insérer dans le portefeuille existant ? »

Le prix

La fixation du prix dans une entreprise commerciale peut tenir compte de divers éléments tels que la concurrence ou le consommateur, mais la plupart du temps, les gestionnaires poursuivent essentiellement deux objectifs. Il s'agit de couvrir les coûts de production et d'engendrer un bénéfice. Il en va autrement pour un organisme sans but lucratif, puisque la fixation du prix ne vise pas cet objectif de profitabilité. En effet, certains organismes à but non lucratif, respectant ainsi leurs statuts et leur mission, ne fixent même pas de prix à leurs prestations, aux produits qu'ils offrent ou aux idées qu'ils véhiculent.

Pour un organisme sans but lucratif, la fixation du prix n'est pas une décision aisée, car elle va souvent opposer deux points de vue complètement antagonistes : permettre au plus grand nombre d'avoir accès à l'organisation et de générer des revenus. Le premier point de vue suggère généralement de diminuer, voire même de supprimer les prix, contrairement au second qui recommande de les augmenter.

S'il y a un coût à acquitter pour bénéficier de l'offre de l'organisation, ce coût peut être soit monétaire (un prix, des frais d'inscription, etc.) soit physique (donner un « coup de main »), mais sa fixation suit de façon rigoureuse l'éthique de l'organisation. Ainsi, le coût devra couvrir en priorité les frais de fonctionnement plutôt que réaliser un profit aux dépens des bénéficiaires ou des utilisateurs.

Dans certains cas, le prix permet d'établir des discriminations parmi les segments de bénéficiaires. Il concède ainsi, aux moins fortunés ou aux bénéficiaires prioritaires, l'accès aux services ou aux produits de l'organisation à moindre coût. Par exemple, certains musées réservent des périodes gratuites d'accès aux enfants et aux personnes plus âgées.

Le prix peut aussi être demandé sous la forme d'un **don volontaire** plutôt que d'une somme fixe, il varie ainsi selon chaque bénéficiaire. Il faut noter aussi l'existence de **prix symbolique** ou **psychologique** auprès des bénéficiaires. Cette somme modique demandée en échange du produit ou du service a pour objectif soit de responsabiliser les bénéficiaires, soit de ne pas leur donner l'impression de « mendier » le produit ou le service qu'ils viennent chercher auprès de l'organisation.

Rappelons enfin que certains organismes sans but lucratif peuvent monter le prix de leur offre. À ce moment-là, la fixation des prix suit le processus d'une entreprise commerciale. Les profits engendrés sont alors réinvestis dans l'organisation ou servent à couvrir le manque à gagner sur d'autres produits ou services vendus en dessous de leur coût. Par exemple, une fondation peut organiser un concert en vendant les places nettement plus cher que le coût du concert, afin de financer une autre activité. Ces décisions concernant le prix renvoient alors à la collecte de fonds que nous aborderons par la suite.

La communication (promotion)

La communication (promotion) est extrêmement importante pour les organismes sans but lucratif. En effet, ils doivent se faire connaître et faire connaître leurs produits et services auprès de leurs utilisateurs et bénéficiaires, comme toute entreprise. Leur survie, grâce à la recherche de ressources, repose aussi sur des campagnes de communication (promotion) très efficaces auprès de donateurs potentiels. Enfin, rappelons que la raison d'être d'un organisme sans but lucratif prônant la diffusion d'une idée (le recyclage, l'utilisation de préservatifs, etc.) est justement la communication (promotion).

Les différents objectifs poursuivis par la communication (promotion) sont de réveiller le besoin (faire prendre conscience d'une cause), de stimuler l'intérêt (faire connaître l'organisme, présenter les réalisations de l'organisme), de susciter le désir (construire l'image de l'organisme) et d'engendrer l'action (faire adopter un comportement sécuritaire, faire un don). La communication s'adresse tout autant aux bénéficiaires et utilisateurs de l'organisation qu'aux donateurs potentiels.

Il n'est pas plus simple de parler d'une bonne cause que d'un produit commercial et le public visé n'est pas plus réceptif. La surcharge d'informations et le nombre de plus en plus élevé d'organismes sollicitant les donateurs potentiels handicapent aussi la communication (promotion) pour les organismes à but non lucratif.

Pour un organisme sans but lucratif, la communication (promotion) est plus complexe, en particulier quand il cherche des ressources. En effet, les personnes sont d'autant plus réceptives à un message si celui-ci concerne un produit ou un besoin très impliquant ou déjà utilisé, si la valeur perçue dans l'échange est claire ou si le message fait appel à des situations vécues. Or, comme le don n'est pas une pratique courante, sa contrepartie est loin d'être claire. En effet, on est rarement confronté à une maladie avant de l'avoir contractée et, en conséquence, avant d'être soi-même un bénéficiaire. Cela rend donc la communication (promotion) difficile et le besoin de segmentation pour viser les bonnes personnes prend de l'importance.

Les organisations sans but lucratif ont des moyens limités et elles préfèrent consacrer leurs ressources à leur mission plutôt qu'à des investissements médiatiques. Elles doivent limiter leurs frais et mettre l'accent sur des moyens de communication (promotion) autres que les média de masse qui demeurent les plus coûteux. En conséquence, elles peuvent se tourner plus facilement vers les relations publiques, la communication directe avec l'aide de bénévoles, ainsi que le bouche à oreille entre les membres existants, trois moyens de communication (promotion) moins coûteux.

La distribution (place)

La distribution (place) consiste à rendre disponible au client l'offre de l'organisation, au bon endroit et au bon moment. Le canal de la distribution va inclure le chemin et les intermédiaires éventuels entre l'organisation et son bénéficiaire. Le chemin emprunté par le produit doit être pensé et géré pour répondre aux besoins du bénéficiaire, pour lui rendre accessible l'offre de l'organisation, tout en minimisant les coûts engendrés.

La gestion de la distribution doit tenir compte de plusieurs critères et poser plusieurs questions :

- *Quels sont le nombre et la localisation des bénéficiaires ?* En termes de nombre, il faut prévoir assez de places. En effet, la taille de l'organisation est fonction de la quantité de bénéficiaires. La localisation détermine le chemin pour les atteindre : est-il possible de les toucher directement, vont-ils se déplacer ou l'organisation doit-elle aller à leur rencontre ?
- *Quelle est la nature de l'offre de l'organisation ?* S'il s'agit de produits, il faudra penser à leur stockage et à leur transport. Pense à un musée qui vend des reproductions des œuvres d'art qu'il présente : il connaît les mêmes problèmes logistiques qu'une entreprise commerciale. S'il s'agit de services, bien souvent, ces derniers sont offerts sur place et l'essentiel des décisions de distribution concerne alors la gestion du point de vente (atmosphère, attente, confort, etc.). Les idées sont plutôt véhiculées par des individus ou des médias et se préoccupent par conséquent davantage des décisions de communication (promotion) que de la distribution (place).

Compte tenu des réponses aux questions précédentes, les gestionnaires prendront des décisions concernant :

- *La présence d'intermédiaires.* Non seulement ces derniers assurent la gestion physique des produits, mais ils élargissent aussi la zone géographique couverte permettant de se rendre plus facilement auprès des bénéficiaires ou des donateurs.
- *Le nombre de sites.* Il est à définir en fonction du nombre de bénéficiaires à accueillir et de la capacité de ces derniers à combler l'espace physique qui les sépare de l'organisation. Un musée n'aura bien souvent qu'un seul site, car il peut difficilement présenter la même collection à plusieurs endroits à la fois, mais les gens sont prêts à se déplacer pour la voir. Par contre, ce musée peut décider de vendre ses produits dérivés ailleurs que dans la boutique du musée : dans des magasins séparés de l'organisation (les boutiques de souvenirs), par catalogue ou en ligne. Plus il choisit de sites de vente, plus facilement il atteint ses clients potentiels. Dans un autre cas, une fondation venant en aide aux malades se placera à côté des principaux hôpitaux. Une institution d'enseignement peut ouvrir plusieurs campus et offrir ses services dans Internet. Une fondation de bienfaisance livrera des repas à domicile

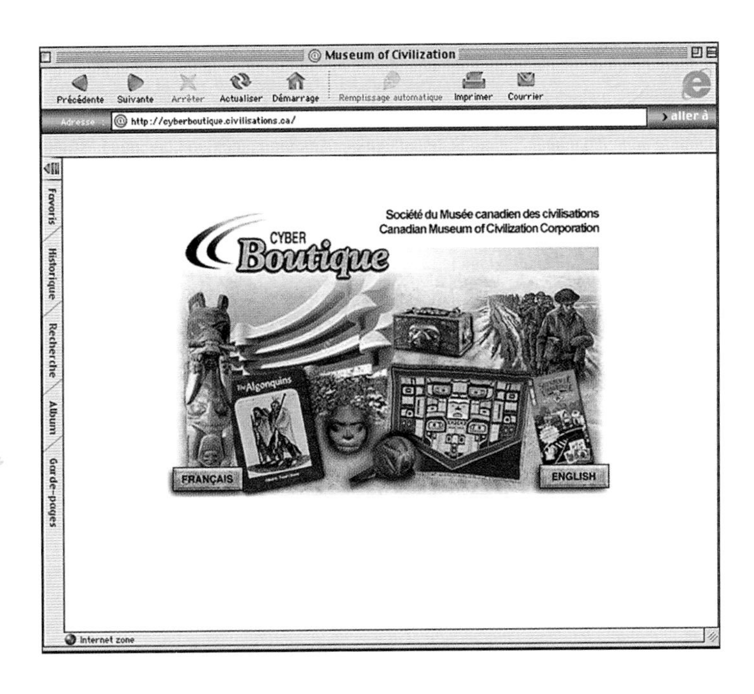

Le site Web de la cyberboutique du Musée canadien des civilisations

pour des personnes à mobilité réduite. Les organismes venant en aide aux sans-abris devront se rendre dans la rue.

Enfin, il ne faut pas négliger le fait que l'organisation véhicule aussi son image au moyen des décisions de distribution. Par exemple, le nombre de sites peut amener le public à percevoir l'organisation comme très active, et ainsi faciliter une collecte de ressources.

LA CAMPAGNE DE FINANCEMENT ET LA RECHERCHE DES RESSOURCES

Lorsqu'on s'occupe d'organismes sans but lucratif, les ressources sont l'élément essentiel qui reviendra toujours dans les discussions des gestionnaires. En effet, les ressources demeurent toujours limitées devant l'ampleur de la mission de l'organisation. C'est aussi vrai pour la majorité des petites et moyennes entreprises (les PME). Mais, pour ces dernières, même si leur acquisition demeure problématique, leurs ressources viennent assez logiquement de la vente de leurs produits ou services. Si certains organismes sans but lucratif ont aussi cette possibilité de financement, beaucoup ne l'ont pas, en particulier tous ceux financés uniquement par des dons.

En parlant de ressources, on pense plus facilement à de l'argent, mais ces ressources peuvent être de nature très diverses. Dans cette partie, nous aborderons toutes les ressources nécessaires au fonctionnement de l'organisation, à savoir l'argent, le temps (sous forme de **bénévolat** par exemple) ou des biens en nature (nourriture, vêtements, etc.). Par exemple, la Société pour la prévention de la cruauté envers les animaux a besoin d'argent pour se financer, mais elle sollicite aussi du matériel pour assurer le fonctionnement de ses refuges : papier brun, gants, savon, sac à poubelle, vadrouille, nourriture pour les animaux, etc.

Du plus simple au plus complexe, il existe différentes façons d'aller chercher des ressources, la plus ancienne et la plus simple est la **mendicité.** On retrouve ensuite les **quêtes** qui sont une demande de ressources faite directement aux membres de l'organisation (dans une église par exemple). Elles sont assez simples à organiser dans la mesure où les membres de l'organisation se réunissent. Dans les techniques les plus développées, notons les **campagnes de financement,** qui procèdent de façon systématique en demandant des ressources au grand public.

Il faut considérer les donateurs comme des consommateurs d'entreprises commerciales. Comme les consommateurs d'une entreprise commerciale, les donateurs donneront leur argent, leur temps ou une autre ressource en échange de quelque chose ayant une valeur à leurs yeux. Le premier défi pour l'organisme à but non lucratif demeure de les convaincre. Le second est de trouver ce qu'ils viennent chercher en échange de leur don, car, même difficile à définir, c'est ce qui doit être mis en relief pour convaincre le donateur.

Tout comme des consommateurs d'entreprises commerciales, les donateurs suivront donc un processus décisionnel. Nous insisterons sur la première étape, la reconnaissance du problème et le réveil du besoin. Il s'agit d'une étape essentielle, car elle permet de comprendre les motivations des donateurs. Quel besoin les donateurs viennent-ils combler : un besoin d'accomplissement, un besoin personnel, un besoin social ? Quelle motivation les amène à faire un don : la peur du jour où il pourrait avoir besoin d'une telle organisation, l'amour de son prochain, une obligation morale ? Il faut répondre à ces questions pour trouver ce que l'individu recherche et ce que l'organisme à but non lucratif lui proposera en échange de son don.

Si le don est en soi un échange entre le donateur et l'organisme sans but lucratif, alors on comprend facilement que cet échange fasse l'objet d'une mise en marché classique. Toutes les étapes de la planification du marketing stratégique peuvent être mises en place pour optimiser cet échange. Il faut donner des objectifs à cette recherche de ressources, se doter d'un budget de financement, fixer la durée de la campagne, motiver et recruter des bénévoles. Quand viendra le temps de la mettre en œuvre, nous pourrons utiliser les quatre P :

- *Le produit :* Que va-t-on donner en échange du don ? Parfois, le renom de l'organisme sans but lucratif peut suffire pour attirer des dons. En revanche, on devra peut-être échanger des produits (cartes, biscuits, t-shirts, etc.) ou des avantages (entrée gratuite pour les amis du musée, abonnement à un journal pour une association, tarifs préférentiels pour des conférences organisées par une association, inscription dans un annuaire des membres, etc.).
- *Le prix ou le montant du don :* Doit-on fixer un don minimal, le laisser à la discrétion du donateur ou déterminer plusieurs tranches possibles de don ?
- *La communication (promotion) :* Comment entrer en contact avec les donateurs et leur faire savoir qu'on a besoin d'eux ? Possède-t-on une liste d'anciens donateurs, de membres de l'organisme, de sympathisants ? La campagne de financement peut reposer sur l'utilisation de différents canaux : les médias de masse (la télévision pour les téléthons, les journaux, l'affichage extérieur), le marketing direct au moyen de contacts personnels par téléphone ou par courrier, et le bouche à oreille par les bénévoles. L'utilisation d'une personnalité à titre de porte-parole (artiste, présidente ou président de l'organisme) peut faciliter la perception du message. Le message explique les actions de l'organisation en utilisant souvent les émotions.
- *La distribution (place) :* Comment va-t-on collecter les fonds (par la poste, par téléphone, etc.) ? Des problèmes surgissent quand la campagne de financement repose sur des promesses de dons. En effet, il faut être capable de retrouver les donateurs pour disposer des ressources.

Cette recherche de ressources peut toucher des publics autres que les individus : des entreprises, des bienfaiteurs, des fondations et le gouvernement. Si les sommes en jeu sont plus importantes et les processus administratifs différents, il reste qu'il faut convaincre des individus au sein de ces organisations.

Le marketing regroupe un ensemble de démarches et d'outils utiles pour l'organisme sans but lucratif dans sa collecte de ressources, comme nous venons de le voir. De façon plus générale, lorsqu'il s'adresse à ses bénéficiaires ou ses utilisateurs, il met en place un échange élargi avec eux. Tous ces outils servent à améliorer les échanges. Si les organismes sans but lucratif entrent dans un processus d'échange avec différents publics, alors ils doivent utiliser tous les moyens à leur disposition pour optimiser et faciliter ces échanges. Parmi ces moyens figurent les outils de marketing.

Nous venons de voir dans ce chapitre quelques exemples d'applications du marketing, de sa démarche et de ses outils dans des organismes sans but lucratif. Certains hésitent à utiliser de tels outils, car ils leur reprochent souvent de poursuivre des objectifs contraires à ceux des organismes sans but lucratif. Toutefois, le marketing n'est pas contraire à la philosophie et à l'éthique de ces organismes. En revanche, l'utilisation que l'on en fait peut être discutable. Ainsi, selon des spécialistes des communications sociales : « Il n'y a rien d'intrinsèquement bon ou mauvais en publicité. La publicité est un outil, un instrument : elle peut être utilisée de manière bonne ou mauvaise[12] ». Dans le même sens, la possibilité de faire de la publicité mensongère existe, mais ce n'est pas une raison pour se priver de toute forme de publicité. Il y a des bénéfices à retirer des outils marketing pour les organismes sans but lucratif, sachons les utiliser adéquatement.

RÉVISION DES CONCEPTS

1. Par rapport à ses marchés, un organisme sans but lucratif a quatre stratégies de base qui sont ____________, ____________, ____________ et ____________.
2. À quoi la segmentation peut-elle servir dans un organisme sans but lucratif ?
3. Quelles sont les différentes stratégies de prix qu'un organisme sans but lucratif peut offrir à ses bénéficiaires ou à ses utilisateurs ?

LE MARKETING ET LES ENTREPRISES PUBLIQUES

Nous abordons dans cette partie un autre type d'entreprises : les **entreprises publiques.** Il convient, en effet, de les distinguer des entreprises privées, qui comprennent les organismes à but non lucratif et les entreprises commerciales.

L'État, à la différence des entreprises privées, ne s'inquiète pas de trouver des bénéficiaires : il dispose de toute la population. Pour collecter les fonds nécessaires à son fonctionnement, l'État prélève des impôts et diverses taxes sans recours à de la publicité.

Cependant, l'État peut faire appel au marketing pour atteindre ses clients, les citoyens, lorsqu'il veut modifier leurs comportements. Pensons aux campagnes publicitaires en vue de favoriser certains comportements civiques : exercer son droit de vote, limiter certains comportements dangereux ou nocifs à la santé au moyen des campagnes anti-tabac ou invitant à la sobriété. Dans ce dernier exemple, l'État s'apparente aux compagnies privées qui peuvent effectuer le même genre de campagne. En utilisant le marketing, l'État poursuit deux objectifs principaux : améliorer son image auprès du grand public (recrutement des Forces armées canadiennes) et empêcher certains comportements jugés néfastes pour l'individu ou la société (campagne anti-tabac).

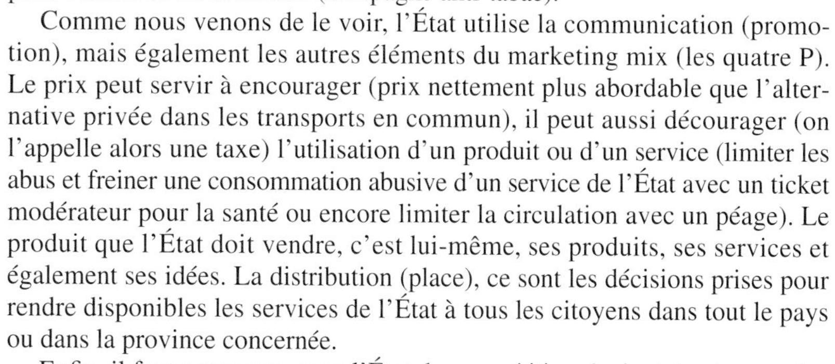

Comme nous venons de le voir, l'État utilise la communication (promotion), mais également les autres éléments du marketing mix (les quatre P). Le prix peut servir à encourager (prix nettement plus abordable que l'alternative privée dans les transports en commun), il peut aussi décourager (on l'appelle alors une taxe) l'utilisation d'un produit ou d'un service (limiter les abus et freiner une consommation abusive d'un service de l'État avec un ticket modérateur pour la santé ou encore limiter la circulation avec un péage). Le produit que l'État doit vendre, c'est lui-même, ses produits, ses services et également ses idées. La distribution (place), ce sont les décisions prises pour rendre disponibles les services de l'État à tous les citoyens dans tout le pays ou dans la province concernée.

Enfin, il faut noter que, pour l'État, la compétition devient de plus en plus forte. Avec la déréglementation des marchés et la fin des monopoles d'État, il faudra justifier auprès des citoyens les tractations avec les entreprises publiques. Le marketing peut aider l'État à le faire.

LE MARKETING VISANT D'AUTRES CIBLES QUE LE CONSOMMATEUR

En introduisant le marketing au sein des organismes sans but lucratif ou des entreprises publiques, nous avons voulu montrer que ce dernier n'était pas utilisé uniquement par des entreprises commerciales. Dans cette dernière partie du chapitre, nous voulons aussi montrer que les clientes et les clients de l'organisation commerciale, sans but lucratif ou publique, ne sont pas toujours des consommateurs. Il peut s'agir d'entreprises et d'acheteurs organisationnels.

Le marketing auprès des entreprises

Le marketing auprès des entreprises consiste à commercialiser des biens et des services auprès d'entreprises commerciales, de gouvernements et d'autres organisations, avec ou sans but lucratif. Ces entités les utiliseront pour créer à leur tour des biens et des services qui seront mis en marché, pour d'autres entreprises clientes, individus ou consommateurs finaux. De nombreux diplômés des écoles commerciales canadiennes sont embauchés par des firmes qui s'adonnent au marketing auprès des entreprises. Il importe donc de comprendre les caractéristiques fondamentales des acheteurs organisationnels et leurs comportements d'achat.

Les **acheteurs organisationnels** sont les fabricants, les détaillants et les organismes gouvernementaux qui achètent des biens et services pour leur propre usage ou aux fins de la revente. Ainsi, toutes ces organisations se procurent des services téléphoniques et informatiques pour leur propre usage. Cependant, les fabricants achètent des matières premières et des pièces qu'ils transforment pour en faire des produits finis qu'ils vendent ensuite. Les détaillants revendent les produits qu'ils achètent sans les transformer. Les acheteurs organisationnels comptent tous les acheteurs d'un pays, à l'exception des consommateurs finaux. Ces acheteurs organisationnels achètent et vendent d'importants volumes de biens d'équipement, de matières premières, de fournitures et de services commerciaux. Ils achètent des matières premières et des pièces, ils les transforment et ils revendent le produit amélioré plusieurs fois avant que les acheteurs organisationnels ou les consommateurs finaux n'en fassent l'acquisition. Par conséquent, les achats globaux des acheteurs organisationnels au cours d'une année excèdent de loin ceux des consommateurs finaux.

Les acheteurs organisationnels sont présents sur trois marchés : l'industrie, la revente et les gouvernements.

McKesson Canada est l'un des plus importants distributeurs dans le domaine de la santé au Canada.

Les marchés industriels

On compte des milliers de firmes sur le marché industriel ou commercial au Canada. Les **firmes industrielles** transforment de nouveau, d'une quelconque manière, un bien ou un service qu'elles achètent avant de le revendre à d'autres acheteurs. L'usine sidérurgique où l'on transforme le minerai de fer en acier nous en offre un bon exemple. Le principe est le même pour une entreprise qui vend des services. Par exemple, une banque emploie l'argent de ses déposants, le recombine et le revend sous forme de prêts à des entreprises emprunteuses.

Nous avons assisté à un profond changement touchant la portée et la nature du marché industriel. Le secteur des services est en expansion et, en ce moment, son apport au PIB (produit intérieur brut) du Canada est le plus important qui soit. Les firmes industrielles et les industries primaires contribuent actuellement à moins de 25 % du PIB canadien. Néanmoins, les industries primaires (par exemple, l'agriculture, l'exploitation minière, la pêche et l'exploitation forestière) et le secteur manufacturier sont d'importants composants de l'économie canadienne. On compte environ 40 000 manufacturiers au Canada qui expédient pour plus de 450 milliards de dollars de marchandises[13].

Les marchés de la revente

Les grossistes et les détaillants qui achètent des produits matériels et les revendent sans aucune transformation sont des **revendeurs.** Plus de 200 000 revendeurs et plus de 65 000 grossistes exploitent actuellement un commerce au Canada. Nous verrons un peu plus loin que les manufacturiers situent les grossistes et les détaillants dans leurs stratégies de distribution et en font le circuit par lequel leurs produits atteignent les consommateurs finaux. Dans le présent chapitre, nous nous intéresserons aux revendeurs à titre d'acheteurs organisationnels et nous verrons comment ils prennent leurs décisions d'achat et quels sont les produits qu'ils choisissent de vendre.

Les marchés gouvernementaux

Les **marchés gouvernementaux** sont les organismes des administrations fédérale, provinciales et municipales qui achètent des biens et services pour leurs commettants. Leurs achats annuels varient selon l'entité administrative. Ainsi, le ministère de la Défense nationale consacrera des milliards de dollars à ses achats tandis qu'une université ou une école disposera d'un budget évalué en millions ou en milliers de dollars. Au palier fédéral, la plupart des achats du gouvernement sont effectués par le ministère des Approvisionnements et Services. La majorité des gouvernements provinciaux sont dotés d'un ministère qui se charge des achats au nom de la province. Des centaines de services gouvernementaux, notamment les agences et les sociétés de la Couronne telles que le Canadien National et la Monnaie royale canadienne, achètent des biens et des services dans le cadre de leur exploitation. Le gouvernement fédéral est un important consommateur organisationnel qui achète au total plus de 170 milliards de dollars par année en biens et services[14].

Postes Canada est une société de la Couronne qui doit acheter des biens et des services dans le cadre de ses activités.

Qu'est ce qui différencie un acheteur organisationnel d'un consommateur ou d'une consommatrice comme Monsieur ou Madame tout le monde ? Tu trouveras la réponse à cette question en examinant de plus près les étapes d'une décision d'achat organisationnel.

Ainsi que le montre le tableau 7.2 (et comme nous l'avons vu au chapitre 6), les cinq étapes par lesquelles passe une étudiante désireuse d'acheter un lecteur de disques portable valent également pour les achats d'une organisation. Toutefois, d'importantes différences apparaissent lorsque l'on compare les deux colonnes de droite du tableau. Par exemple, quand un fabricant de lecteurs de disques portables achète d'un fournisseur des casques d'écoute pour ses produits, davantage d'individus participent à la transaction. Les capacités du fournisseur importent davantage et l'évaluation du produit ultérieur à l'achat est plus formelle. La décision d'acheter des casques d'écoute illustre bien les étapes d'une décision d'achat de type organisationnel.

ÉTAPES DU PROCESSUS DÉCISIONNEL	ACHAT PERSONNEL: LECTEUR DE DISQUES PORTABLE PAR UNE ÉTUDIANTE	ACHAT ORGANISATIONNEL: CASQUES D'ÉCOUTE POUR LECTEURS DE DISQUES COMPACTS
Reconnaissance du problème	Elle n'aime pas le son de sa chaîne stéréo actuelle et veut se procurer un lecteur de disques compacts portable.	Les services des ventes et de la recherche en marketing observent que les modèles concurrents sont dotés de casques d'écoute. La firme décide d'ajouter à ses nouveaux modèles un casque d'écoute qu'elle se procurera auprès d'un fournisseur externe.
Recherche d'information	L'étudiante mise sur son expérience, celle de ses amis, la publicité et un magazine sur la consommation afin de se renseigner et de cerner les possibilités.	Les ingénieurs chargés de la conception et de la production déterminent les caractéristiques des casques d'écoute. Le service des achats identifie les fournisseurs de casques d'écoute propres aux lecteurs de disques compacts portables.
Évaluation des possibilités	Elle évalue différents lecteurs de disques compacts portables par rapport à d'importants attributs souhaitables pour un tel appareil et visite plusieurs commerçants.	Des représentants des services des ventes et de l'ingénierie se rendent chez plusieurs fournisseurs pour évaluer leurs installations, leurs capacités, leur méthode de contrôle de la qualité et leur santé financière. Ils éliminent quiconque ne répond pas à ces critères.
Décision d'achat	Elle choisit un lecteur de marque précise, en paie le prix demandé et emporte le lecteur.	On fonde les critères de sélection sur la qualité du produit, le prix, la livraison et les capacités techniques du fournisseur. On négocie ensuite les modalités et on attribue le contrat.
Comportement ultérieur à l'achat	L'étudiante réévalue sa décision. Elle peut retourner le lecteur de disques compacts au marchand si elle n'en est pas satisfaite. Elle cherche de l'information favorable afin de justifier son achat.	On évalue les fournisseurs à partir d'un système de cotation et l'on préviendra le fournisseur si les casques ne répondent pas aux normes de qualité. Si le problème n'est pas corrigé, l'entreprise est éliminée du rang des fournisseurs.

TABLEAU 7.2
Comparaison entre les étapes d'une décision d'achat personnelle et organisationnelle

RÉVISION DES CONCEPTS

1. Qui sont les acheteurs organisationnels?
2. Pourquoi une entreprise publique peut-elle avoir besoin du marketing?
3. Qu'est ce qu'un revendeur?

Le marketing est un processus visant à favoriser les échanges entre des organisations et des individus ou d'autres organisations. La difficulté d'appliquer le marketing à des organismes sans but lucratif ou au Gouvernement est inhérente à la croyance que le marketing se limite à des activités commerciales, sources de revenus pour des entreprises à la recherche de profits. Or, il n'en est rien! Le marketing opère et facilite un échange.

Cet échange de produits ou de services peut bien souvent avoir une contrepartie monétaire même pour certains organismes sans but lucratif, mais il peut aussi relever de la reconnaissance et s'apparenter au don.

En définitive, lorsque les organismes sans but lucratif ou l'État opèrent des échanges, tous ont besoin de la démarche et des outils développés en marketing.

RÉSUMÉ

1. Les organismes sans but lucratif et le Gouvernement s'engagent dans des échanges élargis avec les bénéficiaires et les utilisateurs et visent à modifier leurs comportements. Dans le cadre de tels échanges, les organisations peuvent se servir de l'approche et des outils du marketing.
2. L'échange élargi englobe la recherche de bénéfices en échange de coûts. Les bénéfices comme les coûts peuvent être sensoriels, psychologiques, spatiaux, temporels ou monétaires.
3. Les activités de marketing se limitent à celles qui ont comme objectif ultime de modifier le comportement de leur cible.
4. Les organismes sans but lucratif partagent avec les entreprises commerciales des stratégies, des valeurs, des objectifs orientés vers leurs bénéficiaires ou leurs utilisateurs.
5. Dans un organisme sans but lucratif, les éléments du marketing mix (les quatre P) servent à connaître les bénéficiaires et les utilisateurs pour les atteindre et les satisfaire plus facilement. Les quatre P servent aussi à convaincre les donateurs lors des campagnes de financement.
6. Les acheteurs organisationnels sont présents sur trois marchés : l'industrie, la revente et les gouvernements.
7. Le comportement des acheteurs organisationnels est différent de celui du consommateur à plusieurs égards. Il diffère notamment par les caractéristiques de la demande, le volume de la commande, le nombre d'acheteurs éventuels, les objectifs d'achat, les critères d'achat, la relation entre l'acheteur, le vendeur et les fournisseurs, les achats en ligne et les diverses influences qui jouent au sein d'une entreprise.
8. Les étapes d'une décision d'achat organisationnel sont les mêmes que celles d'une décision d'achat personnel : la reconnaissance du problème, la recherche d'information, l'évaluation des possibilités, la décision d'achat et le comportement ultérieur à l'achat.

MOTS CLÉS ET CONCEPTS

acheteur organisationnel
autofinancement
bénéfice
bénéficiaire
bénévolat
campagne de financement
coût
don volontaire
donateur
échange
échange commercial
échange élargi
entreprise publique
firme industrielle
marché gouvernemental
mendicité
offre complémentaire
offre de base
offre servant à attirer les ressources
organisme à but non lucratif
organisme de bénévoles
organisme sans but lucratif
organisme volontaire
prix psychologique
prix symbolique
profit
quête
revendeur
utilisateur

EXERCICES INTERNET

Nous avons parlé plusieurs fois dans ce chapitre du Musée canadien de la nature qui se trouve à Ottawa, et qui possède un site Internet. Ce site présente à la fois la mission, les expositions, les collections, les produits et les services offerts par le Musée.

Pour plus d'informations au sujet du Musée canadien de la nature, rends-toi à l'adresse suivante : www.dlcmcgrawhill.ca.

En te rendant sur son site, réponds aux questions suivantes :

1. Établis une liste des produits et services offerts par le Musée. Quels produits ou services s'apparentent le plus à un échange commercial ? Lesquels à un échange élargi ?

2. Quelles sont les cibles visées par le musée ? Comment le Musée canadien de la nature s'adapte-t-il à ces différentes cibles ?
3. Comment le Musée canadien de la nature s'adresse-t-il à ses donateurs potentiels ? De quelle nature est l'échange en question ? Comment le Musée essaye-t-il de convaincre les donateurs ?
4. Que penses-tu de la stratégie de communication (promotion) du Musée canadien de la nature par son site Internet ?

QUESTIONS DE MARKETING

1. Fais une liste des organismes sans but lucratif que tu connais et replace-les comme sur la figure 7.1.
2. En reprenant les différents services de la Croix-Rouge canadienne décrits à la rubrique Branchez-vous ! de ce chapitre, définis les différents segments de bénéficiaires auxquelles elle peut s'adresser.
3. On te demande d'organiser une collecte de fonds pour financer un voyage d'études d'un groupe de dix étudiants en Irlande. Comment pourrais-tu te servir du marketing pour mettre en place une collecte qui rapportera suffisamment d'argent ?
4. Décris les principales différences entre une entreprise commerciale, un organisme sans but lucratif, une entreprise gouvernementale et des revendeurs.
5. Énumère les principales caractéristiques d'un achat organisationnel et élabore sur les différences qui le distinguent d'un achat personnel.
6. La bibliothèque de ton école désire mettre en place une campagne promotionnelle incitant les jeunes à lire plus souvent. Aide-la à définir sa démarche marketing, à segmenter son public cible et à définir une campagne efficace.

ÉTUDE DE CAS 7-1 ENERGY PERFORMANCE SYSTEMS, INC.

« Il suffit seulement qu'un service public d'électricité consente à faire l'essai de notre technologie », dit David Ostlie d'un ton neutre. Il ajoute :« La technologie Whole-Tree Energy^{MC} (WTE) fera ensuite le reste. » David Ostlie est président de Energy Performance Systems, Inc. (EPS), une entreprise qu'il a fondée en 1988 afin de produire à bon marché de l'électricité verte. Pour ce faire, on cultive, on récolte, on transporte, on met à sécher des feuillus entiers. Puis on les brûle, soit dans d'anciennes centrales alimentées aux combustibles fossiles (charbon et mazout) qui ont été réaménagées, soit dans de nouvelles centrales.

L'IDÉE

David Ostlie souligne trois caractéristiques qui font que le procédé WTE^{MC} *(Whole Tree Energy)* est unique :

1. L'emploi de feuillus *entiers*. Le fait d'employer les feuillus entiers permet d'épargner beaucoup de temps et d'énergie comparativement aux copeaux de bois que l'on fait brûler afin de produire de l'électricité. On entend ici par feuillus les essences d'arbres à grandes feuilles, principalement le peuplier deltoïde, le peuplier faux-tremble, le bouleau, l'érable (sensiblement tous les arbres à l'exception des conifères).
2. Le séchage des arbres entiers. L'humidité empêche la combustion totale du bois et réduit le rendement énergétique. Elle entraîne des émissions qui contribuent à la pollution de l'air et aux pluies acides. Le procédé WTE^{MC} *(Whole Tree Energy)* assèche les arbres pour retirer près de 70 % de leur humidité avant la combustion, et il fait appel à la chaleur résiduelle de cette même combustion.
3. La combustion en trois étapes. Les arbres entiers brûlent en trois étapes à l'intérieur de la chambre de combustion : (a) en totalité à l'intérieur d'un compartiment médian faisant trois mètres de profondeur ; (b) sous forme de charbon de bois qui tombe sur une grille placée sous le compartiment médian ; (c) sous forme de gaz (bois gazéifié)

au-dessus du compartiment médian, et qui brûle *proprement* comme du gaz naturel. Ce procédé assure une combustion efficace et très écologique.

La simplicité de cette technologie offre un net avantage par rapport aux techniques de rechange qui sont actuellement à l'étude dans différentes régions du monde.

L'ENTREPRISE

EPS possède les brevets canadiens, américains, européens et japonais de la technologie Whole-Tree Energy^MC sur laquelle elle repose. Cette technologie a été mise au point lors de quatre essais successifs qui ont démontré la faisabilité de la production d'énergie à grande échelle à partir de la combustion en continu d'arbres entiers. EPS s'est donné pour mission de commercialiser la technologie Whole-Tree Energy^MC.

LES ENJEUX

Trois enjeux importants se dégagent de l'évaluation de la technologie Whole-Tree Energy^MC : l'environnement et la pollution, les emplois et le développement économique, enfin l'intérêt de cette technologie pour les services publics.

L'environnement et la pollution

Les centrales électriques alimentées au charbon, auxquelles font généralement appel les services publics, rejettent d'importants volumes d'oxyde de soufre, d'oxydes d'azote, de cendres et de gaz carbonique. Ces rejets contribuent à la pollution atmosphérique, aux pluies acides et au réchauffement de la planète. Les essais révèlent qu'une centrale alimentée par le procédé WTE^MC pollue beaucoup moins que les usines comparables alimentées aux combustibles fossiles. Ainsi, on a établi les comparaisons suivantes entre une usine alimentée au charbon et une autre employant le procédé WTE^MC :

- Oxyde de soufre : moins de 1/400 de la quantité dégagée par le charbon, car le bois ne contient pratiquement pas de soufre.
- Oxydes d'azote : environ 1/10 de la quantité dégagée par le charbon, en raison de la faible présence d'azote dans le bois de chauffage et des trois étapes du procédé WTE^MC.
- Cendres : moins de 1/10 de la quantité laissée par le charbon. Les cendres peuvent être rendues à la forêt ou vendues sous forme d'engrais. Les cendres de charbon constituent des déchets dangereux qu'il faut entreposer indéfiniment dans des bassins de stockage conçus expressément à cette fin.
- Quantité supplémentaire de gaz carbonique : les centrales alimentées au charbon dégagent dans l'atmosphère d'importantes quantités de gaz carbonique en raison de la nature de cette matière fossilisée depuis les temps préhistoriques. Le pourcentage croissant de gaz carbonique dans l'atmosphère provoqué par la combustion de combustibles fossiles entraîne d'importants changements climatiques. À l'opposé, l'énergie tirée de la biomasse (dont les arbres) n'augmente pas la présence de gaz carbonique dans l'atmosphère. En effet, la quantité de gaz carbonique absorbée par un arbre au cours de sa vie équivaut à celle qu'il dégage, peu importe son usage en dernier lieu.

En conséquence, le remplacement des combustibles fossiles par l'énergie tirée de la biomasse entraînera une réduction de la pollution atmosphérique, des pluies acides et du réchauffement de la planète.

Les emplois et le développement économique

Dans les usines où le procédé WTE^MC est en place, on brûle des feuillus invendables, des déchets de bois laissés par d'autres entreprises forestières. On utilise aussi des arbres à croissance rapide élevés sur des plantations où on les récolte tous les cinq ou six ans, ce qui favorise les emplois agricoles. La récolte des surplus de feuillus stimule la régénération de la forêt et crée souvent un meilleur habitat faunique. Des rapports indiquent que les surplus de feuillus abondent, qu'ils sont sans intérêt pour l'industrie forestière et des pâtes et papiers, et qu'il faudrait les récolter.

Une usine employant le procédé WTE^MC, d'une puissance de 100 mégawatts, fournirait suffisamment d'énergie à une ville de 100 000 habitants. Elle créerait plus de 600 emplois touchant la culture, la récolte et le transport des arbres entiers vers la centrale électrique. Il s'agirait d'un apport considérable au développement économique des régions qui souhaitent augmenter leur indice d'emploi.

L'intérêt pour les services publics

Afin d'éviter davantage de pannes de courant, les services publics doivent accroître leur puissance génératrice d'électricité. EPS doit saisir cette occasion en réaménageant des usines alimentées au charbon ou au mazout, à l'aide du procédé WTE^MC. Ces usines fonctionnent peu en raison de leurs émissions polluantes. EPS pourrait aussi construire de nouvelles usines en fonction du procédé WTE^MC.

Dans un service public d'électricité, les responsables de la planification de la capacité projettent la demande d'électricité des industries, des commerces et des résidences, et ils évaluent la capacité de l'entreprise à répondre à cette demande. La direction a pour rôle de proposer des augmentations de la capacité de l'entreprise. Le conseil d'administration se penche sur cette décision. La vice-présidence de l'approvisionnement en énergie recommandera probablement la technologie à employer et le lieu où établir la nouvelle centrale.

TABLEAU 7.3
Coût de la production d'électricité à partir de quatre combustibles exprimé en cents par kilowattheure

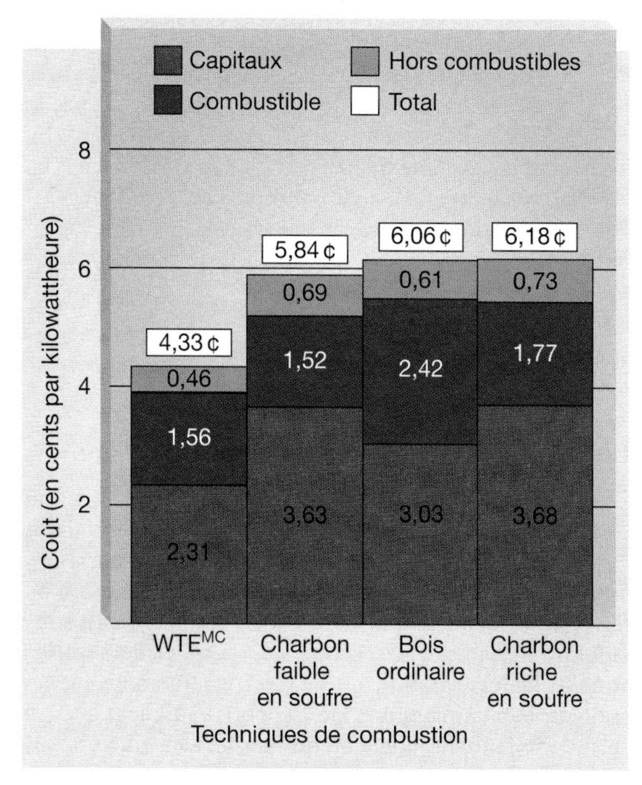

Référence: Research Triangle Institute, Electric Power Research Institue et Energy Performance Systems, Inc.

Dans le cadre des pourparlers de M. Ostlie avec d'éventuels clients, il aborde six enjeux présents à l'esprit de tous.

1. La combustion du bois peut-elle générer suffisamment de chaleur pour produire de l'électricité ? « Tous les sceptiques sont d'avis que la combustion du bois ne permet pas d'en arriver à une température suffisamment élevée », dit M. Ostlie. Il ajoute :« Lors d'un récent test d'émission thermique, nous avons atteint des chaleurs plus élevées que les nouvelles centrales alimentées au charbon. »

2. Peut-on charger, transporter et faire sécher des arbres entiers ? Les experts en sylviculture ont prévenu M. Ostlie qu'il serait impossible de charger et de transporter des arbres entiers à bord d'un camion parce que les branches ne se comprimeraient pas. Il a donc embauché un bûcheron qui y est parvenu. Le procédé WTE^MC permet de sécher des arbres entiers à l'intérieur d'une structure gonflable comme on en trouve dans les stades.

3. Trouve-t-on suffisamment d'arbres vendus à prix raisonnable pour alimenter les centrales électriques de calibre commercial ? Afin d'alimenter ce genre de centrale, il ne faudrait récolter, chaque année, que 0,1 % des arbres dans un rayon de 70 kilomètres. Parmi les sources de combustibles potentielles, on trouve les biomasses résidentielles, les déchets de bois des usines de pâtes et papiers, et les arbres provenant d'un peuplement naturel. En définitive, une grande partie des ressources pourrait provenir de plantations d'arbres hybrides à courte révolution qui offriraient aux sylviculteurs une culture marchande de remplacement.

4. Quels avantages écologiques le procédé WTE^MC apporte-t-il aux services publics ? Outre les enjeux environnementaux, une ancienne centrale polluante réaménagée en fonction de ce procédé pourrait mériter plus de un million de dollars par année en crédits de contrôle d'émissions de SO_2. Cette mesure financière récompense les entreprises qui emploient de l'électricité produite par des centrales non polluantes.

5. Combien coûte le réaménagement d'une ancienne centrale en fonction du procédé WTE^MC ? Combien coûte d'en construire une nouvelle ? La simplicité relative du procédé WTE^MC par rapport aux centrales alimentées au charbon fait l'un de ses attraits. Il en coûte environ 35 millions de dollars pour réaménager une ancienne centrale au charbon de 100 mégawatts. On remet ainsi en fonction une centrale existante qui a peu de valeur. La construction d'une nouvelle centrale de 100 mégawatts alimentée selon le procédé WTE^MC coûte 100 millions de dollars, soit de 25 à 30 % du prix d'une nouvelle centrale alimentée aux combustibles fossiles.

6. Combien coûtera l'électricité produite dans une centrale où le procédé WTE^MC est en place ? Une récente étude de faisabilité a déterminé que l'on y produirait un kilowattheure d'électricité à moins de 20 à 40 % du coût des centrales alimentées aux combustibles fossiles (voir le tableau 7.3).

« Nous touchons au but, affirme Dave Ostlie, mais il reste à conclure une première vente. »

Questions

1. Quels sont les éléments qu'EPS devra inclure à sa stratégie marketing quand elle abordera d'éventuels clients des services publics pour faire valoir le procédé WTE^MC ?

2. En tant que citoyenne ou citoyen intéressé, quels sont les principaux avantages du procédé WTE^MC et quels sont, à ton avis, les principaux freins à sa réalisation et à sa commercialisation ?

3. La venue d'un nouveau produit ou procédé tel que WTE^MC suppose que l'on renseigne certains groupes à son sujet. Abstraction faite des services publics d'électricité, quels groupes ou segments de marché EPS devrait-elle chercher à atteindre ? Quels avantages devrait-elle faire valoir à chacun ? À quel média ou à quelle méthode promotionnelle devrait-elle recourir pour atteindre chaque segment ?

MODULE 3

LA RECONNAISSANCE DES POSSIBILITÉS COMMERCIALES

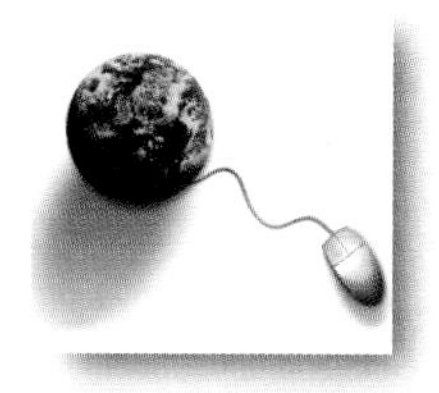

La troisième partie de cet ouvrage porte sur les possibilités commerciales. Le chapitre 8 met en lumière la façon dont le commerce électronique est en train de révolutionner toutes les possibilités commerciales. Les innovations en marketing interactif et en commerce électronique offrent de nouvelles possibilités de créer de la valeur pour le consommateur, et font rêver les spécialistes du marketing. Dans le chapitre 9, nous expliquerons comment saisir de nouvelles possibilités commerciales en ciblant les gens dont les désirs et les besoins sont similaires. Nous examinerons en détail les liens qui unissent la stratégie de marketing et les décisions d'action à l'information sur les consommateurs potentiels, et la façon dont la technologie de l'information améliore ces liens. Enfin, dans le chapitre 10, nous verrons comment des compagnies comme Reebok International, New Balance et Vans conçoivent des chaussures pour satisfaire divers groupes de consommateurs.

Nous suivrons pas à pas les processus de segmentation et de ciblage d'un marché, puis de positionnement des produits. Enfin, nous étudierons la segmentation, le ciblage et le positionnement auxquels a procédé Apple Computer avant de lancer sa gamme iMac.

Sympatico.ca - Votre portail francophone : Ab...
Précédente
Suivante
Arrêter
Actualiser
Démarrage
Remplissage automatique
Imprimer
Courrier
Adresse
http://www2.sympatico.ca/
aller à
Apple
Bienvenue à VIF internet
MSN
Favoris
Historique
Recherche
Album
Garde-pages
Mon Sympatico.ca - Carte du site - Aide - English
Bell
Sympatico.ca
Haute vitesse
Haute vitesse Ultra
DSL régulier
Service de base
26 juin 2003
Nouvelles | Horoscope | Canada411 | Météo | Loterie | Pages Jaunes
Trouver
Canada en français
Web francophone
Tout le web
Recherche avancée
IDéaL POUR tout venDre.
Un cellulaire prépayé à 49¢ ça vous excite ?
Mon Sympatico.ca
S'inscrire
Entrer
Explorer Sympatico.ca
Affaires et PME
Amour et amitié
Automobile
Emplois
Finances
Informatique
Jeunesse
Ma maison
Mieux Vivre
Recettes
Santé
ShowbizMax
Sites urbains
Sports
Voyages
Se divertir
Cartes virtuelles
Coin détente
Concours
Jeux
Logiciels gratuits
Une recette de Bulgarie
Potage froid et rafraîchissant au concombre, yaourt et noix. Un agréable repas par temps chaud.
Aussi sur Recettes »
Votre question...
... la réponse de Jean-Claude Poitras, designer.
Aussi sur Mieux vivre »
Bet.e & Stef
Duo dynamique : rythmes de jazz, bossa-nova et de samba.
Aussi sur MontrealPlus.ca »
Centre de services aux entreprises
Solutions pour commerce électronique
Bell zinc.ca
Concours Loco Locass
À gagner: l'un des 25 albums interactifs
Finances »
Actions :
Allez!
Recherche de symboles
Portefeuille personnalisé
Graphiques : S&P/TSX - DJI
Bell est déboutée en Cour suprême dans le dossier de l'équité salariale
Saputo ferme une usine en Ontario et met à pied 36 employés au Québec
Malgré 5 ans de pertes consécutives, Groupe Algo demeure optimiste pour 2003
Domtar réduira sa production dans quatre de ses usines en juillet
L'économie du Québec croîtrait de 2,3 pour cent, cette année
Aussi sur Finances »
Magasiner »
Magasiner sur eBay.ca
Super Entrepôt
L'aubaine de la semaine !
canadiantire.ca
Cellulaires
eBay.ca
Hôtels
Immobilier
Super entrepôt
Aussi »
Assurances auto - Payez moins!
Aubaines à Toronto
Gagnez un cellulaire à 49¢
Nouveaux tarifs à aircanada.com
Un AIR MILES MD par 20 $
Visitez le Zoo sauvage de St-Félicien
Nouvelles »
National
Le nouveau dg de la SQ arrive dans une ère de compressions budgétaires
Bell est déboutée en Cour suprême dans le dossier de l'équité salariale
Monde
Hamas, Djihad islamique et Fatah sur le point d'accepter une trêve de 3 mois
Arrestation du cerveau présumé des attentats de Riyad
Santé
Le SRAS diagnostiqué sur un touriste taïwanais
Le nouveau directeur général de la Sûreté du Québec, Normand Proulx,
Internet zone

CHAPITRE 8

LE MARKETING INTERACTIF ET LE COMMERCE ÉLECTRONIQUE

APRÈS AVOIR LU CE CHAPITRE, TU SERAS EN MESURE

- de comprendre ce que sont le commerce électronique et le marketing interactif et comment ils créent de la valeur pour les consommateurs ;
- de différencier les types de réseaux qui permettent au commerce électronique et au marketing interactif de fonctionner ;
- de décrire les consommateurs qui achètent en ligne et leurs comportements d'achat ;
- de dire pourquoi certains types de produits et de services conviennent particulièrement bien au commerce électronique ;
- de décrire les différents types de sites Web et les différentes formes de publicité en ligne que les compagnies utilisent pour assurer leur présence sur le cybermarché ;
- d'expliquer comment les compagnies tirent avantage du commerce électronique et du marketing interactif.

Pour plus d'informations au sujet de Sympatico-Lycos, rends-toi à l'adresse suivante : www.dlcmcgrawhill.ca

Pour plus d'informations au sujet de AOL Canada et de Sprint, rends-toi à l'adresse suivante : www.dlcmcgrawhill.ca

SYMPATICO-LYCOS INC. – LE CHEZ-SOI DES CANADIENS DANS INTERNET

Si tu as besoin d'informations pour ton travail scolaire, dois-tu vraiment aller à la bibliothèque ? Si tu veux acheter une nouvelle chemise pour une fête ce week-end, dois-tu obligatoirement te rendre au centre commercial ? Grâce à une innovation technologique révolutionnaire, tu peux maintenant réaliser ces deux tâches bien à l'abri dans le confort de ton foyer. Bienvenue dans le monde de l'information et du commerce électronique. Beaucoup d'entreprises souhaitent mettre le commerce électronique à ta portée.

Sympatico-Lycos inc. est l'un des plus importants fournisseurs de service en ligne (dans Internet). Fondée en association avec des compagnies provinciales de télécommunications (MTT, NBTel, Island Tel, NewTel, SaskTel, Bell, LINO, NorthwesTel, Northern Tel, MTS), Sympatico-Lycos inc. relie les internautes canadiens à la communauté électronique mondiale. Les personnes abonnées au service peuvent envoyer des courriers électroniques (courriels) à des millions d'internautes et recevoir leurs messages sans frais d'appel interurbain. Le service donne accès à la toile mondiale (le World Wide Web ou W3) et à toute l'information qu'elle renferme. Citons par exemple : les textes, les images, les sons ou les productions vidéo (pense à ton travail de recherche). Les internautes peuvent participer à des groupes de discussion ou à des forums et ainsi s'informer sur bon nombre de sujets : voitures, météorologie, concerts et même la recherche sur le cancer. Bien sûr, on peut faire ses achats en ligne (et alors, cette nouvelle chemise ?).

Actuellement, Sympatico-Lycos inc. tient la tête du marché, avec une bonne longueur d'avance sur des fournisseurs comme AOL Canada et Sprint. Les internautes canadiens affluent dans le cyberespace. Déjà, en l'an 2002[1], 60 % de la population utilisait Internet pour une quelconque application. Les entreprises ont réagi à ce goût pour l'information et le commerce électronique. Pour certaines, le monde du commerce électronique s'est révélé la voie de l'avenir[2].

Dans le présent chapitre, nous examinerons la nature et le domaine du commerce électronique, le profil des consommateurs en ligne, ou cyberconsommateurs, et leurs comportements d'achat, de même que les procédés de marketing interactif.

LE CYBERMARCHÉ ET LE COMMERCE ÉLECTRONIQUE

Aujourd'hui, les consommateurs et les entreprises commerciales occupent deux marchés parallèles et complémentaires. L'un est le marché traditionnel, où les personnes qui achètent ou vendent procèdent à des échanges. Ceux-ci ont lieu dans un environnement physique où l'on trouve des gens, des installations (magasins et bureaux) et des objets matériels. L'autre est le **cybermarché,** un environnement où l'on échange de l'information et des communications électroniques. Pour cela, on emploie des technologies de télécommunications, des ordinateurs sophistiqués et des représentations électroniques de produits. Tu entres dans le cybermarché dès que tu navigues sur la toile mondiale (W3) ou que tu te branches à un service de commerce électronique comme Sympatico. Le cybermarché est plus vaste que le Web et représente le commerce électronique sous toutes ses formes. Le **commerce électronique** est « toute activité recourant à une forme quelconque de communication électronique, soit pour la tenue d'inventaire, l'échange, la publicité, la distribution ou le paiement de biens et de services[3] ». Le Groupe de travail sur le commerce électronique, un organisme canadien affilié à Industrie Canada, définit ainsi le commerce électronique : « un moyen peu coûteux de relier des ordinateurs pour effectuer des tâches qui exigent depuis toujours beaucoup de temps et d'argent de la part des entreprises. Il s'agit par exemple de la vente de produits, de la facturation, du contrôle des inventaires et de la communication avec les fournisseurs et les clients[4] ».

Toys "R" Us est un joueur très actif tant sur le marché traditionnel que sur le cybermarché.

Le commerce électronique existe depuis plusieurs années, et les consommateurs en bénéficient quotidiennement, simplement en faisant leur marché. Par exemple, la caissière ou le caissier de supermarché balaie à l'aide d'un lecteur optique un article que tu achètes. Ainsi, il transmet par voie électronique des données précises sur ce produit à l'entrepôt du magasin et aux fournisseurs chargés du réapprovisionnement des stocks. Si tu paies en utilisant une carte de guichet automatique ou une carte de débit, tu passes ta carte dans un terminal de transaction. Celui-ci lit l'information se trouvant sur la piste magnétique de ta carte. Tu tapes ensuite ton numéro d'identification personnel (NIP). Le terminal achemine la transaction à travers le réseau ATM (Automated Teller Machines) jusqu'à ta banque pour y obtenir l'autorisation de débiter ton compte. Les fonds sont alors transférés, toujours par voie électronique, de ta banque à celle du supermarché. Toutes ces opérations s'exécutent en quelques secondes. Hélas, tout n'est pas fait pour autant, puisqu'il te reste encore à préparer le repas !

Pour plus d'informations au sujet de Toys "R" Us, rends-toi à l'adresse suivante : www.dlcmcgrawhill.ca

Ta transaction à l'épicerie est facilitée par de l'équipement et des systèmes de balayage et de paiement électroniques. Des ordinateurs et des réseaux de télécommunications ont réalisé ton opération. Ces réseaux sont conçus et gérés exclusivement par les compagnies qui les possèdent et les exploitent. Ces réseaux ont dominé le commerce électronique jusqu'en 1996, mais c'est maintenant de l'histoire ancienne. Le World Wide Web entre en scène cette année-là et marque le début d'une nouvelle ère dans le domaine du commerce électronique et du marketing interactif.

Le **marketing interactif** consiste en communications établies à l'aide d'ordinateurs entre les personnes qui vendent et celles qui achètent. Dans ce contexte, l'acheteuse ou l'acheteur contrôle le type et la quantité d'informations en provenance des services de vente. Le marketing interactif existe grâce à Internet, au World Wide Web et aux services de commerce électronique. Il possède de nombreuses applications et offre beaucoup de possibilités de création de valeur pour les consommateurs.

La nature et le domaine du commerce électronique

Aujourd'hui, le commerce électronique est constitué d'un ensemble de réseaux électroniques, chacun ayant une application particulière. La variété des applications illustrent bien la nature du commerce électronique et du marketing interactif, qui couvrent un vaste domaine.

Le commerce électronique de détail La forme de commerce électronique la plus connue est le marketing interactif. Il est exploité dans le commerce électronique de détail relié à Internet, au World Wide Web et aux fournisseurs d'accès à Internet. Beaucoup de gens croient que ces trois services sont identiques. Ce n'est pas le cas.

Internet est un réseau mondial intégré d'ordinateurs. Il procure un accès à l'information et à la documentation. Quiconque a un ordinateur personnel, un modem et un logiciel convenable peut accéder à Internet (gratuit, à ses débuts) et échanger de l'information par courrier électronique (courriel). Un courriel est un message électronique qui voyage d'un ordinateur à un autre ordinateur grâce à Internet.

Le **World Wide Web (W3)** est parfois appelé « toile mondiale ». Cette partie d'Internet abrite un système qui formate l'information (son, texte et image) sous la forme de pages Web. Dans le Web, on utilise le langage hypertexte (html : HyperText Markup Language) pour mettre en forme les documents. Les internautes consultent le Web à l'aide d'un logiciel de navigation comme le Navigator de Netscape ou l'Internet Explorer de Microsoft. Le protocole de transfert hypertexte (http : HyperText Transfer Protocol) est le moyen de transférer les documents d'un site Web à l'ordinateur d'une ou d'un internaute. Chaque site est identifié par une adresse URL (Uniform Ressource Locator). Elle correspond à une localisation dans le cybermonde. De même, dans le monde réel, une entreprise a une adresse postale. L'adresse URL typique d'un commerce pourrait être http ://www.tacom pagnie.com, celle d'une organisation, http ://www.tonorganisation.org, celle d'un organisme gouvernemental fédéral, http ://www.tonorganisme.gc.ca et celle d'un organisme gouvernemental ontarien, http ://www.gov.on.ca/votreorganisme.

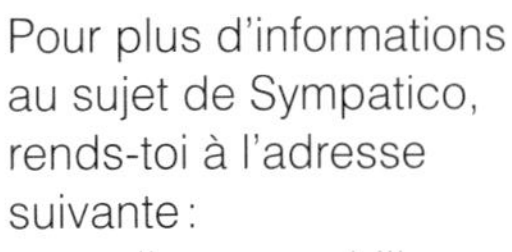

Pour plus d'informations au sujet de Sympatico, rends-toi à l'adresse suivante : www.dlcmcgrawhill.ca

Les **fournisseurs d'accès à Internet** (FAI) procurent de l'information électronique et des services de marketing aux personnes abonnées qui paient un tarif mensuel. Au Canada, Sympatico-Lycos est l'un des fournisseurs d'accès à Internet les plus importants et les plus connus. Ses concurrents sont des entreprises comme AOL Canada, Vidéotron, Rogers et Cogeco. Aux personnes abonnées, Sympatico-Lycos propose des actualités, du divertissement, offre un service de courriel, l'accès à Internet et aux achats en ligne. Elles peuvent commander des milliers de produits et de services auprès de centaines de compagnies. Elles peuvent acheter ou vendre des valeurs de placement par l'intermédiaire de firmes de courtage éloignées. Ces personnes peuvent régler leurs transactions avec leur banque habituelle. Elles font des réservations auprès de transporteurs aériens, d'hôtels ou d'agences de location de voitures sans avoir à se déplacer.

Le commerce électronique de détail s'est accru de façon phénoménale depuis 1996, en grande partie à cause du World Wide Web et des services de commerce électronique[5]. En l'an 2000, 24,3 % des ménages canadiens ont acheté un produit en ligne[6]. Par ailleurs, on estime que 50 % des ménages canadiens achèteront un bien ou un service en ligne dans un avenir prochain.

Les fonctions de soutien dans l'entreprise De nombreuses compagnies ont adapté à leur structure interne une technologie basée sur Internet pour soutenir leurs activités de commerce électronique. Un **intranet** est un réseau Web ou un réseau accessible par Internet utilisé à l'intérieur d'une entreprise. Il s'agit essentiellement d'un Internet privé, raccordé ou non au réseau Internet public. Les personnes connectées sont protégées des possibles intrusions électroniques extérieures (piratage) par ce qu'on appelle des « coupe-feu » (*firewalls*).

Les intranets sont d'abord des réseaux de soutien qui facilitent l'échange interne de données et de dossiers électroniques. En l'an 2000, une enquête menée par Statistique Canada auprès de 21 000 entreprises des secteurs public et privé a révélé que 12 % des entreprises privées et 52 % des entreprises publiques[7] possédaient un intranet. Le géant

Pour plus d'informations au sujet de Eli Lilly & Co, rends-toi à l'adresse suivante : www.dlcmcgrawhill.ca

pharmaceutique Eli Lilly & Co gère un intranet très important baptisé ELVIS (Eli Lilly Virtual Information System). On y affiche les postes offerts, et les employés peuvent y consulter les politiques et les manuels de la compagnie. Ils peuvent également y trouver un rapport quotidien relatif à l'actualité scientifique et aux innovations de la concurrence dans l'industrie pharmaceutique mondiale. Pour mieux servir sa clientèle, Eli Lilly transmet instantanément par intranet l'information sur le marketing et les ventes à ses employés dans plus de 120 pays[8].

Le commerce électronique interentreprises L'application la plus répandue du commerce électronique se trouve dans le monde du marketing interactif interentreprises. Comme nous le disions au chapitre 7, les achats conclus en ligne par les entreprises entre elles représentent un pourcentage considérable de toutes les transactions en ligne en Amérique du Nord.

Il y a deux formes de commerce électronique interentreprises. La première, l'**échange de données informatiques (ÉDI),** relie des ordinateurs pour permettre l'échange d'informations entre fournisseurs, fabricants et détaillants. L'ÉDI transmet aussi des factures électroniques et des paiements. Relié à un équipement et à un système de balayage électronique, l'ÉDI établit un lien électronique direct entre le système des caisses des détaillants et les fournisseurs et les fabricants. Dans les années 1980, Wal-Mart et Procter & Gamble ont été les premières entreprises à s'en servir. Aujourd'hui, ce système est communément utilisé dans le commerce de détail et dans les secteurs du vêtement, des transports, des produits pharmaceutiques, de l'alimentation, des soins de santé et de l'assurance. Les organismes municipaux, provinciaux et fédéraux l'emploient également. Comme nous le verrons au chapitre 16, presque toutes les compagnies inscrites au « Financial Post 500 » utilisent l'ÉDI. Dans les domaines de l'approvisionnement et de la gestion logistique, il s'agit d'un réseau électronique indispensable. Ainsi, Hewlett-Packard opère un million de transactions ÉDI par mois[9]. Au Québec, l'entreprise Dynec permet aux PME d'utiliser l'ÉDI en le rendant aussi simple que du courrier électronique. Son logiciel Négotium est une trousse de base d'ÉDI proposant une plateforme (tronc commun) sur laquelle se greffent des modules spécifiques à chaque entreprise. Ainsi, les PME du secteur de la distribution peuvent facilement faire affaire avec Wal-Mart, Provigo, Costco, Rona, Sears ou Métro en respectant les normes de ces entreprises.

Pour plus d'informations au sujet de Dynec et de Hewlett-Packard, rends-toi à l'adresse suivante : www.dlcmcgrawhill.ca

La seconde forme de commerce électronique interentreprises est l'extranet, qui est, en quelque sorte, le prolongement de l'intranet d'une entreprise. Un **extranet** est un réseau accessible par Internet qui permet des communications interentreprises, notamment entre une compagnie et ses partenaires : les fournisseurs, les distributeurs et les agences de publicité, par exemple. Les extranets coûtent moins cher que les systèmes ÉDI et offrent plus de souplesse parce qu'ils sont branchés à Internet. L'Automotive Network Exchange (ANX) est un exemple d'extranet. Une entreprise n'a pas besoin d'être importante pour avoir un extranet. Au Québec, des PME comme Margarine Thibault ont développé un extranet. Un tel outil permet aux distributeurs et aux fournisseurs de consulter les catalogues des entreprises, de passer des commandes, de connaître l'état de leur compte, etc. La Commission de la sécurité professionnelle et de l'assurance contre les accidents du travail a aussi développé un extranet. Celui-ci favorise le traitement rapide des dossiers et le versement accéléré des prestations. Nous en reparlerons au chapitre 16.

Pour plus d'informations au sujet de la Commission de la sécurité professionnelle et de l'assurance contre les accidents du travail, rends-toi à l'adresse suivante : www.dlcmcgrawhill.ca

On estime qu'au XXIe siècle, la majeure partie des dépenses en commerce électronique devrait porter sur l'achat de biens et de services à l'aide de l'ÉDI et des extranets[10].

La fusion des technologies propres à Internet, des intranets et des extranets est courante dans le monde du commerce électronique. Cette fusion devrait marquer l'avènement de la « cybercorporation » ou de l'« organisation virtuelle » des dix prochaines années. VF Corporation, un fabricant de vêtements, est d'ailleurs en voie de devenir une cybercorporation, comme ces entreprises auxquelles fait allusion l'encadré Tendances marketing[11].

Pour plus d'informations au sujet de VF Corporation, rends-toi à l'adresse suivante : www.dlcmcgrawhill.ca

Marketing.com : le commerce électronique et la création de valeur pour le consommateur

Malgré toute l'attention dont bénéficie le cybermarché, son poids économique est négligeable par rapport à celui du marché traditionnel. En 2001, le commerce électronique a représenté moins de 10 % des dépenses des consommateurs en biens et services au Canada, et moins de 1 % des dépenses mondiales. Alors pourquoi les spécialistes du marketing s'intéressent-ils autant au commerce électronique et au marketing interactif ?

Pour plus d'informations au sujet de Recreational Equipment, des services de réservations électroniques de billets d'avion, d'Avis et de Travelocity, rends-toi à l'adresse suivante : www.dlcmcgrawhill.ca

Ces spécialistes croient que les possibilités de création de valeur pour le consommateur y sont plus grandes que sur le marché traditionnel[12]. Rappele-toi des notions présentées au chapitre 1 : la création des utilités de temps, d'endroit, de forme et de possession procure de la valeur au consommateur. Sur le cybermarché, les spécialistes du marketing peuvent, *de partout,* fournir de l'information directement, sur demande, *n'importe où* et *en tout temps.* Pourquoi ? Parce que les contraintes géographiques et temporelles n'existent pas sur le cybermarché. Par exemple, Recreational Equipment, fabricant d'équipements de plein air, déclare qu'il reçoit 35 % de ses commandes entre 22 h et 7 h, donc bien longtemps après et avant l'ouverture des magasins de détail. Chez amazon.com, 20 % des achats de livres sont effectués par des personnes qui ne vivent pas en Amérique du Nord. L'utilité de la possession – le fait de permettre au consommateur de posséder ou d'utiliser un produit ou un service – est accélérée. Les services de réservations électroniques de billets d'avion, de location de voitures ou de lieux d'hébergement, comme ceux de Travelocity, permettent de faire des achats judicieux à des prix avantageux tout en ayant presque instantanément la confirmation de ses réservations.

TECHNOLOGIE

TENDANCES MARKETING

La cyberentreprise du XXIe siècle est virtuellement là !

Le commerce électronique et les cybercorporations évoluent avec chaque nouvelle application d'Internet, des intranets et des extranets. De plus en plus, les compagnies établissent des flux continus d'informations internes entre leurs différentes fonctions (fabrication, ventes, marketing, finances, ressources humaines). Ces informations circulent en externe avec les fabricants, leurs partenaires, les distributeurs et le consommateur. Des logiciels de commerce électronique représentent la prochaine évolution du commerce électronique et du développement de la cyberentreprise. Ils permettront aux entreprises de mettre en marché plus facilement leurs produits et services sur le Web (Internet), de tirer un meilleur profit des données sur la clientèle et sur la concurrence (intranet), et de mieux gérer leurs relations avec les fournisseurs et le consommateur (extranet).

VF Corporation fabrique des jeans Lee, Wrangler, Britannia et Rustler, des vêtements de coupe militaire Timber Creek, des vêtements pour enfants Healthtex, des maillots de bain Jantzen et des sacs à dos JanSport. Cette entreprise s'est résolument convertie au commerce électronique. Elle a investi plus de 70 millions de dollars en logiciels pour relier fonctions, personnes et compagnies. Ainsi elles auront accès à de l'information exacte, dans un format convenable, au bon endroit et au bon moment. Un cadre supérieur chez VF le dit : « Si nous nous tirons bien de cette entreprise d'intégration des données aux opérations, nous aurons semé tous les autres. » L'un de ses collègues s'est alors empressé de répliquer : « Touchons du bois ! »

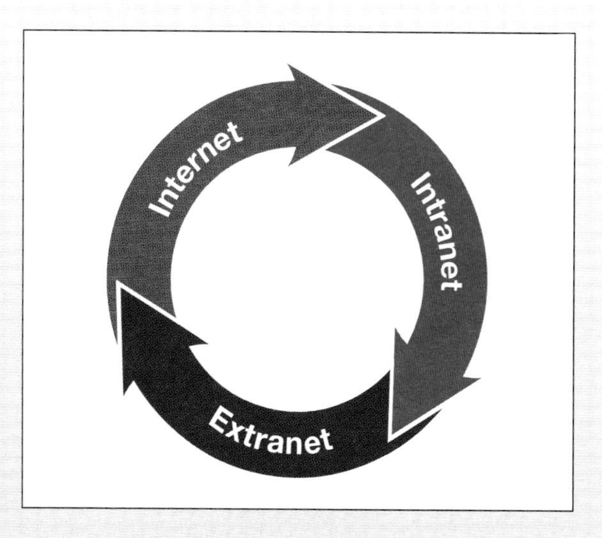

Pour plus d'informations au sujet de Blue Fly, rends-toi à l'adresse suivante : www.dlcmcgrawhill.ca

Pour les spécialistes du marketing, le cybermarché offre le grand intérêt de créer des avantages au plan de la forme. En effet, grâce aux capacités de communication interactive du Web, les consommateurs peuvent faire connaître leurs exigences aux spécialistes du marketing. Ces derniers peuvent alors ajuster les produits et les services aux besoins précis des consommateurs. Ainsi, bluefly.com, une compagnie de vêtements, incite ses clientes et ses clients à élaborer leur propre catalogue, débarrassé de tous les articles jugés indésirables. Les consommateurs peuvent préciser les marques, les catégories et les tailles qui leur conviennent. Bluefly.com créera instantanément un catalogue personnalisé, uniquement pour eux.

RÉVISION DES CONCEPTS

1. Qu'est-ce que le commerce électronique?
2. Comment le commerce électronique peut-il créer de la valeur pour les consommateurs?

LES CONSOMMATEURS EN LIGNE ET LES COMPORTEMENTS D'ACHAT SUR LE CYBERMARCHÉ

Qui sont les cyberconsommateurs et qu'achètent-ils ? Pourquoi décident-ils d'acheter des produits et des services sur le cybermarché plutôt que sur le marché ordinaire ? Aujourd'hui, ces questions sont importantes pour les spécialistes du marketing, car elles permettent d'entrevoir ce que sera la croissance du commerce électronique et du marketing interactif.

Les consommateurs en ligne

On utilise divers mots pour désigner les consommateurs en ligne : cyberacheteurs, cyberconsommateurs, voire cyberclientèle, comme si ces gens formaient un segment de population homogène. Or, il n'en est rien, même si ces groupes d'internautes se démarquent, sur le plan démographique, du reste de la population.

Le profil des consommateurs en ligne Les consommateurs en ligne se distinguent de la population en général par un aspect important : ils possèdent un ordinateur ou ont accès à un ordinateur. En l'an 2000, 66 % des ménages ontariens et 62 % des ménages canadiens avaient accès à un ordinateur à la maison, tandis que 65 % des ménages ontariens et 59 % des ménages canadiens avaient accès à Internet à leur domicile, même s'ils y avaient accès au travail ou à l'école. Le Canada vient au quatrième rang mondial (derrière le Danemark, les États-Unis et les Pays-Bas) en pourcentage de population ayant accès à Internet. Au Canada, ce taux est de 60 %, comparativement à une moyenne mondiale de 34 %[13].

Les consommateurs en ligne sont généralement plus instruits, plus jeunes et financièrement plus à l'aise que la population générale. Ils forment ainsi un groupe fort attrayant pour les commerçants[14]. Selon un récent rapport de Ernst & Young, le profil des consommateurs canadiens achetant dans Internet est l'un des plus intéressants du monde[15]. Ainsi, pour l'an 2000, parmi les personnes qui achètent par Internet on observe une répartition quasi égale entre hommes (51 %) et femmes (49 %). On indique aussi que 56 % des internautes sont mariés. L'âge moyen de la cyberconsommatrice ou du cyberconsommateur est de 42 ans, et son revenu moyen est d'environ 60 000 dollars canadiens. La pénétration des nouvelles technologies dans la population montre des disparités régionales. La Colombie-Britannique affiche le taux d'utilisation le plus élevé et le Québec, le taux le plus faible. Le comportement des personnes sur le Web montre aussi des disparités régionales. Le tableau 8.1 dresse une comparaison entre les différentes activités menées dans Internet par les ménages branchés, et ce, par provinces[16]. Les résultats montrent que le

TABLEAU 8.1
Niveau d'utilisation du commerce électronique par les ménages branchés à Internet, Québec et autres provinces canadiennes, 2000

Source : Adapté de Institut de la Statistique du Québec, L'utilisation d'Internet par les ménages québécois en 2000, 2001

	RECHERCHE D'INFORMATION	COMMANDE SUR INTERNET, MAIS PAIEMENT TRADITIONNEL EN %	PAIEMENT EN LIGNE
Manitoba - Saskatchewan	52,95	32,15	24,65
Provinces de l'Atlantique	51,9	33,1	23,7
Alberta	49,4	33,4	26,2
Ontario	46,4	32,8	26,2
Canada	43,3	30,7	24,3
Colombie-Britannique	42,2	32,3	27,0
Québec	39,1	23,2	17,8

Québec est en retard, dans l'utilisation des nouvelles technologies par les ménages. Cependant, l'Ontario se situe dans la moyenne.

On constate que la recherche d'informations est une activité importante pour de nombreux internautes. Ainsi, pour acheter une voiture neuve, ils visitent plusieurs sites Web. Ils consultent les sites des manufacturiers, des concessionnaires, ou des portails consacrés à l'automobile avant de prendre une décision d'achat. Par contre, peu d'entre eux effectuent un achat en ligne.

Pour plus d'informations au sujet de Détail interactif, rends-toi à l'adresse suivante : www.dlcmcgrawhill.ca

La psychographie des consommateurs en ligne Les internautes n'utilisent pas tous la technologie de la même manière. Tous ne deviennent pas nécessairement des cyberconsommateurs. L'organisme détailinteractif.ca, affilié à Industrie Canada, a établi le profil des consommateurs canadiens en fonction de leur attitude au regard des nouvelles technologies : cinq profils de consommateurs ont ainsi été dressés. C'est dire la diversité qui existe dans ce domaine (voir la figure 8.1).

Les indépendants Ils représentent le quart de la population et adoptent les nouvelles technologies avec retard. Ils n'utilisent habituellement que les technologies traditionnelles de base telles que le téléphone local, le câble et l'interurbain. Les consommateurs de ce groupe sont généralement plus âgés que la moyenne et font souvent partie d'un ménage à faible revenu. On trouve une grande part de ce segment au Québec.

Les traditionalistes Ils composent environ un autre quart de la population. Leur comportement ressemble à celui des indépendants et ils utilisent les mêmes technologies de base. Toutefois, ils en font un usage plus intensif. Ainsi, ils recourent plus souvent à des services d'appel interurbain et achètent des forfaits de câblodistribution plus importants. Le consommateur moyen dans ce segment a 49 ans. Il est donc plus âgé que la moyenne. Il habite un logement de taille modeste.

Les adeptes Ils représentent le cinquième de la population canadienne et 34 % de ces adeptes de la technologie vivent en Ontario. Ils disposent de toute la gamme des technologies disponibles. Ils ne se limitent donc pas au téléphone local, au câble et à l'interurbain. Ils adoptent les technologies émergentes. Comparativement à la moyenne nationale, les adeptes de la technologie sont davantage susceptibles d'exploiter une entreprise à domicile. Les personnes qui composent ce segment ont généralement reçu une bonne éducation : 43 % ont terminé leurs études collégiales ou universitaires, et 12 % ont achevé des études supérieures.

Les technomanes Ces individus composent un peu moins de 20 % du marché de la consommation. Le besoin de posséder les technologies les plus avant-gardistes les motive. Les technomanes adoptent ces nouveautés dès leur apparition sur le marché. Ils utilisent des services élémentaires, comme le téléphone local, l'interurbain et les lignes téléphoniques multiples, mais aussi les innovations plus récentes telles que le téléphone cellulaire, les services Étoile, Internet, la télévision par satellite, voire la télévision numérique. Âgés en moyenne de 45 ans, ces consommateurs résident principalement en Ontario et ils jouissent d'un haut niveau d'instruction. Les technomanes habitent des logements spacieux et disposent d'un revenu familial d'au moins 40 000 $. Ils sont plus susceptibles d'avoir des enfants âgés de 13 à 19 ans que le ménage canadien moyen.

Les utilisateurs sérieux Ces utilisateurs, adeptes de la technologie, représentent le plus faible pourcentage des consommateurs canadiens, soit 10 % de la population. Près de la moitié (47 %) de ces consommateurs résident en Ontario. Les utilisateurs sérieux sont susceptibles d'adopter une vaste gamme de technologies (téléphone local, interurbain, lignes téléphoniques multiples, sans-fil, Internet, service par satellite et télévision numérique). Ils constituent également les plus importants utilisateurs de technologie. Ces personnes sont majoritairement des hommes bien nantis, dont 36 % gagnent plus de 80 000 $ par année, comparativement à 17 % des personnes à l'échelle nationale.

FIGURE 8.1
Profils technologiques des Canadiennes et des Canadiens
Source : détailinteractif.ca

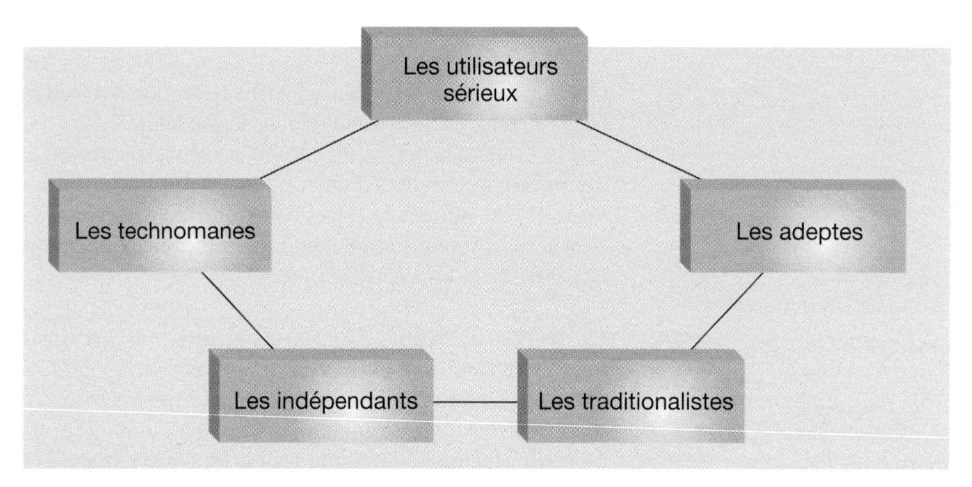

Les comportements d'achat des cyberconsommateurs

Il reste beaucoup à découvrir sur les comportements d'achat en ligne. Les recherches ont permis de répertorier les achats de produits et de services les plus fréquents en ligne. Les spécialistes du marketing cherchent à savoir pourquoi ces articles sont populaires et pourquoi les consommateurs préfèrent les trouver et les acheter sur le cybermarché.

Les achats des cyberconsommateurs Six grandes catégories de produits et de services conviennent particulièrement bien au commerce électronique. On les retrouve chaque année, parfois dans un ordre différent. Avant de les passer en revue et de traiter de leur composition, on peut observer le tableau 8.2. Il présente les achats des consommateurs canadiens au cours des années 2000[17] et 2002[18], et la moyenne mondiale en 2000.

L'une de ces catégories est constituée d'articles achetés après s'être renseigné, mais sans essai préalable. Les ordinateurs, les accessoires informatiques et les produits électroniques grand public vendus par Dell entrent dans cette catégorie. Il en est de même des livres dont la vente génère la croissance d'entreprises comme Amazon, Chapters, Renaud-Bray et Le Coin du livre à Ottawa. Ces librairies publient de brèves critiques sur les nouvelles parutions. Les internautes visitant ces sites Web peuvent s'informer avant de prendre leur décision d'achat. Un spécialiste en matière de commerce électronique remarque : « Vous avez lu les critiques et vous voulez ce livre : vous n'avez pas besoin d'en faire l'essai[19]. »

Pour plus d'informations au sujet de Dell, Amazon, Chapters, Renaud-Bray et Le Coin du livre à Ottawa, rends-toi à l'adresse suivante : www.dlcmcgrawhill.ca

TABLEAU 8.2
Les achats en ligne des consommateurs canadiens

RANG	CYBER-CONSOMMATEUR MONDIAL 2000	CYBER-CONSOMMATEUR CANADIEN 2000	CYBER-CONSOMMATEUR CANADIEN 2002
1	Livres	Livres	Ordinateurs et accessoires électroniques
2	CD	Ordinateurs et accessoires électroniques	Livres
3	Ordinateurs et accessoires électroniques	Vêtements	CD
4	Billetterie	CD	Billetterie
5	Vidéo	Billetterie	Vêtements

Pour plus d'informations au sujet de Archambault, HMV, Travelocity, Exit et Admission, rends-toi à l'adresse suivante : www.dlcmcgrawhill.ca

Pour plus d'informations au sujet de eBay, ChateauOnline, fromages.com et 1-800-Flowers, rends-toi à l'adresse suivante : www.dlcmcgrawhill.ca

Pour plus d'informations au sujet d'IGA, Belair Direct et Rona, rends-toi à l'adresse suivante : www.dlcmcgrawhill.ca

La deuxième catégorie comprend les articles pour lesquels les démonstrations audio ou vidéo sont importantes : les disques compacts et les bandes vidéo vendus par des maisons comme Archambault ou HMV. La troisième catégorie regroupe les articles livrés numériquement : logiciels, réservations de voyages, services de courtage et de billetterie électroniques. Les plus connus des sites Web de ce genre au Canada sont ceux de Travelocity, d'Exit.ca et d'Admission.

Les objets rares pour collection, les articles de luxe, les aliments fins et les cadeaux constituent la quatrième catégorie. Ils sont vendus par les maisons de vente aux enchères comme eBay, par les marchands de vins, comme ChateauOnline, et de fromages, comme fromages.com, et par les boutiques de cadeaux et de fleurs, comme 1-800-Flowers.

La cinquième catégorie comprend les articles qu'on achète régulièrement et dont l'aspect commodité est très important. Plusieurs produits emballés, comme les produits alimentaires, en font partie. Le cybermarché IGA en est un brillant exemple. La dernière catégorie comprend des produits hautement standardisés pour lesquels les données sur les prix sont précieuses. C'est le cas des assurances (auto et maison), que l'on peut consulter en ligne chez Belair Direct, des produits de rénovation de la maison (Rona), des vêtements sport et des jouets (Toys "R" Us).

Ces catégories de produits dominent pour un certain temps les achats en ligne au Canada. Le tableau 8.3 montre l'évolution, en pourcentage, des dix principaux achats en ligne effectués par les Canadiennes et les Canadiens en 2000 et en 2002.

Pourquoi les consommateurs achètent-ils en ligne ? Les six « C » Les spécialistes en marketing insistent sur les possibilités de création de valeurs sur le cybermarché. Toutefois, six raisons (appelées les six « C ») font que certains consommateurs préfèrent les achats en ligne : la commodité, le coût, le choix, la commande sur mesure, la communication, le contrôle (voir la figure 8.2).

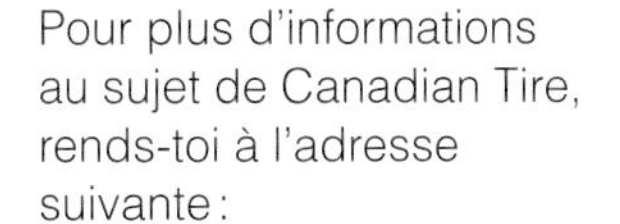

Pour plus d'informations au sujet de Canadian Tire, rends-toi à l'adresse suivante : www.dlcmcgrawhill.ca

L'achat en ligne est *commode*. Par exemple, les consommateurs peuvent visiter un magasin virtuel comme Canadian Tire et y commander des produits présentés, sans avoir à affronter la circulation automobile, à dénicher une place de stationnement, à déambuler

BRANCHEZ-VOUS !

Docteurcontact.com ou la médecine à l'heure d'Internet

Dernièrement, des médecins canadiens se sont mis d'accord pour offrir aux gens intéressés un service d'information à distance. Sur le site Web Docteurcontact, des médecins répondent aux questions concernant les maladies ou les interactions entre les médicaments. Pour les internautes, il est possible de prendre un rendez-vous avec un des spécialistes membres du réseau pour une consultation dans une clinique, ou encore de faire remplir un formulaire d'assurance.

De plus, les médecins peuvent également renouveler des ordonnances, moyennant un coût variant entre 4 $ et 25 $, si le renouvellement ne nécessite pas de consultation.

La prochaine fois que tu seras malade, visite donc ce site dans le confort douillet de ton domicile, plutôt que de prendre froid en te rendant dans une clinique

Pour plus d'informations au sujet de Docteurcontact, rends-toi à l'adresse suivante : www.dlcmcgrawhill.ca.

le long d'interminables allées et à faire la queue à la caisse. Les cyberconsommateurs utilisent des **robots de recherche.** Ce sont des agents électroniques qui passent au crible des sites Web pour comparer prix, produits et services. Dans les deux cas, l'internaute est resté confortablement assis devant son écran d'ordinateur. Le *coût* est la deuxième raison d'acheter en ligne. Selon des études récentes, presque 90 % des 30 articles les plus populaires auprès des cyberconsommateurs sont offerts en ligne à un prix identique ou inférieur à celui proposé dans les magasins de détail[20]. Les coûts liés à la recherche d'un produit, y compris le temps et les tracas, sont réduits. La commodité de la consultation en ligne et les coûts de la recherche d'un produit dans les magasins incitent les femmes à l'achat en ligne. Les plus intéressées sont celles qui travaillent à l'extérieur[21].

Le *choix* et la *commande sur mesure* sont deux autres raisons d'acheter en ligne. En effet, les consommateurs qui veulent du choix de produits ou de services ont à leur disposition de nombreux sites Web. Par exemple, la consommatrice ou le consommateur de produits électroniques grand public peut consulter des fabricants comme Bose ou Sony. Malgré un vaste choix, certains consommateurs préfèrent les articles individualisés

TABLEAU 8.3
Ventes au détail en ligne par produit et catégorie de service : 2000 et 2002

Source : Taylor Nelson Sofres Interactive, Global eCommerce Report, 2002 pour les données de 2002 ; Ernst & Young, Global Online Retailing, 2001 pour les données de 2000

PRODUIT ET CATÉGORIE DE SERVICE	ACHAT EN LIGNE DES CYBERCONSOMMATEURS CANADIENS EN 2000	ACHAT EN LIGNE DES CYBERCONSOMMATEURS CANADIENS EN 2002
Ordinateurs et accessoires électroniques	46 %	20 %
Livres	45 %	24 %
CD	34 %	6 %
Réservations de voyage et concerts	26 %	11 %
Vêtements	25 %	8 %
Jouets	17 %	3 %
Petits appareils électroniques	17 %	6 %
Autres	15 %	24 %
Vidéos	13 %	3 %
Services financiers	11%	—

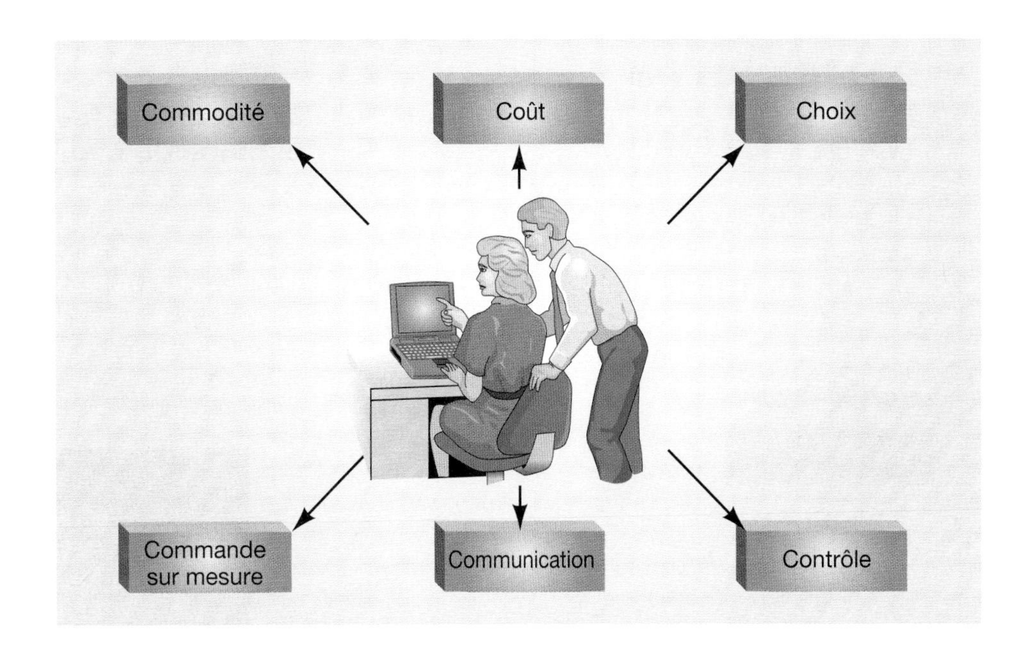

FIGURE 8.2
Les raisons pour lesquelles les consommateurs achètent en ligne

correspondant à leurs besoins spécifiques. Une entreprise québécoise a développé une technologie de pointe permettant de pousser la personnalisation à un point inégalé jusque-là. Mon Mannequin Virtuel et les magasins de vêtements Lands'End proposent à leurs clients un programme intelligent permettant à de configurer un mannequin virtuel. Les internautes entrent leurs mensurations et leurs caractéristiques physiques. La consommatrice ou le consommateur se trouve alors en présence de son «double virtuel». Il essaie à loisir toutes sortes de vêtements. Comme un bon vendeur, le système recommande des agencements et prodigue des conseils aussi bien que le personnel de vente.

Pour plus d'informations au sujet de Bose, de Sony, de Mon Mannequin Virtuel et de Land's End, rends-toi à l'adresse suivante: www.dlcmcgrawhill.ca

Acheteuses et acheteurs en ligne apprécient les possibilités de *communication* interactive avec les spécialistes du marketing offertes par le Web. Grâce aux technologies «push» (technologies qui permettent un dialogue électronique), des systèmes de diffusion personnalisée envoient automatiquement de l'information aux consommateurs en ligne suivant leurs préférences. Garden Escapes, Inc. offre aux internautes de concevoir leur jardin[22] à l'aide de techniques de design paysager de pointe. La société propose des végétaux et des plants appropriés aux différentes zones climatiques. Les adeptes du jardinage peuvent créer en ligne un aménagement et en voir le résultat instantanément. S'il leur convient, ils peuvent acheter ce dont ils ont besoin. La marchandise leur sera livrée juste à temps pour la plantation.

Pour plus d'informations au sujet de Garden Escapes, rends-toi à l'adresse suivante: www.dlcmcgrawhill.ca

Les portails, tel celui de Canoë, proposent une multitude d'activités, comme préparer son voyage à l'aide d'Internet.

La sixième raison d'achat en ligne est le *contrôle* sur le processus de décision d'achat. Les consommateurs en ligne sont autonomes. Ils utilisent adroitement les technologies Web pour trouver de l'information, évaluer les possibilités et prendre les décisions qui leur conviennent. Les consommateurs en ligne utilisent régulièrement les **portails** et les «moteurs de recherche». Ces pages d'entrée électroniques donnent accès à la toile mondiale. Les consommateurs ont le choix: nouvelles, divertissements, sources d'information et services d'achats en ligne[23]. Yahoo!, Altavista, Excite, Canoë et Sympatico-Lycos sont des portails bien connus.

Pour plus d'informations au sujet de Yahoo!, Altavista, Excite, Canoë et Sympatico-Lycos, rends-toi à l'adresse suivante: www.dlcmcgrawhill.ca

Pour évaluer leurs options, les consommateurs peuvent visiter des sites d'achat

QUESTION D'ÉTHIQUE

QUESTION D'ÉTHIQUE

Les témoins (*cookies*): espions du cyberespace

La protection des renseignements personnels et la sécurité sont les deux raisons qui amènent les consommateurs à se méfier des achats en ligne. Un sondage Angus Reid a révélé que les Canadiennes ou les Canadiens n'aiment pas donner en ligne des renseignements personnels ou des informations relatives à leur carte de crédit. Ces personnes aiment encore moins qu'on puisse retrouver leurs allées et venues sur le Web. Elles se demandent si le gouvernement ne devrait pas réglementer Internet.

L'utilisation des témoins (*cookies*) préoccupe les gens. L'Association canadienne du marketing direct (ACMD) a établi, pour ses membres, de nouvelles règles concernant le marketing en ligne. Une règle traite de la protection des renseignements personnels. Si l'on recueille de l'information sur les consommateurs visitant un site Web, on doit les en informer et on doit leur indiquer comment cette information sera utilisée. Les consommateurs doivent aussi pouvoir refuser l'enregistrement et l'usage commercial d'informations les concernant. Les membres de l'ACMD qui ne se conforment pas à ces règlements s'exposent à un blâme et même à être expulsés de l'association.

Selon toi, quel est le meilleur moyen d'assurer le respect des renseignements personnels et la sécurité sur le cybermarché? Devrait-on laisser les entreprises s'autoréglementer ou serait-il préférable que le gouvernement intervienne?

Pour plus d'informations au sujet d'Angus Reid, rends-toi à l'adresse suivante: www.dlcmcgrawhill.ca.

Pour plus d'informations au sujet de Meilleur prix et Yahoo! Magasinage, rends-toi à l'adresse suivante: www.dlcmcgrawhill.ca

judicieux comme meilleursprix.ca ou employer des robots de recherche comme Yahoo! Magasinage. Ces sites donnent la description et le prix d'une foule de produits, selon les marques et les modèles. C'est en fouillant ainsi qu'on devient une consommatrice ou un consommateur avisé et bien informé. Comme le disait un conseiller en marketing: « Sur le cybermarché, c'est le client qui mène le bal[24]. »

Beaucoup de bonnes raisons incitent les consommateurs à acheter en ligne. Certains s'y refusent pour protéger les renseignements personnels et par souci de sécurité, comme le signale l'encadré Question d'éthique[25]. Ces consommateurs s'inquiètent des fameux témoins (*cookies*). Les **témoins** sont des fichiers informatiques que les spécialistes du marketing téléchargent directement dans l'ordinateur connecté à leur site Web[26]. Grâce à ces « espions électroniques », il est possible de suivre le « parcours » du cyberconsommateur de site en site. Ces données sont stockées pour servir éventuellement. Les témoins conservent aussi l'information que fournissent les internautes: leurs préférences pour un produit, des données personnelles, des informations financières, comme les numéros de cartes de crédit. On voit donc nettement comment les témoins permettent de créer des produits individualisés et personnalisés pour les gens qui achètent en ligne. Résumant la controverse qui entoure l'usage des témoins, un spécialiste a déclaré: « Au mieux, les témoins contribuent à faire du World Wide Web un endroit amical. Ils sont un peu l'équivalent du portier ou du commis qui sait qui vous êtes. Au pire, ils constituent une atteinte au respect de la vie privée[27] ».

RÉVISION DES CONCEPTS

1. Quel segment décrit précédemment constitue le groupe de consommateurs en ligne le moins prometteur au Canada? Pourquoi?
2. Pourquoi les réservations de voyages représentent-elles un pourcentage élevé des achats en ligne?
3. Quelles sont les six raisons qui font que certains consommateurs préfèrent acheter en ligne?

LE MARKETING INTERACTIF SUR LE CYBERMARCHÉ

Les communications interactives entre les personnes qui achètent et celles qui vendent ont d'importantes répercussions en marketing. Il en est de même pour le contrôle que les consommateurs exercent sur l'échange d'information (sa teneur, l'endroit et le moment de l'échange, et la façon dont il se produit). Il s'agit toujours de créer de la valeur pour les consommateurs en leur offrant le bon produit, au bon moment, au bon endroit et au bon prix, mais l'environnement est très différent[28] de l'environnement traditionnel. En effet, dans ce nouveau marché, les spécialistes du marketing doivent assurer une présence électronique rentable retenant l'attention de la consommatrice ou du consommateur et le mettant en interaction. C'est tout un défi.

Être présent sur le cybermarché

Les spécialistes du marketing créent une présence sur le cybermarché en concevant des sites Web et en faisant de la publicité en ligne.

Pour plus d'informations au sujet de Schick et de Loblaws, rends-toi à l'adresse suivante: www.dlcmcgrawhill.ca

Les sites d'entreprises et les sites de marketing Les compagnies emploient deux principaux types de sites Web, chacun poursuivant un but particulier[29]. Un **site Web d'entreprise** est un site interactif conçu pour répondre aux attentes du personnel, des investisseuses, des investisseurs, des fournisseuses, des fournisseurs et de la clientèle. On trouve sur ce site des informations sur la compagnie. Par exemple: son histoire, sa mission et ses valeurs, des données sur les produits et services qu'elle offre, et son rapport annuel. Les internautes peuvent y lire des communiqués de presse et faire parvenir, par courriel, des questions et des commentaires. Pour retenir l'attention des visiteuses et des visiteurs, on crée des sites Web plus développés où on propose des divertissements interactifs comme des jeux. Les sites Web d'entreprises ne sont pas précisément conçus pour promouvoir ou vendre les produits ou les services des compagnies. Certains le font cependant. Ces sites servent plutôt à bâtir des relations avec la clientèle et certaines autres personnes intervenantes. Tu peux constater que le site Web de la compagnie Schick, celui de Loblaws et d'autres entreprises de secteurs d'activité différents se ressemblent.

Le **site Web de marketing** est conçu pour engager un dialogue ou une communication interactive avec les consommateurs dans le but de leur vendre un produit ou un service ou de les amener à prendre une décision d'achat. Contrairement aux sites Web d'entreprises, les sites Web de marketing entament des communications interactives avec des clientes et des clients potentiels. Ces sites sont beaucoup plus nombreux que les sites Web d'entreprises.

Il y a deux types de sites Web de marketing: 1) les sites transactionnels et 2) les sites promotionnels. Les sites Web transactionnels sont essentiellement des devantures de magasins électroniques. Amazon et Canadian Tire exploitent ce genre de site. Ils s'efforcent principalement de transformer la personne qui cherche en acheteuse en ligne. Plusieurs sites proposent l'aide du personnel de vente qui guide les clientes et les clients dans leurs achats. Ainsi, le personnel de vente participe aux deux tiers des ventes réalisées par Dell Computer à partir de son site Web[30]. Ces sites servent aussi aux recherches sur les consommateurs et permettent aux compagnies d'obtenir une rétroaction de

Pour plus d'informations au sujet de Dell Computer, Canadian Airlines et de Cisco Systems, rends-toi à l'adresse suivante: www.dlcmcgrawhill.ca

ces derniers. Canadian Airlines en est un bon exemple. En effet, cette entreprise utilise son site Web pour interroger les grandes voyageuses et les grands voyageurs sur leurs préférences et sur leurs habitudes d'achat. Cisco Systems exploite un site Web transactionnel vraiment multifonctionnel. Cette compagnie vend plus de 80 % de tous les produits utilisés en gestion de réseaux. Ces produits permettent à Internet, aux intranets et aux extranets des entreprises de fonctionner. Lis l'encadré Tendances marketing pour voir comment, dans le site Web de Cisco Connection Online, le soutien technique est intégré à chaque étape de la vente et du service, que ce soit avant ou après la transaction[31].

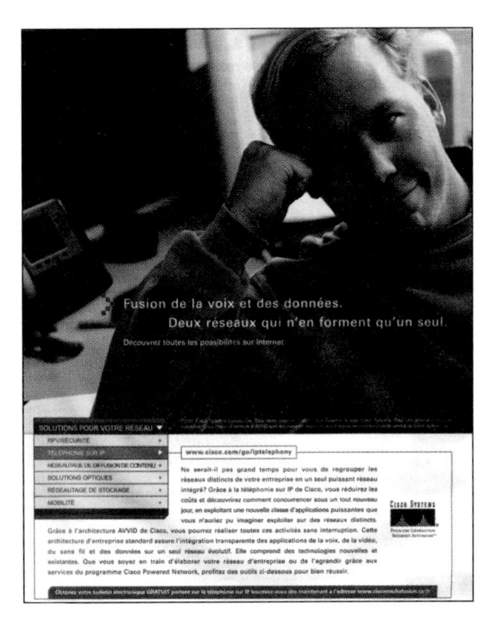

Les sites Web promotionnels sont conçus dans un but très différent de celui des sites transactionnels. Un tel site fait la promotion des produits et services d'une compagnie et informe la clientèle sur la façon d'utiliser ces produits et d'en faire l'achat. L'internaute y est souvent convié à une expérience interactive sous forme de jeux, de concours où il peut gagner des cadeaux. Simultanément, l'internaute découvre le produit et une foule de renseignements pratiques à son sujet. Bombardier dispose de son propre site Web d'entreprise. Mais la firme entretient aussi des sites Web distincts pour ses marques-vedettes, dont les célèbres motoneiges Ski-Doo, les motos marines Sea-Doo et les véhicules tout-terrains. Les sites promotionnels sont efficaces pour susciter l'intérêt sur des produits et des services des compagnies, et pour en promouvoir l'essai[32]. Selon General Motors, 80 % des gens qui se rendent chez un concessionnaire Saturn ont auparavant visité le site Web de la marque.

Pour plus d'informations au sujet de Bombardier, Ski-Doo, Sea-Doo et Saturn, rends-toi à l'adresse suivante: www.dlcmcgrawhill.ca

TECHNOLOGIE

TENDANCES MARKETING **Cisco Systems gagne sa vie sur le Net**

Personne ne s'y entend mieux en commerce électronique que Cisco Systems. Pourquoi? Parce que le commerce électronique, c'est son affaire. Cette compagnie vend 80 % de tous les produits de gestion de réseaux qui permettent à Internet, aux intranets et aux extranets des entreprises de fonctionner.

Cisco réalise presque 60 % de ses ventes, soit environ 10 millions de dollars par jour, sur son site Web, Cisco Connection Online. Aux dernières nouvelles, Cisco récoltait à peu près le tiers de tous les revenus générés par le commerce électronique en Amérique du Nord. Sur son site Web, chaque étape de la vente des produits et du service jouit d'un soutien technique avancé adapté à chaque client. Par exemple, le logiciel de configuration de Cisco fait évoluer l'internaute parmi les pages qui mènent à l'un ou l'autre des produits de l'entreprise. Grâce au logiciel de progression, la clientèle peut suivre en ligne le cheminement de ses commandes. En tout, 70 % des demandes de soutien technique sont satisfaites par voie électronique. Cette performance produit des indices de satisfaction qui découragent toute tentative d'intervention humaine.

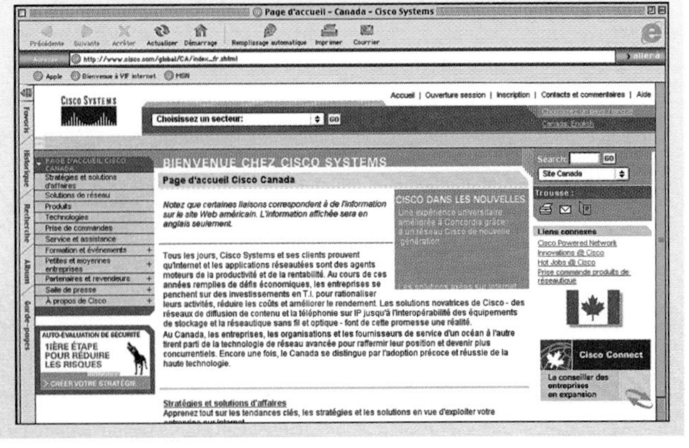

La mise au point et l'entretien d'un site Web de marketing sont coûteux. L'intégration de plus en plus d'activités interactives sophistiquées, dans lesquelles entrent une bonne part d'animation spectaculaire et de graphisme en trois dimensions, est également dispendieuse. La création d'un site Web de marketing moyen nécessite un budget d'environ un million de dollars, et toute une équipe de travail y est affectée pendant un an. La création d'un site Web transactionnel représente environ 10 fois le coût de création d'un site Web promotionnel. En effet, ce site demande la mise en œuvre de bases de données et le développement du système de paiement sécurisé[33].

Il ne suffit pas d'avoir un site Web d'entreprise ou de marketing pour que les clients se bousculent immédiatement aux portes. Un site Web est un moyen inestimable pour diffuser de l'information, susciter l'engagement de la cliente ou du client à l'égard d'un produit et même réaliser des ventes. Cependant, il faut appâter les consommateurs. Ce n'est pas facile d'attirer la clientèle en ligne. La difficulté augmente avec la croissance du cybermarché, où chaque semaine plus de 100 000 sites Web viennent s'ajouter à la toile et aux services de commerce électronique. La publicité joue un rôle important sur le cybermarché, tout comme sur le marché traditionnel. En plus de faire de la publicité en ligne, les compagnies annoncent leurs sites Web à grand renfort d'imprimés, d'annonces à la radio et de publipostage.

Pour plus d'informations au sujet de Clinique, rends-toi à l'adresse suivante : www.dlcmcgrawhill.ca

La publicité en ligne L'un des objectifs premiers de la publicité en ligne est de générer des ventes directement et rapidement grâce au site Web transactionnel conçu par un spécialiste du marketing[34]. La plupart des compagnies évoluent à la fois sur le cybermarché et sur le marché traditionnel. Leur publicité en ligne a d'autres objectifs que la vente : faire connaître la compagnie, ses produits et ses services, et d'en promouvoir les images de marque. La publicité en ligne sert aussi à soutenir les circuits de ventes traditionnels de l'entreprise et ses détaillants, et à établir des relations avec la clientèle. C'est l'objectif de Clinique, division d'Estée Lauder, qui vend des produits de beauté dans les grands magasins. Selon Clinique, 80 % de ses clientes actuelles achètent un de ses produits dans un magasin après avoir visité son site Web, et 37 % des visiteuses non clientes font de même après avoir visité le site[35].

Les organisations, privées ou publiques, ont souvent recours aux publicités dans les imprimés pour attirer les consommateurs sur leurs sites Web.

La page d'accueil du site montre une bannière publicitaire d'AOL.

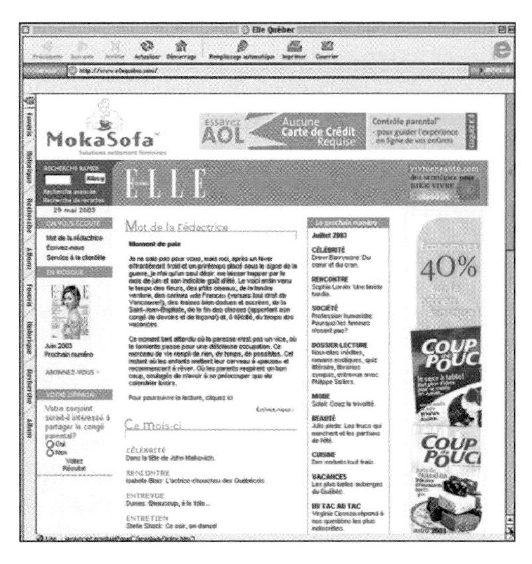

Les compagnies ont deux façons de placer de la publicité en ligne. L'une est de retenir de l'espace dans un portail Web fortement fréquenté, comme Yahoo!, ou dans le portail d'un fournisseur d'accès à Internet comme Sympatico. L'autre consiste à acheter de l'espace publicitaire sur un **site Web communautaire,** un site qui s'adresse à un groupe particulier d'individus ayant des intérêts communs. Il est avantageux de faire de la publicité sur les sites de ce type. En effet, les membres des communautés Web constituent un marché cible tout trouvé pour les produits touchant leurs centres d'intérêt. Ainsi, MokaSofa, portail féminin québécois, s'intéresse à la gestion de carrière, aux finances personnelles, à l'éducation des enfants, aux relations humaines, à la beauté et à la santé. Les magazines *Coup de pouce* et *Elle Québec* font partie des nombreuses entreprises qui affichent de la publicité sur le site MokaSofa.

Pour plus d'informations au sujet de MokaSofa, *Coup de pouce* et *Elle Québec,* rends-toi à l'adresse suivante : www.dlcmcgrawhill.ca

Les compagnies désireuses de faire de la publicité disposent de plusieurs options. La forme de publicité la plus courante est l'*annonce banderole* (ou bannière). Ce type de bande annonce contient généralement le nom de la compagnie ou du produit ou une quelconque offre promotionnelle. Plusieurs formats existent, parmi lesquels on trouve la bannière interactive (Monster en est un exemple), sur laquelle l'internaute peut faire un choix. Les cyberconsommateurs n'ont qu'à cliquer sur l'annonce pour visiter soit le site Web de l'entreprise, soit son site de marketing. Au Canada, plus de 50 % de la publicité en ligne se fait sous forme d'annonces banderoles. Le coût mensuel de l'espace publicitaire pour une annonce banderole est d'environ 10 000 $. Selon un sondage portant sur Internet au Canada, réalisé par ACNielsen, les annonces banderoles retiennent bien l'attention des consommateurs. Ce sondage révèle que plus de 50 % des cyberconsommateurs canadiens disent avoir déjà cliqué sur une annonce banderole[36]. La deuxième forme la plus courante de publicité en ligne est la *commandite*[37]. Ce genre de publicité est généralement placé sur les sites Web communautaires. Par exemple, Réactine, le remède contre les allergies de Pfizer, commandite le site Web Pour Mieux Respirer. Ce site diffuse de l'information sur les problèmes respiratoires provoqués par l'asthme et les allergies.

Pour plus d'informations au sujet de ACNielsen, Pfizer, et Pour Mieux Respirer, rends-toi à l'adresse suivante : www.dlcmcgrawhill.ca

Les annonces banderoles sont une forme populaire de publicité en ligne.

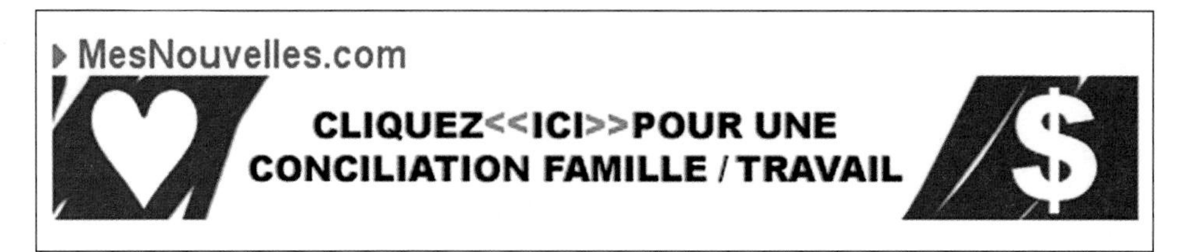

Le reste de la publicité en ligne est essentiellement de deux types : les publicités par mot clé et les interstitiels. Les *publicités par mot clé* sont liées aux portails Web ou aux moteurs de recherche comme Yahoo ! ou Excite. Dès qu'un client entreprend une recherche à l'aide d'un certain mot clé, une publicité relative à un produit apparenté à ce mot apparaît. La Banque nationale du Canada, par exemple, a acheté le mot clé

La Banque nationale du Canada a acheté le mot clé « hypothèque » sur le portail francophone La Toile du Québec.

« hypothèque » sur la Toile du Québec. Chaque cyberconsommateur qui fait une recherche dans la Toile du Québec en utilisant ce mot verra une publicité de la Banque nationale du Canada.

Les *interstitiels* ressemblent aux publicités télévisées entre les émissions, car elles sont souvent animées et sonores. L'interstitiel apparaît automatiquement à l'écran durant le chargement de la page Web demandée par l'internaute. Des études récentes indiquent que les interstitiels sont deux fois plus efficaces pour la notoriété d'une marque que les annonces banderoles[38]. Selon les analystes publicitaires, 50 % des publicités en 2002 étaient des annonces banderoles, 25 %, des commandites, et 25 %, des interstitiels[39]. La réalité s'est toutefois révélée fort différente. Selon une étude récente de l'Internet Advertising Bureau (IAB), la bannière représentait, au deuxième trimestre 2002, la forme publicitaire préférée dans 32 % des cas (contre 36 % à la même période de l'année précédente), devant la commandite de site (24 %). La publicité par mot clé représentait 9 %, en très forte progression de 200 %.

Aujourd'hui, de nombreuses compagnies complètent leur publicité en ligne en faisant de la **diffusion Web.** Elles poussent les cyberconsommateurs vers l'information de leur site d'entreprise ou de marketing, au lieu d'attendre que les internautes les découvrent[40]. Les services de diffusion Web, comme Pointcast, livrent automatiquement dans l'ordinateur des cyberconsommateurs de l'information personnalisée tenant compte de leurs préférences. Cela comprend des nouvelles de l'actualité, du divertissement et des renseignements sur les produits et services des entreprises[41]. La diffusion Web devrait améliorer l'efficacité de la publicité en ligne. Pourquoi ? Un expert en commerce électronique l'explique : « Au lieu d'attendre que les surfeurs tombent par hasard sur leurs sites et sur leurs annonces banderoles, les spécialistes du marketing peuvent envoyer des publicités animées directement sur le bureau de leurs consommateurs cibles... Les marchands ont maintenant accès à des clients potentiels, pas seulement à des téléphages (*couch potatoes*)[42]. »

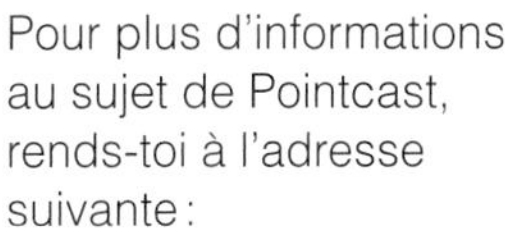

Pour plus d'informations au sujet de Pointcast, rends-toi à l'adresse suivante : www.dlcmcgrawhill.ca

Comment les entreprises tirent-elles avantage du commerce électronique et du marketing interactif ?

Le marketing interactif et le commerce électronique ont profondément modifié l'interaction entre l'entreprise et la clientèle. Les incessantes innovations en technologie interactive numérique et le développement continuel de nouvelles applications en marketing, montrent qu'on n'en restera pas là.

Les spécialistes du marketing reconnaissent que le cybermarché offre un excellent potentiel de création de valeur pour le consommateur. Mais les avantages du commerce électronique et du marketing interactif ne s'arrêtent pas à cette seule dimension pour les entreprises. On sait déjà, par exemple, que le commerce électronique réduit les coûts. En effet, les intranets, les extranets et l'échange de données informatisées permettent de réduire énormément les frais de manutention des stocks, de traitement des commandes et de communication. Par exemple, le coût du traitement traditionnel d'une commande est de 40 $, incluant le papier et les frais administratifs. Traitée par extranet, cette même commande revient à 1,50 $ – une économie de 96 %[43] ! De même, les spécialistes du marketing en ligne n'ont pas à assumer les frais de construction et d'exploitation de magasins de détail. Cela a d'ailleurs incité plusieurs détaillants à créer des sites Web. Sears Canada, par exemple, réalise de plus en plus de ventes grâce à son site Web.

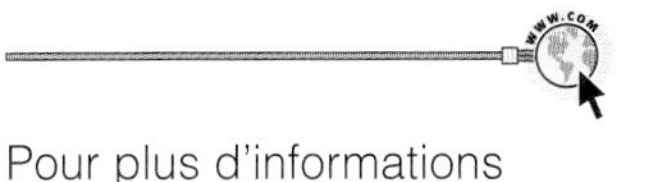

Pour plus d'informations au sujet de Sears, rends-toi à l'adresse suivante : www.dlcmcgrawhill.ca

La technologie du commerce électronique et du marketing interactif permet de gérer avec plus de souplesse les éléments du marketing mix. Par exemple, les spécialistes du

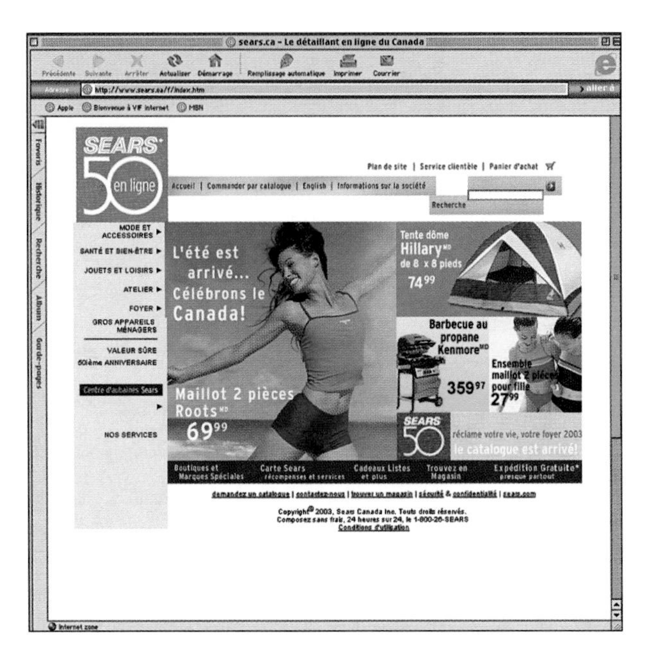

Sears Canada réalise de plus en plus de ventes grâce à son site Web.

Pour plus d'informations au sujet de Amazon, rends-toi à l'adresse suivante : www.dlcmcgrawhill.ca

marketing en ligne ajustent les prix pour tenir compte des changements dans l'environnement commercial, des modifications des situations d'achat et du comportement des acheteuses et des acheteurs en ligne[44]. Ainsi, Amazon offre différents prix et aubaines à ses clientes et clients en fonction des produits qu'ils ont déjà achetés et de la façon dont ils les ont achetés. Les spécialistes du marketing en ligne peuvent suivre le parcours des internautes pour étudier attentivement leur comportement. Si la visiteuse ou le visiteur se révèle sensible au prix – il aura peut-être comparé plusieurs produits –, il pourrait se voir offrir un prix moindre. La durée de vie d'une publicité est plus brève sur le cybermarché que sur le marché traditionnel. Plusieurs ne durent pas plus de 4 heures sur une période de 24 heures, et visent un comportement d'achat en ligne bien précis. Bref, l'individualisation peut s'appliquer au prix et à des éléments de promotion du marketing mix, pas seulement aux produits et services décrits précédemment.

Le cybermarché n'a pas de frontières géographiques, aussi les spécialistes du marketing peuvent manœuvrer partout dans le monde. Par exemple, une cyberconsommatrice ou un cyberconsommateur de Kapuskasing peut accéder à fromages.com, le plus important site de vente en ligne de ce genre, et y commander des paniers tout garnis de spécialités fromagères aussi aisément qu'une personne résidant au Japon ou en France[45]. Grâce à cette caractéristique, tous les spécialistes du marketing, qu'ils soient dans le domaine interentreprises ou dans des organisations de type entreprise-client, ont ainsi réussi à accroître leur clientèle.

Pour plus d'informations au sujet de fromages.com, rends-toi à l'adresse suivante : www.dlcmcgrawhill.ca

Malgré tous ces avantages, peu d'entreprises maîtrisent vraiment le commerce électronique et le marketing interactif[46]. Très souvent, elles n'ont pas fait de profit car leur installation sur le cybermarché leur a coûté plus que prévu. De plus, les marges de profit réalisées sont au-dessous des prévisions[47].

RÉVISION DES CONCEPTS

1. Quelle différence y a-t-il entre un site Web d'entreprise et un site Web de marketing?
2. Pourquoi s'attend-on à ce que la diffusion Web améliore l'efficacité de la publicité en ligne?
3. Comment les entreprises tirent-elles avantage du commerce électronique et du marketing interactif?

RÉSUMÉ

1. Aujourd'hui, les consommateurs et les entreprises occupent deux marchés parallèles et complémentaires. Il s'agit du marché traditionnel et d'un nouvel espace commercial, le cybermarché, où se pratiquent le marketing interactif et le commerce électronique.
2. Le commerce électronique existe grâce à un ensemble de réseaux électroniques, chacun ayant une application particulière. Sa forme la plus connue est le commerce électronique client-entreprise au moyen d'Internet, du World Wide Web et des fournisseurs d'accès à Internet. Au sein des entreprises, on utilise des réseaux électroniques comme les intranets pour exécuter les fonctions internes. Les échanges de données informatisées (ÉDI) et les extranets servent au commerce électronique interentreprises.
3. Le commerce électronique crée de la valeur pour le consommateur en lui procurant de nouvelles utilités de temps, d'endroit, de forme et de possession.
4. Les cyberconsommateurs se démarquent, au plan démographique, du reste de la population. En général, ils sont plus instruits, plus jeunes et financièrement plus à l'aise. Ce sont en majorité des hommes mariés. Ils ont aussi des profils psychographiques distincts.
5. Il semble qu'il y ait six grandes catégories de produits et de services qui conviennent particulièrement bien au commerce électronique.
6. Les consommateurs invoquent généralement six raisons pour expliquer leurs achats en ligne : la commodité, le coût, le choix, la commande sur mesure, la communication et le contrôle sur le processus d'achat. Mais les questions relatives à la protection des renseignements personnels et à la sécurité les inquiètent lors de leurs opérations d'achat en ligne. Il y a deux types de sites Web de marketing : les sites transactionnels et les sites promotionnels. La principale forme de publicité en ligne est l'annonce banderole.
7. Le commerce électronique et le marketing interactif fournissent de nouvelles occasions de créer de la valeur pour les consommateurs. Ils réduisent les frais administratifs des entreprises, en donnant plus de souplesse au marketing mix et en procurant une visibilité mondiale aux produits et aux services.

MOTS CLÉS

commerce électronique
cybermarché
diffusion Web
échange de données informatisées (ÉDI)
extranet
fournisseur d'accès à Internet
Internet
intranet
marketing interactif
portail
robot de recherche
site Web communautaire
site Web d'entreprise
site Web de marketing
témoin
World Wide Web (W3)

EXERCICES INTERNET

Tu trouveras beaucoup d'informations qui complètent celles du livre sur le commerce électronique au Canada. Pour cela, rends-toi à l'adresse suivante : www.dlcmcgrawhill.ca.

Le site d'Industrie Canada est dédié au commerce électronique. Tu trouveras à la rubrique Recherche et statistiques beaucoup de rapports de recherche et des présentations sur le commerce interentreprises, entreprises-consommateurs, sur le commerce international et d'autres liens. En t'aidant de toutes ces informations, réponds aux questions suivantes :

1. Quel est le profil des cyberconsommateurs ?
2. Quelle place le Canada occupe-t-il parmi les autres pays en matière d'achats sur Internet ? de ventes sur Internet ?
3. Quels sont les obstacles qui empêchent les PME de faire du commerce électronique ?
4. Comment les ventes de ce secteur ont-elles évoluées au cours des dernières années ?

QUESTIONS DE MARKETING

1. Comment les spécialistes du marketing utilisent-ils Internet, les intranets, l'échange de données informatisées (ÉDI) et les extranets pour créer de la valeur pour les consommateurs du commerce électronique ?
2. Vers le milieu de 1999, environ 20 % des internautes seulement avaient acheté quelque chose en ligne. Tes parents ont-ils déjà fait un achat en ligne ? Si oui, pourquoi penses-tu que tant de gens ayant accès à l'Internet et au World Wide Web ne sont pas aussi des cyberconsommateurs ? Sinon, pourquoi hésitent-ils à le faire ? Crois-tu que le commerce électronique est bon pour les consommateurs, même pour ceux qui n'achètent pas en ligne ?
3. Reprends le processus décisionnel du consommateur abordé au chapitre 6 et adapte-le au cyberconsommateur. En quoi le commerce électronique vient-il modifier ce cycle ? Les étapes seront-elles les mêmes ? Qu'est-ce que ces changements impliquent pour le marketing ?

4. Le marketing apporte des utilités de temps, de place, de forme et de possession offrant ainsi plus de valeur aux consommateurs. Voici différents produits et services : un billet d'avion, un blouson, des places de concert, un steak et un logiciel. Compare les utilités que t'offrirait le commerce électronique par rapport à un détaillant traditionnel. Le commerce électronique apporte-t-il toujours une plus-value ?

5. Supposons que tu aies l'intention d'ouvrir un commerce électronique sur le World Wide Web. Selon toi, quelles seraient les chances de succès des sites suivants ? Pourquoi ?

a) Boutique de chaussures de luxe pour dames.

b) Service d'achat judicieux où les consommateurs peuvent comparer les tarifs de gaz et d'électricité et s'abonner auprès du détaillant choisi.

c) Service de location vidéo.

6. Visite une librairie en ligne comme Amazon ou Renaud-Bray. Explore ce site Web et compare cette expérience à celle d'une visite à la librairie de ton école. Fais la comparaison par rapport aux six « C » du commerce électronique.

7. Supposons qu'un consommateur veuille acheter une voiture neuve et qu'il décide de visiter Auto123. Crois-tu qu'après cette visite il sera mieux en mesure de négocier avec le concessionnaire ? Selon toi, aura-t-il plus ou moins de contrôle sur le processus d'achat ?

8. Visite le site Web de ton école, d'un collège ou d'une université. D'après ce que tu vois sur le site, s'agit-il d'un site Web d'entreprise ou d'un site de marketing ? Pourquoi ? S'il s'agit d'un site Web de marketing, est-il transactionnel ou promotionnel ? Pourquoi ?

9. Visite un site comme Le Coin du livre ou RDS. Quelles compagnies font de la publicité sur ces sites Web ? Quels produits y sont annoncés ? Selon toi, pourquoi ces entreprises ont-elles choisi de s'y annoncer ? Crois-tu qu'elles aient fait un bon choix ? Pourquoi ?

ÉTUDE DE CAS 8-1 AMERICA ONLINE, INC. ET AOL CANADA INC.

« America Online est tout simplement née de l'idée de Steve Case de fournir un service de courriel et de messagerie électronique », dit Wendy Brown, vice-présidente du service Stratégie commerciale chez America Online (AOL). C'était bien avant la commercialisation du World Wide Web et d'Internet. Au fil des ans, AOL a lancé une variété de services de communication, de « réseaux » d'informations, de plates-formes d'achats et de fonctions de personnalisation. Selon Mme Brown, « AOL est aujourd'hui un outil commode dont se servent les gens pour organiser leur vie, garder contact avec les autres, acheter des choses et apprendre ».

L'ENTREPRISE

Meyer Berlow, premier vice-président de Marketing interactif, précise : « Ce qu'il faut retenir de ce modèle d'entreprise, c'est qu'il a une double source de revenus. Nous tirons des revenus des abonnés, mais aussi de la publicité et du commerce électronique ». Pour assurer la croissance du chiffre d'affaires, AOL a dû relever des défis importants : gagner de nouveaux abonnés et apprendre à gérer ses capacités d'accès.

La stratégie de croissance d'AOL consiste essentiellement à offrir le service Internet le plus simple et le plus commode qui soit. Pour accroître son nombre d'abonnés, AOL a élaboré plusieurs programmes visant à mettre son logiciel entre les mains de ses clients potentiels. Elle l'a fait parvenir aux utilisateurs d'ordinateur en le joignant à des magazines d'informatique. Elle a aussi distribué son logiciel à partir de comptoirs express installés chez des détaillants choisis. Elle a offert plus de 100 heures gratuites aux clients potentiels pour les inciter à explorer le service durant une période d'essai d'un mois. Afin d'assurer le succès de l'opération, le logiciel fut conçu de façon à automatiser son installation. Les utilisateurs n'avaient qu'à « sélectionner et cliquer ». AOL a facilité la navigation et l'accès à ses services en ligne. L'entreprise a conçu une interface pratique et graphiquement intelligible grâce à laquelle les internautes peuvent repérer et sélectionner rapidement leurs choix. Tout cela était essentiel pour transformer les essais de la clientèle en abonnements payants.

AOL a aussi progressé par des acquisitions et des alliances. En 1997, l'entreprise achetait CompuServe, le pionnier de l'Internet, et ajoutait ainsi 2 millions d'internautes à sa clientèle abonnée. En 1998, elle acquérait Netscape, le plus important navigateur sur Internet, et gagnait encore 15 millions d'abonnements. « Notre fusion avec Netscape nous a associé à un nom connu mondialement, et nous a fait bénéficier d'un portail en croissance rapide, de talents innovateurs et de technologies de pointe », dit Steve Case. AOL a également conclu des alliances stratégiques avec Sun Microsystems pour offrir des logiciels de commerce électronique. Elle s'est associée à des entreprises de télécommunications pour garantir un accès pratique et abordable aux lignes téléphoniques à haute vitesse et à la télévision câblée, au profit de millions d'internautes en Amérique du Nord. Elle s'est alliée à DirectTV, à Philips Electronics et à d'autres dans l'idée d'offrir, un jour, l'accès à Internet par le truchement de la télé.

Pour gérer sa croissance, AOL a dû revoir sa façon d'établir ses prévisions et de satisfaire à la demande inattendue de services. Il y a quelques années, l'entreprise a cessé de facturer le temps d'utilisation pour offrir un tarif mensuel. Cette décision a créé un engorgement tel qu'il a fait les manchettes des journaux. La demande a augmenté au point d'excéder les capacités d'AOL. Les internautes abonnés n'ont reçu pendant un certain temps que de détestables tonalités de ligne occupée. Les compagnies et les personnes dépendant des services de courriel d'AOL mettaient des heures à se brancher sur Internet. AOL n'avait pas su « évaluer la demande simultanée de ses abonnés », dit Brown. Ce problème est maintenant réglé, car l'entreprise a investi des millions de dollars pour ajouter des ordinateurs et accroître la connectivité des communications.

Plus de 17 millions de « membres » ou d'internautes se branchent chez AOL en moyenne 55 minutes par jour. AOL est maintenant le plus important service en ligne du monde. Les différents sites Web aux États-Unis, au Canada, en France, et en Allemagne, pour ne citer que ceux-là, reçoivent la visite de millions d'internautes. En 1998, environ 16 % des 2,6 milliards de dollars de revenus d'AOL provenaient de la publicité et du commerce électronique, un substantiel accroissement par rapport au 9 % de 1996.

LE COMMERCE ÉLECTRONIQUE CHEZ AOL

Selon un rapport de Forrester Research, Inc., près de neuf millions de ménages nord-américains ont acheté dans Internet en 1998. Les chiffres de ventes au détail en ligne ont atteint presque 8 milliards de dollars. En 2003, plus de 50 millions de ménages nord-américains achèteront en ligne et produiront ainsi des revenus supérieurs à 108 milliards de dollars. Selon Berlow, « Internet est le premier médium qui résout vraiment les problèmes des spécialistes du marketing. Il permet aux consommateurs de chercher de l'information sur une marque donnée et d'en faire rapidement l'acquisition, ce qui simplifie tout le processus d'achat ».

Le potentiel du commerce électronique est devenu évident durant la saison des Fêtes de 1998. Les membres d'AOL ont dépensé 1,2 milliard de dollars en ligne. Durant cette période, 1,25 million de personnes ont fait leur premier achat en ligne. AOL estime que 84 % de ses membres actuels ont fait du « lèche-vitrines virtuel » et que 44 % ont acheté des marchandises par l'intermédiaire d'AOL. Les membres qui ont acheté en ligne se sont dits très satisfaits de l'expérience. Ils ont apprécié la facilité d'utilisation d'AOL, sa commodité et la sécurité des transactions en ligne, sans oublier les bonnes valeurs offertes par plusieurs des détaillants participants. Une étude indique que les membres prennent rapidement l'habitude du commerce électronique et achètent de un à trois articles dès les trois premiers mois.

Ce succès était en grande partie attribuable aux 110 marchands et « cybermarchands » (comme Eddie Bauer, J. Crew, Toys "R" Us, Macy's, Barnes Noble, digital Chef, etc.) avec lesquels AOL s'était alliée pour améliorer son offre. Le but d'AOL était d'offrir aux consommateurs, selon une « formule multiservice », des produits et des services de qualité à des prix avantageux. Qu'achètent les personnes chez AOL ? Selon les données d'achalandage de l'entreprise, il s'agit d'abord de jouets et d'accessoires de bébés, puis de vêtements. Durant la période des Fêtes, l'achat moyen chez AOL est de deux articles chaque semaine pour une dépense de 54 $. Le marketing interactif et le commerce électronique connaissent une rapide croissance. AOL continue d'attirer des cybermarchands, d'autres marchands de grande surface, et des fournisseurs de services. De plus, grâce à de nouvelles ententes à long terme, Sobeys, Visa (cartes de crédit), RadioShack, Location de voitures Hertz, eBay (enchères en ligne) et CBC.ca (nouvelles) sont devenus des partenaires d'AOL.

ASSURER L'AVENIR DU COMMERCE ÉLECTRONIQUE

L'avenir du commerce électronique semble prometteur. AOL doit quand même régler certaines questions importantes. Selon une étude du Boston Consulting Group, les détaillants doivent donner aux consommateurs de bonnes raisons d'acheter en ligne. Pour faire du commerce électronique, ces détaillants doivent sans cesse s'améliorer sur le plan de la commodité, des coûts, du choix, des commandes sur mesure, des communications et du contrôle. En matière de *commodité,* on s'attend à ce que les consommateurs utilisent de préférence les « portails » pour accéder à Internet et y naviguer. AOL est l'un des principaux portails Internet, mais l'entreprise doit promouvoir sa présence et défendre sa position de tête contre les assauts de concurrents comme Disney, Microsoft, Yahoo ! et d'autres, tout aussi redoutables.

Sur le plan des *coûts,* vu l'accroissement de la publicité en ligne sur les portails « gratuits » comme Yahoo ! et de leur concurrence, AOL doit offrir de la valeur ajoutée. Les consommateurs doivent bénéficier de réductions de coûts sur les produits et services offerts en ligne parce qu'ils peuvent commander directement aux fabricants, aux détaillants ou aux fournisseurs de services. De plus, ils exploreront Internet pour y trouver à meilleur compte les produits et services qu'ils désirent. AOL et ses partenaires détaillants ont à résoudre tous les conflits de circuit faisant partie de la vente en ligne. Par exemple, certains détaillants potentiels refusent de vendre en ligne de crainte de voir se déverser leurs ventes dans d'autres circuits. Ils craignent de se mettre à dos d'actuels distributeurs associés, ou pis, de réduire les marges de profit de chacun dans le circuit. Les détaillants partenaires d'AOL qui décident de vendre en ligne doivent pouvoir facturer un supplément pour un service, des caractéristiques et une qualité supérieurs. À condition que les autres portails ou sites Web de détaillants en soient dépourvus.

Par ailleurs, sur Internet, il est crucial de donner du *choix* aux consommateurs. Sur son portail, AOL doit présenter toujours plus de choix à ses membres: type de services (magasinage, courriel, messagerie, nouvelles, etc.) et nombre de détaillants associés. De même, ces détaillants doivent offrir aux abonnés d'AOL un vaste choix de produits et de services en ligne. Jusqu'à maintenant, AOL a offert l'éventail le plus complet de marques de qualité et il doit continuer de le faire.

Comme l'ont démontré Dell Computer, Mattel et certaines autres compagnies, les systèmes de *commande sur mesure* permettent aux consommateurs d'obtenir à prix abordable des produits ou services. Les consommateurs personnalisent leurs achats en les dotant de caractéristiques à leur convenance. La clientèle désire cette individualisation des produits. AOL et ses partenaires doivent la lui offrir en intégrant davantage les opérations de fabrication, les bases de données, le service à la clientèle et le système d'approvisionnement ou de livraison. De plus, les problèmes de *communication* restent à résoudre. Les modems, les lignes d'accès numériques, la fibre optique et les autres technologies doivent être plus facilement accessibles aux consommateurs. Les alliances conclues par AOL avec les compagnies de télécommunications et l'acquisition de Personaogic et When.com vont dans la bonne direction, mais il reste encore beaucoup à faire.

Les cyberconsommateurs veulent exercer un *contrôle* sur les renseignements personnels et financiers recueillis sur eux, à l'occasion de leurs transactions électroniques. Ils veulent savoir si leurs données sont sauvegardées, comment les détaillants les utilisent et si elles sont transmises à d'autres organisations aux fins de marketing. Les consommateurs veulent pouvoir restreindre l'accès aux sites Web et aux « clavardoirs » qu'ils jugent moralement répréhensibles. Ils attendent également que leurs ordinateurs soient protégés des virus. Selon International Data Corporation, en 2002, le marché des logiciels de sécurité sur Internet devrait s'élever à 7,4 milliards de dollars. AOL a créé les programmes *Parental Control* et *Privacy*. D'autres efforts seront certainement nécessaires à mesure que le commerce électronique mondial s'intensifiera et que s'accroîtra la nécessité d'un Internet « plus sûr ». Dans l'ensemble, comme avec les guichets bancaires automatiques, les consommateurs achètent de plus en plus en ligne. Au moins chez AOL, cette opération est plus sûre que de payer par carte de crédit au restaurant.

Questions

1. Comment la vision ou la mission d'AOL a-t-elle évolué dans le temps ?

2. Comment AOL facilite-t-elle l'achat en ligne ou le commerce électronique ? Par rapport à tes habitudes, quels sont les avantages et les désavantages de l'achat en ligne par AOL ?

3. Quels problèmes AOL a-t-elle surmonté pour inciter les consommateurs et les détaillants associés à s'adonner au commerce électronique ? Quels problèmes a-t-elle encore à régler ?

4. Quels sont les six « C » du commerce électronique et quelle stratégie AOL a-t-elle adoptée par rapport à chacun de ces points ?

CHAPITRE 9

DE L'INFORMATION À L'ACTION !

9

APRÈS AVOIR LU CE CHAPITRE, TU SERAS EN MESURE

- de savoir en quoi consiste la recherche en marketing et quel est son rôle ;
- de comprendre les types de recherches en marketing ;
- de connaître les étapes de la recherche en marketing ;
- de savoir quand et comment recueillir des données secondaires ;
- de décrire en quoi les enquêtes, les expériences et les observations contribuent à la recherche en marketing ;
- de cerner les enjeux moraux de la recherche en marketing ;
- de voir en quoi la technologie permet de s'appuyer sur des systèmes d'information pour établir une corrélation entre une quantité imposante de données marketing et leur transposition dans une démarche.

PRÊTER ATTENTION TRÈS TÔT AUX AVIS DES CONSOMMATEURS AFIN D'ÉVITER UN ÉCHEC CINÉMATOGRAPHIQUE IMPORTANT

En raison de la concurrence acharnée régnant dans l'industrie cinématographique, il est essentiel de créer une superproduction qui séduira le plus vaste public. Ainsi en témoigne le succès fou de films tels que *Titanic*, *Star Wars – Phantom Menace* (*La Guerre des étoiles – épisode I: La Menace fantôme*) –, *Shoeless Joe*, *Teenie Weenies* et *3000*.

Que représente un titre ? Ces trois derniers titres ne te rappellent rien, même en cherchant bien ? Une recherche en marketing a révélé que ces films ne plaisaient pas aux cinéphiles ayant assisté aux projections préliminaires. Voici les titres originaux de ces trois films, ceux sous lesquels ils ont été commercialisés et les raisons de ce changement :

- *Shoeless Joe* (*Joe Sansoulier*) est devenu *Field of Dreams* (*Jusqu'au bout du rêve*) parce que le grand public aurait pu présumer que Kevin Costner y tenait le rôle d'un clochard.
- *Teenie Weenies* est devenu *Honey, I Shrunk the Kids* (*Chérie, j'ai réduit les enfants*) parce que les personnes ayant visionné le film ne parvenaient pas à établir un lien entre le titre original et l'action.
- *3000* est devenu *Pretty Woman* parce que le public n'avait aucune idée de la signification de ce nombre. Il s'agissait du prix à payer pour profiter des charmes du personnage joué par Julia Roberts[1].

Les grands studios désirent avant tout que le titre d'un film soit concis, qu'il capte l'attention, qu'il exprime l'essence du scénario et qu'il n'ait aucune restriction légale. Il s'agit d'appliquer les éléments qui caractérisent un bon nom commercial.

Que font les grands studios pour réduire la marge de risque? La recherche menée sur les titres de films est très dispendieuse. Il en coûte cependant bien davantage lorsque le titre est peu vendeur, car le manque à gagner peut se chiffrer en dizaines de millions de dollars. De nos jours, la production et la mise en marché d'un long métrage coûtent environ 70 millions de dollars. Comment les studios peuvent-ils réduire les risques de perte[2] ? Dans un premier temps, on mène une recherche en marketing afin de recruter des spectatrices et des spectateurs qui assisteront à la projection d'un film. Dans un second temps, les spectatrices et les spectateurs sont interrogés sur les changements qu'il convient d'apporter au montage pour que la version définitive soit réussie.

Sans lire davantage, réfléchis aux questions suivantes:

- À qui ferais-tu appel pour assister à la projection d'essai d'un film ?
- Quelles questions poserais-tu afin d'améliorer le montage final, de modifier certaines scènes ou de changer le titre du film ?

Les films *Field of Dreams* (*Jusqu'au bout du rêve*) et *Star Wars – Phantom Menace* (*La Guerre des étoiles – épisode I : La Menace fantôme*) ont peu de choses en commun. Cependant, ils ont fait l'objet de projections d'essai comme presque toutes les superproductions de nos jours. On souhaite connaître les réactions possibles de spectateurs appartenant au marché cible. Le tableau 9.1 présente quelques-unes des questions posées en vue de choisir les spectatrices et les spectateurs assistant à la représentation d'essai. Elles permettront aussi de connaître leurs réactions après la projection du film.

Voici, à titre d'exemples, quelques modifications apportées à des films à la suite de ce type de recherches.

- *Le resserrement de l'action* Dans son dessin animé *Pocahontas,* Disney a supprimé un duo entre l'héroïne et John Smith. Lors de la projection d'essai, on a trouvé que cette scène nuisait au déroulement de l'action et semait la confusion dans les esprits[3].
- *Atteindre plus efficacement un segment de marché* On a ajouté des scènes d'action faisant appel à Kevin Costner après les projections d'essai de *The Bodyguard.* En effet, elles démontraient que les jeunes hommes étaient moins enthousiastes que les jeunes femmes[4].
- *Modifier la conclusion* Le film *Fatal Attraction* (*Liaison fatale*) est réputé pour son reversement de situation à la fin. Les personnes assistant aux projections d'essai avaient aimé tout le film. Cependant, elles n'appréciaient pas la fin où le personnage de Glenn Close se suicidait après avoir semé des indices pour que le personnage de Michael Douglas soit accusé de meurtre (les empreintes digitales de ce dernier se trouvaient sur le poignard dont elle s'était servie). Le studio a consacré 1,3 million de dollars au tournage de nouvelles scènes pour que le film se termine comme le grand public l'a vu[5].

Les studios ont parfois le plaisir d'apprendre, lors d'une projection d'essai, qu'un scénario ou une intrigue plait au public. Ce fut le cas de l'Ontarien James Cameron, scénariste et réalisateur de *Titanic.* Il avait pris place parmi les participants à la première projection d'essai de la superproduction de 200 millions de dollars. Il a été ravi d'entendre leurs réactions admiratives. Ce premier accueil a dissipé les impressions négatives entourant la production de ce drame épique[6]. Plus que jamais on recourt à la

TABLEAU 9.1
La recherche en marketing et le cinéma : quelques questions posées lors de la projection d'essai d'un film et leurs raisons d'être

MOMENT OÙ L'ON SONDE LES SPECTATEURS	PRINCIPALES QUESTIONS	RAISONS D'ÊTRE
Avant la projection	• Quel âge avez-vous ? • À quelle fréquence allez-vous au cinéma ? • Quels films avez-vous vus au cours des trois derniers mois ?	Décider si la personne cadre avec le profil du spectateur cible d'un film. Le cas échéant, l'inviter à la projection ; sinon, s'abstenir.
Après la projection	• Que pensez-vous du titre ? Quel titre proposez-vous ?	Changer le titre du film.
	• Certains personnages sont-ils trop vulgaires ? Lesquels ? En quoi ?	Modifier les caractéristiques de certains personnages.
	• Certaines scènes vous ont-elles offensé ? Lesquelles ? En quoi ?	Changer des scènes.
	• Que pensez-vous de la fin ? Si la fin ne vous a pas plu, comment la modifieriez-vous ?	Changer ou préciser la fin du film.
	• Conseilleriez-vous à un ami de voir ce film ?	Indice d'appréciation ou de satisfaction générale du film.

recherche en marketing afin de trouver des intrigues et des titres accrocheurs. Il faut dire que le succès ou l'échec d'un film est désormais déterminé par le nombre d'entrées des deuxième et troisième semaines de projection[7].

En plus des projections d'essai, les grands studios se fondent sur la recherche en marketing pour trouver des concepts d'intrigues, concevoir et tester des campagnes de marketing. On consacre désormais à ces campagnes en moyenne 17 millions de dollars lors du lancement d'un film[8]. Ces exemples démontrent à quel point la recherche en marketing est liée à la stratégie commerciale et à la mise en œuvre des idées retenues. Ces notions font l'objet du présent chapitre.

QU'EST-CE QUE LA RECHERCHE EN MARKETING ?

La **recherche en marketing** est un procédé permettant de définir un problème ou une possibilité sur le plan commercial. Elle permet de recueillir et d'analyser systématiquement de l'information. Cette recherche permet aussi de recommander des mesures visant à améliorer les efforts promotionnels de l'entreprise[9].

Un moyen d'atténuer le risque et l'incertitude La recherche en marketing détermine principalement les besoins et les désirs du consommateur. Elle fournit l'information qui sert à la conception d'un plan marketing qui devrait répondre à ces besoins et à ces désirs. Aussi, la recherche en marketing détermine et définit les problèmes et les possibilités commerciales pour ensuite concevoir et évaluer des moyens d'action. La recherche en marketing apporte peu de réponses sûres. Elle peut cependant réduire le risque et l'incertitude des décisions afin d'augmenter leur potentiel de réussite. Les gestionnaires en marketing disposent ainsi d'un outil formidable pour en arriver à une décision définitive. La recherche en marketing correctement menée permet de résoudre la plupart des problèmes de commercialisation qui se posent aux dirigeants. Toutefois, elle ne doit pas se substituer au jugement, à l'expérience ou à l'intuition des dirigeants. Elle doit plutôt se conjuguer à leurs qualités personnelles pour éliminer quelques incertitudes du processus décisionnel.

LES TYPES DE RECHERCHES EN MARKETING

Afin de comprendre la variété des activités de recherche, on doit en déterminer les catégories. La recherche en marketing est souvent classée en fonction de son intention ou de la technique sur laquelle elle repose. Les enquêtes, les expériences et l'observation sont quelques-unes des méthodes de recherche que tu peux connaître. Le classement de la recherche en catégories d'intentions montre que la nature d'un problème de marketing influe sur le choix des méthodes de recherche. Ainsi, la nature du problème détermine si la recherche sera exploratoire, descriptive ou causale.

La recherche exploratoire

Pour plus d'informations au sujet du lait, rends-toi à l'adresse suivante : www.dlcmcgrawhill.ca

En phase préliminaire, on mène une *recherche exploratoire* pour préciser la portée et la nature d'un problème de marketing. En général, cette recherche sert à éclairer la dimension d'un problème. Souvent, on procède à une recherche exploratoire en sachant qu'une autre recherche, plus concluante, suivra. Les Producteurs laitiers du Canada, par exemple, ont cherché à déterminer pourquoi la consommation de lait était en baisse dans le pays.

On a fait une recherche sur la consommation de lait à partir de documents existants. On a consulté des spécialistes dans ce domaine. On a mené des entrevues préliminaires auprès des consommateurs afin de savoir pourquoi ils utilisaient moins de lait qu'autrefois. Cette recherche exploratoire de l'association a permis de cerner le problème et a défini les enjeux d'une recherche plus approfondie. Nous nous intéresserons, un peu plus loin, à la recherche exploratoire s'inscrivant dans la recherche en marketing.

Les Producteurs laitiers du Canada ont mené trois types de recherches en marketing en vue de résoudre le problème résultant de la baisse de consommation du lait. Pour en connaître les détails, lis le texte suivant.

La recherche descriptive

La *recherche descriptive* sert à déterminer les caractéristiques élémentaires d'une population particulière ou à distinguer des situations précises. Contrairement à la recherche exploratoire, la recherche descriptive cerne les grands axes d'un problème de marketing. Elle vise à obtenir des données concluantes qui répondront aux questions posées par la détermination d'un plan d'action. La recherche descriptive, par exemple, sert à établir le profil des acheteuses et des acheteurs de produits précis (par exemple les consommateurs fréquentant les boutiques d'aliments naturels). Elle est utilisée pour déterminer la taille et les caractéristiques des marchés (par exemple le marché canadien des pizzerias). La recherche descriptive sert aussi à établir le processus d'utilisation d'un produit (par exemple l'utilisation des guichets automatiques des banques canadiennes) ou à définir les attitudes des consommateurs vis-à-vis de certains produits (par exemple l'attitude de la population canadienne devant les marques nationales, les marques maison et les produits sans marque).

La direction des magazines, des stations de radio et des chaînes de télévision procède presque toujours à une recherche descriptive afin de déterminer les caractéristiques des lecteurs ou des auditoires pour ensuite les présenter aux annonceurs éventuels. Après une première recherche exploratoire, Les Producteurs laitiers du Canada ont commandé une recherche descriptive. Celle-ci cherche à établir les particularités démographiques des consommateurs de lait, leurs habitudes de consommation du moment et leurs attitudes vis-à-vis de la consommation de produits laitiers.

La recherche causale

La *recherche causale* permet de déterminer les relations de cause à effet entre les variables. En général, ce type de recherche est précédé d'une recherche exploratoire et d'une recherche descriptive. La recherche causale sert, par exemple, à prévoir les répercussions d'une majoration de prix sur la demande d'un produit. D'habitude, les chercheuses et les chercheurs s'efforcent d'établir que tel événement (par exemple, une majoration de prix) en entraînera un autre (par exemple, une diminution de la demande). La recherche causale représentative s'intéresse aux répercussions de la publicité sur le volume des ventes, le lien entre le prix et la perception de la qualité d'un produit, ainsi qu'aux retombées d'un nouvel emballage sur la vente d'un produit. Les Producteurs laitiers du Canada ont mené une étude descriptive sur les buveurs de lait. L'étude a permis de découvrir que plusieurs estimaient que le lait fait grossir et qu'il contient trop de cholestérol. L'association a cru que ces convictions expliquaient le ralentissement de la consommation de lait dans le pays. Afin d'écarter cette hypothèse, l'association a diffusé une publicité télévisée axée sur les avantages du lait pour la santé, présenté comme un élément essentiel d'un régime équilibré. Des études ont ensuite montré que la publicité avait influé sur les attitudes des consommateurs à l'égard du lait. Ces attitudes ont été à leur tour liées de façon causale à une hausse de la consommation de lait. Nous reparlerons de la recherche causale plus loin dans ce chapitre.

RÉVISION DES CONCEPTS

1. Qu'est-ce que la recherche en marketing?
2. En quoi la recherche exploratoire, la recherche descriptive et la recherche causale se distinguent-elles?

LE PROCÉDÉ DE RECHERCHE EN MARKETING

Une recherche en marketing doit toujours se fonder sur la méthode scientifique. Cette méthode consiste à recueillir, à structurer et à analyser des données de façon systématique et objective. Une recherche en marketing doit répondre à deux critères fondamentaux de la méthode scientifique: la fiabilité et la validité. La *fiabilité* des données montre qu'avec des conditions environnantes identiques plusieurs recherches produisent des résultats identiques. En d'autres termes, si l'on effectuait un projet de recherche pour la deuxième, troisième ou quatrième fois, on parviendrait au même résultat. Les spécialistes du marketing misent sur des données fiables pour prendre des décisions judicieuses. Si l'on ne peut se fier aux résultats de la recherche, les conséquences peuvent être plus désastreuses encore que si aucune recherche n'est faite. La *validité* des données permet d'illustrer qu'une recherche a effectivement évalué ou quantifié les éléments désirés. Autrement dit, la recherche fournit-elle les données indispensables aux spécialistes du marketing ? Le procédé de recherche en marketing doit s'appuyer sur les notions de fiabilité et de validité.

La figure 9.1 illustre les éléments essentiels du procédé de recherche en marketing. Elle simplifie beaucoup le procédé, car une recherche en marketing ne repose pas toujours sur une séquence d'activités aussi nette et ordonnée. Toute recherche en marketing compte quatre étapes fondamentales : la définition du problème ; la détermination de la méthode de recherche ; la collecte et l'analyse des données ; enfin la formulation des conclusions et la rédaction d'un rapport.

Un coup d'œil à la figure 9.1 montre qu'on doit prendre des décisions et arrêter plusieurs choix au cours du procédé. Les cases bleues, par exemple, indiquent les étapes du choix entre

FIGURE 9.1
Les éléments essentiels du procédé de recherche en marketing

Remarque : les cases bleues indiquent les étapes du procédé où l'on doit choisir une ou plusieurs méthodes ou techniques. Le pointillé montre que l'on peut contourner la recherche exploratoire.

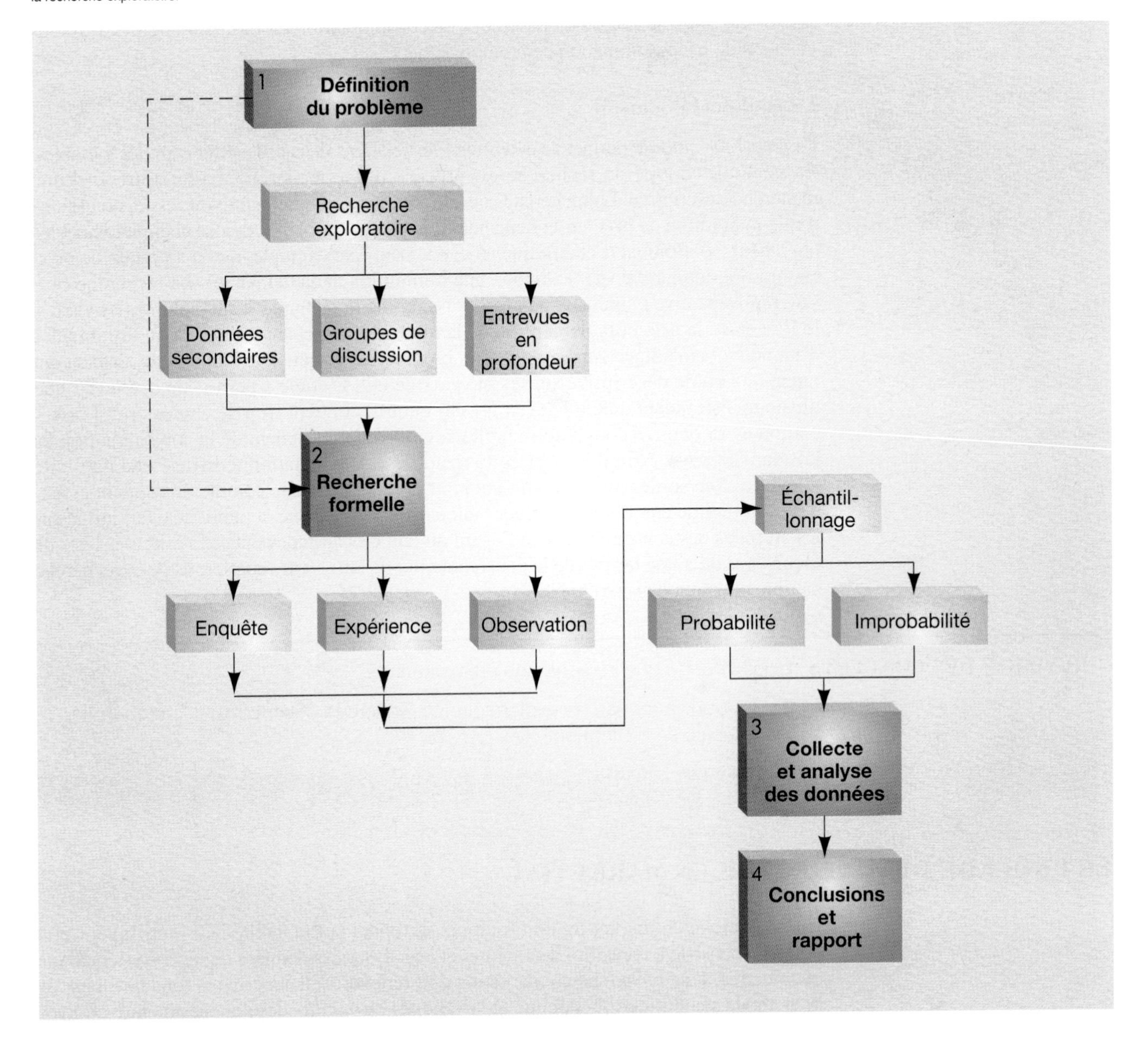

une ou plusieurs méthodes ou techniques. Le pointillé montre que l'on peut contourner la recherche exploratoire.

LA DÉFINITION DU PROBLÈME

La première étape d'une recherche en marketing consiste à déterminer la nature et la portée du problème. En général, on parle de *problème* pour signifier que quelque chose ne tourne pas rond. Une recherche en marketing peut concerner une avenue à explorer, une possibilité à définir, ou encore le suivi ou l'évaluation d'une situation. Le problème est parfois évident, parfois difficile à déterminer et à définir. Quoi qu'il en soit, il faut cerner clairement le problème et en comprendre les moindres détails.

Pour plus d'informations au sujet d'Ocean Spray, rends-toi à l'adresse suivante : www.dlcmcgrawhill.ca

Le procédé de recherche en marketing est souvent amorcé par les gestionnaires. Ils présentent aux chercheuses et aux chercheurs un problème au sujet des renseignements nécessaires à une prise de décision. Supposons que tu sois gestionnaire en marketing et en charge de commercialiser le jus de canneberge chez Ocean Spray. Tu veux savoir si les consommateurs asiatiques, ne connaissant rien à la canneberge, achèteraient ce produit. Tu as un problème : le mot *canneberge* n'existe dans aucune langue étrangère. Tu dois donc trouver un nom pour désigner ce fruit. Pour commercialiser ce nouveau produit en Asie, tu dois trouver le moyen d'inciter les consommateurs à en faire l'essai[10]. La personne chargée de la recherche en marketing a bien saisi ces problèmes. Elle sait aussi qu'il est préférable parfois d'entreprendre un projet de recherche à partir de sa conclusion. En d'autres termes, elle doit savoir au départ vers quoi tend le procédé. Responsable de la gestion en marketing, tu souhaites répondre aux questions suivantes : existe-t-il un marché pour le jus de canneberge en Asie ? Le cas échéant, comment l'exploiter ?

Il est essentiel de bien définir le problème puisqu'une recherche fondée sur un problème mal compris se révélera inutile. Les chercheuses et les chercheurs en marketing avisés le savent : « un problème bien défini est un problème à moitié résolu ». Lorsque l'on a bien cerné le problème faisant l'objet de la recherche, on accroît ses chances de recueillir l'information nécessaire à sa résolution.

RÉVISION DES CONCEPTS

1. Qu'entend-on par « fiabilité » et « validité » ?
2. Indique les quatre étapes fondamentales de la recherche en marketing.

La recherche exploratoire

Ta collègue, chercheuse en marketing chez Ocean Spray, doit prendre une décision après le lancement du procédé de recherche. Faut-il mener une recherche exploratoire afin de répondre à la question suivante : y a-t-il un débouché pour le jus de canneberge en Asie ? Comme nous l'avons vu, une recherche exploratoire sert, dans un premier temps, à établir la portée et la nature d'un problème de marketing. En général, elle est structurée de manière à donner une meilleure idée des dimensions du problème. On effectue souvent ce type de recherches en sachant qu'une autre suivra, pour obtenir un résultat plus concluant.

À la première étape du procédé, on mène une recherche exploratoire. L'envergure de cette recherche sera fonction de l'amplitude et de la complexité du problème. Pour mener une telle recherche, on dispose de trois techniques principales : l'analyse des données secondaires, les groupes de discussion et les entrevues en profondeur. Les deux dernières méthodes permettent de mettre à jour des données primaires.

Les données secondaires Une recherche exploratoire fait appel à des **données secondaires** (ou historiques). Les données secondaires sont des données qui existent déjà. Elles avaient déjà été compilées en vue d'un projet autre que celui en cours d'étude.

Ocean Spray devrait-elle lancer le jus de canneberge en Asie alors que cette baie est inconnue sur ce continent? Lis le texte suivant pour le savoir.

Par contre, les **données primaires** sont recueillies et compilées précisément en fonction du projet du moment. En règle générale, on recueille les données secondaires avant les données primaires. D'ordinaire, on obtient les données secondaires plus rapidement et à meilleur prix que les données primaires. Cependant, les données secondaires recherchées peuvent être inexistantes. Si elles existent, elles peuvent être périmées ou n'avoir aucune pertinence par rapport au problème à résoudre. La plupart des chercheuses et des chercheurs sont d'avis que la collecte de données secondaires leur évite d'avoir chaque fois à « réinventer la roue ».

Les chercheuses et les chercheurs étudient les données secondaires internes et externes. Les données secondaires internes à l'entreprise regroupent des éléments comme les bilans financiers, les rapports de recherche, les lettres des clients et les carnets de commandes. Qu'a découvert ta collègue chercheuse en marketing chez Ocean Spray après avoir recueilli les données secondaires recherchées ? Elle a découvert qu'Ocean Spray a déjà commercialisé au Japon un jus de canneberge au goût fade sous la marque Cranby. Devant l'indifférence générale, le produit a été retiré du marché. Voici un élément qui fournit une information documentaire aux gestionnaires en marketing. Il soulève davantage de questions qu'il n'apporte de réponses. On se demande toujours s'il faut commercialiser ce nouveau produit sur le marché asiatique.

Les sources de données secondaires externes sont nombreuses et variées. Le gouvernement fédéral compte parmi les principales sources de données secondaires. Il les diffuse au moyen de Statistique Canada et des bibliothèques régionales. Statistique Canada est un organisme chargé d'effectuer un recensement à l'échelle nationale tous les 10 ans. Il actualise certaines de ses données environ tous les deux ans. Le recensement permet d'obtenir des renseignements détaillés sur l'ensemble des ménages canadiens. Statistique Canada prépare aussi des rapports annuels ou semestriels. Citons l'*Enquête sur les dépenses des familles* qui analyse les postes de dépense des ménages. Les fabricants et les détaillants se fient à trois grandes sources d'information afin d'établir les caractéristiques et les tendances des consommateurs.

Pour plus d'informations au sujet de Statistique Canada, rends-toi à l'adresse suivante : www.dlcmcgrawhill.ca

Statistique Canada réalise de nombreux autres travaux statistiques. Ils servent aux entreprises vendant des biens et services à d'autres entreprises. L'organisme publie, entre autres, le *Recensement des manufactures* qui énumère le nombre et la taille des entreprises manufacturières selon les secteurs industriels. Ce document renseigne également sur la valeur du volume d'expéditions et les salaires versés.

Statistique Canada offre à la recherche en marketing *Le Recueil statistique des études de marché* ou l'*Annuaire du Canada*. On y trouve un résumé des principales informations nécessaires à la recherche en marketing, notamment au processus décisionnel. Statistique Canada dispose aussi d'un système de base de données. Il s'agit du Système canadien d'information socio-économique (CANSIM), auquel les gestionnaires en marketing ont directement accès pour obtenir des données globales.

En plus des données fournies par le gouvernement, les associations professionnelles, les universités et les publications financières offrent de précieux renseignements. Ainsi, le périodique *Sales and Marketing Management* publie chaque année des numéros spéciaux. Ils contiennent des données utiles aux entreprises vendant des produits aux consommateurs et aux industries. La plus connue des publications de *Sales and Marketing Management* est *Annual Survey of Buying Power*, une enquête annuelle sur le pouvoir d'achat. *The Financial Post* publie *Canadian Markets,* qui fournit des renseignements et des données démographiques sur le pouvoir d'achat des consommateurs des provinces, villes et villages du pays. Le journal *Les Affaires* publie aussi régulièrement des répertoires d'entreprises québécoises. Les magazines franco-ontariens *Le lien économique* et *Infomag* publient régulièrement des informations concernant les tendances des entreprises et des consommateurs francophones de l'Ontario.

Des sociétés telles que Compusearch et ACNielsen proposent des services d'information standards et personnalisés moyennant un abonnement. Compusearch fournit des renseignements sur toutes les zones géographiques du Canada comme la quantité de population, le revenu des particuliers et les tendances en matière de dépenses dans la région. Le tableau 9.2 répertorie quelques sources de données secondaires à la disposition des spécialistes du marketing au Canada. De plus, il existe des banques de données en ligne et des services spécialisés tels que Dow Jones, Dialog et Infoglobe. L'encadré Branchez-vous ! en fournit plusieurs exemples.

La chercheuse en marketing chez Ocean Spray s'interroge toujours sur la possibilité de commercialiser le jus de canneberge en Asie. Il existe des données secondaires externes, plus précisément une étude réalisée auprès de consommateurs taïwanais. L'étude montre une augmentation de la consommation de boissons aux fruits. Cependant, l'étude ne porte pas précisément sur le jus de canneberge, et elle remonte à quatre années. À titre de spécialiste du marketing, tu sais qu'une éventuelle commercialisation du produit en Asie est particulièrement incertaine. Aussi, tu demandes aux personnes chargées de la recherche en marketing de poursuivre la phase exploratoire du procédé.

Le groupe de discussion Le groupe de discussion est une méthode de recherche exploratoire très répandue pour obtenir des données primaires. Le **groupe de discussion** réunit entre 6 et 10 personnes autour d'un animateur dans un cadre de discussion libre portant sur le projet de recherche. L'animateur ou l'animatrice pose des questions et incite les personnes participantes à y répondre à leur manière et à en discuter les enjeux. Souvent, d'autres personnes assistent à la séance derrière un miroir d'observation. Parfois, la discussion est enregistrée sur vidéocassette. On doit bien sûr en prévenir les participants auparavant. Les spécialistes du marketing obtiennent souvent de précieux renseignements de ce genre de séance. En conséquence, ils pourront mûrir leur décision ou encore découvrir d'autres enjeux à étudier de façon plus quantitative.

Le groupe de discussion sert aussi à évaluer les noms des produits et des marques qui seront mis sur le marché. Il est très important de tester le nom des produits et des marques avant tout. Bon nombre d'entreprises ne souhaitent pas enfermer leur marque dans une identité nationale[11]. Elles recherchent, par exemple, des mots de consonance latine, comme Volvo qui signifie « je roule ». Elles emploient aussi des néologismes, c'est-à-dire des mots totalement inventés comme Compaq ou Tostitos. Ces suggestions sont ensuite

CHOIX DE GUIDES, D'INDEX ET D'ANNUAIRES

Business Periodical Index
Canadian Almanac and Directory
Canadian Business Index
Canadian News Index
Canadian Statistics Index
Canadian Trade Index
Fraser's Canadian Trade Directory
Index des périodiques canadiens
Predicasts Index
Répertoire des associations du Canada
Scott's Directories
Standards Periodical Directory
Ulrich's International Periodicals Directory

CHOIX DE PÉRIODIQUES ET DE JOURNAUX

Advertising Age
Adweek
American Demographics
Business Horizons
Canadian Business
Commerce
Consommateur canadien
Forbes
Fortune
Harvard Business Review
Infomag (magazine franco-ontarien)
Journal of Advertising
Journal of Advertising Research
Journal of Consumer Research
Journal of Marketing
Journal of Marketing Management
Journal of Marketing Research
Journal of Personal Selling and Sales Management
Journal of Retailing
Journal of Small Business
Les Affaires
Le lien économique (magazine franco-ontarien)
Marketing Magazine
Marketing & Media Decisions
Marketing News
Progressive Grocer
Sales and Marketing Management
The Financial Post
The Financial Post Magazine
The Globe and Mail
The Wall Street Journal

PUBLICATIONS DE STATISTIQUE CANADA

Annuaire du Canada
Catalogue de Statistique Canada
Dépenses des familles au Canada
Le Commerce de détail annuel
L'observateur économique canadien
Manuel statistique pour études de marché

CHOIX DE RÉFÉRENCES PROFESSIONNELLES

ACNielsen
Compusearch
Conference Board du Canada
Dun & Bradstreet
Financial Post Publishing
Find/SVP
Gale Research
Maclean Hunter Research Bureau
Predicasts International
R. L. Polk

CHOIX DE BASE DE DONNÉES

CANSIM (Statistique Canada)
Dialog
Dow Jones
Infoglobe
Infosmart
The Source

TABLEAU 9.2
On trouve de nombreuses sources de données secondaires au Canada.

soumises à des groupes de consommateurs ou d'experts afin d'en vérifier la pertinence. Le constructeur General Motors a connu un retentissant échec sur le marché mexicain avec son modèle Nova. Rappelons que *no va*, en espagnol, signifie « ne va pas bien ».

L'entrevue en profondeur L'**entrevue en profondeur** constitue une autre méthode de recherche exploratoire permettant d'obtenir des données primaires. Il s'agit d'entretiens en tête-à-tête avec des personnes reliées au projet de recherche. Les chercheuses et les chercheurs interrogent la personne sur le ton d'une conversation amicale afin d'obtenir des renseignements qui pourraient servir à dénouer le problème. En général, ces entretiens se déroulent pendant quelques heures et sont enregistrés sur des bandes audio ou sur des vidéocassettes.

Lorsque General Mills a lancé ses accompagnements Hamburger Helper sur le marché, le produit n'a pas eu la faveur des consommateurs. La recette originale demandait de faire cuire séparément les nouilles et 250 g de bœuf haché, et de les mélanger ensuite. Des entrevues menées en profondeur ont permis de découvrir que les consommateurs estimaient que la recette nécessitait trop peu de viande et qu'ils voulaient éviter de salir deux casseroles pour préparer un seul mets. Aussi, le chef de produit a modifié la recette de sorte qu'elle nécessite 500 g de bœuf et des nouilles que l'on fait cuire dans la même casserole. Du coup, un échec potentiel a été transformé en succès.

BRANCHEZ-VOUS! L'utilité des bases de données en ligne

L'information contenue dans les bases de données accessibles sur Internet se divise en deux catégories. Premièrement, les index des articles parus dans diverses publications, et que l'on trouve lors d'une recherche par mot clé. Deuxièmement, les annuaires et statistiques portant sur les ménages, les produits et les entreprises.

Voici quelques bases de données accessibles par Internet. Ces bases de données donnent accès aux index, sommaires et textes intégraux de journaux et périodiques :

- Lexis Nexis fournit de l'information sous forme de texte intégral provenant de plus de 650 périodiques et de résumés analytiques de plus de 1 000 sources.
- Les bases de données ProQuest d'UMI, Inc. contiennent des articles universitaires et d'information provenant de plus de 800 périodiques et journaux spécialisés en gestion, marketing et commerce.
- Emerald Library, diffuse les articles de près de 150 journaux et périodiques dans les domaines du management et des sciences de l'information.

Voici quelques sources de renseignements statistiques et annuaires concernant les ménages, les produits et les entreprises auxquels on peut accéder par Internet :

- Moody's Business and Financial Information fournissent des données sur plus de 23 000 sociétés nationales et internationales dont les actions sont échangées à la Bourse de New York, l'American Stock Exchange (AMEX) et le NASDAQ.
- Dow Jones Interactive de Dow Jones & Company publie *The Wall Street Journal,* qui diffuse les actualités économiques en temps réel, fournit des rapports de recherche secondaire sur les entreprises, les secteurs d'activité et les pays, et jusqu'à 25 années de prix d'origine sur des milliers de titres.
- Statistique Canada fournit les résultats des recensements et des renseignements détaillés sur les ménages canadiens, de même que sur les secteurs industriels et le commerce de détail.

Quelques-uns de ces sites sont accessibles moyennant un abonnement au nom d'une entreprise.

Pour plus d'informations au sujet de Lexis Nexis, ProQuest d'UMI, Inc., Emerald Library, Moody's Business and Financial Information, Dow Jones Interactive et Statistique Canada, rends-toi à l'adresse suivante : www.dlcmcgrawhill.ca.

Voici un croquis de TOI! Parle-nous de toi. Qu'aimes-tu faire, porter, écouter et lire? De quoi aimes-tu parler?

Prénom :

Où suis-je?

Quelle est mon attitude? Que suis-je en train de dire?

J'écoute de la musique. De quel type de musique s'agit-il?

Mes loisirs et mes activités préférés sont :

Mon magazine préféré est :

Dessine-moi un visage, une coiffure, des chaussures, un motif ou un logo sur mon chemisier. Dessine aussi un objet que j'apporte toujours avec moi.

Ma marque de jeans préférée est :

Les chercheuses et les chercheurs font désormais preuve d'imagination pour trouver de nouvelles méthodes de recherche exploratoire. Ainsi, plusieurs secteurs industriels entretiennent l'obsession de trouver le prochain produit qui accrochera les consommateurs[12]. Les chercheuses et les chercheurs en marketing ont élaboré des méthodes inhabituelles en vue de déterminer les tendances ou les goûts imprécis des consommateurs avant que ces derniers n'en soient conscients. On parle alors de zone floue des goûts et tendances. À titre d'exemple, on a demandé à des consommateurs de se photographier chaque fois qu'ils grignotaient. Par la suite, General Mills a lancé son maïs éclaté Pop Secret, au goût de beurre et de sel, que les amateurs associaient au maïs éclaté cuit sur la cuisinière et non aux micro-ondes[13].

On recourt à d'autres méthodes pour repérer les nouvelles tendances dès leur point de départ. Ainsi, Teenage Research Unlimited a demandé à des adolescentes et des adolescents

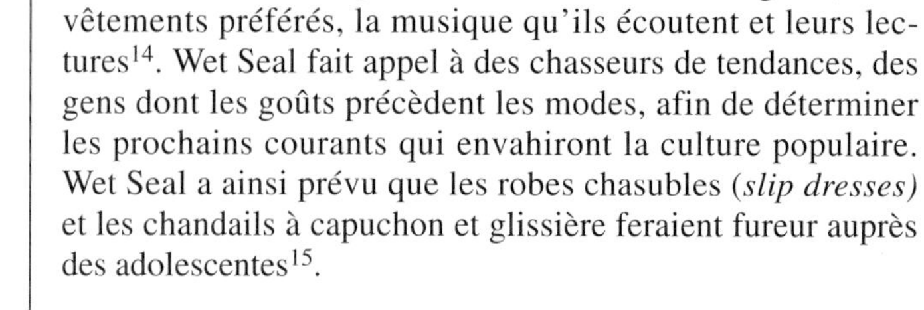
de se décrire. L'entreprise voulait connaître leurs goûts, leurs vêtements préférés, la musique qu'ils écoutent et leurs lectures[14]. Wet Seal fait appel à des chasseurs de tendances, des gens dont les goûts précèdent les modes, afin de déterminer les prochains courants qui envahiront la culture populaire. Wet Seal a ainsi prévu que les robes chasubles (*slip dresses*) et les chandails à capuchon et glissière feraient fureur auprès des adolescentes[15].

Un échec important pour GM au Mexique. Une simple explication du nom aux consommateurs hispanophones aurait évité bien des problèmes.

RÉVISION DES CONCEPTS
1. Que sont les données secondaires ?
2. Qu'est-ce qu'un groupe de discussion ?

LA STRUCTURE D'UNE RECHERCHE FORMELLE

On cherche à déterminer la nature et la complexité d'un problème de marketing, qu'il y ait eu ou non recherche exploratoire. Il faut décider d'une structure à partir de laquelle on cherchera une solution. À ce stade de la structuration d'une recherche formelle, on doit établir un plan traçant les grandes lignes des méthodes et procédés. Celles-ci serviront à la collecte et à l'analyse des renseignements nécessaires. Ce plan doit prévoir les objectifs de la recherche, les sources de référence employées, les méthodes de recherche (par exemple une enquête ou une expérience), le plan d'échantillonnage, ainsi que l'horaire et les frais de recherche.

On doit décider du choix des méthodes de recherche fondamentale. En général, les objectifs de la recherche, les sources de données disponibles, la nature de l'information exigée, le calendrier et les considérations financières déterminent la méthode retenue. Il existe trois familles de méthodes à partir desquelles on peut diriger une recherche descriptive ou causale : l'enquête, l'expérience et l'observation.

Une séance réunissant un groupe de discussion permet d'obtenir de l'information auprès de 6 à 10 personnes en même temps.

L'enquête

L'enquête est la méthode de recherche la plus répandue servant à recueillir des données primaires. L'**enquête** permet d'obtenir des renseignements à partir de questionnaires. À l'aide d'une série de questions courtes et directes, l'enquête permet d'effectuer une recherche fiable. On peut effectuer une enquête par Internet, au téléphone, par la poste ou lors d'une entrevue personnelle. Les chercheuses et les chercheurs en marketing doivent choisir parmi ces moyens et accepter d'importants compromis. Ainsi, ils mesurent le coût de l'opération par rapport à la qualité de l'information recueillie. Le tableau 9.3 illustre ces opérations. Le tableau montre que l'entrevue personnelle a le net avantage d'une certaine souplesse dans le choix des questions ou la présentation de documents visuels, au cours de l'interview. À l'opposé, l'enquête par correspondance s'avère souvent la moins coûteuse parmi les trois façons de faire. En matière de souplesse et de coût, l'enquête téléphonique constitue un compromis entre les deux autres. L'enquête par Internet se démarque des deux autres, car elle permet d'obtenir rapidement de l'information de qualité. L'échantillonnage demeure cependant peu représentatif dans de nombreux cas. Toutefois, les enquêtes en ligne constituent une méthode simple et peu coûteuse d'obtenir des données scientifiques et de connaître les préférences et les opinions des consommateurs.

Les spécialistes du marketing enquêtent parfois auprès d'un même *groupe de personnes interrogées*. Un tel groupe réunit un échantillon de consommateurs, d'entreprises ou de spécialistes faisant l'objet de diverses évaluations de la part des chercheuses et des chercheurs. Ainsi, les données recueillies auprès d'un tel groupe permettent de mesurer pourquoi une consommatrice ou un consommateur a changé ses céréales habituelles pour le petit déjeuner au profit d'une autre marque. Un nombre croissant de spécialistes du marketing utilisent ce genre de groupe pour obtenir des renseignements courants sur les produits dont ils sont responsables.

Lorsque les spécialistes du marketing font une enquête, ils considèrent que les questions posées sont pertinentes et que les personnes interrogées les comprennent. Les spécialistes du marketing estiment que les personnes interrogées connaissent les réponses à ces questions, qu'elles y répondent avec franchise et que les chercheuses et les chercheurs

TABLEAU 9.3
Une comparaison entre les enquêtes par correspondance, téléphonique, par entrevue personnelle et en ligne

POINTS DE COMPARAISON	ENQUÊTE PAR CORRESPONDANCE	ENQUÊTE TÉLÉPHONIQUE	ENQUÊTE PAR ENTREVUE PERSONNELLE	ENQUÊTE EN LIGNE
Coût de l'enquête	Relativement économique, compte tenu d'un taux de réponse convenable	Moyennement coûteuse, compte tenu d'un taux de réponse raisonnable	La plus coûteuse, en raison des honoraires et des frais de déplacement des interviewers	Une des plus économiques compte tenu de la taille de l'échantillon
Capacité de sonder et de poser des questions complexes	Faible, puisque le formulaire doit être bref et simple	Moyenne, puisque l'intervieweuse ou l'intervieweur peut sonder et développer quelque peu les questions	Importante, puisqu'à l'interview on peut montrer des documents visuels, établir un rapport et sonder	Très bonne. Il est possible de relier le questionnaire à des présentations multimédias du produit faisant l'objet de l'enquête. Le degré de motivation des répondantes et des répondants doit cependant être relativement élevé (plus que lors d'une entrevue téléphonique ou d'une entrevue en face à face)
Possibilité que l'intervieweuse ou l'intervieweur fausse les résultats	Aucune, puisque l'on répond au questionnaire sans lui	Existante, en raison de l'inflexion de sa voix	Élevée, en raison de la voix et de la physionomie de l'interviewer ou de l'intervieweuse	Aucune, puisque l'on répond au questionnaire sans lui
Anonymat des répondantes et des répondants	Complète, puisque aucune signature n'est exigée	Partielle, en raison du contact téléphonique	Faible, en raison du face à face	Complète; mais il n'est pas certain que les répondantes et les répondants soient ceux qui étaient prévus. Le questionnaire pourrait être rempli, par exemple, par une ou plusieurs personnes autres que la répondante ou le répondant pressenti
Échantillonnage	Bonne couverture; taux de réponse faible	Bonne couverture; facile de trouver des listes; bon taux de réponse	Bonne couverture; souvent difficile de recruter des répondantes et des répondants; taux d'abandon faible	Couverture partielle; difficile de constituer un échantillon quand il n'y a aucune liste préalable; taux d'abandon variable

comprennent le sens des réponses obtenues. Les spécialistes du marketing se soucient de la pertinence des questions, aussi ils doivent les formuler de manière convenable. Il est en effet essentiel de formuler correctement une question afin que tous les répondantes et les répondants puissent la comprendre sans difficulté. Ainsi, on peut recueillir des informations utiles à la commercialisation.

Le tableau 9.4 illustre les difficultés rencontrées lorsqu'on formule des questions afin d'en tirer de l'information pertinente. Par exemple, quand on demande si tu manges régulièrement dans les restaurations rapides (*fast food*), l'adverbe régulièrement est ambigu. Deux personnes peuvent répondre dans l'affirmative, la première veut dire chaque jour et l'autre une ou deux fois par année. Les deux réponses valent un "oui" à la chercheuse ou au chercheur qui aligne les données. Cependant, elles appellent des démarches marketing considérablement différentes visant ces deux consommateurs éventuels. En conséquence, il est essentiel de formuler correctement les questions servant à la recherche en marketing. Ainsi tous les répondants les interprètent d'une même manière. Les chercheuses et les chercheurs en marketing doivent éviter les questions tendancieuses (posées de façon à provoquer la réponse que l'on souhaite obtenir). En effet, elles pourraient se traduire par une image déformée des sentiments ou des opinions des répondantes et des répondants.

En réaction aux désirs changeants de sa clientèle, Wendy's se transforme continuellement tout en conservant son image axée sur la fraîcheur des ingrédients et la qualité de son menu.

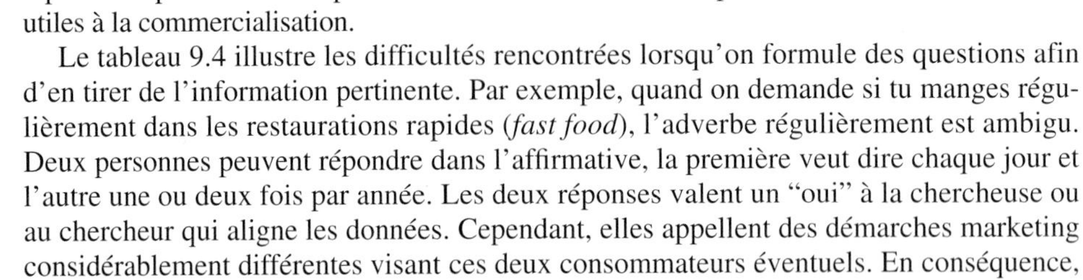

Le tableau 9.5 montre différentes formes de questions dans une enquête. Elles sont tirées d'un questionnaire préparé pour Wendy's en vue d'évaluer les préférences en matière de restauration rapide (*fast food*) auprès de clientes et de clients réels et éventuels. La première est une *question ouverte* à laquelle la personne interrogée répond à sa manière. Une question à laquelle on ne peut répondre qu'en cochant une

TABLEAU 9.4
Problèmes propres à la formulation des questions

PROBLÈME	EXEMPLE DE QUESTION	EXPLICATION
Question tendancieuse	Pourquoi préférez-vous les hamburgers de Wendy's préparés avec de la viande fraîche à ceux de ses concurrents faits avec de la viande congelée ?	On amène la personne interrogée à formuler une réponse favorable à Wendy's
Question ambiguë	Mangez-vous régulièrement dans les restaurations rapides (*fast food*) ? ☐ Oui ☐ Non	Qu'entend-on par « régulièrement » ? Chaque jour, chaque mois ?
Question sans réponse	À quelle occasion avez-vous mangé votre premier hamburger ?	Qui peut répondre à pareille question ? Quelle importance ?
Deux questions en une	Consommez-vous les hamburgers et le *chili con carne* de Wendy's ? ☐ Oui ☐ Non	Que répondre si on mange les hamburgers mais pas le *chili* ?
Question incomplète	Où habitez-vous ? ☐ À la maison ☐ Une résidence d'étudiants	Où cocher si on habite un appartement ?
Réponses qui ne sont pas incompatibles	Quel âge avez-vous ? ☐ Moins de 20 ans ☐ Entre 20 et 40 ans ☐ 40 ans et plus	Quelle case cocher si on a 40 ans ?

TABLEAU 9.5
Quelques questions tirées de l'enquête commandée par Wendy's

1 Qu'est-ce qui vous importe le plus lorsque vous décidez de manger au restaurant?

____

____

____

____

____

____

2 Avez-vous mangé en restauration rapide (*fast food*) au cours des trois derniers mois?
☐ Oui ☐ Non

3 Si vous avez répondu dans l'affirmative à la question précédente, combien de fois mangez-vous dans une restauration rapide (*fast food*)?
☐ Une fois par semaine ou plus ☐ Deux ou trois fois par mois
☐ Une fois par mois ou moins

4 Quel degré d'importance attachez-vous à la satisfaction des caractéristiques suivantes lorsque vous mangez dans une restauration rapide (*fast food*)? Cochez la case qui décrit vos sentiments.

CARACTÉRISTIQUE	TRÈS IMPORTANT	PLUTÔT IMPORTANT	IMPORTANT	SANS IMPORTANCE	PLUTÔT SANS IMPORTANCE	VRAIMENT SANS IMPORTANCE
Goût des aliments	☐	☐	☐	☐	☐	☐
Propreté	☐	☐	☐	☐	☐	☐
Prix	☐	☐	☐	☐	☐	☐
Menu varié	☐	☐	☐	☐	☐	☐

5 Cochez le trait de l'échelle ci-dessous décrivant vos sentiments au sujet de Wendy's.

CARACTÉRISTIQUE	COCHEZ LA POSITION DE WENDY'S SUR L'ÉCHELLE		
Goût des aliments	Délicieux	_ _ _ _ _ _ _	Pas délicieux
Propreté	Propre	_ _ _ _ _ _ _	Sale
Prix	Bon marché	_ _ _ _ _ _ _	Cher
Menu varié	Varié	_ _ _ _ _ _ _	Restreint

case est dite *fermée* ou *dirigée*. La deuxième question est la forme la plus simple de question dirigée : une *question dichotomique*, à laquelle on ne répond que oui ou non. Une question dirigée comportant un choix de plus de trois réponses fait appel à une échelle. La cinquième question repose sur une *échelle sémantique dégressive*. Il s'agit d'une échelle à sept degrés dont les deux extrêmes sont qualifiés par des adjectifs ayant un sens opposé. Ainsi, la personne interrogée répond en fonction de l'impression laissée par son passage chez Wendy's. Elle qualifie la propreté de l'établissement en cochant la réponse de gauche, de droite ou l'un des traits du pointillé qui les sépare. La sixième question utilise une échelle. La personne interrogée lit chacun des énoncés et indique si elle est d'accord ou non et jusqu'à quel point.

Le questionnaire ci-dessus est tiré d'une enquête formulée avec précision. Il apporte de précieux renseignements aux spécialistes en marketing de Wendy's. Les huit premières questions livrent des indications sur ce qui est apprécié ou inapprécié lors d'un repas pris au restaurant. Citons, par exemple, la fréquence des sorties dans les restaurations rapides (*fast food*) en général et chez Wendy's en particulier, et les sources de renseignements à partir desquelles on choisit ce type de restaurant. La neuvième question apporte des détails sur les caractéristiques propres à la famille du répondant. Elles peuvent servir à établir la segmentation du marché de la restauration rapide (*fast food*), que nous verrons au chapitre 10.

Les manufacturiers se fient grandement aux enquêtes effectuées auprès des distributeurs (les détaillants et les grossistes du circuit de commercialisation). Au Japon, les spécialistes du marketing attachent beaucoup d'importance à la précision de l'information qu'ils obtiennent de leurs distributeurs. Cette attitude explique la réussite de nombreux produits japonais auprès des consommateurs canadiens, par exemple les baladeurs Sony et les automobiles Toyota.

La technologie électronique a révolutionné les méthodes d'enquête traditionnelles[16]. À présent, les répondants peuvent se présenter à un stand dressé dans une galerie marchande, lire les questions sur un écran lumineux et enregistrer leurs réponses sur un terminal à écran tactile. La brasserie Labatt ltée fait appel à une borne interactive en forme de boîte de bière. Elle distribue des bons de rabais aux consommateurs qui ont répondu à une enquête électronique[17]. Une voix automatisée interroge les répondantes et les répondants qui enregistrent leurs réponses en effleurant les touches du clavier téléphonique.

TABLEAU 9.5
(suite et fin)

6 Cochez la case décrivant votre accord avec l'énoncé.

ÉNONCÉ	D'ACCORD SANS RÉSERVE	D'ACCORD	NE SAIS PAS	EN DÉSACCORD	EN DÉSACCORD SANS RÉSERVE
Les adultes aiment inviter leurs familles dans les restaurations rapides (*fast food*).	☐	☐	☐	☐	☐
Les enfants ont leur mot à dire sur le choix d'un restaurant familial.	☐	☐	☐	☐	☐

7 Quelle est l'importance de cette information sur la restauration rapide ?

SOURCE D'INFORMATION	SOURCE TRÈS IMPORTANTE	SOURCE MOYENNEMENT IMPORTANTE	SOURCE SANS IMPORTANCE
Télévision	☐	☐	☐
Journaux	☐	☐	☐
Panneaux publicitaires	☐	☐	☐
Courrier	☐	☐	☐

8 Combien de fois avez-vous mangé à l'un de ces trois restaurants au cours des trois derniers mois ?

RESTAURANT	UNE FOIS LA SEMAINE OU PLUS	DEUX OU TROIS FOIS PAR MOIS	UNE FOIS PAR MOIS OU MOINS
Burger King	☐	☐	☐
McDonald's	☐	☐	☐
Wendy's	☐	☐	☐

9 Veuillez répondre aux questions suivantes à propos de votre famille et de vous-même.

a Êtes-vous ☐ Homme ☐ Femme

b Êtes-vous ☐ Célibataire ☐ Marié ☐ Autre (veuf, divorcé)

c Combien d'enfants de moins de 18 ans vivent sous votre toit ?
☐ 0 ☐ 1 ☐ 2 ☐ 3 ☐ 4 ☐ 5 ou plus

d Quel âge avez-vous ?
☐ 24 ans ou moins ☐ 25 à 39 ans ☐ 40 ans ou plus

e Quel est le revenu annuel global de votre ménage ?
☐ Moins de 15 000 $ ☐ 15 000 à 30 000 $ ☐ Plus de 30 000 $

L'expérience

Les chercheuses et les chercheurs en marketing peuvent aussi produire des données primaires en se fondant sur l'expérimentation. Les expériences en marketing offrent la possibilité d'établir des liens de cause à effet (recherche causale). L'**expérience** fait appel à la manipulation d'une variable indépendante (la cause) et à la quantification de son effet sur une variable dépendante (l'effet) en milieu conditionné.

Un test concluant a mené à la mise en marché du cola de marque Life de Shoppers Drug Mart à l'échelle canadienne.

Lors d'une expérience en marketing, les variables comptent plus ou moins comme éléments du marketing mix, notamment les caractéristiques du produit, le prix ou le mode de promotion retenu. On retiendra comme variable indépendante idéale un changement des habitudes d'achat d'un particulier, d'un ménage ou d'une entreprise. Lorsque les achats d'usage ne peuvent servir de variable dépendante, on se tournera vers les achats tels que les préférences enregistrées lors des essais de dégustation ou les intentions d'achat.

L'expérience peut soulever la difficulté que la variable extérieure fausse les résultats et modifie la variable dépendante.

On peut diriger l'expérience sur le terrain ou en laboratoire. Lors de l'*expérience sur le terrain*, on effectue la recherche dans le monde réel, par exemple un commerce, une banque ou dans la rue, et là où l'on peut observer le comportement faisant l'objet de l'étude. L'expérience sur le terrain peut se révéler coûteuse. Elle permet toutefois de déterminer les réactions des gens devant les changements apportés aux éléments du marketing mix.

Pour plus d'informations au sujet de Shoppers Drug Mart, rends-toi à l'adresse suivante : www.dlcmcgrawhill.ca

Shoppers Drug Mart a fait des essais de dégustation sur le terrain pour déterminer les réactions des consommateurs au goût de son cola de marque Life. Les essais ont révélé que 33 % des consommateurs participants préféraient le goût du cola de marque Life à celui des marques concurrentes Pepsi et Coke. Shoppers Drug Mart a ensuite mis en marché son cola au Canada atlantique afin d'évaluer la réaction des consommateurs. Un test concluant dans ces provinces a mené à la commercialisation du produit dans toutes les succursales de la chaîne partout au Canada[18]. Rappelle-toi le problème de la commercialisation du jus de canneberge en Asie. Ocean Spray cherchait à savoir si les consommateurs asiatiques achèteraient ce jus sans connaître la canneberge. Avant de commercialiser ce nouveau produit, les responsables de la recherche en marketing ont procédé à des essais de dégustation en Asie afin d'évaluer la réaction des consommateurs.

Avant de lancer les Whitestrips de Crest, Procter & Gamble a mené une enquête en ligne dans le but de déterminer si les consommateurs étaient prêts à payer plus de 50 $ pour son nouveau produit.

Les nouvelles technologies comme Internet permettent désormais d'effectuer ce genre de test à moindres coûts. Par exemple, l'entreprise Procter & Gamble conduit actuellement plus de 40 % de ses tests et de ses recherches en marketing grâce à Internet. Il est possible aux consommateurs de s'inscrire sur le site Web de Procter & Gamble afin de participer à l'évaluation de nouveaux produits. Un fois inscrits, ils reçoivent un échantillon gratuit par la poste. Les consommateurs évaluent et soumettent leurs commentaires afin d'améliorer le produit. En août 2000, Procter & Gamble se préparait à lancer les Whitestrips de Crest sans avoir la certitude que les consommateurs seraient prêts à payer plus de 50 $. L'entreprise s'est donc tournée vers Internet et elle a commencé à distribuer gratuitement des échantillons. Les Whitestrips ont ensuite été vendues par Internet. Au terme d'une campagne de 8 mois, 144 000 lots avaient été vendus en ligne. Grâce à ce succès et aux informations recueillies lors de cette période, Procter & Gamble était certaine de la qualité du produit perçue par les utilisateurs et du choix adéquat du prix de vente au détail. Ces données ont permis à Procter & Gamble de convaincre les détaillants traditionnels de stocker les Whitestrips sur leurs étagères, et ce, malgré un prix de vente élevé[19].

Les spécialistes du marketing n'exercent aucun contrôle sur les conditions d'expérimentation sur le terrain. C'est pourquoi ils se tournent parfois vers une expérience en laboratoire. Le laboratoire n'a rien du monde réel. Il procure cependant un milieu bien contrôlé. À l'opposé du terrain, le laboratoire permet de maîtriser tous les facteurs influant sur le comportement à l'étude. Lors d'une expérience sur le terrain, des spécialistes du marketing pourraient s'intéresser aux conséquences de la baisse du prix sur la vente pour un produit particulier. Alertée, la concurrence pourrait aussi réduire le prix de son produit et ainsi ralentir le déroulement de l'expérience sur le terrain, et modifier son résultat. Cette difficulté ne survient pas lors d'une expérience en laboratoire. Plusieurs entreprises se tournent vers ce type d'expérience, car elles peuvent en contrôler les conditions. Elles le font toutefois en mode réel en simulant des essais en supermarché ou en magasin. Il est alors possible d'expérimenter en modifiant la disposition des étalages, l'emballage des produits ou les autres variables jouant sur le comportement de l'acheteuse ou de l'acheteur sans craindre que d'autres facteurs extérieurs n'influent sur les résultats.

L'observation

L'observation constitue une autre méthode de recherche fondamentale servant à obtenir des données primaires. En général, l'**observation** sous-entend que l'on surveille, de façon mécanique ou humaine, le comportement des gens. En certaines circonstances, le rythme des événements ou leur nombre oblige à une observation mécanique ou électronique plutôt qu'humaine. Ainsi, les détaillants recourent à des caméras de surveillance électronique afin de compter le nombre d'entrées et de sorties d'une boutique. Lorsqu'on observe des consommateurs en action, on peut voir comment ils achètent ou utilisent un produit. Ainsi, on obtient une image assez précise de leurs habitudes d'achat.

L'audimètre interactif de ACNielsen est un appareil de mesure instantanée fixé aux téléviseurs de familles choisies. Il permet de déterminer la taille des auditoires d'émissions de télévision, et il constitue un exemple classique d'observation mécanique. Lorsqu'un membre d'une famille regarde une émission, il doit appuyer sur un bouton de l'audimètre au début et à la fin de la séance. L'audimètre est censé mesurer la durée des émissions regardées sur chacun des postes de télévision à l'intérieur d'une maison.

L'audimètre interactif se heurte toutefois à certaines limites. Il en est de même pour toutes les formes de données d'observation recueillies à l'aide d'un moyen mécanique. On se demande si le dispositif mesure bien ce qu'il est censé mesurer. Il semble que, dans une famille, les plus jeunes et les plus âgés ne se préoccupent guère d'appuyer sur le bouton avant et après une séance de télévision. On procède maintenant à l'essai d'un

Comment Fisher-Price peut-elle mener des recherches en marketing auprès de jeunes enfants qui ne savent pas lire un questionnaire? Lis le texte pour connaître la réponse.

Pour plus d'informations au sujet de Fischer-Price, rends-toi à l'adresse suivante: www.dlcmcgrawhill.ca

audimètre passif que l'on porte sur soi comme une épinglette. Cet appareil sert également à évaluer les cotes d'écoute des émissions de radio et de télévision à la maison, au travail ou dans l'auto. Il devrait réduire les inconvénients reliés aux audimètres existants[20].

Les spécialistes du marketing recueillent aussi des données primaires à partir de leurs propres observations. Ainsi, Procter & Gamble fait préparer des gâteaux par des consommateurs dans ses propres cuisines. Ainsi, on s'assure que les recettes et les modes d'emploi des produits Duncan Hines sont compris et respectés. Chrysler observe la manière dont les conductrices et les conducteurs prennent place à bord de ses véhicules pour voir s'ils sont en mesure de démarrer la voiture, d'ouvrir la radio ou d'activer le climatiseur sans problème. Fisher-Price invite des petits dans son jardin d'enfants pour observer l'usage qu'ils font de ses jouets en vue d'élaborer de meilleurs produits.

L'observation personnelle allie souplesse et utilité. Elle s'avère toutefois coûteuse. Les conclusions sur lesquelles elle débouche sont parfois peu sûres. C'est en particulier le cas lorsque plusieurs observateurs parviennent à différentes conclusions après avoir assisté aux mêmes activités. De plus, l'observation relève les comportements des gens, mais elle ne peut révéler leurs motifs, par exemple pourquoi ils achètent un produit plutôt qu'un autre. Afin de déterminer les raisons d'un comportement, les équipes de recherche en marketing doivent s'entretenir avec les consommateurs et enregistrer leurs réactions. Pour ce faire, ils procèdent d'ordinaire à des enquêtes.

Existe-t-il une méthode optimale de recherche?

Aucune méthode de recherche n'est préférable à une autre. On peut choisir parmi plusieurs méthodes afin de résoudre un problème de marketing particulier. Les chercheuses et les chercheurs avisés savent qu'il existe plus d'une manière d'aborder un problème de marketing. Le choix de la méthode la plus opportune repose sur l'expérience. Les chercheuses et les chercheurs inexpérimentés font souvent appel à l'enquête, car il s'agit de la méthode qu'ils connaissent le mieux. Par contre, les plus expérimentés savent la valeur des autres méthodes. Ils peuvent concevoir des méthodes plus originales destinées à résoudre plus vite et à meilleur marché les problèmes qui se présentent. Les chercheuses et les chercheurs expérimentés pensent que le choix de la méthode de recherche la plus appropriée se fonde souvent sur une bonne définition du problème de marketing.

L'échantillonnage

L'échantillonnage est un élément qui fait partie de la conception d'une recherche. Il s'agit d'un aspect distinct du procédé de recherche. Le plan d'échantillonnage préalable à une recherche indique les échantillons retenus, la taille de l'échantillonnage et le mode de sélection des échantillons. Un projet de recherche repose rarement sur le dénombrement complet de chaque individu composant la population faisant l'objet de la recherche, en raison de la durée et du coût d'un tel recensement. C'est pourquoi on fait appel à un échantillon. L'**échantillonnage** est un procédé de collecte de données auprès d'une partie d'une population. Il est différent du recensement qui concerne tous les individus de cette population. Un *échantillon* est donc un sous-ensemble d'une population.

Si l'on fait appel aux méthodes statistiques appropriées, il n'est pas nécessaire de retenir tous les individus d'une population. Un échantillon bien choisi représente d'ordinaire l'ensemble de la population. Cependant, des erreurs surviennent dans l'échantillonnage et elles remettent en cause la fiabilité des données recueillies. La plus importante question que doit se poser l'équipe de recherche à cette étape est la suivante : qui doit constituer l'échantillon ?

Ensuite, il s'agit de connaître la taille de l'échantillon. Quel sera l'effectif de l'échantillon ? En effet, il est irréaliste de vouloir recenser toute la population faisant l'objet d'une recherche. En général, un effectif nombreux permet de recueillir des renseignements plus précis qu'un effectif réduit. Un échantillonnage judicieux permet toutefois de tirer d'un faible effectif une mesure fiable applicable à l'ensemble.

RÉVISION DES CONCEPTS

1. Qu'est-ce qu'une enquête?
2. Quelle méthode de recherche permet d'établir des liens de cause à effet?
3. Qu'est-ce qu'un échantillonnage?

LA COLLECTE ET L'ANALYSE DES DONNÉES

Lorsque la forme de la recherche est choisie, on commence le processus de collecte de données. L'équipe de recherche réunit les informations obtenues auprès des répondantes et des répondants retenus au départ. On parle parfois de travail sur le terrain pour désigner cette étape de la recherche. Comme on dispose de plusieurs méthodes de recherche, on peut collecter des données de nombreuses manières. En privilégiant le sondage, on peut recueillir les données par des enquêtes téléphoniques, par correspondance ou lors d'entrevues individuelles.

Quel que soit le mode de collecte, il importe de minimiser les erreurs dans le procédé. Aux yeux de la plupart des spécialistes, la collecte de données constitue la principale source d'erreurs au cours d'une recherche en marketing. Certaines erreurs proviennent, par exemple, d'une mauvaise sélection de répondants ou de l'enregistrement erroné des observations. Pour éviter une collecte de données faussées on s'adresse à des chercheuses et à des chercheurs avisés et formés, au service de l'entreprise ou d'une société de recherche.

L'étape suivante de la recherche en marketing est l'analyse des données. Mark Twain disait: « La collecte des données s'apparente à celle des ordures ; on doit savoir quoi en faire avant même de les recueillir. » Les chercheuses et les chercheurs en marketing doivent savoir *pourquoi* telles données doivent être recueillies et *comment* les analyser efficacement afin qu'elles soient utiles à la prise de décision.

Le niveau d'analyse des données tient à la nature de la recherche et à l'information nécessaire à l'élaboration d'une solution au problème de marketing. S'il s'agit de données recueillies au cours d'une enquête, on procède alors à une analyse de la fréquence. Elle consiste à calculer le nombre de réponses à chaque question. Les chercheuses et les chercheurs peuvent ensuite dégager le schéma des données. Ils peuvent aussi comparer certaines réponses avec celles obtenues à partir d'autres questionnaires. L'analyse des tables de contingence est la technique la plus utilisée pour structurer et analyser les données servant au marketing. L'analyse des tables de contingence est nettement moins précise que certaines autres techniques statistiques, mais elle demeure d'une grande simplicité. En outre, elle facilite la tâche des chercheuses et des chercheurs peu expérimentés, et la communication des résultats à l'ensemble des personnes qui décident. Cette méthode s'avère particulièrement utile à l'analyse de la segmentation du marché et nous y reviendrons au chapitre 10.

LA FORMULATION DES CONCLUSIONS ET LA RÉDACTION D'UN RAPPORT

À l'étape de la formulation des conclusions et de la rédaction d'un rapport, les chercheuses et les chercheurs, et les gestionnaires en marketing, revoient l'analyse. Ils se posent la question: « Que nous apprend cette information ? » L'interprétation de l'information est au cœur du travail de recherche en marketing. Elle doit permettre aux dirigeants de tirer des conclusions et des décisions pertinentes. Les chercheuses et les chercheurs rédigent un rapport présentant leurs conclusions. Le document doit aussi proposer quelques pistes en vue de résoudre le problème de départ.

Le rapport ne doit pas accabler la direction d'un jargon technique, mais présenter des résultats clairs et concis et des conclusions importantes. Les chercheuses, les chercheurs et la direction doivent travailler en étroite collaboration pour s'assurer d'une interprétation pertinente des résultats de la recherche. La direction doit s'engager à agir et à prendre des décisions en se basant sur la recherche, sur son jugement et sur sa connaissance de la situation. Il faudra donc agir pour que la solution du problème de marketing soit mise en œuvre. Sinon, la recherche en marketing paraît inutile. Enfin, lorsqu'elle est mise en place, on doit suivre de près l'exécution de la solution proposée pour s'assurer qu'elle produit les résultats désirés.

FONDEMENT MORAL

QUESTION D'ÉTHIQUE

Quelle est la part de vérité lorsqu'on publie le résultat d'une enquête?

On a sondé des médecins afin de connaître la marque de margarine qu'ils recommandent à leurs patients ayant un taux élevé de cholestérol. Voici le résultat:

- Ne recommande aucune marque en particulier: 80%
- Recommande la marque A: 5%
- Recommande la marque B: 4%

Aucune autre marque offerte sur le marché n'est recommandée par plus de 2% des médecins. L'entreprise assurant la mise en marché de la marque A formule ainsi sa publicité: «Les médecins conseillent la marque A plus que toute autre marque.» Cette affirmation est-elle éthique? Pourquoi? Le cas échéant, quels principes moraux devraient servir de base à cette publicité?

RÉSUMÉ

1. La recherche en marketing est un procédé par lequel on définit un problème ou une possibilité sur le plan commercial. On recueille et on analyse systématiquement de l'information et on recommande des mesures visant à améliorer les efforts promotionnels d'une firme. La recherche en marketing sert à la prise de décision.

2. On classe la recherche en marketing selon trois grands types d'intervention. Premièrement, la recherche exploratoire en phase préliminaire, de façon à préciser la portée et la nature d'un problème de marketing. Deuxièmement, la recherche descriptive servant à déterminer les caractéristiques élémentaires d'une population particulière ou à établir le profil de situations précises. Troisièmement, la recherche causale visant à identifier les relations de cause à effet entre les variables.

3. Toute recherche en marketing compte quatre étapes fondamentales: la définition du problème; la détermination de la méthode de recherche; la collecte et l'analyse des données; enfin la formulation des conclusions et la rédaction d'un rapport.

4. La première étape d'une recherche en marketing (la définition du problème) est primordiale, car une recherche fondée sur un problème mal compris se traduit par un gaspillage des ressources.

5. Quand on décide d'amorcer une étude de marché à l'aide d'une recherche exploratoire, on peut faire appel à trois techniques élémentaires: l'analyse de données secondaires, les groupes cibles et les entrevues en profondeur.

6. Les données secondaires (ou historiques) ont été recueillies antérieurement et assemblées en vue d'un projet autre que celui en cours d'étude. Les données primaires sont recueillies et assemblées précisément en fonction du projet du moment.

7. Au stade de la structuration d'une recherche formelle, il faut établir un plan traçant les grandes lignes des méthodes et procédés qui serviront à la collecte et à l'analyse des renseignements nécessaires. Ce plan doit prévoir les objectifs de la recherche, les sources de références employées, les méthodes de recherche, le plan de l'échantillonnage, ainsi que l'horaire et les frais de recherche.

8. Il existe trois grandes méthodes à partir desquelles on peut diriger une recherche descriptive et causale: l'enquête, l'expérience et l'observation. Une enquête est une technique de recherche produisant des renseignements à partir de questionnaires. Une expérience fait appel à la manipulation d'une variable indépendante (la cause) et à la quantification de son effet sur une variable dépendante (l'effet) en milieu conditionné. L'observation consiste à surveiller, de façon mécanique ou humaine, le comportement des gens.

9. L'échantillonnage consiste à recueillir des données auprès d'une partie de la population. Le recensement concerne tous les membres de la population. L'échantillonnage est un élément qui fait partie de la structure d'une recherche. Le plan d'échantillonnage préalable à une recherche indique les échantillons retenus, leur taille et leur mode de sélection.

10. La collecte et l'analyse des données forment la troisième étape d'une recherche en marketing. On parle parfois de travail sur le terrain pour désigner la collecte de données. Cette étape de la recherche regroupe toutes les méthodes à la disposition de l'équipe de recherche. Elles visent à obtenir des données auprès de sources ou de répondants identifiés. Lorsque les données sont réunies, il appartient à l'équipe de recherche en marketing de les analyser et de les transformer en renseignements influant sur la prise de décision.

11. À la fin du procédé, les chercheuses et les chercheurs doivent tirer leurs conclusions et rédiger un rapport. Celui-ci doit suggérer les mesures à mettre en place par la firme afin de résoudre le problème.

MOTS CLÉS ET CONCEPTS

donnée primaire
donnée secondaire
échantillonnage
enquête
entrevue en profondeur
expérience
groupe de discussion
observation
recherche en marketing

EXERCICES INTERNET

La recherche en marketing peut poser des problèmes d'éthique aux chercheuses et aux chercheurs. Pour en apprendre plus à ce sujet, rends-toi sur le site de l'Association Professionnelle de Recherche en Marketing. Tu y trouveras un code de conduite pour les chercheuses et les chercheurs professionnels du domaine de la recherche marketing et sociale et des sondages d'opinion au Canada.

1. Résume les responsabilités des entreprises de recherche qui participent à cette association.
2. Pourquoi un code de conduite est-il nécessaire dans cette profession ? Qu'apporte-t-il aux organismes qui y adhèrent ?
3. Quels risques y aurait-il à ne pas suivre ce code de conduite ?

Pour plus d'informations au sujet de l'Association Professionnelle de Recherche en Marketing, rends-toi à l'adresse suivante : www.dlcmcgrawhill.ca.

QUESTIONS DE MARKETING

1. En marketing, peut-on prendre des décisions judicieuses sans d'abord procéder à une recherche ?
2. Pourquoi la définition d'un problème de marketing est-elle probablement l'étape la plus importante du procédé de recherche ?
3. Tu projettes d'ouvrir un magasin de crème glacée dans ta ville. Quel type de recherche exploratoire mèneras-tu afin de déterminer la faisabilité de ce projet ? Après coup, tu constates que la recherche exploratoire n'a pas répondu à toutes tes questions. Tu décides de faire une enquête en vue de déterminer s'il faut ou non ouvrir un tel établissement. Quel type de questions poseras-tu ? Qui interrogeras-tu ?
4. Le magasin scolaire de ton école cherche à connaître l'opinion de sa clientèle étudiante sur les produits vendus, les prix pratiqués et le service clientèle. Quel type d'étude de marché lui conseillerais-tu ?
5. Dans le cadre d'une recherche en marketing, tu observes les faits et gestes des clients d'un supermarché au moment où ils choisissent leurs pains. Tu te trouves derrière un miroir sans tain, de sorte que les clients ignorent que tu les observes. Au cours de la journée, tu vois plusieurs personnes voler des friandises à proximité de la boulangerie. Tu connais deux de ces voleurs à l'étalage. Devant quel problème d'ordre moral te trouves-tu ?
6. Un établissement de location automobile veut ouvrir des nouvelles succursales dans des aéroports. Il te contacte pour réaliser une étude de marché afin de connaître les chances de succès de son projet. Le patron de l'entreprise a déjà suivi un cours de marketing et a rédigé un questionnaire qu'il veut distribuer aux passagers des compagnies aériennes. Ces derniers le trouveront dans les aéroports et devront les poster dans une enveloppe de retour pré-affranchie. Voici quelques-unes des questions qu'il veut leur poser. À partir du tableau 9.4 et de tes connaissances, identifie le problème relatif à chacune des questions et corrige-les. Deux conseils : il faudra bien expliquer à cette personne ce qui ne va pas, car elle pense que son questionnaire est parfait. Malheureusement, plusieurs problèmes sont rattachés à une seule question.

a) Possédez-vous un véhicule ou en louez-vous généralement un ?
____ Oui ____ Non
b) Quel âge avez-vous ? ____ 21 à 30 ____ 30 à 40
____ 41 à 50 ____ 50 et +
c) Quelle somme avez-vous consacrée à la location automobile l'année dernière ?
____ 100 $ ou moins ____ 101 à 400 $
____ 401 à 800 $ ____ 800 à 1 000$
____ 1 000 $ et plus
d) Quel prix de location quotidienne considérez-vous avantageux ? __________

ÉTUDE DE CAS 9-1 LA LIBRAIRIE AU PAYS DES LIVRES INC.

Une matinée d'août, Ginette Lavallée, copropriétaire de la librairie Au pays des livres inc., se trouvait à sa table de travail, dans un bureau en désordre. Non sans irritation, elle était parvenue à la conclusion que sa calculatrice ne pouvait plus lui être utile. « Ce qu'il nous faut, s'est-elle dit alors, ce sont des évaluations des parts du marché et de la demande... et nous avons deux semaines pour les obtenir. »

La librairie Au pays des livres inc., d'une surface de 1 800 mètres carrés, est spécialisée dans les livres de poche de qualité. Elle présentait plus de 10 000 titres et, l'année précédente, elle avait enregistré un chiffre d'affaires de 520 000 dollars. Les ouvrages étaient répertoriés en 18 catégories et touchaient des domaines aussi différents que les arts, les biographies, les religions, les sports et les guides de voyage.

La librairie se trouvait dans un quartier regroupant plusieurs petits commerces, en face de l'université L'Escale. Environ 12 000 étudiants de premier cycle et des cycles supérieurs fréquentaient cette université. La plupart étaient spécialisés dans les études débouchant sur des professions scientifiques ou libérales. Le bureau des inscriptions de l'université avait prévu que le nombre de nouveaux inscrits croîtrait d'environ 1 % par an au cours des années 1990. L'agglomération voisine, une ville d'environ 350 000 habitants, prévoyait une croissance d'environ 2 % de sa population.

La librairie Au pays des livres ne vendait aucun manuel scolaire malgré sa clientèle comportant de nombreux universitaires. Mme Lavallée et son associée, Yvette Blouin, estimaient que l'université exerçait une emprise trop ferme sur le marché des livres scolaires en matière de prix, d'emplacement et de réputation. Ajoutons que la librairie ne vendait plus de disques de musique classique depuis deux mois. Mme Lavallée se rappelle avec regret les 15 000 dollars engloutis dans cette affaire. « Une autre erreur pareille et les banques dirigeront notre librairie », s'était-elle dit. « Malgré ce qu'en pense Yvette, la copie-service pourrait bien être l'erreur fatale. »

Yvette Blouin avait eu l'idée de mettre en place un service de photocopie. Elle l'installerait dans un local de 800 mètres carrés contigu à la librairie, et qui venait de se libérer. Elle se montrait fort enthousiaste par ce projet. « Nous risquons seulement de faire de l'argent. J'y travaillerais à temps partiel et nous engagerions des étudiants le reste du temps. Je suis persuadée que nous pourrions convaincre le propriétaire d'abattre la cloison entre les deux boutiques, si tu crois qu'il s'agit d'une bonne idée. Nous pourrions probablement louer le matériel de photocopie, de sorte que le risque serait minime. »

Ginette n'était pas aussi convaincue. Au cours d'une conversation avec le propriétaire, elle avait appris qu'il souhaitait signer un bail de cinq ans, avec option de renouvellement, pour un loyer de 1 000 dollars par mois. Il lui avait accordé deux semaines de réflexion avant de mettre le local en location. La location du matériel de photocopie variait entre 200 et 2 000 dollars par mois, en fonction du matériel, de l'entretien et de l'option d'achat ou de location. Il y aurait également d'autres coûts fixes: frais de service, intérêts, assurances et inventaire (peut-être des frais de matériel). Ginette avait calculé que l'activité enregistrerait un bénéfice à compter de 20 000 copies vendues dans le meilleur des cas, et de 60 000 dans le cas le plus défavorable.

Une recherche informelle avait permis d'identifier deux principaux concurrents. Le premier était un service de photocopie à l'intérieur de la bibliothèque Bonne lecture, à un kilomètre à l'ouest du campus. Le second était Kinko's, une entreprise privée également située à un kilomètre du campus, cette fois vers le sud. Les deux commerces proposaient des services à la minute sur plusieurs photocopieuses. La bibliothèque demandait environ 1/2 cent de plus la copie que Kinko's. Les deux établissements proposaient l'assemblage et la reliure des documents, les photocopies en couleurs et autres services et ce, sept jours par semaine.

Une autre enquête avait permis de découvrir la présence d'un troisième grand concurrent: les différents départements de l'université L'Escale possédaient des photocopieuses. Le corps enseignant et l'administration faisaient la plupart de leurs photocopies sur ces appareils. Les étudiants pouvaient les employer dans une certaine mesure, moyennant rétribution. De plus, on trouvait au moins 20 photocopieuses en libre service à la bibliothèque et dans les pharmacies, épiceries et banques avoisinantes.

Après avoir déplacé une pile de livres sur son bureau, Ginette prit le combiné et composa le numéro de son associée. Yvette répondit, et Ginette lui demanda: « As-tu une idée du nombre de photocopies qu'un étudiant peut faire au cours d'un semestre? D'après mes chiffres, nous couvririons nos frais entre 20 000 et 60 000 copies chaque mois. J'ignore quelle part du marché cela représente...

– Je n'en ai aucune idée, répondit Yvette. Quand j'étais étudiante, je faisais peut-être une dizaine de photocopies par mois, des articles de journaux, des notes de cours, d'anciens examens, etc.

– Moi de même, répondit Ginette. Mais quelques étudiants des cycles supérieurs en font peut-être autant chaque semaine. Tu sais, je pense que nous devrions faire une recherche en marketing avant d'aller plus avant avec ce projet. Qu'en penses-tu?

– D'accord! Sauf que le temps et l'argent nous sont comptés. Qu'as-tu en tête, Ginette?

– Nous pourrions interviewer nos clients au moment où ils s'apprêtent à quitter la boutique et leur demander le nombre de photocopies qu'ils ont faites au cours d'une semaine. Bien entendu, nous devrions nous assurer qu'ils sont étudiants.

– Que dirais-tu d'une enquête téléphonique ?, demanda Yvette. Nous aurions ainsi un échantillon aléatoire. Nous les interrogerions sur le nombre de photocopies, mais nous serions sûres de parler à des étudiants.

– Pourquoi ne pas interroger les étudiants à la cafétéria ? Ils sont toujours nombreux à y faire la queue vers midi et nous pourrions gagner du temps.

– Flûte ! Je ne sais plus ! Je passe à ton bureau cet après-midi et nous en discuterons davantage.

– Bonne idée !, répondit Ginette. À nous deux, nous devrions trouver une autre idée géniale ! »

Questions

1. Définis précisément le problème de marketing de Ginette et d'Yvette.
2. Devraient-elles effectuer une recherche exploratoire ? Si tu penses que oui, suggère des données secondaires qui pourraient les éclairer. Propose aussi aux propriétaires l'organisation d'un groupe de discussion. Définis-en le thème et les participants.
3. Rédige un questionnaire permettant à Ginette et à Yvette de chercher l'information qui leur manque.
4. Qui va composer l'échantillon répondant à ce questionnaire ? Comment proposes-tu de recruter les participants ?

CHAPITRE 10

LA SEGMENTATION DU MARCHÉ, LE CIBLAGE ET LE POSITIONNEMENT

10

APRÈS AVOIR LU CE CHAPITRE, TU SERAS EN MESURE

- d'expliquer la segmentation de marché, d'indiquer quand l'utiliser et d'en décrire les cinq étapes ;
- de définir les différentes dimensions selon lesquelles effectuer une segmentation de marchés des consommateurs et de marchés industriels ;
- d'élaborer une grille d'analyse marché-produit pouvant servir à segmenter et à cibler un marché ;
- de comprendre comment les gestionnaires en marketing positionnent les produits sur le marché.

QUAND LA CHAUSSURE DE SPORT S'EN VA-T-EN GUERRE

Regarde la page ci-contre. Comment fait-on pour se démarquer de la concurrence quand la sélection de produits offerts couvre des murs entiers ? Voilà la question que se posent les fabricants de chaussures de sport du monde entier.

La valeur estimée du marché mondial de la chaussure de sport est de 12 milliards de dollars. Aussi, les manufacturiers tentent de répondre à cette question en cherchant de nouveaux segments de marché et des façons de différencier leurs produits de tous les autres ! Tous s'y sont mis, de grandes entreprises, comme Nike et Reebok, et des entreprises moins connues, comme New Balance et Vans.

Agitation dans le marché de la chaussure de sport Il est bien fini le temps où les fabricants payaient entre 15 et 30 millions de dollars à des champions comme Michael et Shaq pour que leur nom devienne une marque. (Si tu ne connais pas leur nom de famille, c'est que le basket n'est pas ton fort !) Les chaussures de sport, d'un bout à l'autre du pays, couvrent les murs des magasins de sport et des grandes surfaces. Cette constatation n'est que l'un des symptômes de la tempête qui secoue ce secteur manufacturier. En voici d'autres :

- Les ventes de chaussures de sport pour hommes ne connaissent aucune croissance. Celles des chaussures de basket-ball à haute-technologie sont au ralenti.
- En 1994, pour la première fois, les ventes de chaussures d'athlétisme pour femmes de 12 ans et plus ont surpassé celles pour hommes du même groupe d'âge.
- Les jeunes avaient coutume d'acheter entre 10 et 15 paires de chaussures de sport par année. Maintenant, ils portent de plus en plus des bottes brunes ou des chaussures ordinaires. Cette tendance devrait s'accentuer, car la popularité des produits de marque Michael Jordan déclinera maintenant que l'athlète a quitté le basket-ball (NBA)[1].
- Sous la pression du public, les firmes comme Nike et Reebok ont, d'un commun accord, mis au point un système de surveillance et un code de conduite. Ces

firmes veulent restreindre, dans les pays en voie de développement, l'utilisation des ateliers où on embauche des enfants et où la main-d'œuvre est sous-payée[2].

Aujourd'hui, les études de marché de Reebok montrent que 1 Canadienne sur 3 fait du sport. Il y en avait 1 sur 30 en 1971 ! Reebok s'est donc recentrée sur le segment féminin. Sa stratégie consiste à concevoir des chaussures pour satisfaire les besoins de divers clientes et clients. Elle est un exemple de bonne segmentation de marché, le sujet principal du présent chapitre. De plus, Reebok tient compte de l'intensité de la concurrence dans le secteur de la chaussure de sport. Dans sa stratégie de segmentation, la firme fait une place à d'autres chaussures, comme on le verra. L'encadré Tendances Marketing décrit cette stratégie de segmentation visant les différents groupes de consommateurs.

Nous expliquerons d'abord pourquoi on segmente les marchés, puis nous verrons les étapes de la segmentation et du ciblage des marchés et étudierons le positionnement de produit.

POURQUOI SEGMENTER LES MARCHÉS ?

Pour plus d'informations au sujet de Reebok, rends-toi à l'adresse suivante : www.dlcmcgrawhill.ca

Les entreprises segmentent leurs marchés pour pouvoir répondre plus efficacement aux besoins des groupes d'acheteurs potentiels et augmenter ainsi ventes et profits. Les organisations sans but lucratif segmentent aussi leurs clientèles pour mieux satisfaire leurs besoins tout en réalisant les buts de l'organisation. À l'aide d'un exemple, nous expliquerons ce qu'est la segmentation de marché.

La segmentation de marché

Les gens ont des besoins et des désirs différents, ce qui complique la tâche des spécialistes du marketing. En effet, tenter de satisfaire les besoins de chacun peut conduire une entreprise à la faillite. La **segmentation de marché** consiste à classer par groupes des acheteurs potentiels, qui : 1) ont en commun des besoins ; et 2) répondent de façon similaire aux efforts de mise en marché. Les groupes qui résultent de ce processus sont les **segments de marché,** un ensemble relativement homogène d'acheteurs potentiels.

L'existence de ces segments de marché conduit les entreprises à pratiquer la **différenciation de produit.** Il s'agit d'une stratégie de marketing qui a deux sens différents, mais reliés. Au sens large, la différenciation concerne l'exploitation du marketing mix. Citons, par exemple, la promotion des caractéristiques du produit et la publicité qui amène le consommateur à percevoir ce produit comme différent et supérieur aux autres. La différence perçue peut concerner des caractéristiques matérielles ou, au contraire, immatérielles, comme l'image ou le prix.

Au sens strict, une entreprise pratique la différenciation du produit quand elle vend deux ou plusieurs produits ayant des caractéristiques différentes auprès de segments de marché cibles différents. L'affaire peut être risquée si les différents produits ne parviennent pas à toucher leurs segments, par exemple parce que la clientèle les confond. Le cas de Reebok, abordé dans l'encadré Tendances Marketing, démontre que la compagnie utilise les deux stratégies : segmentation de marché et différenciation du produit.

La segmentation : réagir aux besoins Premièrement, la définition de la segmentation de marché fait ressortir l'importance de regrouper les gens ou les entreprises suivant la similarité de leurs besoins et les avantages qu'ils espèrent retirer de leur achat. Deuxièmement, la firme doit déterminer les actions précises et tangibles qu'elle peut entreprendre pour satisfaire ces besoins et avantages espérés. Ces actions peuvent porter sur des produits distincts ou sur certains aspects du marketing mix comme le prix, la publicité, les activités de vente personnelle ou les stratégies de distribution. On retrouve ici les 4 P (produit, prix, communication [promotion], distribution [place]).

Le lien entre les divers besoins des acheteuses et des acheteurs et le programme de marketing de l'entreprise s'établit en réalisant les processus de segmentation de marché et de sélection de segments cibles précis (figure 10.1).

VALEUR POUR LE CONSOMMATEUR

TENDANCES MARKETING

Comment Reebok a élaboré sa stratégie de segmentation

En 1979, Paul Fireman quittait l'université pour reprendre l'entreprise familiale. Il aperçut les chaussures de course Reebok dans un salon international. Il négocia l'achat d'un licence de distribution pour l'Amérique du Nord avec le fabricant britannique. Paul Fireman se mit à produire des chaussures de course de haute qualité, au moment où l'enthousiasme pour la course plafonnait.

En 1982, Fireman prit ce qui allait se révéler une brillante décision commerciale. Il lança la première chaussure d'aérobic, la Freestyle. Les couleurs flamboyantes de ces élégantes chaussures de sport plurent immédiatement aux instructrices et instructeurs d'aérobic et à leurs élèves. Comme on le voit au tableau 10.1, Reebok a lancé une grande variété de chaussures. Elles vont des tennis aux Reeboks pour enfants, en passant par les baskets lancés en 1984 et les chaussures pour la marche lancées en 1991[3].

Une entreprise de chaussures de sport ayant un chiffre d'affaires annuel de quatre milliards de dollars est un ogre qui a besoin de revenus. En 1993, Reebok lança donc une gamme de vêtements d'athlétisme, dont la Collection Greg Norman fait partie. En 1997, elle fut suivie des chaussures de golf également à l'image du célèbre golfeur[4]. Reebok misait sur une stratégie de différenciation du produit basée sur la haute technologie. Cette année-là, la firme présenta aussi une gamme de chaussures de course pourvues de la technologie DMX. Selon la publicité, elles étaient « les meilleures chaussures de course que le monde ait jamais connues ». Grâce à sa semelle aux six cloisons remplies d'air, ces chaussures offraient un amorti extraordinaire et un confort supplémentaire[5].

À quelle stratégie de segmentation Reebok aura-t-elle recours au XXIe siècle ? Elle seule le sait, mais elle tentera certainement de différencier plus clairement ses produits de ceux de ses compétiteurs mondiaux. Elle essaiera peut-être de cibler des segments comme les *skateurs*, les *baby boomers* et les consommateurs en ligne du monde entier.

FIGURE 10.1
La segmentation de marché fait le lien entre les besoins du marché et le plan de marketing de l'entreprise.

Définition des besoins du marché
Avantages sur le plan :
- des caractéristiques du produit
- des dépenses
- de la qualité
- de l'économie de temps et de la commodité

→ Processus de segmentation et choix des marchés cibles →

Exécution du programme de marketing
Marketing mix sur le plan :
- du produit
- du prix
- de la communication (promotion)
- de la distribution (place)

L'utilisation des grilles d'analyse marché-produit Une **grille d'analyse marché-produit** est un cadre dans lequel on met en rapport segments de marché et produits offerts ou activités commerciales potentielles d'une firme. Dans le tableau 10.1, les différents marchés d'utilisateurs de chaussures apparaissent sur les lignes. Les colonnes présentent les différentes chaussures (ou initiatives commerciales) de Reebok. Ainsi, chaque cellule de la grille d'analyse indique par produit la taille estimée du marché dans tel ou tel segment.

Dans le tableau 10.1, les cellules marquées d'un P représentent le marché premier que ciblait Reebok en lançant chaque modèle. Les cellules marquées d'un S désignent les segments de marché secondaire qui ont aussi acheté ce modèle. Dans certains cas, Reebok découvrit que de nombreuses personnes appartenant à un segment n'ayant pas été ciblé pour tel style de chaussures en faisaient tout de même l'achat. On constate que près de 75 à 80 % des chaussures de course ou d'aérobic ont été achetées par des non-athlètes. Il s'agit : 1) des gens sensibles au confort et au style ; et 2) des marcheurs. Certains marcheurs pourraient s'offusquer de se savoir considérés comme « non-athlètes ». En 1986, la société Reebok se rendit compte de cette tendance. Elle lança aussitôt des chaussures de marche en ciblant directement le segment des marcheurs.

TABLEAU 10.1
Grille marché-produit indiquant comment les 10 modèles de chaussures Reebok ont atteint des segments de clientèle ayant des besoins différents.

SEGMENT DE MARCHÉ		PRODUIT									
GÉNÉRAL	GROUPE ET BESOIN	CHAUSSURES DE COURSE (1981)	CHAUSSURES D'AÉROBIE (1982)	CHAUSSURES DE TENNIS (1984)	CHAUSSURES DE BASKET-BALL (1984)	CHAUSSURES POUR ENFANTS (1984)	CHAUSSURES DE MARCHE (1986)	CHAUSSURES ATHLÉTIQUES TOUT SPORT (1988)	CHAUSSURES DE MARCHE (1991)	VÊTEMENTS D'ATHLÉTISME (1993)	CHAUSSURES DE GOLF (1997)
Consommateurs sensibles à la performance (athlètes)	Coureurs	P						P			
	Danseuses d'aérobie		P					P			
	Joueurs de tennis			P				P			
	Joueurs de basket-ball				P			P			
	Amateurs de marche							S	P		
	Golfeurs									P	P
Consommateurs sensibles à la mode (non-athlètes)	Sensibles au confort et au style	S	S	S	S		S	S		S	
	Marcheurs	S	S	S	S		P	P		S	
	Enfants					P					

Légende : P = Marché premier ; S = Marché secondaire

Le tableau 10.1 laisse entrevoir les dangers potentiels de la segmentation de marché. En effet, en subdivisant le marché en deux segments ou plus, on ouvre plusieurs fronts à la concurrence qui pourrait décider de s'attaquer à un segment particulier. Note que la stratégie de Reebok consiste à atteindre à la fois les segments performance (athlètes) et les segments mode (non-athlètes). Dans les années 1990, Reebok a cherché à toucher chaque segment plus efficacement. La firme a réparti ses opérations : la division Technologie allait cibler les athlètes, les consommateurs sensibles à la performance et les enfants. La division Lifestyle s'attaquerait aux consommateurs sensibles au style.

RÉVISION DES CONCEPTS

1. La segmentation de marché consiste à rassembler les acheteurs potentiels dans des groupes ayant deux principales caractéristiques. Quelles sont ces caractéristiques ?
2. Qu'est-ce que la différenciation du produit ?
3. À quoi sert une grille d'analyse marché-produit ?

COMMENT SEGMENTER LES MARCHÉS ?

La segmentation et le ciblage de marché ne sont pas des sciences exactes. Ils nécessitent avant tout une importante dose de bon sens et de jugement en affaires. Pour réaliser une bonne segmentation, il faut commencer par respecter certains critères, puis trouver ensuite les variables spécifiques suivant lesquelles les groupes de consommateurs pourront être regroupés.

Les critères de formation des segments Les gestionnaires en marketing élaborent des segments qui devraient satisfaire cinq critères principaux :

- *Potentiel d'augmentation des profits et du taux de rendement du capital investi (RCI).* La meilleure approche de segmentation est celle qui maximise les possibilités d'accroître les profits et le taux de rendement du capital investi (RCI). Si ce potentiel maximal est atteint sans segmentation, alors il ne faut pas segmenter. Appliqué aux entreprises sans but lucratif, ce critère concerne le potentiel de servir les clients plus efficacement.
- *Similarité des besoins des acheteurs potentiels dans un même segment.* Les acheteuses et les acheteurs potentiels d'un segment devraient nécessiter les mêmes activités de marketing. Ces personnes devraient aussi rechercher les mêmes caractéristiques de produit ou utiliser les mêmes médias publicitaires.
- *Différence des besoins des acheteurs dans les différents segments.* Si les besoins des différents segments ne sont pas considérablement distincts, il faut les combiner pour réduire le nombre de segments. En effet, on consacre généralement une opération de marketing par segment, donc plus il y a de segments plus il y a de coûts supplémentaires. Si l'accroissement des revenus ne dépasse pas ces coûts supplémentaires, il faut combiner des segments et réduire le nombre d'opérations de marketing.
- *Faisabilité de l'initiative marketing nécessaire pour atteindre un segment.* Pour toucher un segment, il faut réaliser un effort de marketing simple mais efficace. Si cela n'est pas faisable, il ne faut pas segmenter.
- *Simplicité et coûts de répartition des acheteurs potentiels dans des segments.* Les gestionnaires en marketing doivent réaliser leur plan de segmentation de marché. Cela implique qu'ils connaissent les caractéristiques des acheteuses et des acheteurs potentiels de façon à les répartir par segments, sans que cela coûte extrêmement cher.

Modes de segmentation du marché des consommateurs Les principales dimensions suivant lesquelles on segmente les marchés canadiens de consommateurs sont présentées au tableau 10.2. On fait ainsi de la segmentation géographique, démographique, psychographique et comportementale[6]. En étudiant le tableau 10.2, tu constateras qu'on peut appliquer un certain nombre de variables de segmentation à chacune de ses dimensions. On l'a dit, la segmentation de marché n'est pas pure science. C'est en grande partie une question de sens pratique et de compétence de gestion. Pour créer de bons segments, les gestionnaires doivent souvent prendre en compte plusieurs dimensions et appliquer de nombreuses variables à chacune. Voyons comment des spécialistes du marketing pourraient segmenter des marchés de consommateurs à partir des données du tableau 10.2.

Pour plus d'informations au sujet de Colgate-Palmolive, rends-toi à l'adresse suivante : www.dlcmcgrawhill.ca

- *La segmentation géographique.* Pour faire une segmentation géographique, les spécialistes de marketing segmentent en fonction du lieu de résidence des consommateurs. Les variables géographiques utilisées sont alors les pays, les régions, les provinces, les comtés, les villes et même les voisinages. Il ressort souvent de l'exercice que les goûts et préférences des Canadiens varient selon les régions. Rappelle-toi le concept de marketing régional au chapitre 3. Cela était en fait une forme de segmentation géographique. Par exemple, pour vendre Artic Power, son détergent lavant à l'eau froide, Colgate-Palmolive vante, en Ontario, les économies d'énergie qu'il permet de réaliser. Par contre, dans les Maritimes, l'entreprise fait valoir que le lavage à l'eau froide abîme moins les vêtements.

PRINCIPALES DIMENSIONS	VARIABLES	DÉCOUPAGES COURANTS
Segmentation géographique	Région	Maritimes, Québec, Ontario, Prairies, Colombie-Britannique
	Ville ou taille de la région métropolitaine de recensement (RMR)	Moins de 5000 ; 5000-19 999 ; 20 000-49 999 ; 50 000-99 999 ; 100 000-249 999 ; 250 000-499 999 ; 500 000-999 999 ; 1 000 000-3 999 999 ; plus de 4 000 000
	Densité	Urbaine ; banlieue, rurale
	Climat	De l'Est ; de l'Ouest
Segmentation démographique	Âge	Nourrisson ; moins de 6 ; 6-11 ; 12-17 ; 18-24 ; 25-34 ; 35-49 ; 50-64 ; plus de 65
	Sexe	Masculin ; féminin
	Taille de la famille	1-2 ; 3-4 ; 5 et plus
	Phase du cycle de la vie d'une famille	Jeune célibataire ; jeune marié, sans enfants ; jeune marié dont le plus jeune enfant a moins de 6 ans ; jeune marié ayant un enfant de six ou plus ; mûr, marié, avec enfants ; mûr, marié sans enfants de moins de 18 ans ; célibataire mûr ; autre marié d'âge mûr
	Revenu	Moins de 10 000 $; 10 000 $-19 999 ; 20 000 $-29 999 ; 30 000 $-39 999 ; 40 000 $-54 999 ; 55 000 $-74 999 ; plus de 75 000 $
	Emploi	Professionnel ; cadre ; travail administratif ; dans la vente ; travailleurs non qualifiés, étudiants ; retraités ; aides domestiques ; chômeurs
	Degré d'instruction	Primaire ou moins ; un peu de secondaire ; diplômé du secondaire ; un peu de collège ; diplômé du collège
	Groupe ethnique	Blanc ; Noir ; Asiatique ; Autochtone ; autre
	Habitat	Propriétaire ; locataire
Segmentation psychographique	Personnalité	Grégaire ; compulsif ; extraverti ; introverti
	Style de vie	Inflexibles ; mécontents ; craintifs ; assurés ; amers ; bienveillants
Segmentation comportementale	Avantages recherchés	Qualité ; service ; bas prix
	Taux d'utilisation	Faible utilisateur ; utilisateur moyen, utilisateur assidu
	Statut de l'utilisateur	Non-utilisateur, ex-utilisateur ; utilisateur potentiel, nouvel utilisateur, utilisateur régulier
	Statut de fidélisation	Aucune, moyenne, établie

TABLEAU 10.2
Les variables de segmentation et de répartition des marchés de consommateurs canadiens

- *La segmentation démographique*. L'une des façons les plus courantes de segmenter les marchés de consommateurs est la segmentation démographique, fondée sur les caractéristiques de la population. On segmente alors les consommateurs selon des variables telles que l'âge, le sexe, le revenu, l'instruction, l'emploi, etc. Cyanamid du Canada, inc. utilise l'âge comme variable de segmentation. En effet, les vitamines qu'elle produit sont destinées à des consommateurs de différents âges, comme les enfants, les jeunes adultes et les aînés. De même, Centrum Select est conçu spécialement pour les adultes de plus de 50 ans. La firme ontarienne Trimark Investments segmente le marché des produits financiers selon le sexe. Elle offre aux hommes et aux femmes des produits différents et conçoit pour chaque groupe des campagnes publicitaires séparées. General Electric utilise la taille des familles comme variable de segmentation, ciblant les petites familles pour ses fours à micro-ondes compacts et les familles plus nombreuses pour ses très grands réfrigérateurs. Il faut cependant retenir qu'une seule variable démographique ne suffit pas toujours pour bien comprendre et bien segmenter un marché donné. Ainsi, de nombreux spécialistes du marketing combinent plusieurs variables démographiques de façon à nettement différencier un segment d'un autre. Par exemple, les compagnies de produits de beauté comme Clinique combinent les variables de sexe, de revenus et d'emploi pour établir les segments de marché de plusieurs gammes de produits de beauté.

- *La segmentation psychographique*. Les spécialistes du marketing utilisent la segmentation psychographique pour des marchés sensibles à la personnalité ou au style de vie. On a en effet établi que les personnes qui ont les mêmes caractéristiques démographiques ont souvent des profils psychographiques très différents. Comme on l'a vu au chapitre 6, on a pu relier des traits de personnalité aux préférences pour certains produits ou certaines marques. De plus, le style de vie d'une personne (ses activités, ses intérêts et ses opinions) influe aussi sur le type de produits, et particulièrement sur les marques de produit que cette personne achète. Te souviens-tu des segments de Goldfarb dont il a été question au chapitre 6 ? Les membres du segment des mécontents recherchaient les forfaits parce qu'ils détestaient prendre des décisions[7]. Ceux du segment des amers aimaient les marques coûteuses et ne se souciaient pas du prix[8].
- *La segmentation comportementale*. Les spécialistes en marketing se servent du comportement des consommateurs par rapport à un produit pour segmenter un marché. Ils font alors de la segmentation comportementale. Une forme efficace de segmentation comportementale consiste à répartir le marché suivant les avantages que les consommateurs recherchent dans une catégorie de produits. En utilisant les *avantages recherchés*, les spécialistes du marketing examinent les principaux avantages recherchés par les consommateurs dans telle catégorie de produit. Ils considèrent aussi le genre de consommateurs recherchant tel ou tel avantage et les principales marques qui offrent ces avantages. Par exemple, en étudiant le marché du lait liquide, la compagnie ontarienne Ault Foods a découvert un segment qui cherchait un lait au goût plus frais et était prêt à payer plus pour un produit présentant cet avantage. Ault a donc mis au point le lait Lactantia Pur Filtre pour ce segment de consommateurs[9].

Pour plus d'informations au sujet d'Air Canada, rends-toi à l'adresse suivante : www.dlcmcgrawhill.ca

Le **taux d'utilisation** est une autre variable de segmentation comportementale utilisée souvent par les spécialistes du marketing. Le taux d'utilisation est la quantité consommée ou le nombre de clients durant une période donnée. Tous deux varient grandement selon les groupes de consommateurs. Air Canada, par exemple, étudie le taux d'utilisation pour mettre sur pied ses programmes grands voyageurs. Ces programmes sont conçus pour favoriser l'utilisation répétée de ses services. On appelle aussi le taux d'utilisation **règle du 80/20,** un principe selon lequel 80 % des ventes d'une entreprise proviennent de 20 % de sa clientèle. Ce taux de 80/20 n'a rien de bien précis. Il faut plutôt retenir de cette règle qu'une importante fraction des ventes dépend souvent d'une

Lactantia Pur Filtre pour un segment de marché en quête d'un lait frais, de longue conservation.

petite fraction de la clientèle. Ainsi, Air Canada soigne particulièrement son segment de voyageurs d'affaires qui ne retient que 20 % des places, mais procure 40 % des revenus totaux[10].

Les études démontrent que le marché de la restauration rapide peut aussi être segmenté selon le taux d'utilisation. Ainsi, pour 1 dollar dépensé par un petit utilisateur, un gros utilisateur en dépense plus de 5. Voilà pourquoi presque toutes les stratégies de marketing cherchent des moyens efficaces d'atteindre les gros utilisateurs de produits ou de services. Ainsi, en tant que propriétaire d'un restaurant Wendy's, tu dois te préoccuper constamment de ce segment. Aujourd'hui, avec les progrès de la technologie de l'information, les spécialistes du marketing peuvent mener des études de segmentation détaillées. Certaines sociétés de télécommunications canadiennes segmentent ainsi en fonction de plus de 100 critères, depuis les modes d'appel jusqu'à la réaction à la publicité.

À ton avis, quelles variables de segmentation la société Hewlett-Packard pourrait-elle utiliser pour segmenter les marchés organisationnels auxquels s'adresse son produit, l'imprimante multifonction ? Pour connaître les solutions possibles et les actions de marketing à entreprendre, lis le texte ci-contre.

Les modes de segmentation des marchés organisationnels Les variables de segmentation des marchés organisationnels sont présentés au tableau 10.3. Un chef de produit responsable du nouveau système numérique d'imagerie chez Hewlett-Packard pourrait en utiliser certaines de la façon suivante :

- *Segmentation géographique.* Il pourrait segmenter le marché par région ou selon la localisation même des clients potentiels. Ainsi, les firmes situées à l'intérieur d'une région métropolitaine de recensement (RMR) pourraient recevoir la visite d'un représentant des ventes, tandis qu'on contacterait par téléphone celles se trouvant à l'extérieur de la zone.
- *Segmentation démographique.* Il pourrait classer les firmes clientes potentielles par catégories selon le Système de classification des industries de l'Amérique du Nord (SCIAN). En effet, les besoins en imagerie numérique des sociétés manufacturières faisant affaire à l'échelle de la planète sont probablement différents de ceux des détaillants ou des cabinets d'avocats desservant une clientèle locale ou nationale.
- *Segmentation comportementale.* Il pourrait aussi segmenter le marché en fonction des avantages recherchés. En effet, Hewlett-Packard pourrait décider de se concentrer sur les entreprises qui recherchent des produits de qualité plutôt que sur celles qui sont surtout à la recherche du plus bas prix. Le chef de produit pourrait également segmenter le marché en fonction du taux d'utilisation s'il considère, par exemple, que les grandes entreprises évoluant à l'échelle mondiale sont plus susceptibles d'être des utilisateurs importants.

TABLEAU 10.3
Les critères servant à la segmentation des marchés organisationnels canadiens

PRINCIPAUX CRITÈRES	VARIABLES	DÉCOUPAGES COURANTS
Segmentation géographique	Région	Maritimes ; Québec ; Ontario ; Prairies ; Colombie-Britannique
	Localisation	Dans une RMR (région métropolitaine de recensement) ; hors d'une RMR
Segmentation démographique	Code SCIAN (système de classification des industries de l'Amérique du Nord)	Catégories à 2 chiffres ; à 3 chiffres ; à 4 chiffres ; à 5 chiffres ; à 6 chiffres
	Nombre d'employés	1-19 ; 20-29 ; 100-249 ; plus de 250
	Volume annuel des ventes	Moins de 1 million $; 1-10 millions $; 10-100 millions $; plus de 100 millions $
Segmentation comportementale	Avantages recherchés	Qualité ; service à la clientèle ; bas prix
	Taux d'utilisation	Petit utilisateur ; utilisateur moyen ; gros utilisateur
	Statut de l'utilisateur	Non-utilisateur ; ex-utilisateur ; utilisateur potentiel ; nouvel utilisateur ; utilisateur régulier
	Statut de fidélisation	Aucune ; moyenne ; établie
	Mode d'achat	Centralisé ; décentralisé ; individuel ; groupé
	Type d'achat	Nouvel achat ; réapprovisionnement modifié, réapprovisionnement simple

Choisir les marchés cibles

Une fois la segmentation réalisée, une firme doit choisir soigneusement les segments de marché qu'elle désire cibler. Si elle sélectionne un groupe de segments trop restreint, elle pourrait ne pas réaliser le volume de ventes et les profits dont elle a besoin. Par contre, une trop vaste sélection de segments pourrait amener une dispersion des efforts de commercialisation. En conséquence, les dépenses supplémentaires excéderaient l'augmentation des ventes et des profits.

Critères de choix des segments cibles

- *Taille*. Selon la taille estimée du marché de chaque segment, on décide s'il vaut ou non la peine d'être exploité.
- *Croissance prévue*. Il peut arriver que la taille du marché d'un segment soit petite, mais d'une croissance intéressante. Ou alors on prévoit un accroissement tel que le segment deviendra intéressant dans le futur.
- *Position concurrentielle*. Actuellement, existe-t-il beaucoup de concurrence dans ce segment ? À l'avenir, y aura-t-il de la concurrence ? Moins il y a de concurrence, plus le segment est prometteur.
- *Coût d'atteinte du segment*. Si une firme ne dispose pas des ressources nécessaires pour atteindre un segment de marché, elle devrait y renoncer.
- *Compatibilité avec les objectifs et ressources de l'entreprise*. Si elle n'est pas en mesure d'atteindre un segment ou n'a pas l'intention d'investir dans un nouvel équipement pour offrir un produit adapté au segment, alors il faut l'abandonner.

Comme c'est souvent le cas dans les décisions de marketing, tel segment qui semblait attrayant selon certains critères ne l'est pas du tout selon d'autres.

La stratégie de segmentation de ton restaurant Wendy's Tu as déjà pris une importante décision concernant ton restaurant Wendy's. Le marché des déjeuners étant limité, tu n'ouvriras pas les portes de ton restaurant avant 10 h 30. En fait, la première tentative de menus de déjeuner qu'a faite la société Wendy's a été un désastre et on a mis fin à l'opération en 1986. La société Wendy's évalue continuellement de nouveaux produits pour ses menus, non seulement pour concurrencer McDonald's et Burger King, mais pour concurrencer les supermarchés, les dépanneurs et les stations-service qui vendent des aliments emballés et de petits goûters.

Autre décision essentielle : où et quels produits annonceras-tu pour atteindre tes segments de marchés spécifiques ? Une annonce dans le journal étudiant pourrait toucher tous les segments étudiants, mais tu trouves peut-être cette stratégie de dispersion trop coûteuse et tu préfères opter pour une approche commerciale différenciée pouvant rejoindre de plus petits segments. Si tu décides de t'attaquer à trois segments (figure 10.2), tu pourrais entreprendre les actions promotionnelles suivantes pour les rejoindre :

- *Navetteurs de jour* (un segment de marché complet). Place des annonces publicitaires dans les autobus faisant la navette vers la banlieue, et des prospectus sous les essuie-glace dans les parcs de stationnement qu'utilisent les navetteurs de jour. Ces publicités et ces circulaires annonceront tous les repas que ton restaurant destine à un même segment d'étudiants – il se trouve indiqué en gris sur une même ligne de la grille d'analyse marché-produit (figure 10.2).
- *Collations entre les repas* (destinées aux quatre segments étudiants). Pour inciter les gens à venir manger dans ton établissement durant les temps morts, offre par exemple un « rabais de 10 % sur tout achat fait entre 14 h 00 et 16 h 30 durant le trimestre d'hiver ». Cette publicité fera la promotion d'un repas particulier auprès des quatre segments étudiants – colonne indiquée en marron sur la grille marché-produit.
- *Souper pour les navetteurs nocturnes.* La plus pointue des trois campagnes, cette publicité fera la promotion d'un repas précis auprès d'un segment étudiant précis. Il pourrait s'agir d'une circulaire à mettre sous les essuie-glace des voitures des parcs de stationnement de soir. Elle inclurait un coupon donnant droit à un lait fouetté gratuit à l'achat d'un hamburger accompagné de frites.

FIGURE 10.2
Initiatives publicitaires pour rejoindre des segments étudiants précis

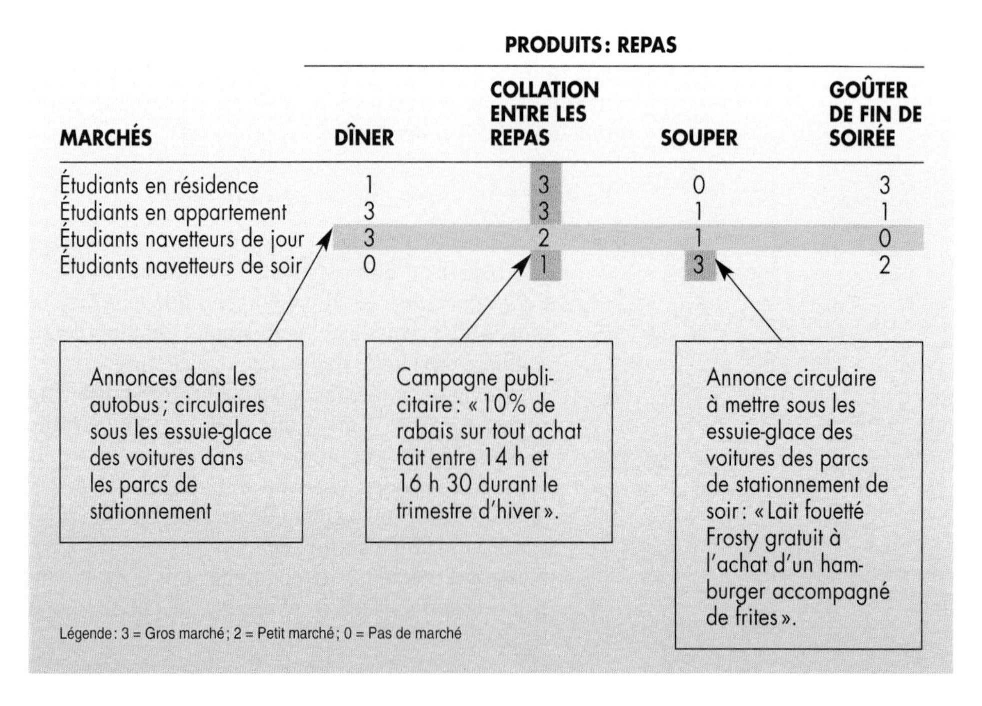

L'élaboration du plan d'action pour atteindre les marchés cibles

La segmentation réalisée, l'étape suivante consiste pour l'entreprise à adapter un plan d'action spécifique pour chacun des segments qu'elle souhaite atteindre. Il s'agit d'utiliser les 4P de sorte à satisfaire au mieux les segments de consommateurs ayant des besoins et des attentes différentes.

Pour avoir un exemple de la stratégie de segmentation d'Apple, lis l'encadré Tendances marketing.

VALEUR POUR LE CONSOMMATEUR

TENDANCES MARKETING

La stratégie de segmentation d'Apple : à la recherche des bons marchés cibles

Au début des années 1980, les farceurs de ce secteur d'activité surnommaient Apple « Camp Runamok* ». À cette époque, la jeune compagnie n'avait pas de ligne de produits cohérente s'adressant à des segments de marchés nettement définis. Comme l'a souvent montré l'histoire d'Apple, le sobriquet était bien mérité ! Aujourd'hui, les différentes gammes d'ordinateurs Apple ciblent des segments de marché précis, comme on le voit plus bas. On le sait, la grille marché-produit varie à mesure que change la stratégie d'une entreprise. Celle que nous présentons ici correspond à la ligne de produits d'Apple du début de 1999. Il s'agit d'une grille d'analyse marché-produit simplifiée. Chaque « produit » représenté correspondant à des gammes d'ordinateurs Apple de cette ligne. Chaque gamme est configurée pour répondre aux spécifications des clients. Citons la vitesse du processeur PowerPC, la quantité de mémoire, la carte graphique complémentaire, le type, la vitesse, le format du lecteur et le genre de connexion Internet et intranet. Sur cette grille, on peut aussi constater les possibles chevauchements de segments de marché.

Il semble se dégager de la grille une stratégie pour les gammes de produits Apple. Les iMacs (choisis Produit de l'année 1998 par le magazine *Business Week*) visent les segments de marché de consommation et les écoles. Les Power Mac G3 offrent plus de vitesse aux utilisateurs qui en ont besoin. Les PowerBooks s'adressent à ceux qui considèrent la portabilité comme importante. Les serveurs sont destinés aux développeurs d'Internet et aux utilisateurs réseaux. Pour compléter la gamme, il existe un iMac de gestion, un nouveau système d'opération Mac OS X, un nouveau processeur G4 pour le Power PC, des connexions Internet plus rapides et un iMac portable pour le consommateur, le « iBook ».

MARCHÉS			PRODUITS (ORDINATEURS PERSONNELS)			
SECTEUR		SEGMENT	POWER-MAC G3	POWER-BOOK G3	IMAC	SERVEUR POWER MAC G3
Consommateur/ménage		Famille/jeux			✓	
Éducation	Du primaire au pré-universitaire	Étudiants			✓	
		Corps professoral/administration	✓	✓		✓
	Collège et université	Étudiants	✓	✓	✓	
		Corps professoral/administration	✓	✓		✓
Commercial	Petite entreprise	Propriétaire/employés	✓	✓	✓	✓
	Grande entreprise	Administration/services techniques	✓	✓		✓
	Design et édition	Média/graphisme/Internet	✓	✓		✓
		Édition	✓	✓		✓

* N.D.T. : *Camp Runamok* est un livre pour enfants, bien connu des Américains, dans lequel de jeunes campeurs sont mystifiés par des ratons-laveurs qui mettent leur campement sens dessus dessous.

À quels segments de marché d'Apple ces produits correspondent-ils ?

RÉVISION DES CONCEPTS

1. Énumère quelques-unes des variables de segmentation du marché des consommateurs.
2. Nomme quelques critères sur lesquels on se fonde pour déterminer des segments cibles.
3. Pourquoi le taux d'utilisation est-il important dans les études de segmentation ?

LE POSITIONNEMENT DE PRODUIT

Le succès à long terme d'un nouveau produit nécessite qu'on le positionne dès son lancement sur le marché. Le **positionnement de produit** consiste à placer les caractéristiques d'un produit dans l'esprit des consommateurs, et relativement aux produits de la concurrence.

Deux types de positionnement de produit

Il y a plusieurs façons de positionner un nouveau produit sur le marché. Le positionnement frontal consiste à faire de la concurrence directe en offrant des produits ayant des attributs similaires sur les mêmes marchés cibles que ceux des concurrents. Dollar, qui concurrence Avis et Hertz, a recours à cette stratégie. De même, Volvo se mesure à Porsche avec ses voitures à moteur turbocompressé.

Le positionnement par différenciation consiste à trouver un marché moins concurrentiel et plus restreint dans lequel loger son produit. Comme le montre l'encadré Branchez-vous !, Buy.com se positionne auprès des internautes comme l'entreprise offrant « les plus bas prix sur terre ». La société SoyaWorld Inc. de Vancouver positionne sa boisson au soya *So Good* pour gagner un marché constitué d'un segment réduit de consommateurs à la recherche d'une solution de rechange au lait de vache. Les compagnies adoptent aussi des stratégies de positionnement par différenciation par rapport aux produits de leurs propres gammes. Ainsi, on peut réduire au minimum la cannibalisation des ventes ou des parts de marchés de leurs marques.

Le positionnement de produit à l'aide de schémas de la perception

Pour positionner efficacement un produit, il faut bien connaître les perceptions des consommateurs. En tentant de déterminer la position d'une marque et les préférences des consommateurs, les compagnies obtiennent de ces derniers trois types de données :

1. Des évaluations des caractéristiques importantes d'une classe de produit.
2. Des opinions sur les marques existantes possédant ces importantes caractéristiques.
3. Des estimations des caractéristiques qu'auraient une marque « idéale ».

C'est à partir de ces données qu'on élabore un **schéma de perception.** Il consiste à représenter en deux dimensions la place occupée par des produits ou des marques dans l'esprit des consommateurs. Les deux publicités ci-dessous illustrent comment les gestionnaires peuvent se servir des schémas de perception pour voir comment les consommateurs perçoivent les produits et les marques concurrents. Ensuite, les gestionnaires modifient, au besoin, le produit et l'image qu'ils projettent aux consommateurs.

Quels segments de marché ces voitures de General Motors ciblaient-elles ? Crois-tu que les acheteuses et les acheteurs potentiels les auront perçues comme semblables ou différentes ? Lis le texte et examine la figure 10.3 pour en savoir plus sur les problèmes et la stratégie de positionnement de GM.

Le positionnement de GM en 1990 Dans les années 1980, General Motors (GM) s'aperçut que l'image de ses cinq principaux modèles – Chevrolet, Pontiac, Oldsmobile, Buick et Cadillac – était si confuse dans l'esprit des Canadiens qu'ils ne distinguaient plus une marque d'une autre. En 1982, l'entreprise interrogea donc des consommateurs, puis élabora le schéma de perception présenté à la figure 10.3A. Remarque les deux dimensions sur ce schéma : 1) bas prix par rapport à prix élevé ; et 2) attrait familial/conservateur par rapport à personnel/expressif.

La figure 10.3 indique clairement que GM a un problème. En effet, la dimension verticale (perceptions du prix par les consommateurs) montre de la variété. Cependant, il y a peu de différence dans la dimension horizontale (attraits familial/conservateur ou personnel/expressif). GM se fixa alors de nouveaux objectifs. Elle décida de la place que ses modèles devraient occuper quand ses compactes Saturn arriveraient sur le marché (ce qui se produisit en 1990). Il fallait donc procéder au **repositionnement** des modèles. C'est-à-dire changer la place que ces produits occupaient dans l'esprit des consommateurs relativement aux produits concurrents.

La figure 10.3A montre bien que dans les années 1980, GM avait un problème : ses différentes divisions fabriquaient des voitures quasi identiques qu'elles tentaient de

BRANCHEZ-VOUS! « Les plus bas prix sur terre » : l'énoncé de positionnement le plus fou de tous les temps?

Voici une nouvelle idée d'affaire : vendre 85 cents des pièces de un dollar!

C'est à peu près ce que fait Scott Blum, président-directeur général de Buy.com. Il vend des produits à des prix égaux ou inférieurs au prix coûtant. Il cherche ainsi à positionner sa compagnie comme synonyme de bas prix. « Les plus bas prix sur terre », dit le slogan. Comme on l'a vu, le positionnement du produit est la place qu'il occupe dans l'esprit des consommateurs. Dans le cas de Buy.com, cela signifie offrir les prix indiscutablement les plus bas. Complètement fou? Visite le site de Buy.com et regarde. Compare les prix offerts avec ceux des autres vendeurs dans Internet. Sont-ils les plus bas?

Si Buy.com ne fonctionne plus quand tu tenteras d'y accéder, c'est probablement que l'idée *était* vraiment folle!

Pour plus d'informations au sujet de Buy.com, rends-toi à l'adresse suivante : www.dlcmcgrawhill.ca.

vendre à des segments de marché quasi identiques. En effet, dans le segment des jeunes, Pontiac concurrençait directement Chevrolet. Buick et Oldsmobile faisaient de même dans le segment des consommateurs dans la soixantaine. En réalité, les divisions s'entrecoupaient. Comme on le voit en B sur la figure 10.3, les objectifs de 1990 étaient les suivants :

- Positionner la Saturn comme voiture économique ayant assez de style pour concurrencer les voitures importées.
- S'efforcer de repositionner la Pontiac comme voiture plus personnelle/expressive (élégante) et la Chevrolet comme plus familiale/conservatrice.
- S'efforcer de repositionner la Buick comme voiture coûteuse de type familiale/conservatrice et l'Oldsmobile comme une voiture plus élégante.

Mais les choses n'ont pas tourné comme GM l'espérait car, en 1990, la clientèle canadienne s'est soudainement passionnée pour les minifourgonnettes, les camionnettes et les véhicules loisir-travail.

Le positionnement de GM pour 2003 À la fin des années 1990, GM prit les grands moyens pour repositionner ses produits. Elle investit environ 4 milliards de dollars

FIGURE 10.3
La stratégie de GM pour repositionner ses principaux modèles de voiture de 1982 à 1990 et de 1990 à 2003.

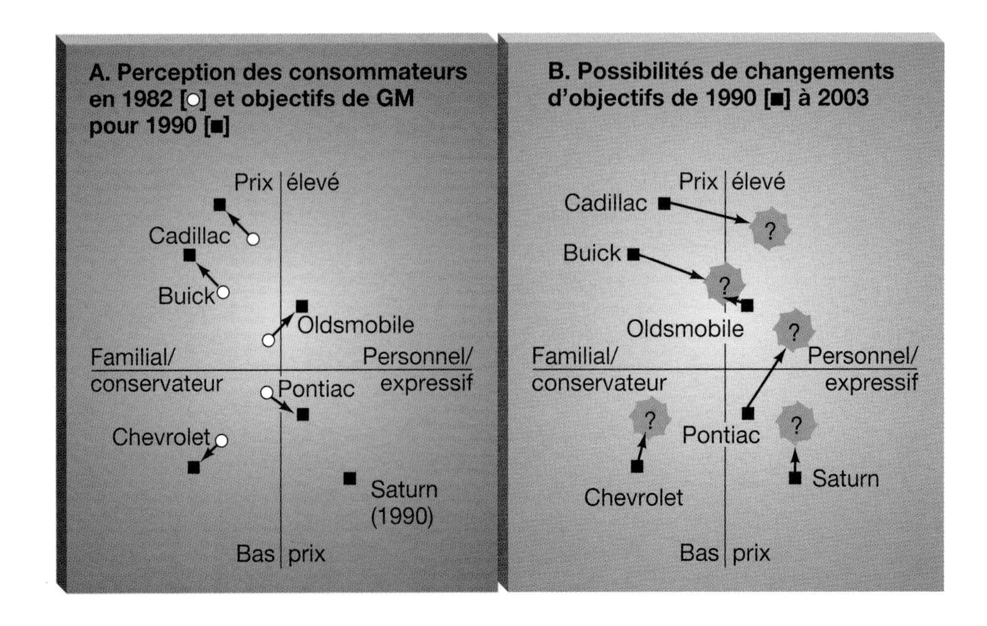

dans sa stratégie «*four-country*». Celle-ci consistait à construire des usines de fabrication automobile parfaitement identiques en Argentine, en Pologne, en Chine et en Thaïlande. Elle en ajouta une cinquième au Brésil[11]. GM annonça également une restructuration majeure des opérations dans le but de fondre ses cinq services de marketing en un seul et de consolider ses services d'ingénierie. Tout cela visait à réduire le temps de développement des voitures et camions GM et à en améliorer la mise en marché[12]. Hélas, aucune de ces mesures ne s'attaquait au problème de fond: le déclin continuel, de 1992 à 1997, de sa part de marché dans toutes les catégories de voitures et de camions, sauf dans les petites compactes où les profits sont les plus bas.

Cadillac est un exemple du dilemme de positionnement chez GM. Le problème est simple: l'acheteur moyen de Cadillac a 63 ans! Il est donc clair que Cadillac doit entrer en concurrence avec des rivaux comme Lexus, Mercedes et BMW. Il lui faut attirer des acheteurs de voiture de luxe plus jeunes. Toutefois GM ne doit pas détruire son image établie et faire fuir ses acheteurs actuels. GM a choisi une stratégie: le lancement de la Cadillac Escalade, un véhicule loisir-travail[13].

On peut examiner les designs et la publicité de GM pour ces lignes de produits et évaluer où l'entreprise veut positionner ses modèles pour l'année à venir. C'est justement ce genre de projection que présente la figure 10.3B. Cependant, la clientèle canadienne, quel que soit son âge, veut des voitures plus racées. Elle tend vers la droite du schéma de positionnement de la figure 10.3B. Cette tendance s'affirme de plus en plus depuis que les minifourgonnettes et les camionnettes prennent de la place à l'extrémité de l'échelle familial/conservateur.

- Cadillac: Miser davantage sur l'aspect personnalité, expression de soi pour attirer les acheteurs plus jeunes.
- Buick et Oldsmobile: Fusionner éventuellement ces divisions. À en croire les observateurs de GM, les voitures auraient alors un positionnement médian par rapport à leurs places de 1990[14].
- Pontiac: Augmenter le prix, la puissance et l'allure sport pour atteindre les jeunes acheteurs qui conduisent actuellement des voitures importées.
- Chevrolet: Garder son allure conservatrice et un prix plus élevé pour la distinguer des Pontiac et des Saturn.
- Saturn: Améliorer l'image de «l'enfant pauvre de GM». Cette voiture avait reçu un très bon accueil des consommateurs, qui s'y sont d'ailleurs montrés fidèles. En 1990, GM a injecté des milliards dans de nouveaux modèles censés redresser l'image de l'Odsmobile et de la Buick, mais GM n'a pas créé de nouveaux modèles dans la division Saturn. Surveille le lancement de modèles Saturn plus coûteux: peut-être y aura-t-il une berline compacte ou un plus grand véhicule loisir-travail[15].

Ces projections de positionnement sont-elles exactes ? Lis les publicités de GM aujourd'hui et fais-toi une opinion. N'oublie pas que tes propres décisions d'achat de voitures influent aussi sur ces résultats.

RÉVISION DES CONCEPTS

1. Qu'est ce que le positionnement?
2. Dans quelles circonstances une entreprise a-t-elle recours au repositionnement?
3. Pourquoi les spécialistes de marketing utilisent-ils les schémas de perception pour faire du positionnement de produits?

RÉSUMÉ

1. La segmentation de marché consiste à répartir par groupes des acheteuses et des acheteurs potentiels ayant des besoins communs et des réactions analogues à des efforts de marketing.
2. Les principales dimensions de segmentation des marchés de consommateurs canadiens sont géographique, démographique, psychographique et comportementale. Chacune a ses variables de segmentation. Par exemple, les spécialistes en marketing qui procèdent à une segmentation démographique pourront utiliser les variables de sexe, de degré d'instruction ou de revenus. Les marchés des entreprises peuvent être segmentés selon des dimensions géographique, démographique et comportementale. Les variables de segmentation couramment utilisées pour segmenter ces marchés sont les code SCIAN (système de classification des industries de l'Amérique du Nord) et la taille des entreprises.
3. Les critères utilisés *a)* pour segmenter les marchés et *b)* pour choisir les segments de marché sont apparentés mais différents. Les premiers comprennent le potentiel d'augmentation des profits, la similarité des besoins des acheteuses et des acheteurs d'un même segment, la différence des besoins selon les segments et la faisabilité du plan d'action de marketing qui en résulte. Les seconds comprennent la taille du marché, la croissance prévue, la position concurrentielle des produits de l'entreprise dans le segment, et ce qu'il en coûtera pour atteindre ce segment.
4. Une grille d'analyse marché-produit est une façon pratique de représenter les produits qu'on destine à tel ou tel segment de marché. Elle doit cependant mener à l'adoption d'actions concrètes pour que le processus en vaille la peine.
5. Les entreprises peuvent adopter un positionnement frontal face à la concurrence ou entreprendre plutôt un positionnement par différenciation. Quand on fait du positionnement, il faut toujours éviter d'entrecouper sa gamme de produits afin de ne pas nuire aux ventes. Pour effectuer leurs positionnements, les firmes élaborent des schémas conceptuels sur lesquels elles reportent les opinions exprimées par les consommateurs sur leurs produits relativement aux produits concurrents.

MOTS CLÉS ET CONCEPTS

différenciation de produit
grille d'analyse marché-produit
positionnement de produit
règle du 80/20
repositionnement
schéma de perception
segment de marché
segmentation de marché
taux d'utilisation

EXERCICES INTERNET

En vingt ans d'histoire, Apple a inventé tout un ensemble de stratégies de segmentation de marché très novatrices. La firme a lancé de nouvelles gammes de produits destinées à des segments de marché particuliers. Pour suivre les stratégies d'Apple, rends-toi sur le site d'Apple et clique sur les options *Introduction* et *Historique*. Au fil de la lecture, relève les stratégies marché-produit différentes de celles que nous avons décrites dans l'encadré Tendances Marketing. Étant donné le récent retournement de fortune d'Apple, crois-tu que cette compagnie continuera sur sa lancée au XXIe siècle ? Selon toi, Apple peut-elle survivre en continuant d'exploiter des marchés marginaux ? Justifie ta réponse.

Pour plus d'informations au sujet d'Apple, rends-toi à l'adresse suivante : www.dlcmcgrawhill.ca.

QUESTIONS DE MARKETING

1. Quelles variables pourrait-on utiliser pour segmenter ces marchés de consommation ? *a)* Tondeuses à gazon. *b)* Repas congelés. *c)* Céréales sèches pour le petit déjeuner. *d)* Boissons gazeuses.
2. Quelles variables pourrait-on utiliser pour segmenter les marchés industriels suivants ? *a)* Balais mécaniques industriels. *b)* Photocopieurs. *c)* Systèmes informatisés de contrôle de la production. *d)* Agences de location de voitures.
3. Supposons que tu veuilles accroître encore les revenus d'une restauration rapide. Quelle genre de publicité ferais-tu pour accroître les revenus provenant : *a)* des étudiants vivant en résidence ; *b)* des repas du soir ; et *c)* des repas de fin de soirée pris par les gens inscrits aux cours du soir ?
4. Identifie les différents groupes de consommateurs qui pourraient s'abonner à un service de télévision par satellite. Une fois ces groupes identifiés, développe des plans d'actions avec les 4 P adaptés à chacun de ces groupes.
5. À part les personnes souffrant d'une intolérance au lactose, tout le monde dans la population peut boire du lait. En visitant la section des produits laitiers dans ton épicerie, retrouve comment les entreprises qui vendent du lait ont segmenté ce marché. Comment ont-elles adapté leurs 4 P ?

ÉTUDE DE CAS 10-1 CANTEL

INTRODUCTION

Rogers Cantel Mobile Communications Inc., ou plus simplement Cantel, est la plus grande compagnie de téléphonie cellulaire au Canada. C'est aussi la seule évoluant sous licence nationale. Elle exploite également un service national de radiotéléphone, un service de télécommunications sans fil. Cantel regroupe une chaîne de centres de services et de magasins de détail assurant la vente et l'entretien des équipements sans fil. Cantel est en concurrence avec les divisions cellulaires de sociétés de télécommunications comme Bell Canada, Maritime Tel & Tel, Alberta Government Telephone ou BC Tel, qui offrent aussi des services de téléphone par fil. Cantel a investi plus de 1,5 milliard de dollars dans des installations de téléphonie mobile de haute qualité pour offrir un service cellulaire à ses clients d'un océan à l'autre.

Rogers Cantel Mobile Communications Inc. fait concurrence à plusieurs entreprises de télécommunication, telles que Bell Mobilité.

Pour plus d'informations au sujet de Cantel, rends-toi à l'adresse suivante : www.dlcmcgrawhill.ca

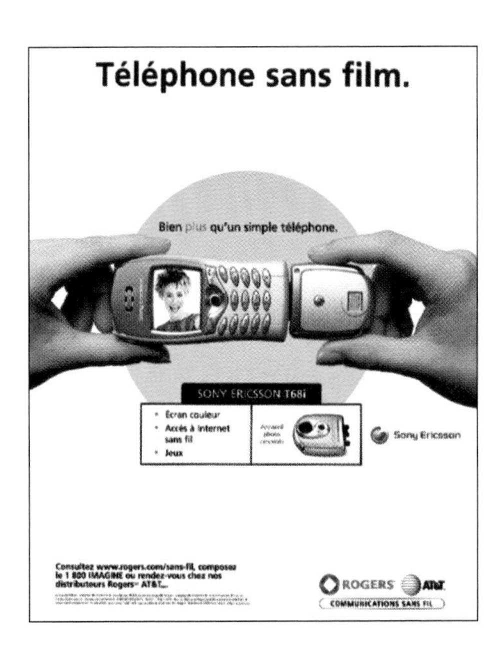

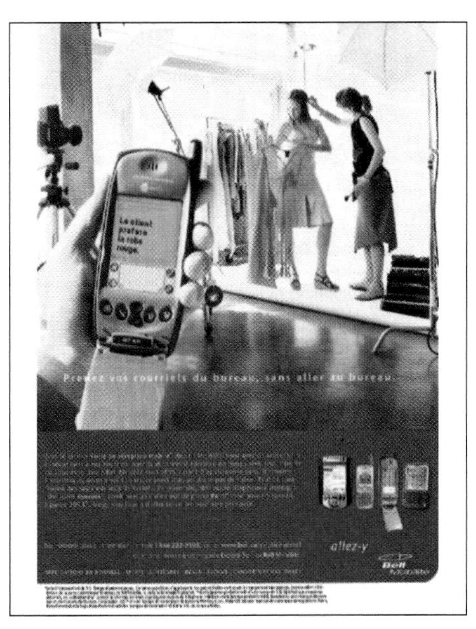

COMMENT FONCTIONNENT LES CELLULAIRES

Les téléphones cellulaires utilisent des signaux radio-électriques plutôt que des fils pour transmettre des appels. Les réseaux cellulaires sont raccordés au système de téléphone public par fil. C'est ce qui permet aux utilisateurs de cellulaires de faire des appels ou d'en recevoir, pratiquement de partout dans le monde. Cantel, fournisseur de réseau cellulaire, a fait ériger dans tout le pays des centaines d'émetteurs desservant chacun une zone appelée « cellule ». Un ordinateur de commutation transfère l'appel d'une cellule à l'autre sans interruption lorsqu'on téléphone depuis une voiture en mouvement ou lorsqu'on se déplace dans la rue.

CANTEL

Cantel a d'abord lancé son service cellulaire en juillet 1985 à Montréal et à Toronto. En juillet 1987, Cantel était la première compagnie à couvrir entièrement le corridor de 1 200 kilomètres qui sépare Windsor, en Ontario, de la ville de Québec. Depuis, ce corridor a presque doublé et s'étend sur 2 000 kilomètres jusqu'à la côte atlantique. Cela en fait le plus long corridor cellulaire de l'Amérique du Nord. Le réseau cellulaire de Cantel dessert des villes et des corridors dans toutes les provinces canadiennes. Aujourd'hui, plus de 93 % de la population canadienne y a accès.

En moins de 10 ans, la pénétration du cellulaire au Canada est passée de 0 à 9 %. En 1995, Cantel avait plus de un million d'abonnés pour les cellulaires et plus de 200 000 abonnés pour le radiotéléphone. La société prévoit que la pénétration du sans-fil triplera d'ici cinq ans. En 1996, Cantel a inauguré des points de commande de service-réseau (SCP). Il s'agit d'une nouvelle technologie plus avancée de transmission et de réception des données. Le service comprend radiotéléphonie, courrier électronique, télécopie mobile et boîte aux lettres vocale. Cantel dispense également un service cellulaire international grâce auquel sa clientèle peut communiquer avec plus de 40 pays. Une alliance stratégique à long terme a été conclue entre Cantel et AT&T Canada. Cette alliance comprend une entente de marque commune, et elle permet à Cantel d'offrir ses services, dont le téléphone SCP numérique, sans interruption, partout au Canada et aux États-Unis.

Pour pénétrer davantage le marché, Cantel offre, à 19,95 $ par mois, un programme de service cellulaire intégré appelé Amigo. Ce forfait comprend un téléphone cellulaire léger et un choix entre différents programmes d'appel.

Questions

1. Segmente le marché des abonnés au téléphone cellulaire.
2. Par qui sont constitués les principaux segments cibles pour les téléphones cellulaires ?
3. Comment Cantel devrait-elle positionner son service cellulaire auprès de ces segments cibles ?

CAS DU MODULE 3 LES ACHETEURS DE LIVRES ET LEURS CHOIX

Les compagnies qui élaborent des produits et des services s'intéressent au comportement des internautes et des cyberacheteurs, car Internet est là pour rester. Les professionnels du marketing essaient de segmenter un marché selon les besoins communs des groupes d'acheteurs éventuels. Par la suite, ils conçoivent des plans de marketing spécialement pour ces groupes. Internet est un phénomène de grande ampleur, il offre de nombreuses possibilités d'atteindre un public mondial. La tentation est forte d'appliquer les principes de la segmentation de marché aux internautes. Ce moyen de communication révolutionnaire a fait comprendre aux entreprises qu'on peut se servir de la technologie pour inciter les consommateurs à acheter en ligne. Toutes ont envie d'en savoir plus sur les internautes et principalement sur ceux qui montrent des prédispositions aux achats en ligne. Plus on étudie cette population, plus on est fasciné par les différences et les similarités du comportement d'achat, de la personnalité ou du style de vie, des caractéristiques et des lieux de résidence de tous ces internautes.

LA SEGMENTATION DES CYBERACHETEURS

En créant un nouvel espace commercial[1], Internet a ouvert un monde de possibilités aux compagnies qui réussiront à tirer profit du cybermarché. Ce nouveau média sans frontières est en train de révolutionner la façon dont les entreprises voient leurs clients, particulièrement sur le plan de la géographie. En effet, il est bien possible que la segmentation géographique et certains autres critères de segmentation traditionnels ne conviennent plus dans le cybermarché.

Un groupe d'entreprises a mis au point des outils de saisie de données pour analyser et comprendre le comportement des visiteurs d'un site Web. Afin d'en tirer profit, ce groupe a défini des critères de segmentation des internautes[2]. Grâce à des applications d'exploration des données, on peut maintenant recueillir de l'information sur le comportement d'achat dans Internet. Ainsi, on peut suivre les activités ultérieures à l'achat des acheteurs en ligne. MatchLogic, une entreprise de services en marketing, vend aux compagnies faisant du commerce électronique des bases de données conçues pour recueillir toute l'information possible sur les internautes. Les entreprises peuvent donc assembler de l'information sur les ordinateurs des usagers et retrouver la trace de leur activité en ligne. Par exemple, l'une de ces banques de données enregistre les clics des internautes. On peut donc savoir quand les gens cliquent sur les publicités, quand ils demandent de l'information ou font des achats. MatchLogic recueille aussi de l'information pour les compagnies qui veulent connaître l'efficacité de leur publicité Web. Une autre base de données contient les renseignements que les clients donnent « volontairement » sur eux-mêmes. En effet, les participants en ligne à des jeux-questionnaires livrent souvent toutes les données utiles pour dresser des profils démographiques. Ce sont, par exemple, des renseignements personnels comme l'âge, le lieu de résidence et le revenu[3].

Les entreprises combinent la technologie d'Internet à des techniques d'exploration avancées de données. Ainsi, elles finissent par mettre sur pied une approche mieux axée sur la clientèle[4]. Les compagnies qui définissent bien l'internaute et ses préférences réussiront. Il importe aussi de savoir où trouver dans Internet ses acheteurs potentiels cibles. Le nombre croissant d'études menées sur les internautes montre qu'Internet est de moins en moins le domaine exclusif des hommes. Le Web n'est pas non plus l'outil de marché de masse que l'on pensait. Les résultats d'une étude récente indiquent que plus de la moitié des internautes sont des femmes[5]. Les sites Web bien définis comme SeniorNet et Bluemountain.com (cartes de souhaits électroniques) comprennent bien les besoins de leurs clientèles, et ils ont réussi à s'attacher des acheteurs et des utilisateurs fidèles.

La segmentation de marchés aide les compagnies à réaliser de meilleures marges de profit. Ce processus leur permet de comprendre la motivation des différents comportements d'achat, la valeur aux yeux des consommateurs et les prix qu'ils consentiront à payer. Par ailleurs, l'innovation technologique relance la croissance d'un segment du commerce de détail parvenu à maturité : le livre. La technologie a modifié de deux façons les perceptions des consommateurs de ce segment sur la valeur. Premièrement, amazon.com est maintenant connue de tous pour avoir inventé la librairie numérique. Deuxièmement, il y a dans ce marché du livre certains segments très disposés à utiliser la technologie pour stimuler l'intérêt envers un genre particulier.

UN ACHETEUR DE LIVRES, C'EST TOUJOURS UN ACHETEUR DE LIVRES

Depuis deux ans, le monde du commerce de détail a été quelque peu stimulé par la croissance d'une catégorie particulière de commerce : les très grandes librairies. Amazon.com a créé le marché de la librairie numérique. Ainsi, elle a transformé la façon d'acheter des consommateurs et l'achat des livres. Malgré cela, les grands libraires traditionnels ne sont pas menacés de faillite. Barnes and Noble et Borders, deux détaillants américains et les librairies canadiennes Chapters et Renaud-Bray ont à la fois des magasins et possèdent des sites Web. Ces entreprises ont des inquiétudes depuis qu'amazon.com a démontré qu'un certain groupe de consommateurs étaient prêts à lire et à acheter ses livres en ligne. Depuis que des acheteurs de livres font leur choix en ligne, la concurrence des magasins en ligne s'est intensifiée.

Les très grandes librairies sont maintenant à la fois traditionnelles et électroniques. On prévoyait que les ventes de livres en librairie traditionnelle passeraient de 11,9 milliards $ US à 12,4 milliards $ US en 1998. Une croissance soutenue porterait ces ventes à 14,5 milliards $ US en 2002[6]. Cette augmentation est considérable dans un secteur de détail parvenu à maturité. Elle prouve que le livre est un commerce intéressant, autant pour les magasin virtuels comme amazon.com que pour les librairies traditionnelles. Les détaillants qui vendent en ligne et en magasin pourront tirer profit des deux circuits de distribution et intégrer ainsi leurs efforts de marketing. Cette croissance des achats de livres est en grande partie attribuable à amazon.com. La croissance continue de ce vendeur virtuel a sans doute renouvelé l'intérêt pour le livre. L'usage accru de la technologie a créé un type différent de lecteur et d'acheteur de livres.

Amazon.com connaît sa clientèle: « Nos clients ont besoin de trois choses: un ordinateur, un accès à Internet et une carte de crédit », dit Bill Curry, porte-parole d'amazon.com. « Il y a un tas de segments démographiques qui s'annulent quand vos besoins se résument ainsi », ajoute-t-il[7]. L'achat de livres n'est pas très répandu, mais ces trois conditions ne découragent pas les acheteurs traditionnels en magasin. Elles n'incitent pas non plus à acheter des livres sur le cybermarché.

L'AVENTURE DE L'ACHAT

Existe-t-il des différences entre les acheteuses et les acheteurs de livres en ligne et ceux qui préfèrent encore la manière habituelle? Les gens vont généralement dans une librairie pour choisir, acheter, feuilleter, toucher la marchandise, rencontrer des gens et prendre un cappuccino[8]. Une étude récente menée auprès de ces deux groupes montre que les acheteuses et les acheteurs traditionnels de livres ont 42 ans, disposent d'un revenu annuel moyen de 39 000$ US, sont aussi bien mariés que célibataires, et que 60% n'ont pas d'enfants à la maison. Les femmes (53%) sont un peu plus portées que les hommes (47%) à acheter des livres. Par contre, la personne qui achète en ligne est un peu plus souvent de sexe masculin (51%) que féminin (49%)[9]. Les acheteuses et les acheteurs de livres en ligne ont en général des revenus supérieurs à la moyenne; 44% gagnent entre 35 000$ US, et 75 000$ US, tandis que 36% ont des revenus supérieurs à 75 000$ US. Le reste des acheteuses et des acheteurs de livres en ligne ont des revenus inférieurs à 35 000$ US.

Dans le secteur du livre, une nouvelle tendance est en train de changer la demande pour certains genres de livres. Les éditeurs ont tiré profit du concept de la lectrice ou du lecteur impliqué pour créer de la demande pour les livres de leurs auteurs. Dans plusieurs catégories de livres, on utilise Internet pour faire connaître les auteurs les plus populaires et leurs personnages. Les éditeurs incitent les lectrices et les lecteurs à faire connaître leurs genres de lecture préférés. Ainsi, ils ont réussi à attirer sur Internet les amateurs de science-fiction et de romans sentimentaux. Ce sont les lectrices et les lecteurs de romans policiers qui semblent avoir littéralement pris Internet d'assaut. « Les lecteurs de romans policiers sont généralement très "branchés" et amateurs d'Internet », dit Kat Berman, directeur du commerce en ligne chez Penguin Putnam[10]. Ils forment un segment considérable du lectorat. On les considère comme de gros lecteurs, très fidèles à leurs auteurs préférés. Mystery.com est pour eux un site important où ils peuvent trouver de l'information sur les auteurs et participer à des récits à mystères interactifs. *Mystery Monday* est un centre de discussion interactif sur iVillage.com, un site Web conçu pour les femmes et surtout fréquenté par elles. C'est là un nouveau moyen de promotion pour les éditeurs. Ils profitent ainsi de l'intérêt pour l'achat de livres en ligne lancé par amazon.com. C'est aussi une façon inusitée de faire connaître de nouveaux auteurs et d'accroître la demande de livres, tous modes d'achat confondus. Avon Twilight solde ses collections de romans policiers en remettant des bons de réduction aux consommateurs. Really Great Books, un éditeur à petit marché, fait tirer au sort un livre sur son site Web, chaque mois. Pour participer à ce tirage, les internautes doivent donner leur nom et certains autres renseignements. La compagnie veut se créer ainsi une base de données en prévision des campagnes de marketing direct.

Amazon.com a su profiter de plusieurs tendances dans la vente de livres, dans l'édition et dans le changement du comportement d'achat. Ainsi, elle a accru de façon phénoménale les revenus de ses magasins virtuels. L'entreprise s'est fait connaître en lançant la vente de livres en ligne. Elle a aussi diversifié ses services et elle offre maintenant des bandes vidéos et de la musique. Il est vital pour amazon.com d'élargir sa clientèle. En effet, tous ses concurrents, marchands en ligne ou traditionnels, veulent mettre la main sur cette part accrue du marché des livres, des disques compacts et des bandes vidéo[11]. Amazon.com a apprivoisé les acheteuses et les acheteurs, ce qui lui a permis une meilleure compréhension du comportement d'achat de sa clientèle. Elle peut mettre à profit cet avantage en s'attaquant à d'autres catégories complémentaires de produits.

Pour plus d'informations au sujet des librairies en ligne, rends-toi à l'adresse suivante: www.dlcmcgrawhill.ca.

Questions

1. Explique comment tu segmenterais le marché du vêtement pour dames. Ta description des différents segments de ce marché s'appliquerait-elle aux femmes qui achètent en ligne? Justifie ta réponse.
2. Décris les variables importantes pour segmenter les acheteuses et les acheteurs de livres en ligne. Compare ces variables à celles qu'on utiliserait pour segmenter les acheteuses et les acheteurs des librairies traditionnelles.
3. Visite le site www.connect.gc.ca. D'après ce que tu as vu sur ce site, explique qui constitue le marché cible. Comment ce site Web s'inscrit-il dans le programme de marketing du gouvernement fédéral?
4. Selon toi, quelles sont les variables de segmentation importantes pour comprendre les besoins des acheteuses et des acheteurs en ligne? Comment les utiliserais-tu pour inciter à l'achat en ligne?

MODULE 4

4 CERNER LES OCCASIONS D'AFFAIRES

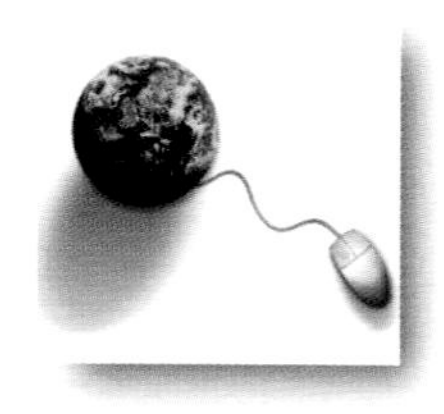

Le module 4 étudie l'association particulière entre les produits, les prix, la distribution (place) et la communication (promotion) qui se traduit par l'offre présentée aux consommateurs. Les chapitres 11 et 12 s'intéressent à la manière de développer et de gérer les produits et les services. La fixation des prix fait l'objet du chapitre 13. Trois chapitres portent sur la distribution (place) qui inclut les innovations relatives au commerce de détail. Pour terminer, trois chapitres sur la communication (promotion) présentent des sujets aussi variés que le plan de communication intégré de Taco Bell, la cyberpublicité interactive de Claritin et les efforts déployés par Joan Rothman afin de vendre les produits et services de Dun & Bradstreet.

1 Tout le monde réclame des circuits électroniques plus minces.

2 Nous les avons tous intégrés sur un ruban.

3M lance une toute nouvelle technologie: les circuits Microflex. Les principaux circuits électroniques fabriqués en série du monde se trouvent réunis sur un ruban. Plus minces et plus petits, ces rubans extrêmement fiables permettent d'effectuer davantage de connexions que les plaquettes rigides. Ils s'insèrent dans tous les appareils auxquels un concepteur peut songer : téléphones, téléavertisseurs, ordinateurs portatifs et imprimantes. Si nous reculons ainsi les limites du possible, c'est que vous nous encouragez à passer *du besoin à ...*

3M *Innovation*

Pour obtenir de plus amples renseignements, composez le 1 800 364-3577 ou visitez notre site Internet: http://www.3m.ca

CHAPITRE 11

LE DÉVELOPPEMENT DE NOUVEAUX PRODUITS ET SERVICES

11

APRÈS AVOIR LU CE CHAPITRE, TU SERAS EN MESURE

- de comprendre le classement et la commercialisation des produits destinés aux consommateurs et à l'industrie;
- d'expliquer les manières de considérer la prétendue nouveauté des produits;
- de considérer les facteurs contribuant à la réussite ou à l'échec d'un produit;
- de désigner et de comprendre les raisons d'être de chaque étape du procédé menant à la mise en marché d'un nouveau produit.

Pour plus d'informations au sujet de 3M, rends-toi à l'adresse suivante: www.dlcmcgrawhill.ca

UNE LEÇON DE 3M SUR UN NOUVEAU PRODUIT: UN PRODUIT AMÉLIORÉ ET UNE FAÇON ORIGINALE DE TRANSMETTRE LE MESSAGE AUX CONSOMMATEURS CIBLÉS

Chez 3M, Todd DiMartini sait qu'il ne suffit pas de fabriquer le meilleur adhésif extrafort pour atteindre la réussite. Il faut aussi que les consommateurs fassent l'effort de s'y intéresser, d'évaluer ses avantages et de voir en quoi il peut leur servir. Voilà un aperçu des enjeux commerciaux auxquels Todd DiMartini était récemment confronté:

- *Le produit?* Il s'agit de rubans à adhérence très élevée VHB^MC (*Very High Bonding*) fabriqués à partir d'adhésifs structuraux à haute résistance de l'industrie automobile et de l'aéronautique. Ces rubans remplacent les rivets, les vis et autres dispositifs de fixation mécanique.
- *Le marché cible?* Il s'agit d'ingénieurs en mécanique chargés de la conception de structures diverses, qu'il s'agisse de camions, d'autos ou de plafonds d'immeubles.
- *Le plan marketing?* Faire en sorte que les ingénieurs en mécanique envisagent sérieusement d'employer les rubans à adhérence très élevée VHB^MC de 3M^MC plutôt que des vis et des rivets.

Lis le texte soulignant les caractéristiques des rubans à adhérence très élevée VHB^MC à l'intention des acheteuses et des acheteurs potentiels. Comment M. DiMartini et son équipe pourraient-ils remodeler cette publicité de sorte que les ingénieurs-concepteurs envisagent l'emploi des rubans à adhérence très élevée VHB^MC et qu'ils le précisent dans leurs projets? La réponse te sera livrée plus loin dans ce chapitre. Elle montre la créativité de l'équipe afin d'assurer la réussite commerciale d'un nouveau produit.

Il faut jeter un coup d'œil sur la technologie servant à fabriquer ces adhésifs. Elle nous renseigne sur la manière dont 3M profite de la synergie de ses nouveaux produits pour en concevoir de nombreux autres destinés à plusieurs marchés. Dans les années 1950, 3M a mis au point un adhésif d'acrylate à partir duquel elle a pu inventer son adhésif Scotch^{MC} Magic^{MC} sur lequel on peut écrire au stylo et au crayon.

Les efforts de 3M en vue d'inventer des solutions innovatrices ont propulsé la recherche. Grâce à elle, cette entreprise est devenue le chef de file mondial en matière de technologie de fabrication des adhésifs.

La recherche chez 3M a mené à des dizaines de produits adhésifs révolutionnaires. En voici quelques-uns :

- Les feuillets et languettes adhésives Post-It®. La bande adhésive au verso permet de coller et de décoller le feuillet ou la languette au besoin.
- Les pansements imperméables Tatouage Nexcare^{MC}. Il s'agit de pansements imperméables procurant aux blessures une protection supérieure. Leurs motifs cool plaisent aux enfants.
- L'adhésif Scotch^{MC} à distribution continue. Il s'agit de la dernière version du célèbre adhésif dont chacun se sert au moment d'emballer un cadeau ou pour réparer les livres abîmés.
- Les pansements médicamenteux Latitude^{MC}. Cette innovation a permis une percée des méthodes d'application des médicaments. Signalons, entre autres, le système d'application de nitroglycérine par voie cutanée Minitran^{MC}, le plus petit timbre transdermique qui soit[1].

Remarque la technologie commune à ces nouveaux produits. Elle permet à 3M d'apposer sur une surface continue une variété d'adhésifs aux caractéristiques étonnamment différentes.

La nature du marketing se trouve dans le développement de nouveaux produits tels que ces pansements adhésifs. Ils sont issus d'une technologie de pointe, et répondent aux besoins des consommateurs. On entend par **produit** un bien, un service ou une idée réunissant un lot d'attributs tangibles et intangibles. Le produit satisfaisant les consommateurs est obtenu contre une somme d'argent ou une autre unité de valeur. Parmi les attributs tangibles, on trouve les caractéristiques physiques telles que la couleur ou la teneur en sucre. Les attributs intangibles comprennent, par exemple, la garantie et le délai de livraison. Ils peuvent aussi comprendre des caractéristiques relevant de l'image de marque. Certains attributs appartiennent davantage au domaine des conséquences ou des intentions, par exemple devenir plus riche ou plus en forme. Quand on parle de produit, il peut s'agir des céréales consommées au petit déjeuner, du comptable remplissant la déclaration de revenus d'un client ou encore de la Société canadienne du sang procurant une satisfaction personnelle au donneur de sang. Souvent, nous remettons de l'argent en échange d'un produit. Parfois, nous échangeons du temps et nous donnons des choses de valeur comme notre sang.

L'existence d'une entreprise repose aussi sur sa manière de concevoir, de fabriquer et de commercialiser ses produits. Voilà pourquoi 3M encourage ses équipes de recherche à consacrer jusqu'à 15 % de leur temps à des projets de leur choix. Au sein de l'entreprise, on parle de « recherche clandestine » pour décrire ce phénomène. Grâce à cette stratégie, 3M dépose plus de 500 brevets par année[2]. Dans le présent chapitre, nous explorerons les décisions de développement et de commercialisation de nouveaux produits et services.

LES PRODUITS ET LEURS VARIANTES

On classe un produit selon qu'il est destiné aux consommateurs ou à l'industrie. Dans la plupart des entreprises, on ne décide pas de ce classement de façon isolée, car on fabrique un éventail de produits. Afin de mieux saisir sur quoi repose le classement d'un produit, définissons certains termes s'y rapportant.

La gamme de produits et le mix de produits

La **gamme de produits** réunit un groupe de produits étroitement liés. Ils répondent à une catégorie de besoins, sont employés ensemble, sont vendus à un même groupe de

Pour plus d'informations au sujet de Polaroid Canada, rends-toi à l'adresse suivante : www.dlcmcgrawhill.ca

consommateurs, sont distribués dans le même type de points de vente ou s'inscrivent dans la même catégorie de prix[3]. Polaroid Canada, par exemple, compte deux grandes gammes de produits composées d'appareils photo et de pellicules. Les gammes de produits de Nike regroupent les chaussures et les vêtements sport. Les gammes de produits de l'Hôpital pour enfants malades de Toronto réunissent les soins médicaux aux hospitalisés, les soins en clinique externe et la recherche médicale. Chaque gamme de produits est doublée de sa propre stratégie marketing.

Les publicités de Nike attirent l'attention sur ses gammes de chaussures et de vêtements sport.

Chaque gamme de produits se compose d'*articles,* c'est-à-dire de variantes d'un modèle ou d'un type de produit se distinguant par la marque, la taille ou le prix. Ainsi, l'assouplissant Downy est vendu en formats de 360 ml et de 700 ml. On traite chacun d'eux comme un article à part entière et on lui attribue son propre code de classement ou *unité de gestion de stock* (UGS).

Un produit peut aussi être présenté à l'intérieur d'un **mix de produits** différents. Il s'agit du nombre de gammes de produits que propose une entreprise. Ainsi, Cray Research n'a qu'une gamme de produits composée de superordinateurs destinés aux organismes gouvernementaux et aux grandes entreprises. Par contre, General Mills Canada vend de nombreuses gammes de produits telles que les légumes surgelés et les légumes en conserve de marque Géant Vert, les produits de boulangerie de marque Pillsbury, les pâtes Prima Pasta, les aliments mexicains Old El Paso et la crème glacée Häagen-Dazs.

Pour plus d'informations au sujet de Nike inc., rends-toi à l'adresse suivante : www.dlcmcgrawhill.ca

Le classement des produits

Les produits font l'objet d'un classement, tant par le gouvernement fédéral que par les entreprises, pour des motifs différents. Le mode de classement du gouvernement fédéral facilite la collecte d'informations sur l'activité dans un secteur industriel. Les entreprises classent leurs produits afin d'élaborer des stratégies marketing pour la vaste gamme de produits qu'elles proposent. Très souvent, on classe les produits selon leur degré de tangibilité ou leur type d'utilisateur.

Le degré de tangibilité Afin de classer un produit selon son degré de tangibilité, on doit l'inscrire dans l'une des trois catégories. En premier lieu, on trouve les *biens de*

ENTREPRISE DE SERVICE

TENDANCES MARKETING Le prix Phénix

Le prix Phénix est décerné annuellement par la Chambre économique de l'Ontario. Il est attribué à une entreprise franco-ontarienne qui s'illustre par sa capacité d'innover, de prendre des risques, de relever des défis de gestion et de développer des produits et des services compétitifs. L'imprimerie Plantagenet, récipiendaire du prix Phénix en 2001, est un bon exemple d'entreprise de services. Fondée en 1980 et située dans l'est de l'Ontario, cette imprimerie offre une variété de services comme l'impression de magazines, de documents et d'ouvrages commerciaux. Elle propose également des services d'infographie, de collage et de reliure.

En 2002 au Canada, le marché de l'imprimerie a connu un déclin de 8 %. À l'opposé, l'imprimerie Plantagenet a connu une expansion de 20 %. Selon Louis Delorme, propriétaire de l'entreprise, la clé du succès est de « bien connaître les besoins des clientes et des clients et de leur proposer des solutions qui vont leur permettre d'économiser des coûts et des délais ». L'imprimerie Plantagenet cherche continuellement à améliorer sa productivité et la qualité de ses services en faisant l'acquisition d'équipements à la fine pointe de la technologie.

consommation non durables. Ces biens regroupent les produits alimentaires et le carburant qui se détruisent par le premier usage. En deuxième lieu, il y a les *biens de consommation durables.* Ces biens ont une durée d'utilisation assez prolongée, par exemple les électroménagers, les automobiles et les chaînes stéréo. En dernier lieu, on trouve les *services.* Les services sont des formes d'activité économique non concrétisées par l'apparition de biens matériels, et que l'on offre aux consommateurs en échange d'argent ou d'une chose de valeur. Selon ce classement, les données que publie le gouvernement révèlent que l'économie canadienne constitue une économie de services.

La méthode de classement indique la direction des activités de marketing. Ainsi, on achète souvent et à relativement peu de frais les produits non durables tels que la gomme à mâcher Wrigley. La publicité joue alors un rôle important pour rappeler l'existence du produit aux consommateurs. De même, il est essentiel de le distribuer dans un vaste réseau de points de vente. Une personne désireuse de se procurer de la gomme à mâcher à la menthe Wrigley achètera sans doute une autre marque si le commerçant n'en a plus. À l'opposé, les biens durables coûtent en général plus cher. Leur durée de vie est plus longue que les biens de consommation non durables. Aussi, les consommateurs réfléchissent plus longtemps avant d'en faire l'achat. En conséquence, le contact personnel entre acheteurs et vendeurs constitue un important composant du marketing des biens de consommation durables. En effet, le contact permet de répondre aux questions et de réduire les inquiétudes des consommateurs.

Pour plus d'informations au sujet de MasterCard, rends-toi à l'adresse suivante : www.dlcmcgrawhill.ca

L'industrie des services fait de plus en plus appel au marketing. Les services sont intangibles. Le marketing doit s'employer à bien saisir les débouchés pour guider la conception des services. Le marketing doit faire valoir les mérites de ces services pour les ancrer dans la réalité. À titre d'exemple, MasterCard International a récemment lancé une vaste campagne dont les publicités s'achevaient sur le slogan « Il y a certaines choses qui ne s'achètent pas. Pour tout le reste il y a MasterCard ». Pour l'occasion, MasterCard avait aussi organisé un concours où le participant courait la chance de gagner un voyage. En général, la réussite d'un service tient aux personnes qui le mettent à disposition. En effet, les consommateurs évaluent souvent un produit en fonction des fournisseurs de service avec qui ils font affaire. Citons, par exemple, le commis chez Hertz, la réceptionniste au bureau d'inscription d'une université ou l'infirmière au service d'un cabinet de médecin.

Pour plus d'informations au sujet de Tag Heuer, rends-toi à l'adresse suivante : www.dlcmcgrawhill.ca

La catégorie d'utilisateurs La seconde grande méthode de classement des produits se fonde sur les utilisateurs. Les **biens de consommation** sont les produits achetés par les consommateurs. Les **biens industriels** sont les produits entrant dans la fabrication d'autres produits destinés à ces mêmes consommateurs. Très souvent, la différence entre les deux sera nette : l'hydratant pour le visage Lise Watier et les chaussures Gucci sont des biens de consommation. Les ordinateurs Cray et les ressorts d'acier sous haute tension sont des biens industriels servant à la production d'autres produits ou services.

Les montres de marque Tag Heuer constituent un bon exemple d'articles de luxe.

Ce mode de classement n'est cependant pas sans difficulté, car certains produits peuvent entrer dans les deux catégories. Un ordinateur Compaq, par exemple, peut être vendu aux consommateurs, ce qui en fait un bien de consommation, et à des entreprises qui en feront un usage industriel. Chaque classement se traduit par des efforts de marketing différents. Si on le considère comme un produit de consommation, l'ordinateur Compaq est mis en vente dans les boutiques spécialisées en matériel informatique. Si on le voit comme un produit industriel, des représentants le vendent moyennant une remise sur les achats multiples. Le marché et le comportement des consommateurs déterminent le classement en fonction des utilisateurs et la stratégie marketing.

LE CLASSEMENT DES BIENS DE CONSOMMATION ET DES BIENS INDUSTRIELS

Le marketing est centré sur les consommateurs, on doit donc aborder en détail le classement des deux grands types de produits.

Le classement des produits de consommation

Les biens de consommation se divisent en quatre catégories : les produits de consommation courante, les produits d'achat réfléchi, les articles de luxe et les produits non recherchés. Ils se distinguent en fonction de l'effort consacré par les consommateurs à la décision d'achat, en fonction des attributs relatifs à l'achat et à la fréquence d'achat.

Le **produit de consommation courante** est un produit que les consommateurs achètent fréquemment, sans trop y réfléchir, en déployant un minimum d'effort. Le **produit d'achat réfléchi** est un produit que les consommateurs comparent à d'autres en fonction de critères tels que le prix, la qualité ou le modèle. L'**article de luxe,** par exemple une argenterie de chez Birks, est un bien pour lequel les consommateurs consentent des efforts particuliers afin de se le procurer. Le **produit non recherché** est un produit que les consommateurs ne connaissent pas ou qu'ils connaissent, mais sans être intéressé à l'acheter, par exemple une police d'assurance-vie. Le tableau 11.1 illustre en quoi le classement d'un produit en fonction de l'une de ces quatre catégories privilégie tel ou tel élément du marketing mix. Pour chaque catégorie, ce tableau indique différents degrés de fidélisation à une marque et la quantité d'efforts fournis par les consommateurs d'un produit.

Une personne peut considérer un appareil photo ou des jumelles comme un bien de consommation. Une autre y verra un article de luxe et n'achètera qu'un produit de marque Nikon.

La méthode de classement d'un bien de consommation repose sur l'individu. Une personne peut considérer un appareil photo ou des jumelles comme un bien de consommation et visiter plusieurs boutiques avant de le choisir. Une autre y verra un article de luxe et n'achètera qu'un produit de marque Nikon.

POINTS DE COMPARAISON	CATÉGORIE DE BIENS DE CONSOMMATION			
	CONSOMMATION COURANTE	ACHAT RÉFLÉCHI	ARTICLE DE LUXE	NON RECHERCHÉ
Produit	Dentifrice, mélange à gâteau, pain de savon et lessive	Appareil photo, téléviseur, porte-document et vêtement	Berline Rolls Royce et montre Rolex	Assurance de frais pour funérailles et dictionnaire analogique
Prix	Relativement peu cher	Plutôt cher	D'ordinaire très cher	Varie selon le produit
Place (distribution)	Généralisée, de nombreux points de vente	Grand nombre de points de vente choisis	Très limitée	Souvent limitée
Communication (promotion)	Prix, disponibilité et notoriété soulignés	On souligne les distinctions entre marques	On souligne l'exclusivité et le prestige de la marque	Notoriété essentielle
Fidélisation des consommateurs	Connaît la marque, mais accepte des produits de remplacement	Préfère certaines marques, mais accepte des produits de remplacement	Très fidèle à la marque ; n'accepte aucun produit de remplacement	Accepte des produits de remplacement
Comportement des consommateurs lié à l'achat	Achats fréquents, peu de temps et d'effort consacrés à l'achat, et décision routinière	Achats rares, compare avant d'acheter et s'accorde un temps de réflexion	Achats rares, beaucoup de temps consacré à la décision et à l'achat	Achats très rares ; compare parfois certains produits

TABLEAU 11.1
Le classement des biens de consommation

Le classement d'un produit peut se modifier au fil du temps. Ainsi, à son lancement, le four à micro-ondes Litton était un article de luxe unique. À présent, d'autres marques lui livrent concurrence. De plus, de nombreux consommateurs estiment qu'un four à micro-ondes constitue un produit d'achat réfléchi.

Le classement des biens industriels

Le bien industriel se caractérise notamment par une vente découlant d'une *demande dérivée*. Ainsi, la vente de produits industriels vient souvent de la vente de produits de consommation. Par exemple, l'augmentation des ventes de véhicules Ford (des produits de consommation) accroît la demande du constructeur en matériel comme la peinture, le cuir, etc. (des produits industriels). Les biens industriels ne sont pas seulement classés en fonction des attributs utiles aux consommateurs, mais aussi en fonction de leur usage. On peut donc classer les produits industriels parmi les biens de production ou les équipements accessoires.

Le bien de production Le **bien de production** entre dans la fabrication d'autres articles faisant partie du produit final. Ce type de biens regroupe les matières brutes telles que les céréales ou le bois débité, ainsi que les composants entrant dans l'assemblage d'un véhicule ou d'un appareil. L'entreprise spécialisée dans la fabrication des charnières de portière pour les véhicules construits par GM se spécialise donc dans les composants. Le marketing des biens de production se fonde sur des facteurs tels que le prix, la qualité, la fiabilité de la livraison et le service à la clientèle. En général, les fabricants de ce genre de biens vendent leurs produits aux industries acheteuses sans intermédiaire.

L'équipement accessoire L'**équipement accessoire** constitue la seconde catégorie de biens industriels. Il s'agit d'articles servant à soutenir la production d'autres biens et services, par exemple des biens d'équipement principal, du matériel auxiliaire, des fournitures et des services.

- Les immeubles et les pièces d'équipement fixes constituent des exemples de *biens d'équipement principal*. L'achat de ces biens exige d'importants investissements en capital. En conséquence, les acheteurs industriels traitent directement avec les entreprises de construction et les fabricants par le biais de leurs représentants. Souvent, le prix des biens d'équipement principal est fixé lors d'une soumission en régime de concurrence.

- Le *matériel auxiliaire* compte les outils et le matériel de bureau. En général, on en achète peu à la fois. En conséquence, les vendeurs ne font pas affaire directement avec les acheteurs. Les vendeurs de matériel auxiliaire confient cette tâche à des distributeurs pouvant atteindre un grand nombre de personnes.
- Les *fournitures* sont semblables aux produits de consommation courante. Elles comptent le papier à lettres, les trombones et les balais. On les achète en déployant peu d'effort et en se fondant sur la décision de réachat simple. Les acheteurs de fournitures accordent de l'importance au prix et à la fiabilité de la livraison.
- Les *services* sont des activités intangibles pour les acheteurs industriels. Il peut s'agir ici de l'entretien, de la révision mécanique, des réparations et des services d'experts-conseils, par exemple la fiscalité ou la consultation juridique. Le marketing de ces biens industriels repose en grande partie sur la réputation du fournisseur de tels services.

RÉVISION DES CONCEPTS

1. En quoi un mix de produits et une gamme de produits se distinguent-ils?
2. Désigne les quatre grandes catégories de biens de consommation.
3. D'ordinaire, pour quelle catégorie de biens (industriels ou de consommation) peut-on parler de demande dérivée?

LES RAISONS DE L'ÉCHEC DE NOUVEAUX PRODUITS

Les nouveaux produits constituent le pivot de l'entreprise. Ils lui permettent de croître, mais leurs risques financiers sont élevés. Avant de voir comment le nouveau produit atteint l'étape de la commercialisation vers les consommateurs, nous verrons en quoi consiste un *nouveau produit*.

Nintendo a résilié le contrat d'approvisionnement en pièces qui la liait à Sony. Sony a riposté vivement en lançant un nouveau produit: sa console de jeux vidéo PlayStation.

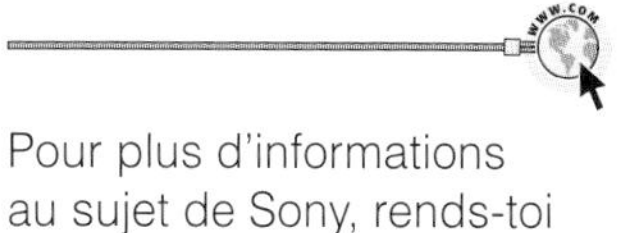

Pour plus d'informations au sujet de Sony, rends-toi à l'adresse suivante: www.dlcmcgrawhill.ca

Qu'est-ce qu'un nouveau produit ?

En marketing, le terme *nouveau* est difficile à définir. Changer la couleur d'un détergent à lessive en fait-il un nouveau produit ? Peut-on dire du dernier modèle d'électroménager à convexion cuisant comme un four ordinaire mais à la vitesse des micro-ondes qu'il est nouveau ? On peut donc envisager la nouveauté d'un produit sous plusieurs angles.

La nouveauté par rapport aux produits existants On peut qualifier un produit de « nouveau » s'il fonctionne différemment des produits existants. À une certaine époque, le four à micro-ondes et l'automobile étaient des produits foncièrement nouveaux. Dans la plupart des cas, l'innovation est une modification apportée à un produit existant plutôt qu'un changement fonctionnel véritable.

La nouveauté au sens de la loi Le ministère de la Consommation et des Affaires commerciales juge que l'on ne peut qualifier un produit de « nouveau » au-delà de 12 mois après son lancement.

Pour plus d'informations au sujet de Breathe Right, rends-toi à l'adresse suivante : www.dlcmcgrawhill.ca

Les bandelettes nasales Breathe Right® : de quel type d'innovation s'agit-il ? Quelles en sont les conséquences sur la stratégie marketing ? Pour connaître les réponses à ces questions, lis le texte ci-contre et consulte le tableau 11.2, à la page suivante.

La nouveauté du point de vue de l'entreprise L'entreprise prospère classe ses produits selon trois degrés de nouveauté et d'innovation. Au degré inférieur, comportant le moins de risque, on trouve l'élargissement d'une gamme de produits. Il s'agit d'un ajout à une gamme importante ou stimulante pour l'entreprise. Par exemple les céréales Cheerios givrées s'ajoutent à la gamme de produits Cheerios. Le Coke Diète à la cerise complète la gamme Coke Diète ou le rasoir Sensor pour femmes s'ajoute au Sensor pour hommes. Au degré intermédiaire, on trouve les avancées de l'innovation ou de la technologie, par exemple le bond fait par Sony entre le micromagnétophone et le baladeur. Au dernier degré, on trouve les véritables innovations, les produits vraiment révolutionnaires tels que le premier ordinateur Apple commercialisé en 1976. Une entreprise est parfois contrainte de lancer un nouveau produit sous l'effet de circonstances assez curieuses. Sony, par exemple, a élaboré sa console de jeux vidéo PlayStation par suite de l'annulation du contrat d'approvisionnement qui la liait à Nintendo. Du coup, Sony s'est retrouvée avec une nouvelle famille de produits[4]. Les grandes entreprises mettent en place des projets de nouveaux produits en tenant compte de ces trois échelons.

Les entreprises distinguent trois degrés de nouveautés lorsqu'elles classent leurs produits. Au degré inférieur, on retrouve l'élargissement d'une gamme d'un même produit.

FAIBLE — DEGRÉ DE CHANGEMENT DANS LES HABITUDES ET D'APPRENTISSAGE DE LA PART DES CONSOMMATEURS — ÉLEVÉ

POINTS DE COMPARAISON	INNOVATION CONTINUE	INNOVATION DYNAMIQUEMENT CONTINUE	INNOVATION DISCONTINUE
Définition	N'exige des consommateurs aucun apprentissage	Dérange la routine des consommateurs, mais n'exige pas un nouvel apprentissage complet	Établit de nouveaux modèles de consommation parmi les consommateurs
Exemple	Sensor et le nouveau Tide amélioré	Brosse à dents électrique, lecteur de disques compacts et flash automatique pour appareil photo	Magnétoscope, four à convection, ordinateur personnel
Principale stratégie de marketing	Favoriser la notoriété auprès des consommateurs et obtenir une large distribution	Faire connaître les avantages aux consommateurs, souligner les éléments distinctifs et les avantages qu'ils en tireront	Former les consommateurs par l'essai du matériel et la vente personnelle

TABLEAU 11.2
La nouveauté est définie en fonction des conséquences sur la consommation.

La nouveauté du point de vue des consommateurs On peut aussi définir un nouveau produit en fonction de ses conséquences sur la consommation. Cette méthode permet de classer les nouveaux produits selon le degré d'apprentissage exigé des consommateurs, comme l'illustre le tableau 11.2.

Il n'est pas nécessaire d'acquérir de nouvelles habitudes en présence de l'*innovation continue*. Il existe plusieurs exemples à cet égard: les strudels à réchauffer au grille-pain de Pillsbury qui concurrencent les Pop Tarts de Kellogg's, le modèle sport décapotable SLK de Mercedes-Benz Canada, la friandise Time Out de Cadbury Chocolate Canada, la gamme de crèmes glacées Parlour de Nestlé Canada et les bandelettes nasales Breathe Right qui ciblent les athlètes et les ronfleurs. Les consommateurs n'ont pas à modifier leurs habitudes pour adopter ces produits. Lorsque des produits de consommation nécessitent un minimum d'apprentissage chez les consommateurs, l'efficacité du marketing tient à leur notoriété et à la force du réseau de distribution.

En présence de l'*innovation dynamiquement continue,* seuls de légers changements dans les habitudes s'avérent nécessaires à l'utilisation. Pense, par exemple aux sièges de sécurité intégrés et rabattables destinés aux enfants des mini-fourgonnettes Chrysler. Les sièges de sécurité intégrés font appel à quelques bribes d'information et à de légers changements dans les habitudes. Aussi, la stratégie marketing devra *informer* les acheteuses et les acheteurs potentiels de leurs avantages et de leur mode d'utilisation.

Pour plus d'informations au sujet d'IBM , rends-toi à l'adresse suivante: www.dlcmcgrawhill.ca

Devant l'*innovation discontinue,* les consommateurs doivent apprendre de nouvelles habitudes de consommation afin d'employer le produit. Après plusieurs décennies de recherche en technologie vocale, IBM a lancé son logiciel piloté à la voix ViaVoice Gold. Cette application permet de dicter des textes à l'ordinateur et de les voir apparaître à l'écran. On peut aussi lancer les programmes de la suite Windows d'une simple commande vocale. En lançant cette innovation discontinue, IBM s'expose à un risque lié au changement dans les habitudes de rédaction des rapports et des notes de service à l'aide d'un traitement de texte. Ce risque, lié aux bruits parasites susceptibles de déformer la voix, peut nuire à l'acceptation et à la vente de ce nouveau produit[5]. Par conséquent, toute activité de marketing en faveur d'une innovation discontinue devra tenir compte de la sensibilisation et de l'éducation des consommateurs sur les avantages et l'utilisation du produit novateur. L'éducation des consommateurs repose souvent sur la vente personnelle et une publicité originale. Ces deux activités peuvent se chiffrer à des millions de dollars pour l'innovation discontinue.

Les raisons de l'échec de certains produits

Chaque année, des milliers de produits ratent leurs cibles et coûtent des millions de dollars aux entreprises canadiennes. Une recherche récente, résumée à la figure 11.1, montre qu'il faut environ 3 000 idées brutes pour fabriquer un seul nouveau produit qui connaisse la réussite commerciale[6]. Afin d'améliorer notre connaissance du marketing et pour transformer en réussites des échecs potentiels, nous analyserons les raisons de l'échec des nouveaux produits et nous en examinerons plusieurs en détail. Nous nous intéresserons plus loin au projet de nouveau produit. Nous déterminerons en quoi certains échecs auraient pu être évités, car il est plus facile de juger rétrospectivement.

FIGURE 11.1
Les étapes préalables au lancement d'un produit connaissant une réussite commerciale

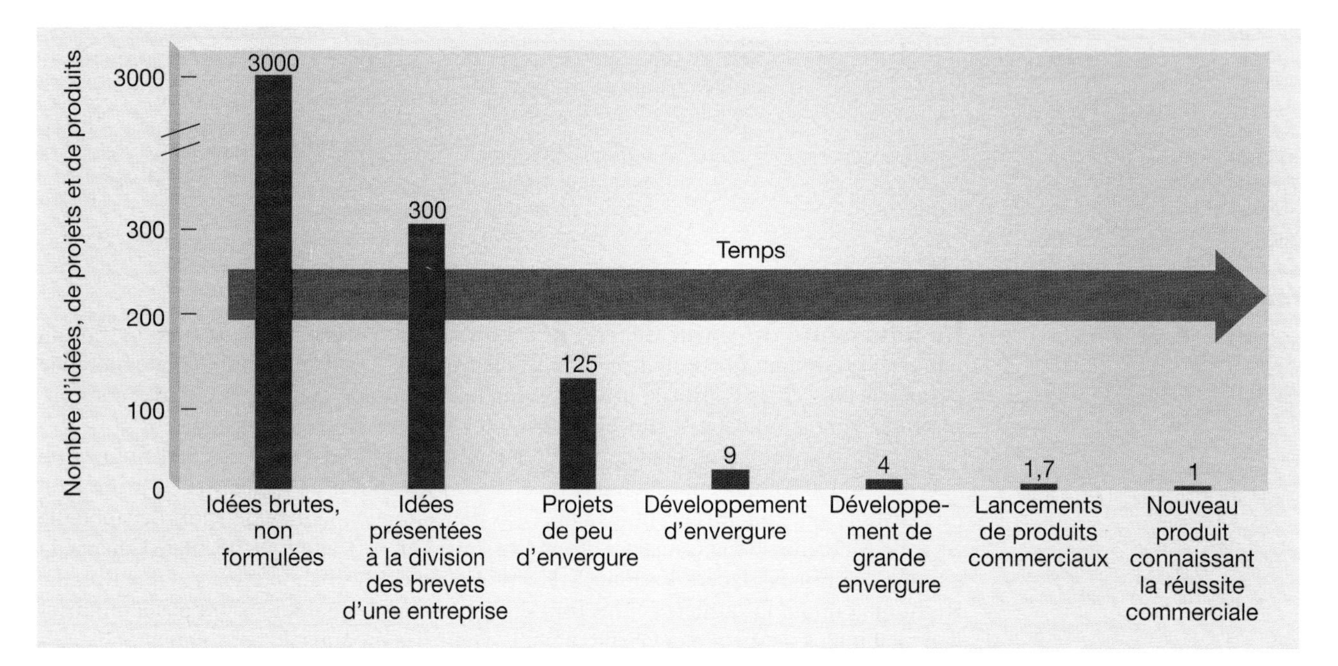

Les raisons de l'échec d'un nouveau produit sous l'angle du marketing
Les facteurs contribuant à l'échec d'un nouveau produit tiennent au marketing et à d'autres éléments, comme on l'expliquera dans le prochain encadré[7]. Considérons les études sur la réussite et l'échec de nouveaux produits et des facteurs présentés dans cet

Échec ou succès d'un nouveau produit? Pour tout savoir des problèmes propres à ce type de produit, lis le texte ci-contre.

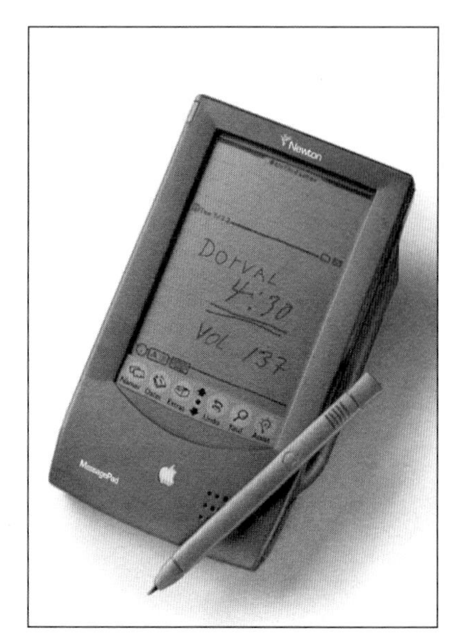

encadré. Nous pouvons cerner sept facteurs déterminants, se chevauchant parfois, et qui distinguent les gagnants des perdants.

1. *Un élément de différence négligeable* L'élément de différence est le facteur le plus important faisant qu'un produit se taille une place enviable au détriment de ses concurrents. Ce produit doit posséder des caractéristiques supérieures profitant à l'utilisateur. À l'automne 1992, Windows for Workgroups 3.1 apparaît sur le marché. Ce logiciel de groupe de travail offre, entre autres, un courrier électronique, un agenda, un calendrier, l'impression partagée de documents et permet la mise en réseau. Windows for Workgroups 3.1 constituera cependant un échec commercial, le marché n'étant visiblement pas prêt[8].
2. *Une définition incomplète du marché ou du produit avant le développement du produit* Idéalement, un nouveau produit doit être assorti d'un **protocole** précis. Le

VALEUR-CLIENT

TENDANCES MARKETING

Nouveaux produits: ce qui distingue les gagnants des perdants

Pourquoi certains nouveaux produits gagnent la faveur populaire alors que d'autres restent dans l'ombre? La réponse à cette question livre la clé d'une stratégie marketing pour un nouveau produit. R. G. Cooper et E. J. Kleinschmidt ont étudié 203 nouveaux produits industriels afin de trouver les réponses énumérées ci-dessous.

Les chercheurs ont défini le taux de réussite d'un nouveau produit en fonction du pourcentage de produits répondant aux critères de rentabilité d'une entreprise. Les gagnants se trouvent parmi les premiers 20 %. Les perdants se classent parmi les derniers 20 %. Comme l'indique le tableau ci-dessous, 98 % des gagnants possédaient un excellent élément de différenciation comparativement à 18 % chez les perdants.

Note que le tableau fait état de facteurs qui ne se limitent pas au marketing. La plupart des facteurs marketing ci-dessous sont directement associés aux raisons expliquant l'échec de nouveaux produits et issues de nombreuses études. Il faut un élément de différenciation très net et un produit bien défini avant la phase de développement.

FACTEURS JOUANT SUR LE TAUX DE RÉUSSITE D'UN PRODUIT	PRODUITS GAGNANTS (PREMIERS 20 %)	PRODUITS PERDANTS (DERNIERS 20 %)	POURCENTAGE DE DIFFÉRENCE (ENTRE GAGNANTS ET PERDANTS)
1. Élément de différence ou produit singulièrement supérieur	98 %	18 %	80 %
2. Produit bien défini avant la phase de développement	85	26	59
3. Synergie entre les possibilités des services de recherche et de développement, d'ingénierie et de fabrication d'une entreprise	80	29	51
4. Qualité d'exécution des travaux techniques	76	30	46
5. Qualité d'exécution des travaux avant la phase de développement	75	31	44
6. Synergie entre les activités du marketing mix	71	31	40
7. Qualité d'exécution des activités du marketing mix	71	32	39
8. Attractivité du marché, soit marché vaste, croissance rapide et besoin important pour les consommateurs	74	43	31

Pour plus d'informations au sujet de Palm Pilot, rends-toi à l'adresse suivante : www.dlcmcgrawhill.ca

protocole consiste en un énoncé précédant le début de son développement. Il détermine le marché cible, les besoins, désirs et préférences des consommateurs, enfin la nature et la raison d'être du produit. Sans cette précision, d'immenses sommes seraient dépensées dans la recherche et le développement, et la conception du produit serait floue pour un marché vague. On allie ainsi les deuxième et cinquième facteurs dont il est question dans l'encadré. Apple a mis au point un ordinateur de format réduit, le Newton, qui était la première génération d'un agenda électronique. Sa commercialisation a cependant échoué de façon lamentable, faute de protocole précis. À l'opposé, le modèle Palm Pilot connaît un grand succès, car il a été conçu dès le départ pour être connecté à un ordinateur de bureau[9]. La popularité du Palm Pilot repose avant tout sur son design soigné, sa plus grande autonomie, sa rapidité de traitement des données et sur le logiciel Graffiti reconnaissant les caractères. Tous ces éléments ont fait du Palm Pilot le préféré des consommateurs.

3. *Un facteur d'attractivité trop faible* Ce huitième facteur figurant à l'encadré précédent, renvoie à la situation idéale. Tout responsable des nouveaux produits souhaite en effet un vaste marché cible connaissant une croissance rapide et un véritable besoin chez les consommateurs. Souvent, en cherchant la place idéale, on découvre que le marché cible se révèle trop restreint et trop concurrentiel. En conséquence, on ne consent pas l'investissement en matière de recherche et de développement, de production et de mise en marché nécessaire afin d'atteindre ce marché. Au début des années 1990, la société Kodak a abandonné la production de sa pile au lithium Ultralife. Pourtant, elle était considérée comme une percée importante en raison de sa durée utile de 10 ans. On vendait la pile au lithium en affirmant qu'elle durait deux fois plus longtemps qu'une pile alcaline. Le produit n'était cependant offert qu'à la puissance de neuf volts, qui représente moins de 10 % du marché des piles vendues en Amérique du Nord.
4. *Une mauvaise exécution du marketing mix* Coca-Cola était convaincue que son jus d'orange surgelé Minute Maid présenté en flacon souple ferait un malheur. Selon l'idée de départ, les consommateurs auraient pu préparer un verre de jus d'orange à la fois et conserver le concentré au réfrigérateur pendant un mois. Le projet a été abandonné au bout de deux tests sur le marché. L'idée plaisait aux consommateurs. Toutefois, le produit éclaboussait, et ni la publicité ni l'emballage ne communiquaient le mode d'emploi avec efficacité.
5. *Une mauvaise qualité par rapport à des facteurs critiques* Une mauvaise qualité par rapport à un ou deux facteurs critiques peut causer la disparition d'un produit. Les Japonais et les Britanniques conduisent leur véhicule du côté gauche de la route. Jusqu'en 1996, peu de constructeurs nord-américains exportaient des véhicules conduite à droite au Japon. En revanche, les constructeurs allemands y exportaient plusieurs de leurs marques adaptées en fonction des usages locaux[10].
6. *Un problème de détermination du moment propice* Le produit est lancé trop tôt, trop tard ou lorsque les goûts des consommateurs se transforment du tout au tout. Les entraîneurs des équipes de baseball se font beaucoup de souci au sujet du bâton d'aluminium qui peut propulser une balle en direction de la tête du lanceur. Il n'est donc pas étonnant que le bâton Copperhead ACX de Worth inquiète tant les entraîneurs. Le fabricant agrandit le point idéal de ses bâtons à l'aide d'un circuit piézoélectrique. Ce circuit a pour effet d'amortir automatiquement les vibrations et d'augmenter la portée de la frappe[11].
7. *Une difficulté dans la distribution* Les produits de supermarché offrent un exemple de ce genre de difficulté. On trouve à présent dans les grandes surfaces de l'alimentation 30 000 produits différents, soit 30 000 UGS. Près de 34 nouveaux produits alimentaires sont lancés chaque jour. Le combat pour obtenir de l'espace d'étalage s'avère donc féroce pour les frais de publicité, de distribution et de volume de présentation[12]. L'espace d'étalage est exprimé en ventes par dixième de mètre carré environ. Ainsi, Thirsty Dog !, une eau minérale légèrement gazéifiée, enrichie de vitamines, aromatisée au bœuf et destinée aux chiens, doit faire déplacer un produit existant sur les rayons des supermarchés. Plusieurs petits fabricants n'ont donc pas les moyens d'exposer leurs produits.

Une analyse de quelques échecs commerciaux Avant de poursuivre ta lecture, étudie les échecs commerciaux présentés au tableau 11.3. Précise les raisons susceptibles de les expliquer. Nous nous intéresserons à ces deux exemples dans les paragraphes suivants.

TABLEAU 11.3
Pourquoi ces nouveaux produits ont-ils fait un fiasco?

Comme nous l'expliquons en détail dans le texte, les nouveaux produits connaissent souvent un échec pour l'une ou plusieurs, de ces sept raisons. Examine les deux nouveaux produits présentés ci-dessous et détermine les raisons de leur échec commercial:

- Le ketchup à saveur barbecue Del Monte contenant des oignons hachés fin était destiné au segment des grands consommateurs de ketchup.
- L'antisudorifique en crème Real de Mennen destiné aux femmes, et que l'on appliquait comme un désodorisant à bille.

Compare tes réflexions aux idées présentées dans le texte.

Le ketchup à saveur barbecue Del Monte était destiné aux grands consommateurs, les enfants et les adolescents. Il y avait cependant un problème, car la plupart des consommateurs de ce segment détestent les oignons. Ainsi, les oignons hachés qui devaient distinguer le produit l'ont désavantagé au lieu de le favoriser. En conséquence, le marché cible a rétréci au point de devenir trop étroit. Plus tard, le produit a été relancé, ciblant cette fois les gourmets adeptes des grillades cuites sur barbecue.

Pour plus d'informations au sujet de Smart, rends-toi à l'adresse suivante: www.dlcmcgrawhill.ca

Un mauvais marketing mix a nui au désodorisant en crème Real de Mennen. Sa campagne publicitaire totalisait pourtant 19 millions de dollars. Une trop grande quantité de crème sortait du contenant une fois le capuchon dévissé. Résultat: les consommatrices n'appréciaient pas le gâchis. De plus, le nom Real donnait peu d'information sur le produit et ses avantages.

D'autres produits ont aussi frôlé la catastrophe commerciale. L'exemple le plus convaincant de ces dernières années demeure la microvoiture Smart. Au départ, elle était jugée trop chère et trop « branchée » pour percer le marché. Cette voiture semblait vouée à un retentissant échec. Daimler Chrysler a cependant redressé la situation en repensant son marketing mix et sa stratégie marketing. Elle a alors tablé sur une réduction des prix, un équipement de base plus attrayant et un réseau de distribution plus grand. Résultat: au mois d'octobre 2002, 411 000 véhicules de marque Smart sillonnaient les routes aux quatre coins du monde, un véritable succès commercial[13].

Après des débuts particulièrement difficiles, la Smart constitue désormais un véritable succès commercial.

Le développement d'un nouveau produit connaissant du succès est parfois attribuable à la chance. La plupart du temps, cependant, il repose sur un produit répondant à un besoin réel et comptant plusieurs éléments de différence marqués par rapport aux produits concurrents. La probabilité de la réussite est amplifiée lorsque l'on prête attention aux premières étapes du projet de nouveau produit, dont nous parlerons dans la prochaine section de ce chapitre.

RÉVISION DES CONCEPTS

1. Du point de vue des consommateurs, quel type d'innovation représenterait une brosse à dents électrique améliorée?
2. Que signifie l'expression « élément de différence négligeable » quand il s'agit d'expliquer l'échec commercial d'un nouveau produit?

LE PROJET DE NOUVEAU PRODUIT

Les grandes sociétés telles que General Electric, Sony et Procter & Gamble prévoient une succession d'étapes menant à la commercialisation de leurs produits. La figure 11.2 illustre les sept étapes constituant un **projet de nouveau produit.** Le projet de nouveau produit est une séquence d'activités permettant de cerner les possibilités à exploiter et de les transformer en un produit ou service commercialisable. Cette séquence débute par l'élaboration d'une stratégie de lancement d'un produit et prend fin avec la mise en marché.

Première étape : l'élaboration d'une stratégie de lancement d'un produit

L'**élaboration d'une stratégie de lancement d'un produit** fait appel à la définition du rôle tenu par ce nouveau produit dans les objectifs généraux de l'entreprise. Depuis peu, de nombreuses sociétés ont ajouté cette étape au projet de nouveau produit pour fournir un angle de réflexion sur les idées et concepts développés par la suite.

Les objectifs de cette première étape : déterminer les marchés et les rôles stratégiques Pendant la phase d'élaboration d'une stratégie de lancement d'un produit, on se tourne vers l'analyse du contexte étudiée au chapitre 3. On peut ainsi déterminer les tendances représentant une possibilité ou encore une menace. On détermine aussi les forces et les faiblesses de l'entreprise pertinentes dans ce cas. L'élaboration de cette stratégie vise à trouver des idées de nouveaux produits. Elle cherche à déterminer les marchés dans lesquels on peut développer de nouveaux produits et les rôles stratégiques qu'ils pourraient tenir. Il s'agit de l'important protocole d'activité que nous avons exposé à la page 295.

La société d'experts-conseils internationale Booz, Allen & Hamilton, Inc. a interrogé des entreprises afin de connaître les rôles stratégiques de leurs derniers produits ayant gagné la faveur populaire. Ces rôles ont contribué à décider de la direction du développement d'un nouveau produit et de la segmentation en facteurs réagissant à des déclencheurs internes et externes. Ces rôles sont présentés à la figure 11.3.

Henry C. Yuen nous donne un bon exemple d'une action provoquée par des forces externes pour déterminer un segment de marché (voir la figure 11.3). N'ayant rien d'un téléphage (*couch potato*) avachi devant son appareil, Yuen a tenté d'enregistrer un match de baseball télédiffusé, sans y parvenir. Il n'a pas abandonné, bien au contraire. Yuen, docteur en mathématiques, a inventé avec un collègue le dispositif VCR Plus. Des millions de personnes utilisent maintenant ce système pour programmer leur magnétoscope à partir de codes numériques paraissant dans les journaux[14].

Les équipes interfonctionnelles Chez 3M, les *équipes interfonctionnelles* expliquent le succès en développement de nouveaux produits. L'équipe interfonctionnelle regroupe un petit nombre d'employés de différents services et responsables de la réalisation des objectifs de rendement. Le travail d'équipe constitue l'un des nerfs du développement

FIGURE 11.2
Les étapes d'un projet de nouveau produit

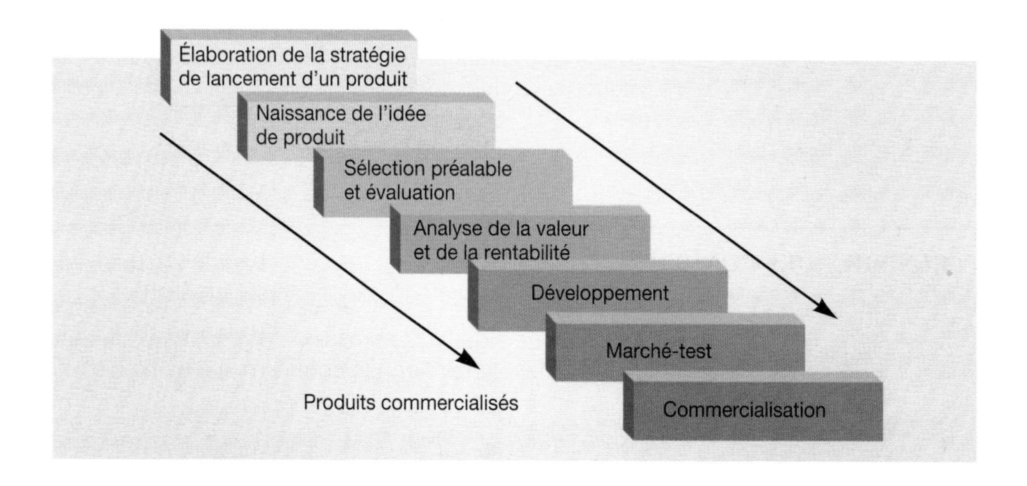

FIGURE 11.3
Les rôles stratégiques de la plupart des nouveaux produits connaissant la réussite commerciale

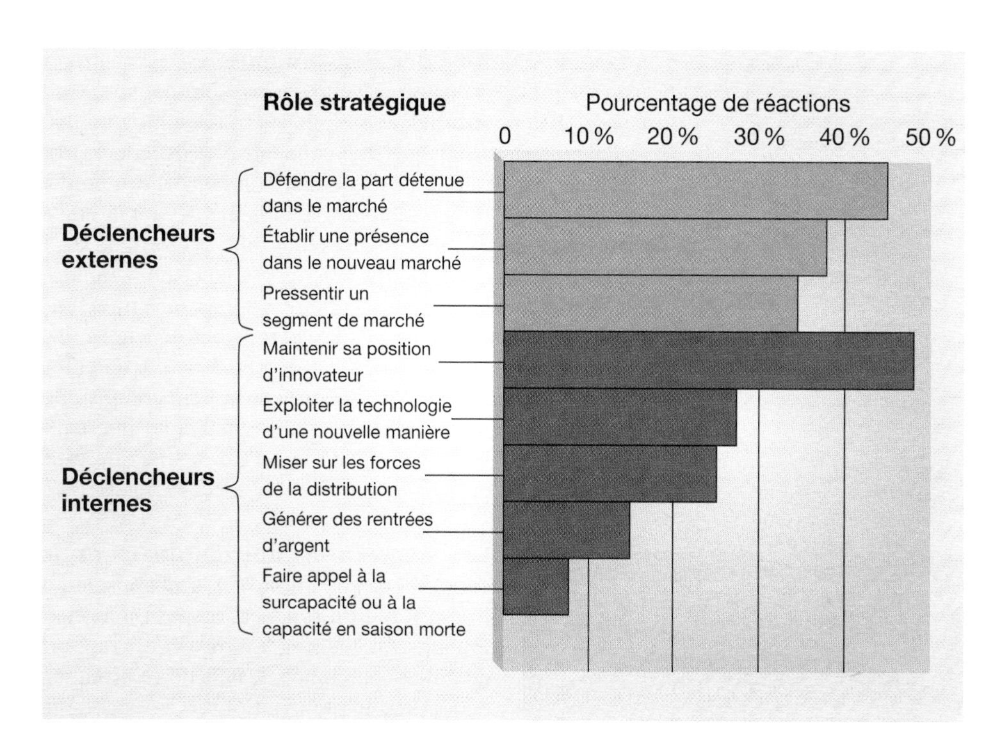

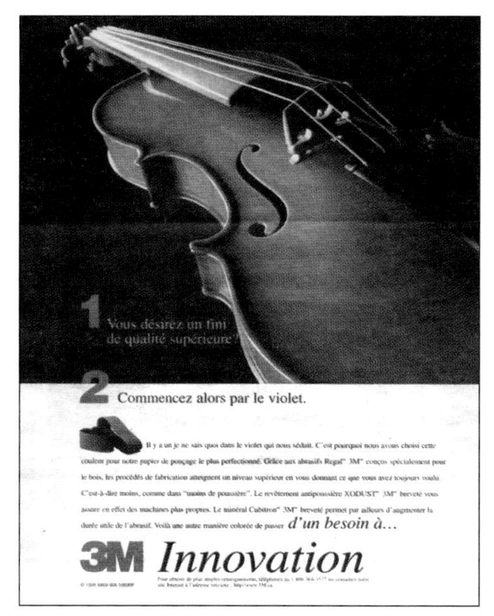

Grâce à la « recherche clandestine » et aux équipes interfonctionnelles, 3M dépose en moyenne 500 brevets par an et gère 30 000 produits.

d'un nouveau produit. On réunit les représentants de la recherche et du développement, du marketing, de la fabrication, des finances et quelques autres. Ensemble, ils cherchent, à l'intérieur d'un cadre propice, de nouveaux produits et possibilités à exploiter. Dans le passé, 3M et ses concurrentes faisaient intervenir séparément leurs différents services. Ainsi, le Service de la recherche et du développement concevait de nouveaux produits. Malheureusement, le Service de la fabrication ne pouvait les produire à prix économique et le Service de commercialisation ne pouvait les mettre en marché[15].

L'une des équipes interfonctionnelles de 3M a cherché des moyens originaux de capter l'attention des ingénieurs concepteurs pour que ces derniers trouvent des applications à ses rubans à adhérence très élevée VHB. L'équipe a alors eu l'idée d'encarter un morceau de VHB entre deux morceaux de pellicule à l'intérieur de la publicité. L'annonce mettait les ingénieurs au défi de déchirer l'adhésif. Elle leur demandait aussi de noter leurs problèmes de conception sur cette page et de la télécopier chez 3M.

Les expériences de 3M permettent de dégager quelques conclusions sur la manière de travailler en équipe de nos jours :

- Le travail en équipe doit être continu, et non sporadique.
- Le travail en équipe demande du temps parce que ses membres doivent apprendre à se connaître et à agir sans gêne.
- Les membres d'une équipe peuvent ne pas s'entendre, cela est dans l'ordre des choses.
- Les équipes peuvent être formelles ou informelles, en fonction de la tâche à accomplir.
- Les équipes doivent compter des champions, c'est-à-dire des individus désireux et capables de transmettre des messages et des demandes à la direction et de faire progresser un projet.

Deuxième étape : la naissance de l'idée de produit

La **naissance de l'idée de produit** doit s'appuyer sur le résultat de l'étape précédente. Les idées de nouveaux produits sont suggérées par les consommateurs, les employés, la recherche et le développement et la concurrence.

Les suggestions des consommateurs Les entreprises analysent souvent les plaintes ou les problèmes soulevés par les consommateurs. Cette étape leur permet de cerner de nouvelles possibilités à exploiter. On présente une liste de plaintes à un échantillon de consommateurs auxquels on demande d'associer des produits à ces carences. Ainsi on peut évaluer les possibilités de donner naissance à des nouveaux produits. McDonald's a noté l'inquiétude grandissante de sa clientèle devant la présence de cholestérol et de matières grasses dans ses aliments. Résultat : elle a reformulé ses laits frappés à partir d'un mélange à faible teneur en matières grasses et a lancé un hamburger faible en gras.

Pendant des années, Annette Pappas et Nita Metairie ont entendu les plaintes de femmes concernant les échelles et les trous de leurs collants. Elles ont trouvé une solution : le *Pantyhose Garment With Spare Leg Portion,* un collant à trois bas, dont un de réserve. La consommatrice passe d'abord son collant comme elle le fait d'ordinaire. Elle retrousse ensuite le bas supplémentaire pour le ranger à l'intérieur d'une pochette à la ceinture de la culotte. Si elle fait une échelle à l'un des bas qu'elle porte, elle dispose d'un bas de réserve[16]. Ce produit connaîtra-t-il le succès ? Seules les consommatrices en décideront.

Les suggestions des employés et des collègues L'entreprise peut encourager ses employés à proposer des idées de nouveaux produits à l'occasion d'un concours ou par l'intermédiaire de boîtes à idées. Les barres granola Val Nature (*Nature Valley*) rapportent à General Mills 500 millions de dollars par année. L'idée de ce produit est venue à l'un des gestionnaires en marketing qui avait observé ses collègues en train de manger des barres céréalières.

Les percées de la recherche et du développement Bien sûr, les nouveaux produits sont aussi issus de la recherche fondamentale effectuée par l'entreprise. Il faut souvent y consacrer des sommes astronomiques. Comme nous le verrons dans l'encadré suivant[17], Sony est reconnue à l'échelle internationale comme chef de file du développement de nouveaux produits électroniques. Ses scientifiques et ses ingénieurs produisent en moyenne quatre nouveaux produits par journée ouvrable. Les percées de Sony dans la recherche et le développement ont permis à des produits novateurs de voir le jour. La fabrication et la commercialisation de ces produits a rehaussé sa renommée dans l'industrie de l'électronique. Sony a en popularisé des innovations telles que le magnétoscope, le baladeur et les disques numériques polyvalents (DVD), et les téléviseurs à écran plat.

Les laboratoires n'ont pas tous le génie de Sony pour imposer une innovation électronique sur le marché. Le centre de recherche de Xerox, situé à Palo Alto, en constitue un exemple convaincant. Il s'agit peut-être de la plus monumentale maladresse de l'histoire de l'électronique. En 1979, Xerox disposait déjà de tout ce qui se trouve à l'intérieur de ton ordinateur, c'est-à-dire les interfaces graphiques, la souris, les fenêtres et les menus déroulants, les imprimantes au laser et le traitement des données décentralisé. Inquiète de la concurrence des Japonais avec son activité de base, le commerce des photocopieuses, Xerox n'a pas pris la peine de déposer les brevets de ces innovations. Steven Jobs, de chez Apple, a visité le centre de recherche de Xerox à Palo Alto en 1979. Il a adapté plusieurs de ces idées en fonction de l'ordinateur Macintosh, et le reste appartient à l'Histoire[18].

La mise en marché d'une innovation technologique ne garantit pas sa réussite. La télévision à haute définition (TVHD) fait une entrée remarquée auprès des consommateurs canadiens à des prix initiaux oscillant entre 5 000 $ et 12 000 $[19]. Les images sur l'écran sont de loin supérieures à celles de ton poste analogique, mais la télévision à haute définition est-elle une innovation digne d'intérêt ? Il y a quelques années, des centaines de fabricants et de détaillants s'interrogeaient eux aussi.

Des laboratoires spécialisés dans la recherche et le développement proposent aussi des idées de nouveaux produits. Les laboratoires Arthur D.

TENDANCES MARKETING

Le champion mondial de l'électronique grand public est… qui donc ?

TECHNOLOGIE

Pour cette entreprise, le XXIe siècle inaugure le « grand combat pour le salon ». Afin de l'emporter, il lui faudra continuer à intégrer technologie et divertissement, contenu et logiciels. Elle devra aussi intégrer mesure numérique et coquilles de plastique coloré au maximum, et danser au son d'un nouveau rythme jour après jour ! À la fin du XXe siècle, elle était reconnue comme l'une des marques les plus respectées et les plus réputées au monde. Aux côtés de Coca-Cola, Nike et MTV, elle comptait parmi les quatre entreprises les plus inventives au monde. Pourtant, son armée d'ingénieurs travaillait dans une « boîte de sardines ». De qui parlons-nous ? De Sony.

Depuis son siège social situé au Japon, cette société étend ses tentacules partout dans le monde. Elle a écrit une page de l'histoire du transistor, a lancé le baladeur Walkman et la console de jeux vidéo PlayStation. De plus, elle a conçu des modèles qui lui valent l'admiration des consommateurs du monde entier. Cette entreprise est passée de la table à calculer à la mesure analogique puis à la mesure numérique en l'espace d'une génération, et elle doit sans cesse se réinventer. Après le baladeur, le caméscope et le lecteur de disques portatif, que nous réserve-t-elle ?

Sous la gouverne de son nouveau président et chef de la direction, Nobuyuki Idei, issu du monde du marketing, Sony poursuit sur sa lancée. L'entreprise travaille sur plusieurs projets d'envergure, par exemple perfectionner les produits afin de remporter la guerre du DVD, lancer un service de radiodiffusion par satellite, internationaliser davantage la gestion de l'entreprise. Sony va s'exposer à des risques qui ne font pas tous l'objet d'études de marché, mais elle peut inventer des produits axés sur le mode de vie, informatiser les hybrides audio et vidéo, et le reste !

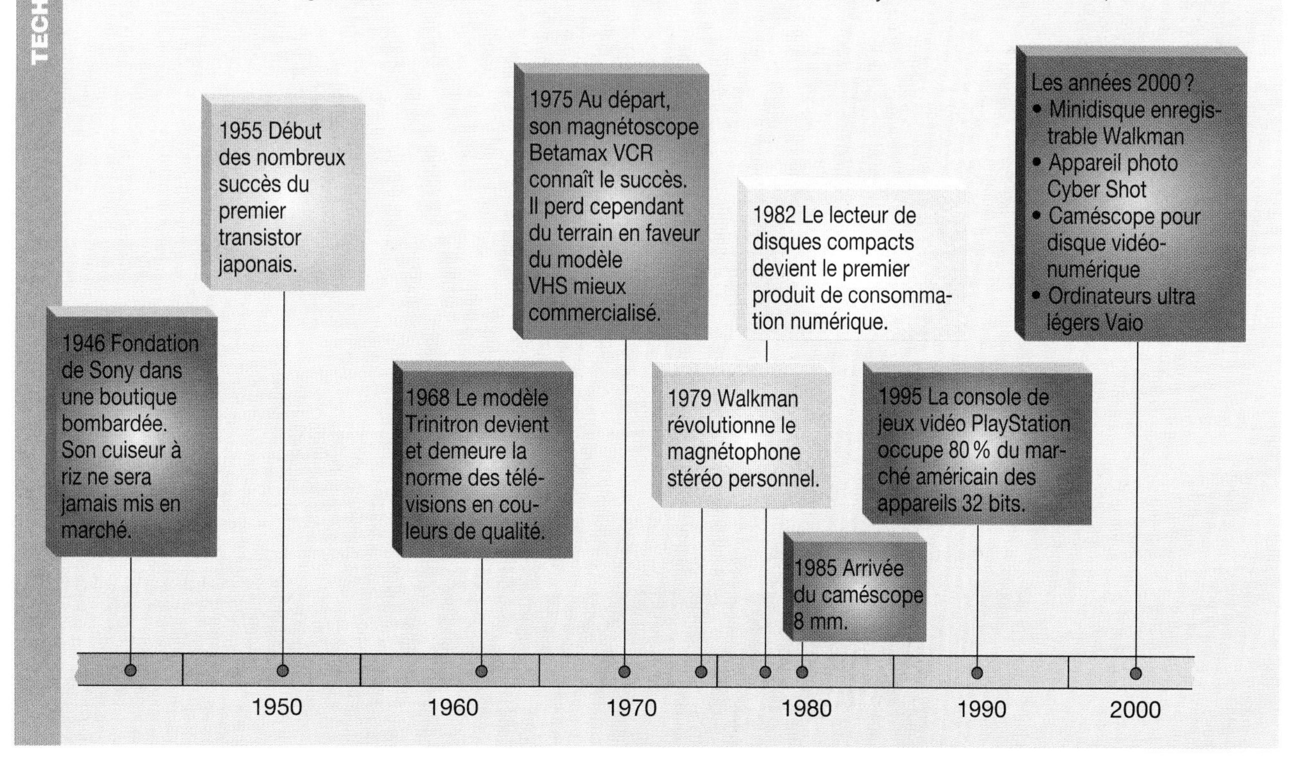

Little ont apporté l'élément croustillant aux céréales Cap'n Crunch et ajouté la saveur au petit déjeuner instantané Carnation. Comme l'on croit de plus en plus aux vertus anticancéreuses du brocoli, les laboratoires Little cherchent des façons de le rendre plus attrayant aux consommateurs d'aujourd'hui. Quelques projets sont actuellement à l'essai, notamment des jus de légumes sucrés à base de brocoli et une boisson au jus de brocoli

parfumée au chocolat. On a renvoyé à sa planche à dessin la personne qui a proposé des céréales au brocoli[20].

Les produits concurrents On peut trouver des idées de nouveaux produits à partir de l'analyse des produits concurrents. Une équipe de six personnes de la société Marriott a voyagé et fréquenté pendant six mois des hôtels économiques. L'équipe a évalué les forces et les faiblesses de ses concurrents, de l'insonorisation des chambres au moelleux des serviettes de bain. Marriott a ensuite engagé une somme de 700 millions de dollars afin d'établir une nouvelle chaîne d'hôtels économiques, Fairfield Inns.

Troisième étape : la sélection préalable et l'évaluation

La troisième étape d'un projet de nouveau produit est la **sélection préalable et l'évaluation.** Cette étape consiste en des évaluations internes et externes des idées de nouveaux produits en vue d'éliminer celles qu'il ne convient pas de pousser plus loin.

La démarche interne L'entreprise confie à ses propres services l'évaluation de la faisabilité de la proposition sur le plan technique. Elle cherche à savoir si l'idée répond aux objectifs établis lors de l'élaboration de la stratégie. Au cours des années 1990, Penn Racquet Sports, important fabricant de balles de tennis, s'est retrouvé avec un chiffre d'affaires inchangé en raison du plafonnement des ventes qui caractérisait le tennis récréatif depuis une décennie. Que faire alors ? Des employés de l'entreprise ont souligné que les balles de tennis usagées se retrouvaient souvent parmi les jouets du chien de la maison. Aussi, en 1998, l'entreprise a conçu et lancé un jouet pour chien en feutre naturel exempt de teinture appelé « R. P. Fetchem ». Le jouet est la copie d'une balle de tennis, à une différence près : elle porte le logo de Ralston Purina en raison d'un accord intervenu avec le fabricant d'aliments pour chien[21].

L'entreprise Tiny Magnetic Poetry, Inc. dispose d'un budget limité pour la recherche auprès de la clientèle. Toutefois, comme tu le constateras à la lecture du prochain encadré, cette contrainte n'a pas empêché ses employés d'élargir la famille de produits. Ceux-ci sont passés des mots magnétiques apposés sur la porte du réfrigérateur, aux mots électroniques affichés sur Internet[22].

Le jouet pour chiens « R. P. Fetchem »

Pour plus d'informations au sujet de Ralston Purina, rends-toi à l'adresse suivante : www.dlcmcgrawhill.ca

La démarche externe Le test de concept de produit repose sur des évaluations externes de l'idée d'un nouveau produit (non pas du produit même) auprès de consommateurs. En général, le test de concept se fonde sur une description écrite du produit, à laquelle peuvent s'ajouter des croquis, des maquettes ou des documents promotionnels. Au cours de l'évaluation, on pose plusieurs questions aux participants. On les interroge par exemple sur leur perception d'un produit, sur ses utilisateurs éventuels, sur son mode d'emploi, etc.

Frito-Lay a consacré une année à interroger 10 000 personnes sur le concept de croustilles multigrains. La société agroalimentaire a éprouvé 50 formes de croustilles avant d'arrêter son choix sur un rectangle mince, ondulé, au goût de sel et de noisette. Le produit, appelé « Sun Chips », connaît un grand succès commercial.

Le développement des croustilles Sun Chips a nécessité une année d'interviews auprès de consommateurs.

Pour plus d'informations au sujet de Fritolay, rends-toi à l'adresse suivante : www.dlcmcgrawhill.ca

RÉVISION DES CONCEPTS

1. Quelle étape a-t-on récemment ajoutée au projet de nouveau produit?
2. Quelles sont les quatre sources d'inspiration permettant de chercher une idée de nouveau produit?
3. Quelle est la différence entre les démarches interne et externe servant à la sélection préalable et à l'évaluation d'un nouveau produit?

Quatrième étape : l'analyse de la valeur et de la rentabilité

L'**analyse de la valeur et de la rentabilité** consiste à préciser les caractéristiques du produit, à élaborer la stratégie de mise en marché et à faire les projections financières nécessaires. Il s'agit du dernier point de contrôle avant que des sommes importantes soient engagées dans la fabrication d'un prototype du produit. À cette étape, on effectue une analyse économique, une révision de la stratégie marketing et un examen du dossier sous l'angle juridique. Le produit projeté est analysé en fonction de la synergie entre le marketing et la technologie en place dans l'entreprise, deux critères dont nous avons déjà parlé.

BRANCHEZ-VOUS !

La poésie électromagnétique... du réfrigérateur à l'espace virtuel!

Soleil

Chien

Les ajouts à une famille de produits sont une stratégie marketing bien établie. Citons, par exemple, l'intégration d'une version diète aux boissons Coke ou d'une version givrée de sucre aux céréales Cheerios. Comment élargit-on une gamme de produits lorsque l'on vend des aimants arborant des poèmes destinés aux portes des réfrigérateurs?

Magnetic Poetry a élargi sa gamme à plus de 50 articles. Son édition originale a donné naissance à la série recto verso (des mots sur les deux côtés d'un aimant), la série pour enfants, la série jardinage et la série des gros mots. Pas très original, dis-tu? Alors que penses-tu des accessoires pour les pare-chocs, les tasses à café ou la boîte à lunch? Ou encore de l'édition internationale avec laquelle on compose des phrases en langues étrangères? Ou mieux encore, de la peinture poésie grâce à laquelle toute surface peut retenir un aimant, que l'on peut peindre ou couvrir de papier mural?

On a aussi innové dans le segment informatique avec la poésie électromagnétique. Il s'agit d'une application servant d'économiseur d'écran. Les mots flottent sur l'écran de l'ordinateur; quelques clics de la souris les feront s'aligner. Si ton dernier poème est génial, tu peux le sauvegarder, l'imprimer ou le copier-coller dans un courrier électronique que tu enverras aux amis.

Pour plus d'informations au sujet de Magnetic Poetry, rends-toi à l'adresse suivante : www.dlcmcgrawhill.ca.

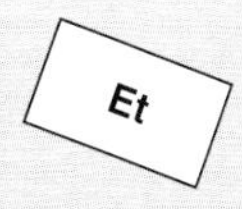

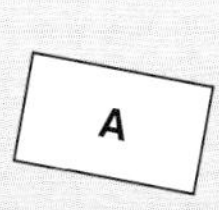

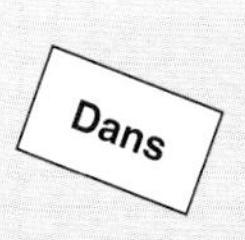

Au cours de la révision de la stratégie marketing, on revoit l'idée de nouveau produit par rapport au programme de mise en marché qui le soutiendra. On évalue le produit projeté afin de déterminer s'il ajoutera ou s'il nuira à la vente des produits existants. De même, on étudie le produit pour déterminer si sa mise en marché se déroulera à l'intérieur des circuits en place ou nécessitera de nouveaux points de vente. On établit les bénéfices projetés en estimant la quantité d'articles vendus. De même, on évalue les coûts de recherche et développement, de production et de mise en marché.

Lorsque l'on procède à une analyse de la valeur et de la rentabilité, on doit déterminer s'il faut protéger le nouveau produit à l'aide d'un brevet ou d'un droit d'auteur. L'un des attraits du nouveau produit tient à la facilité de reproduire sa technologie, sa marque ou encore le produit même.

Procter & Gamble a consacré plus de 400 000 heures en recherche et développement avant d'introduire sur le marché son nouveau détergent liquide Tide.

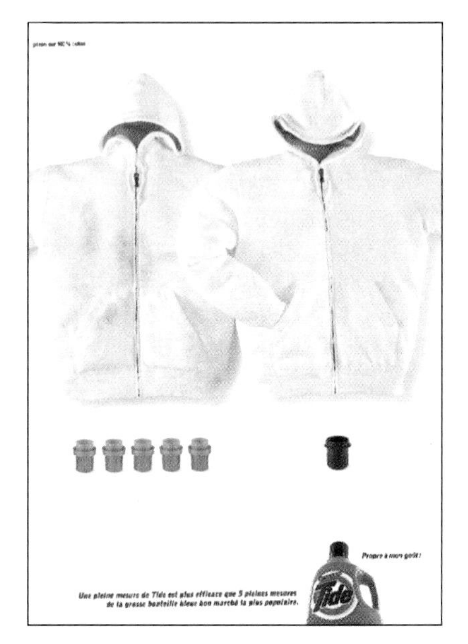

Cinquième étape : le développement

Les idées de produits survivant à l'analyse de la valeur et de la rentabilité passent ensuite à l'étape du **développement,** la transposition du concept en prototype. On dispose alors d'un produit démontrable et réalisable. Le néophyte (novice) saisit rarement les difficultés de l'étape du développement. Cette étape consiste à fabriquer le produit, à réaliser des essais en laboratoire et auprès des consommateurs afin de s'assurer qu'il répond aux critères de départ. La conception du produit devient alors un élément important de l'ensemble.

On peut penser que le détergent liquide Tide de Procter & Gamble ne constitue qu'une simple modification du produit d'origine. Cependant, la société considère ce produit comme une percée technologique. En effet, il s'agit du premier détergent sans phosphate lavant aussi bien que les détergents qui en contiennent. Avant de faire cette percée, Procter & Gamble a consacré 400 000 heures en recherche et développement à partir des technologies dont elle dispose dans trois pays. Le nouveau composant de ce détergent liquide contribue à tenir la saleté en suspension dans l'eau de lavage. Ce composant est issu du laboratoire de recherche situé en Amérique du Nord. Les agents nettoyants de ce produit sont l'œuvre de scientifiques japonais. Les adoucisseurs d'eau proviennent de son laboratoire de Belgique. Lors d'un test aveugle, les consommateurs ont préféré Tide Liquide 9 fois sur 10 par rapport au détergent de leur choix.

Le prototype d'un produit est éprouvé en laboratoire. On vérifie alors s'il répond aux normes physiques établies en fonction d'une utilisation pertinente. Cependant, on doit aussi procéder à des tests de sécurité, car on suppose que le produit ne sera pas toujours utilisé comme il se doit.

FONDEMENT MORAL

QUESTION D'ÉTHIQUE

Les véhicules loisir-travail et les compactes : David contre Goliath ?

Faire en sorte que les collisions automobiles s'avèrent moins dangereuses ? Cela semble évident, mais gardons à l'esprit que des vies sont en jeu. Les camionnettes, les fourgonnettes et en particulier les véhicules loisir-travail (VLT) roulant à grande vitesse se retrouvent de plus en plus souvent impliqués dans des accidents de la route mortels. Lors de collisions entre un VLT et une compacte, le VLT percute l'habitacle réservé aux occupants de la compacte au lieu de son pare-chocs. Les passagers risquent alors fort de périr.

Le problème est aussi d'ordre financier. Désormais, les gros véhicules représentent un fort pourcentage des ventes et bénéfices des constructeurs de véhicules automobiles canadiens. Il leur en coûte moins d'améliorer les compactes, en y ajoutant des sacs gonflables latéraux et des supports d'acier, que de baisser le châssis ou d'ajouter une structure déformable au châssis des véhicules plus imposants. Rien n'est simple. Ajoutons que les consommateurs adorent la puissance de ces mastodontes de la route qui pèsent environ 1 000 kg de plus qu'une compacte.

Des changements sont toutefois en cours. Mercedes Benz a complètement redessiné son modèle VLT de catégorie M. Les ingénieurs du constructeur allemand se sont penchés sur la compatibilité du VLT avec les petits modèles. Désormais, le châssis et le pare-chocs du VLT sont environ 20 cm plus bas que ceux des VLT concurrents. Ainsi chez Mercedes, les pare-chocs du VLT sont davantage susceptibles de heurter les pare-chocs des compactes lors d'une collision. La sécurité des passagers des petits modèles ne s'en portera que mieux.

Qui devrait payer pour ces collisions de la route ? Le gouvernement fédéral, les compagnies d'assurances, les constructeurs de véhicules automobiles ou les consommateurs ?

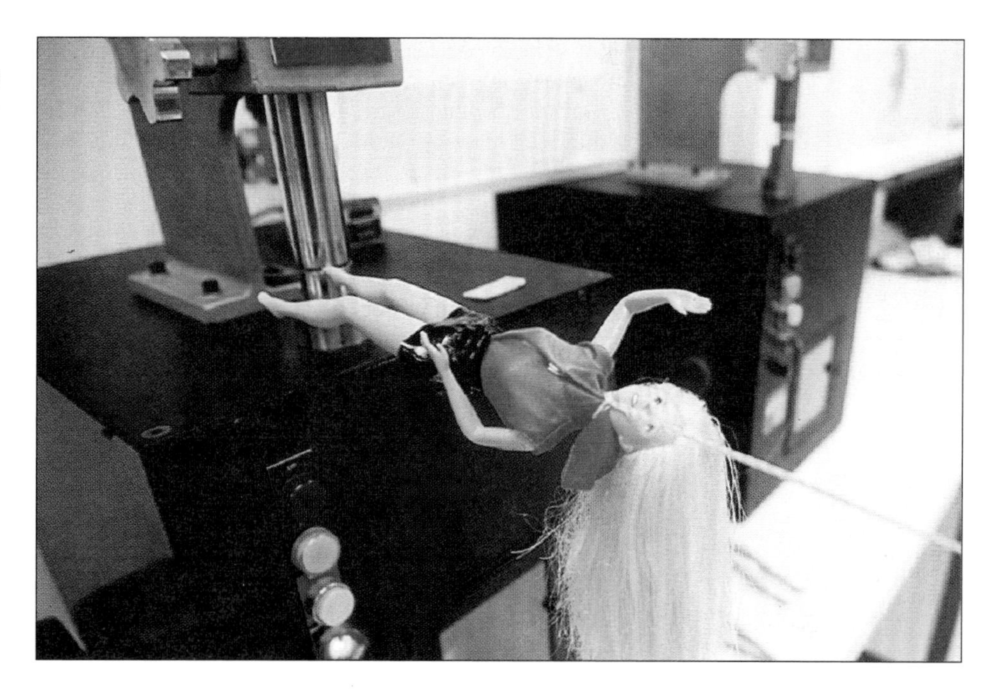

Lors d'essais en laboratoire, Mattel soumet ses jouets et ses poupées – on voit ici Barbie – à de rudes épreuves pour s'assurer de leur qualité et protéger les enfants.

Mattel veut s'assurer que les enfants ne peuvent pas s'étouffer en avalant la tête de Barbie. On la met à l'épreuve en serrant les pieds de la poupée dans des mâchoires d'acier et en tirant sur sa tête à l'aide d'un fil métallique. De même, les constructeurs de véhicules automobiles ont effectué quantité de tests de sécurité en démolissant leurs véhicules contre des murs de béton. Comme tu le constateras à la lecture de l'encadré précédent, les associations de consommateurs sont de plus en plus préoccupées des conséquences des collisions entre une camionnette ou un VLT et une compacte dont les pare-chocs ne sont pas à la même hauteur[23]. Les essais menés par l'industrie automobile laissent entrevoir des solutions qui seront cependant coûteuses.

Les produits industriels sont souvent soumis à des épreuves exactes et rigoureuses. Par exemple, les réacteurs des avions civils sont testés aux impacts d'oiseaux et ils doivent

Pourquoi est-il souhaitable que General Electric soumette son nouveau réacteur GE90 à un essai d'impacts par les oiseaux ? Lis le texte ci-contre pour connaître la réponse.

subir le moins de dégâts possibles. Pour ce faire, on lance des carcasses de canards et de mouettes en direction du moteur en marche. Pourquoi cette épreuve bizarre ? Pour simuler qu'un réacteur aspire un oiseau se trouvant sur la piste au moment du décollage. L'imposant réacteur GE90 de General Electric alimente les avions à réaction Boeing 777. À la suite d'épreuves semblables, les ingénieurs de General Electric ont redessiné les pales du réacteur GE90. Ce réacteur a passé ensuite les épreuves facilement[24].

Sixième étape : le marché-test

À cette étape d'un projet de nouveau produit, le **marché-test** consiste à présenter des produits réels à des acheteurs potentiels dans des conditions d'achat réalistes pour savoir s'ils les achèteront. Il est fréquent qu'un produit soit développé, testé, raffiné et testé de nouveau afin de connaître les réactions des consommateurs lors d'un essai avant commercialisation ou d'un essai dans un laboratoire d'achat.

L'essai avant commercialisation L'essai avant commercialisation consiste à mettre un produit en vente, de façon limitée, dans un territoire défini. Cet essai permet de déterminer si les consommateurs essaient et rachètent le produit et pour tester différentes stratégies de mise en marché. Seul le tiers des produits ainsi testés franchissent l'étape du lancement. Le marché-test a lieu dans une ville de taille moyenne, éloignée des grands centres, et que l'on croit représentative des consommateurs canadiens. En général, la ville dispose de son propre quotidien et d'une station de radio et de télévision, ce qui permet d'effectuer des tests de commercialisation grandeur nature. Au Canada, Winnipeg est souvent la ville choisie pour de tels essais.

Dans ses études sur la viabilité commerciale d'un nouveau produit, l'entreprise mesure les ventes dans la zone retenue, souvent par le *contrôle des stocks en magasin.* Ce contrôle sert à mesurer les ventes dans les épiceries et le nombre de caisses qu'un commerçant commande à un grossiste. Ces chiffres donnent une indication de l'éventuel volume des ventes et de la part de marché de la zone retenue. Un marché-test permet aussi de vérifier des éléments du marketing mix autres que le produit en question. Citons par exemple le prix, le niveau de soutien publicitaire et la distribution. Le choix d'une zone à l'intérieur de laquelle on procède à un marché-test est particulièrement important. En effet, elle doit être représentative de l'ensemble du marché pour que les conclusions du test soient dignes de foi. Un marché-test exige du temps. Il est dispendieux, car on doit mettre en place une chaîne de fabrication et concevoir des programmes de promotion et de vente. L'essai peut se chiffrer à un million de dollars. Sans compter qu'il dévoile les projets aux concurrents qui ont parfois le temps de distribuer plus tôt leur produit à l'échelle nationale. Bien que Wesson-Hunt ait procédé la première à un marché-test avec sa sauce tomate Prima Salsa, Chesebrough-Pond l'a devancée en lançant sa sauce extra épaisse Ragu à l'échelle nationale. Les concurrents peuvent aussi être tentés de saboter le résultat d'un marché-test. Ils le font en lançant une promotion pour leur propre produit, en achetant d'énormes quantités du produit testé ou en exerçant des pressions sur les détaillants. Devant ce genre de problème, certaines sociétés ne réalisent pas les études de commercialisation ou alors elles font appel à un marché-test en laboratoire.

Un marché-test en laboratoire Le marché-test soulève des problèmes de temps, de coût et de confidentialité. C'est pourquoi le fabricant recourt souvent à un *marché-test en laboratoire*. Il s'agit d'une technique par laquelle on simule un marché-test sur un territoire limité pour prévoir les réactions d'un marché plus vaste. Les centres commerciaux servent souvent de laboratoires à ces marchés-tests. On interroge alors les consommateurs afin de découvrir qui utilise la catégorie de produits en cause. Les volontaires répondent à des questions sur l'usage du produit, sur le motif de leur achat et sur les attributs les plus importants qui le caractérisent. Des personnes sélectionnées voient ensuite des publicités télévisées ou imprimées vantant le produit en question. Elles touchent une compensation si elles décident d'acheter le produit (ou celui d'un concurrent) dans une boutique réelle ou simulée. Lorsque les consommateurs n'achètent pas le produit faisant l'objet du marché-test, ils en reçoivent un échantillon. On pourra ainsi les interroger plus tard sur leurs motifs et leur taux de satisfaction.

Quand un marché-test échoue Le marché-test est utile à un projet de nouveau produit. On ne peut cependant y faire appel pour tous les produits. Il est très difficile de tester un service au-delà de son concept, car il est intangible, donc les consommateurs ne voient pas ce qu'ils achètent. Les marchés-tests de produits de consommation coûteux tels que les automobiles ou les magnétoscopes seront impossibles à réaliser. Il en sera ainsi des produits industriels dispendieux tels que les réacteurs d'avion ou les ordinateurs. Or, afin de connaître la réaction des consommateurs devant ce genre de produits, on se limite à des maquettes ou des prototypes en exemplaires uniques.

Voici un exemple illustrant la situation par l'exagération : en 1984, le concepteur automobile Tom Matano a invité son directeur du marketing à faire l'essai sur route de son nouveau prototype de cabriolet. « Des gens nous poursuivaient à bord de leur Porsche. Un piéton courait à nos côtés en nous posant des questions », se souvient M. Matano. Le directeur du marketing s'est mis alors à croire au projet. Il a ouvert la voie au lancement de la Mazda Miata, l'une des voitures de sport les plus populaires. En effet, on en compte plus d'un demi-million vendues.

Septième étape : la commercialisation

En dernier lieu, le produit parvient au stade de la **commercialisation.** C'est à ce moment-là que le produit sera positionné et lancé à une vaste échelle. À cette étape, les sociétés jouent de prudence, car il s'agit de la plus coûteuse des étapes, en particulier pour les produits de consommation.

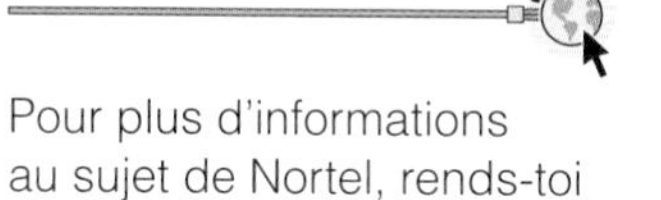

Pour plus d'informations au sujet de Nortel, rends-toi à l'adresse suivante : www.dlcmcgrawhill.ca

Accroître le taux de réussite des nouveaux produits Depuis quelques années, les entreprises se sont rendu compte qu'elles devaient être rapides pour la mise en marché d'un nouveau produit. Des études récentes ont montré que les produits de haute technologie mis en marché au moment opportun sont beaucoup plus rentables que ceux mis en marché par la suite. En conséquence, certaines sociétés telles que Sony, Nortel, Honda, Bell Canada et Hewlett-Packard adoptent un processus de développement où les étapes présentées dans ce chapitre se chevauchent. Au cours de cette démarche, appelée *développement parallèle,* des équipes interfonctionnelles travaillent simultanément au développement d'un produit et à son mode de fabrication. Les services du marketing, de la fabrication et de la recherche et du développement accompagnent le produit, de la conception à la production. Cette façon de faire réduit de façon considérable le temps

En raison des contraintes d'espace sur les étalages des supermarchés, les détaillants facturent souvent aux producteurs des frais d'étalage et des amendes en cas d'échec des produits.

nécessaire au développement d'un nouveau produit. Honda a réduit de cinq à trois ans le temps consacré au développement d'une automobile. Hewlett-Packard, de son côté, a réduit la période de développement de ses imprimantes de 54 mois à 22 mois.

Les risques et les incertitudes de la phase de commercialisation Le travail ne s'arrête pas lorsqu'un produit parvient à l'étape de la commercialisation. En réalité, aucun produit n'est à l'abri de la catastrophe, car il est impossible de tout prévoir. Voici quelques exemples :

- Une chaîne de fabrication en série ne peut reproduire avec minutie des produits de qualité comparable à celle des 5 ou 50 prototypes mis au point dans un laboratoire de recherche et développement.
- Les coûts excèdent de loin les prévisions initiales. Les clients n'achètent pas un produit au prix permettant de réaliser un bénéfice.
- Les acheteurs ne saisissent pas les avantages d'un nouveau produit sans apprentissage élaboré et coûteux. Citons, par exemple, une nouvelle formation pour le personnel de vente et les distributeurs, de même que de nouvelles vidéo et infopublicités.
- Des concurrents lancent un nouveau produit peu de temps avant le tien, de sorte qu'à sa sortie ton produit est dépassé avant même que les consommateurs ne l'aient aperçu.

Ce dernier élément, une sortie mal synchronisée, crée des soucis aux responsables des nouveaux produits. IBM, par exemple, a renoncé à plusieurs prototypes d'ordinateurs portatifs, car ses concurrentes ont lancé avant elle des modèles plus performants.

Les produits agroalimentaires connaissent des problèmes particuliers à l'étape de la commercialisation. Étant donné les contraintes d'espaces sur les étalages des supermarchés, les fabricants doivent souvent verser des **frais d'étalage.** Il s'agit d'une somme versée par le fabricant pour que son produit occupe un espace sur les rayons. On peut ainsi verser plusieurs millions de dollars pour un seul produit. Il existe toutefois un autre poste de dépense éventuel. Lorsqu'un produit alimentaire n'atteint pas le volume des ventes prévu, le fabricant s'expose alors à des **coûts de pénalité.** Il s'agit d'une amende versée par le fabricant au détaillant et compensant les ventes perdues. Afin d'atténuer le risque financier de l'échec d'un nouveau produit, de nombreux producteurs agroali-

Grâce à l'efficacité de ses équipes interfonctionnelles, Hewlett-Packard a pu réduire de beaucoup le temps nécessaire au développement de ses nouveaux produits.

mentaires s'appuient sur un *déploiement régional*. Le déploiement régional consiste au lancement d'un produit de façon séquentielle dans des régions bien ciblées. Le rythme de production et les efforts de marketing ont alors la possibilité de se consolider peu à peu.

Le tableau 11.4 montre l'objectif de chaque étape d'un projet de nouveau produit, de même que les types de renseignements et de méthodes servant à la commercialisation. Il affiche des renseignements permettant d'éviter l'échec du lancement d'un produit. La progression par étapes d'un tel projet ne garantit pas la réussite d'un nouveau produit. Cependant, elle améliore le taux de réussite commerciale de l'entreprise.

TABLEAU 11.4
Renseignements et méthodes servant à la commercialisation d'un nouveau produit.

ÉTAPE DU PROJET	OBJECTIF VISÉ	RENSEIGNEMENTS ET MÉTHODES EMPLOYÉS
Élaboration d'une stratégie de nouveau produit	Déterminer des marchés cibles de nouveaux produits en fonction des objectifs de l'entreprise	Objectifs de l'entreprise; évaluation des forces et des faiblesses du moment sous l'angle du marché et des produits
Naissance de l'idée de produit	Élaborer des concepts de produits éventuels	Idées du personnel, des consommateurs, de la recherche et développement et des concurrents; remue-méninges et groupes cibles
Sélection préalable et évaluation	Trier les bonnes idées des mauvaises à peu de frais	Critères de sélection, test de concept et méthode des points pondérés
Analyse de la valeur et de la rentabilité	Cerner les caractéristiques du produit et sa stratégie marketing; réaliser des projections financières	Principales caractéristiques du produit, stratégie prévue du marketing mix; analyse économique, révision de la stratégie marketing et examen du dossier sous l'angle juridique et de la rentabilité
Développement	Créer le prototype d'un produit et l'éprouver en laboratoire et auprès des consommateurs	Épreuves des prototypes en laboratoire et auprès des consommateurs
Marché-test	Éprouver un produit et sa stratégie marketing en une zone limitée	Marchés-tests, marchés-tests simulés
Commercialisation	Positionner et offrir le produit à la clientèle	Schéma de perception, positionnement du produit et déploiement régional

RÉVISION DES CONCEPTS

1. En quoi l'essai d'un nouveau produit à l'interne et à l'externe cadre-t-il avec l'étape de son développement?

2. En quoi consiste un marché-test?

3. Qu'entend-on par « commercialisation d'un nouveau produit »?

RÉSUMÉ

1. Un produit est un bien, un service ou une idée réunissant un lot d'attributs tangibles et intangibles. Ces attributs satisfont les consommateurs et sont échangés contre une somme d'argent ou une autre unité de valeur. L'entreprise doit décider des articles qu'elle fabrique individuellement, de ses gammes de produits et de son mix de produits.

2. On classe les produits selon leur degré de tangibilité ou leur type d'utilisateur. Afin de classer un produit selon son degré de tangibilité, on doit déterminer s'il s'agit d'un bien de consommation non durable, d'un bien de consommation durable ou d'un service. Pour classer le produit selon son utilisateur, on distingue les biens de consommation et les biens industriels. Les biens de consommation comptent les produits de consommation courante, les produits d'achat réfléchi, les articles de luxe et les produits non recherchés. Les biens industriels entrent dans la fabrication d'autres biens de consommation.

3. On définit un nouveau produit de plusieurs façons, par exemple selon son degré de différence face aux produits existants, la nouveauté au sens de la loi, la nouveauté du point de vue de l'entreprise ou son effet sur le comportement des consommateurs.

4. Dans les conséquences de l'utilisation d'un produit, l'innovation discontinue représente le plus grand changement et l'innovation continue, le moindre. Une innovation dynamiquement continue n'est pas totalement nouvelle, mais elle provoque quelques changements.

5. D'ordinaire, on peut attribuer l'échec d'un nouveau produit à l'une des sept raisons suivantes: un élément de différence négligeable, une définition incomplète du marché ou du produit avant son développement, un facteur d'attractivité trop faible, une mauvaise exécution du marketing mix, une mauvaise qualité par rapport à des facteurs critiques, un problème de détermination du moment propice et une difficulté dans la distribution.

6. Un projet de nouveau produit se déroule en sept étapes. On détermine d'abord les objectifs du nouveau produit : l'élaboration de la stratégie de lancement ; la naissance de l'idée de produit ; la sélection préalable et l'évaluation ; l'analyse de la valeur et de la rentabilité ; le développement ; le marché-test ; et la commercialisation.

7. Consommateurs, employés, laboratoires de recherche et développement, et concurrents constituent tous des sources d'inspiration pour les idées de nouveaux produits.

8. La sélection préalable et l'évaluation peuvent se faire à l'interne ou à l'externe.

9. L'analyse de la valeur et de la rentabilité fait appel à une définition des caractéristiques du produit, à une stratégie marketing pour son lancement et à une prévision financière.

10. Le développement d'un nouveau produit suppose la réalisation d'un prototype et son essai en laboratoire et auprès de consommateurs. Cette étape permet de vérifier s'il répond aux normes de départ.

11. On procède souvent à un marché-test pour déterminer si les consommateurs achètent le produit et pour essayer différentes stratégies de mise en marché. Les produits résistant à cette étape sont ensuite mis en marché.

MOTS CLÉS ET CONCEPTS

analyse de la valeur et de la rentabilité
article de luxe
bien de consommation
bien de production
bien industriel
commercialisation
coût de pénalité
développement
élaboration d'une stratégie de lancement d'un produit
équipement accessoire
frais d'étalage
gamme de produits
marché-test
mix de produits
naissance de l'idée de produit
produit
produit d'achat réfléchi
produit de consommation courante
produit non recherché
projet de nouveau produit
protocole
sélection préalable et évaluation

EXERCICES INTERNET

On y trouve parfois des idées très farfelues, parfois des innovations qui changeront nos habitudes de consommation. C'est le monde des inventions. Il existe des sites consacrés aux inventions. Tu y trouveras toutes sortes d'idées de nouveaux produits. Essaye de reclasser le degré d'innovation de ces produits selon le point de vue des consommateurs. Selon toi, lesquels sont voués à un échec ? lesquels à une grande réussite ?

Pour plus d'informations au sujet de quebec.to/inventions, inventionquebec.qc.ca, invention-europe.com, rends-toi à l'adresse suivante : www.dlcmcgrawhill.ca.

Pour rester sur le sujet des innovations qui ont connu un succès, rends-toi sur le site du gouvernement du Canada portant sur *La stratégie d'innovation du Canada.* Retrouve le dossier : *Atteindre l'excellence* et, à la rubrique des Canadiens qui innovent, tu trouveras des vidéos traitant d'exemples de réussite. Regardes-en quelques-unes. Que retiens-tu de ces innovatrices et innovateurs ?

Pour plus d'informations au sujet de la stratégie d'innovation du Canada, rends-toi à l'adresse suivante : www.dlcmcgrawhill.ca.

QUESTIONS DE MARKETING

1. On peut classer les produits en deux catégories, selon qu'ils sont destinés aux consommateurs ou aux industries. Comment classerais-tu les produits suivants : le shampooing pour bébé Johnson, la perceuse à deux vitesses Black & Decker et un arc électrique servant au soudage ?

2. Un produit peut-il se retrouver dans deux catégories ? Si cela arrive, quelles conséquences cela a-t-il sur son marketing ?

3. Des produits tels que les barres granola Val Nature (*Nature Valley*) et les chaussures de randonnée Eddie Bauer sont-ils des biens d'utilité courante, des produits d'achat réfléchi, des articles de luxe ou des produits non recherchés ? Trouve des produits pour illustrer les deux catégories restantes.

4. Utilise les catégories de la question précédente. En quoi l'activité marketing associée à chaque catégorie de produit sera-t-elle différente ?

5. Comment classerais-tu un ordinateur personnel tel que le PowerBook de Macintosh ou le ThinkPad d'IBM par rapport à l'effet produit sur le comportement des consommateurs ?

6. On a présenté plusieurs définitions d'un produit nouveau. Quelles seraient les incidences sur la stratégie marketing de l'entreprise si cette définition s'appuyait : 1) sur la définition juridique ; 2) sur la définition comportementale ?

7. Considère trois produits ou services que tu utilises de manière régulière. Exerce tes talents d'innovateur et imagine ce qu'on devrait changer dans ces produits ou services pour qu'ils entrent : 1) dans la catégorie des innovations continues ; 2) dans celle des innovations dynamiquement continues ?

8. Un projet de produit nouveau fait appel au test de concept. Élabore dans leurs grandes lignes des tests de concept pour une automobile électrique et un système d'achat et de commande d'une automobile par Internet. Quelles différences y a-t-il entre l'élaboration d'un test de concept pour un produit par rapport à un test de concept pour un service ?

ÉTUDE DE CAS 11-1 PALM COMPUTING, INC.

Le développement de nouveaux produits repose souvent sur une séquence d'activités complexes et audacieuses. « Il ne s'agit pas de s'appuyer sur ce que souhaitent les consommateurs pour inventer un produit », dit Joe Sipher, directeur des produits sans fil chez Palm Computing, Inc., une filiale de 3Com Corp. « Si nous faisions cela, nous pourrions en arriver à l'ordinateur Newton d'Apple qui s'est avéré un échec parce qu'il comportait de trop nombreuses caractéristiques. » Si cette philosophie semble contre-intuitive, elle a fait la réussite de Palm Computing, Inc., chef de file des assistants numériques.

L'ENTREPRISE

Jeff Hawkins et Donna Dubinsky sont les inventeurs du modèle PalmPilot. En 1994, ils ont fait leurs premiers pas en développant des logiciels de sténographie et de calcul de connectivité pour le compte d'autres fabricants d'appareils de communication personnels. Selon Mme Dubinsky, « ... nous avons commencé en fabriquant des logiciels d'application. Nous avons collaboré avec Casio, Sharp, Hewlett-Packard, Apple et tous ceux qui travaillaient alors dans ce domaine. La plupart estimaient qu'un assistant numérique devait être un ordinateur portable miniaturisé. » Même si Palm Computing tenait le premier rang parmi les développeurs de logiciels destinés aux appareils de communication personnels, les ventes étaient trop faibles pour soutenir l'entreprise. « Les premiers ordinateurs de poche ont connu un échec, car ils comportaient trop de caractéristiques techniques, ce qui les rendaient trop gros, trop lourds et trop chers », explique Andrea Butter, vice-président du marketing.

La direction de Palm Computing n'était guère heureuse à l'idée d'être chef de file dans un domaine pour lequel n'existait aucun marché. M. Butter poursuit : « ... nous avions le sentiment de savoir ce que les consommateurs attendaient d'un ordinateur de poche et, un jour, un investisseur nous a défié de mettre notre idée à exécution. Nous avons relevé ce défi, et aujourd'hui Palm Computing détient la première part de marché du secteur des assistants numériques. » Afin d'obtenir plus de financement et de technologie profitables au PalmPilot, Palm Computing a été vendue à U.S. Robotics en 1995. Ce grand fabricant de modems fut acheté à son tour en 1997 par 3Com Corp., un grand fabricant de produits d'accès à l'information et de solutions réseau.

En 1998, Palm Computing a vendu 1,3 million d'unités. En l'an 2000, ses ventes ont atteint 1,8 million d'unités dans un marché global de 2,7 millions d'unités.

LE DILEMME DU POSITIONNEMENT

La définition du produit a présenté un défi. On décrit ce type de gadget comme un ordinateur domestique, un ordinateur de poche intelligent, un gestionnaire personnel ou un assistant numérique personnel. Sur le plan physique, ce produit est composé d'un écran mince qui fait environ 12 cm de haut, 8 cm de large et 1 cm d'épaisseur (à la manière du communicateur que l'on trouvait dans la première série de Star Trek). Habituellement, il ne compte pas de clavier ou de touches numériques. Il s'agit souvent d'un agenda électronique, doté d'un stylet et d'un système de reconnaissance des caractères manuscrits. Ces derniers servent à inscrire des adresses et des numéros de téléphone, à noter des rendez-vous, à prendre des notes et à inscrire les listes de courses. Cet appareil sert d'interface pour un ordinateur personnel afin de transférer le courrier électronique et d'autres données. Hawkins et Dubinsky voyaient l'assistant numérique comme le substitut de systèmes utilisant le papier, tels que l'agenda Day Timer, le fichier rotatif Rolodex et les feuillets autocollants Post-It®.

LE PROJET DE PRODUIT NOUVEAU DE PALM COMPUTING

Afin de concevoir le modèle PalmPilot original, Hawkins fit appel à son expérience. Il a traité les dossiers GriDPad, le premier ordinateur de poche développé au milieu des années 1980. Hawkins a participé à Graffiti, un logiciel de reconnaissance de l'écriture manuscrite développé pour d'autres participants au marché des assistants numériques. Pour Hawkins, la recherche et le développement ont consisté à glisser dans sa poche poitrine un rectangle de bois sur lequel il a collé des boutons de fonction. Lorsque quelqu'un lui demandait s'il était libre à l'heure du déjeuner, il prenait son « agenda électronique », appuyait sur un bouton et observait ses réactions. Hawkins testa plusieurs versions avant d'arrêter son choix sur un modèle. Le PalmPilot ne compterait que quatre boutons (calendrier, adresses et numéros de téléphone, choses à faire et notes), car il s'agissait des fonctions les plus utilisées. De plus, Palm Computing effectua une enquête auprès des clients du Zoomer de Casio. Il en ressortit que 90 % des utilisateurs avaient un ordinateur personnel. En conséquence, le nouveau PalmPilot serait doté d'une connexion d'ordinateur. Enfin, le PalmPilot ne serait distribué que dans les boutiques de matériel informatique et de fournitures de bureau. En effet, le personnel de ces magasins était le plus compétent pour vendre les produits faisant appel à la technologie.

Le PalmPilot original a été lancé en 1996 à la foire commerciale Demo, où se rendent les faiseurs d'opinions en matière de technologie. Le PalmPilot a alors été le chouchou des médias et les ventes n'ont pas tardé à grimper. Depuis, le modèle original a été retiré du marché. La gamme actuelle d'assistants numériques PalmPilot réunit le PalmPilot Professional (149 $), le Palm III (249 $), le Palm IIIx (369 $), le Palm V (449 $) et le Palm VII (599 $). Chacun de ces modèles sort renforcé de la conception minimaliste de l'original.

LA CONCURRENCE ET LE MARCHÉ DES ASSISTANTS NUMÉRIQUES

Lorsque le dispositif Windows CE 1.0 a vu le jour en 1997, Dubinsky a cru que l'idée se répandait. Il s'est avéré que les consommateurs ont boudé les dispositifs positionnés entre l'assistant numérique et l'ordinateur personnel. En 1998, International Data Corp. nous apprenait que le dispositif Windows CE 1.0 ne détenait que 15 % du marché mais qu'il pourrait atteindre 55 % en l'an 2002. Des fabricants de progiciels tels que Hewlett-Packard, Casio et Philips se sont associés à Microsoft. Ces firmes sont enthousiastes devant les plus récentes versions du système d'exploitation et d'autres innovations. Par exemple, la batterie et la mémoire à partir desquelles elles peuvent proposer davantage de caractéristiques, les écrans tactiles de couleur pour la présentation des graphiques, tableaux et autres, des versions allégées des programmes Word et Excel de Microsoft, l'interface semblable à la suite Windows, la recherche sur Internet et la radiomessagerie à partir d'une carte de réseau intégrés à leurs produits. Cependant, ces produits sont encore dispendieux, lents et consomment davantage d'énergie que ceux de Palm Computing. Casio et Royal ont lancé sur le marché bas de gamme des assistants numériques à une seule fonction au prix de 99 $ ou moins. Enfin, Palm Computing affronte la concurrence des gestionnaires de renseignements personnels accessibles sur Internet qui accomplissent des fonctions identiques à celles de son PalmPilot. Ces organiseurs, archivés chez les fournisseurs de services Internet, se consultent au moyen des navigateurs tels que Netscape et Internet Explorer ou en empruntant des portails tels que Yahoo ! et America Online (AOL).

L'AVENIR CHEZ PALM COMPUTING

Palm Computing a réagi en lançant deux nouveaux produits : Palm IIIx et Palm V. Tous deux concurrencent les produits accessibles avec Windows CE. Tous deux offrent un meilleur contraste à l'écran et des processeurs plus rapides. Cependant, il n'offrent aucun changement du système d'exploitation pour reconnaître l'écriture, tenir l'agenda, noter les adresses et numéros de téléphone et griffonner des notes. Le modèle Palm IIIx offre une capacité de mémoire deux fois supérieure à celle de son prédécesseur. Le Palm V a été redessiné avec un profil plus aérodynamique, ses boutons sont encastrés et il est alimenté au lithium plutôt qu'avec des piles AAA. Ainsi, on peut l'utiliser pendant dix heures avant de le recharger. Palm Computing a aussi encouragé des développeurs de logiciels extérieurs à élargir la fonctionnalité de son Palm OS. Celui-ci inclurait le courriel, la recherche dans Internet, l'inscription des frais de déplacement, voire même des applications relatives au commerce électronique. Afin d'élargir davantage sa part de marché, Palm Computing a autorisé des fabricants de systèmes à employer son système d'exploitation pour les produits vendus sous une marque du distributeur. On connaît, par exemple, l'assistant numérique WorkPad de IBM et le pdQ de Qualcomm, un hybride entre un organiseur numérique et un téléphone cellulaire. Enfin, Palm Computing a incité d'autres fabricants à développer des accessoires pour sa gamme de produits Palm.

Le modèle Palm VII, lancé au milieu de 1999, pourrait révolutionner le marché des assistants numériques. Il vise le marché des téléphones mobiles et sans fil qui enregistre une croissance rapide. En 2002, ce marché potentiel était évalué à 21 millions d'abonnés. Le modèle Palm VII, vendu 599 $, est positionné entre un avertisseur bilatéral et un ordinateur portatif doté d'une connexion Internet sans fil. Il est pratiquement identique au modèle Palm III. Il offre en plus une antenne émettrice mettant en communication les usagers et le site Palm.net. Sur ce site, on retrouve E-Trade, Ticketmaster, The Weather Channel, Yahoo ! et les autres associés de Palm qui ont optimisé leurs contenus en fonction de la capacité de mémoire et de l'écran du modèle Palm VII. De plus, les usagers peuvent envoyer et recevoir de brefs courriers électroniques au moyen de la messagerie de Palm.net. Les prochains assistants numériques de Palm livreront peut-être un accès sans restriction à Internet et au courrier électronique.

Questions

1. Parmi les étapes d'un projet de produit nouveau (vues au chapitre 11), certaines ont permis à Palm Computing de développer son PalmPilot. Lesquelles ? À quelles activités a-t-elle eu recours lors de chaque étape ?
2. Quelles sont les caractéristiques du marché cible du PalmPilot ? Comment la stratégie marketing de Palm Computing peut-elle tenir compte de ces caractéristiques ?
3. Quels changements les acheteurs de PalmPilot ont-ils dû effectuer dans leur apprentissage ou leur comportement ?
4. Quels sont les principaux éléments qui distinguent le PalmPilot des produits substituts ?
5. Quelle cote accordes-tu au PalmPilot par rapport à ces différents motifs de réussite ou d'échec commercial : éléments de différence marqués, taille du marché, qualité du produit, synchronisation du lancement et accès aux consommateurs ?

CLEARLY
CANADIAN
11 FL. OZ. / 325 mL

LA GESTION DE PRODUITS ET DE MARQUES

12

APRÈS AVOIR LU CE CHAPITRE, TU SERAS EN MESURE

- d'expliquer le concept de cycle de vie d'un produit et la stratégie de marketing correspondant à chaque phase du cycle ;
- de reconnaître les différences dans les cycles de vie de divers produits et l'effet de ces différences sur les décisions de marketing ;
- de comprendre les diverses façons de gérer le cycle de vie d'un produit ;
- de décrire les composantes de la personnalité de la marque et du capital-marque et les critères de sélection d'un bon nom de marque ;
- d'expliquer les fondements des différentes stratégies utilisées par les entreprises quant aux noms de marques ;
- de comprendre les avantages de l'emballage et de l'étiquetage d'un produit.

Pour plus d'informations au sujet de Clearly Canadian Beverage, rends-toi à l'adresse suivante : www.dlcmcgrawhill.ca

LA VOIE DE LA CROISSANCE

Selon de nombreux analystes, Clearly Canadian Beverage, de Vancouver, a eu le mérite d'inventer le secteur des boissons nouvelles. En 1988, cette entreprise mettait sur le marché, à prix élevé, des eaux pétillantes à saveur de fruits. À ce jour, plus de 1,4 milliard de bouteilles de ces eaux ont été vendues. La compagnie tente maintenant d'atteindre le deuxième milliard. Pour y parvenir, elle doit miser sur son esprit d'innovation et rester à l'affût des tendances, de façon à satisfaire les besoins des consommateurs et à garder une longueur d'avance sur la concurrence.

Tout comme Clearly Canadian, le marché des boissons nouvelles a crû de façon spectaculaire depuis dix ans. On l'évalue maintenant à plus de 7,7 milliards de dollars. L'eau pétillante à saveur de fruits de Clearly Canadian, le produit qui a lancé le phénomène, domine toujours le marché. Cependant, de nouveaux produits, comme les thés prêts-à-boire, les boissons sportives et les eaux minérales, ont aussi vu le jour. Le secteur se compose maintenant d'entreprises comme Clearly Canadian. Elles ont connu des débuts modestes, mais sont devenues des multinationales qui exploitent au mieux leurs ressources de distribution et de marketing pour se tailler une part du marché.

Malgré l'arrivée de ces grandes compagnies, de nouveaux venus continuent d'affluer. En dépit du nombre incroyable de produits qui encombrent les rayons, de nouveaux produits et même de nouvelles catégories de boissons viennent influencer le marché. Selon Doug Mason, président-directeur général de Clearly Canadian, la clé du succès dans le secteur est encore l'expérimentation et l'innovation. Il considère que, pour progresser, sa compagnie devra diversifier son portefeuille de produits, améliorer sa capacité de production et élargir son système de distribution. Clearly Canadian s'efforcera d'établir des types de marques de prestige et de vendre davantage de produits autres que Clearly Canadian. La gamme Clearly Canadian continuera de s'étendre grâce à l'ajout de nouveaux parfums, d'emballages originaux et de nouveaux formats.

Pour diversifier sa gamme de produits, Clearly Canadian a lancé deux nouvelles boissons : Clearly Canadian O+2, une eau ultra-oxygénée destinée aux adultes actifs, et Battery, une boisson énergisante qui regonfle et nourrit l'organisme. Ces produits complètent un éventail de boissons comprenant déjà les eaux pétillantes à saveur de fruits. Citons Clearly Canadian, la marque principale, Cascade Clear, une eau minérale, Fruit Fresher, une boisson aux fruits pour enfants non pétillante et enrichie de vitamines, Orbitz, une boisson contenant des particules gelées de saveur en suspension, et REfresher, une boisson non pétillante légèrement aromatisée aux fruits conçue pour les jeunes adultes. Pour assurer sa croissance, la compagnie a décidé d'étendre sa couverture géographique et s'efforce de rendre plus efficace sa gestion des coûts, particulièrement de production et de distribution[1].

Nous verrons dans le présent chapitre que les façons de faire de Clearly Canadian Beverage sont l'œuvre de bons spécialistes marketing. Ils savent gérer efficacement des produits et des marques dans des environnements concurrentiels.

LE CYCLE DE VIE D'UN PRODUIT

On considère que les produits, comme les gens, ont un cycle de vie. Le **cycle de vie d'un produit** décrit les phases d'un nouveau produit sur le marché : introduction, croissance, maturité et déclin[2]. La figure 12.1 présente deux courbes. L'une représente les ventes totales de l'industrie, l'autre, son profit total, c'est-à-dire la somme des profits de toutes les entreprises fabriquant ce produit. Nous expliquerons les différentes courbes et traiterons des décisions de marketing qu'elles impliquent dans les pages qui suivent.

La phase d'introduction

Dans le cycle de vie d'un produit, la phase d'introduction correspond au lancement du produit sur son marché cible. Durant cette période, les ventes progressent lentement, et les profits sont minimes. Le manque de profit est souvent attribuable aux investissements importants nécessités pour développer le produit. Par exemple, on cite le milliard de dollars investi par Gillette pour le développement et la mise en marché du système de rasage Mach 3. L'objectif marketing des compagnies durant cette phase est de faire connaître le produit aux consommateurs et de susciter l'essai, c'est-à-dire leur premier achat du produit.

Durant la phase d'introduction, les compagnies dépensent énormément en publicité et dans d'autres outils de promotion pour sensibiliser les consommateurs au produit. Ainsi, Frito-Lay a investi 30 millions de dollars pour promouvoir ses croustilles multigrain SunChips auprès des consommateurs et des détaillants. Gillette a consacré 300 millions de dollars, en seule publicité, pour lancer le rasoir Mach 3[3]. Ces dépenses servent souvent à stimuler la *demande primaire.* Il s'agit du désir pour la classe du produit (par exemple, pour des croustilles multigrain) plutôt que pour une marque précise, si aucun concurrent n'offre alors de produit similaire. Les concurrents se mettent à présenter leurs propres articles. Pendant ce temps, le produit lancé suit son cycle de vie, et l'entreprise s'efforce de créer la *demande sélective,* c'est-à-dire la demande pour une marque précise.

Certaines autres variables du marketing mix sont importantes durant cette phase. En effet, il est souvent difficile d'obtenir une bonne distribution, parce que les intermédiaires du circuit craignent de prendre un nouveau produit. Par ailleurs, durant cette phase, le fabricant limite généralement le nombre de versions du produit, préférant se concentrer sur le contrôle de la qualité. Ainsi, SunChips ne présentait, au début, que deux saveurs, et Gillette, qu'un modèle de rasoir Mach 3.

En phase d'introduction, le prix peut être élevé ou bas. Un prix d'introduction élevé peut faire partie d'une stratégie d'écrémage. Cette stratégie aide la compagnie à recouvrer les frais de développement du produit. L'entreprise capitalise alors sur le manque de sensibilité au prix des acheteurs précoces. 3M est championne dans cette stratégie. Comme le disait l'un de ses directeurs : « Nous frappons vite, nous facturons cher, et nous nous retirons du marché dès que les produits d'imitation arrivent[4]. » Les prix élevés

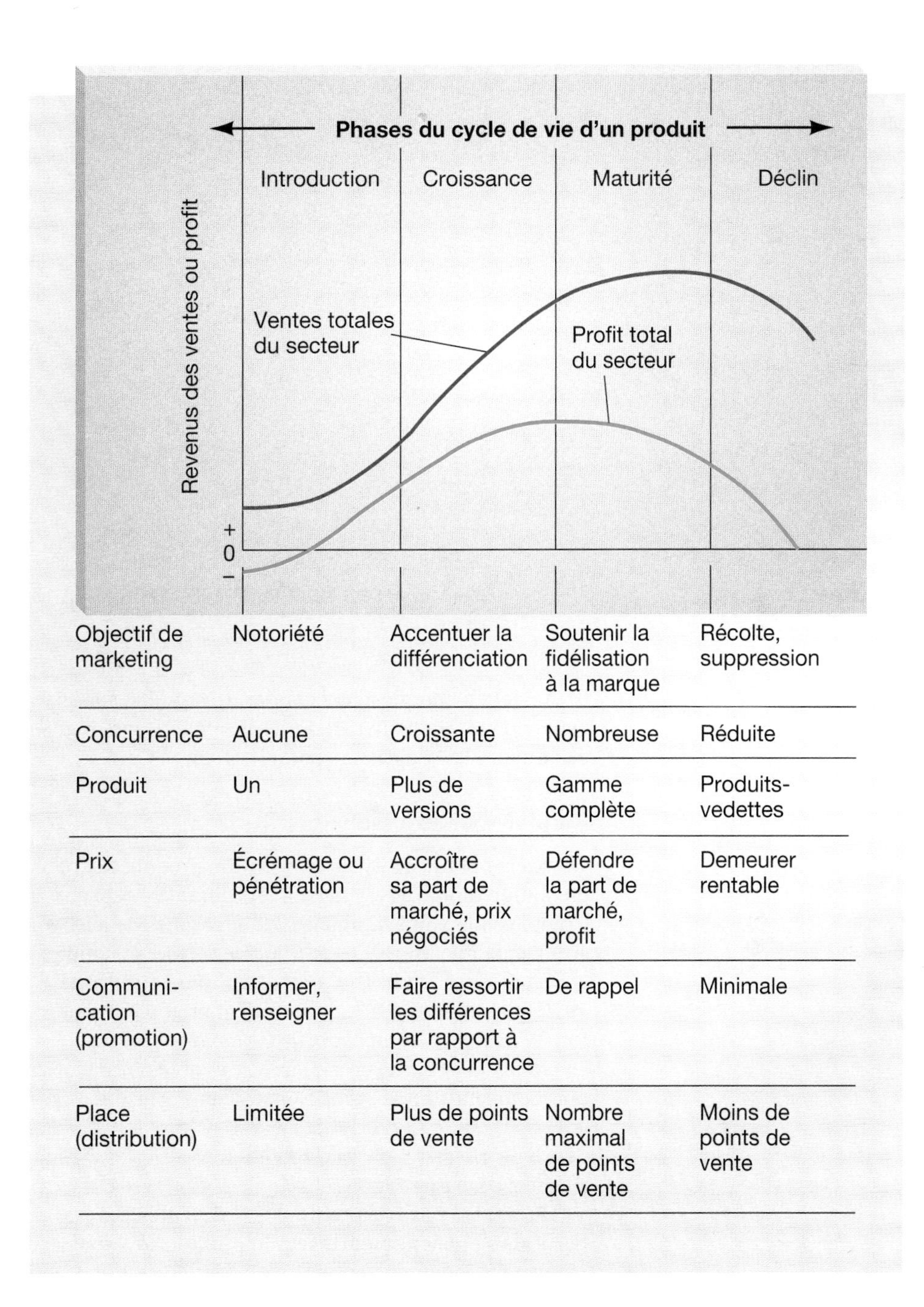

Objectif de marketing	Notoriété	Accentuer la différenciation	Soutenir la fidélisation à la marque	Récolte, suppression
Concurrence	Aucune	Croissante	Nombreuse	Réduite
Produit	Un	Plus de versions	Gamme complète	Produits-vedettes
Prix	Écrémage ou pénétration	Accroître sa part de marché, prix négociés	Défendre la part de marché, profit	Demeurer rentable
Communication (promotion)	Informer, renseigner	Faire ressortir les différences par rapport à la concurrence	De rappel	Minimale
Place (distribution)	Limitée	Plus de points de vente	Nombre maximal de points de vente	Moins de points de vente

FIGURE 12.1
La correspondance entre le cycle de vie d'un produit et les objectifs et initiatives de marketing des entreprises

attirent sur le marché les concurrents alléchés par les possibilités de profits. Cependant, pour décourager les nouveaux concurrents, l'entreprise peut adopter une politique de bas prix, dite *stratégie de pénétration.* Cette stratégie permet de vendre un plus grand volume unitaire, mais la compagnie doit surveiller attentivement ses coûts. Ces techniques de fixation des prix et d'autres stratégies seront abordées en détail au chapitre 14.

La figure 12.2 présente le graphique du cycle de vie du télécopieur (fax) autonome d'entreprise, de 1970 à 1999[5]. Comme on le voit, les ventes ont progressé lentement au cours des années 1970 et au début des années 1980 après que Xerox a lancé le premier télécopieur portable capable d'envoyer et de recevoir des documents. Auparavant, les télécopieurs étaient des machines très chères que des représentants vendaient directement aux entreprises. Ces appareils, qui coûtaient en moyenne 12 700 $ en 1980, étaient rudimentaires par rapport à ceux que nous connaissons aujourd'hui. Il s'agissait d'appareils mécaniques dépourvus de circuits électroniques et offrant peu des caractéristiques techniques des modèles actuels.

FIGURE 12.2
Le cycle de vie des télécopieurs autonomes destinés aux entreprises : 1970-1999

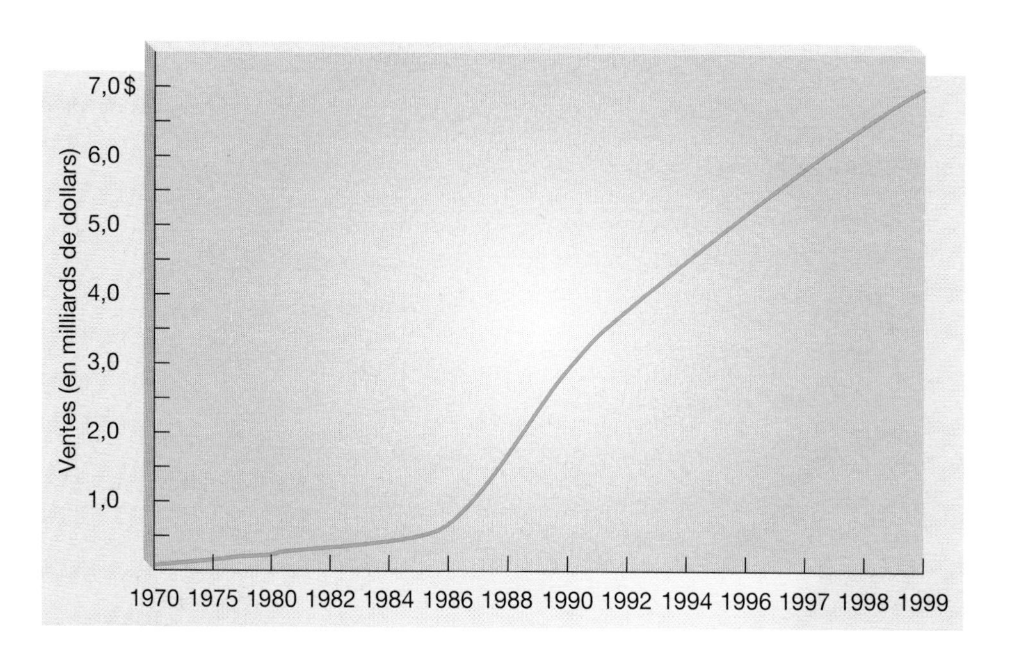

Actuellement, plusieurs classes de produits sont dans la phase d'introduction de leur cycle de vie. Il y a, par exemple, les téléviseurs haute définition (TVHD), les voitures électriques, les ordinateurs portatifs Tablet PC.

La phase de croissance

Deuxième phase du cycle de vie d'un produit, la croissance se caractérise par une augmentation rapide des ventes. C'est durant cette phase que les concurrents apparaissent. Comme on le voit à la figure 12.2, les ventes de télécopieurs ont connu un accroissement spectaculaire entre 1986 et 1990. De même, le nombre de compagnies vendant des télécopieurs s'est accru. Il n'y avait qu'une entreprise en 1970, quatre à la fin des années 1970, puis sept en 1983, qui offraient un total de neuf marques. En 1990, il y avait environ 25 fabricants et un choix de 60 marques.

Durant la phase de croissance, le nombre de concurrents augmente, les prix deviennent plus compétitifs et les profits plafonnent. Ainsi, le prix moyen des télécopieurs est passé de 3 300$ en 1985 à 1 500$ en 1990. C'est alors que la publicité commence à stimuler la demande sélective, c'est-à-dire à faire valoir les avantages d'un produit par rapport aux produits concurrents.

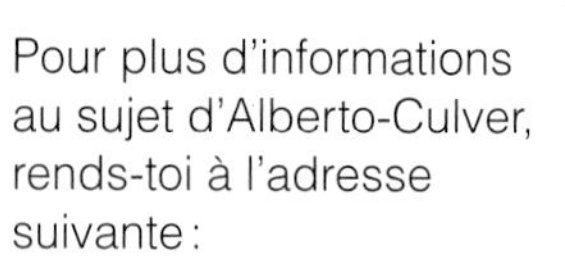

Pour plus d'informations au sujet d'Alberto-Culver, rends-toi à l'adresse suivante : www.dlcmcgrawhill.ca

Durant la phase de croissance, les ventes progressent rapidement, car de nouvelles personnes essaient ou utilisent le produit. Le nombre de « réacheteurs » augmente (les réacheteurs sont les personnes qui ont essayé le produit, en ont été satisfaites et l'ont racheté). À mesure que se déroule le cycle de vie, le nombre de réacheteurs croît par rapport au nombre de nouveaux acheteurs. Les produits qui ne réussissent pas à provoquer un rachat sont généralement voués à l'échec. Ainsi, Alberto-Culver a lancé le Sparkler de M. Culver, un purificateur d'air imitant le vitrail. Le produit passa rapidement de la phase d'introduction à la phase de croissance, mais les ventes plafonnèrent. En effet, il n'y avait presque pas de réacheteurs, car les gens se servaient du purificateur pour décorer leurs fenêtres à peu de frais. Ils l'y accrochaient et n'en rachetaient pas. De même, on pouvait penser que le remplacement des télécopieurs serait peu fréquent, l'appareil étant un bien durable. Toutefois, l'usage de ces machines s'est répandu, et les compagnies ont acheté plus d'un appareil. En 1995, les entreprises avaient, en moyenne, un télécopieur pour huit employés.

Pendant la phase de croissance, on commence à apporter des modifications au produit. Pour aider la marque d'une entreprise à se différencier des concurrents, on lance une version améliorée du produit ou on ajoute de nouvelles caractéristiques techniques au modèle original. C'est ainsi que les produits commencent à se multiplier. Les modifications

Les entreprises en croissance tentent d'apporter des modifications à leurs produits. Par exemple, Procter & Gamble ajoute de nouveaux parfums à la gamme de produits Febreze.

apportées aux télécopieurs ont fait apparaître des modèles avec téléphone intégré, des modèles utilisant du papier ordinaire plutôt que du papier thermosensible, des modèles intégrant le courrier électronique par télex et des modèles assurant la transmission protégée (confidentielle). Chez SunChips et Clearly Canadian, on ajouta de nouveaux formats et de nouveaux parfums durant la phase de croissance.

Au cours de cette phase, il est important d'assurer la plus vaste distribution possible. Dans les magasins de détail, par exemple, cela signifie que les compagnies concurrentes se disputent les présentoirs et l'espace d'étalage. Voyons ce qui s'est produit dans le secteur du télécopieur quand la distribution a pris de l'ampleur. En 1986, au début de la phase de croissance, seulement 11 % des détaillants de machines de bureau vendaient des télécopieurs. Vers le milieu des années 1990, plus de 70 % d'entre eux en offraient. La distribution s'est ensuite étendue aux magasins d'équipement électronique. Les compagnies continuent encore aujourd'hui de batailler ferme pour l'espace dans les étalages.

Nombre de produits sont maintenant dans la phase de croissance de leur cycle de vie. Il y a, par exemple, les téléphones cellulaires et les ordinateurs portatifs.

Pour plus d'informations au sujet de Honda, rends-toi à l'adresse suivante : www.dlcmcgrawhill.ca

La phase de maturité

La troisième phase, celle de la maturité, se caractérise par le ralentissement des ventes totales du secteur ou par le ralentissement des ventes dans la classe du produit. En outre, les concurrents secondaires commencent à se retirer du marché. La plupart des consommateurs qui achètent le produit sont des réacheteurs. Les autres l'ont essayé et l'ont abandonné. Durant la phase de maturité, les ventes continuent d'augmenter, mais à un taux sans cesse décroissant, et le marché n'accueille que peu de nouveaux acheteurs. Les profits baissent à cause de la guerre des prix que se livrent les nombreux vendeurs, et il en coûte plus cher pour attirer de nouveaux acheteurs.

En phase de maturité, les gestionnaires marketing s'emploient souvent à maintenir la part de marché. Ils misent davantage sur la différenciation du produit en tentant d'attirer de nouveaux acheteurs. Par exemple, les fabricants de télécopieurs ont mis au point des modèles convenant aux petites entreprises et aux travailleurs autonomes, deux segments qui représentent de nos jours une part substantielle des ventes du secteur. Il est important, durant cette phase, que la compagnie réduise l'ensemble de ses frais de marketing en améliorant l'efficacité de la promotion et de la distribution.

Les télécopieurs autonomes destinés aux entreprises sont entrés en phase de maturité au début des années 1990. En 1998, six fabricants (Brother, Canon, Hewlett-Packard, Muratec, Panasonic et Sharp) se partageaient plus de 80 % des ventes du secteur. Ce taux confirme le retrait du marché de plusieurs entreprises secondaires. À la fin des années 1990, les ventes de ces télécopieurs connaissaient un ralentissement par rapport à leurs augmentations annuelles moyennes à trois chiffres de la fin des années 1980. En 1999, on estimait qu'il y avait dans le monde trente millions de télécopieurs autonomes installés dans des entreprises.

Les voitures électriques sont dans la phase d'introduction du cycle de vie d'un produit. Honda a fait figure de pionnier en mettant sur le marché ce type de produit. Selon toi, le marché des couches jetables est-il un marché à maturité ? Ou s'agit-il d'un marché en pleine croissance grâce à l'introduction constante de nouveautés ? Il n'est pas facile de répondre à cette question, n'est-ce pas ?

De nombreuses classes de produits et de secteurs d'activité sont dans la phase de maturité de leur cycle de vie. C'est, par exemple, le cas des boissons gazeuses non alcoolisées, des voitures et des téléviseurs.

La phase de déclin

Un produit entre en phase de déclin quand les ventes et les profits commencent à baisser. Des changements dans l'environnement sont surtout à l'origine de cette situation plus qu'une mauvaise stratégie de la compagnie. L'innovation technologique précède fréquemment la phase de déclin, et de nouvelles technologies remplacent les anciennes. Ainsi, les possibilités de traitement de texte de l'ordinateur ont hâté le déclin de la machine à écrire. Les disques compacts ont fait de même avec les cassettes dans l'industrie musicale.

La technologie Internet et le courrier électronique annoncent-ils la fin de la télécopie ? L'encadré Tendances marketing propose un point de vue sur la question[6]. Les produits en phase de déclin accaparent généralement du temps de gestion et des ressources financières démesurés par rapport à leur valeur potentielle. Les entreprises disposent des deux stratégies possibles pour réduire ce gaspillage de ressources : la suppression ou la récolte.

La suppression La stratégie la plus radicale est la *suppression* de produit. Elle consiste à retirer un produit de la gamme. Ce genre de décision ne se prend pas à la légère, car beaucoup de consommateurs peuvent encore utiliser ou consommer le produit. Quand Coca-Cola a décidé de laisser tomber ce qu'on appelle aujourd'hui le Coke Classique, les consommateurs ont protesté avec une telle énergie que la compagnie a du réintégrer ce produit.

La récolte La seconde stratégie, la *récolte,* consiste à conserver le produit tout en réduisant les coûts de soutien marketing. On continue à offrir le produit, mais les représentants n'y consacrent plus de temps et on ne lui fait plus de publicité. Le but de la récolte est de pourvoir seulement à la demande spécifique des consommateurs. Par exemple, à l'ère du traitement de texte, Gillette continue pourtant de vendre du liquide correcteur Liquid Paper.

TECHNOLOGIE

TENDANCES MARKETING

Le décollage d'Internet annonce-t-il la mort du bon vieux télécopieur ?

La phase de déclin d'un produit est souvent marquée par une innovation technologique. Internet et le courrier électronique remplaceront-ils le télécopieur ?

Cette question a fait l'objet de débats passionnés. Même si les ventes d'ordinateurs hôtes d'Internet sont en phase de croissance (voir le graphique), les ventes de télécopieurs continuent aussi à croître. Les analystes du secteur estiment que près de 100 millions de personnes utilisent le courrier électronique dans le monde. Toutefois, la croissance du courrier électronique n'a pas encore touché la télécopie parce que les deux technologies ne se font pas directement concurrence, leurs applications différant quelque peu.

On utilise le courrier électronique pour envoyer des textes sans mise en forme, tandis que la télécopie sert surtout, dans le monde des affaires, à transmettre des documents mis en page. On pense que l'utilisation de la télécopie augmentera jusque dans les années 2005 et que les ventes de télécopieurs autonomes augmenteront parallèlement. La technologie Internet remplacera la télécopie, mais pas dans un avenir immédiat.

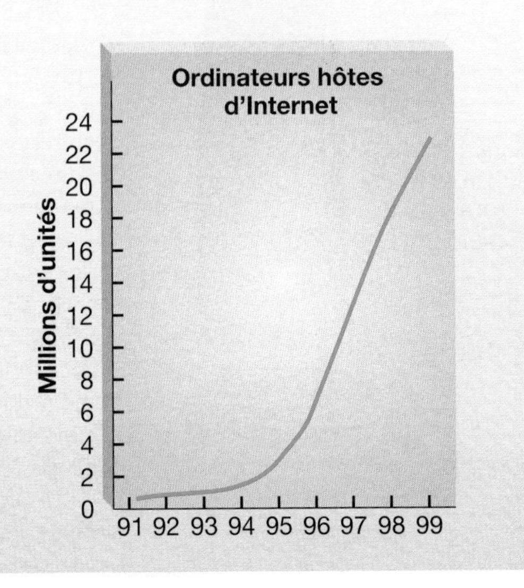

Quelques aspects du cycle de vie d'un produit

Les aspects importants des cycles de vie d'un produit sont leur durée, la forme de leurs courbes et la façon dont ils varient selon le type du produit.

La durée du cycle de vie d'un produit Le cycle de vie d'un produit n'a pas de durée prédéterminée. En règle générale, les produits de consommation ont un cycle de vie plus court que celui des produits industriels. Par exemple, beaucoup de nouveaux produits alimentaires du genre des SunChips passent de la phase d'introduction à la maturité en 18 mois. Grâce aux moyens de communication de masse, les consommateurs sont rapidement informés sur un produit, ce qui abrège les cycles de vie. De plus, à cause de la rapidité des changements technologiques, de nouveaux produits ont tôt fait de remplacer les produits existants, ce qui raccourcit également les cycles de vie des produits.

La courbe du cycle de vie d'un produit La courbe présentée à la figure 12.1 est la *courbe générale du cycle de vie d'un produit.* Il faut bien comprendre que les produits ne suivent pas tous un cycle de vie ayant cette courbe. En fait, il y a plusieurs courbes possibles, chacune reflétant une stratégie de marketing différente. La figure 12.3 illustre les courbes du cycle de vie de quatre types de produits : les produits à apprentissage long, les produits à apprentissage court, les produits à effet de mode et les « folies passagères ».

Les *produits à apprentissage long* sont des produits dont le cycle de vie comporte une longue phase d'introduction parce que les consommateurs doivent faire un important apprentissage avant de pleinement les exploiter (graphique A, figure 12.3). Des produits comme les ordinateurs personnels présentent ce genre de courbe de cycle de vie, car les consommateurs doivent d'abord comprendre les avantages de l'achat d'un tel appareil ou apprivoiser de nouvelles façons d'accomplir des tâches familières. Par exemple, les gens qui achètent un four à convection doivent apprendre à utiliser un nouveau mode de cuisson et modifier leurs recettes habituelles.

Au contraire, les *produits à apprentissage court* se vendent rapidement dans la phase d'introduction, parce que leurs avantages sont facilement observables et leur utilisation ne nécessite pas un grand apprentissage (graphique B, figure 12.3). Par ailleurs, ces produits étant aisément imitables, il faut en étendre la distribution rapidement. Ainsi, quand les concurrents entrent sur le marché, la plupart des points de vente sont déjà

FIGURE 12.3
Différents cycles de vie d'un produit

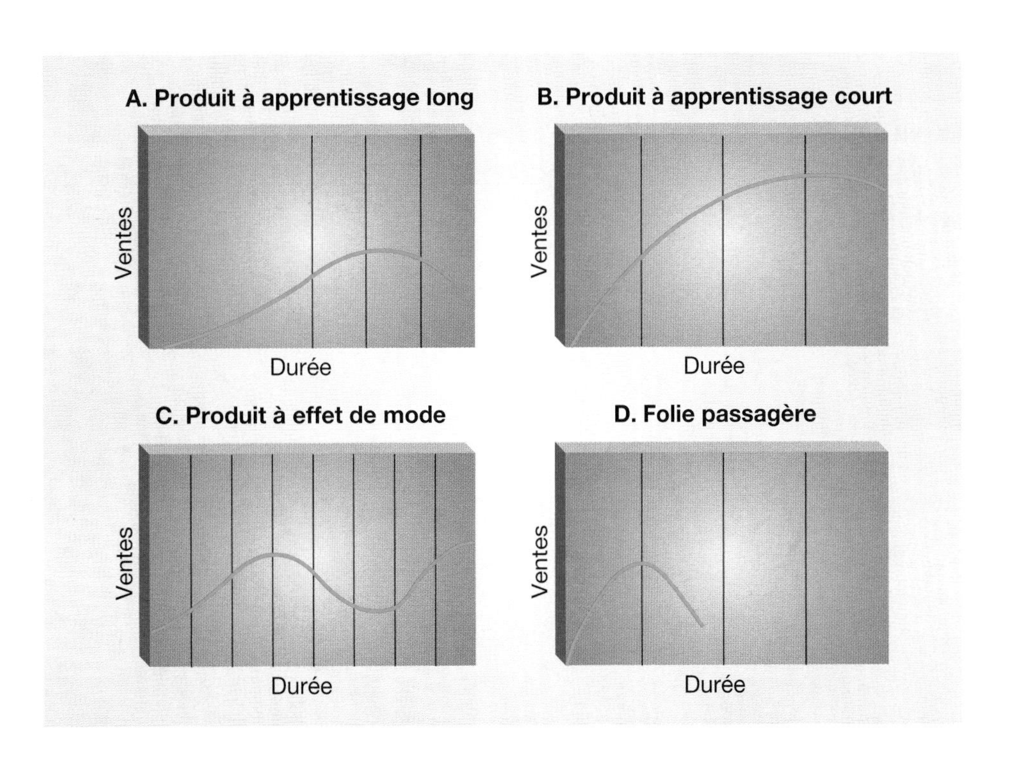

pourvus avec le produit du premier créateur. Il est aussi essentiel d'avoir les capacités de production pour satisfaire à la demande. Le rasoir Mach 3 de Gillette est un bon exemple de produit à apprentissage court. Lancés au milieu de 1998, ce rasoir et les lames de remplacement qui l'accompagnent représentent des ventes de plus de 300 millions de dollars sur le seul marché américain[7].

Un *produit à effet de mode* (graphique C, figure 12.3), comme une jupe d'une certaine longueur ou un veston à revers, est lancé, décline, puis semble revenir. La reprise des cycles de vie des produits à effet de mode est courante dans le secteur du vêtement pour dames et pour hommes. Ces cycles peuvent durer des années comme des décennies.

Les *folies passagères,* les chaussettes à orteils, par exemple, sont des produits dont le cycle de vie comprend deux temps : un démarrage rapide et un déclin tout aussi rapide (graphique D, figure 12.3). Ces produits sont généralement des nouveautés. Leur éventail va des produits de maquillage d'autos (décrits comme les premiers tatouages détachables et réutilisables pour voiture) aux robes en vinyle, en passant par les bikinis en fourrure de mouton et les minijupes AstroTurf[8].

Le niveau du produit : classe, forme et marque La courbe de vie d'un produit illustrée à la figure 12.1 représente un secteur d'activité complet ou une classe de produits. Cependant, lorsqu'on s'occupe d'un produit particulier, il importe souvent d'en distinguer les multiples cycles de vie (classe, forme et marque). Le cycle de vie associé à la **classe de produits** renvoie à un secteur d'activité ou à une catégorie complète de produits, comme la catégorie des jeux vidéo présentée à la figure 12.4[9]. Le cycle de vie associé à la **forme du produit** a trait aux différentes versions d'un produit dans une classe spécifique. Par exemple, les formes que prend un jeu vidéo correspondent aux capacités des modules de jeux (8, 16 ou 32/64 octets). Ces modules ont un cycle de vie qui leur est propre et passent généralement de la phase d'introduction à la maturité en cinq ans. Dans ce secteur, une marque de jeu comme Nintendo, Sony ou Sega peut également avoir son propre type de cycle de vie. En effet, les ventes de ces marques de jeux dépendent des ventes des modules de jeux, du nombre de jeux offerts et de la qualité de ces jeux. Il faut s'attendre à ce que les cycles de vie des classes, des formes et des marques de jeu vidéo changent encore dans les prochaines années à la suite du lancement de la X-Box par Microsoft et du nouveau PlayStation 2 par Sony[10].

Le cycle de vie et les consommateurs Le cycle de vie d'un produit dépend des ventes aux consommateurs. Ces derniers ne s'empressent pas tous d'acheter les produits en phase d'introduction. Les formes des courbes de cycle de vie indiquent que la plupart

FIGURE 12.4
Les cycles de vie du jeu vidéo par classe du produit et par formes du produit

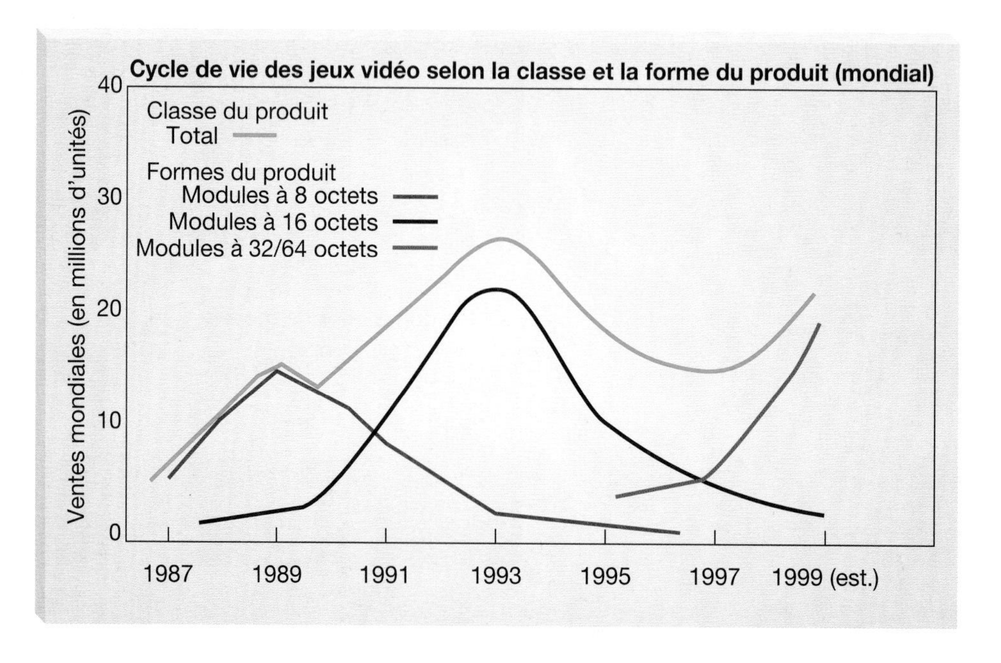

FIGURE 12.5
Cinq catégories et profils d'acheteurs

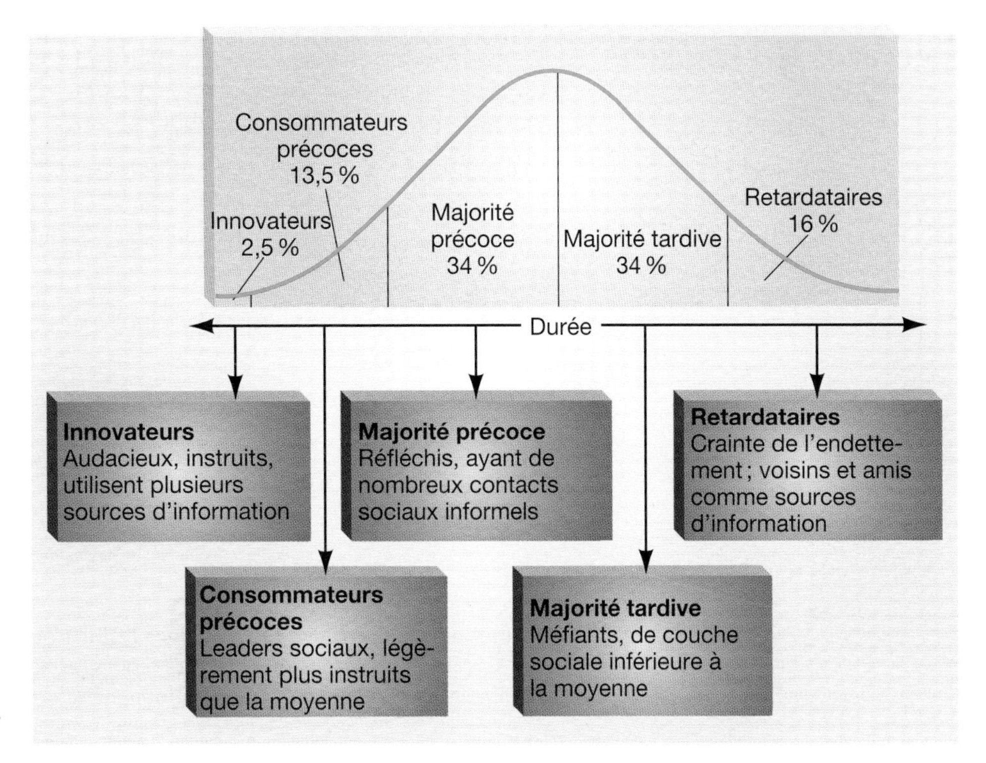

Pour qu'un produit remporte du succès, il faut que les consommateurs précoces l'achètent. C'est pour cette raison que l'entreprise Whitehall Robins s'est efforcée de faire approuver par les médecins son produit Advil.

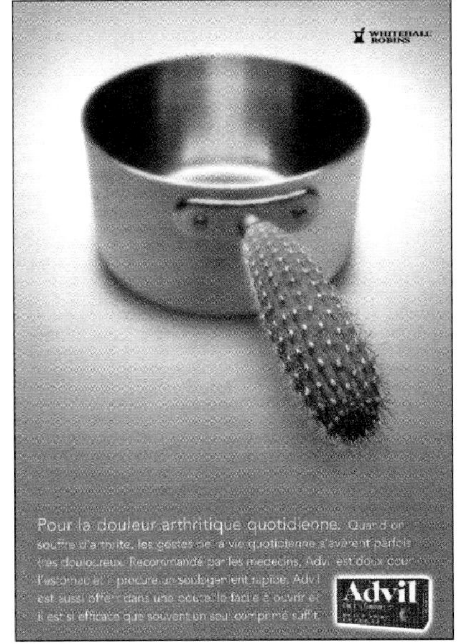

des ventes se produisent un certain temps après l'introduction du produit sur le marché. Quand un produit est diffusé, ou répandu, dans la population, on appelle cela le principe de *diffusion de l'innovation*[11].

Certaines personnes sont attirées par un produit dès sa sortie. D'autres attendent que leurs amis l'achètent avant de le faire eux-mêmes. La figure 12.5 illustre la division de la population des consommateurs en cinq catégories, selon le moment d'adoption d'un nouveau produit. Chaque catégorie est brièvement décrite. Pour qu'un produit, quel qu'il soit, ait du succès, il faut que les innovateurs et les consommateurs précoces l'achètent. Pour cette raison, les fabricants de produits pharmaceutiques s'efforcent de faire adopter leurs nouveaux produits par les hôpitaux, les cliniques et les médecins reconnus dans le milieu. Une fois acceptés par les innovateurs et les consommateurs précoces, les nouveaux produits le seront aussi par la majorité précoce, la majorité tardive et les retardataires.

La décision d'adopter ou non un nouveau produit dépend de plusieurs facteurs. Souvent, le produit crée des barrières qui empêchent les gens de l'acheter en phase d'introduction : barrières de l'habitude (le produit dérange les habitudes), barrières de valeur (le produit n'incite pas au changement), barrières de risque (physique, économique ou social) et barrières psychologiques (différences culturelles ou question d'image)[12].

Les entreprises s'efforcent d'abattre ces barrières de multiples façons. Pour inciter les gens à faire l'essai de nouveaux produits, elles leur offrent des certificats de conformité, des garanties de remboursement, des modes d'emploi détaillés, des démonstrations et des échantillons gratuits. Par exemple, les développeurs de logiciels permettent de télécharger des démonstrations de leurs produits à l'aide d'Internet. CoverGirl invite les consommatrices à utiliser, en ligne, son système ColorMatch pour voir comment certains produits de maquillage leur iraient. Les échantillons distribués en magasin ou par courrier sont l'un des moyens les plus populaires d'amener les clients à faire l'essai d'un produit. Beaucoup de compagnies et de consommateurs considèrent que l'échantillon est la meilleure façon d'évaluer un nouveau produit. Par exemple, certains viticulteurs ontariens de la région du Niagara croient que la distribution d'échantillons (ici, des dégustations) est nécessaire pour qu'un nouveau vin se taille une place sur un marché canadien concurrentiel et achalandé[13].

Pour plus d'informations au sujet de CoverGirl, rends-toi à l'adresse suivante : www.dlcmcgrawhill.ca

RÉVISION DES CONCEPTS

1. La publicité est cruciale durant la phase ______________ du cycle de vie d'un produit, tandis que la ______________ joue un rôle essentiel durant la maturité.
2. Les premiers consommateurs à adopter un produit s'appellent les ______________.
3. La distribution en phase de maturité doit couvrir le ______________ de points de vente.
4. Explique la différence entre les produits à apprentissage long et les produits à apprentissage court.
5. Décris le cycle de vie d'un produit à effet de mode.

LA GESTION DU CYCLE DE VIE D'UN PRODUIT

Il est essentiel pour une firme de bien diriger les différentes phases des cycles de vie de ses produits. Nous analyserons en détail les stratégies suivantes : la modification de produit, la modification de marché et le repositionnement de produit.

La modification de produit

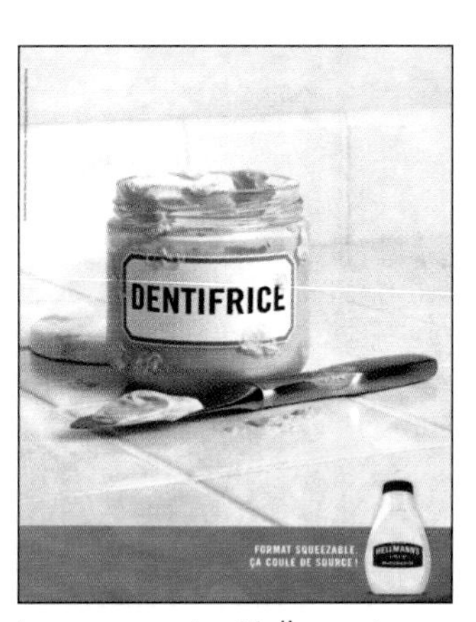

La mayonnaise Hellmann's est maintenant vendue dans un emballage plus pratique.

La **modification de produit** consiste à transformer des caractéristiques d'un produit, comme sa qualité, son rendement ou son apparence, afin d'en accroître les ventes ou d'en prolonger la durée de vente. En lançant ses pantalons en coton infroissable, Levi Strauss a revitalisé les ventes de pantalons sport pour hommes. L'entreprise réalise maintenant 60 % des ventes de pantalons en coton pour hommes. Le thé glacé, en sachet ou en format prêt-à-boire, est à nouveau en vogue ces dernières années. Mais une nouvelle modification de ce produit, le thé glacé surgelé, a connu une impressionnante croissance des ventes. Selon la compagnie Minute Maid du Canada, commercialisant le thé glacé surgelé Nestea, il s'agit là du plus important nouveau produit qu'elle ait lancé au cours des années 1990[14].

De nouvelles caractéristiques techniques, de nouveaux emballages ou des parfums originaux peuvent changer un produit et lui donner une allure renouvelée. Ainsi, Procter & Gamble a rajeuni la gamme de shampooings et revitalisants Pantene. L'entreprise y a ajouté une nouvelle formule vitaminée, et elle a relancé la marque à l'aide d'une campagne publicitaire et promotionnelle de quelques millions de dollars. Résultat ? Pantene, une marque des années 1940, domine maintenant le secteur des shampooings et revitalisants, où s'affrontent plus de 1 000 concurrents[15].

La modification de marché

Les entreprises ont recours aux stratégies de **modification de marché** pour tenter d'accroître l'utilisation habituelle d'un produit. Elles lui créent de nouveaux usages ou, carrément, tentent de trouver de nouveaux clients.

Accroître l'usage La compagnie de soupes Campbell a utilisé cette stratégie consistant à promouvoir l'usage plus fréquent de ses produits. Comme la consommation de soupe augmente en hiver et diminue en été, Campbell fait maintenant beaucoup plus de publicité durant la saison chaude pour suggérer aux consommateurs que la soupe ne se mange pas uniquement par temps froid. De même, l'Association des producteurs d'oranges de la Floride recommande aux gens de boire du jus d'orange à n'importe quelle heure du jour et pas seulement au déjeuner.

Créer de nouvelles utilisations Woolite, un savon à lessive, a pour stratégie de trouver de nouvelles utilisations à des produits existants. D'abord prévu pour le lavage à la main des lainages, Woolite est maintenant présenté comme un savon convenant à tous les vêtements délicats. Mars a créé une nouvelle utilisation en suggérant, dans ses publicités, de remplacer les pépites de chocolat dans les pâtisseries par ses bonbons M&M.

Dénicher de nouveaux utilisateurs Harley-Davidson a bien réussi la mise en marché de ses motos auprès des femmes. Celles-ci représentent maintenant 9 % de sa clientèle, une augmentation de 7 % par rapport à 1985. De même, Sony et Nintendo ont accru leur bassin d'utilisateurs en élaborant des jeux vidéo spécialement conçus pour les enfants de moins de 13 ans[16].

Le repositionnement de produit

Souvent, pour relancer les ventes, les entreprises repositionnent leurs produits ou leur gamme de produits. Le *repositionnement de produit* consiste à changer la place occupée par le produit dans l'esprit du consommateur par rapport aux produits concurrents. Une entreprise peut repositionner un produit en changeant un ou plusieurs éléments du marketing mix. Voyons maintenant quatre raisons qui motivent un repositionnement.

Réagir aux assauts d'un concurrent On a une bonne raison de repositionner un produit quand un concurrent important nuit aux ventes et s'attaque à une part de marché. Procter & Gamble a ainsi dû repositionner ses savons Ivory pour contrer le succès du Lever 2000 de Lever Brothers. Lever 2000, un savon hydratant, désodorisant et antibactérien, disputait à Procter & Gamble sa domination du marché jusque-là incontestée. Procter & Gamble riposta en lançant le nouveau savon de beauté Ivory ultra-doux. Le problème ? Le nouvel Ivory ne flotte pas[17] !

TECHNOLOGIE

TENDANCES MARKETING Pourquoi le savon Ivory flotte-t-il?

Comment l'oubli d'un employé permit à la compagnie Procter & Gamble d'innover en produisant un savon qui flotte.

T'est-il déjà arrivé de te demander pourquoi le savon Ivory, contrairement aux autres savons, flottait? Si on en croit la compagnie Procter & Gamble (la compagnie qui fabrique le savon Ivory), personne n'avait, au départ, l'idée de faire du savon Ivory un savon différent des autres en le faisant flotter.

Un jour, cependant, un employé partit dîner en oubliant de fermer la machine qui mélangeait les ingrédients entrant dans la composition du savon. Lorsqu'il revint, il découvrit que le mélange était devenu une curieuse solution mousseuse.

Divers employés, en compagnie de monsieur Procter lui-même, jetèrent un coup d'œil à la curieuse solution, et décidèrent qu'elle était malgré tout utilisable. Ce n'est qu'en recevant des lettres de consommateurs qui réclamaient « encore des savons flottants » que la compagnie s'est aperçue que les savons fabriqués avec la curieuse solution n'étaient pas tout à fait identiques aux autres.

En analysant de plus près la solution en question, on se rendit compte que tout ce qu'il fallait pour que le savon puisse flotter, c'était de faire entrer plus d'air dans le mélange pendant qu'on le préparait. Cela rendait le savon plus léger que l'eau, donc le faisait flotter. La compagnie Procter & Gamble trouva que l'idée d'un « savon flottant » n'était pas si mauvaise pour faire vendre le produit, puisque cela pouvait avoir ses utilités, par exemple pour quelqu'un qui voudrait se laver dans un lac. C'est pourquoi elle continue de fabriquer son savon de cette façon.

Source : Louise Casavant, « Pourquoi le savon Ivory flotte-t-il ? », *Vidéo Presse*, septembre 1989.

Atteindre un nouveau marché Quand Unilever a lancé le thé glacé en Grande-Bretagne, au milieu des années 1990, les ventes furent décevantes. Les consommateurs britanniques se montrèrent peu intéressés à consommer ce qu'ils considéraient comme un reste de thé chaud. La compagnie rendit son thé pétillant, le repositionna comme une boisson gazeuse froide non alcoolisée au même titre que les autres boissons gazeuses douces, et les ventes s'améliorèrent. New Balance a repositionné ses chaussures d'athlétisme pour atteindre les *baby-boomers* vieillissants. Plutôt que de concurrencer de front Nike, Reebok et Fila, cette compagnie offre un vaste choix de chaussures dans des largeurs convenant aux consommateurs plus lourds. Elle s'est affiliée à un réseau de podologues qui installent des supports orthopédiques dans ses produits[18].

Profiter d'une tendance comme l'alimentation santé permet d'accroître les ventes.

Profiter d'une tendance Les changements de tendances dans la consommation peuvent aussi mener au repositionnement. L'intérêt des consommateurs pour les « aliments fonctionnels » en est un exemple[19]. Ces aliments sont plus que nutritifs, ils offrent également des avantages au plan de la santé et de la diététique. De nombreux produits ont misé sur cette tendance. S'appuyant sur des rapports gouvernementaux, Quaker Oats annonce que l'avoine, intégrée à un régime faible en gras saturés et en cholestérol, peut réduire les risques de maladie coronarienne. Les produits enrichis de calcium, comme les barres Nutri-Grain, le jus Tropicana et le riz Uncle Ben enrichi de calcium, font la promotion de la bonne santé osseuse des enfants et des adultes.

Changer la valeur offerte En repositionnant un produit, une entreprise peut décider de changer la valeur qu'elle offre aux acheteurs, à la hausse ou à la baisse. L'**extension ascendante** consiste à accroître la valeur du produit (ou de la gamme) en ajoutant des caractéristiques ou du matériel de plus haute qualité. C'est ce que Michelin a fait avec son pneu « Zéro Pression ». Même complètement à plat, il peut encore rouler plus de 70 kilomètres. Des fabricants de nourriture pour chiens, comme Ralston Purina, ont aussi fait de l'extension ascendante en offrant des nourritures de grande qualité développées sur la base d'une « nutrition par étape de vie ». Les grandes surfaces, comme Sears du Canada et La Baie, peuvent pratiquer l'extension ascendante en ajoutant une boutique de couturier à leur magasin.

L'**extension descendante** consiste à réduire le nombre de caractéristiques du produit, sa qualité ou son prix. Par exemple, les compagnies aériennes ont réduit la place pour les jambes des passagers en ajoutant des sièges sur chaque vol. Elles ont aussi éliminé les gâteries, comme le service de goûter, et ont réduit les portions de nourriture. Il y a également extension descendante quand les entreprises font de la **réduction.** Elles réduisent le contenu dans les emballages sans changer le format du paquet ni son prix. Il s'agit là d'un procédé qui est souvent dénoncé, comme tu peux le lire dans l'encadré Question d'éthique[20].

Pour plus d'informations au sujet de La Baie, rends-toi à l'adresse suivante : www.dlcmcgrawhill.ca

RÉVISION DES CONCEPTS

1. De quelles stratégies les chefs de produit disposent-ils pour gérer le cycle de vie d'un produit ?
2. Que signifie « créer de nouvelles utilisations » lorsqu'on gère le cycle de vie d'un produit ?
3. Explique la différence entre l'extension ascendante et l'extension descendante quand on fait du repositionnement.

LA GESTION DE LA MARQUE

L'une des principales décisions de mise en marché d'une entreprise concerne la gestion de la marque. Il s'agit du choix d'un nom, d'un slogan, d'un design, d'un symbole ou d'une combinaison de ces moyens pour identifier ses produits et les distinguer des produits concurrents. Un **nom de marque** ou une **marque nominative** est tout nom ou « moyen » (design, son, forme ou couleur), ou toute combinaison de noms et de moyens, qui distingue les produits et les services vendus. Certains noms de marque peuvent être prononcés, comme Clearly Canadian ou Rollerblade. D'autres sont imprononçables comme la pomme irisée (le logotype) de la compagnie Apple Computer figurant sur ses machines et dans ses annonces publicitaires. La **raison sociale** ou le **nom commercial** est l'appellation commerciale légale sous laquelle une compagnie fait des affaires. Bombardier inc. est la raison sociale de la firme Bombardier.

Par ailleurs, la **marque du fabricant,** ou **marque de commerce,** indique qu'une firme a légalement enregistré son nom de marque ou sa raison sociale. Ainsi, elle en détient l'usage exclusif, interdisant à quiconque d'autre de les utiliser. Au Canada, les marques de commerce sont déposées conformément à la *Loi sur les marques de commerce* d'Industrie Canada (le ministère de l'Industrie). Une marque de commerce réputée peut faire connaître les produits aux consommateurs et développer la fidélisation à la marque. La figure 12.6 présente des exemples de marques de commerce renommées.

L'ÉTHIQUE

QUESTION D'ÉTHIQUE

La réduction du contenu des produits empaquetés : les consommateurs paient plus pour moins

Pendant plus de 30 ans, Starkist a mis 184 grammes de thon dans ses boîtes de conserve de format 184 g. Aujourd'hui, elle n'en met plus que 174, mais demande toujours le même prix. Le très grand format de détergent liquide Ajax, de Colgate-Palmolive, est toujours le même, mais son contenu est passé de 1,8 litre à 1,6 litre, et son prix, de 2,59 $ à 2,79 $. Procter & Gamble a réduit le nombre de couches jetables Pampers par emballage sans toutefois en abaisser le prix. Le prix du bâton de déodorant Speed Stick de Mennen n'a pas changé, mais les 63 grammes de produit se présentent maintenant dans un contenant plus grand que l'ancien, qui offrait pourtant 70 grammes.

Selon les associations de défense des consommateurs, la « réduction » du contenu des paquets non accompagnée d'une réduction de prix est une façon ingénieuse et retorse d'abuser des habitudes d'achat des consommateurs. Pour leur part, les fabricants font valoir qu'il s'agit là d'un moyen de maintenir le prix de leurs produits en deçà d'une certaine barrière psychologique.

Selon toi, est-il contraire à l'éthique de réduire ainsi le contenu des paquets sans en informer les consommateurs ?

Pour plus d'informations au sujet de Pampers, rends-toi à l'adresse suivante : www.dlcmcgrawhill.ca.

Une bonne marque de commerce fait vendre un produit. *L'imitation frauduleuse,* c'est-à-dire la fabrication illégale à moindre coût de copies de marques populaires, est de plus en plus courante et problématique. Cette façon de faire prive le fabricant original de ses ventes légitimes et nuit à sa réputation.

La protection de la marque de commerce est une question importante en marketing international. Par exemple, avec le morcellement de l'Union soviétique, de nombreuses compagnies, dont Xerox, ont dû déposer leurs marques de commerce dans chacune des nouvelles républiques pour en empêcher l'usage frauduleux ou générique par des concurrents ou des consommateurs.

La marque des produits a beaucoup d'avantages pour les consommateurs. En reconnaissant les produits concurrents grâce à leurs marques distinctives, ils peuvent acheter plus efficacement. Ainsi, ils identifient et évitent les produits des marques qui ne les ont pas satisfaits, et choisissent celles qui leur plaisent. Comme on l'a dit au chapitre 6, la

FIGURE 12.6
Exemples de marques de commerce, de noms de marque et de raisons sociales bien connus

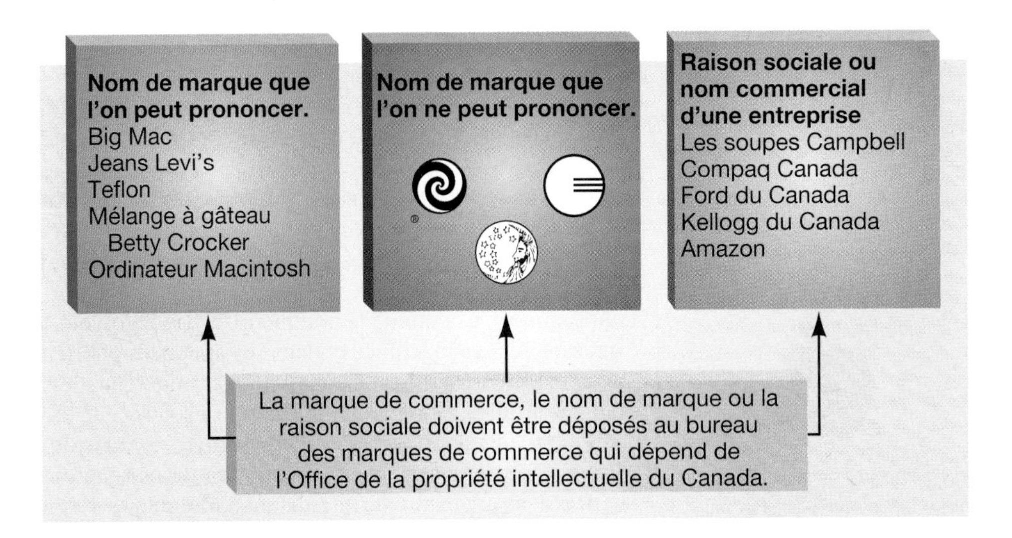

fidélisation à la marque facilite souvent la décision d'achat des consommateurs en éliminant le besoin d'une recherche externe. CanWest Global System utilise la marque « Global ». Selon elle, cette marque permet aux téléspectateurs de reconnaître facilement les stations du réseau et d'en consulter les horaires.

La personnalité de marque et le capital-marque

Les chefs de produit savent qu'une marque fait plus qu'identifier un produit et le distinguer de ses concurrents. Les noms de marque connus et bien établis ont une **personnalité de marque,** soit un ensemble de propriétés humaines qui leur est associé[21]. Les recherches démontrent que les consommateurs attribuent souvent des traits de personnalité aux produits : traditionnels, romantiques, sauvages, sophistiqués, rebelles. – Les consommateurs choisissent les marques qui correspondent à l'image qu'ils ont ou aimeraient avoir d'eux-mêmes. Les spécialistes du marketing ont la capacité de doter les marques d'une personnalité, et ils ne s'en privent pas. Songe seulement aux publicités décrivant un type d'utilisateur particulier ou présentant un objet dans des situations où la marque se trouve associée à certains sentiments ou émotions. Par exemple, les traits de personnalité associés à Coca-Cola sont le vrai et le *cool*. Pepsi est associé à la jeunesse, au tempérament survolté et à la mode. Dr Pepper évoque le farfelu, l'originalité et le plaisir.

Du seul fait de son existence, la notion de capital-marque témoigne de l'importance d'un bon nom de marque. Le **capital-marque** est la valeur ajoutée par un nom de marque aux avantages fonctionnels d'un produit[22]. Cette valeur est doublement intéressante. Premièrement, le capital-marque procure un avantage concurrentiel. Par exemple, la marque Sunkist évoque des fruits de qualité, tandis que le nom Gatorade est synonyme de boissons sportives. Le second avantage est que les consommateurs consentent souvent à payer davantage pour un produit ayant du capital-marque. Le capital-marque devient alors une prime que l'on paie pour obtenir une marque plutôt qu'une autre, alors que les avantages fonctionnels de deux produits se valent. Le prix des puces d'Intel, des systèmes audio Bose, des piles Duracell, des logiciels Microsoft et des sacs de voyage Louis Vuitton est toujours un peu plus élevé à cause du capital-marque.

La concession de licences

La valeur du capital-marque ressort clairement lorsqu'il y a concession de licences. La **concession de licence** est un contrat par lequel une compagnie en autorise une autre à utiliser son nom de marque, son brevet, ses procédés de fabrication ou d'autres droits, en retour de redevances. La concession de licences peut être très profitable tant pour le concédant de licences que pour l'acheteur de licence. En effet, à l'échelle de la planète, les ventes au détail de produits sous licence s'élèvent à plus de 110 milliards de dollars[23]. Playboy a récolté plus de 260 millions de dollars en concédant sous licence son nom, qui apparaît maintenant sur des marchandises aussi variées que des chaussures en Amérique du Nord, du papier peint en Europe et des cours de cuisine au Brésil. Murjani a vendu plus de 500 millions de dollars de vêtements portant le logo de Coca-Cola.

Comment choisir un bon nom de marque ?

Des noms comme Cartier, Sanyo, Porsche et Adidas semblent aller de soi, mais il est souvent coûteux et difficile de trouver et de choisir un bon nom. Les entreprises consacrent généralement entre 25 000 $ et 100 000 $ au choix et à la mise à l'essai d'un nouveau nom de marque[24]. Ainsi, le nom Pentium donné par Intel à sa famille de puces lui a coûté 45 000 $[25]. Pour choisir un bon nom de marque, on suit habituellement les cinq préceptes suivants[26].

- Le nom devrait évoquer les avantages du produit. Par exemple, les noms Powerbook (ordinateur), Easy Off (produit nettoyant pour le four), Glass Plus (nettoyant pour le verre), Ski-doo (motoneige), Air Canada (compagnie aérienne) et Monsieur Net (nettoyant ménager) décrivent tous clairement les avantages du produit.
- Le nom devrait être facile à mémoriser, distinctif et à connotation positive. Dans le secteur de l'automobile, quand un fabricant trouve un nom facile à mémoriser, les concurrents l'imitent rapidement. Ainsi, quand Ford a nommé sa voiture Mustang, les Pinto, les Colt et les Bronco des concurrents (trois autres types de chevaux) n'ont pas tardé à apparaître sur le marché. Pareillement, le nom de Thunderbird a amené dans son sillage les Phoenix, Eagle, Sunbird et Firebird.
- Le nom devrait être compatible avec l'image de la compagnie ou du produit. Sharp est un nom qui peut s'appliquer à de l'équipement audio et vidéo. Excedrin, Anacin et Nuprin sont des noms à connotation scientifique. Ils conviennent donc bien à un

Les Ruffles et les Chee-tos sont maintenant vendus en Israël, et d'autres aliments à grignoter de Frito-Lay devraient bientôt l'être aussi. Cette pénétration du marché israélien s'est faite grâce à un contrat de licence avec Elite Foods d'Israël.

Pour plus d'informations au sujet d'Elite Company, rends-toi à l'adresse suivante : www.dlcmcgrawhill.ca

analgésique. Toutefois, le nom de PC jr, dont IBM avait doté son premier ordinateur personnel, ne convenait ni à la compagnie ni au produit. Ce nom faisait penser à un jouet et cela a retardé l'implantation d'IBM dans le secteur des ordinateurs de maison.

- Le nom devrait respecter toutes les restrictions légales et satisfaire toutes les exigences réglementaires. Les restrictions légales non respectées sont sources de poursuites pour contrefaçon de marque. Les exigences réglementaires découlent de l'usage inapproprié des mots[27]. De plus en plus, les noms de marque nécessitent une adresse correspondante sur Internet. Cela vient encore compliquer la sélection d'un nom, car plus de deux millions de domaines sont déjà enregistrés.
- Enfin, le nom devrait être simple (comme les noms du détergent à lessive Bold, du déodorant Sure et des stylos Bic) et avoir une connotation émotive (comme ceux des parfums Miracle et Obsession). Si le nom choisi doit être utilisé sur le marché mondial, on a souvent avantage à retenir un nom de marque sans signification. Un nom comme Esso n'évoque rien, de prime abord. Ce nom ne véhicule pas d'images qui pourraient être mal reçues dans un monde où fleurissent diverses populations, langues et cultures. Ce n'est pas le cas de 7Up. À Shanghai, en Chine, l'expression, dans le dialecte local, signifie « mourir en buvant ». Une telle appellation a nui aux ventes du produit[28].

Les stratégies de gestion de la marque

Les compagnies qui décident de donner une marque à un produit disposent de plusieurs stratégies : marque du fabricant, marque du distributeur ou approche mixte.

La marque du fabricant Quand la marque du fabricant est utilisée, c'est le fabricant qui décide du nom de la marque. Il utilise alors une stratégie multiproduit ou une stratégie multimarque. S'il opte pour la **stratégie multiproduit,** tous ses produits portent la même marque. On appelle souvent ce type de création de marques *stratégie de marque de famille* (voir la figure 12.7).

FIGURE 12.7
Différentes stratégies de la gestion de marque

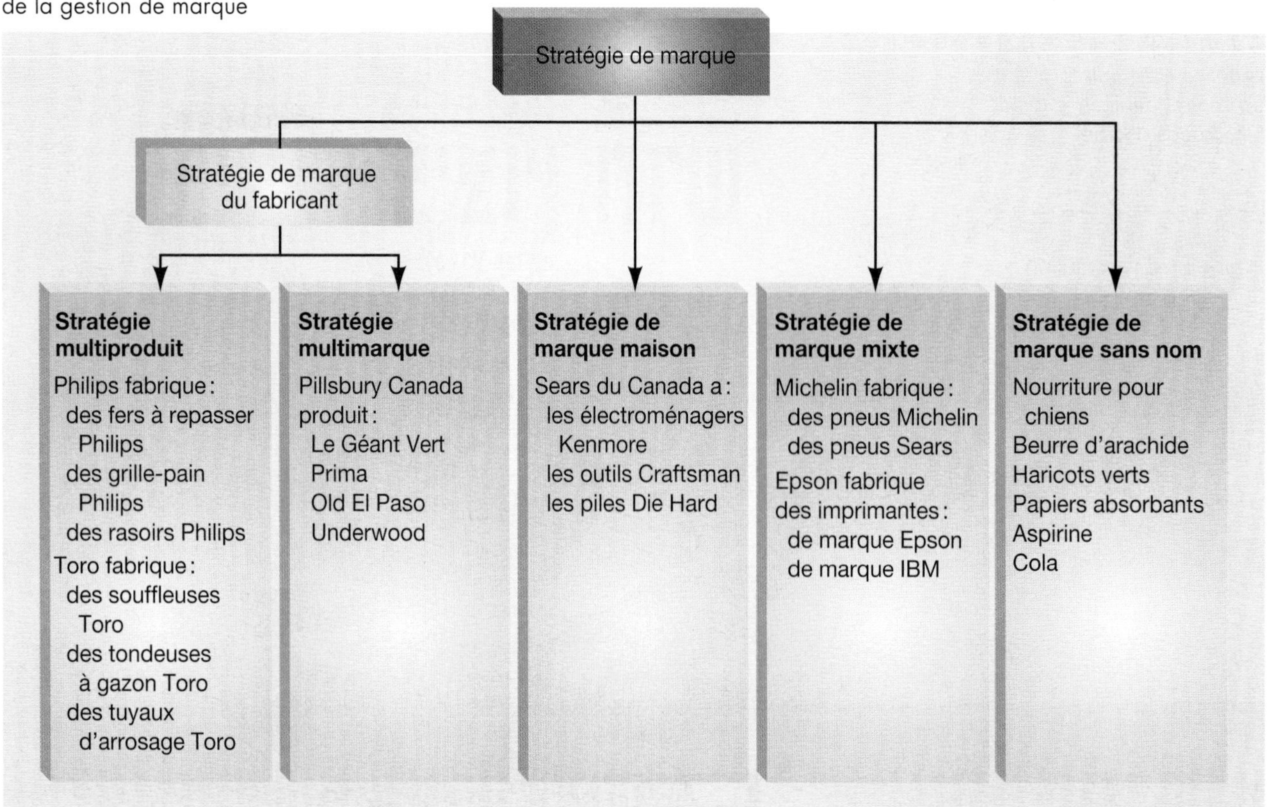

TENDANCES MARKETING

La conception de l'identité visuelle de Nérée Lavictoire Roofing and Siding

Nérée Lavictoire Roofing and Siding est une entreprise de construction spécialisée en toitures résidentielles et commerciales. Fondée en 1958 et située à Clarence Creek en Ontario, cette entreprise franco-ontarienne s'est taillé une solide réputation grâce à la qualité de son travail. Selon le propriétaire, Lionel Cheff, « la réussite de l'entreprise repose sur l'utilisation des meilleurs matériaux disponibles sur le marché, sur un service personnalisé, et sur des conseils honnêtes prodigués dans l'intérêt de la clientèle ».

Depuis quelques années, Nérée Lavictoire Roofing and Siding accorde plus d'importance à son identité visuelle, à sa raison sociale et à son logo. Ainsi, dans le but de maintenir son chiffre d'affaires annuel au-delà de 5 millions de dollars, l'entreprise a décidé de moderniser son identité visuelle.

Le document reproduit ci-dessous explique en détail le processus de conception du nouveau logo de Nérée Lavictoire Roofing and Siding.

Descriptif de l'identité visuelle

Image visuelle

Cette image visuelle très structurée a été créée avec des lignes simples et grasses. La solidité et la force de ce dessin reflète bien la nature de l'entreprise. Le contour de l'image visuelle, soit un carré aux bouts arrondis, est basé sur la forme d'un panneau de signalisation, qui évoque le thème de la construction et plus spécifiquement le panneau « hommes au travail ». À l'intérieur de cette forme carrée, on reconnaît la silhouette d'une maison, dessinée simplement par des traits gras. La maison représente bien tous les services offerts par l'entreprise, soit le recouvrement de toits, le recouvrement extérieur et la construction générale. À l'intérieur de cette structure se dessine une flèche qui pointe vers le haut. Cette montée vers le ciel suggère la vision vers l'avenir et le positif. De plus, un trait blanc longe la toiture, formant subtilement la lettre « N », pendant qu'un trait longe le coté et base de la maison, formant ainsi la lettre « L ». Ces deux lettres sont les intiales du fondateur de cette compagnie familiale.

La simplicité des formes de ce logo, le choix de typographie et des couleurs, contribuent à l'impact visuel recherché et montre le professionnalisme de l'entreprise. Facile à repérer, cette image sera facilement reconnue par le public.

Typographie

La typographie utilisée, soit Officiana Sans Serif, est caractérisée par des traits simples et gras, qui suggère la robustesse et donne de l'impact au titre. Pour le nom « Lavictoire », la version grasse à été utilisée et la grosseur du point est plus grande, ceci pour mettre l'accent sur cette partie du nom. La disposition de la typographie suit une grille à 45°, selon l'angle et la disposition du carré. La typographie est dégagée du logo, pour ne pas nuire à l'impact de l'image visuelle.

Couleurs

Le noir et le jaune-orangé (PMS 123) sont les couleurs utilisées dans ce logo. Cette couleur foncée au coté de cette couleur chaude contribue à créer un contraste frappant, qui est facilement repérable à distance. Ce choix de couleurs fait aussi un rappel au panneau de signalisation.

Pour la version sur fond noir ou foncé, le blanc est utilisé pour la typographie. De plus, un contour blanc se dessine autour du carré.

Utilisation du logo

Le logo devrait être utilisé sur un fond blanc ou noir, de préférence. Si aucune de ces couleurs de fond ne peut être utilisée à cause de l'application qu'on veut en faire, il est recommandé d'utiliser un fond de couleur gris/charbon. Cette couleur neutre n'enlèvera aucun impact visuel au logo, et s'armonisera avec le jaune. En cas d'un gris foncé, la version renversée du logo devrait être utilisée.

Une version horizontale a été développée pour l'application sur une surface plus large que haute. L'image visuelle devrait être dégagée du texte, et le positionnement du texte devrait suivre l'exemple ci-dessous.

La stratégie multiproduit offre plusieurs avantages. Elle permet, entre autres, de continuer à bénéficier du capital-marque. En effet, les consommateurs satisfaits par un produit de la marque seront bien disposés à l'égard d'autres articles de la même marque. Cette stratégie de gestion de la marque mène naturellement aux *extensions de gamme.* Celles-ci consistent essentiellement à utiliser un nom de marque connu pour pénétrer un nouveau segment de marché dans une classe de produits donnée. La compagnie de soupes Campbell applique très efficacement une stratégie multiproduit dans l'extension de sa gamme de soupes. Ainsi, elle offre ses soupes Campbell ordinaires, ses soupes prêtes à servir, ses variétés Chunky et plus de 100 soupes différentes. La stratégie multiproduit permet aussi

Pour plus d'informations au sujet de jnjcanada.com, rends-toi à l'adresse suivante : www.dlcmcgrawhill.ca

de réduire les coûts de publicité et de promotion, puisque le même nom est utilisé pour tous les produits, ce qui contribue également à la notoriété de la marque.

Certaines compagnies ont aussi recours à la *marque de famille associée à une marque individuelle.* Cette stratégie consiste à combiner la marque de famille à un nouveau nom de marque. Par exemple, le ThinkPad d'IBM.

Lorsqu'on jouit d'un bon capital-marque, on peut aussi pratiquer l'*extension de la marque.* Il s'agit d'utiliser son nom de marque actuel pour entrer dans une toute nouvelle classe de produits[29]. Ainsi, Johnson & Johnson a bénéficié du capital-marque de Tylenol, perçu comme un analgésique efficace. La firme a étendu la gamme en créant Tylenol Rhume et Grippe, et Tylenol PM contre la douleur et l'insomnie. Fisher-Price, nom établi dans le secteur du jouet, a pu étendre son nom aux shampooings et aux revitalisants pour enfants, de même qu'aux produits et lotions pour le bain de bébé.

Toutefois, l'extension de la marque comporte des risques. En associant une marque à de nombreux produits, on finit par en diluer la signification dans l'esprit des consommateurs. Les experts en marketing prétendent que la marque Arm & Hammer a connu ce type de difficulté. La marque a servi aux dentifrices, aux détergents, à la lessive, à la gomme à mâcher, aux litières pour chats, aux purificateurs d'air, aux désodorisants pour tapis et aux antisudorifiques[30].

La **comarque** est une nouvelle variation de la stratégie d'extension de la marque. Deux fabricants combinent leurs noms de marque le temps d'une opération de marketing conjointe. La comarque permet aux entreprises d'entrer dans de nouvelles classes de produits ou d'atteindre de nouveaux segments de marché. Second Cup de Toronto et Air Canada possèdent une comarque. La rivale Starbucks s'était associée à Canadian Airlines, maintenant dissoute. Rogers Cantel Communications et AT&T Canada ont une comarque pour assurer des télécommunications cellulaires continues dans toute l'Amérique du Nord[31].

Lorsque les fabricants donnent un nom de marque distinct à chaque produit, ils ont recours à une **stratégie multimarque.** Cette stratégie est tout indiquée lorsque chaque marque s'adresse à un segment de marché différent. Par exemple, Procter & Gamble fabrique les savons Camay pour les gens qui se préoccupent de la douceur de leur peau et Safeguard pour ceux qui cherchent une protection déodorante. Black & Decker met en marché sa gamme d'outils pour bricoleurs sous la marque Black & Decker, mais vend sa gamme d'outils pour professionnels sous la marque DeWalt. De même, les films pour

Misant sur son impressionnant capital-marque, Louis Vuitton pratique avec bonheur ses extensions de marque et lance ainsi des accessoires d'écriture griffés.

Pour plus d'informations au sujet de Louis Vuitton, rends-toi à l'adresse suivante : www.dlcmcgrawhill.ca

L'Oréal applique une stratégie multimarque pour atteindre différents segments de marché.

Pour plus d'informations au sujet de L'Oréal, rends-toi à l'adresse suivante : www.dlcmcgrawhill.ca

adultes produits par Disney sont mis en marché sous les noms de Miramax et de Touchstone Pictures, tandis que les films pour enfants sont identifiés à Disney. L'Oréal utilise également différentes marques afin de couvrir l'ensemble des segments de la population : Lancôme, La Roche-Posay, Garnier, L'Oréal Paris, Giorgio Armani parfums sont autant de marques qui touchent les différents types de consommateurs.

Sur le marché mondial, les stratégies multimarques se complexifient. Par exemple, Procter & Gamble vend les mêmes produits sous des noms de marque différents : son shampooing PertPlus s'appelle Rejoice à Hong-Kong, PertPlus au Moyen-Orient et Vidal Sassoon au Royaume-Uni. Par ailleurs, les stratégies de marques internationales peuvent varier. Ainsi, au Japon, le nom de Procter & Gamble jouit d'une grande considération. La firme vend donc ses produits en mettant sa raison sociale bien en évidence près de la marque du produit.

Une stratégie multimarque coûte généralement plus cher pour la promotion des produits qu'une stratégie multiproduit. En effet, le fabricant part de zéro lorsqu'il veut faire connaître une nouvelle marque aux consommateurs et aux détaillants. Par contre, il ne risque pas que l'échec d'un produit se répercute sur d'autres produits de la gamme, puisque chaque marque s'adresse exclusivement à un segment de marché. Ce qui constitue un avantage.

En Europe, la multimarque est graduellement remplacée par ce qu'on appelle l'**euromarque.** Cette stratégie consiste à utiliser le même nom de marque pour un même produit dans tous les pays de l'Union européenne. Cette façon de faire offre plusieurs des avantages de la marque multiproduit. De plus, elle facilite l'élaboration de programmes publicitaires et promotionnels pour l'ensemble de l'Union européenne.

La marque maison Une entreprise utilise une **marque maison,** souvent appelée *marque de l'intermédiaire,* quand elle vend les produits qu'elle fabrique sous les noms de marque de grossistes ou de détaillants. Par exemple, de grands détaillants comme Radio Shack, Sears et Canadian Tire achètent à des fabricants des produits qu'ils revendent sous leurs noms de marque. Récemment, Zellers a lancé sa marque maison Truly en misant sur la fidélité de sa clientèle. Zellers espère que cette opération lui apportera un succès comparable à celui de la marque Choix du Président de Loblaw[32].

Au Japon, Matsushita fabrique les magnétoscopes Magnavox, GE, Sylvania et Curtis Mathes. Ce fabricant y trouve son avantage, car les détaillants ou d'autres entreprises se chargent des coûts de promotion, et il vend ainsi plus d'unités qu'il ne pourrait le faire de lui-même. Le risque, évidemment, tient au fait que ses ventes dépendent surtout des efforts d'autrui.

La marque mixte La **marque mixte** est un compromis entre la marque du fabricant et la marque maison. Par ce procédé, une entreprise vend des produits sous son propre nom dans les segments qui constituent son marché habituel. Elle vend aussi sous le nom d'un revendeur parce que ce dernier s'adresse à un segment qu'elle n'exploite pas elle-même. Ainsi, les entreprises Sanyo et Toshiba fabriquent des téléviseurs pour Sears et pour elles-mêmes. Michelin fabrique des pneus pour Sears tout en vendant sous sa propre marque. Kodak utilise une stratégie de marque mixte au Japon pour augmenter ses ventes de pellicules 35 mm. En plus de vendre la marque Kodak, la compagnie fabrique maintenant des pellicules de marque maison COOP pour l'Union coopérative des consommateurs japonais, un regroupement de 2 500 magasins. Ces produits de marque maison se vendent beaucoup moins cher que les pellicules de marque Kodak, et ils visent les consommateurs japonais sensibles au prix[33].

La marque sans nom La **marque sans nom,** ou marque générique, consiste à identifier le produit de façon simplement descriptive. Par exemple, on inscrit sur l'emballage « Nourriture pour chiens », « Beurre d'arachide » ou « Haricots verts ». Aux yeux du client, le principal attrait de ce genre de produits est, bien sûr, le prix. Celui-ci est souvent inférieur du tiers à celui des produits de marque. Les marques sans nom représentent moins de 1 % des ventes totales d'épicerie. On attribue le peu d'intérêt pour ce genre de produits à la popularité des marques maison et à la promotion considérable des fabricants pour leurs articles de marque. Pourtant, les acheteurs de produits sans nom considèrent ces produits comme aussi bons que les produits de marque, et ils ne s'en disent pas déçus.

L'EMBALLAGE

L'**emballage** d'un produit se rapporte au contenant dans lequel un produit est mis en vente et sur lequel apparaît l'information le concernant. Dans une large mesure, le premier contact de la clientèle avec un produit est l'emballage. Il s'agit là d'une partie coûteuse et importante de la stratégie de marketing. Comme tu peux le constater en lisant l'encadré Tendances marketing, la tête des personnages sur les distributeurs de bonbons en forme de briques de Pez Candy est l'élément clé de la stratégie de marketing de cette entreprise[34].

VALEUR POUR LE CONSOMMATEUR

TENDANCES MARKETING

Créer de la valeur pour le consommateur à l'aide de l'emballage : les têtes de Pez offrent plus que des bonbons

La valeur pour le consommateur peut prendre plusieurs formes. Pour Pez Candy, il s'agit des 250 personnages ornant ses distributeurs de bonbons. Ils sont rechargeables, se vendent 0,99 $ et distribuent de savoureux bonbons dont les parfums plaisent tout autant aux préadolescents qu'aux adolescents.

Le bonbon Pez a été inventé en 1927 par Edward Haas III, un géant du secteur de l'alimentation en Autriche. Ces bonbons ont d'abord été vendus en Europe comme une menthe fraîcheur pour adultes. Le nom de marque est dérivé du mot allemand *Pfefferminz,* qui signifie « pastille de menthe ». Les bonbons ont été d'abord présentés dans un simple distributeur hygiénique en plastique. Il fut lancé de cette façon en Amérique du Nord en 1953. Après avoir réalisé de vastes études de marché, Pez se repositionna au milieu des années 1950 en dotant son produit de saveurs de fruits et d'un nouvel emballage. Pez s'adressait aux enfants et ses distributeurs étaient coiffés de têtes de personnages produites sous licence. Depuis, Pez utilise pour ses têtes les personnages les plus connus vendus sous licence,

et des centaines d'autres. Les consommateurs mangent annuellement plus de un milliard de bonbons Pez. Les ventes de la compagnie dépassent celles de l'ensemble du secteur des produits de confiserie. L'emballage original de Pez offre aux consommateurs plus qu'un bonbon : il leur procure le plaisir de l'utiliser. En tout, 98 % des adolescents et 89 % de leurs mères connaissent ce plaisir. Pez n'a pas fait de publicité pour ses produits depuis des années. Avec une telle notoriété de marque, qui le ferait ?

Créer de la valeur pour le consommateur par l'emballage

De nos jours, les compagnies canadiennes dépensent des milliards de dollars en emballage, et on estime que 10 % des dépenses d'achat des consommateurs servent à payer ces emballages. Malgré son prix, l'emballage est essentiel au fabricant, au détaillant et à l'acheteur final, car il offre de nombreux avantages.

Les avantages informatifs L'emballage sert de support à l'information sur le produit. Comme le prescrit la loi, les produits qu'on trouve sur le marché doivent porter une **étiquette** descriptive. Cette loi exige que l'étiquette fournisse la description de l'identité du produit et de la quantité nette. L'étiquette doit présenter la raison sociale et l'adresse du fabricant ou du distributeur. Selon le cas, l'étiquette doit préciser la liste des ingrédients par ordre d'importance décroissant, la valeur nutritive des aliments, la date de péremption, le dosage et l'usage recommandé. De plus, l'étiquette doit porter le symbole qui caractérise le danger associé au produit. Par ailleurs, on peut trouver d'autres types de renseignements sur les étiquettes, comme des estampilles et des symboles montrant que le produit répond à des exigences gouvernementales, ou des estampilles d'approbation commerciale (du genre de celles de Good Housekeeping ou CSA de l'Association canadienne de normalisation, ou plus récemment de *WebTrust* pour les sites Web). Comme on peut le constater, l'étiquette est un élément très important de l'emballage d'un produit. Les responsables du marketing doivent connaître ces différentes lois et concevoir des emballages et des étiquettes qui en tiennent compte.

Les avantages fonctionnels L'emballage a souvent un important rôle fonctionnel sur le plan de la commodité, de la protection du produit ou de son entreposage. Quaker State a changé ses contenants d'huile pour que le consommateur n'ait plus besoin d'un bec verseur séparé. Borden a modifié la forme de ses contenants de colle Elmer Wonder Bond pour prévenir le bouchage de l'embout.

De nos jours, la commodité de l'emballage est de plus en plus importante. La sauce à salade Miracle Whip de Kraft, la moutarde French's et le ketchup Del Monte sont maintenant offerts dans des flacons en plastique souple qu'on peut presser. Les emballages de maïs à éclater au micro-ondes ont connu un succès phénoménal et le café Folgers se trouve désormais en sachets individuels.

L'emballage assure aussi la protection du consommateur, et on a mis au point de nombreux contenants inviolables. Aujourd'hui, les compagnies munissent couramment leurs produits de manchons d'inviolabilité ou d'anneaux à tirette qui prouvent que le produit n'a pas déjà été ouvert. Néanmoins, il n'existe pas d'emballages absolument inviolables.

De nos jours, la commodité et la sécurité sont des éléments importants de l'emballage. Comme on peut le voir sur la publicité ci-dessus, la moutarde French's est maintenant vendue dans un flacon de plastique souple muni d'un sceau de sécurité.

Les avantages de perception Le troisième aspect de l'emballage est l'impression qu'il crée dans l'esprit du consommateur. Cet aspect est très important, comme l'a compris Just Born, le fabricant des confiseries Jolly Joes et Mike and Ike Treats. En effet, pendant de nombreuses années, l'entreprise avait vendu ces marques dans des emballages noir et blanc d'allure ancienne. Quand elle se mit à les vendre dans des emballages en quatre couleurs décorés d'amusants personnages de fruits, les ventes ont grimpé de 25 %. De même, Coca-Cola a voulu plaire aux consommateurs se souvenant d'un temps où les boissons gazeuses n'étaient pas vendues dans des canettes d'aluminium ou dans d'énormes bouteilles de plastique. Coca-Cola a donc remis sur le marché sa fameuse bouteille profilée en verre vert pâle. Résultat de l'opération « nouvelle-ancienne » bouteille : 8 % d'augmentation des ventes à l'échelle du globe[35].

Un emballage peut évoquer le statut, ou suggérer l'économie et la qualité du produit. Ainsi, l'original contenant cylindrique des croustilles Pringles offre des croustilles toutes semblables, fraîches, dont peu sont brisées, et un meilleur rapport qualité-prix que celui des croustilles ensachées.

Autrefois, la couleur des emballages était une question de goût. Par exemple, les fameuses boîtes de soupe Campbell ont l'allure qu'on leur connaît, parce qu'un des directeurs de la compagnie aimait les couleurs rouge et blanche de l'uniforme de l'équipe de football de l'université Cornell. De nos jours, on se rend de plus en plus compte que la couleur influence les perceptions des consommateurs[36]. Ainsi, Owens-Corning fabrique un isolant de couleur rose. Elle a jugé cette couleur très importante pour la vente de son produit. Owens-Corning est allée jusqu'au tribunal pour la faire protéger comme une marque de commerce.

Les tendances mondiales de l'emballage

Au milieu des années 1990, deux nouvelles tendances de l'emballage des produits sont apparues, et elles devraient s'accentuer au XXIe siècle. L'une a trait aux conséquences environnementales de l'emballage, l'autre, à la santé et à la sécurité.

Le souci de l'environnement Dans le monde entier, les gens s'inquiètent de l'accumulation des ordures et du manque de sites d'enfouissement. Il est donc normal que la quantité, la composition et le rejet des matériaux d'emballage soient toujours d'actualité[37]. C'est ainsi que le recyclage entre en scène. Procter & Gamble utilise maintenant du carton recyclé dans 70 % de ses emballages et vend les détergents Tide, Cheer, Era et Dash dans des cruches contenant 25 % de plastique recyclé. Le nettoyant liquide Spic and Span se vend dans un contenant entièrement recyclé. D'autres firmes, dont Sainsbury, un très grand détaillant du Royaume-Uni, s'efforcent d'utiliser le moins de matériaux d'emballage possible et le font savoir. Sainsbury étudie tous ses produits pour s'assurer qu'ils n'utilisent que le minimum de matériau nécessaire à leur expédition et à leur exposition. Les fabricants et les détaillants ont donc accueilli favorablement la naissance d'un produit chez Arco, l'une des plus importantes entreprises de pétrochimie au monde. Arco vient de créer un nouveau matériau qui permettrait de réduire le volume d'emballage de 40 % par rapport à celui des emballages en papier cannelé.

Les pays européens ont toujours été à l'avant-garde des directives concernant l'emballage et de la protection de l'environnement. Beaucoup de ces directives font maintenant partie des dispositions de la loi qui régit le commerce entre les pays de l'Union européenne et celui des pays extérieurs. Ainsi, en Allemagne, 80 % des matériaux d'emballage doivent être récupérés, et 80 % de ces matériaux doivent être recyclés ou réutilisés de façon à réduire les quantités d'ordures dans les sites d'enfouissement. Les entreprises canadiennes faisant affaire en Europe ont dû se conformer à ces dispositions, ce qui a fini par profiter aussi aux consommateurs canadiens.

Les entreprises ont de plus en plus recours à l'analyse de la durée de vie utile pour étudier l'impact environnemental de leurs emballages. Elles examinent chaque étape depuis l'extraction de la matière première et la production jusqu'à la distribution et le rejet. Ainsi, après avoir fait ce genre d'analyse, McDonald's a cessé d'emballer ses hamburgers dans des coquilles de polystyrène. L'analyse de durée de vie utile montrait qu'il était meilleur pour l'environnement de réduire la quantité de déchets solides que de recycler les contenants de polystyrène. McDonald's décida donc de vendre ses hamburgers dans un léger emballage de papier et de polyéthylène, et d'abandonner les emballages de polystyrène.

Les questions de santé et de sécurité Plus que jamais les gens désirent des emballages qui prennent en compte leur santé et leur sécurité. De nos jours, la majorité des consommateurs nord-américains et européens croient que les compagnies doivent s'assurer que leurs produits et leurs emballages sont sûrs. Les compagnies ont trouvé de nombreuses façons de répondre à cette préoccupation[38]. Par exemple, la plupart des briquets au butane, comme ceux fabriqués par Bic, ont maintenant un loquet de sûreté à l'épreuve des enfants pour prévenir l'usage abusif ou les incendies. Par ailleurs, on a généralisé les fermetures de protection à l'épreuve des enfants sur les produits pharmaceutiques et sur les nettoyants ménagers, de même que les becs verseurs scellés sur les produits alimentaires. La nouvelle technologie crée sans cesse de nouveaux emballages et matériaux qui allongent la durée de vie des produits (leur temps d'entreposage) et en préviennent la détérioration. Certains sont spécialement conçus pour les pays moins industrialisés.

RÉVISION DES CONCEPTS

1. Quelle différence y a-t-il entre une marque sans nom et une marque maison?
2. Explique le rôle de l'emballage sur la perception du produit.
3. Qu'est-ce que la comarque?

RÉSUMÉ

1. Les produits ont un cycle de vie comprenant quatre phases: l'introduction, la croissance, la maturité et le déclin. Les objectifs de marketing diffèrent selon les phases.
2. Durant la phase d'introduction, il faut établir la demande primaire. La phase de croissance nécessite des stratégies répondant à la demande sélective. En phase de maturité, on s'efforce de maintenir la part de marché. En phase de déclin, on use de stratégies de suppression ou de récolte.
3. Lorsqu'on gère le cycle de vie d'un produit, il arrive qu'on modifie le produit lui-même ou son marché cible. La modification peut toucher la qualité, le rendement ou l'apparence de ce produit. Lorsqu'on fait de la modification de marché, on cherche à stimuler l'utilisation du produit parmi les utilisateurs actuels, à créer de nouvelles utilisations ou à recruter de nouveaux utilisateurs.
4. On peut repositionner un produit pour réagir à un concurrent, pour atteindre un nouveau marché, pour tirer parti d'une nouvelle tendance ou pour modifier la valeur du produit.
5. Les entreprises se servent de la marque pour différencier leur produit de ceux des concurrents sur le marché. Les marques réputées et bien établies ont une personnalité de marque, c'est-à-dire qu'elles évoquent un ensemble de caractéristiques généralement associées aux personnes. Un bon nom de marque doit suggérer les avantages du produit, être mémorisable, correspondre à l'image de la compagnie ou du produit, respecter les restrictions légales, être simple et avoir une connotation émotive.
6. De nombreuses compagnies font des concessions de licences. Elles autorisent que leur marque soit apposée sur des produits qu'elles ne fabriquent pas.
7. Les fabricants disposent de trois types de parrainage de marque: ils peuvent lancer le produit sous leur marque de fabrique, sous la marque de l'intermédiaire ou selon une approche mixte. S'ils utilisent la marque du fabricant, ils utilisent le même nom de marque pour tous les produits de la gamme (marque multiproduit, ou marque familiale), ou ils donneront aux produits des marques différentes (multimarque).
8. Un fabricant utilise la marque de l'intermédiaire, ou marque maison, quand il fabrique un produit, mais le vend sous le nom de marque du grossiste ou du détaillant. Une marque sans nom est un produit qui n'a pas d'identification du fabricant ou du revendeur et dont le principal attrait est le bas prix.
9. L'emballage apporte aux produits des avantages informatifs, fonctionnels et de perception. Aujourd'hui, dans le monde, on se préoccupe de l'impact de l'emballage sur la protection de l'environnement et on exige des matériaux d'emballage sûrs qui protègent la santé des utilisateurs.

MOTS CLÉS ET CONCEPTS

capital-marque
classe de produits
comarque
concession de licence
cycle de vie d'un produit
emballage
étiquette
euromarque
extension ascendante
extension descendante
forme du produit
marque
marque de commerce
marque du fabricant
marque maison
marque mixte
marque nominative
marque sans nom
modification de marché
modification de produit
nom commercial
nom de marque
personnalité de marque
raison sociale
réduction
stratégie multimarque
stratégie multiproduit

EXERCICES INTERNET

L'Observatoire des transnationales est une association française sans but lucratif qui fournit des informations sur les grandes entreprises, comme leurs activités, les conditions de travail et de respect de l'environnement, etc. Cette association utilise différentes sources, tels les rapports annuels des entreprises, les bases de données économiques, les articles de presse et les rapports des organisations non gouvernementales. Elle publie régulièrement des bulletins d'informations et possède un site Internet : Transnational.org.

Pour plus d'informations au sujet de L'Observatoire des transnationales, rends-toi à l'adresse suivante : www.dlcmcgrawhill.ca.

Visite le site Web de L'Observatoire des transnationales et rends-toi à la rubrique « consommation ». Dans cette rubrique, tu trouveras plus de 21 000 marques classées par produit. Voici ton mandat :

1. Parmi les marques mondiales, trouve celles dont on se sert pour faire de l'extension de marque.
2. Parmi les marques vedettes, combien en connais-tu ?
3. Trouve des entreprises qui commercialisent plusieurs marques. Existe-t-il toujours un rapport entre ces différentes marques ?

QUESTIONS DE MARKETING

1. Trouve quatre produits pour illustrer les quatre étapes du cycle de vie des produits. Quelles stratégies, selon les quatre P, mettras-tu en place pour chacun de ces produits ?
2. Il existe quatre principales formes de cycle de vie. Quelles sont-elles ? Trouve des produits ou des services qui pourront illustrer chacune d'elles. Comment la stratégie marketing va-t-elle s'adapter aux unes et aux autres ?
3. Le chef de produit chez GE revoit la pénétration des compacteurs de déchets ménagers auprès des ménages canadiens. En 20 ans, ce produit n'a pas fait beaucoup d'adeptes. Comment expliquer ce mauvais rendement ? Décris la courbe du cycle de vie d'un compacteur de déchets domestiques.
4. Depuis longtemps, Ferrari est connu comme un fabricant de voitures de luxe. La compagnie a décidé de s'attaquer au principal segment du secteur de l'automobile, les acheteurs de voitures à prix moyen. Sachant que Ferrari envisage cette stratégie d'extension descendante, quelle stratégie de marque lui recommanderais-tu ? Quels risques ta stratégie comporte-t-elle ?
5. Qu'est-ce qu'une marque apporte au consommateur ? Qu'est-ce qu'une marque apporte à une entreprise ?
6. Énumère les différents principes pour choisir un bon nom de marque. En les appliquant, trouve de nouveaux noms de marques pour une automobile, un yaourt aux fruits, un restaurant thaïlandais, une banque et une agence de voyages.
7. Parmi les quatre P du marketing mix, auquel associes-tu l'emballage d'un produit ? Est-il possible de l'associer à plusieurs P ? Si oui, lesquels ? Selon les étapes du cycle de vie d'un produit, ferais-tu évoluer son emballage ? Pourquoi et comment ?

ÉTUDE DE CAS 12-1 POLAROID CANADA

Polaroid a lancé la photographie instantanée en 1947, une découverte remarquable pour la photographie d'amateur. À l'époque, les clichés Polaroid se comparaient bien aux autres photos, à ceci près qu'ils se développaient instantanément.

La photographie instantanée devint très populaire et Polaroid fit beaucoup d'argent. Toutefois, au cours des années 1980, la technologie avait évolué, et les consommateurs aussi. De nouveaux appareils photo 35 mm, compacts et entièrement automatiques permettaient une qualité d'image jamais offerte par aucun appareil d'usage courant. De plus, le temps de développement toujours plus court – moins d'une heure – accrut encore la popularité des appareils 35 mm. Polaroid commençait à perdre son avantage concurrentiel : l'instantanéité.

Vers la fin des années 1980, les appareils et pellicules 35 mm étaient désormais la norme en photographie amateur. Les photos Polaroid ne pouvaient plus rivaliser avec les nouveaux tirages 35 mm. Les consommateurs constataient aisément les différences de couleurs et de résolution. De plus, un tirage instantané coûtait deux fois plus cher qu'un tirage 35 mm. Le marché de la photo changeait, mais Polaroid demeurait fidèle au segment de l'instantané, alors que cet avantage concurrentiel continuait de diminuer. L'avènement des appareils 35 mm visée et prise de vue (*point-and-shoot*) fit craindre que les consommateurs se détournent des appareils Polaroid au profit d'autres options.

Pendant les années 1990, le principal problème de Polaroid était de trouver un moyen de redonner à l'instantanéité l'importance qu'elle avait eu auparavant pour le consommateur. Polaroid a alors repositionné son appareil photo et rajeuni ce que les consommateurs percevaient désormais comme une marque parvenue à maturité.

Pour plus d'informations au sujet de Polaroid Canada, rends-toi à l'adresse suivante : www.dlcmcgrawhill.ca.

Questions

1. À quel stade de son cycle de vie est arrivée Polaroid ?
2. Au stade actuel, quelles stratégies conseilles-tu à Polaroid ?
3. Comment Polaroid pourrait-elle redynamiser la photographie instantanée ?
4. Qui Polaroid devrait-elle cibler ?
5. Quel message Polaroid devrait-elle tenter de transmettre à sa ou à ses nouvelles cibles ?

LA FIXATION DU PRIX : EN LIER LES OBJECTIFS AUX REVENUS ET AUX COÛTS

13

APRÈS AVOIR LU CE CHAPITRE, TU SERAS EN MESURE

- de nommer les éléments constitutifs d'un prix ;
- de comprendre les contraintes et les objectifs de la fixation du prix par les entreprises ;
- d'expliquer ce qu'est une courbe de la demande et comment la demande influe sur le revenu total et le revenu marginal d'une entreprise ;
- d'interpréter l'élasticité de la demande par rapport au prix dans une perspective de fixation de prix ;
- d'expliquer le rôle des coûts dans les décisions de fixation de prix ;
- de calculer le point mort ou seuil de rentabilité de différentes combinaisons de prix, le coût fixe et le coût variable unitaire.

UN PROBLÈME DE PRIX POUR TOI !

Tu fais partie de la direction de Strait Crossing Bridge Ltd. (SCBL), une filiale de Strait Crossing Development Inc. Il s'agit du constructeur du pont de la Confédération qui relie Borden-Carleton sur l'Île-du-Prince-Édouard à Cap-Jourimain au Nouveau-Brunswick. Le plus long pont du monde franchissant des eaux prises par la glace sur 12,9 kilomètres. Sa construction a coûté 1 milliard de dollars. Maintenant, tu dois déterminer quel prix facturer à celles et à ceux qui vont vouloir le traverser.

Tu as donc bon nombre d'éléments à considérer. D'abord, tu dois réfléchir à ce que tu offres à la clientèle. Tu sais que les deux voies du pont sont ouvertes à la circulation 24 heures par jour, 7 jours par semaine, et qu'il faut environ 10 minutes pour le traverser à 80 km/heure, la vitesse réglementaire. Tu penses que les consommateurs vont préférer emprunter le pont plutôt que d'attendre le transbordeur, qui met d'ailleurs plus de temps pour traverser. Le tout est de savoir combien de personnes emprunteront le pont et à quelle fréquence. Tu dois donc savoir que le prix que tu factureras dépend nettement de la demande pour ton produit.

Finalement, tu charges une firme-conseil de faire certaines estimations de la demande. Il lui faut considérer les différents types d'utilisateurs du pont ou, plus précisément, les types de véhicules qui le traverseront. Il y aura des automobiles, des autobus, des véhicules de loisir, des motocyclettes. Certains véhicules, comme les camions lourds, feront subir plus d'usure et de détériorations au pont et devraient, par conséquent, payer davantage. Tu dois donc calculer le volume de circulation par type de véhicules.

Avant d'établir des prix pour faire des prévisions de revenu, tu dois d'abord consulter le gouvernement du Canada. Transport Canada, organisme de réglementation du gouvernement, a le droit de vérifier le prix facturé ou, dans ce cas, le droit de péage des usagères et des usagers. Tu apprends ainsi que tu dois établir les droits de péage par type de véhicules en te fondant sur les revenus du précédent service de transbordeur, plus le taux d'inflation. Maintenant que tu sais à quoi t'en tenir, il te reste à mettre au point une stratégie de prix. Celle-ci couvrira les coûts d'investissement et d'exploitation et générera des profits à long terme pour ton entreprise. C'est un vrai problème de prix[1] !

Le présent chapitre et le suivant traitent des facteurs importants de la fixation du prix. Précisons ici que le droit de péage pour un véhicule de tourisme est de 35 $ aller et retour, payable au départ de l'Île-du-Prince-Édouard. Pour une moto, c'est un peu moins cher, 14,25 $, mais pour un camion gros porteur, il faut payer 50,75 $.

NATURE ET IMPORTANCE DU PRIX

Le prix des produits et des services porte plusieurs noms. Tu paies des *frais de scolarité* pour tes études, un *loyer* pour ton appartement, des *intérêts* sur ta carte de crédit bancaire et une *prime* pour assurer ta voiture. Ton dentiste ou ton médecin facturent des *honoraires*, les associations professionnelles ou sociales recueillent des *cotisations*, et pour emprunter le pont de la Confédération, tu paies à ses opérateurs un « tarif » ou « droit de péage ». En affaires, un conseiller ou une conseillère peut exiger une *provision* pour services rendus, le personnel cadre touche une *rémunération*, une vendeuse ou un vendeur prend une *commission* et un ouvrier reçoit un *salaire*. Pour l'achat de vêtements ou pour une coupe de cheveux, tu paies un *prix*.

Qu'est-ce qu'un prix ?

Comme le montrent ces exemples quotidiens, il y a toutes sortes de prix. D'un point de vue marketing, le **prix** est l'argent ou les autres rétributions (incluant des produits ou des services) échangés en contrepartie du droit de propriété ou d'utilisation d'un produit ou d'un service. Par exemple, Shell a récemment échangé, avec un pays des Caraïbes, un million de dispositifs antiparasitaires contre du sucre. Wilkinson Sword a échangé quelques-uns de ses couteaux contre de la publicité sur ses lames de rasoir. Ce procédé consistant à échanger des biens et services contre d'autres biens ou services sans utiliser d'argent s'appelle le **troc.** En commerce intérieur et international, le troc représente annuellement plusieurs milliards de dollars de transactions.

On obtient la plupart des produits et des services contre de l'argent. Cependant, avec des réductions, des remises et des frais supplémentaires, le montant échangé ne correspond pas toujours au prix courant ou au prix proposé, comme on le voit au tableau 13.1. Supposons que tu décides d'acheter une Lamborghini Diablo SV : tu craques pour les

TABLEAU 13.1
Le prix de différents achats

	ÉQUATION DU PRIX			
ACHATS	**PRIX**	**= PRIX COURANT**	**– STIMULANTS DE VENTE ET REMISES**	**+ FRAIS SUPPLÉMENTAIRES**
Nouvelle voiture achetée par un individu	Prix de vente final	= Prix courant	– Stimulant de vente applicable au véhicule Escompte de caisse Valeur de reprise	+ Frais de financement Accessoires spéciaux Frais de transport et livraison
Session d'études payée par une collégienne	Frais de scolarité	= Frais de scolarité annoncés	– Bourse d'études Autre aide financière Réductions pour le nombre de crédits	+ Frais d'activités parascolaires
Prêt bancaire consenti à une petite entreprise	Capital et intérêts	= Montant du prêt demandé	– Réduction pour biens donnés en garantie	+ Prime pour escompte de caisse
Marchandise achetée par un détaillant à un grossiste	Prix facturé	= Prix courant	– Remise sur quantité Escompte de caisse Remise saisonnière Remise fonctionnelle ou rabais de gros	+ Pénalité pour paiement tardif

Pour plus d'informations au sujet du *Livre Bleu Kelley*, rends-toi à l'adresse suivante : www.dlcmcgrawhill.ca

510 chevaux-vapeur de ce moteur qui te fait passer de 0 à 80 km/h en 3,9 secondes. Le prix courant de la voiture est de 255 000 $. Pour t'inciter à en acheter une dans l'année, on t'offre un rabais de 20 000 $. Tu consens à payer la première moitié d'avance et l'autre, à la livraison, ce qui te coûte 19 000 $ en frais de financement. De plus, tu débourses 6 000 $ pour faire venir la voiture d'Italie. On te donne 1 000 $ pour ta Honda Civic DX 1990, ce qui correspond à la valeur de reprise du *Livre Bleu Kelley*[2].

Pour calculer le prix de ton achat, applique « l'équation de prix » en suivant le modèle du tableau 13.1 :

Prix = Prix courant – Stimulants de vente et remises + Frais supplémentaires
= 255 000 $ – (20 000 $ + 1 000 $) + (19 000 + 6 000 $)
= 259 000 $

Ton paiement mensuel est de 2 400 $. Qu'en dis-tu ? Peut-être devrais-tu jeter un œil sur le coupé Dodge Viper GTS et comparer les prix. Le tableau 13.1 indique aussi comment l'équation du prix s'applique à toute une variété de produits et de services.

Le prix en tant qu'indicateur de la valeur

Pour estimer la valeur d'un produit ou d'un service, les consommateurs en considèrent souvent le prix et les avantages perçus. La **valeur** peut se définir comme le rapport entre les avantages perçus et le prix, soit[3] :

$$\text{Valeur} = \frac{\text{Avantages perçus}}{\text{Prix}}$$

Cette équation montre que, pour un prix donné, la valeur croît quand les avantages perçus croissent. De même, pour un prix donné, la valeur diminue quand les avantages perçus diminuent.

Les bons spécialistes en marketing tentent d'établir les **prix en fonction de la valeur.** Ainsi, ils améliorent simultanément le service et les avantages d'un produit tout en maintenant ou en réduisant son prix.

Pour certains produits, le prix influe sur la perception de la qualité d'ensemble, et finalement sur la valeur que le consommateur leur attribue[4]. Par exemple, un sondage mené auprès d'acheteuses et d'acheteurs d'ameublement de maison révélait que 84 % de ces personnes étaient d'accord avec l'énoncé : « Plus le prix est élevé, plus grande est la qualité. » Dans le domaine de l'informatique, des études démontrent que les consommateurs croient qu'un logiciel à prix modique est nécessairement de mauvaise qualité[5].

Pour estimer la valeur des choses, les consommateurs procèdent souvent par comparaison. Ils établissent la valeur d'un produit ou d'un service en évaluant son attrait par rapport à celle d'un bien de substitution satisfaisant le même besoin. Ainsi, la « valeur de référence » apparaît. Elle consiste à comparer les coûts et les avantages des produits de substitution[6]. Par exemple, Kohler a récemment lancé une baignoire d'accès facile, dans laquelle les enfants et les aînés peuvent entrer sans danger. Le prix est plus élevé que celui des baignoires ordinaires, mais elles se vendent bien parce que les acheteurs accordent beaucoup de « valeur » à l'aspect sûreté.

Le prix dans le marketing mix

La détermination du prix par les gestionnaires en marketing est cruciale, car le prix a un effet direct sur les profits de l'entreprise, comme le montre l'**équation du profit** :

Profit = Total du revenu – Coût total

ou

Profit = (Prix unitaire × Quantité vendue) – Coût total

Ce rapport est d'autant plus important que le prix influence la quantité vendue, comme on le verra en étudiant la courbe de la demande, un peu plus loin dans ce chapitre. De plus, les coûts d'une entreprise varient souvent selon la quantité vendue, pour des raisons d'efficience de production. En conséquence, le prix influe indirectement sur les coûts. La

Comment les consommateurs établissent-ils un lien entre la valeur et le prix, par exemple lorsqu'ils envisagent l'achat d'une baignoire d'accès facile, sûre pour les enfants et les aînés? Lis le texte pour te renseigner sur cette importante question.

Pour plus d'informations au sujet de Kohler Company, rends-toi à l'adresse suivante: www.dlcmcgrawhill.ca

détermination du prix se répercute sur le revenu total et sur le coût total. La détermination du prix est donc considérée comme l'une des plus importantes décisions prises par les gestionnaires en marketing.

Vu l'importance de la composante prix dans le marketing mix, il est essentiel de bien comprendre les six étapes du processus de fixation du prix (figure 13.1):

- Déterminer les contraintes et les objectifs de la fixation du prix.
- Estimer la demande et le revenu.
- Évaluer les rapports entre coût, volume et profit.
- Retenir un niveau de prix approximatif.
- Établir les prix courants ou proposés.
- Redresser les prix courants ou proposés.

Nous traiterons les trois premières étapes dans le présent chapitre et les trois dernières au chapitre 14.

PREMIÈRE ÉTAPE: ÉTABLIR LES CONTRAINTES ET LES OBJECTIFS DE PRIX

Lorsqu'on définit un problème, il faut considérer les objectifs que l'on veut atteindre et les contraintes qui limitent les options. Le même principe s'applique à la résolution d'un problème de prix. Passons d'abord en revue les contraintes de façon à mieux comprendre la nature des choix qui s'offrent à nous, lorsque nous tentons de fixer un prix.

La détermination des contraintes

Les entreprises n'ont pas toute latitude lorsqu'elles fixent un prix. Elles doivent tenir compte des **contraintes de fixation de prix.** Il est clair que la demande des consommateurs influe sur le prix d'un produit, mais il y a d'autres contraintes de fixation de prix. Certaines dépendent de facteurs organisationnels internes, d'autres de facteurs concurrentiels externes. Nous discuterons des contraintes légales et réglementaires de la détermination du prix au chapitre 14.

La demande pour une classe de produit, pour un produit et pour une marque Le nombre d'acheteuses ou d'acheteurs potentiels pour une classe de produits (par exemple, des automobiles), pour un produit (des voitures sport) et une marque (la

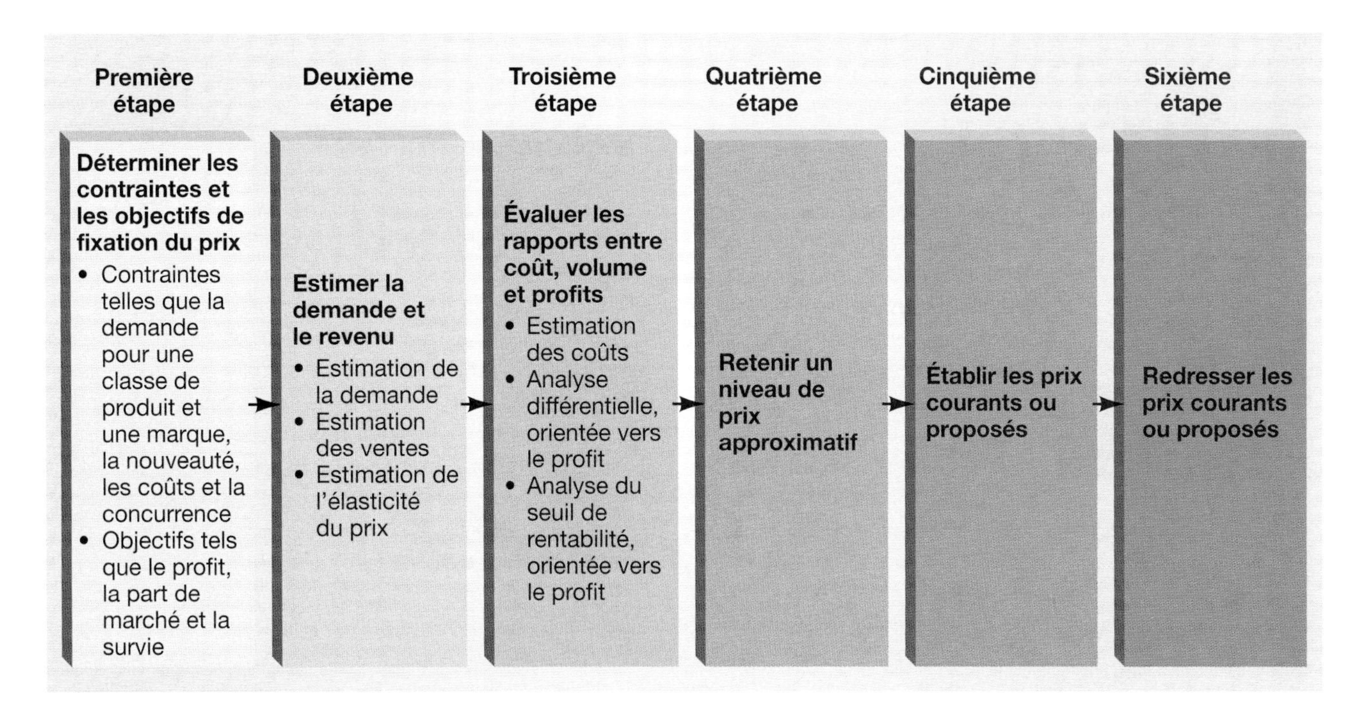

FIGURE 13.1
Les étapes de la fixation du prix

Dodge Viper) détermine nettement le prix facturé. Il en est de même si l'article est un produit de luxe comme la Viper ou une nécessité comme le pain ou un toit pour s'abriter. Quand un consommateur a un besoin urgent d'un produit indispensable, les spécialistes en marketing peuvent généralement demander un prix élevé. Cela peut évidemment soulever des questions d'éthique (voir l'encadré Question d'éthique)[7]. On discutera davantage de la nature de la demande, plus loin dans le présent chapitre.

La nouveauté d'un produit : la phase dans le cycle de vie d'un produit Plus un produit est nouveau et au début de son cycle de vie, plus on peut le vendre à prix élevé. Achèterais-tu à 1 000 $ un tout nouveau livre électronique ? Si les prix de lancement sont élevés, c'est que les brevets limitent la concurrence, généralement restreinte au début du cycle de vie d'un produit. Quand tu liras ces lignes, le prix de ce nouveau livre électronique aura probablement beaucoup baissé[8].

Il arrive parfois, quand la nostalgie ou l'engouement se mettent de la partie, que les prix augmentent plus tard dans le cycle de vie du produit. Comme tu peux le lire dans l'encadré Branchez-vous !, des objets de collection, comme les Beanie Babies et certaines vieilles chaussures de sport, peuvent atteindre des prix exorbitants[9]. Maintenant, de nombreux sites Internet publient les différents prix auxquels sont offerts les mêmes produits ou des produits de marque similaire. Tous, des collectionneurs aux acheteurs traditionnels, peuvent comparer les prix comme jamais auparavant.

Pour plus d'informations au sujet de Sony, rends-toi à l'adresse suivante : www.dlcmcgrawhill.ca

Le produit unitaire et la gamme de produits En lançant le lecteur de disques compacts, Sony mettait sur le marché non seulement un produit unique en phase d'introduction, mais également son *seul* modèle de lecteur de disques compacts. La compagnie avait donc toute la liberté pour fixer son prix. Maintenant, Sony dispose d'un vaste éventail de lecteurs fonctionnant selon différentes technologies. Il lui faut donc fixer le prix de chaque modèle de la gamme, en tenant compte des caractéristiques techniques et en ménageant des écarts de prix permettant aux consommateurs de se faire une idée de la valeur des produits.

Les coûts de production et de mise en marché d'un produit À long terme, le prix d'un produit, établi par une firme, doit couvrir tous les coûts de production et de

L'ÉTHIQUE

QUESTION D'ÉTHIQUE

Victime du prix fort?

Le médicament nommé « Clozapine » est l'un des plus intéressants antipsychotiques découverts depuis 20 ans. Hélas, peu des gens qui en auraient besoin en profitent, car cette médication coûte annuellement 9 000$. On dénonce donc la politique de prix des compagnies pharmaceutiques vendant à prix fort ce produit ou des médicaments d'importance vitale comme ceux servant au traitement du sida.

Certains protecteurs des consommateurs protestent contre les entreprises qui facturent le prix fort pour des produits ou des services de première nécessité. Ces entreprises savent que les consommateurs n'ont souvent pas d'autre choix que de payer. Ainsi, on montre du doigt les compagnies pétrolières qui profitent des hivers canadiens rigoureux pour hausser le prix du combustible de chauffage. Ces compagnies n'y voient rien de plus que le jeu de l'offre et de la demande. Cependant, de nombreux consommateurs ont l'impression de se faire voler. Les grandes compagnies aériennes majorent les prix en haute saison. Certaines compagnies privées font parfois payer très cher lorsqu'il y a pénurie. Par exemple, en période de sécheresse et de pénurie d'eau, il arrive que les détaillants d'eau triplent le prix de leurs produits. Les étudiantes et les étudiants des collèges et des universités se plaignent couramment des prix excessifs des appartements hors-campus, quand la demande est forte et l'offre limitée.

Il semble que de plus en plus de spécialistes du marketing approuvent l'idée de facturer le prix fort pour les articles de luxe et les produits de première nécessité. En effet, dans une étude récente menée auprès d'étudiantes et d'étudiants canadiens inscrits à la maîtrise en administration des affaires (MBA), 30 % ont déclaré qu'ils factureraient des prix supérieurs à la normale s'ils croyaient que les consommateurs les paieraient.

Selon toi, est-il juste de facturer le prix fort pour les produits de première nécessité? Que devrait-on faire concernant ce procédé?

mise en marché de ce produit. Autrement, l'entreprise fera faillite. On peut donc dire qu'à long terme, les coûts constituent un prix de base. Ainsi, les exploitants du pont de la Confédération sont très conscients que, pour réussir, leur coût total de fonctionnement ne doit pas excéder le revenu total.

Ces produits doivent-ils être collectionnés ou mis aux ordures? Lis l'encadré Branchez-vous! pour savoir si les vieux toutous Beanie ou les anciennes paires de Nike qui encombrent ton grenier ont de la valeur! Tu liras aussi quels facteurs influent sur le prix d'un produit.

Coût et mise en vigueur des modifications de prix Air Canada pourrait demander à General Electric (GE) de lui fournir des moteurs à réaction de rechange pour de nouveaux Boeing 737 qu'elle a d'achetés. GE pourrait aisément rectifier son prix pour tenir compte de ses données financières les plus récentes, car elle n'a alors qu'un acheteur à informer du changement de prix.

Par contre, imagine que Sears du Canada a posté des milliers de catalogues d'hiver. Elle s'aperçoit alors que le prix des chandails figurant dans ces catalogues est trop bas. Sears a un sérieux problème. Il lui faut donc, lorsqu'elle établit le prix courant des articles en catalogue, prendre en considération le coût des changements de prix et la durée de la période où ils seront en vigueur. Une étude récente menée auprès de quatre chaînes de supermarchés a révélé que les modifications de prix coûtaient annuellement 148 241 $, soit 0,7 % des ventes, un invraisemblable 35,2 % des profits nets[10]. L'étude indiquait aussi que la plupart des entreprises changent les prix de leurs principaux produits une fois l'an[11].

Pour plus d'informations au sujet de Sears, rends-toi à l'adresse suivante : www.dlcmcgrawhill.ca

BRANCHEZ-VOUS !

Fixation du prix : 5 900 $ pour un modèle « hotwheels » de la fourgonnette Volkswagen 1969 ou un Beanie Baby « Cubbie » pour 6 400 $

Les prix des « objets de collection », comme les jouets ou les vieilles chaussures de sport, suivent les lois de l'offre et de la demande dont on a parlé dans ce chapitre. Avec les folies passagères, les prix peuvent fluctuer considérablement. Voici les prix récents de certains objets de collection :

- Zip, un chaton Beany Baby : 3 150 $ (s'il a les pattes noires).
- Nike Dunks 1985, chaussure montante de basket-ball bleu et noir : 3 200 $.
- Figurine Hans Solo, dans son emballage *Star Wars* (*La guerre des étoiles*) en parfaite condition : 350 $.

Pour te faire une idée des prix de quelques-uns de ces articles de collection, visite les sites de eBay et de Beanie.

Le coureur de marathon Malcolm East regrette de ne pas s'être mieux tenu au courant du prix des chaussures de sport. Cédant à son épouse, le malheureux a jeté six paires de vieilles chaussures qui vaudraient probablement aujourd'hui 19 000 $!

Tu veux commencer une collection ? Achète une figurine du prochain film de la série *Star Wars* (*La guerre des étoiles*) mais, surtout, ne la sors pas de sa boîte !

Pour plus d'informations au sujet d'ebay.com et de thebeaniemom.com, rends-toi à l'adresse suivante : www.dlcmcgrawhill.ca.

Les types de structures concurrentielles Le prix facturé dépend du type de structure concurrentielle dans lequel il évolue. Les économistes distinguent généralement quatre types de structure : le monopole absolu, l'oligopole, la concurrence monopolistique et la concurrence pure. Comme le tableau 13.2 permet de le constater, la structure concurrentielle a beaucoup d'influence sur la concurrence exercée par le prix, et sur la différenciation de produit et le volume de la publicité.

En connaissant le type de structure concurrentielle dans lequel elles évoluent, les entreprises savent de quelle latitude elles disposent pour établir leurs stratégies de prix et leurs stratégies non basées sur le prix. En effet, les prix sont grandement déterminés par les conditions reliées aux quatre structures concurrentielles suivantes :

- *Monopole absolu.* En 1994, Johnson & Johnson (J&J) a révolutionné le traitement des maladies du cœur en lançant l'armature intra-artérielle, un petit tuyau maillé à ressort capable de maintenir ouvertes les artères occluses. D'abord en situation de monopole, J&J s'en tint à son prix de lancement de 2 235 $. Elle réalisa des ventes de 1,4 milliard de dollars et gagnait 91 % du marché à la fin de 1996. Cependant, se refusant à consentir des remises sur quantité, l'entreprise se mit à dos les établissements

STRATÉGIES	STRUCTURE CONCURRENTIELLE			
	MONOPOLE ABSOLU (Un vendeur fixe le prix d'un produit unique)	**OLIGOPOLE (Quelques vendeurs, chacun très attentif aux prix des autres)**	**CONCURRENCE MONOPOLISTIQUE (Plusieurs vendeurs se livrent une concurrence non basée sur le prix)**	**CONCURRENCE PURE (Plusieurs vendeurs offrant au prix du marché des marchandises identiques)**
Concurrence par le prix de vente	Aucune : un seul vendeur fixe le prix	Un peu : un pilote fixe le prix ou un suiveur aligné sur le prix des concurrents	Un peu : concurrence à l'intérieur d'une marge de prix	Presque aucune : le marché fixe le prix par le jeu de l'offre et de la demande
Différenciation de produit	Aucune : pas d'autres fabricants	Variable : selon les secteurs	Un peu : pour démarquer ses produits de ceux des concurrents	Aucune : les produits sont identiques
Publicité	Peu : vise à accroître la demande pour la classe de produit	Un peu : vise à informer mais évite la concurrence par le prix	Beaucoup : vise à démarquer ses produits de ceux des concurrents	Peu : vise à informer les acheteurs potentiels de la disponibilité des produits du vendeur

TABLEAU 13.2
Les stratégies de fixation du prix, de produit et de publicité dont disposent les entreprises dans quatre structures concurrentielles

Pour plus d'informations au sujet de Johnson & Johnson (J&J), rends-toi à l'adresse suivante : www.dlcmcgrawhill.ca

hospitaliers. Quand les concurrents ont présenté une armature intra-artérielle améliorée et à prix inférieur, la part de marché de J&J est tombée à 8 % en deux ans[12].

- *Oligopole.* Les quelques rares producteurs d'aluminium (Alcan, Alcoa) ou d'ordinateurs centraux cherchent à éviter la concurrence par le prix, car elle peut mener à de désastreuses guerres de prix dont tous sortent perdants. Les entreprises de ces secteurs observent les réductions ou les augmentations de prix de la part des concurrents et les imitent généralement. Dans cette structure concurrentielle, les produits peuvent être différenciés (ordinateurs centraux) ou non (aluminium). La publicité reste éducative et exempte de concurrence frontale par le prix.
- *Concurrence monopolistique.* Il y a de nombreuses marques régionales ou de nombreuses marques maison de beurre d'arachides qui rivalisent avec les marques nationales comme Skippy et Kraft. Dans cette structure concurrentielle, la concurrence s'exerce par le prix (les marques régionales et les marques maison sont moins chères que les marques nationales). Il existe aussi une concurrence non basée sur le prix, mais sur les caractéristiques du produit ou sur la publicité.
- *Concurrence pure.* Des centaines de producteurs de grains vendent du maïs dont le prix au boisseau est fixé par le marché. Le maïs provenant des semences de même souche étant identique, la publicité sert à informer les acheteuses et les acheteurs qu'il existe du maïs à vendre.

Les prix des concurrents Les entreprises doivent connaître ou prévoir quel prix leurs concurrents présents et potentiels facturent ou factureront. Au lancement de son substitut naturel de matière grasse Simplesse®, la compagnie NutraSweet a tenu compte du prix des produits de remplacement déjà en marché. De même, elle devait considérer les produits de ses concurrents potentiels comme l'Olestra de Proctor & Gamble, le VeriLo de Pfizer Inc. et les produits de marque Stellar fabriqués par la compagnie A. E. Staley.

La détermination des objectifs de la fixation du prix

Les **objectifs de la fixation du prix** précisent le rôle joué par le prix dans le plan de marketing et le plan stratégique d'une entreprise. Autant que possible, ces objectifs organisationnels de fixation du prix sont repris aux niveaux inférieurs de l'entreprise, par exemple lorsque les chefs de marque énoncent leurs objectifs. Ainsi, chez A. J. Heinz, les objectifs de la fixation du prix du ketchup varient selon les pays.

Pour plus d'informations au sujet de Heinz, rends-toi à l'adresse suivante : www.dlcmcgrawhill.ca

Le profit Trois des objectifs de la fixation du prix sont liés aux profits de l'entreprise. On les exprime généralement en rendement sur le capital investi (RCI) ou en rendement de l'actif. Pour de nombreuses firmes japonaises, l'objectif de la fixation du prix vise la *gestion des profits à long terme*. Ces entreprises renoncent au profit immédiat sur les voitures, les téléviseurs ou les ordinateurs qu'elles fabriquent pour développer des produits de qualité avec lesquels elles pourront ensuite pénétrer des marchés concurrentiels. Les entreprises optent fréquemment pour l'objectif de *maximisation du profit actuel*, celui du trimestre ou de l'année, car il permet de déterminer rapidement ses cibles et de constater le rendement. Les firmes canadiennes sont souvent critiquées pour cette approche à courte vue. Par exemple, les compagnies Irving Oil ou Mohawk poursuivent un objectif de *rendement cible* lorsqu'elles visent un rendement sur le capital investi avant impôt de 20 %. Bien sûr, on fixera les prix différemment selon l'objectif de profit visé.

Notons que les fabricants et certaines entreprises comme les studios de production cinématographique doivent s'assurer que les entreprises faisant partie de leurs circuits de distribution font, elles aussi, du profit. Autrement, ils seront coupés de leur clientèle. La figure 13.2 illustre la répartition, par dollar, du coût de 1 billet de cinéma. Les 23 cents que le studio de production en retire doivent couvrir ses frais de production et ses profits. Il s'agit d'un gros enjeu, quand on sait que ces frais peuvent s'élever à 200 millions de dollars, comme ce fut le cas du film *Titanic*. Les studios préféreraient retirer davantage de ton dollar que ces 23 cents, mais ils s'en contentent. En effet, les studios s'assurent ainsi que les distributeurs sont satisfaits et disposés à bien s'occuper de leurs films[13].

Cinéma 0,19 $
0,10 $ = Dépenses du cinéma
0,09 $ = Ce qui revient au cinéma
Distributeur 0,30 $
0,06 $ = Frais variés
0,24 $ = Ce qui revient au distributeur
Studio de production cinématographique 0,51 $
0,20 $ = Frais de publicité et de promotion
0,08 $ = Part des acteurs
0,23 $ = Ce qui revient au studio de production cinématographique

FIGURE 13.2
Répartition par dollar du prix d'un billet de cinéma

Les ventes Quand une firme fait assez de profits pour rester en activité, elle a vraisemblablement pour objectif d'augmenter son revenu de vente. Celui-ci devrait aussi conduire à un accroissement de la part de marché et des profits. En réduisant le prix d'un produit de sa gamme, il arrive qu'une entreprise augmente le revenu qu'elle tire de ce produit, mais qu'elle réduise du coup celui de produits reliés. Les objectifs associés au revenu de ventes ou au nombre de produits vendus ont l'avantage de pouvoir être exprimés de façon compréhensible par les spécialistes en marketing responsables d'un produit ou d'une marque, beaucoup plus facilement qu'un rendement sur capital investi (RCI) cible, par exemple.

Pour plus d'informations au sujet de Labatt, rends-toi à l'adresse suivante : www.dlcmcgrawhill.ca

L'objectif d'accroissement de la part de marché La part de marché d'une entreprise est le rapport entre son chiffre de ventes ou son nombre d'unités vendues et le chiffre de ventes du secteur (soit la somme des chiffres de vente des concurrents et de ceux de la firme elle-même). La fixation du prix a souvent comme objectif l'accroissement de la part de marché quand les ventes du secteur ne connaissent pas de progression ou sont en décroissance. Dans le secteur de la bière, les Brasseries Molson et Labatt ont adopté cet objectif, tandis que Pepsi-Cola Canada et Coca-Cola Canada se disputent les parts de marché du secteur des boissons gazeuses[14]. Toutefois, l'accroissement de la part de marché est pour certaines entreprises un but en soi, mais d'autres y voient davantage un moyen d'augmenter les ventes et les profits.

L'accroissement du volume unitaire De nombreuses firmes ont, pour la fixation du prix, un objectif d'accroissement du volume unitaire, c'est-à-dire de la quantité produite ou vendue. Souvent, ces entreprises vendent de multiples produits à des prix très différents et cherchent à faire correspondre leur capacité de production avec le nombre de produits vendus. Cependant, l'accroissement du volume unitaire ne mène pas nécessairement au profit. On peut augmenter le volume de vente à l'aide de stimulants de vente (réduction des prix, offre de rabais ou taux d'intérêt peu élevé). En faisant cela, l'entreprise accepte une baisse des profits à court terme pour écouler rapidement son produit. Cela a eu lieu en Italie, quand Fiat a offert des rabais de 1 600 $ et des taux de financement de 0 % pour l'achat de sa petite voiture Uno à 10 000 $[15].

L'objectif de survie Quand il s'agit de la survie de l'entreprise, les profits, les ventes et la part de marché passent rapidement au second plan. On l'a constaté chez Continental Airlines, qui a offert des tarifs réduits pour attirer les passagers et accroître ses entrées de fonds. La compagnie a mis sur pied une politique de réservations anticipées sans pénalité et a organisé une vigoureuse promotion. Lors de la fixation du prix, cet objectif a aidé Continental à survivre dans le secteur concurrentiel de l'aviation civile.

L'objectif de la responsabilité sociale Il arrive qu'une entreprise repousse un profit plus élevé sur les ventes pour adopter, lors de la fixation du prix, des objectifs tenant compte de ses obligations envers les consommateurs et la société en général. Cette politique de prix a été suivie par Medtronics quand elle a lancé le premier cœur artificiel. De même, Gerber fournit gratuitement une préparation spéciale aux enfants qui ne tolèrent pas les aliments à base de lait de vache. Les organismes gouvernementaux ont à fixer le prix des nombreux services qu'ils dispensent, mais la responsabilité sociale est leur premier objectif lors de la fixation du prix.

RÉVISION DES CONCEPTS

1. Quels facteurs modifient le prix courant jusqu'à l'obtention du prix de vente final ?
2. Comment la structure concurrentielle dans laquelle évolue une entreprise influe-t-elle sur la liberté dont cette dernière dispose pour établir ses prix ?

DEUXIÈME ÉTAPE : ESTIMER LA DEMANDE ET LE REVENU

Pour établir le prix d'un produit, il faut en connaître la demande. Les gestionnaires en marketing doivent aussi traduire cette estimation de la demande des consommateurs en une estimation des revenus de l'entreprise.

Les notions d'estimation de la demande

Pour plus d'informations au sujet de *Newsweek*, rends-toi à l'adresse suivante : www.dlcmcgrawhill.ca

Le magazine *Newsweek* a étudié ses prix de vente en kiosque dans 11 villes différentes[16]. Dans l'une d'elles, le magazine était vendu 2,25 $. Dans cinq autres villes, le prix courant était de 2,00 $. Dans une autre, le prix était de 1,50 $, et de 1,00 $ dans les quatre dernières villes. Au même moment, le prix courant en kiosque du magazine *Time* était de 1,95 $. Pourquoi *Newsweek* a-t-il mené cette expérience ? « Nous voulions connaître la courbe de la demande de notre magazine en kiosque », a expliqué l'un des anciens directeurs de l'hebdomadaire. Comme tu vois, les courbes de la demande ont d'autres utilités que de t'agacer lors d'un examen !

La courbe de la demande La **courbe de la demande** indique le nombre maximal de produits que les consommateurs achèteront à un prix donné. Sur la figure 13.3, la courbe de la demande D_1 représente la demande en kiosque pour le magazine *Newsweek*, dans les conditions du moment. Note que lorsque les prix baissent, les gens achètent plus. Cependant, le prix n'est pas tout dans l'estimation de la demande. Les économistes considèrent trois autres facteurs clés :

1. *Les goûts des consommateurs.* Comme on l'a vu au chapitre 3, les goûts des consommateurs dépendent de plusieurs facteurs démographiques, culturels et technologiques. Les goûts des consommateurs peuvent changer rapidement, aussi il est essentiel de tenir à jour la recherche en marketing.
2. *Le prix et la disponibilité des produits de substitution.* Quand le prix d'un produit de substitution chute (le prix du magazine *Time*) et que sa disponibilité augmente, la demande pour le produit baisse (la demande pour *Newsweek*).
3. *Le revenu des consommateurs.* En général, l'augmentation de la demande de produits suit l'augmentation du revenu réel (tenant compte de l'inflation) des consommateurs.

Les deux premiers facteurs influent sur ce que les consommateurs *veulent* acheter, tandis que le troisième affecte ce qu'ils *peuvent* acheter. Ces facteurs, comme le prix, sont souvent appelés **facteurs de la demande.** Ce sont des indices de la volonté et de la capacité des consommateurs à payer pour des produits ou des services. Il est souvent difficile d'estimer la demande pour de nouveaux produits, car on peut aisément se tromper sur les goûts des consommateurs. Ainsi, la compagnie de soupes Campbell a consacré sept ans et 75 millions de dollars à un projet ultrasecret visant à produire une gamme de produits IQ (*Intelligent Quisine*). La gamme se composait de 41 déjeuners, dîners, soupers et collations et devait mettre en vedette les premiers aliments « scientifiquement reconnus capables d'abaisser les hauts taux de cholestérol, de sucre dans le sang et de tension artérielle[17] ». Après avoir testé le marché pendant 15 mois, Campbell a finalement écarté toute la gamme IQ, car elle ne répondait pas aux attentes : les consommateurs la jugeaient trop coûteuse et insuffisamment variée.

Déplacement sur la courbe de la demande et déplacement de la courbe de la demande À la figure 13.3, la courbe de la demande D_1 montre que, lorsque le prix baisse de 2,00 $ à 1,50 $, la quantité demandée augmente annuellement de 3 millions (Q_1) d'unités à 4,5 millions (Q_2) d'unités. Le déplacement s'effectue le long de la courbe de la

FIGURE 13.3
Illustration des courbes de la demande du magazine *Newsweek*

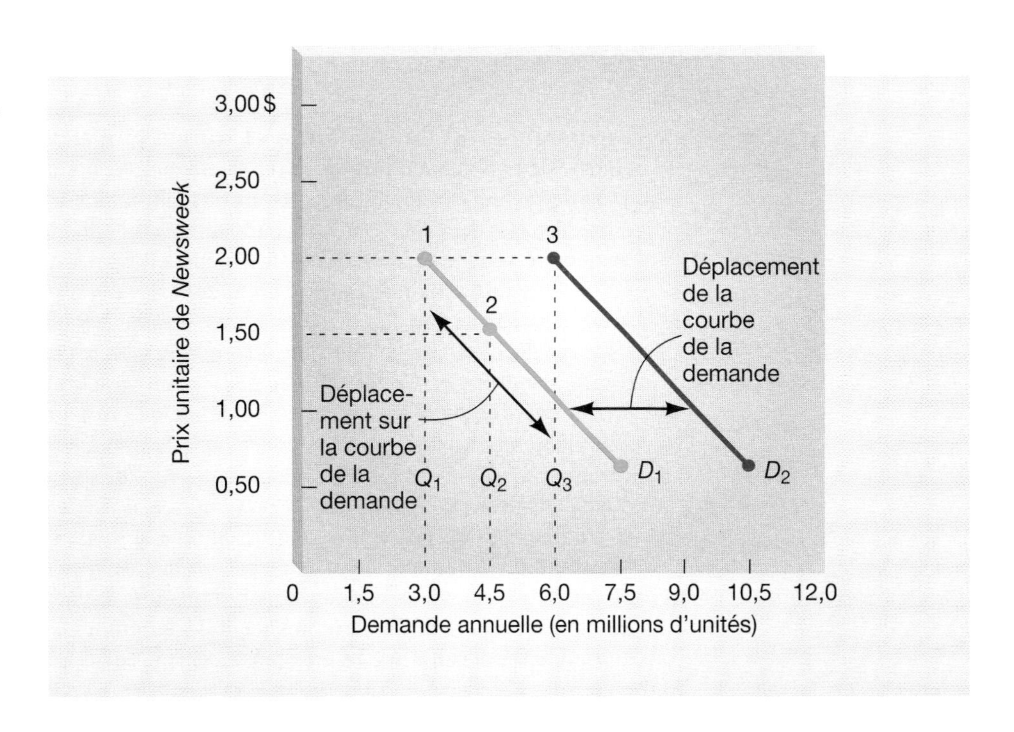

demande, on présume donc que les autres facteurs (goûts des consommateurs, prix et disponibilité des produits de substitution et revenu des consommateurs) demeurent inchangés.

Et si certains de ces facteurs changeaient ? Par exemple, si plus de gens prenaient goût à lire *Newsweek*, à cause d'une publicité, si la distribution en kiosque augmentait, si le revenu des consommateurs doublait, est-ce que tous ces facteurs conduiraient à une hausse de la demande ? Le déplacement de la courbe de la demande vers la droite, en passant de D_1 à D_2 traduit une hausse de la demande (voir la figure 13.3). Cette demande accrue signifie qu'à un certain prix, la demande pour le magazine *Newsweek* augmente : à 2,00 $, la demande est de 6 millions d'unités par année (Q_3) sur D_2, alors qu'elle n'était que de 3 millions d'unités par année (Q_1) sur D_1.

Les notions de prévision des ventes

Les économistes parlent de « courbes de la demande », les gestionnaires en marketing parlent plus volontiers des « revenus générés ». Les courbes de la demande renvoient directement à trois notions de revenu essentielles aux décisions de fixation du prix : le **revenu total,** le **revenu moyen** et le **revenu marginal** (figure 13.4).

FIGURE 13.4
Notions de calcul du revenu

Le *revenu total* (*RT*) est le montant total que l'on retire de la vente d'un produit. Si :

RT = Revenu total
P = Prix unitaire d'un produit
Q = Quantité de produit vendue

alors :

$$RT = P \times Q$$

Le *revenu moyen* (*RM*) est le montant moyen retiré de la vente d'une unité de produit, ou simplement le prix de cette unité. Le revenu moyen est égal au revenu total divisé par la quantité vendue :

$$RM = \frac{RT}{Q} = P$$

Le *revenu marginal* (*Rm*) concerne la hausse ou la baisse du revenu total découlant de la vente d'une unité additionnelle :

$$Rm = \frac{\text{Changement du RT}}{\text{1 unité supplémentaire de Q}} = \frac{\Delta RT}{\Delta Q} = \text{pente de la courbe de RT}$$

Les courbes de la demande et du revenu La figure 13.5A présente encore la courbe de la demande pour le magazine *Newsweek*, mais prolongée jusqu'à couper les axes de prix et de quantité. La courbe de la demande montre que la quantité vendue d'exemplaires de *Newsweek* varie en fonction de la fluctuation du prix. Cette relation entre la quantité vendue et le prix demeure même si le prix augmente de 2,50 $ à 3,00 $ ou s'il baisse de 1,00 $ à 0,00 $. Dans le premier cas, il n'y a pas de demande pour le magazine *Newsweek*, tandis que dans le dernier, on « vendrait » 9 millions d'exemplaires à 0,00 $.

Il est d'ailleurs probable que si *Newsweek* était gratuit, la demande excéderait les 9 millions d'unités. Ce fait illustre deux points importants. Premièrement, il est parfois dangereux d'étendre la courbe de la demande au-delà de la zone de prix raisonnable. Deuxièmement, la plupart des courbes de la demande sont arrondies (ou convexes) à l'origine, ce qui évite les représentations peu réalistes de la demande, comme celle que donne une droite coupant l'axe du prix ou l'axe de la quantité.

La figure 13.5B présente la courbe du revenu total pour *Newsweek* calculée à partir de la courbe de la demande présentée en A. On établit la courbe du revenu total en multipliant simplement le prix unitaire par la quantité à chacun des points sur la courbe de la demande. Le revenu total commence à 0 $ au point *G*. On voit ainsi les revenus totaux augmenter à mesure que le prix baisse entre *A* et *D*. Par contre, une réduction de prix entre *D* et *G* cause une baisse du revenu total.

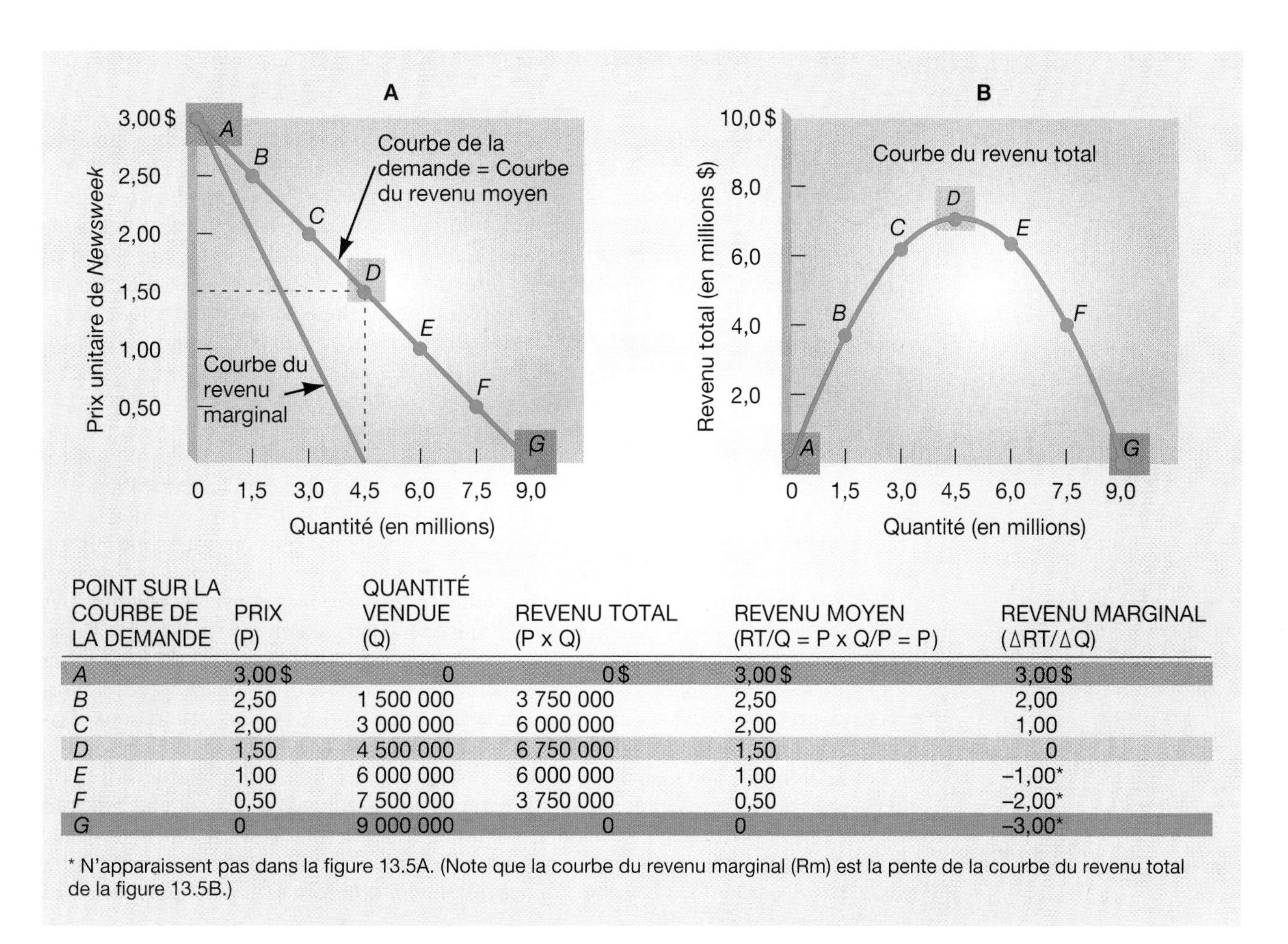

POINT SUR LA COURBE DE LA DEMANDE	PRIX (P)	QUANTITÉ VENDUE (Q)	REVENU TOTAL (P x Q)	REVENU MOYEN (RT/Q = P x Q/P = P)	REVENU MARGINAL (ΔRT/ΔQ)
A	3,00 $	0	0 $	3,00 $	3,00 $
B	2,50	1 500 000	3 750 000	2,50	2,00
C	2,00	3 000 000	6 000 000	2,00	1,00
D	1,50	4 500 000	6 750 000	1,50	0
E	1,00	6 000 000	6 000 000	1,00	−1,00*
F	0,50	7 500 000	3 750 000	0,50	−2,00*
G	0	9 000 000	0	0	−3,00*

* N'apparaissent pas dans la figure 13.5A. (Note que la courbe du revenu marginal (Rm) est la pente de la courbe du revenu total de la figure 13.5B.)

FIGURE 13.5
Les conséquences d'une courbe de la demande à pente descendante sur les revenus total, moyen et marginal

Le revenu marginal, c'est-à-dire la pente de la courbe du revenu total, est positif mais décroissant, quand le prix unitaire est compris entre 3 $ et plus de 1,50 $ par unité. À moins de 1,50 $ par unité, le revenu marginal devient négatif, et la quantité supplémentaire de magazines vendue est loin de compenser la diminution du prix unitaire.

Pour toute courbe de la demande à pente descendante, la courbe de revenu marginal correspondante décroît toujours deux fois plus vite. Comme on le voit à la figure 13.5A, le revenu marginal passe à 0 $ l'unité pour une quantité vendue de 4,5 millions d'unités, au point même où le revenu total est au maximum (voir figure 13.5B). Aucun gestionnaire en marketing ne choisirait cette région de la courbe de la demande où le revenu marginal est négatif pour y fixer son prix. En présence d'une courbe comme celle de la figure 13.5A, il faut fixer des prix strictement à l'intérieur du segment *A* et *D* de la courbe de la demande.

Quel prix a-t-on choisi chez *Newsweek* à la fin de l'expérience ? La compagnie a laissé le prix à 2,00 $, en élargissant la distribution en kiosque et en faisant une publicité plus vigoureuse. Peu après, *Newsweek* a déplacé sa courbe de la demande vers la droite et a facturé 2,50 $ sans nuire au volume de vente en kiosque.

L'élasticité de la demande par rapport au prix En présence d'une courbe de la demande à pente descendante, on se préoccupe de l'effet des changements de prix sur la demande. Pour établir cela, on calcule l'**élasticité de la demande par rapport au prix.** Il s'agit du taux de variation de la quantité demandée résultant du taux de variation du prix. Le calcul de l'élasticité de la demande par rapport au prix (E) s'exprime ainsi :

$$E = \frac{\text{Taux de variation de la quantité demandée}}{\text{Taux de variation du prix}}$$

Comme la quantité demandée diminue habituellement à mesure que le prix augmente, l'élasticité de la demande par rapport au prix est généralement un nombre négatif. Par convention et pour plus de simplicité, l'élasticité s'exprime à l'aide de nombres positifs.

L'élasticité de la demande par rapport au prix peut prendre trois formes : demande élastique, demande inélastique et demande unitaire. Il y a *demande élastique* quand un faible taux de réduction de prix amène un fort taux d'augmentation de la quantité demandée. L'élasticité de la demande est supérieure à 1 lorsque la demande est élastique. Il y a *demande inélastique* quand un faible taux de réduction du prix amène un taux d'augmentation encore plus faible de la quantité demandée. L'élasticité du prix est inférieure à 1 lorsque la demande est inélastique. Il y a *demande unitaire,* quand le taux de variation du prix est le même que le taux de variation de la quantité demandée. L'élasticité du prix est alors égale à 1.

L'élasticité de la demande par rapport au prix dépend de plusieurs facteurs. Premièrement, plus il y a de substituts à un produit ou à un service, plus il est probable que le prix sera élastique. Par exemple, le beurre peut être remplacé par plusieurs substituts et son prix est élastique. Par contre, l'essence a peu de produits de remplacement et son prix est inélastique. Deuxièmement, le prix des produits et des services considérés comme des nécessités est inélastique. Ainsi, le prix d'une opération à cœur ouvert est inélastique, tandis que celui des billets d'avion pour les vacances est élastique. Troisièmement, les articles dont le prix est élevé par rapport au revenu disponible de l'acheteur sont des produits aux prix élastiques. C'est ainsi que les prix des voitures et des yachts sont élastiques, tandis que les prix des livres et des billets de cinéma sont plutôt inélastiques.

Les gestionnaires en marketing se préoccupent de la relation entre l'élasticité du prix et le revenu total. Par exemple, quand la demande est élastique, le revenu total s'accroît quand le prix baisse, mais il baisse quand le prix augmente. Par contre, quand la demande est inélastique, le revenu total s'accroît quand le prix augmente et baisse quand le prix baisse. Enfin, quand il y a demande unitaire élastique, le revenu total n'est pas touché par un léger changement de prix.

De même, les gestionnaires en marketing doivent savoir que l'élasticité de la demande par rapport au prix varie selon les différentes possibilités de prix pour un même produit. C'est ce que la figure 13.5B montrait à l'aide de la courbe de la demande de *Newsweek* illustrée par la figure 13.5A. À mesure que le prix passait de 2,50 $ à 2 $, le revenu total augmentait, ce qui était le signe d'une demande élastique. Par contre, quand le prix passait de 1 $ à 0,50 $, le revenu total baissait, signe d'une demande inélastique. Enfin, il y avait élasticité de la demande unitaire à 1,50 $.

Élasticités du prix de certaines marques et de certaines classes de produit

Les gestionnaires en marketing savent que l'élasticité de la demande par rapport au prix varie selon les classes de produits (par exemple les ampli-syntoniseurs) et les marques dans une classe de produits (Sony ou Marantz). Ainsi, les études de marketing sur les marques de cola, de café, de collations ou d'aliments de spécialité ont indiqué des élasticités de 1,5 à 2,5, signe que les prix de ces produits sont élastiques. Par contre, toutes les classes de fruits et légumes ont une élasticité d'environ 0,8, ce qui revient à dire que les prix de ces produits sont inélastiques[18].

Récemment, l'élasticité de la demande par rapport au prix des cigarettes a fait l'objet de débats animés sur la santé publique et remis en question l'éthique et la responsabilité sociale des entreprises. Les études démontrent généralement que le prix des cigarettes est inélastique[19]. Toutefois, l'élasticité du prix dépend de l'âge de la personne qui fume. En effet, les jeunes entre 12 et 17 ans ont souvent des moyens limités, aussi, dans ce groupe, la demande en cigarettes est très élastique par rapport au prix. Cela étant, de nombreux législateurs ont recommandé de taxer plus lourdement les cigarettes, car l'augmentation du prix amènerait une réduction du tabagisme chez les jeunes. On le voit, la notion d'élasticité du prix sert aux gestionnaires en marketing, mais elle s'applique aussi aux politiques d'intérêt public.

RÉVISION DES CONCEPTS

1. Quelle différence y a-t-il entre un déplacement sur la courbe de la demande et un déplacement de la courbe elle-même?
2. Si l'élasticité de la demande par rapport au prix d'un produit est supérieure à 1, qu'est-ce que cela signifie?

TROISIÈME ÉTAPE : ÉVALUER LES RAPPORTS ENTRE COÛT, VOLUME ET PROFIT

Les revenus sont les montants qu'une entreprise retire de la vente de ses produits ou services à ses clients. Les coûts, ou frais, sont les montants que l'entreprise remet à son personnel et à ses fournisseurs. Les gestionnaires en marketing utilisent souvent l'analyse différentielle et l'analyse du seuil de rentabilité pour mettre en rapport les revenus et les coûts à différents niveaux de produits vendus. Cette section traitera ce sujet.

L'importance du contrôle des coûts

Selon l'équation du profit donnée au début du présent chapitre, profit = revenu total – coût total. Il est donc essentiel de comprendre quels effets les décisions de marketing et surtout les décisions de fixation du prix peuvent avoir sur les coûts. Les quatre notions de coûts essentielles à la détermination des prix sont : le **coût total,** le **coût fixe,** le **coût variable** et le **coût marginal** (figure 13.6).

De nombreuses entreprises font faillite parce qu'elles ont perdu le contrôle de leurs coûts : leurs coûts totaux ont trop longtemps excédé leurs revenus totaux. Pour éviter ce genre de situation, les gestionnaires en marketing avisés déterminent des prix qui permettent d'équilibrer revenus et coûts. Le contrôle des coûts et le souci des détails importants sont à l'origine du triple succès phénoménal d'un entrepreneur en alimentation, comme tu peux le lire dans l'encadré Tendances marketing. En effet, grâce à un étroit contrôle des coûts, cet homme peut vendre les repas italiens Michelina beaucoup moins cher que tous les produits concurrents[20].

Quel est le secret de marketing de l'entrepreneur qui s'est lancé sur le marché des entrées congelées malgré l'avis contraire des experts? Pour le savoir, lis le texte et l'encadré Tendances marketing.

Pour plus d'informations au sujet de Michelina's, rends-toi à l'adresse suivante : www.dlcmcgrawhill.ca

FIGURE 13.6
Notions de coût

Le *coût total* (*CT*) est le total des dépenses réalisées pour fabriquer un produit et le mettre en marché. Le coût total comprend les frais fixes et les frais variables.
Le *coût fixe* (*CF*) est la somme des dépenses stables qui ne varient pas selon les quantités fabriquées ou vendues. Le loyer d'un immeuble, la rémunération des cadres et les assurances sont des coûts fixes.

Le *coût variable* (*CV*) est la somme des dépenses qui varient directement en fonction de la quantité de produits fabriquée et vendue. Par exemple, quand la quantité vendue double, les coûts variables doublent également. La main-d'œuvre et les matières qui entrent directement dans la fabrication du produit sont des coûts variables. De même, les commissions de vente dépendent directement de la quantité vendue. Selon la formule présentée plus haut:

$$CT = CF + CV$$

Le coût variable d'une unité s'appelle le *coût variable unitaire* (*CVU*).
Le *coût marginal* (*CM*) est la variation du coût total générée par la production et la mise en marché d'une unité additionnelle de produit:

$$CM = \frac{\text{Variation du CT}}{\text{Ajout d'une unité de Q}} = \frac{\Delta CT}{\Delta Q} = \text{pente de la courbe du coût total}$$

VALEUR POUR LE CONSOMMATEUR

TENDANCES MARKETING

Les secrets d'un entrepreneur en alimentation: souci du détail et contrôle des coûts

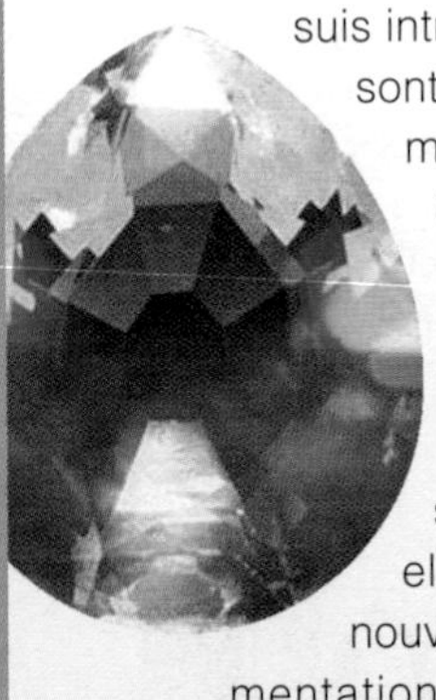

« Je crois que mes employés m'aiment bien, mais je suis intraitable sur la qualité. Si les pâtes sont un peu trop molles, je suis extrêmement contrarié », dit Jeno Paulucci, le directeur des aliments Lugino. Le magazine *Fortune* l'a récemment consacré très grand entrepreneur en alimentation. La recette du succès de Paulucci est simple. Éprouvée pendant 50 ans, elle a résisté à la création de trois nouvelles et énormes entreprises d'alimentation. La recette: 1) une passion du détail; et 2) le maintien de frais généraux très bas pour un bon contrôle des coûts. Cette politique a permis d'offrir une réelle valeur aux consommateurs, assurant ainsi la réussite phénoménale des trois entreprises.

Chun King Foods. En 1945, Paulucci a commencé à vendre des mets chinois. Chun King a décollé quand les soldats américains sont revenus de la Seconde Guerre mondiale. Ces jeunes gens avaient besoin de repas de bonne valeur, faciles et commodes à préparer. En 1966, Paulucci vendit Chun King 88 millions de dollars à ce qui s'appelait alors R. J. Reynolds.

Jenos. Paulucci encaissa l'argent et se mit à la fabrication de pizzas et de pizzas-pochettes. Comment a-t-il eu l'idée des pizzas-pochettes? Écoutons-le: « Il fallait que je fasse quelque chose avec ma machine à pâtés impériaux ». C'était une façon économique de reconvertir ce qui restait de l'équipement de Chun King. En 1972, Jenos dominait le marché de la pizza congelée et des goûters congelés. Mais Paulucci se découragea et, en 1985, il vendit l'entreprise à Pillsbury pour 210 millions de dollars. Il était tracassé par la qualité: « Les pizzas étaient devenues plus petites et contenaient plus d'ingrédients artificiels. Ça ne me plaisait pas. »

Luginos. En 1990, Paulucci se lançait sur le marché des entrées congelées. Au mépris de l'avis des experts, il se jeta dans la mêlée où bataillaient déjà des marques géantes comme Stouffer, Healthy Choice et Weight Watchers. Paulucci déclare: « Ces grosses compagnies avec tous leurs frais généraux... je savais bien que si nous faisions attention aux petites choses, notre plan fonctionnerait. » Citons deux exemples: 1) Paulucci empaquette séparément les pâtes et la sauce qui composent les repas italiens Michelina, car cela améliore la saveur; et 2) il vend ses repas italiens environ la moitié moins cher que ses concurrents parce qu'il contrôle ses coûts.

Son principe: « Attention aux détails, cela peut rapporter gros. » Il s'applique à la valeur offerte au consommateur, aux coûts et aux prix.

L'analyse différentielle et la maximisation du profit

L'**analyse différentielle** est à la base des affaires, de l'économie et de la vie quotidienne. Elle se fonde sur un principe simple : les gens font quelque chose tant que le revenu marginal est supérieur au coût marginal. En marketing, cela signifie qu'une entreprise continue d'augmenter sa production tant que les revenus qu'elle tire de la vente d'un produit additionnel (revenu marginal) excèdent le coût additionnel pour le produire et le vendre (coût marginal)[21].

L'analyse différentielle est au cœur de la maximisation des profits. Le graphique de la figure 13.7A présente le revenu et le coût marginaux. On voit que le coût marginal est d'abord élevé quand les niveaux de production sont bas. Il atteint son point minimal quand la production et le marketing sont efficaces. Le coût marginal s'élève encore quand la surcharge de travail cause l'inefficacité de la main-d'œuvre et de l'équipement. Le revenu marginal présente une pente descendante. Le graphique de la figure 13.7B illustre les courbes de coût et de revenu totaux correspondant aux courbes de coût et de revenu marginaux. Le coût total a d'abord augmenté quand la quantité a augmenté. Le coût total augmente très lentement pour des quantités dont le coût marginal est le plus bas. La courbe de revenu total progresse jusqu'à un maximum puis commence à fléchir, comme on le voit à la figure 13.7B.

FIGURE 13.7
Fixation d'un prix visant la maximisation des profits

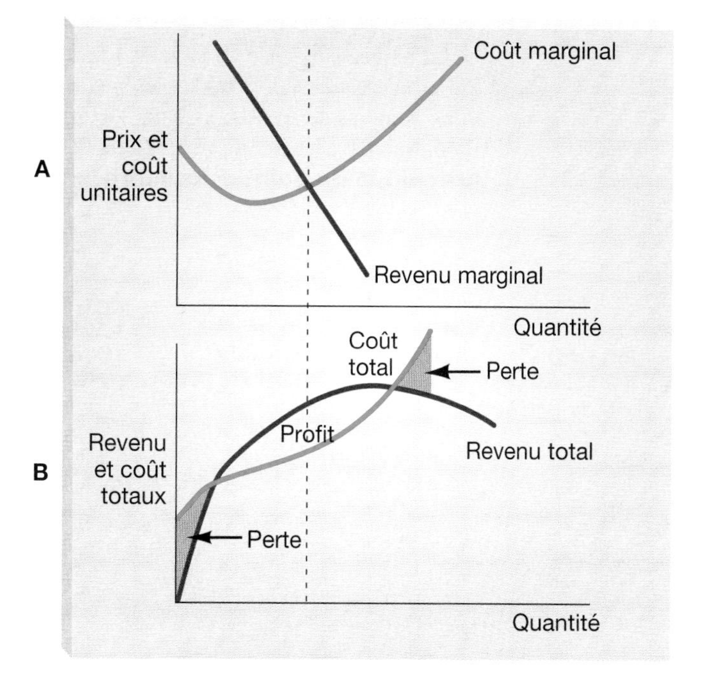

L'analyse différentielle indique alors de produire jusqu'à atteindre des niveaux de quantité et de prix où le revenu marginal est égal au coût marginal (RM = CM). En deçà de ce niveau de quantité, où RM = CM, toute augmentation du revenu total résultant de la vente d'une unité additionnelle excédera l'augmentation du coût total de production et de mise en marché de cette unité. Au-delà du point où RM = CM, par contre, l'augmentation du revenu total résultant de la vente d'une unité supplémentaire sera inférieure au coût de production et de mise en marché de cette unité supplémentaire. Enfin, au niveau de production où RM = CM, la courbe de revenu total s'étend bien au-delà de la courbe de coût total ; les courbes sont parallèles et le profit, maximal.

L'analyse du seuil de rentabilité

Les gestionnaires étudient aussi les relations entre les coûts, le volume et le profit à l'aide d'une méthode plus simple, mais aussi fondée sur l'équation du profit. L'**analyse du seuil de rentabilité** consiste à analyser la relation entre le revenu total et le coût total, de façon à déterminer la rentabilité à différents niveaux de production. Le **point mort ou seuil de rentabilité** est la quantité pour laquelle le revenu et le coût totaux sont égaux. Au-delà de cette quantité, les profits commencent. En voici l'équation exprimée à l'aide des notions de la figure 13.6 :

$$\text{Point mort}_{\text{Quantité}} = \frac{\text{Coût fixe}}{\text{Prix unitaire} - \text{Coût variable unitaire}}$$

Le calcul du point mort Considérons un producteur de maïs qui veut déterminer combien et à quel prix il doit vendre de boisseaux de maïs pour couvrir ses coûts fixes. Supposons que son coût fixe (CF) est de 2 000 $ (impôt foncier, intérêts sur un prêt bancaire et autres frais fixes) et que son coût variable unitaire (CVU) est de 1 $ par boisseau (main-d'œuvre, semence de maïs, herbicides et pesticides). Si le prix (P) est de 2 $ le boisseau, la quantité au point mort est de 2 000 boisseaux :

$$\text{Point mort}_{\text{Quantité}} = \frac{\text{CF}}{\text{P} - \text{CVU}} = \frac{2\,000\,\$}{2\,\$ - 1\,\$} = 2\,000 \text{ boisseaux}$$

La rangée surlignée au tableau 13.3 indique que la quantité au point mort, à un prix de 2 $ le boisseau, est de 2 000 boisseaux. Pour cette quantité, le revenu total est égal au coût total. À moins de 2 000 boisseaux, le fermier aurait une perte, et à plus de 2 000 boisseaux, il commence à faire du profit. Cette analyse du seuil de rentabilité a été reportée sur le **graphique du point d'équilibre** présenté à la figure 13.8.

QUANTITÉ VENDUE (Q)	PRIX AU BOISSEAU (P)	REVENU TOTAL (RT) (P × Q)	COÛT VARIABLE UNITAIRE (CVU)	COÛTS VARIABLES TOTAUX (CVT) (CVU × Q)	COÛT FIXE (CF)	COÛT TOTAL (CT) (CF + CV)	PROFIT (RT – CT)
0	2 $	0 $	1 $	0 $	2 000 $	2 000 $	–2 000 $
1 000	2	2 000	1	1 000	2 000	3 000	–1 000
2 000	2	4 000	1	2 000	2 000	4 000	0
3 000	2	6 000	1	3 000	2 000	5 000	1 000
4 000	2	8 000	1	4 000	2 000	6 000	2 000
5 000	2	10 000	1	5 000	2 000	7 000	3 000
6 000	2	12 000	1	6 000	2 000	8 000	4 000

TABLEAU 13.3
Le calcul du point mort

Applications de l'analyse du seuil de rentabilité Vu sa simplicité, le marketing se sert beaucoup de l'analyse du seuil de rentabilité. Le plus souvent, il sert à étudier l'effet sur le profit du changements de prix, de coût fixe ou de coût variable. Un exemple démontrera l'utilité de l'analyse du seuil de rentabilité. Comme on le voit à la figure 13.9, un fabricant de calculatrices électroniques automatise sa production. En conséquence, il accroît ses coûts fixes et réduit ses coûts variables. En effet, il a remplacé des travailleurs par des machines, et le point mort passe de 333 333 unités à 500 000 unités par année.

FIGURE 13.8
Graphique du point d'équilibre

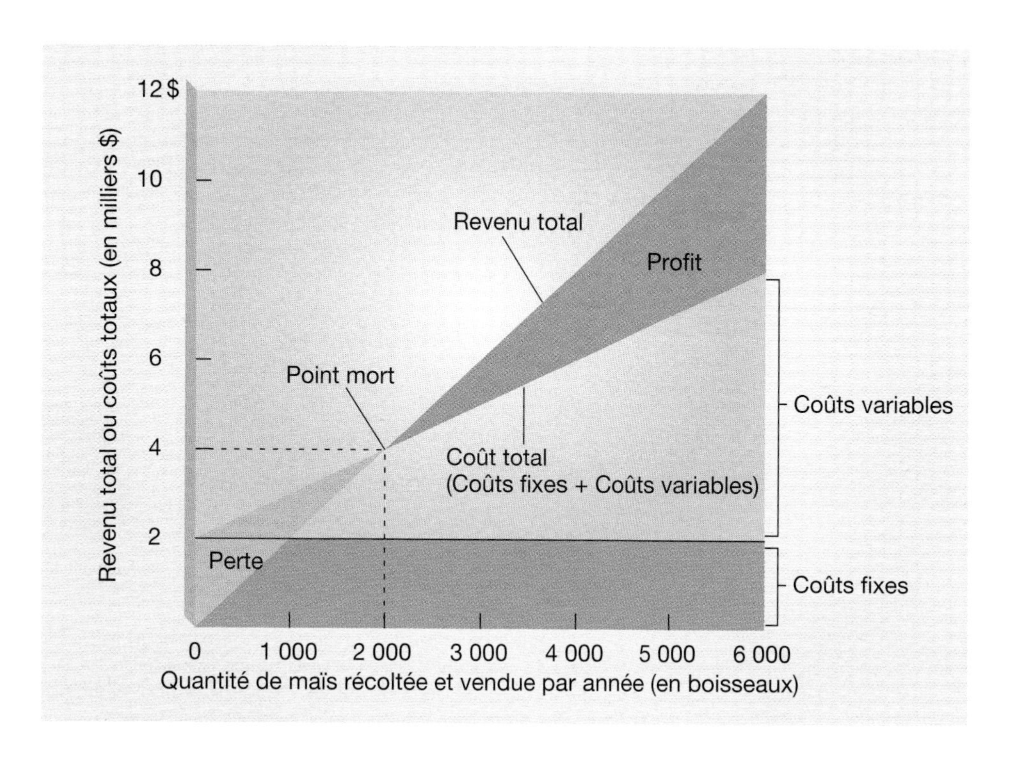

Mais quel effet cette augmentation des coûts fixes aurait-elle sur le profit ? Rappelle-toi qu'on peut calculer le profit à tout niveau de quantité à l'aide de la formule suivante :

Profit = Revenu total - Coût total

= (P × Q) – [CF + (CVU × Q)]

Ainsi, si l'on vendait 1 million d'unités, le profit avant automatisation serait :

Profit = (P × Q) – [CF + (CVU × Q)]

= (10 $ × 1 000 000) – [1 000 000 $ + (7 $ × 1 000 000)]

= 10 000 000 $ – 8 000 000 $

= 2 000 000 $

Après automatisation de l'usine, le profit serait :

Profit = (P × Q) – [CF + (CVU × Q)]

= (10 $ × 1 000 000) – [4 000 000 $ + (2 $ × 1 000 000)]

= 10 000 000 $ – 6 000 000 $

= 4 000 000 $

L'automatisation augmente les coûts fixes, mais les profits s'accroissent de 2 millions de dollars si on vend 1 million d'unités. Ainsi, à partir de l'usine automatisée, plus les quantités vendues augmentent, plus le potentiel de profit ou l'effet de levier est important. Voilà pourquoi des usines automatisées de fabrication ayant d'énormes productions et volumes de ventes, comme celles de General Motors ou de Texas Instruments, sont très profitables.

Aucun secteur de production de masse n'y échappe, ni la construction de locomotives ou de voitures ni la fabrication de calculatrices électroniques ou de céréales pour le petit déjeuner. Partout, les gestionnaires cherchent des moyens d'améliorer la qualité et de réduire les coûts de production afin d'être concurrentiels sur les marchés mondiaux. De plus en plus, la robotisation, l'automatisation et les systèmes de fabrication informatisés remplacent cols blancs et cols bleus.

Pour comprendre la répercussion des coûts sur le seuil de rentabilité et le profit, examine cet exemple d'un fabricant de calculatrices électroniques.

AVANT L'AUTOMATISATION		APRÈS L'AUTOMATISATION	
P	= 10 $ par unité	P	= 10 $ par unité
CF	= 1 000 000 $	CF	= 4 000 000 $
CVU	= 7 $ par unité	CVU	= 2 $ par unité
$\text{Point mort}_{\text{Quantité}}$	$= \frac{CF}{P - CVU}$	$\text{Point mort}_{\text{Quantité}}$	$= \frac{CF}{P - CVU}$
	$= \frac{1\,000\,000\,\$}{10\,\$ - 7\,\$}$		$= \frac{4\,000\,000\,\$}{10\,\$ - 2\,\$}$
	= 333 333 unités		= 500 000 unités

L'automatisation fait croître les coûts fixes et fait passer la quantité au point mort de 333 333 unités à 500 000 unités par année. Si la somme des ventes annuelles se situe entre ces deux quantités, cette usine nouvellement automatisée fonctionnera à perte, alors que l'ancienne usine était profitable.

Mais quel serait son potentiel de profit s'il se vendait un million d'unités par année? Étudie attentivement les deux graphiques du point d'équilibre qui suivent, interprète-les et lis le texte pour vérifier ton raisonnement:

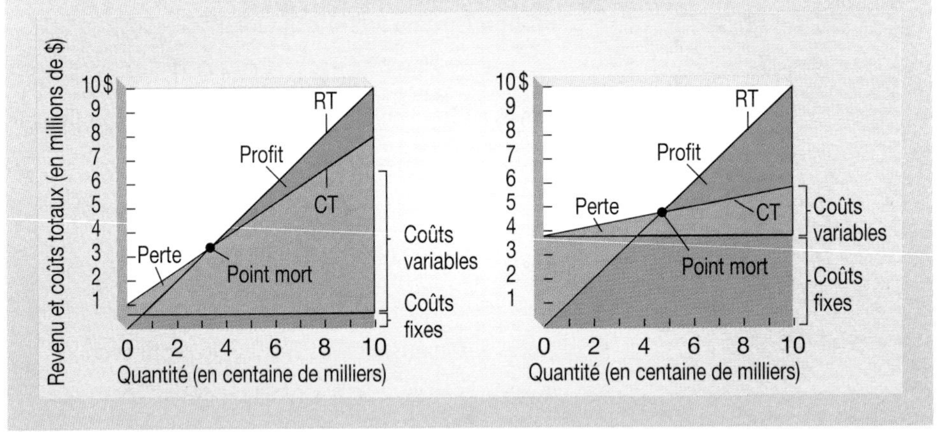

FIGURE 13.9
L'arbitrage des coûts : coûts fixes ou coûts variables

RÉVISION DES CONCEPTS

1. Quelle différence y a-t-il entre un coût variable et un coût fixe?
2. Qu'est-ce que le point mort ou seuil de rentabilité?

RÉSUMÉ

1. Le prix est un montant en argent ou d'autres rémunérations que l'on échange pour entrer en possession d'un produit ou d'un service ou pour avoir le droit de les utiliser. Bien que le prix soit généralement une somme d'argent, il est fréquent que celle-ci diffère du prix courant ou du prix proposé parce que la transaction d'achat comprend des remises et des frais supplémentaires.
2. Pour se faire une idée de la valeur d'un bien ou d'un service, les consommateurs en considèrent le prix et les avantages perçus. Parfois, le prix influe sur l'évaluation qu'ils font de la qualité d'un produit. Pour évaluer la valeur d'un produit, les consommateurs comparent également les coûts et les avantages des produits de remplacement.
3. Les entreprises n'ont pas toute la liberté pour établir un prix. Il leur faut tenir compte de contraintes comme la demande, la nouveauté du produit, les coûts, les concurrents, les autres produits qu'elles vendent elles-mêmes et la structure concurrentielle dans laquelle elles évoluent.
4. Les objectifs de la fixation du prix précisent le rôle du prix dans la stratégie de marketing de l'entreprise. Ils peuvent viser l'augmentation du profit ou du revenu de ventes, l'accroissement des parts de marché ou du volume unitaire de vente, la survie de l'entreprise ou l'exercice de la responsabilité sociale.
5. La courbe de la demande indique la quantité maximale de produits que les consommateurs achèteront à un certain prix, en tenant compte : *a)* de leurs goûts ; *b)* du prix et de la disponibilité d'autres produits ; et *c)* de leurs revenus. Dès que l'un de ces facteurs change, il y a déplacement de la courbe de la demande.
6. Le revenu total, le revenu moyen et le revenu marginal sont trois importantes notions de revenu.
7. L'élasticité du prix par rapport à la demande permet de mesurer l'effet d'un changement de prix sur le nombre d'unités vendues. Quand la demande est élastique, une réduction de prix est amplement compensée par l'accroissement du nombre d'unités vendues, de sorte que le revenu total augmente.
8. Quand on détermine un prix, il est essentiel de savoir quel effet ce prix aura sur les coûts. Le coût total, le coût variable, le coût fixe et le coût marginal sont les principales notions de coûts.
9. L'analyse du seuil de rentabilité montre le rapport entre le revenu total et le coût total, à différents niveaux de production, selon des prix, des coûts fixes et des coûts variables donnés. Le point mort ou seuil de rentabilité est le point où le revenu total et le coût total sont égaux.

MOTS CLÉS ET CONCEPTS

analyse différentielle
analyse du seuil de rentabilité
contrainte de fixation de prix
courbe de la demande
coût fixe
coût marginal
coût total
coût variable
élasticité de la demande par rapport au prix
équation du profit
facteur de la demande
graphique du point d'équilibre
objectif de la fixation du prix
point mort ou seuil de rentabilité
prix
prix en fonction de la valeur
revenu marginal
revenu moyen
revenu total
troc
valeur

EXERCICES INTERNET

Tu veux t'informer sur les accessoires et le prix d'une nouvelle voiture. Note d'abord les caractéristiques que tu souhaites. Puis, visite ces trois sites Web :

- General Motors
- Ford
- Un service d'achat de voitures indépendant

Pour plus d'informations au sujet de General Motors, Ford et un service d'achat de voitures, rends-toi à l'adresse suivante : www.dlcmcgrawhill.ca.

Imprime d'abord les prix proposés sur ces sites pour les voitures qui te conviennent. Téléphone ensuite chez un concessionnaire ou rends-lui visite et fais-toi remettre un prix pour une voiture ayant les mêmes caractéristiques. Compare ce prix et cette expérience de négociation avec ce que tu as connu sur Internet. Quelles différences et quelles similitudes as-tu constatées sur le plan des prix courants, des stimulants de vente, des remises de reprise, du financement, de la garantie, des accessoires (ou offres d'accessoires), des frais de livraison, etc.[22] ?

QUESTIONS DE MARKETING

1. Décris l'équation de prix applicable : *a)* à l'achat d'essence ; *b)* à l'achat d'un billet d'avion ; et *c)* à l'ouverture d'un compte de chèques bancaire ?

2. « La maximisation du profit est le seul objectif de fixation de prix valable pour une entreprise. » Qu'en dis-tu ?

3. Quand la courbe de la demande est à pente descendante, comment le revenu total et le revenu marginal se comportent-ils ?

4. Un gestionnaire en marketing a dit un jour : « Si l'élasticité du prix par rapport à la demande pour votre produit est inélastique, c'est probablement que votre prix est trop bas ». Traduis cette affirmation en usant des termes et des principes économiques vus dans ce chapitre.

5. Après avoir réduit le prix d'une marque de céréales de 10 %, un gestionnaire en marketing a constaté une hausse de 25 % de la quantité vendue. Ce gestionnaire se dit que s'il réduisait encore ce prix de 20 %, la quantité vendue augmenterait de 50 %. Que dis-tu de ce raisonnement ?

6. Ayant mené une étude auprès de la population étudiante, une troupe de théâtre de l'école a pu établir un barème de la demande par rapport aux prix des billets que voici :

PRIX DU BILLET	NOMBRE D'ÉLÈVES QUI ACHÈTERAIENT
1 $	300
2	250
3	200
4	150
5	100

a) À partir de ces données, trace la courbe de la demande et la courbe du revenu total. Suivant cette analyse, quel devrait être le prix de vente d'un billet ?
b) Quels autres facteurs devrait-on considérer avant de fixer le prix final ?

7. La parfumerie Exoz vient d'ajouter un nouveau parfum à sa gamme Envoûtement. Le produit s'appelle Vaudou. Les coûts variables unitaires sont de 0,45 $ par flacon de 60 ml. Étant donnés les importants frais de publicité prévus pour la première année, les coûts fixes totaux s'élèvent à 900 000 $. Combien de flacons de parfum Vaudou Exoz devra-t-elle vendre pour atteindre le seuil de rentabilité ou point mort ?

8. Supposons que les gestionnaires en marketing de la parfumerie Exoz réduisent le prix du flacon de 60 ml de Vaudou à 6,50 $ et que les coûts fixes s'élèvent à 1 100 000 $. Supposons également que le coût variable unitaire soit demeuré à 0,45 $ le flacon de 60 ml.
a) Combien de flacons faudrait-il vendre pour atteindre le seuil de rentabilité ou point mort ?
b) À combien s'élèveraient les profits, si on vendait 200 000 flacons de Vaudou ?

9. Les gestionnaires de Studio 20, inc. ont lancé le nouvel album de Stella B intitulé *Jour et nuit.* Voici les données de coûts et de prix :

Pochette de l'album	1,00 $ par album
Redevances de l'auteure-compositrice	0,30 $ par album
Redevances des artistes exécutants	0,70 $ par album
Matières directes et coûts de main-d'œuvre de production de l'album	1,00 $ par album
Coûts fixes de production d'un album (publicité, frais de studio, etc.)	100 000,00 $
Prix de vente	7,00 $ par album

a) Sur un graphique comme celui de la figure 13.8, indique le coût total, le coût fixe et le revenu total pour des quantités vendues de 10 000 à 100 000 albums, à intervalles de 10 000, soit 10 000, 20 000, 30 000, et ainsi de suite.
b) Quel est le point mort ou seuil de rentabilité de cet album ?

ÉTUDE DE CAS 13-1 WASHBURN INTERNATIONAL, INC.

« La relation que les musiciens entretiennent avec leurs guitares a quelque chose de vraiment extraordinaire... d'assez inusité, à vrai dire », dit Brady Breen. Et l'homme s'y entend. Il est directeur de la production chez Washburn International, l'une des plus prestigieuses entreprises de fabrication de guitares au monde. Washburn fabrique un éventail complet de guitares et de basses, sèches ou électriques : depuis les instruments exclusifs, jusqu'aux productions en série.

Pour plus d'informations au sujet de Washburn International, rends-toi à l'adresse suivante : www.dlcmcgrawhill.ca

L'HISTOIRE DE LA COMPAGNIE

Washburn International a vu le jour en 1977, quand une petite entreprise a acheté le très ancien nom de marque Washburn et le petit stock de guitares, pièces et équipements promotionnels qui l'accompagnait. À l'époque, la compagnie vendait annuellement environ 2 500 guitares pour un revenu de 300 000 $. L'énoncé promotionnel, tiré du premier catalogue de 1978, est plus terriblement révélateur que ces chiffres :

> Nos produits d'une exécution et d'une qualité irréprochables sont l'œuvre des meilleurs artisans japonais.

En Amérique du Nord à cette époque, l'art de fabriquer des guitares s'était perdu. De plus en plus de guitaristes professionnels se tournaient vers les instruments fabriqués par les maisons japonaises comme Ibane et Yamaha.

Aujourd'hui, Washburn vend environ 250 000 guitares par année, et son chiffre de ventes est supérieur à 50 millions de dollars. Cette situation résulte de stratégies de marketing résolues visant à développer des produits dans plusieurs gammes de prix, de façon à cibler les musiciens de différents segments de marché.

PRODUITS ET SEGMENTS DE MARCHÉ

La collection Festival est sans doute la gamme de guitares la plus marquante jamais lancée par Washburn, en 1980. Ces modèles bien découpés, à corps mince et plat, munis de capteurs et de sélecteurs intégrés, allaient connaître une grande vogue et devenir en quelque sorte la norme dans les spectacles en direct. John Lodge, des Moody Blues, adopta la version 12 cordes de cette flamboyante guitare blanche. Pendant des années elle fut de tous les spectacles et de toutes les publicités. Depuis, d'innombrables vedettes rock et country, dont Bob Dylan, Dolly Parton, Greg Allman, John Jorgenson et George Harrison, ont utilisé ces instruments.

Jusqu'à 1991, toutes les guitares Washburn étaient fabriquées en Asie. Cette année-là, Washburn se mit à produire ses guitares haut de gamme en Amérique du Nord. Aujourd'hui, les gestionnaires en marketing de Washburn divisent la ligne de produits en quatre, du haut de gamme au bas de gamme :

- Unités individualisées, fabriquées sur mesure.
- Lot d'unités individualisées.
- Unités produites sur mesure de masse.
- Unités produites en série.

Les unités individualisées sont fabriquées pour de nombreuses vedettes selon leurs spécifications. Les unités produites en série visent les premiers acheteurs et continuent d'être fabriquées en Asie.

LES QUESTIONS DE PRIX

Ce n'est jamais facile de fixer le prix des différentes gammes de Washburn. Les prix doivent tenir compte des goûts changeants des divers segments de musiciens, mais être également concurrentiels par rapport aux prix des autres guitares fabriquées dans le monde. Washburn, comme d'autres fabricants renommés, a une stratégie de prix pour les différents marchés cibles. C'est pourquoi elle courtise les musiciens de renommée internationale qui adoptent ses instruments et prêtent leur nom à des gammes de guitares griffées. Cette politique réduit l'élasticité des prix de ces guitares. De nombreuses vedettes, qui utilisent des guitares Washburn, par exemple Nuno Bettencourt, David Gilmour de Pink Floyd, Joe Perry d'Aerosmith et Darryl Jones des Rolling Stones, ont une gamme de guitares portant leur griffe. Ce sont les guitares produites en série, et auxquelles nous avons fait allusion plus haut.

Joe Baksha, vice-président exécutif chez Washburn, vérifie et approuve les prix des gammes de guitares de la compagnie. Ayant déterminé un objectif de vente de 2000 unités pour une nouvelle gamme de guitares, il envisage un prix de détail suggéré de 329 $ pour l'un des points de vente parmi la centaine qui offrent la ligne Washburn. Baksha estime que Washburn encaissera la moitié du prix de détail final quand il vendra sa guitare aux grossistes et aux détaillants de ses canaux de distribution.

Se fondant sur les données financières de l'usine de fabrication nord-américaine, Baksha estime que les coûts fixes de cette gamme de guitares seront les suivants :

Loyer et taxes	= 12 000 $
Dépréciation de l'équipement	= 4 000 $
Programme de gestion et de contrôle de la qualité	= 20 000 $

Par ailleurs, il estime que les coûts variables par unité sont :

Matières directes	= 25 $ par unité
Main-d'œuvre directe	= 8 heures par unité à 14 $ de l'heure

Joe Baksha vérifie ses estimations à l'aide des registres de production de l'usine et il annonce : « Avant de lancer la production d'une nouvelle collection, nous avons une bonne idée de ce que seront nos coûts. Je sais, par exemple, que les N-4 construites en Amérique du Nord vont coûter plus cher que les guitares électriques Mercury ou Wing produites à l'étranger ».

Pour faire face à la concurrence internationale, Washburn cherche activement de nouveaux moyens de réduire et de contrôler ses coûts. Après maintes discussions, la compagnie a décidé de déménager à Nashville au Tennessee. Dans ce berceau de la musique country, Washburn s'attend à réduire ses coûts de fabrication, car la région regorge de main-d'œuvre qualifiée. De plus, les coûts fixes vont diminuer, puisque le loyer sera moins élevé que dans les grandes villes. En effet, en s'implantant à Nashville, Washburn prévoit réduire les frais de loyer et de taxes de 40 % et les salaires de 15 %.

Questions

1. Quels facteurs sont les plus susceptibles d'influer sur la demande pour la gamme de guitares Washburn : *a)* choisies par les gens comme première guitare ; et *b)* achetées par les musiciens accomplis désirant un modèle portant la griffe de David Gilmour ou de Joe Perry ?

2. Pour Washburn, donne des exemples de changements susceptibles d'amener : *a)* un déplacement *de* la courbe de la demande vers la droite et la hausse du prix d'une gamme de guitares (déplacement de la courbe de la demande) ; et *b)* des décisions de prix qui se traduiraient par un déplacement *le long de* la courbe de la demande.

3. Dans les installations actuellement occupées par Washburn, quel est le point mort d'une nouvelle gamme de guitares si le prix au détail est : *a)* 329 $; *b)* 359 $; et *c)* 299 $? Par ailleurs : *d)* si Washburn réalise son objectif de vente de 2000 unités au prix de détail de 329 $, à combien s'élèvera le profit ?

4. Considère que Washburn implante sa production à Nashville et réduit ainsi ses coûts comme prévu dans l'étude de cas. Quel sera alors : *a)* le nouveau point mort de cette gamme de guitares dont le prix de détail est de 329 $; et *b)* le profit si les ventes s'élèvent à 2 000 unités ?

5. Si pour des raisons de concurrence, Washburn devait éventuellement déménager toute sa production en Asie : *a)* quels coûts pourrait-elle ainsi réduire ; et *b)* à quels coûts additionnels devrait-elle s'attendre ?

Gillette
MACH3
Gillette
SERIES
gel
protection
Gillette
SERIES
splash
après-rasage
Gillette
SERIES
after shave
après-rasage
lotion
protection
moisturizes • hydrate
Gillette

CHAPITRE 14

LA DERNIÈRE ÉTAPE : LA FIXATION DU PRIX

14

APRÈS AVOIR LU CE CHAPITRE, TU SERAS EN MESURE

- de comprendre sur quoi se fonde la détermination du prix approximatif en fonction de la demande, des coûts, des bénéfices et de la concurrence ;
- de désigner les principaux facteurs servant à l'établissement d'un prix courant ou indicatif à partir d'un prix approximatif ;
- de connaître les corrections qu'il faut apporter au prix approximatif en fonction de la situation géographique, des rabais et des ristournes ;
- de présenter les lois et les règlements principaux régissant la fixation des prix.

Pour plus d'informations au sujet de Gillette, rends-toi à l'adresse suivante : www.dlcmcgrawhill.ca

GILLETTE FIXE UN PRIX À LA DOUCEUR DU RASAGE

Comment chiffre-t-on la valeur de la douceur d'une lame à raser ? Pose la question à Gillette, chef de file international des techniques et du marketing des produits de rasage. Gillette détient 71 % des marchés nord-américain et européen des rasoirs et des lames à raser, 91 % du marché des lames à raser en Amérique latine et 69 % du marché en Inde.

Une part importante de cette réussite commerciale est attribuable à la création de nouveaux produits qui présentent des avantages pour les consommateurs. Son plus récent modèle, le rasoir MACH 3, est un bon exemple. Il s'agit du premier et du seul modèle de rasoir doté de trois lames superposées et décalées avec lequel les hommes peuvent se raser de plus près en irritant moins la peau. Selon les tests menés par Gillette auprès des consommateurs, les hommes préfèrent deux fois plus le MACH 3 au modèle SensorExcel lancé en 1994, qui éclipse pourtant les produits concurrents.

Une telle percée se traduit dans le prix payé par les consommateurs. Gillette a commandé une étude sur les prix. Elle montre que les hommes consentent à payer 45 % de plus que le prix du SensorExcel pour se procurer le MACH 3, étant donné les avantages qu'ils en retirent. Finalement, Gillette a opté pour une hausse de 35 % par rapport au prix du SensorExcel. Elle a doté le MACH 3 d'un budget de lancement de 300 millions de dollars au cours de la première année, soit le plus imposant soutien en marketing de son histoire. On avait prévu la mise en marché du MACH 3 dans 100 pays en l'an 2000, ce qui devait rapporter un chiffre d'affaires annuel de 1,8 milliard de dollars[1].

La réussite commerciale du rasoir MACH 3 illustre les mérites d'une commercialisation inventive autour d'une technique de rasage, et en fonction d'un prix de vente qui semble avantageux dans l'esprit des consommateurs. En plus d'avoir bien compris les exigences des consommateurs, Gillette a tenu compte du coût, de la concurrence et des bénéfices afin de déterminer son prix, ainsi que nous le verrons plus loin.

Dans ce chapitre, nous verrons de quelle manière une société telle que Gillette détermine un prix approximatif,

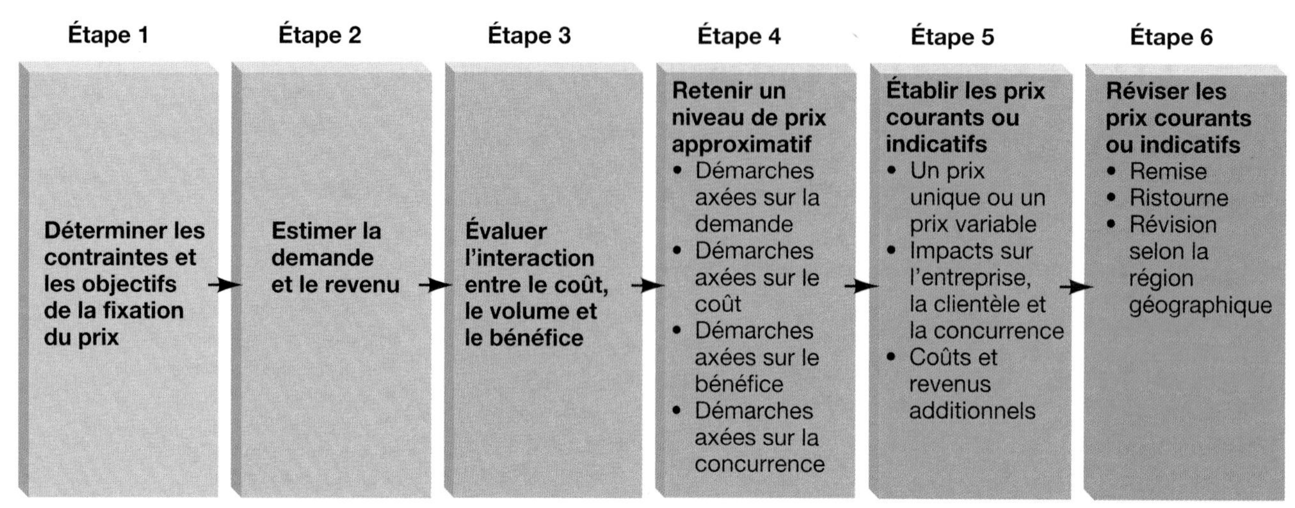

FIGURE 14.1
Les étapes de la fixation des prix

tient compte de plusieurs facteurs d'importance afin de fixer un prix courant ou indicatif et établit diverses corrections à ses prix. Il s'agit là des trois dernières étapes de la fixation des prix (voir la figure 14.1). De plus, nous survolerons brièvement les aspects juridique et réglementaire de la question.

QUATRIÈME ÉTAPE : RETENIR UN PRIX APPROXIMATIF

Quand les gestionnaires en marketing doivent déterminer le prix définitif d'un produit, leur décision peut s'appuyer, au départ, sur un prix approximatif raisonnable. Quatre démarches sont utiles à l'élaboration d'un prix approximatif. Elles sont fondées sur la demande, le coût, le bénéfice et la concurrence (voir la figure 14.2). Chacune de ces démarches fera l'objet d'une description particulière, mais on doit préciser que quelques-unes se chevauchent parfois. Les gestionnaires compétents en envisageront plusieurs avant d'établir un prix approximatif.

Les démarches axées sur la demande

La fixation d'un prix conforme à une politique d'écrémage Une firme qui lance un produit nouveau ou novateur peut pratiquer un **prix d'écrémage** : elle fixe au départ le prix le plus élevé que les consommateurs consentent à payer pour ce produit. Les consommateurs ne sont pas seulement attentifs aux prix, car ils comparent aussi la qualité et la satisfaction apportée par les caractéristiques correspondantes des substituts. Lorsqu'elle a répondu à la demande de ces consommateurs, la firme réduit le prix pour attirer d'autres acheteuses et acheteurs plus attentifs aux prix. La politique d'écrémage tire son nom du principe propre au prélèvement des meilleurs éléments d'un groupe de consommateurs (la crème) pour aller peu à peu vers les couches inférieures.

La stratégie de l'écrémage est efficace lorsque : 1) un bassin regroupe un nombre suffisant de consommateurs qui consentent à débourser un prix de départ élevé, de sorte que les ventes soient rentables ; 2) le prix de départ élevé n'attire pas les concurrents ; 3) la diminution du prix n'a qu'un effet mineur sur l'accroissement du volume de vente et la réduction des coûts unitaires ; enfin 4) quand les consommateurs interprètent le prix élevé comme un gage de qualité supérieure. Ces quatre conditions sont réunies lorsqu'un produit nouveau est protégé par un brevet ou par un droit d'auteur ou lorsque son caractère unique est perçu et apprécié des consommateurs. Gillette a adopté une stratégie d'écrémage pour son rasoir MACH 3 qui rassemblait plusieurs de ces conditions. La technique de fabrication et le rasoir MACH 3 font l'objet de quelque 35 brevets protégeant le produit[2].

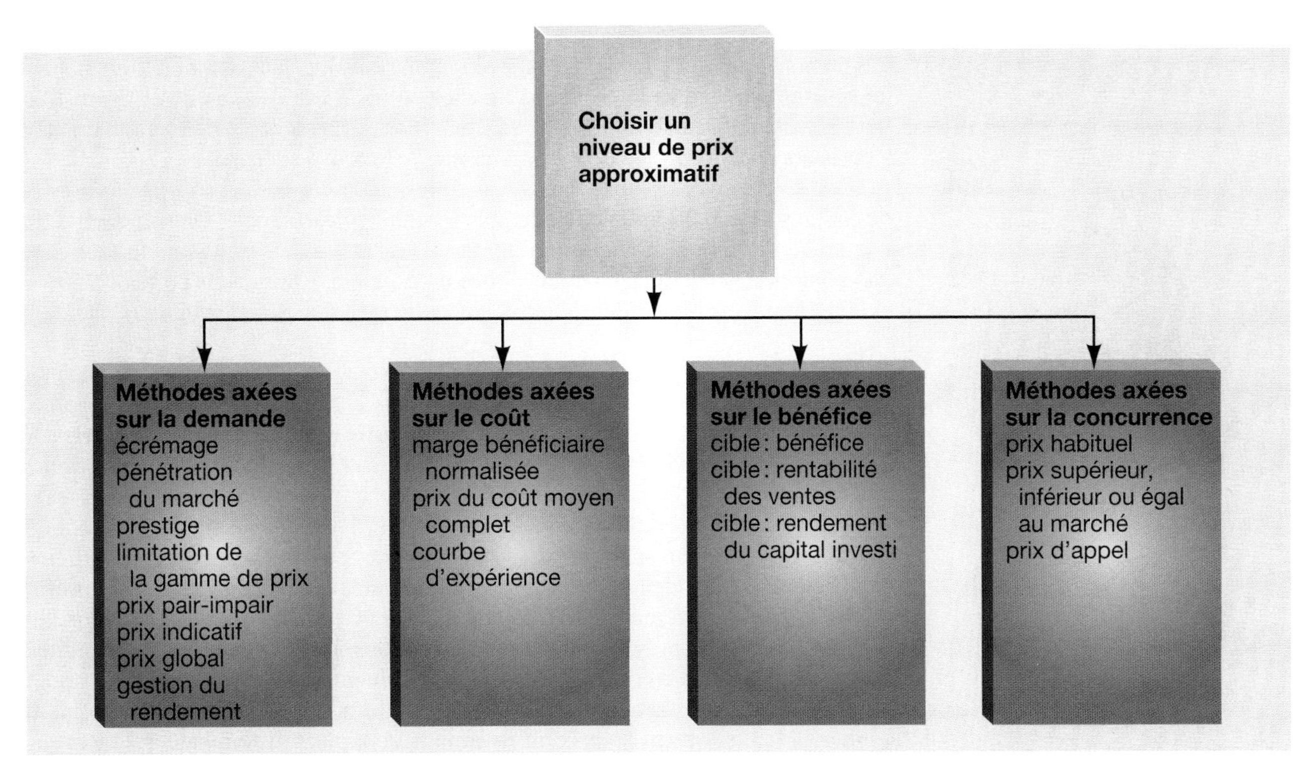

FIGURE 14.2
Quatre méthodes afin de retenir un prix approximatif

Fixation d'un prix de pénétration du marché Lorsqu'on cherche à fixer un **prix de pénétration du marché,** on agit à l'opposé de la politique d'écrémage. En effet, on détermine dès le départ un prix peu élevé, ainsi le produit nouveau recueille vite les faveurs du marché de masse. Sony a volontairement misé sur une stratégie de pénétration du marché lorsqu'elle a lancé son lecteur de jeux vidéo PlayStation. Sa stratégie de pénétration consistait à décrocher rapidement une part de marché, à attirer les consommateurs attentifs aux prix, à démotiver les concurrents de percer le marché. Selon un cadre supérieur de la multinationale, il s'agissait de « nous approprier un marché de masse colossal. » Ce que Sony a réussi[3].

Les conditions favorables à la fixation du prix dans le but de pénétrer un marché sont à l'opposé des conditions de la politique d'écrémage : 1) plusieurs segments de marché sont attentifs au prix ; 2) un prix de départ modique démotive les concurrents de percer le marché ; 3) les frais de fabrication et de marketing à l'unité diminuent considérablement alors qu'augmente le volume de la production. Une firme qui a recours à une telle stratégie peut : 1) maintenir le prix de départ pendant quelque temps pour accumuler les bénéfices perdus en raison de la faiblesse du prix de départ ; ou 2) réduire davantage le prix et miser sur l'accroissement du volume pour produire le bénéfice voulu. Sony a choisi cette seconde solution pour son lecteur de jeux vidéo. Elle a sacrifié de moitié le prix de départ de sa PlayStation 18 mois après son lancement[4].

Quelquefois, la stratégie de pénétration du marché suit celle de l'écrémage. Une société peut dès le départ fixer un prix élevé dans le but d'attirer les consommateurs peu attentifs au prix et récupérer ses frais de recherche, de développement et de promotion. Lorsque cet objectif est atteint, elle se tourne vers une stratégie de pénétration du marché afin d'intéresser un segment plus important de la population et d'accroître sa part de marché[5].

Le prix de prestige Ainsi que nous l'avons vu au chapitre 13, les consommateurs peuvent voir dans le prix un indice de la qualité ou du prestige d'un article. Aussi, lorsqu'on réduit outre mesure le prix d'un article, en général, la demande chute. Le **prix de prestige** repose sur un prix de départ élevé. Un tel produit exerce un attrait auprès des consommateurs soucieux de leur image, et ils l'achètent (voir la figure 14.3A). La courbe de la demande chute rapidement vers la droite entre les points *A* et *B,* et se recourbe

Le prix des parfums, de la porcelaine, des diamants et des montres suisses Swatch est établi en fonction du prestige qui leur est associé.

davantage vers la gauche entre les points *B* et *C* où la demande est réduite. Entre les points *A* et *B*, les consommateurs voient une aubaine dans la diminution du prix et achètent davantage le produit. Entre les points *B* et *C*, la qualité et le prestige leur semblent discutables et ils en achètent moins. La stratégie de fixation du prix consistera donc à tenir un prix supérieur au P_0 (le prix de départ).

Les Rolls-Royce, les diamants, les parfums, la porcelaine, les montres suisses et le cristal sont établis en fonction du prestige qui leur est associé. On risquerait d'en vendre moins à prix modiques qu'à prix élevés[6]. La récente réussite du fabricant de montres suisse TAG Heuer nous offre un exemple. Après avoir porté de 250 $ à 1 000 $ le prix moyen de ses montres, son chiffre d'affaires a été multiplié par 7[7].

La limitation de la gamme de prix Souvent, une firme met en marché une gamme de produits dont elle détermine les prix en fonction de différents points d'établissement. C'est ce qu'on appelle la **limitation de la gamme de prix.** À titre d'exemple, le directeur d'un grand magasin à rabais peut fixer les prix d'une collection de robes à 59 $, 79 $ et 99 $. Ainsi qu'on le voit à la figure 14.3B, cela suppose une demande élastique en fonction de chacun de ces points d'établissement, mais inélastique entre ces mêmes points. Parfois tous les articles sont achetés à prix identique et ensuite majorés selon différents pourcentages afin d'atteindre ces différents points d'établissement en fonction de la couleur, du modèle et de la demande prévue. En d'autres occasions, les fabricants conçoivent des produits en fonction de différents points d'établissement et les détaillants font appel approximativement aux mêmes pourcentages de majoration pour obtenir les trois ou quatre points d'établissement de prix qu'ils proposeront aux consommateurs. Les vendeurs estiment souvent qu'il vaut mieux s'en tenir à un nombre limité de points d'établissement de prix (disons trois ou quatre) car un trop grand nombre ne peut que semer la confusion dans l'esprit des consommateurs éventuels[8].

Le prix pair-impair Sears Canada propose une scie circulaire Craftsman à 499,99 $, le prix de détail indicatif de l'ensemble MACH 3 (un rasoir et deux lames) est de 6,99 $ et Kmart solde le nettoyant pour vitres Windex à 99 cents. Pourquoi ne pas simplement fixer le prix de ces produits à 500 $, 7 $ et 1 $? Ces sociétés établissent une formule de **prix pair-impair,** c'est-à-dire quelques dollars ou quelques cents de moins qu'un nombre pair. Le principe veut que les consommateurs pensent que la scie coûte plus de 400 $ et non pas autour de 500 $. En théorie, la demande augmente lorsque le prix passe de 500 $ à 499,99 $. Certaines études permettent de croire qu'un tel phénomène est réel. Toutefois, les consommateurs peuvent voir dans ces prix impairs une preuve de qualité inférieure[9].

FIGURE 14.3
Les courbes de deux types de démarches axées sur la demande

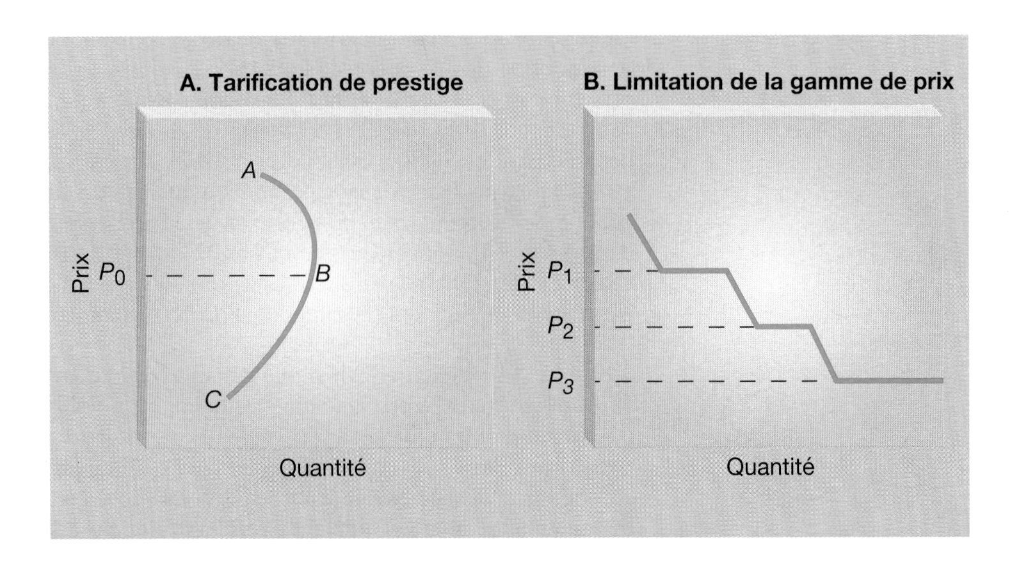

Le prix indicatif Les fabricants évaluent parfois le prix que les consommateurs consentiront à débourser pour se procurer un produit. Ils procèdent ensuite en sens inverse et calculent les majorations (augmentations) que s'accordent les détaillants et les grossistes afin de déterminer le prix auquel ils pourront vendre le produit à ces derniers. Cette pratique consiste à fixer un **prix indicatif.** Ainsi, le fabricant change la composition et les caractéristiques d'un produit en fonction d'un prix cible à offrir aux consommateurs. Canon recourt à cette formule pour établir les prix de ses appareils photo et Heinz fait de même pour sa gamme de nourritures pour animaux de compagnie. La société informatique Compaq a judicieusement misé sur le prix indicatif lorsqu'elle est entrée sur le marché des ordinateurs domestiques, ainsi que l'expose l'encadré Tendances marketing[10].

INTERFONCTIONNEL

TENDANCES MARKETING

Fixer un prix indicatif
Chez Compaq, la planification et l'intégration des fonctions sont à l'avantage des clients

Les personnes qui font l'acquisition d'un ordinateur personnel sont désormais plus exigeantes. Elles veulent davantage de logiciels et de progiciels et s'attendent à débourser moins pour profiter de puissance et de fiabilité supplémentaires. On comprend que la création d'avantages pour la clientèle du secteur de l'informatique représente un défi incessant. Compaq a relevé le défi de la valeur pour la clientèle et vend davantage d'ordinateurs personnels que toute autre firme aux États-Unis. À la base de cette réussite : la fixation du prix indicatif.

Afin de déterminer un prix indicatif, Compaq fait appel à la planification et à l'intégration interfonctionnelles. Au départ, on détermine le prix courant de détail payé par les consommateurs. Ensuite, on soustrait la majoration appliquée par les détaillants et la marge bénéficiaire de l'entreprise. Enfin, les responsables des matériaux, de l'ingénierie, de la fabrication et du marketing décident de la répartition des autres coûts afin de fabriquer un produit doté des caractéristiques voulues au prix de détail désiré.

Chez Compaq, la fixation d'un prix indicatif repose sur la discipline, le travail en équipe, l'originalité et l'engagement collectif pour mettre au point des produits vendus au prix que les acheteuses et les acheteurs consentent à payer. Cela apporte-t-il des résultats ? En tablant sur le prix indicatif, Compaq a réalisé, en deux ans, un chiffre d'affaires consolidé de trois milliards de dollars.

Les prix groupés Les **prix groupés** sont appliqués pour la mise en marché de deux ou plusieurs produits à un seul prix d'ensemble. On fait souvent appel à cette formule de fixation des prix axée sur la demande. Ainsi, les lignes aériennes canadiennes proposent des forfaits pour les vacances qui comprennent le voyage en avion, la location d'une automobile et l'hébergement. La tarification groupée part du principe que les consommateurs estiment davantage le forfait que les articles pris à part. Cette perception naît de l'avantage à ne pas acquérir les articles un à un et de la satisfaction apportée par un article ajouté à un autre. De plus, la tarification groupée fait souvent profiter les consommateurs d'un coût global moindre et réduit les frais de marketing sur la vente[11]. À titre d'exemple, Cantel propose un forfait de téléphone cellulaire à fonctions multiples et de services. Ce forfait comprend un appareil Motorola et du temps de communication à moins de 20 $ par mois.

Le prix en fonction du rendement As-tu remarqué qu'en classe économique les grandes lignes aériennes vendent les places à bord des avions à des prix différents ? Cette pratique relève du **prix en fonction du rendement.** On demande des prix différents selon le taux d'achalandage afin de maximiser les recettes en fonction d'un taux de capacité défini pour une période donnée [12]. Les entreprises pratiquent la gestion du rendement. À ce titre, elles varient leurs prix ou leurs tarifs en fonction de l'heure, du jour, de la semaine ou de la saison. Il s'agit d'une formule complexe qui doit sans cesse s'appuyer sur l'offre et la demande pour établir le prix d'un service. Les compagnies aériennes, les hôtels, les paquebots de croisière et les sociétés de location automobile établissent leurs tarifs en fonction du rendement. Les transporteurs aériens affirment que ce mode de tarification rapporte des millions de dollars par année qui leur échapperaient s'ils ne pratiquaient que la tarification usuelle[13].

RÉVISION DES CONCEPTS

1. Dans quelles circonstances conviendrait-il de fixer le prix d'un produit nouveau en s'appuyant sur la stratégie de l'écrémage ou sur celle de la pénétration de marché?
2. Explique ce qu'est la fixation des prix selon la formule pair-impair.

Les démarches axées sur le coût

Dans le cadre d'une démarche axée sur le coût, les gestionnaires déterminent un prix en s'intéressant à l'approvisionnement et non à la demande. La décision repose sur les sommes engagées dans la fabrication et dans le marketing, auxquelles on ajoute un montant suffisant pour couvrir le coût direct, les frais généraux et réaliser un bénéfice.

La fixation du prix en fonction de la marge bénéficiaire normalisée Le nombre de produits que l'on trouve dans un supermarché ou tout autre commerce de détail est si élevé qu'il n'est pas possible d'évaluer la demande en fonction de chacun avant d'en établir le prix. En conséquence, on en fixe les **prix en fonction de la marge bénéficiaire normalisée.** On ajoute donc un pourcentage fixe au coût de tous les articles d'une catégorie de produits. Le pourcentage de majoration varie selon le type de commerce de détail (par exemple, ameublement, vêtements ou épicerie) et les produits en cause. Ainsi, le pourcentage de majoration des articles vendus en gros volume est généralement inférieur à celui des articles vendus en faible volume. Dans les supermarchés, on majore différemment les articles de consommation courante et les articles facultatifs. Le pourcentage de majoration des articles tels que le sucre, la farine et les produits laitiers varie entre 10 % et 23 %, alors que celui des articles facultatifs tels que les croustilles et les bonbons oscille entre 27 % et 47 %. Ces majorations doivent tenir compte de tous les frais d'exploitation, des frais généraux et procurer la marge bénéficiaire. Dans les supermarchés, les taux de majoration peuvent sembler élevés. Cependant, ils ne représentent que 1 % des bénéfices sur le chiffre d'affaires, si le commerce est bien administré. En comparaison, songe aux pourcentages de majoration pratiqués par les exploitants de salles de cinéma sur la vente des friandises et des boissons gazeuses. Les boissons gazeuses sont majorées de 87 %, les tablettes de chocolat de 65 % et le maïs éclaté de 90 %.

Le prix en fonction du coût moyen complet De nombreux fabricants, firmes de services aux professionnels et entrepreneurs en construction font appel à une variante de la marge bénéficiaire normalisée afin de fixer leurs prix. Le **prix en fonction du coût moyen complet** est une formule selon laquelle on calcule le coût unitaire global d'un produit ou d'un service auquel on ajoute une somme déterminée afin d'obtenir un prix. En général, on établit le prix de revient majoré en fonction de l'une des deux formules. La première est dite du *coût moyen complet plus un pourcentage du prix.* On ajoute un pourcentage fixe aux coûts unitaires globaux. Cette formule est souvent employée afin d'établir le prix d'un ou de quelques articles peu courants. Par exemple, un cabinet d'architectes prélèvera en honoraires tel pourcentage des frais de construction d'un immeuble. Lors de l'acquisition de produits uniques ou exclusifs, souvent de nature très technique (on peut penser à une centrale hydroélectrique ou à des satellites), on se rend compte que les entrepreneurs hésitent à chiffrer un prix fixe avant de livrer la marchandise.

En conséquence, ils emploient la formule dite de *tarification au coût plus frais fixes*. Elle signifie qu'un fournisseur se fera rembourser tous ses frais, peu importe la somme. En contrepartie, il ne touchera, en guise de bénéfices, que des honoraires fixes sans relation avec le coût global du projet. Par exemple, le ministère de la Défense nationale versera 1,2 milliard de dollars à un fabricant pour l'achat d'un nouveau satellite militaire et 100 millions de dollars à titre de rémunération pour avoir fourni le satellite. Même si le coût de production s'élevait à 2 milliards de dollars, la rémunération du fabricant serait toujours de 100 millions.

La montée en flèche des honoraires de la profession juridique a incité certains cabinets à adopter la formule du prix du coût moyen complet. Plutôt que de facturer les services à partir d'un taux horaire, les avocates ou les avocats et la clientèle s'entendent sur des honoraires fixes fondés sur les coûts estimés auxquels le cabinet ajoute un bénéfice[14]. De nombreuses agences de publicité font de même. Dans ce cas, la clientèle consent à verser des honoraires fondés sur le coût du travail en plus d'un bénéfice qu'ils déterminent ensemble, et qui représente souvent un pourcentage du coût global[15].

La fixation du prix en fonction de la courbe d'expérience La formule du **prix en fonction de la courbe d'expérience** est fondée sur la réduction des coûts attribuables à l'expérience d'une firme. Ainsi, on sait que le coût unitaire de nombreux produits et services diminue de l'ordre de 10 % à 30 % chaque fois qu'une firme en produit et en vend des exemplaires[16]. Une telle réduction est suffisamment régulière ou prévisible pour que l'on puisse mathématiquement évaluer le coût unitaire moyen de ces produits ou de ces services. Ainsi, si on évalue que le coût diminue de 15 % chaque fois que le volume de production double, le coût du 100e article produit et vendu se situera à environ 85 % de celui du 50e. Le prix du 200e sera de 85 % de celui de la 100e unité. En conséquence, si le coût de la 50e unité est 100 $, celui de la 100e unité sera 85 $, celui de la 200e sera 72,25 $, et ainsi de suite. Étant donné que les prix sont souvent fondés sur le coût de revient et la courbe d'expérience, on peut assister à une chute rapide des prix. Les firmes japonaises du secteur de l'électronique font souvent appel à cette formule pour fixer leurs prix. La méthode axée sur le coût complète la stratégie axée sur la demande, dont le premier volet est l'écrémage pour ensuite passer à la pénétration de marché. À titre d'exemple, les prix des lecteurs de disques compacts sont passés de 900 $ à moins de 200 $, ceux des télécopieurs de 1 000 $ à moins de 300 $ et ceux des téléphones cellulaires, à l'origine 4 000 $, ont chuté sous la barre des 99 $. Panasonic, Sony, Samsung, Zenith et plusieurs autres fabricants de téléviseurs fixeront les prix de leurs téléviseurs à haute définition en fonction de la courbe d'expérience le moment venu. Les consommateurs en profiteront puisque les prix diminueront à mesure qu'augmenteront les ventes[17].

Les démarches axées sur le bénéfice

Les gestionnaires peuvent établir un prix en estimant les recettes et les coûts. On parle alors de démarches axées sur le bénéfice. Cette démarche peut se fonder sur une marge bénéficiaire réelle ou cibler un bénéfice sous forme d'un pourcentage des recettes ou du capital investi.

La fixation d'un prix ciblant le bénéfice Une entreprise peut cibler une marge bénéficiaire annuelle exprimée en dollars avant de déterminer un prix. On parle alors de fixation d'un **prix ciblant le bénéfice.** Supposons que la propriétaire d'une galerie d'encadrement souhaite employer cette formule pour déterminer le prix de l'encadrement d'un tableau et qu'elle tienne compte des données suivantes :

- Le coût variable à l'unité est toujours de 22 $.
- Le coût fixe est toujours de 26 000 $.
- La demande n'accorde aucune importance au prix jusqu'à concurrence de 60 $ l'unité.
- Elle vise un bénéfice de 7 000 $ en fonction d'un volume annuel de 1 000 unités (tableaux encadrés).

BRANCHEZ-VOUS ! MACH 3 ou une réussite en lame de fond

Le nouveau rasoir MACH 3 risque fort de soutenir les ventes et le bénéfice d'exploitation des lames et des rasoirs Gillette. Tu apprendras toute l'histoire de cette réussite commerciale en te rendant sur le site Web de Gillette. Accède à la page concernant les investisseurs, clique sur le bouton pour atteindre les profils des investissements et consulte le tableau de rendement intitulé : ventes et bénéfices des lames et des rasoirs, préparé par le Service de l'exploitation.

En quoi les ventes, le bénéfice d'exploitation exprimé en dollars et la marge bénéficiaire des lames et rasoirs se sont-ils transformés depuis que Gillette a lancé sa gamme de produits MACH 3 au milieu de l'année 1998 ?

Pour plus d'informations au sujet de Gillette, rends-toi à l'adresse suivante : www.dlcmcgrawhill.ca.

On peut calculer le prix comme suit :

$$\text{bénéfice} = \text{total des revenus} - \text{coût global}$$

$$\text{bénéfice} = (\text{prix unitaire} \times \text{unités vendues}) - ([\text{coût variable par unité} \times \text{unités vendues}])$$

$$7\,000\,\$ = (\text{prix unitaire} \times 1\,000) - (26\,000\,\$ + [22\,\$ \times 1\,000])$$

$$7\,000\,\$ = 1\,000 \times \text{prix unitaire} - (26\,000\,\$ + 22\,000\,\$)$$

$$1\,000 \text{ prix unitaires} = 7\,000\,\$ + 48\,000\,\$$$

$$\text{prix unitaire} = 55\,\$$$

Précisons que le calcul se fonde sur l'hypothèse de départ selon laquelle un prix moyen plus élevé n'aura aucune influence négative sur la vente des encadrements.

La fixation d'un prix ciblant la rentabilité des ventes La cible est simple et concerne une valeur en dollars. La difficulté de fixer un prix ciblant le bénéfice tient à ce qu'on n'emploie aucun repère de vente ou d'investissement pour démontrer la somme d'activités nécessaires pour atteindre la cible. Des entreprises telles que les chaînes de supermarchés fixent souvent leurs prix courants selon des **prix ciblant la rentabilité des ventes.** Ces prix courants rapporteront un bénéfice exprimé en pourcentage, par exemple 1 % du volume de ventes. Reprenons l'exemple de la propriétaire de la galerie d'encadrement. Elle décide d'employer cette formule pour fixer ses prix à partir des trois premières hypothèses de départ. Elle vise désormais une rentabilité d'exploitation de 20 % en fonction d'un volume annuel de 1 250 unités. Son calcul s'établit comme suit :

$$\text{Cible de rentabilité d'exploitation} = \frac{\text{bénéfice ciblé}}{\text{chiffre d'affaires global}}$$

$$20\,\% = \frac{\text{chiffre d'affaires global} - \text{coût global}}{\text{chiffre d'affaires global}}$$

$$0{,}20 = \frac{\text{prix unitaire} \times \text{unités vendues} - (\text{coût variable} + [\text{coût variable par unité} - \text{unités vendues}])}{\text{chiffre d'affaires global}}$$

$$0{,}20 = \frac{\text{prix unitaire} \times 1\,250 - (26\,000\,\$ + [22\,\$ \times 1\,250])}{\text{prix unitaire} \times 1\,250}$$

$$\text{prix unitaire} = 53{,}50\,\$$$

Donc, à raison de 53,50 $ l'unité et d'une quantité annuelle de 1 250 encadrements,

$$\text{chiffre d'affaires global} = \text{prix unitaire} \times \text{unités vendues} = 53{,}50\,\$ \times 1\,250 = 66\,875\,\$$$

$$\text{coût global} = \text{coût variable} + (\text{coût variable par unité} \times \text{unités vendues}) = 26\,000\,\$ + (22\,\$ \times 1\,250) = 53\,500\,\$$$

bénéfice = chiffre d'affaires global – coût global = 66 875 $ – 53 500 $ = 13 375 $

Faisons la preuve:

$$\text{Rentabilité d'exploitation ciblée} = \frac{\text{bénéfice ciblé}}{\text{chiffre d'affaires global}} = \frac{13\,375\,\$}{66\,875\,\$} = 20\,\%$$

La société Gillette prévoit que son rasoir MACH 3 fera croître ses bénéfices exprimés en dollars et la rentabilité d'exploitation de son secteur des lames et des rasoirs. Sur quoi se fonde cette prédiction? La marge brute du MACH 3 est 3 fois plus élevée que celle de son modèle SensorExcel[18]. Visite le site Web de Gillette et considère l'influence du MACH 3 sur les ventes de lames et des rasoirs, le bénéfice d'exploitation et la marge bénéficiaire de Gillette.

La fixation d'un prix ciblant le rendement du capital investi Chaque année, les grandes entreprises telles que General Motors et de nombreuses sociétés de services fixent des cibles de rendement du capital investi, d'ordinaire autour de 20 $. Pour y parvenir, elles déterminent des barèmes de prix qui en tiennent compte. On parle alors de fixation d'un **prix ciblant le rendement du capital investi** pour désigner cette formule.

Supposons que la propriétaire de la galerie d'art vise un rendement du capital investi de 10 % qui représente le double de celui de l'année précédente. Elle envisage d'augmenter le prix moyen d'un tableau encadré de 50 $ à 54 $ ou à 58 $. Elle peut accroître la qualité des produits en proposant des cadres de qualité supérieure. Cette mesure provoquera une hausse des coûts qui compensera probablement la perte du chiffre d'affaires découlant d'une baisse du nombre d'unités vendues.

Les gestionnaires disposent de tableurs pour envisager ces diverses possibilités et préparer un état des résultats (revenus - coûts) à partir de chacune. Le tableau 14.1 montre les résultats obtenus à partir d'un logiciel de simulation, les hypothèses de départ figurent à la partie supérieure et les résultats projetés à la partie inférieure. L'état des résultats de l'exercice précédent paraît sous la rubrique *année précédente* et les hypothèses et résultats projetés en fonction de quatre possibilités sont alignés sous les intitulés A, B, C et D.

TABLEAU 14.1
Les résultats d'une simulation électronique en vue d'arrêter un prix qui permettrait de réaliser le rendement du capital investi fixé au départ

			SIMULATION			
HYPOTHÈSES OU RÉSULTATS	**ÉLÉMENT FINANCIER**	**ANNÉE PRÉCÉDENTE**	**A**	**B**	**C**	**D**
Hypothèses	prix unitaire (P)	50 $	54 $	54 $	58 $	58 $
	unités vendues (U)	1 000	1 200	1 100	1 100	1 000
	changement du coût variable par unité (CVU)	0%	+10%	+10%	+20%	+20%
	coût variable par unité	22 $	24,20 $	24,20 $	26,40 $	26,40 $
	total des frais	8 000 $	idem	idem	idem	idem
	salaire de la propriétaire	18 000 $	idem	idem	idem	idem
	investissement	20 000 $	idem	idem	idem	idem
	taxes provinciales et fédérales	50%	idem	idem	idem	idem
Résultats du logiciel de simulation	ventes nettes (P × U)	50 000 $	64 800 $	59 400 $	63 800 $	58 000 $
	moins: coût des biens vendus (U × CVU)	22 000	29 040	26 620	29 040	26 400
	marge brute	28 000 $	35 760 $	32 780 $	34 760 $	31 600 $
	moins total des frais	8 000	8 000	8 000	8 000	8 000
	moins salaire de la propriétaire	18 000	18 000	18 000	18 000	18 000
	bénéfice net avant taxes	2 000 $	9 760 $	6 780 $	8 760 $	5 600 $
	moins taxes	1 000	4 880	3 390	4 380	2 800
	bénéfice net après remboursement des taxes	1 000 $	4 880 $	3 390 $	4 380 $	2 800 $
	investissement	20 000 $	20 000 $	20 000 $	20 000 $	20 000 $
	rendement de l'investissement	5%	24,4%	17%	21,9%	14%

Afin de décider un prix ou une autre intervention sur le résultat obtenu par un tableur, les responsables doivent : 1) étudier le résultat des projections issues de la simulation ; et 2) évaluer le degré de réalisme des hypothèses de départ de chacune des projections. Ainsi, la propriétaire de la galerie constate, à la lecture de la rangée inférieure du tableau 14.1, que les quatre simulations ont produit des résultats qui excèdent un rendement de l'investissement, moins taxes, de 10 %. Cependant, elle juge plus réaliste de fixer un prix moyen de 58 $ l'unité, de sorte que le coût variable par unité augmente de 20 %. Ainsi, elle tient compte de la qualité supérieure du matériel et tranche en faveur du nombre d'unités vendues l'année précédente, soit 1 000. Elle choisit donc la simulation D obtenue par tableur afin de cibler un prix en fonction du rendement de l'investissement de 14 %, hors taxes. Bien sûr, on peut effectuer soi-même ce genre de projection, mais l'informatique simplifie grandement les calculs.

Les démarches axées sur la concurrence

Pour fixer un prix, on peut évaluer les facteurs relatifs à la demande en fonction du coût ou du bénéfice. Autrement, on peut considérer la fixation du prix sous l'angle de la concurrence.

Le prix habituel On choisit un **prix habituel** pour les produits traditionnels ayant un circuit de distribution standardisé ou d'autres facteurs concurrentiels. Ainsi, la tradition prime sur les autres facteurs lorsqu'il s'agit de fixer les prix des montres Swatch. Le prix habituel de 40 $ du modèle de base est demeuré inchangé depuis 10 ans[19]. Les tablettes de chocolat que l'on trouve dans les distributeurs se détaillent habituellement 1 $, et il est à craindre qu'une majoration ne se traduise par une chute des ventes. La société Hershey modifie la proportion de cacao contenu dans ses tablettes de chocolat, en fonction du prix du cacao. Elle préfère cela à une variation du prix de détail habituel. Ainsi, elle peut continuer de vendre son chocolat au moyen des distributeurs.

Le prix en fonction du marché Dans la plupart des cas, il est difficile de fixer un prix précis à un produit ou à une catégorie de produits. Les gestionnaires en marketing éprouvent souvent un sentiment subjectif par rapport aux prix du marché ou de la concurrence. Partant de ce principe, on pourra, à volonté, fixer un **prix inférieur à celui du marché, à son niveau ou au-dessus.**

Parmi les fabricants de montres, Rolex se flatte de fabriquer quelques-unes des plus onéreuses, nous offrant ainsi un exemple évident d'un prix supérieur à celui du marché. Les fabricants de vêtements de marques nationales tels que Alfred Sung et Christian Dior, et les détaillants tels que Holt Renfrew, fixent volontairement des prix supérieurs à ceux du marché.

Les chaînes de grandes surfaces telles que La Baie et Sears Canada alignent habituellement leurs prix sur ceux du marché. Souvent, ces chaînes fixent les prix courants dans l'esprit de leurs concurrents. De même, Revlon établit les prix de ses produits en fonction du marché. Ces sociétés proposent ainsi un prix de référence à leurs concurrents qui déterminent alors leurs barèmes sous le prix du marché ou au-dessus.

À l'opposé, de nombreuses entreprises fixent leurs prix pour qu'ils soient inférieurs à ceux du marché. Les fabricants de produits génériques et les détaillants qui commercialisent des marques maison (beurre d'arachide ou shampooing), déterminent des prix inférieurs d'environ 8 % à 10 % à ceux des marques nationales concurrentes. On établit ainsi les prix du beurre d'arachide Skippy, des shampooings Vidal Sassoon et du dentifrice Crest. Le marketing interentreprise pratique des prix inférieurs à ceux du marché. Hewlett-Packard, par exemple, a volontairement tarifé sa gamme d'ordinateurs personnels servant à la bureautique en deçà des prix de Compaq et d'IBM, afin de faire naître une image avantageuse auprès des services d'achats des entreprises[20].

La fixation d'un prix d'appel Dans le cadre d'une promotion particulière, de nombreux détaillants vendent volontairement leurs marchandises à un prix inférieur au prix habituel afin d'attirer l'attention. Dans un supermarché, par exemple, les fruits et légumes frais ou les produits de papier sont souvent des articles « en promotion ». L'objectif d'un **prix d'appel** n'est pas d'augmenter la vente d'un produit particulier. Il s'agit simplement d'attirer la clientèle dans l'espoir qu'elle achètera d'autres produits en complément, en particulier des articles facultatifs auxquels s'ajoutent de fortes majorations[21].

RÉVISION DES CONCEPTS

1. Comment fixe-t-on un prix en fonction de la marge bénéficiaire normalisée ?
2. À quelle formule de fixation des prix axée sur le bénéfice doivent faire appel les gestionnaires en marketing afin de tenir compte du pourcentage des ressources nécessaires à la réalisation du bénéfice ?
3. Pour quelles raisons un commerce de détail pratique-t-il des prix d'appel ?

CINQUIÈME ÉTAPE : ÉTABLIR LES PRIX COURANTS OU INDICATIFS

Les quatre premières étapes de la fixation des prix, vues jusqu'ici, servent à déterminer un prix approximatif raisonnable. Les gestionnaires en marketing doivent fixer des prix courants ou indicatifs en tenant compte de l'ensemble des facteurs pertinents.

La formule du prix unique ou du prix variable

Un vendeur doit décider d'employer la formule du prix unique ou du prix variable. La formule du **prix unique** consiste à fixer un même prix pour une même catégorie de clientes ou de clients achetant le même produit, en même quantité, à des conditions identiques. À titre d'exemple, le tarif courant d'une automobile qui emprunte le pont de la Confédération est de 35 $, que l'on soit touriste ou que l'on habite l'Île-du-Prince-Édouard. Ce prix est indépendant du nombre de personnes qui se trouvent à bord du véhicule[22]. De même, la société Saturn emploie la formule du prix unique pour vendre ses véhicules neufs et d'occasion. À l'opposé, la formule du **prix variable** consiste à offrir les mêmes produits et quantités à une même catégorie de clients à des prix différents. L'exagération de cette pratique pourrait être assimilée à la discrimination par les prix, interdite par la *Loi sur la concurrence*[23].

Les différences entre ces deux formules se traduisent dans les prix que doivent débourser les consommateurs. Les mêmes principes s'appliquent aux fabricants et aux grossistes. Un magasin à rabais propose une raquette de tennis Wilson Sting à prix unique. Tu peux ou non l'acheter, mais il n'existe aucun écart de prix en raison de la formule du prix unique pratiquée par le magasin. Par contre, si tu achètes une maison, la vendeuse ou le vendeur emploiera assurément la formule du prix variable. Ainsi, tu peux négocier un prix d'achat se trouvant à l'intérieur d'une catégorie de prix. La formule du prix variable accorde une meilleure marge de manœuvre aux vendeuses et aux vendeurs au moment de fixer un prix définitif tenant compte des facteurs liés à la demande, au coût et à la concurrence.

Les effets sur l'entreprise, la clientèle et la concurrence

Au moment de fixer un prix courant ou indicatif, il faut évaluer ses effets sur l'entreprise, la clientèle et la concurrence.

Les effets sur l'entreprise La décision relative au prix d'un produit, pour une firme qui vend plus d'un produit, doit tenir compte des prix des autres articles de la gamme à laquelle il appartient ou des gammes qui entrent dans la composition du mix de produits. Dans une gamme ou un mix de produits, on trouve habituellement des articles de substitution et des articles complémentaires. La gamme de « tortillas » de Frito-Lay regroupe les marques Baked Tostitos, Tostitos et Doritos. Ces produits sont mutuellement des

En plus de sa gamme de « tortillas », Frito-Lay offre les Chee-tos soufflés comme substitut aux croustilles.

substituts et ses sauces aux haricots et au fromage, et ses sauces « salsa » sont des compléments à la gamme de croustilles.

La fixation du **prix d'une gamme de produits** présente un défi pour les responsables de leur mise en marché. Afin d'en établir le prix, ils doivent tenir compte du coût global et produire un bénéfice pour la gamme dans son ensemble, et pas nécessairement pour chacun des produits qui la composent. Ainsi, le prix de pénétration du marché du lecteur de jeux vidéo PlayStation de Sony était de toute évidence inférieur à son coût de production. Cependant, le prix des jeux vidéo (les produits complémentaires) était suffisamment élevé pour compenser cette perte et produire un bénéfice substantiel pour la gamme de produits PlayStation[24].

La fixation du prix d'une gamme de produits suppose que l'on détermine : 1) le prix le moins élevé et le produit le moins cher ; 2) le produit le plus cher et le prix le plus élevé ; et 3) les différences de prix entre les autres produits de la gamme[25]. Les articles les moins chers et les plus chers de la gamme sont au centre de la stratégie. L'article le plus cher offre habituellement une qualité et des caractéristiques haut de gamme. L'article le moins cher est destiné à capter l'attention des consommateurs hésitants ou des nouvelles acheteuses et des nouveaux acheteurs. Les consommateurs doivent saisir le bien-fondé des différences de prix entre les produits d'une gamme. Ces écarts doivent traduire les différents degrés de perception de la qualité de chaque produit de la gamme. La recherche en comportement suggère que les écarts de prix doivent s'accentuer à mesure que l'on approche le sommet d'une gamme de produits.

Effets sur la clientèle Certains facteurs influent sur les perceptions ou les attentes des consommateurs, par exemple les prix habituels d'une variété de produit de grande consommation. Ces facteurs pèsent lourdement dans la balance lorsqu'une détaillante ou un détaillant cherche à fixer un prix. Les détaillants se sont rendu compte que les tarifs de leurs marques maison ne doivent pas être inférieurs à 20 ou 25 % des tarifs des marques de fabricants. Dans le cas contraire, les consommateurs risquent d'associer les bas prix à une mauvaise qualité et ils n'achètent pas[26]. Les fabricants et les grossistes doivent opter pour des prix qui produiront un bénéfice pour les revendeurs afin d'obtenir leur collaboration et leur appui. Le fabricant Toro n'a pas appliqué cette méthode lorsqu'il a mis en marché ses gammes de tondeuses et de souffleuses à neige. Il a décidé d'élargir sa distribution habituelle en ajoutant aux quincailleries les grandes surfaces réputées vendre à rabais telles que Kmart et Wal-Mart. Pour y parvenir, il a fixé à ces dernières des prix de beaucoup inférieurs à ceux qu'il pratiquait avec les quincailleries. De nombreux quincailliers mécontents abandonnèrent la marque Toro au profit de ses concurrents.

Pour plus d'informations au sujet de Frito-Lay, rends-toi à l'adresse suivante : www.dlcmcgrawhill.ca

Incidences sur la concurrence Les concurrents sont rapidement informés de toute décision concernant la fixation d'un prix. Ils peuvent donc réagir en modifiant leurs propres barèmes. En conséquence, les gestionnaires fixant un prix courant ou un prix indiqué doivent s'attendre à des réactions de la part de ses concurrents. En matière de prix, peu importe que l'on soit meneur ou suiveur. Chacun souhaite éviter une guerre des prix féroce, sinon aucun des concurrents ne pourra réaliser un bénéfice satisfaisant. À titre d'exemple, la guerre des prix du transport aérien se traduit en pertes pour tous les participants. De même, dans le secteur de la téléphonie résidentielle, des réductions aussi minimes que 1 % sur les appels interurbains peuvent avoir d'importantes répercussions en raison de la férocité de la concurrence. En général, chaque fois qu'une entreprise réduit son tarif d'utilisation à la minute et que ses concurrentes l'imitent, toutes voient leurs recettes chuter. Dans le secteur des grandes brasseries, une guerre récente entre Molson et Labatt a fait fondre de plusieurs millions de dollars le bénéfice net de chacune.

Équilibrer les coûts et revenus

Lorsque l'on décide de modifier un prix ou que l'on planifie une nouvelle campagne publicitaire ou de nouvelles stratégies commerciales, on doit envisager leur effet sur le nombre de produits vendus. Une telle évaluation, dite *analyse différentielle* (voir le chapitre 13), consiste à chercher constamment un compromis entre les coûts additionnels et les recettes supplémentaires.

Les gestionnaires du marketing et des activités commerciales procèdent-ils à des analyses différentielles ? Bien entendu, mais ces gestionnaires ne parlent pas nécessairement de *revenu marginal*, de *coût marginal* et d'*élasticité de la demande*.

Réfléchis aux problèmes de gestion suivants :

- Combien d'unités additionnelles faut-il vendre pour rembourser 1 000 $ de publicité ?
- Combien faut-il épargner sur le coût variable par unité de produit afin que le seuil de rentabilité demeure le même si on investit 10 000 $ dans un dispositif d'économie de main-d'œuvre ?
- Faut-il ou non embaucher trois autres représentants ?

Toutes ces questions relèvent d'une analyse différentielle, même si on ne la formule pas en ces termes.

La figure 14.4 montre la portée et certaines limites de l'analyse différentielle dans une décision commerciale. Dans l'exemple de la galerie d'encadrement, tu remarques que la propriétaire doit opter pour l'une de deux possibilités. La première est que les frais d'une campagne publicitaire seront largement compensés par les recettes additionnelles. La deuxième est qu'elle ne doit pas faire de publicité. La décision peut également reposer sur la volonté d'augmenter le prix moyen d'un encadrement afin de compenser le coût de la campagne publicitaire. Cependant, il faut respecter un principe : les recettes additionnelles découlant d'une majoration du prix et d'autres activités commerciales doivent être supérieures aux frais supplémentaires.

L'exemple présenté à la figure 14.4 illustre l'avantage et la difficulté de l'analyse différentielle. L'avantage tient à son utilité élémentaire, et la difficulté provient de la complexité d'obtenir des données nécessaires à la décision. La propriétaire peut chiffrer le coût sans difficulté, mais elle aura du mal à évaluer les recettes supplémentaires que produira la publicité. Elle pourrait résoudre une partie du problème en offrant une remise de 2 $ à la présentation d'un coupon de rabais joint à son annonce. Elle pourrait ainsi calculer les ventes additionnelles provenant de sa publicité.

FIGURE 14.4
La portée de l'analyse différentielle au moment de prendre une décision

Supposons que la propriétaire de la galerie d'encadrement songe à acheter une série de publicités dans les magazines dans le but d'atteindre une clientèle de prestige. Les publicités coûtent 1 000 $, le prix moyen d'un encadrement est de 50 $ et le coût variable par unité est de 30 $ (matériaux et main-d'œuvre).

Voici l'analyse différentielle à laquelle procédera une gestionnaire avisée afin d'évaluer les recettes supplémentaires ou le nombre additionnel d'unités qu'il faut atteindre afin de compenser les frais engagés. On parviendra ainsi au nombre d'encadrements supplémentaires qu'il faudra vendre pour assurer l'équilibre financier de l'entreprise :

$$\text{Nombre d'encadrements supplémentaires} = \frac{\text{coût fixe supplémentaire}}{\text{prix} - \text{coût unitaire variable}}$$

$$= \frac{1\,000\,\$ \text{ en publicité}}{50\,\$ - 30\,\$}$$

$$= 50 \text{ encadrements}$$

Donc, à moins que la publicité ne rapporte d'autres avantages, par exemple un achalandage positif à long terme, la propriétaire ne devrait pas acheter de publicité, sauf si celle-ci se traduit par une hausse des ventes d'au moins 50 unités.

SIXIÈME ÉTAPE : RÉVISER LES PRIX COURANTS OU INDICATIFS

Tu peux débourser 1 $ pour une pochette de friandises M&M dans un distributeur. Un entrepreneur peut te remettre une estimation de 10 000 $ pour l'aménagement de ta cuisine. Dans les deux cas, la séquence de détermination des prix se termine avec la formulation du prix demandé, qu'il s'agisse d'un prix courant ou d'un prix indicatif. Lorsqu'on fabrique des friandises ou des barbecues à gaz et que l'on vend ces produits à des dizaines ou des centaines de grossistes et de détaillants, on doit procéder à plusieurs révisions de prix. Les grossistes doivent également réviser les prix courants ou indiqués qu'ils destinent aux détaillants. On peut réviser les prix courants et indiqués de trois façons : 1) en consentant une remise ; 2) en accordant une ristourne ; et 3) en prévoyant des révisions selon la région géographique (voir la figure 14.5).

La remise

Une remise est une réduction du prix courant consenti à une acheteuse ou un acheteur en guise de récompense lorsque ces acheteurs font quelque chose qui profite à la vendeuse ou au vendeur. Une stratégie marketing peut faire appel à quatre grands types de remise : 1) une remise quantitative ; 2) une remise saisonnière ; 3) une remise professionnelle ; et 4) une remise pour paiement comptant[27].

La remise quantitative Dans le but d'inciter les consommateurs à se procurer d'importantes quantités d'un produit, les firmes présentes dans l'ensemble du circuit de distribution offrent des **remises quantitatives.** Elles consistent en une réduction du coût unitaire si la commande est importante. À titre d'exemple, un service de photocopie peut prendre 10 cents la copie jusqu'à 25 copies, 9 cents entre 26 et 100 copies, et 8 cents la copie à compter de la 101e. Ainsi, la clientèle consomme davantage de services et la phase de production est plus longue. Il en résulte une réduction des frais d'exploitation, la commerçante ou le commerçant consent à faire profiter la clientèle d'une réduction sous la forme d'une remise quantitative.

Il existe deux catégories de remise quantitative : cumulative et non cumulative. Une *remise quantitative non cumulative* se fonde sur la quantité commandée par la clientèle. Elle favorise les commandes volumineuses à la pièce mais pas les renouvellements. La messagerie Federal Express propose une remise pour inciter les grandes entreprises à

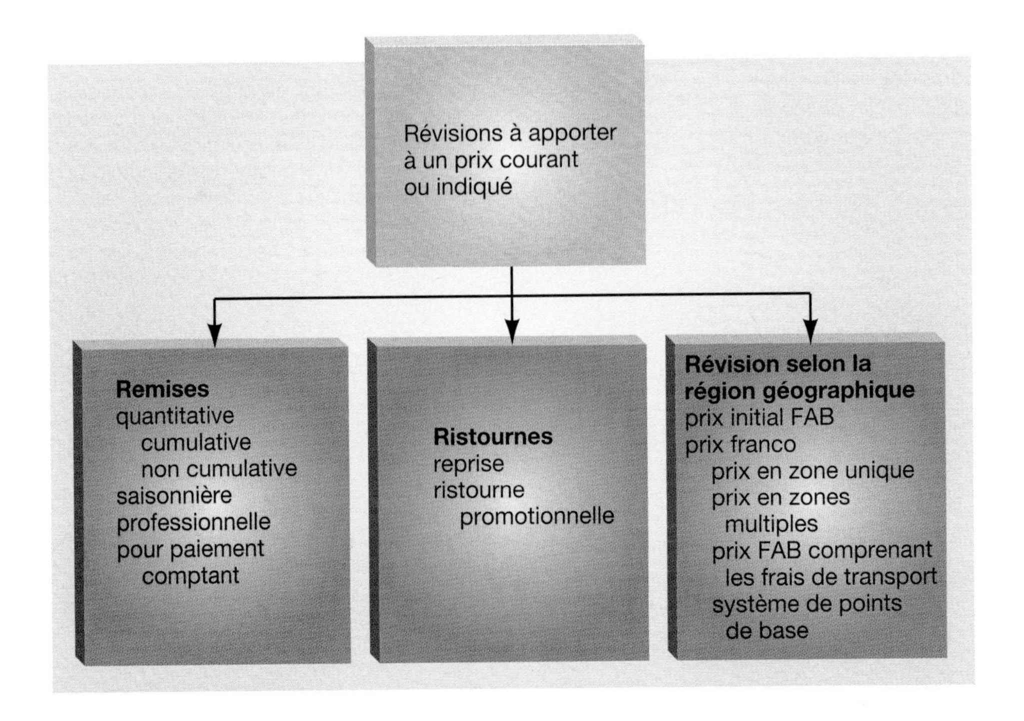

FIGURE 14.5
On peut réviser un prix courant ou indicatif de trois façons.

expédier de grandes quantités de colis à la fois. Une *remise quantitative cumulative* se fonde sur le renouvellement des achats d'un même produit pendant une période, en général d'un an. Une remise quantitative cumulative favorise le renouvellement des achats auprès d'une même cliente ou d'un même client dans une proportion de beaucoup supérieure à celle d'une remise non cumulative.

La remise saisonnière Dans le but d'inciter les consommateurs à faire provision de produits en avance sur la demande normale, les fabricants leur consentent des remises saisonnières. La firme Toro fabrique des tondeuses à gazon et des souffleuses à neige. Elle offre des remises saisonnières pour inciter les grossistes et les détaillants à stocker des tondeuses en janvier ou en février et des souffleuses en juillet ou en août. Cette proposition intervient donc cinq ou six mois avant que ne se manifeste la demande chez les acheteuses ou les acheteurs. Avec cette stratégie, Toro peut niveler les hauts et les bas de son cycle de production et ainsi en accroître l'efficacité. Il s'agit également d'une forme de récompense à l'intention des grossistes et des détaillants. En effet ceux-ci courent un risque en assumant des frais de stockage plus élevés et ont des articles en stock au moment où les consommateurs souhaitent se les procurer.

La remise professionnelle Afin de récompenser les grossistes et les détaillants pour les actions de marketing qu'ils mèneront, un fabricant peut leur accorder une remise professionnelle ou un rabais de gros. Les revendeurs du circuit de distribution se voient accorder une telle remise sur le prix courant ou indicatif en fonction : 1) de la place qu'ils occupent sur le circuit de distribution ; et 2) des actions de marketing menées.

Supposons qu'un fabricant établisse ainsi ses prix : le prix courant 100 $ moins 30 %, 10 % ou 5 %. Le premier nombre de la séquence de pourcentage (30 %) renvoie toujours aux détaillants à l'extrémité du circuit. Le dernier nombre (5 %) renvoie toujours au grossiste ou au revendeur se trouvant à proximité immédiate du fabricant. Les remises professionnelles sont simplement soustraites une à une. Ici, le prix de détail indiqué par le fabricant est de 100 $. De cette somme, 30 % iront au détaillant pour ses frais et pour réaliser un bénéfice de 30 $ (100 $ × 0,3 = 30 $). Les grossistes du circuit de distribution qui se trouvent à proximité du détaillant touchent ensuite 10 % du prix de vente (70 $ × 0,1 = 7 $). En bout de circuit, les derniers grossistes (probablement des revendeurs) touchent 5 % du prix de vente (63 $ × 0,05 = 3,15 $). Ainsi, à partir du prix de détail indiqué par le fabricant, on soustrait les trois remises professionnelles. On constate que le prix auquel le fabricant vend au grossiste ou au revendeur le plus près de lui est de 59,85 $ (voir la figure 14.6).

FIGURE 14.6
La structure des remises professionnelles

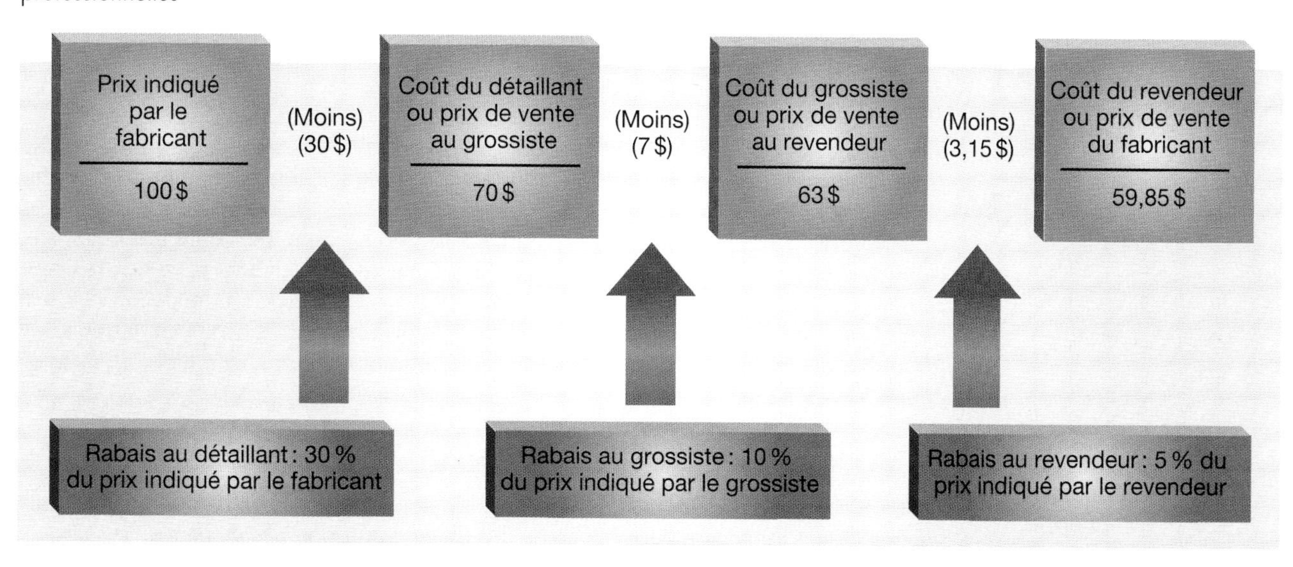

On consent habituellement des remises professionnelles pour diverses gammes de produits telles que le matériel de quincaillerie, les produits agroalimentaires et les produits pharmaceutiques. Un fabricant peut proposer la structure de remises présentée précédemment mais les vendeurs ont toute latitude pour la modifier en fonction de leur situation concurrentielle.

La remise pour paiement comptant Afin d'inciter les détaillants à acquitter leurs factures plus rapidement, les fabricants leur offrent des escomptes de caisse. Supposons qu'un détaillant reçoive une facture de 1 000 $ établie comme suit : 2/10 net 30. Cela signifie que le produit coûte 1 000 $, que le détaillant peut profiter d'une remise de 2 % (1 000 $ × 0,02 = 20 $) s'il effectue le paiement dans les 10 jours en établissant un chèque pour la somme de 980 $. S'il ne peut acquitter la facture dans les 10 jours, la somme de 1 000 $ sera exigible dans les 30 jours. Il est habituellement entendu que des intérêts seront facturés au-delà des 30 premiers jours de crédit.

Les acheteurs mal avisés peuvent penser qu'une remise de 2 % est peu importante. En réalité, cela signifie que l'acheteur paie 2 % de la somme globale pour profiter du reste pendant 20 jours de plus, soit du onzième au trentième jour. Au cours d'un exercice de 360 jours, cela représente un taux d'intérêt effectif de 36 % (2 % × 360/20 = 36 %). Étant donné que le taux d'intérêt effectif est aussi élevé, les entreprises qui ne peuvent profiter d'une remise au comptant de 2/10 net 30 cherchent souvent à emprunter l'argent auprès d'une banque. Elles empruntent à un taux d'intérêt inférieur aux 36 % qu'elles devraient débourser si elles ne profitaient pas de la remise au comptant.

Les détaillants offrent également des remises pour paiement comptant à leur clientèle afin de supprimer les frais de crédit aux consommateurs. De telles remises sont accordées pour des achats au comptant. Cette formule fait la réputation de Canadian Tire qui offre une remise de 3 % sur les achats au comptant sous forme de primes échangeables lors de prochains achats.

La ristourne

Une ristourne, comme une remise, est une réduction du prix courant ou indicatif accordée à la clientèle en échange d'une activité quelconque.

Ristourne sur reprise Un concessionnaire d'automobiles neuves peut accorder une importante réduction du prix courant d'une Ford Taurus en offrant une ristourne de 500 $ pour la reprise du véhicule d'occasion. Une ristourne sur reprise est une réduction du prix d'achat d'un produit neuf moyennant la cession d'un produit usagé. Il s'agit d'une formule habile pour réduire le prix payé par les consommateurs sans devoir réviser à la baisse les prix courants.

Ristourne promotionnelle Les vendeuses et les vendeurs du circuit de distribution peuvent obtenir des **ristournes promotionnelles** s'ils effectuent des activités promotionnelles ou publicitaires afin de vanter un produit. Ce genre de ristourne peut prendre plusieurs formes, notamment une somme en numéraire ou une quantité supplémentaire de marchandises gratuites (par exemple, un épicier recevra une caisse de produits gratuite pour chaque douzaine qu'il commandera). Très souvent, les détaillants font profiter leur clientèle de ce genre de ristourne.

Quelques sociétés choisissent de réduire les ristournes promotionnelles accordées aux détaillants en pratiquant des bas prix quotidiens. La politique des **bas prix quotidiens** consiste à remplacer les ristournes promotionnelles par des prix de fabrique moins élevés. Cette formule a le double avantage de réduire le prix moyen à la consommation et de minimiser les ristournes promotionnelles qui coûtent chaque année des milliards de dollars aux fabricants.

La révision selon la région géographique

Les fabricants et parfois les grossistes peuvent réviser leurs prix en fonction des régions géographiques afin de prendre en compte les frais du transport des marchandises entre le lieu de vente et le lieu de livraison. Il existe deux grandes méthodes de fixation des prix en fonction des frais de transport : 1) le prix initial FAB ; et 2) le prix de livraison uniforme.

Le prix initial FAB FAB est l'abréviation de *franco à bord* qui signifie que le fabricant paye les frais de chargement du produit à bord du véhicule qui en assure l'expédition (par exemple, un chaland, un wagon ou un camion). Lorsqu'on parle de **prix initial FAB,** on sous-entend que l'entreprise vendeuse désigne l'établissement où a lieu le chargement. Ce lieu peut être son usine de fabrication ou son entrepôt (par exemple, FAB Montréal ou FAB usine). Le titre de propriété des marchandises est transféré à l'acheteuse ou à l'acheteur au lieu du chargement. Ces derniers doivent donc choisir le mode de transport et acquitter tous les frais de transport et de manutention. Les destinataires qui sont éloignés du lieu de vente ont l'important désavantage de payer les frais de transport les plus élevés.

Le prix de livraison uniforme Dans la formule du **prix de livraison uniforme,** le prix de vente tient compte de tous les frais de transport. On dresse un contrat dit « FAB établissement de l'acheteur ». L'entreprise vendeuse choisit le mode de transport, paye le fret et assume la responsabilité de tout dégât matériel éventuel, car elle conserve le titre de propriété des marchandises jusqu'au moment où l'entreprise acheteuse les reçoit. Leurs appellations varient mais il existe quatre formules de fixation des prix en fonction de la livraison : 1) la fixation des prix en zone unique ; 2) la fixation des prix en zones multiples ; 3) le prix FAB comprenant les frais de transport ; et 4) la fixation des prix à partir de points de parité.

Lorsqu'on fixe les *prix en zone unique*, l'ensemble des destinataires paie le même prix pour un produit livré, peu importe la distance qui les sépare du point de vente. Les frais de transport d'un commerce offrant la livraison gratuite à l'intérieur d'une région métropolitaine sont inférieurs pour les marchandises expédiées à proximité de l'établissement. Cependant, toute la clientèle paiera un même prix.

Lorsqu'une entreprise fixe les *prix en zones multiples*, elle a subdivisé son territoire d'exploitation en régions ou en zones géographiques. Le prix comprenant la livraison est le même pour tous points d'achat se trouvant dans une même zone. Cependant, les prix varient selon les zones en fonction des frais de transport, du niveau de la concurrence et de la demande à l'intérieur de chacune. On emploie cette formule pour établir les tarifs des appels téléphoniques interurbains. Le prix des combustibles est également fondé sur les zones multiples. Gas Sable vend son combustible dans les provinces atlantiques et dans le Nord-Est à un prix fondé sur la proximité du pipeline. Plus la clientèle se trouve à proximité de l'usine, moins elle paie cher.

Dans le cas d'un prix *FAB comprenant les frais de transport*, le prix est déterminé en fonction des frais de transport. À l'expédition, on inscrira sur l'envoi : « FAB usine – fret permis ». L'entreprise acheteuse peut déduire le fret du prix des marchandises qui revient à la charge de l'entreprise vendeuse.

La *fixation des prix à partir de points de parité* consiste à choisir un ou plusieurs emplacements géographiques (les points de parité) où l'entreprise acheteuse devra assumer les prix courants plus les frais de transport. À titre d'exemple, un siège social peut désigner Montréal comme point de parité et facturer le prix courant plus 100 $ de fret entre cette ville et les établissements acheteurs. On fixe les prix à partir de points de parité dans les secteurs de l'acier, du ciment et du bois de sciage où les frais de transport représentent une part importante du prix global et où les produits sont peu différenciés.

Les aspects juridique et réglementaire de la fixation des prix

La détermination d'un prix définitif est un procédé complexe. La tâche se complique davantage en raison de contraintes reliées aux lois et à la réglementation gouvernementale. Nous avons vu au troisième chapitre le cadre réglementaire qui délimite l'exploitation des entreprises. Nous aborderons ici les lois et les règlements qui ont un effet sur la fixation des prix. Cinq pratiques retiendront notre attention : 1) la fixation collusoire des prix ; 2) la discrimination par les prix ; 3) la pratique trompeuse ; 4) la fixation d'un prix abusif ; et 5) le prix rendu.

L'ÉTHIQUE

QUESTION D'ÉTHIQUE

Politique de prix variable ou pratique discriminatoire ?

Nombre de personnes hésitent avant d'acheter une nouvelle automobile. Pourquoi cela? Ils appréhendent le moment d'en négocier le prix. La négociation d'un prix est un acte sérieux qui peut montrer les pièges éventuels de la politique du prix variable, soit la discrimination par les prix en fonction du sexe ou des origines ethniques. La recherche indique que certains concessionnaires demandent aux femmes des prix supérieurs à ceux qu'ils consentent aux hommes. De même, certaines personnes qui ne sont pas de race blanche, quel que soit leur sexe, se voient parfois offrir des prix supérieurs à ceux réclamés à la clientèle blanche. Une telle situation se produit même si toutes les acheteuses et tous les acheteurs emploient la même stratégie de négociation au moment d'acheter une automobile. On ne peut pas toujours faire la preuve qu'il s'agit d'une pratique discriminatoire, mais la situation soulève une question d'ordre moral. Les concessionnaires d'automobiles peuvent-ils exiger d'une part de leur clientèle des prix supérieurs à ceux qu'ils pratiquent en général? Certains concessionnaires répondent que le prix est, pour une bonne part, déterminé par le talent de négociation de la clientèle. Ils ajoutent que certaines clientes ou certains clients sont plus doués que d'autres pour débattre un prix. Toutefois, des indications montrent que certains concessionnaires abusent des immigrantes et des immigrants entrés au pays depuis peu, car ils ne saisissent pas les rouages d'une négociation. De même, des femmes constatent, après l'achat d'une automobile, qu'elles ont payé davantage que les hommes qui ont acheté un modèle identique aux mêmes conditions générales. Le constructeur automobile Saturn a supprimé la négociation du prix d'un véhicule neuf et propose une politique de prix unique. Selon un dirigeant de la société, « ... les gens ne veulent pas marchander, qu'il s'agisse d'acheter une maison, un costume ou une auto. La clientèle se sent mal à l'aise de débattre un prix, car, après coup, elle a toujours le sentiment d'avoir payé trop cher. » Or, il arrive parfois que des gens payent trop cher, comme des femmes et des personnes de couleur. Que penses-tu d'une telle situation?

La fixation collusoire des prix Cette pratique repose sur une entente secrète entre deux entreprises ou plus afin de demander les mêmes prix, au détriment des consommateurs. La **fixation collusoire des prix** est interdite par la *Loi sur la concurrence.* Lorsque deux concurrents ou plus se consultent afin de fixer les prix de manière implicite ou explicite, on parle de *concertation horizontale sur les prix.*

La *concertation verticale sur les prix*, ou fixation du prix de revente a lieu lorsqu'un fabricant exige avec insistance de ses détaillants qu'ils pratiquent un certain prix lors de la revente. Ce procédé est également interdit par la *Loi sur la concurrence.*

Précisons que le prix de détail indiqué par le fabricant n'est pas illégal. Cette pratique devient litigieuse seulement lorsque le fabricant oblige les détaillants de s'y plier.

La discrimination par les prix La *Loi sur la concurrence* interdit la **discrimination par les prix,** c'est-à-dire d'imposer à une part de la clientèle des prix différents pour des marchandises de catégories et de qualité comparables. La *Loi sur la concurrence* prévoit des mesures relatives aux remises promotionnelles.

Pour consentir des remises promotionnelles en toute légalité, on doit les répartir proportionnellement entre tous les distributeurs des produits. En général, on applique cette règle de raison dans la discrimination par les prix et on l'invoque souvent au sujet des politiques du prix variable. Il est très difficile de prouver la discrimination par les prix lorsque les entreprises pratiquent une politique du prix variable.

La *Loi sur la concurrence* exige plusieurs exemples pour pouvoir démontrer une pratique discriminatoire. On peut penser que, sous couvert de la politique du prix variable, certaines entreprises pratiquent parfois la discrimination par les prix. Au plan juridique, il est parfois impossible d'apporter une preuve, mais l'enjeu moral reste bien réel (voir l'encadré Question d'éthique)[28].

Pour plus d'informations au sujet de Colour Your World, rends-toi à l'adresse suivante : www.dlcmcgrawhill.ca

La tromperie en matière de prix Les offres à prix spéciaux qui trompent la confiance des consommateurs s'inscrivent dans cette catégorie. La *Loi sur la concurrence* interdit toute pratique trompeuse. Les cinq pratiques les plus répandues à cet égard sont énumérées au tableau 14.2. Ces dernières années, des entreprises canadiennes ont été déclarées coupables de pratique trompeuse en matière de prix et condamnées à une amende, entre autres Suzy Shier, Kmart et Colour Your World. N'oublie pas, lorsque tu parcours le tableau 14.2, que le gouvernement a souvent du mal à faire respecter toutes les lois. Il faut donc compter sur l'honnêteté professionnelle des gens qui décident des prix et qui les annoncent.

La fixation d'un prix abusif La *Loi sur la concurrence* définit deux types de prix abusif. On trouve d'abord le *prix abusif selon la région géographique*. Ainsi, nul n'a le droit de vendre dans une région du Canada un produit ou service à un prix inférieur à celui d'une autre région dans l'intention expresse d'affaiblir ou de nuire à la concurrence ou encore d'éliminer un concurrent.

L'autre type de prix abusif consiste à pratiquer des prix déraisonnablement bas dans l'intention d'affaiblir la concurrence. Très souvent, la baisse des prix n'a d'autre but que de ruiner les concurrents. Lorsque ces derniers ont fait faillite, le fabricant mal intentionné révise ses prix à la hausse.

Le prix rendu Cette pratique consiste à refuser de livrer une marchandise à une cliente ou un client aux conditions consenties aux autres clientes ou clients de son secteur. Il ne s'agit pas d'une infraction criminelle mais le Tribunal de la concurrence a le pouvoir d'empêcher un fournisseur d'agir ainsi.

TABLEAU 14.2
Cinq des pratiques trompeuses les plus répandues en matière de prix

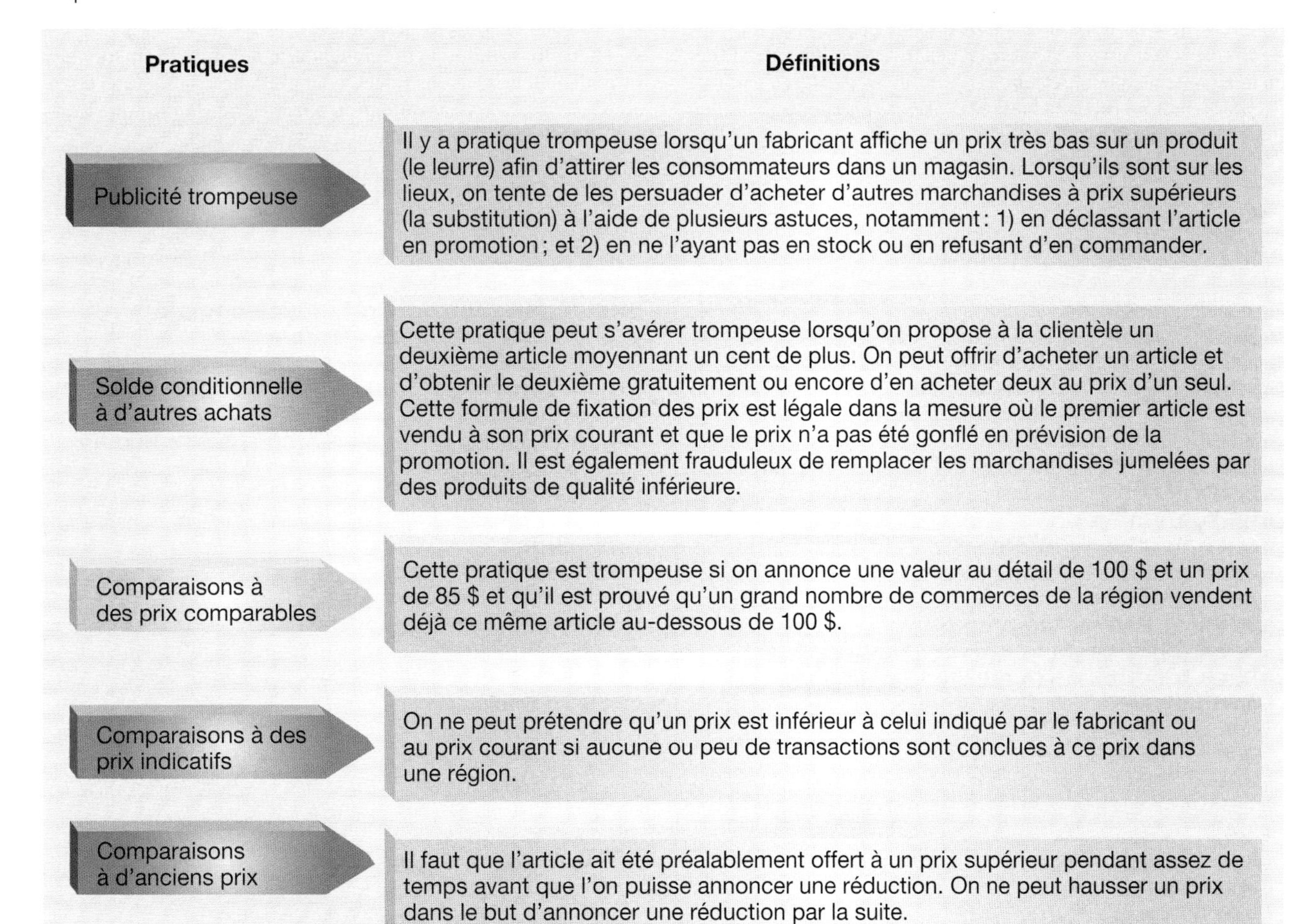

Pratiques	Définitions
Publicité trompeuse	Il y a pratique trompeuse lorsqu'un fabricant affiche un prix très bas sur un produit (le leurre) afin d'attirer les consommateurs dans un magasin. Lorsqu'ils sont sur les lieux, on tente de les persuader d'acheter d'autres marchandises à prix supérieurs (la substitution) à l'aide de plusieurs astuces, notamment : 1) en déclassant l'article en promotion ; et 2) en ne l'ayant pas en stock ou en refusant d'en commander.
Solde conditionnelle à d'autres achats	Cette pratique peut s'avérer trompeuse lorsqu'on propose à la clientèle un deuxième article moyennant un cent de plus. On peut offrir d'acheter un article et d'obtenir le deuxième gratuitement ou encore d'en acheter deux au prix d'un seul. Cette formule de fixation des prix est légale dans la mesure où le premier article est vendu à son prix courant et que le prix n'a pas été gonflé en prévision de la promotion. Il est également frauduleux de remplacer les marchandises jumelées par des produits de qualité inférieure.
Comparaisons à des prix comparables	Cette pratique est trompeuse si on annonce une valeur au détail de 100 $ et un prix de 85 $ et qu'il est prouvé qu'un grand nombre de commerces de la région vendent déjà ce même article au-dessous de 100 $.
Comparaisons à des prix indicatifs	On ne peut prétendre qu'un prix est inférieur à celui indiqué par le fabricant ou au prix courant si aucune ou peu de transactions sont conclues à ce prix dans une région.
Comparaisons à d'anciens prix	Il faut que l'article ait été préalablement offert à un prix supérieur pendant assez de temps avant que l'on puisse annoncer une réduction. On ne peut hausser un prix dans le but d'annoncer une réduction par la suite.

RÉVISION DES CONCEPTS

1. Pourquoi un vendeur opterait-il pour une politique du prix variable plutôt qu'une politique du prix unique?
2. Si un fabricant souhaite favoriser le renouvellement des achats au cours de l'année, quelle remise ferait la meilleure stratégie: la remise sur une quantité cumulative ou non cumulative?
3. Quels sont les modes de fixation des prix prévus par la *Loi sur la concurrence*?

RÉSUMÉ

1. On détermine le niveau de prix approximatif d'un produit ou d'un service à partir de quatre grandes démarches axées sur la demande, le coût, le bénéfice et la concurrence.
2. On peut fixer un prix en fonction de la demande et du revenu des consommateurs. Cette méthode peut s'articuler autour de huit principes: l'écrémage, la pénétration du marché, le prestige, la limitation de la gamme de prix, la formule pair-impair, le prix indicatif, le prix global et la gestion du rendement.
3. On peut fixer un prix à partir du coût et des aspects comptables d'un produit, soit la marge bénéficiaire normalisée, le prix du coût moyen complet et la courbe d'expérience.
4. On peut fixer un prix à partir du bénéfice que l'on entend tirer en atteignant un équilibre entre les coûts et les recettes à partir de formules dites du prix ciblant le bénéfice, du prix ciblant la rentabilité des ventes et du prix ciblant le rendement du capital investi.
5. On peut fixer un prix en se fondant sur la concurrence et décider en faveur du prix habituel, d'un prix supérieur, inférieur ou au niveau du marché ou encore d'un prix d'appel.
6. À partir d'un niveau de prix approximatif, les gestionnaires doivent établir un prix courant ou indiqué en soupesant des facteurs tels que le prix unique ou le prix variable, les répercussions du prix indicatif sur l'entreprise, la clientèle et la concurrence, et l'équilibre entre les coûts et les revenus additionnels.
7. On modifie souvent le prix courant ou indicatif en consentant une remise, en accordant une ristourne et en prévoyant des révisions selon la région géographique.
8. Un cadre juridique et réglementaire délimite la fixation des prix, duquel nous avons retenu cinq pratiques: la fixation collusoire des prix, la discrimination par les prix, la pratique trompeuse, la fixation d'un prix abusif et le prix rendu.

MOTS CLÉS ET CONCEPTS

bas prix quotidien
discrimination par les prix
fixation collusoire des prix
limitation de la gamme de prix
prix ciblant la rentabilité des ventes
prix ciblant le bénéfice
prix ciblant le rendement du capital investi
prix d'appel
prix d'écrémage
prix de livraison uniforme
prix de pénétration du marché
prix de prestige
prix d'une gamme de produits
prix en fonction de la courbe d'expérience
prix en fonction de la marge bénéficiaire normalisée
prix en fonction du coût moyen complet
prix en fonction du rendement
prix groupé
prix habituel
prix indicatif
prix inférieur à celui du marché, à son niveau ou au-dessus
prix initial FAB
prix pair-impair
prix unique
prix variable
remise quantitative
ristourne promotionnelle

EXERCICES INTERNET

Au Canada, le Bureau de la concurrence est chargé de veiller au respect de la *Loi sur la concurrence*. Ainsi que tu l'as vu dans ce chapitre, la concurrence peut faiblir et la fixation de prix inéquitables peut porter préjudice aux consommateurs. Rends-toi à la page d'accueil du Bureau de la concurrence et consulte la section sur les annonces et les actualités.

Pour plus d'informations au sujet du Bureau de la concurrence, rends-toi à l'adresse suivante : www.dlcmcgrawhill.ca.

1. Le site présente des types d'infractions aux lois régissant la fixation des prix. Quelles sont ces infractions ?
2. Quels types de peine a-t-on imposé aux entreprises fautives ?
3. Que penses-tu de telles infractions ?

QUESTIONS DE MARKETING

1. Dans quelle situation un fabricant d'appareils photo adopterait-il la politique de l'écrémage pour fixer le prix d'un nouvel appareil ?
2. Nomme quelques-unes des similitudes et des différences entre la fixation d'un prix conforme à une politique d'écrémage, la tarification de prestige et celle supérieure au prix du marché.
3. Un fabricant de fours à micro-ondes a fixé le prix de son nouveau modèle à partir de la courbe d'expérience. La direction pense réduire de 20 % les frais de production de ce modèle chaque fois que le volume double. Les frais de production de la première unité s'élevaient à environ 1 000 $. Quel serait le coût approximatif de la 4 096e unité ?
4. Hesper est l'un des plus grands fabricants de divans de qualité supérieure. Il projette d'augmenter son budget de publicité de 600 000 $. S'il vend ses canapés au prix moyen de 850 $ et que le coût variable par unité est de 550 $, calcule la hausse du chiffre d'affaires nécessaire afin de compenser l'accroissement du budget publicitaire.
5. Supposons que des cadres supérieurs évaluent le coût variable d'un magnétophone à 100 $, les frais fixes afférents au produit à 10 millions de dollars par année. Ces cadres ciblent pour l'année à venir un volume de 100 000 unités. Quel devra en être le prix courant pour réaliser un bénéfice de 1 million de dollars ?
6. Un producteur d'huile pour moteurs accorde une remise professionnelle. Le prix de détail indiqué est de 30 $ la caisse à des conditions de 40-20-10. Le producteur vend ses produits par l'entremise de revendeurs, qui vendent à des grossistes, qui revendent ensuite aux stations-service. Quel sera le prix de vente fixé par le producteur ?
7. Quels sont les taux d'intérêt annuels en vigueur pour les conditions de remise pour paiement comptant suivantes : *a)* 1/10 net 30 jours ; *b)* 2/10 net 30 jours ; et *c)* 2/10 net 60 jours ?
8. Supposons qu'un fabricant d'exerciseurs propose un prix de détail de 395 $ pour un appareil particulier dans le but d'être concurrentiel avec les autres modèles sur le marché. Il vend ses exerciseurs à un grossiste d'articles de sport qui a une marge de 25 % et à un détaillant dont la marge est de 50 %. À quelle démarche axée sur la demande fait appel ce fabricant pour fixer son prix et à quel prix doit-il vendre ses appareils au grossiste ?

ÉTUDE DE CAS 14-1 MY OWN MEALS

« En général, les enfants aiment manger dans les restaurants rapides. Pour ma part, je m'en tiens éloignée à cause de la teneur élevée en gras des aliments qu'on y prépare », dit Angela Harmon, mère de trois fillettes. « Il me faut des repas rapides et nutritifs », affirme Mary Champlain, mère de deux enfants. C'est à la suite de ce genre de commentaires et en misant sur sa propre expérience que Mary Anne Jackson a entrevu la possibilité d'offrir aux parents de meilleurs choix alimentaires pour les enfants. « Étant moi-même une mère qui travaille à l'extérieur, je savais que le marché ne proposait pas ce type de produit », explique-t-elle.

L'IDÉE

Plusieurs tendances socio-économiques soutenaient l'idée de Mary Anne à propos du marché, notamment :

- Plus de 65 % des mères qui travaillent ont des enfants d'âge scolaire, le plus fort pourcentage à ce jour.
- Environ 90 % des enfants de moins de 7 ans prennent un repas chez McDonald's au moins 4 fois par mois.
- On trouve désormais un four à micro-ondes dans plus de 90 % des foyers canadiens.
- Les femmes comptent pour près de la moitié des effectifs du marché du travail. En l'an 2000, elles représentaient 2 entrées sur 3 dans la population active.

Compte tenu de ces chiffres, et forte de son expérience dans l'industrie alimentaire, de ses études en administration et de son esprit d'entreprise, Mary Anne Jackson a décidé de combler le vide existant en matière de repas nutritifs et rapides destinés aux enfants. Son idée de départ ? Mettre au point une gamme de repas santé à cuire par micro-ondes pour enfants âgés de deux à dix ans.

L'ENTREPRISE

Mme Jackson a d'abord fondé son entreprise, My Own Meals, Inc., à partir de cinq repas santé à cuire par micro-ondes. Ces repas étaient présentés sous emballage de longue conservation, stérilisé, semblable à une boîte de conserve flexible. Leur avènement a entraîné une nouvelle catégorie d'aliments préparés et a étonné plus d'une grande société agroalimentaire. Mary remarqua : « … nul ne s'est soucié jusque-là des repas destinés aux enfants, et cela s'explique, car la majorité de ces entreprises sont dirigées par des hommes. » Les grands noms de l'agroalimentaire n'ont pas tardé à réagir et ont lancé des produits rivaux dans cette nouvelle catégorie. La concurrence a poussé Mary Anne à redoubler ses efforts. « Du coup, l'existence de la catégorie se trouvait justifiée par la présence de concurrents », explique-t-elle.

Une étude de marché a servi à élaborer la gamme de produits. Des centaines de mères occupant un emploi ont commenté la qualité des produits, leur taux d'utilisation et leur prix. Les conclusions ont montré que les consommatrices étaient désireuses de servir des repas de première qualité à leurs enfants. Elles consentaient à débourser environ 2,30 $ pour chaque repas, à trois ou quatre reprises dans le mois.

L'ENJEU : FIXER LES PRIX DE DÉTAIL

« Nous cherchions à savoir si notre échelle de prix était concurrentielle et pertinente par rapport au marché et nous avons décidé de nous intéresser de près à l'élasticité des prix de notre gamme de produits. Plus nous approchions les 3 $ par unité, plus le volume fondait et nous perdions alors des recettes et des bénéfices », explique Mme Jackson.

Pour parvenir à un prix de détail définitif, Mme Jackson étudia les facteurs relatifs à la demande, au coût, au bénéfice et à la concurrence. À tire d'exemple, depuis l'arrivée sur le marché de marques de moindre qualité, les produits My Own Meal devaient se détailler à un prix qui traduisait leur qualité supérieure. « Nos produits ont un prix supérieur car ils sont de meilleure qualité que ceux de nos concurrents. À défaut d'un prix élevé, la qualité de nos produits serait perçue comme égale à celle des autres marques », explique-t-elle encore. Toutefois, dans quelques épiceries les prix approchaient la barre des 3 $ et la demande diminuait.

Afin de déterminer les prix à la consommation, Mme Jackson a dû évaluer les frais de production de ces aliments et y ajouter la marge bénéficiaire de son entreprise. Par la suite, elle a chiffré la marge que chaque intermédiaire du circuit de distribution – les épiciers détaillants, les hypermarchés, les jardins d'enfants et les cantines militaires – ajouterait à son prix de départ pour atteindre le prix de détail. Les épicières et les épiciers se préoccupaient grandement de la rentabilité et ils ont fait appel au principe de la rentabilité directe d'un produit afin de déterminer les prix et le volume de présentation de la gamme. « Ils veulent savoir combien rapporte chaque fraction de mètre carré occupée par un produit sur les rayonnages. J'ai dû produire une analyse de rentabilité directe du produit pour les convaincre que nos aliments leur rapporteraient davantage en volume de présentation que ceux de nos concurrents », explique Mary Anne Jackson. Pour terminer, elle prit en compte les prix de ses concurrents :

- Looney Toons (Tyson) 2,49 $
- Kid Cuisine (Banquet) 1,89 $
- Kid's Kitchen (Hormel) 1,19 $

Mary Anne savait que tous ces facteurs compteraient dans sa décision. Les prix fixés joueraient sur l'intérêt des consommatrices et des détaillants, sur les réactions de la concurrence et, en fin de compte, sur la prospérité de son entreprise.

Questions

1. De quelles manières des facteurs comme : *a)* les goûts des consommateurs ; *b)* le prix et la disponibilité des produits substituts ; et *c)* le revenu des consommateurs pèsent-ils sur la demande en faveur des produits My Own Meals ?
2. Comment pourrait-on employer les méthodes : *a)* axée sur la demande ; *b)* axée sur le coût ; *c)* axée sur le bénéfice ; et *d)* axée sur la concurrence afin d'aider My Own Meals à déterminer un prix approximatif ?
3. Pour quelles raisons le prix de détail des produits My Own Meals peut-il varier selon qu'on les trouve dans les épiceries, dans les hypermarchés, dans les jardins d'enfants et dans les cantines ?

Gateway
COUNTRY

CHAPITRE 15

LES CIRCUITS DE DISTRIBUTION ET LE COMMERCE DE GROS

15

APRÈS AVOIR LU CE CHAPITRE, TU SERAS EN MESURE

- de définir ce qu'on entend par circuit de distribution et d'expliquer la raison d'être des intermédiaires ;
- de dire en quoi les circuits de distribution des biens et des services de consommation sont différents de ceux des produits ou des services industriels, sur les marchés tant intérieurs que mondiaux ;
- de décrire les types d'entreprises de commerce de gros et leurs fonctions ;
- de faire la distinction entre les circuits de distribution traditionnels et les circuits électroniques de distribution ;
- d'expliquer les facteurs sur lesquels reposent le choix et la gestion d'un circuit de distribution, et de décrire les types de conflits qui peuvent se développer dans ce circuit, et les dispositions légales qui le concernent.

Pour plus d'informations au sujet de Gateway, rends-toi à l'adresse suivante : www.dlcmcgrawhill.ca

GATEWAY : DES CIRCUITS DE DISTRIBUTION ALLIANT LE CÔTÉ HUMAIN À LA HAUTE TECHNOLOGIE

Juste au moment où il semblait que les magasins virtuels allaient remplacer les commerces traditionnels, la deuxième plus grande entreprise de vente directe en informatique au monde investit massivement pour acheter des magasins. Gateway fait de la vente directe d'ordinateurs personnels depuis 1985 aux États-Unis et au Canada. Elle exploite maintenant de nombreux magasins d'exposition Gateway Country aux États-Unis. Pourquoi Gateway ouvre-t-elle ce genre d'établissements ? Parce qu'elle a découvert que de nombreux acheteurs d'ordinateurs personnels préfèrent encore aller dans un magasin et parler avec du personnel de vente.

Les magasins d'exposition de Gateway allient haute technologie et présence humaine. Sur place, les consommateurs peuvent voir, toucher, essayer des ordinateurs et obtenir l'aide de personnes compétentes pour se faire configurer le système informatique répondant à leurs besoins. Chez Gateway, les consommateurs peuvent naviguer sur Internet, visionner des clips à l'aide d'un lecteur de DVD ou tout simplement converser avec le personnel de vente ou d'autres consommateurs, dans un environnement agréable. Les magasins d'exposition sont décorés de sièges de tracteurs, de maquettes de silos et de cellules à grains.

Par contre, ces magasins ne tiennent pas d'ordinateurs en stock. La clientèle qui veut acheter un appareil doit encore le commander chez Gateway. L'entreprise le configurera en usine, suivant ses spécifications et livrera à la maison ou au bureau. Gateway conserve ainsi les avantages de la vente directe. La rapide expansion du nombre de magasins d'exposition de Gateway Country témoigne du succès de l'entreprise. En somme, « ces magasins seront une réussite s'ils nous permettent d'établir de bonnes relations avec les consommateurs », dit Joseph J. Burke, premier vice-président du développement du commerce international[1].

Cette nouvelle façon de gérer des circuits de distribution par l'intermédiaire de magasins d'exposition n'a pas tardé à porter ses fruits. En effet, les analystes du secteur de l'informatique estiment que 80 % de l'augmentation des ventes de Gateway lui est attribuable.

Le présent chapitre traite des circuits de distribution et de leur importance dans le marketing mix. Tu verras quels avantages ces circuits apportent aux consommateurs et au réseau d'entreprises qui le composent. Enfin, on abordera les facteurs sur lesquels reposent le choix et le mode de gestion d'un circuit de distribution, les conflits qui peuvent s'y développer et les restrictions légales qui s'y appliquent.

LA NATURE ET L'IMPORTANCE DES CIRCUITS DE DISTRIBUTION

Pour réussir en marketing, il faut avant tout atteindre les acheteuses et les acheteurs potentiels, de façon directe ou indirecte. Pour y parvenir, les entreprises se servent des circuits de distribution. Cette méthode est également avantageuse pour les consommateurs.

Qu'est-ce qu'un circuit de distribution?

Le phénomène de la distribution fait partie de ton quotidien. Par exemple, tu peux acheter des croustilles Lay's chez Mac's, un livre par l'intermédiaire d'amazon.com et des jeans Levi's chez Sears. Chacun de ces articles est parvenu jusqu'à toi par un **circuit de distribution** composé d'individus et d'entreprises. Leur fonction est d'acheminer des produits ou des services jusqu'aux consommateurs ou aux utilisateurs industriels.

Pour plus d'informations au sujet de Century 21, rends-toi à l'adresse suivante : www.dlcmcgrawhill.ca

Un circuit de distribution est comparable à un aqueduc qui transporte l'eau, canalisée à la source, vers le point de consommation. Ce circuit permet la circulation des biens depuis les fabricants jusqu'aux acheteuses et aux acheteurs grâce aux intermédiaires qui le composent. Ces derniers sont nombreux et on les nomme différemment, selon leurs fonctions (voir le tableau 15.1)[2]. Certains intermédiaires achètent des articles, les stockent et les revendent. Par exemple, Biscuits Leclerc produit des biscuits et les vend à des grossistes en alimentation, qui les revendent aux supermarchés et aux épiceries qui, à leur tour, les vendent aux consommateurs. D'autres intermédiaires, comme les courtières ou les courtiers et les agentes et les agents commerciaux, représentent des vendeurs mais ne prennent pas possession des produits. Leur rôle est de mettre en contact les personnes qui vendent et celles qui achètent. Les agentes et les agents immobiliers de Century 21 font partie de ce type d'intermédiaires. L'importance des intermédiaires apparaît encore plus clairement quand on considère les fonctions qu'ils assument et la valeur qu'ils créent pour les acheteuses et les acheteurs.

TABLEAU 15.1
Les termes désignant les intermédiaires commerciaux

TERME	DÉFINITION
Intermédiaire	Tout intermédiaire entre le fabricant et les marchés d'utilisateurs finaux.
Agent commercial ou courtier	Tout intermédiaire détenant l'autorisation légale d'agir au nom du fabricant.
Grossiste	Intermédiaire qui vend à d'autres intermédiaires, habituellement aux détaillants ; il travaille généralement sur les marchés de consommation.
Détaillant	Intermédiaire qui vend aux consommateurs.
Distributeur	Terme imprécis désignant généralement des intermédiaires assumant les nombreuses fonctions de distribution, telles que la vente, le maintien du stock, l'avance de crédit, etc. ; ce terme est plus courant sur les marchés industriels, mais il peut aussi désigner les grossistes.
Marchand	Terme encore plus imprécis, parfois synonyme de distributeur, de détaillant, de grossiste, etc.

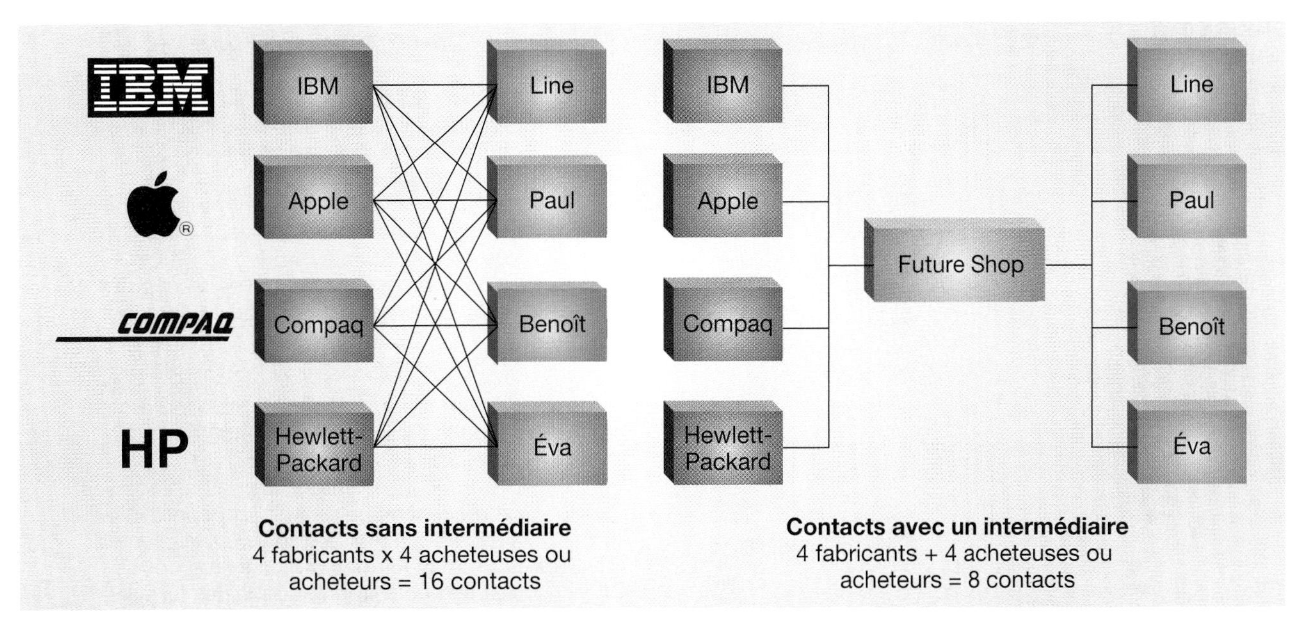

FIGURE 15.1
La réduction du nombre des transactions grâce aux intermédiaires

La valeur créée par les intermédiaires

Peu de consommateurs se rendent compte de la valeur créée par les intermédiaires. Les fabricants savent que les intermédiaires contribuent à l'efficacité de la vente des biens et des services en réduisant au minimum le nombre de contacts de vente nécessaires pour exploiter un marché cible. La figure 15.1 en donne une illustration dans le secteur de l'informatique. Sans un détaillant intermédiaire (Future Shop), les sociétés IBM, Apple, Compaq et Hewlett-Packard devraient chacune compter sur quatre contacts pour atteindre les quatre acheteurs ou acheteuses qui constituent ici leur marché cible. Par contre, chacune n'a besoin que d'un contact quand Future Shop agit à titre d'intermédiaire. Dans une optique de macromarketing, la réduction du nombre total des transactions, réduit de 16 à 8 dans le présent exemple, amène une baisse des coûts du fabricant et, de ce fait, profite aux consommateurs. Cet exemple simple permet aussi de comprendre pourquoi les fabricants d'ordinateurs luttent sans répit pour s'imposer chez des détaillants comme Future Shop, Staples et Stéréo Plus.

Les fonctions des intermédiaires Pour assurer l'acheminement des produits depuis les producteurs jusqu'aux acheteurs, les intermédiaires remplissent trois types de fonctions (voir la figure 15.2)[3]. Ils remplissent d'abord des fonctions transactionnelles lorsqu'ils achètent, vendent et prennent les risques associés au stockage des marchandises en prévision des ventes. Ils remplissent ensuite des fonctions logistiques évidentes lorsqu'ils rassemblent, entreposent et dispersent les produits (voir le chapitre 16, où l'on traite de la chaîne d'approvisionnement et de gestion logistique). Enfin, ils remplissent des fonctions d'aide lorsqu'ils assistent les producteurs pour mettre en valeur les biens et les services à vendre.

Ces trois types de fonctions sont essentiels à la bonne marche d'un circuit de distribution, même si les membres du circuit ne participent pas nécessairement aux trois. D'ailleurs, les fonctions dont chacun se charge dans le circuit font souvent l'objet de négociations. Il arrive ainsi que des désaccords amènent la rupture de relations entre les membres du circuit. Cela s'est produit récemment quand l'entreprise mettant en bouteilles PepsiCo au Venezuela a traité avec Coca-Cola. Comme aucune fonction du circuit ne peut être négligée, PepsiCo devait soit prendre le relais en mettant sur pied ses propres opérations d'embouteillage, soit trouver une autre entreprise de mise en bouteilles, ce qui fut fait[4].

FIGURE 15.2
Les fonctions des intermédiaires dans un circuit de distribution

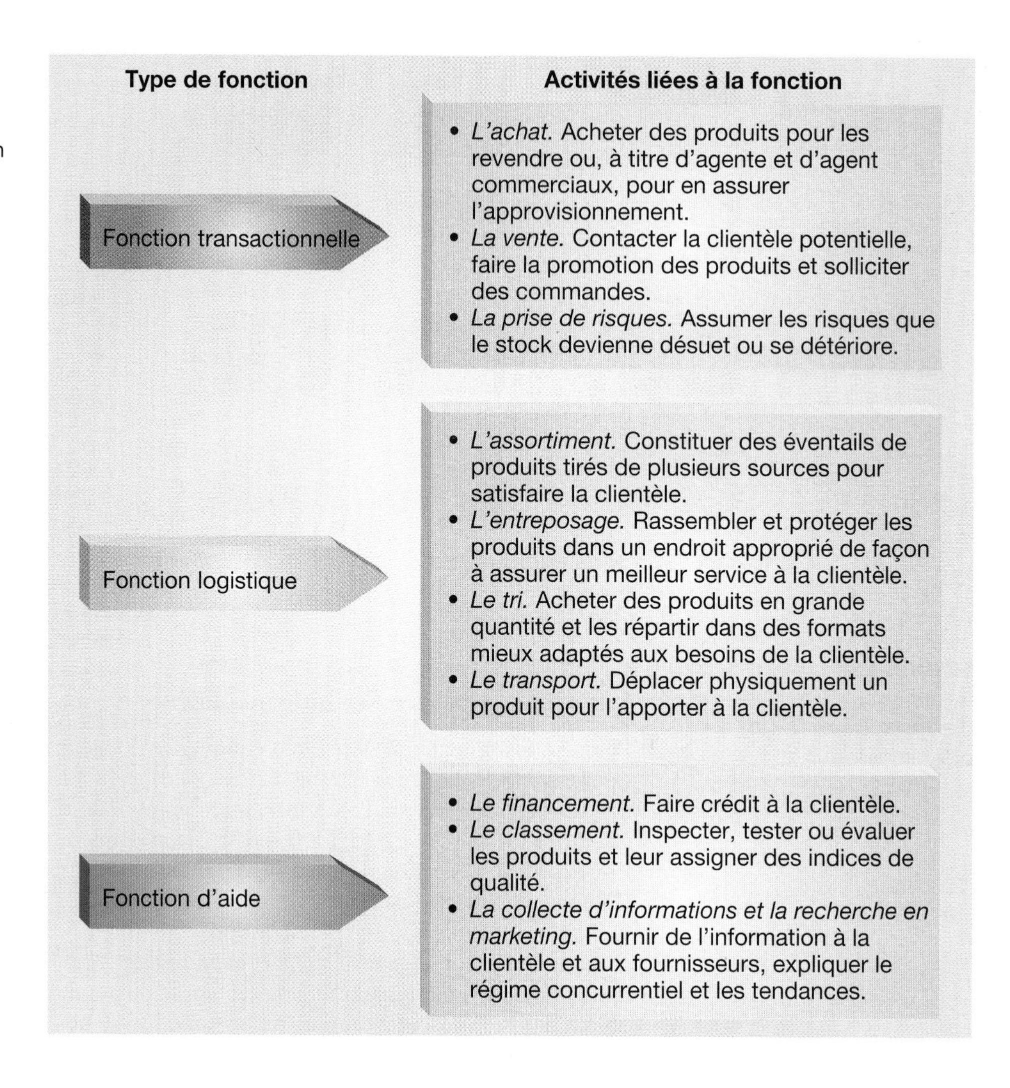

Type de fonction
Activités liées à la fonction
Fonction transactionnelle
• *L'achat.* Acheter des produits pour les revendre ou, à titre d'agente et d'agent commerciaux, pour en assurer l'approvisionnement.
• *La vente.* Contacter la clientèle potentielle, faire la promotion des produits et solliciter des commandes.
• *La prise de risques.* Assumer les risques que le stock devienne désuet ou se détériore.
Fonction logistique
• *L'assortiment.* Constituer des éventails de produits tirés de plusieurs sources pour satisfaire la clientèle.
• *L'entreposage.* Rassembler et protéger les produits dans un endroit approprié de façon à assurer un meilleur service à la clientèle.
• *Le tri.* Acheter des produits en grande quantité et les répartir dans des formats mieux adaptés aux besoins de la clientèle.
• *Le transport.* Déplacer physiquement un produit pour l'apporter à la clientèle.
Fonction d'aide
• *Le financement.* Faire crédit à la clientèle.
• *Le classement.* Inspecter, tester ou évaluer les produits et leur assigner des indices de qualité.
• *La collecte d'informations et la recherche en marketing.* Fournir de l'information à la clientèle et aux fournisseurs, expliquer le régime concurrentiel et les tendances.

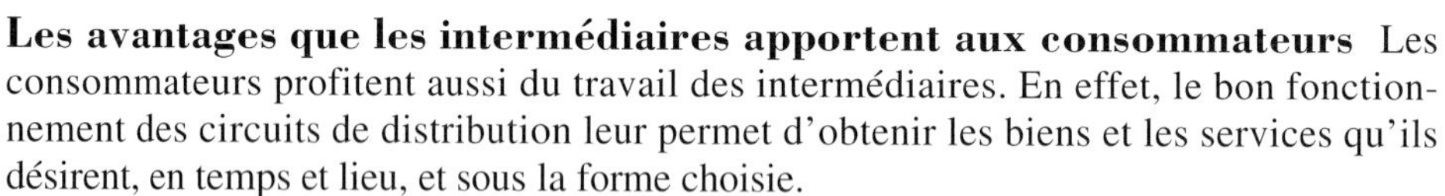

Les avantages que les intermédiaires apportent aux consommateurs Les consommateurs profitent aussi du travail des intermédiaires. En effet, le bon fonctionnement des circuits de distribution leur permet d'obtenir les biens et les services qu'ils désirent, en temps et lieu, et sous la forme choisie.

Les circuits de distribution créent de la valeur pour les consommateurs en réalisant les utilités de temps, d'emplacement, de forme et de possession dont on a parlé au chapitre 1. L'utilité de temps consiste à disposer d'un produit ou d'un service au moment où on le veut. Par exemple, FedEx assure la livraison en un jour. L'utilité d'emplacement est que le produit ou le service soit disponible là où les consommateurs en ont besoin. Par exemple, une station-service Esso implantée le long d'une autoroute, dans un endroit désert. L'utilité de forme consiste à mettre un produit ou un service en valeur pour la clientèle. C'est ce que fait la firme Compaq lorsqu'elle livre des PC inachevés à ses dépositaires. Ces derniers y ajoutent de la mémoire, des puces, des modems ou d'autres pièces, suivant les spécifications des consommateurs[5]. L'utilité de possession résulte des efforts des intermédiaires pour que les consommateurs possèdent un produit ou pour qu'ils profitent d'un service. Cela se produit lorsqu'un agent de voyages te remet des billets d'avion.

RÉVISION DES CONCEPTS

1. Qu'entend-on par circuit de distribution?
2. Nomme les trois types de fonctions assumées par les intermédiaires.

LA STRUCTURE ET L'ORGANISATION DU CIRCUIT

Pour plus d'informations au sujet de La Baie, rends-toi à l'adresse suivante : www.dlcmcgrawhill.ca

Pour se rendre du fabricant jusqu'aux personnes qui achètent, un produit peut suivre de nombreux parcours. Les spécialistes en marketing doivent retenir le parcours le plus efficace.

Les circuits de distribution des biens et des services de consommation

Les quatre circuits de distribution de biens et de services de consommation les plus courants sont présentés à la figure 15.3. Elle illustre les différents niveaux de chaque circuit, soit les intermédiaires entre le producteur et les acheteurs finaux.

La longueur du circuit s'accroît avec l'augmentation du nombre d'intermédiaires entre les producteurs et les personnes qui achètent. Ainsi, le circuit constitué du producteur, du grossiste, du détaillant et des consommateurs est plus long que celui composé uniquement du producteur et des consommateurs.

Le circuit A est un **circuit direct,** car le producteur et les consommateurs font directement affaire ensemble. De nombreux produits et services sont distribués de cette façon. Par exemple, certaines compagnies d'assurances vendent leurs services financiers par un circuit direct et des succursales de vente, et des éditeurs spécialisés dans la publication d'encyclopédies vendent leur produit directement aux consommateurs. Dans ce type de circuit, comme il n'y a pas d'intermédiaires, le producteur doit remplir toutes les fonctions.

Les trois autres types de circuits sont des **circuits indirects** parce qu'il y a, entre le producteur et les consommateurs, des intermédiaires qui exécutent de nombreuses fonctions de distribution. Le circuit B ajoute un détaillant. Ce circuit est surtout utilisé lorsqu'un gros détaillant peut acheter les produits d'un producteur en grande quantité ou lorsque les coûts de stockage sont trop considérables pour un grossiste. Des fabricants comme General Motors, Ford et Chrysler utilisent ce type de circuit, où les concessionnaires agissent à titre de détaillants. Pourquoi n'y a-t-il pas de grossistes ? Il y a tant de versions des produits qu'il serait impossible à un grossiste de stocker tous les modèles pour satisfaire les consommateurs. De plus, le coût de maintien du stock serait trop élevé. Toutefois, les gros détaillants, comme Sears Canada, Mac's, Sobeys et La Baie, achètent en assez grande quantité, et il est rentable pour un producteur de traiter avec un intermédiaire unique.

FIGURE 15.3
Les circuits traditionnels de distribution de biens et de services de consommation

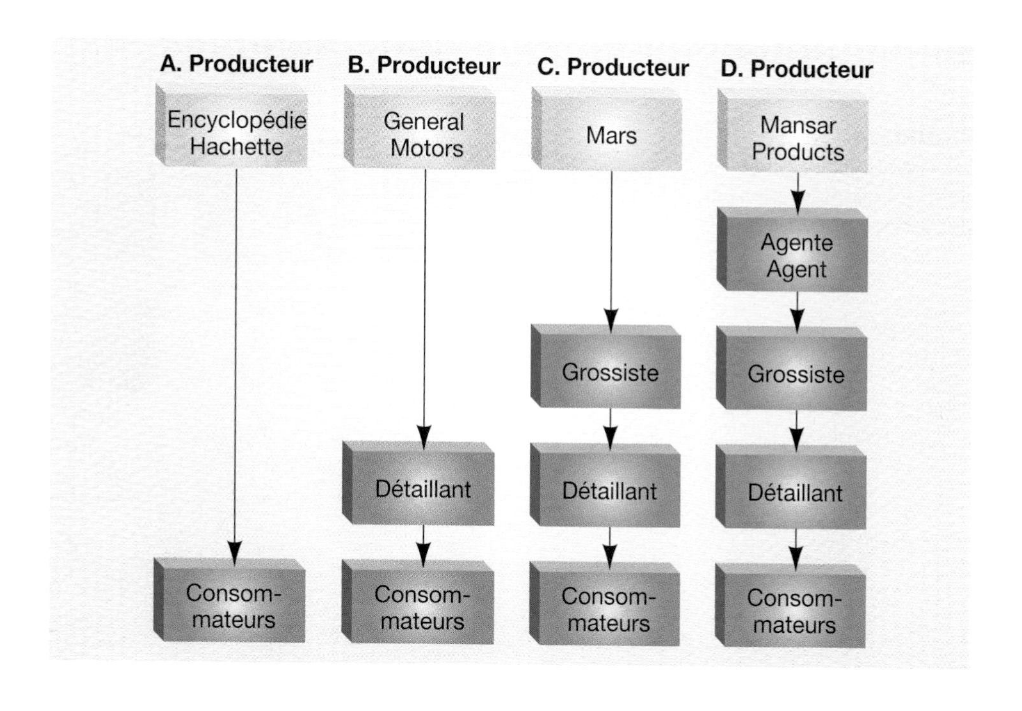

Le circuit C comprend également un grossiste. Celui-ci distribue des articles peu coûteux, à faible valeur unitaire, que les consommateurs achètent fréquemment. Citons, par exemple, des bonbons, des confiseries et des magazines. Ainsi, Mars vend ses gammes de confiseries aux grossistes, par caisses. Ces derniers les répartissent (triage) ensuite aux détaillants, qui commandent par boîtes ou en plus petite quantité.

Le circuit D, le plus indirect, est utilisé quand il y a de nombreux petits fabricants, plusieurs petits détaillants et un agent ou une agente qui coordonne un vaste approvisionnement d'un produit. Ainsi, Mansar Products, un important producteur belge de bijoux de luxe, emploie des agentes ou des agents commerciaux qui vendent ses produits à des grossistes. Ces derniers les revendent ensuite à de nombreux petits détaillants.

Les circuits de distribution des biens et des services industriels

Les quatre circuits de distribution de biens et de services industriels les plus courants sont présentés à la figure 15.4. Les circuits industriels sont généralement plus courts que les circuits de distribution de produits de consommation. En effet, ils ne comprennent souvent qu'un intermédiaire, parfois même aucun. On constate que les utilisateurs industriels sont peu nombreux, généralement regroupés géographiquement et achètent en grande quantité.

Le circuit A, celui de la multinationale IBM, est un circuit direct. Les entreprises qui utilisent ce genre de circuit emploient leur propre force de vente et prennent en charge toutes les fonctions de circuit. Ce type de circuit convient quand les acheteurs sont importants et bien définis. Il convient aussi lorsque l'effort de vente nécessite de longues négociations et que les produits ont une valeur unitaire élevée et requièrent du personnel compétent pour en effectuer l'installation et en expliquer le fonctionnement.

Les circuits indirects B, C et D comprennent un ou plusieurs intermédiaires, nécessaires pour atteindre les utilisateurs industriels. Dans le circuit B, un **distributeur industriel** assume plusieurs fonctions de distribution : la vente, l'entreposage, le financement et la livraison d'assortiments complets de produits. Les distributeurs industriels jouent en quelque sorte le même rôle que les grossistes dans les circuits de distribution aux consommateurs. Ainsi, Caterpillar s'en remet à des distributeurs industriels pour vendre ses équipements miniers et de construction dans presque 200 pays. Outre la vente, ces distributeurs ont en stock entre 40 000 et 50 000 pièces de rechange. Ils emploient des techniciens hautement spécialisés pour entretenir et réparer l'équipement vendu[6].

Le circuit C comprend un deuxième intermédiaire : une agente ou un agent contractuels. Leur rôle consiste à vendre pour le producteur et à le représenter auprès des utilisateurs industriels. Par exemple, la compagnie Stake Fastener, producteur d'attaches

FIGURE 15.4
Les circuits traditionnels de distribution des biens et des services industriels

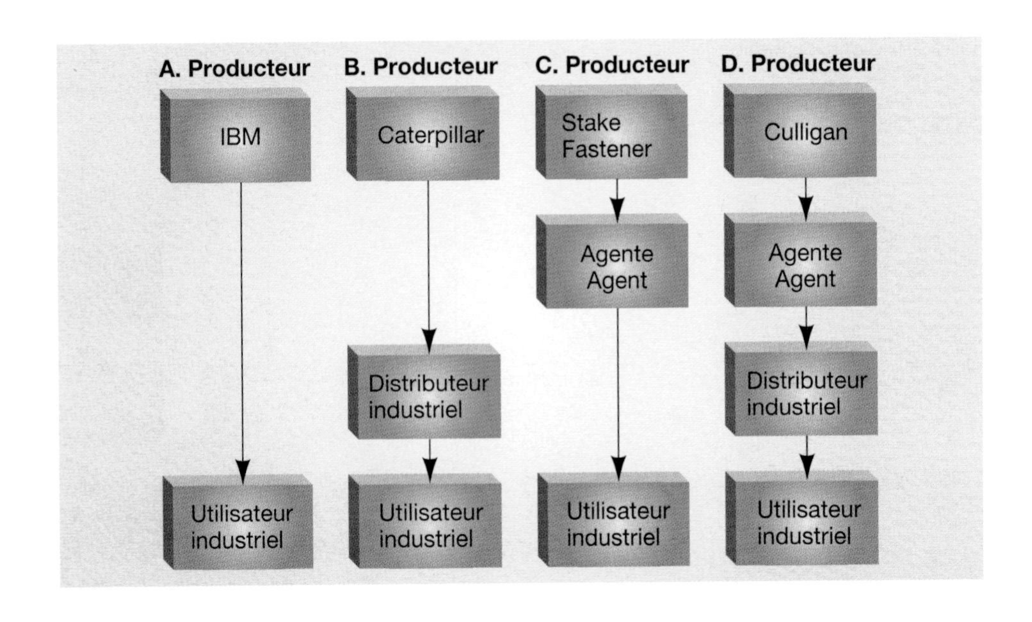

industrielles, n'a pas de force de vente. C'est donc une agente ou un agent dont elle a retenu les services qui fait pour elle la tournée des utilisateurs industriels.

Le circuit D, le plus long, comprend agents et distributeurs. Par exemple, Culligan, fabricant d'équipements de traitement des eaux, emploie des agentes et des agents pour rendre visite au réseau de distribution qui vend ses produits aux utilisateurs industriels.

Les circuits électroniques de distribution

Les circuits traditionnels de distribution ne sont pas les seuls moyens d'acheminer les biens et les services sur les marchés de consommation ou sur les marchés industriels. Comme on l'a vu au chapitre 8, les progrès du commerce électronique ont créé de nouvelles façons de toucher les acheteuses et les acheteurs et de leur créer de la valeur.

On se sert aujourd'hui de la technologie interactive d'Internet pour assurer la disponibilité des biens et des services sur les marchés de consommation et sur les marchés industriels. Dans les **circuits électroniques de distribution,** les intermédiaires électroniques et traditionnels s'allient pour que les acheteuses et les acheteurs profitent des utilités de temps, d'emplacement, de forme et de possession[7].

La figure 15.5 présente les circuits électroniques de distribution de livres (Amazon.com), d'automobiles (Auto123.com), de services de réservations (Exit.ca) et d'ordinateurs personnels (Dell.com). Ne t'étonne pas qu'ils ressemblent tout à fait aux circuits traditionnels. Les fonctions de circuit accomplies sont les mêmes que celles présentées à la figure 15.2. En effet, grâce à la technologie de l'information, les intermédiaires électroniques peuvent effectuer les fonctions transactionnelles et d'aide, plus efficacement que les intermédiaires traditionnels, et à un coût relativement moindre. Par contre, les intermédiaires électroniques sont incapables d'effectuer certaines fonctions logistiques, surtout quand les produits à livrer sont des livres et des automobiles. Dans ce cas, les intermédiaires traditionnels ou le producteur assument cette fonction, comme le fait Dell Computer qui utilise un circuit direct.

De nombreux services peuvent être distribués par des circuits électroniques de distribution. C'est ainsi qu'Exit.ca effectue les réservations de voyage et que Belair.ca vend de l'assurance. Les logiciels peuvent aussi être mis en marché de cette façon. Il est clair cependant que de nombreux services, comme les soins de santé et les réparations automobiles, nécessitent des intermédiaires traditionnels.

FIGURE 15.5
Les circuits électroniques de distribution typiques

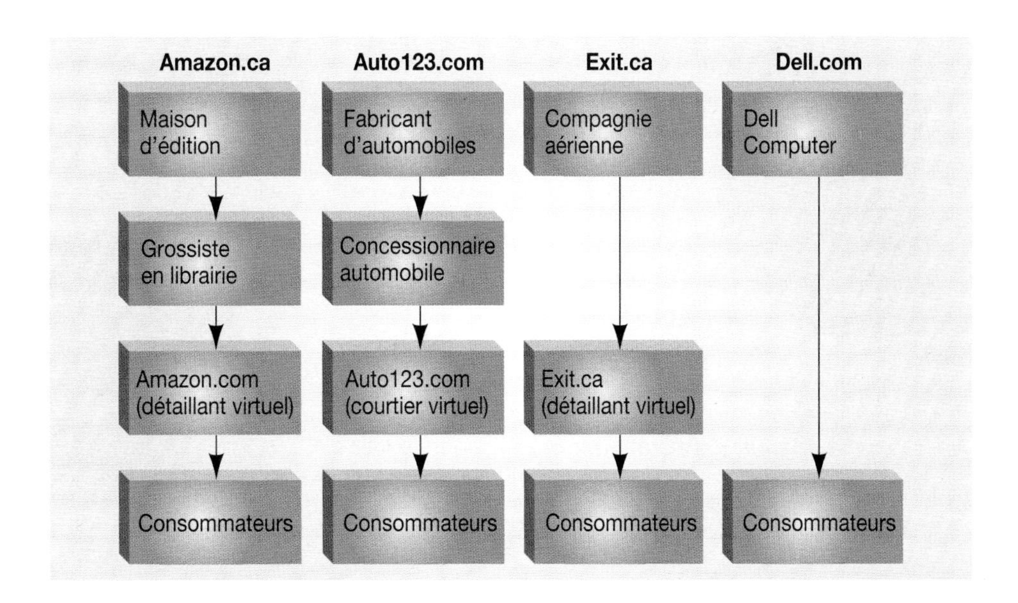

Les circuits de marketing direct

De nombreuses entreprises utilisent aussi les **circuits de marketing directs** pour atteindre les acheteuses et les acheteurs. Ces circuits permettent aux consommateurs d'acheter des produits au moyen de publicités, sans avoir de contact personnel avec une vendeuse ou un vendeur. Le marketing direct comprend la vente par correspondance, les publipostages, la vente par catalogue, le télémarketing, les médias interactifs et les réseaux de télévision pour les achats (par exemple, *The Shopping Channel*)[8].

Certaines firmes vendent leurs produits presque uniquement par des circuits de marketing direct. Citons, par exemple, Sharper Image (cadeaux coûteux et nouveautés) et Dell.com (ordinateurs personnels). Pour atteindre davantage de clients, des fabricants comme Nestlé et Sunkist ont des circuits de distribution traditionnels composés de grossistes et de détaillants. Ces deux firmes ont également recours au marketing direct en faisant de la vente par catalogue et du télémarketing. Inversement, des détaillants comme Sears Canada se servent des techniques du marketing direct pour stimuler l'activité commerciale en magasin. Selon certains experts, en 2002, le marketing direct générera 20 % des ventes au détail en Amérique du Nord et 10 % en Europe. Nous reviendrons plus longuement sur le marketing direct au chapitre 18.

Les circuits multiples et les alliances stratégiques

Pour plus d'informations au sujet de Hallmark, rends-toi à l'adresse suivante : www.dlcmcgrawhill.ca

Pour atteindre différents acheteurs, les producteurs utilisent la **distribution mixte,** c'est-à-dire qu'ils empruntent deux types de circuits, ou plus, pour distribuer le même produit. Par exemple, General Electric (GE) vend ses électroménagers directement aux constructeurs de maisons ou d'appartements, et elle les vend aussi aux consommateurs par l'intermédiaire de magasins de détail. Les entreprises qui emploient une stratégie multimarque ont parfois recours aux circuits multiples de distribution. Ainsi, Hallmark vend ses cartes de souhaits Hallmark dans les magasins Hallmark et dans certains magasins à rayons. Cependant, ses cartes de marque Ambassador ne sont vendues que par l'intermédiaire de chaînes de magasins à rabais et de pharmacies. Il arrive également que

MONDIALISATION

TENDANCES MARKETING

Qu'est-ce que Cereal Partners Worldwide ? Une alliance de Nestlé et de General Mills !

Comment sonne à votre oreille l'expression « Cheerios miel et amandes de Nestlé » ? Grâce à Cereal Partners Worldwide (CPW), des millions de Français commencent maintenant leur journée par un bol de cette céréale prise au petit-déjeuner, et produite par General Mills. CPW est la première alliance stratégique pensée comme une entreprise mondiale. Elle profite à la fois des capacités de fabrication et de mise en marché des céréales de General Mills et du puissant réseau de distribution international de Nestlé. En 1991, de son siège social près du lac de Genève, en Suisse, Cereal Partners Worldwide a lancé les céréales de General Mills, sous le nom de Nestlé, en France, au Royaume-Uni, en Espagne et au Portugal. Aujourd'hui, CPW est présente sur 70 marchés dans le monde et pense atteindre son objectif de profit de 1,4 milliard de dollars d'ici quelques années.

L'alliance General Mills-Nestlé devrait aussi accroître les parts de marché respectives de ces sociétés, qui sont déjà considérées comme les deux compagnies les mieux gérées du monde. Parions qu'au début des années 2000, CPW détiendra 20 % du marché mondial, comme elle s'en était fixé l'objectif.

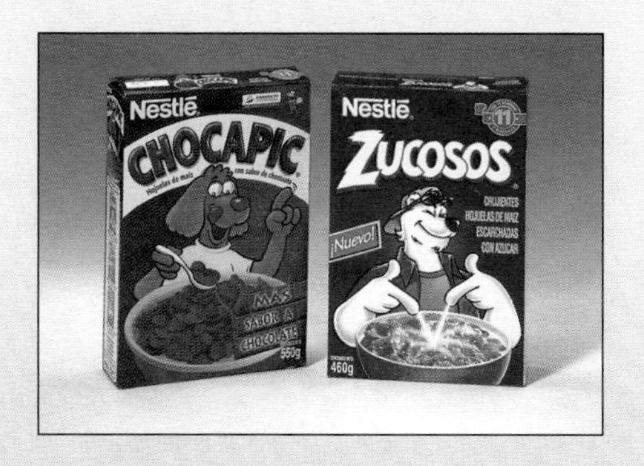

des firmes utilisent des circuits différents pour distribuer des produits modifiés. Ainsi, Zoecon Corporation vend ses produits chimiques insecticides à des entrepreneurs en désinsectisation comme Orkin et Terminex. Par ailleurs, elle vend un composé modifié à Boyle-Midway, qui l'utilise dans la fabrication de son produit de marque Black-Flag Roach Ender.

L'**alliance stratégique de distribution,** nouveau mode de distribution, consiste pour une firme à se servir du circuit de distribution d'une autre firme pour vendre ses produits[9]. L'exemple parfait est l'alliance conclue par Kraft Foods avec Starbucks, la première distribuant le café de la seconde dans les supermarchés. Les alliances stratégiques sont très populaires en commerce international, où il est coûteux et laborieux de mettre sur pied de bons circuits de distribution. Par exemple, au Canada, General Motors distribue les voitures suédoises Saab par l'intermédiaire de ses concessionnaires Saturn. De même, General Mills et Nestlé ont conclu une vaste alliance stratégique couvrant 70 marchés internationaux. Lis l'encadré Tendances marketing ; ainsi, tu ne seras pas étonné lorsqu'on te servira des Cheerios de Nestlé (pas de General Mills) en Europe, au Mexique et dans certaines régions d'Asie[10].

Pour plus d'informations au sujet de General Mills, rends-toi à l'adresse suivante : www.dlcmcgrawhill.ca

Le rôle des intermédiaires du circuit

La structure des circuits de distribution de produits de consommation ou de produits industriels varie selon le nombre et le type d'intermédiaires qui composent ces circuits. Pour comprendre comment les circuits de distribution fonctionnent, il est important de bien comprendre le rôle des intermédiaires.

Les termes *grossiste, agent* et *détaillant* ont été utilisés ici conformément aux définitions générales données dans le tableau 15.1. Toutefois, il suffit de s'y arrêter un peu pour constater qu'il vaut la peine de les préciser davantage. La figure 15.6 présente la classification courante des intermédiaires en commerce de gros. Ils se chargent de vendre des produits et des services à ceux qui les achètent pour les revendre ou en faire un usage commercial. Nous étudierons les intermédiaires du commerce de détail au chapitre 17. Les fonctions des principaux types de grossistes sont décrites au tableau 15.2.

Les grossistes-marchands Les grossistes-marchands sont des entreprises indépendantes qui prennent possession des marchandises qu'elles gèrent. On les désigne par plusieurs noms, dont celui de distributeur industriel (décrit précédemment). Environ 83 % des entreprises de commerce de gros sont des grossistes-marchands.

Selon le nombre de fonctions qu'ils assument, les grossistes-marchands seront soit des grossistes à service complet, soit des grossistes à service limité. Les **grossistes généraux** (à série complète) tiennent un vaste assortiment de marchandises et se chargent de toutes les fonctions du circuit. Toutefois, les assortiments qu'ils proposent dans chaque gamme n'offrent pas tous les produits. Ces grossistes sont surtout actifs dans les domaines de la quincaillerie, des produits pharmaceutiques et de l'industrie du vêtement. Les **grossistes spécialisés** (à série de produits limitée), quant à eux, vendent une ou

FIGURE 15.6
Les types d'intermédiaires en commerce de gros

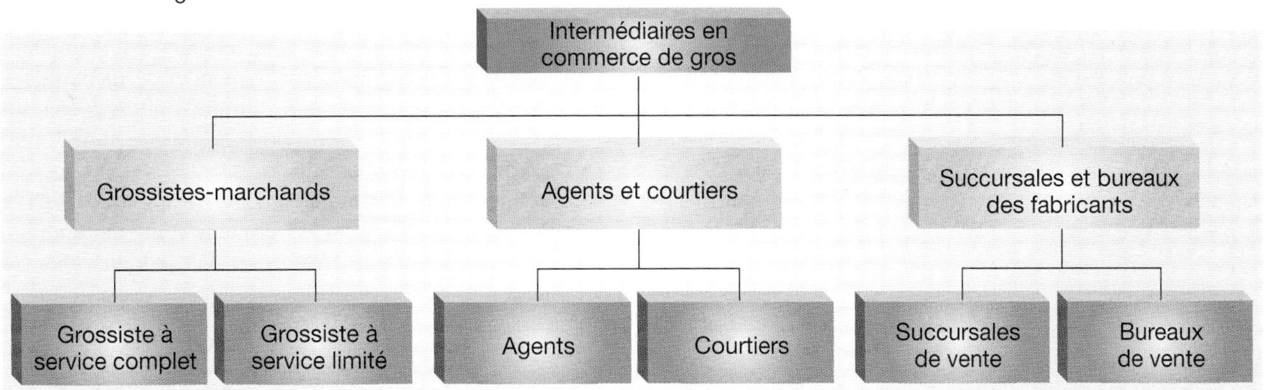

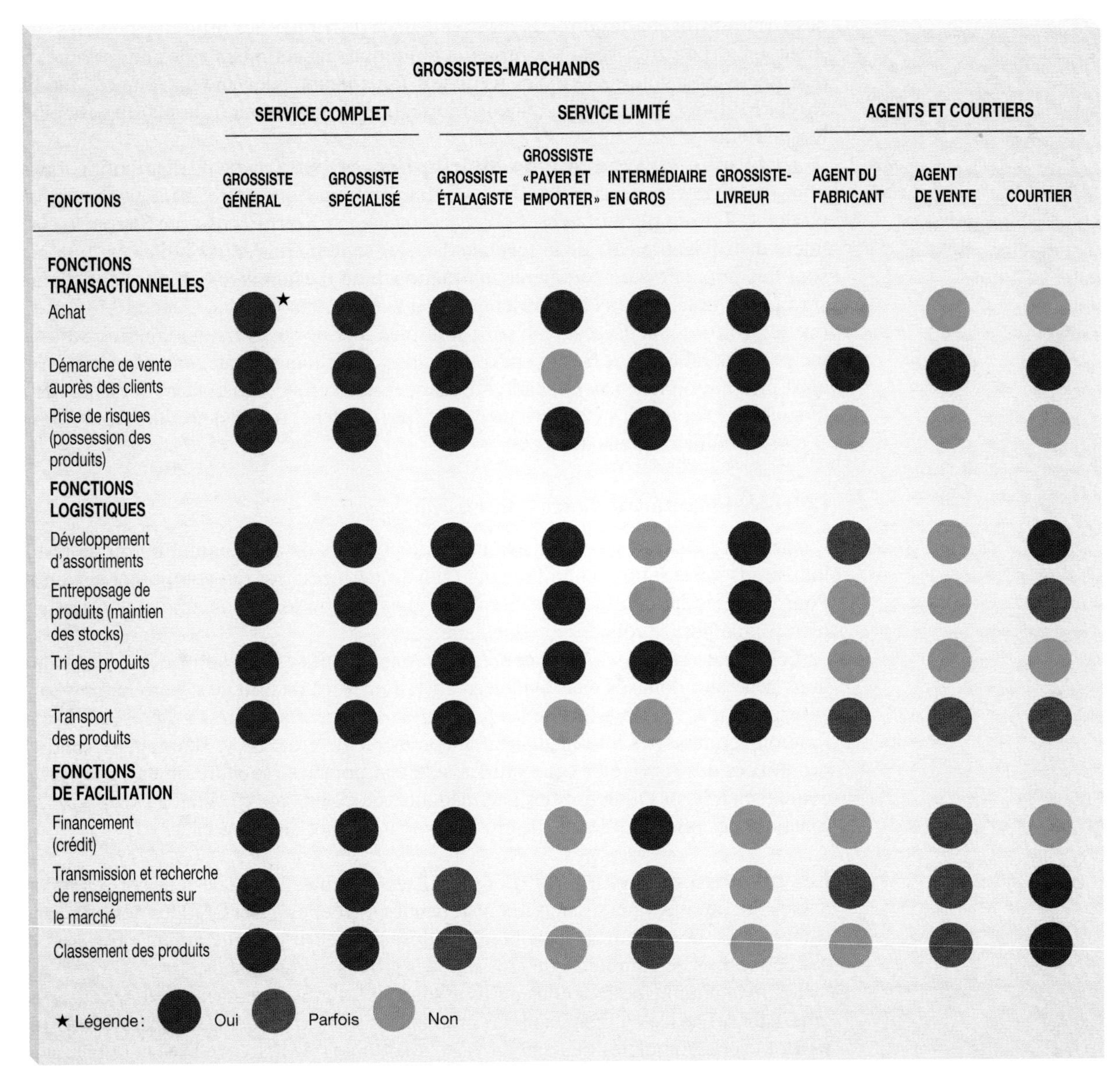

TABLEAU 15.2
Les fonctions des différents types de grossistes indépendants

deux séries de marchandises, mais leur assortiment est plus étendu. Ils remplissent toutes les fonctions du circuit et évoluent principalement dans les secteurs des aliments naturels, des pièces d'automobiles et des produits de la mer.

Il y a quatre types de grossistes à service limité. Les **grossistes étalagistes** de rayons fournissent les présentoirs ou les rayons pour étaler la marchandise dans les magasins de détail. Ils exécutent toutes les fonctions du circuit et vendent en consignation aux détaillants, ce qui signifie que les produits exposés leur appartiennent et qu'ils ne facturent aux détaillants que la marchandise vendue. Ils vendent des produits d'usage courant comme des bas, des jouets, des articles ménagers et des produits de beauté et de santé. Les **grossistes «payer et emporter»,** ou grossistes au comptant, prennent possession de la marchandise mais ne la vendent qu'à des acheteurs qui viennent la voir, la paient comptant et en assument le transport. Ils offrent un assortiment limité de produits, ne livrent pas, ne font pas crédit et ne fournissent pas d'information sur le marché. Ce genre de grossiste s'occupe généralement d'accessoires électriques, de fournitures de bureau, de quincaillerie et de denrées alimentaires. Les **intermédiaires en gros** sont des grossistes qui sont propriétaires de la marchandise qu'ils vendent mais qui n'en assument ni la manutention, ni le stockage, ni la livraison. Ils se limitent à solliciter des commandes des détaillants et d'autres grossistes et leur font livrer la marchandise directement du producteur. Les intermédiaires en gros vendent des produits volumineux ou du vrac, comme du charbon, du bois de construction ou des produits chimiques, et tous les produits qui se vendent en très grosse quantité. Les **grossistes-livreurs** sont de petits grossistes qui ont un entrepôt où ils remplissent les camions qui assurent la distribution aux détaillants. Ils proposent généralement des assortiments limités d'articles périssables et à écoulement rapide, qu'ils vendent au comptant, directement de leur camion, dans leurs emballages d'origine. Les grossistes-livreurs vendent des produits de boulangerie, des produits laitiers et de la viande.

Les agents et les courtiers Contrairement aux grossistes-marchands, les agents et les courtiers ne prennent pas possession de la marchandise et ne se chargent généralement que de quelques fonctions dans le circuit. Leurs profits proviennent de commissions ou d'honoraires de service, tandis que ceux des grossistes-marchands dépendent de la vente de la marchandise qui leur appartient.

Les agents du fabricant et les agents de vente sont les deux principaux types d'agents auxquels les producteurs ont recours. Les **agents du fabricant,** ou représentants du fabricant, travaillent, sur un territoire exclusif, pour plusieurs fabricants qui ont des séries de produits non concurrentiels et complémentaires. Les agents du fabricant constituent la force de vente d'un fabricant sur un territoire donné et sont principalement responsables des fonctions transactionnelles, en particulier de la vente. Ils sont nombreux dans les secteurs des pièces et accessoires d'automobile, de la chaussure et de l'acier ouvré, bien que Swank Jewelry, des fabricants japonais d'ordinateurs et Apple en utilisent aussi. Les **agents de vente,** quant à eux, ne représentent qu'un fabricant et sont en charge de tout son marketing. Ils conçoivent des plans promotionnels, déterminent les prix, élaborent les politiques de distribution et font des recommandations sur la stratégie de produit. Les fabricants de textile, de vêtements, de produits alimentaires et d'ameublement de maison utilisent des agents de vente. Les **courtiers** sont des entreprises indépendantes ou des individus dont la principale fonction est de mettre en contact acheteurs et vendeurs. Contrairement aux agents, ils n'ont généralement pas de relation suivie avec les acheteurs ou les vendeurs, mais négocient un contrat entre deux parties, puis passent à autre chose. Ils travaillent souvent pour des producteurs de produits saisonniers (fruits et légumes, par exemple) ou dans l'immobilier.

Le courtier en alimentation, qui représente les acheteurs et les vendeurs dans l'industrie alimentaire, est un type de courtier particulier qui, sous bien des aspects, ressemble à l'agent du fabricant. Les courtiers en alimentation diffèrent des courtiers ordinaires en ce qu'ils représentent les producteurs de façon permanente et sont payés à commission. Par exemple, Nabisco emploie des courtiers en alimentation pour vendre ses confiseries, sa margarine et ses cacahuètes Planters, mais elle vend ses gammes de biscuits et de biscottes directement aux détaillants. Ce sont des agents du fabricant qui vendent les machines à café Mr Coffee aux marchands d'appareils et aux grandes surfaces, mais ce sont des courtiers en alimentation qui en vendent les filtres aux supermarchés.

Les succursales et les bureaux de vente du fabricant Contrairement aux grossistes-marchands, aux agents et aux courtiers, les succursales et les bureaux de vente des fabricants sont des entités de commerce en gros qui appartiennent entièrement aux producteurs. Ces derniers se chargent des fonctions du commerce en gros quand il ne se trouve pas d'intermédiaires pour le faire, que les clients sont peu nombreux et géographiquement concentrés et que les commandes sont importantes ou nécessitent beaucoup de soin. Une succursale de vente du fabricant a des marchandises en stock et remplit les fonctions d'un grossiste à service complet. Par contre, un bureau de vente du fabricant n'a pas d'inventaire et ne fait généralement que de la vente. Il joue en quelque sorte le rôle des agents ou des courtiers.

LE CHOIX D'UN CIRCUIT ET SA GESTION

En plus d'établir des ponts entre les producteurs et les acheteurs, les circuits de distribution donnent aux entreprises des moyens de mettre en œuvre différents éléments de leur stratégie de marketing. Le choix d'un circuit de distribution est donc une décision cruciale.

Les facteurs influant sur le choix et la gestion du circuit

Le choix d'un circuit de distribution dépend de nombreux facteurs qui sont souvent reliés entre eux.

Pour plus d'informations au sujet d'Avon, rends-toi à l'adresse suivante : www.dlcmcgrawhill.ca

Les facteurs environnementaux L'environnement changeant décrit au chapitre 3 influe considérablement sur le choix d'un circuit de distribution et sur son mode de gestion. Par exemple, les compagnies Fuller Brush et Avon, deux sociétés synonymes de vente au porte-à-porte, font maintenant de la vente par catalogue et du télémarketing. En effet, de plus en plus de femmes travaillent à l'extérieur de la maison aux heures où le personnel de vente se présente chez elles. Compte tenu des progrès technologiques dans les domaines de la culture, du transport et de l'entreposage des fleurs coupées périssables, Home Depot fait désormais ses achats directement auprès des producteurs de fleurs, ignorant ainsi les grossistes[11]. De plus, Internet a créé de nouveaux circuits électroniques de distribution pour les fleurs, les jouets, les articles et les équipements de sports, ainsi que pour la musique et les vidéos[12].

Pour plus d'informations au sujet de Chrysler, rends-toi à l'adresse suivante : www.dlcmcgrawhill.ca

Le facteur client Les caractéristiques des consommateurs ont une influence directe sur le choix d'un circuit de distribution et sur son mode de gestion. Il faut donc déterminer le circuit de distribution le plus approprié et les types d'intermédiaires les plus capables d'atteindre les acheteurs et acheteuses cibles. Pour cela, on doit répondre aux questions fondamentales suivantes : qui sont les acheteuses et les acheteurs potentiels ? Où achètent-ils ? Quand achètent-ils ? Comment achètent-ils ? Qu'achètent-ils ? Ainsi, Ricoh Company, après avoir étudié les façons de faire des photographes professionnels (par opposition à celles des photographes amateurs), a compris qu'un changement de circuits de distribution s'imposait. La compagnie a donc remplacé le grossiste vendant ses produits aux grandes surfaces par des agentes et des agents de vente vendant aux magasins spécialisés. Ces magasins ont accepté de stocker, de mettre en étalage la gamme complète des produits Ricoh, et d'en faire une vigoureuse promotion. Dix-huit mois plus tard, le volume des ventes avait triplé. Dans le secteur de l'automobile, Ford, General Motors, Chrysler et Mercedes Benz ont compris que les gens désireux d'acheter une voiture magasinent de plus en plus dans Internet. Ces sociétés présentent maintenant sur leurs sites Web de l'information sur les prix et les modèles de voitures[13].

Le facteur produit En général, les produits complexes, comme les gros ordinateurs scientifiques, les produits non standards, la machinerie assemblée sur commande, et les produits à valeur unitaire élevée sont vendus directement aux acheteurs. Au contraire, les produits simples, standards, à faible valeur unitaire, comme le sel blanc, sont habituellement distribués par des circuits de distribution indirects. Les phases du cycle de vie d'un produit influent aussi sur le choix des circuits de distribution. Rappelle-toi le cycle de vie des télécopieurs, dont nous avons parlé au chapitre 12.

Les facteurs relatifs à l'entreprise Une entreprise doit également tenir compte de ses ressources financières, humaines et technologiques lorsqu'elle choisit un circuit de distribution. Par exemple, les entreprises dépourvues de force de vente tentent d'atteindre leurs grossistes ou leurs acheteurs ou leurs acheteuses à l'aide d'agentes ou d'agents de vente. Une compagnie acheminant de multiples produits vers un marché cible particulier préfère un circuit direct. Celles qui offrent une gamme limitée de produits font plutôt appel à divers types d'intermédiaires pour atteindre les acheteuses et les acheteurs.

Les facteurs relatifs à l'entreprise sont aussi valables pour les intermédiaires. Par exemple, les fabricants d'ordinateurs personnels et les concepteurs de logiciels désireux

Pour plus d'informations au sujet de Future Shop, rends-toi à l'adresse suivante : www.dlcmcgrawhill.ca

de toucher des gens d'affaires s'adressent aux revendeurs à valeur ajoutée. On peut citer Future Shop qui dispose de sa propre force de vente et de personnel pouvant offrir des services aux entreprises.

Considérations sur la conception d'un circuit

Les gestionnaires en marketing reconnaissent qu'il y a de nombreuses façons de toucher les acheteuses et les acheteurs, compte tenu des facteurs dont nous venons de parler. Les gestionnaires en marketing choisissent généralement un circuit de distribution et des intermédiaires en fonction des trois questions suivantes :

1. Quel circuit et quels intermédiaires permettront de couvrir de manière optimale le marché cible ?
2. Quel circuit et quels intermédiaires pourront le mieux satisfaire les exigences d'achat des consommateurs du marché cible ?
3. Quel circuit et quels intermédiaires seront les plus rentables ?

BRANCHEZ-VOUS ! Besoin urgent de liquidités ? Consulte le localisateur de guichets automatiques bancaires (GAB) de Visa

À court de liquidités ? Visa met à ta disposition une précieuse ressource Web : un localisateur de GAB. Cette société possède environ 460 000 GAB, répartis dans 120 pays. Il y en a probablement un tout près, quel que soit l'endroit du monde où tu te trouves ! Pour situer le guichet automatique Visa le plus près de chez toi, suis simplement les instructions du localisateur de GAB et demande la carte qui convient.

Pour plus d'informations au sujet de Visa, rends-toi à l'adresse suivante : www.dlcmcgrawhill.ca.

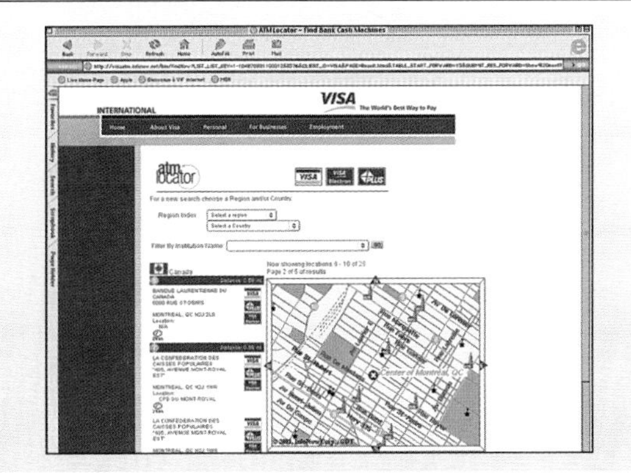

La couverture du marché cible Pour couvrir le mieux possible le marché cible, il faut déterminer la densité de la distribution et le type d'intermédiaires dans les points de vente au détail. Il y a trois densités de distribution : intensive, exclusive et sélective. Le fabricant optant pour la **distribution intensive** tente de placer ses produits ou ses services dans le plus de points de vente possible. Les produits ou les services de consommation courante, comme les confiseries, les aliments vite prêts, les journaux et les boissons gazeuses, font généralement l'objet de distribution intensive. De plus en plus souvent, on offre les services médicaux de cette façon. VISA distribue aussi l'argent liquide. Visite le site Web de VISA et repère le guichet automatique le plus près de chez toi.

La **distribution exclusive** est tout le contraire de la distribution intensive. Les produits d'un fabricant sont distribués à partir d'un unique point de vente, dans une zone géographique précise. Les produits ou les services spécialisés sont généralement distribués en exclusivité, notamment les automobiles, certains parfums féminins, les costumes pour hommes et les yachts. Parfois, les détaillants signent des contrats d'exclusivité avec des fabricants. Par exemple, le détaillant Zellers a conclu une entente d'exclusivité avec le fabricant de vêtements Mossimo. De la même façon, les 7 000 magasins de Radio Shack n'offrent désormais plus d'autres ordinateurs que le Presario de Compaq[14].

La **distribution sélective** est une solution intermédiaire suivant laquelle une firme vend ses produits chez quelques détaillants choisis à l'intérieur d'une zone géographique particulière. Il s'agit là de la stratégie de distribution la plus courante, celle qui prévaut dans la vente de biens comme les montres Rolex et les bâtons de golf Ping.

Il ne suffit pas de déterminer l'intensité de la distribution qui convient, encore faut-il disposer du type de point de vente dont on a besoin. Ainsi, la division L'eggs de Hanes Corporation vend par catalogue des collants blancs très appréciés par les infirmières, parce que les supermarchés et les magasins à rayons ne tiennent généralement pas ce genre d'articles.

La satisfaction des exigences des acheteuses et des acheteurs Quand on développe un circuit de distribution, il faut trouver le moyen d'accéder aux circuits et aux intermédiaires capables de répondre au moins à quelques-unes des exigences des acheteuses et des acheteurs. Celles-ci sont de quatre ordres : 1) l'information ; 2) la commodité ; 3) la variété ; et 4) les services auxiliaires.

L'exigence de l'information est importante quand les consommateurs connaissent peu un produit ou un service ou qu'ils désirent bien se documenter à son sujet. Des intermédiaires bien choisis sauront renseigner les consommateurs à l'aide d'étalages intérieurs, de démonstrations et d'interventions du personnel de vente. La grande popularité des boutiques d'informatique, à leurs débuts, s'explique par le fait que les acheteuses et les acheteurs y trouvaient une formidable source de renseignements sur les petits ordinateurs. De même, ayant saisi les besoins particuliers d'information des femmes japonaises, les entreprises de vente directe comme Amway, Avon et Tupperware ont su promouvoir les avantages de leurs produits et transmettre leurs méthodes de vente. Actuellement, Amway est l'une des entreprises qui connaît la plus forte croissance au Japon, et Avon y réalise annuellement des millions de dollars en vente directe.

Pour la clientèle, la commodité prend plusieurs aspects. Il peut s'agir de proximité, par exemple la durée du trajet en auto jusqu'au point de vente. C'est l'une des exigences que comble 7-Eleven avec ses nombreux points de vente répartis dans tout le pays. Les fabricants de confiseries et de goûters connaissent cette exigence et cherchent à obtenir de l'espace d'étalage dans ces magasins. Pour d'autres consommateurs, tout ce qui évite les pertes de temps et les embêtements est qualifié de commode. Mr. Lube plaît à ce genre de consommateurs, car elle promet la rapidité des vidanges d'huile et des changements de filtres.

Les consommateurs sont aussi intéressés par la variété. Ils veulent choisir entre plusieurs articles concurrents et complémentaires. Plus les gammes et les marques de produits détenues par les intermédiaires sont variées, plus les consommateurs sont attirés. Ainsi, les fabricants d'aliments et de fournitures pour animaux domestiques cherchent à distribuer leurs produits dans les très grandes animaleries comme Pets Mart, qui offrent un vaste éventail de produits pour animaux.

Les services auxiliaires offerts par les intermédiaires sont importants pour les produits comme les électroménagers nécessitant livraison, installation et crédit. Whirlpool fait donc affaire avec des dépositaires proposant de tels services.

La rentabilité La rentabilité constitue le troisième élément à considérer lorsqu'on développe un circuit de distribution. Cette rentabilité dépend des marges (revenus des ventes moins les coûts) de chaque membre du circuit et du circuit dans son ensemble. Les coûts du circuit sont capitaux pour la rentabilité. Ils comprennent les coûts de distribution, de publicité, et les frais de vente liés aux différents types de circuits de distribution. Les marges qui reviennent à chaque membre et à l'ensemble d'un circuit dépendent de la répartition de ces coûts entre les membres du circuit.

Les circuits de distribution à l'échelle mondiale

Les circuits de distribution dans le monde reflètent les traditions, les coutumes, la géographie et l'histoire économique des pays et des sociétés où ils sont implantés. Néanmoins, toutes les fonctions fondamentales des circuits de distribution doivent y être effectuées, malgré des différences évidentes, comme l'illustrent les circuits de distribution du Japon, la deuxième puissance économique mondiale.

Pour savoir comment Schick s'est emparée de la plus grande part du marché du rasoir et des lames de rasoir au Japon, lis le texte ci-contre.

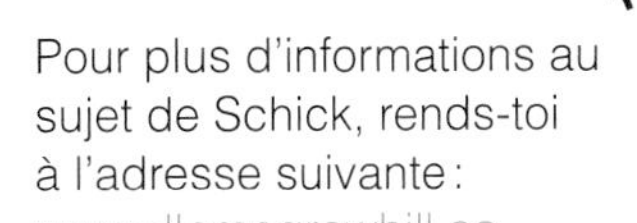

Pour plus d'informations au sujet de Schick, rends-toi à l'adresse suivante : www.dlcmcgrawhill.ca

Hors de l'Europe occidentale et de l'Amérique du Nord, les intermédiaires sont généralement de petites et fort nombreuses entreprises, appartenant souvent à des propriétaires exploitants. Les circuits de distribution japonais comprennent beaucoup d'intermédiaires, phénomène découlant de la tradition et du manque d'espace d'entreposage. Il y a ainsi jusqu'à cinq intermédiaires pour assurer la distribution du savon au Japon, alors qu'un ou deux suffisent en Amérique du Nord.

Pour réussir une mise en marché à l'échelle mondiale, il vaut souvent mieux étudier au préalable les circuits de distribution. Par exemple, Gillette a tenté, au Japon, de vendre ses rasoirs et ses lames par l'intermédiaire de son personnel de vente, comme elle le fait en Amérique du Nord. Ce faisant, elle éliminait les grossistes qui s'occupent généralement de la mise en marché des articles de toilette dans ce pays. Par contre, la société Warner-Lambert a vendu ses rasoirs Schick et ses lames en empruntant le circuit traditionnel japonais comprenant des grossistes. Résultat ? Sur le marché japonais, Schick fait maintenant la barbe à Gillette[15] !

Il faut aussi prendre en compte les relations à l'intérieur du circuit. Au Japon, le *keiretsu* (que l'on peut traduire par « alignement ») lie les producteurs aux intermédiaires[16]. Ce lien, noué par l'intégration verticale et tissé par des relations économiques et sociales, fait en sorte que chaque membre du circuit profite de l'alignement de la distribution. Le membre dominant du *keiretsu* (appelé capitaine du réseau), habituellement un producteur, a beaucoup d'autorité sur les membres du circuit. Il a même un droit de regard sur les produits concurrents qu'ils vendent. Des compagnies renommées comme Matsushita (produits électroniques), Nissan et Toyota (produits automobiles), Nippon Gakki (instruments de musique) et Kirin (et d'autres brasseries et maisons de distillation) utilisent beaucoup les *keiretsu*. C'est ainsi que Shiseido et Kanebo influencent la distribution des produits de beauté dans tous les magasins à rayons du Japon[17].

Les relations dans le circuit : conflit, coopération et dispositions légales

Les circuits de distribution étant constitués d'individus et d'entreprises, ils ne sont pas à l'abri des conflits. Ainsi, il peut y avoir désaccord sur l'attribution des tâches dans le circuit, sur la répartition des bénéfices, sur le choix du fournisseur d'un produit ou d'un service et sur les décisions concernant la gestion du circuit. Il faut donc prévoir des mesures pour régler ces conflits qui peuvent parfois mener à des actions judiciaires.

Les conflits dans les circuits Quand un membre d'un circuit croit que les actions d'un autre membre l'empêchent d'atteindre ses objectifs, un conflit peut éclater. Il y a deux types de conflits dans un circuit : le vertical et l'horizontal.

Le *conflit vertical* résulte d'un désaccord entre des membres de différents niveaux à l'intérieur d'un circuit de distribution, par exemple entre un fabricant et un grossiste ou un détaillant, ou, encore, entre un grossiste et un détaillant. L'une des trois raisons suivantes est généralement à l'origine de ce genre de conflit. Premièrement, un membre du circuit en écarte un autre et achète ou vend directement au détaillant. C'est ce qu'on appelle la **désintermédiation.** Un tel conflit s'est produit quand le fabricant d'électroménagers Jenn-Air a décidé de résilier le contrat de ses distributeurs et de vendre directement aux détaillants. Deuxièmement, il peut y avoir mésentente sur la répartition des marges de profit entre les membres du circuit. Cela est arrivé quand Compaq Computer Corporation et l'un de ses dépositaires ne se sont plus entendus pour l'application des rabais sur les produits Compaq. Compaq a interrompu ses relations avec ce dépositaire pendant 13 mois, jusqu'à ce que le problème se règle. Troisièmement, on se trouve en terrain conflictuel quand les fabricants croient que les grossistes ou les détaillants ne s'occupent pas convenablement de leur produits. Par exemple, la compagnie H. J. Heinz est entrée en conflit avec les supermarchés de son circuit de distribution en Grande-Bretagne quand ces derniers se sont mis à promouvoir leurs marques maison au détriment des marques de Heinz.

Le *conflit horizontal* met aux prises des intermédiaires de même niveau au sein d'un circuit de distribution, par exemple deux détaillants ou plus (Zellers et Wal-Mart), ou deux grossistes ou plus en charge des marques du même fabricant. Il y a deux sources

principales de conflits horizontaux. L'augmentation de la couverture de distribution d'un fabricant dans une zone géographique donnée est une source de conflit horizontal. Par exemple, un concessionnaire Cadillac pourrait se plaindre à General Motors qu'un autre concessionnaire se soit installé à proximité de son commerce. La seconde source est la distribution mixte, c'est-à-dire la vente des mêmes marques par différents types de détaillants. Ainsi, Elizabeth Arden a dû stopper le lancement du parfum Black Pearls d'Elizabeth Taylor quand certains grands magasins à rayons de luxe l'ont refusé, ayant appris qu'il serait aussi offert dans les grandes surfaces. Finalement, Elizabeth Arden a résolu de ne lancer la marque que dans ces grands magasins à rayons[18].

La coopération dans un circuit Les conflits nuisent au bon fonctionnement d'un circuit de distribution. Il faut donc s'assurer de la coopération de tous ses membres. Un **capitaine de circuit** peut jouer ce rôle. Le capitaine de circuit est un membre du circuit qui coordonne, dirige et soutien les autres membres. Il s'agit d'un fabricant, d'un grossiste ou d'un détaillant. Procter & Gamble joue un tel rôle. En effet, vu la nombreuse clientèle assurée par des marques comme Crest, Tide et Pampers, cette entreprise a suffisamment d'autorité pour établir des politiques et des conditions de vente auxquelles les supermarchés acceptent de se plier. De même, Wal-Mart et Home Depot sont capitaines de circuit, grâce à leur bonne image auprès des consommateurs, à leur grand nombre de points de vente et à leur énorme volume d'achat.

L'ÉTHIQUE

QUESTION D'ÉTHIQUE

Les fabricants sont-ils des victimes?

La manière dont les entreprises font valoir leur autorité et exercent leur influence dans les circuits de distribution a souvent mené à des réglementations. Néanmoins, l'autorité émanant de la puissance économique, de la compétence, de l'influence par association et des droits légaux des membres d'un circuit peut être utilisée de nombreuses façons.

Ainsi, certaines chaînes de supermarchés usent de leur puissance pour exiger des fabricants, dont elles entreposent et exposent les produits, un dédommagement en argent ou sous forme de marchandises gratuites. Ces remises peuvent aller de 100 $ pour un magasin à 25 000 $ pour une chaîne de supermarchés. Les fabricants les qualifient de « rançons » ou de « remises extorquées », mais les exploitants de supermarchés les considèrent plutôt comme une récompense raisonnable pour prendre soin des affaires des fabricants.

Te semble-t-il contraire à l'éthique d'exiger ce genre de remises?

Pour plus d'informations au sujet de Toys "R" Us, rends-toi à l'adresse suivante: www.dlcmcgrawhill.ca

Une entreprise devient capitaine de circuit quand elle a suffisamment d'ascendant pour influencer le comportement des autres membres[19]. Il y a quatre types d'influences. La première, l'influence économique, découle de la capacité d'une entreprise à récompenser les autres membres du circuit. Elle peut agir ainsi grâce à une solide situation financière ou à une clientèle assurée. Microsoft et Toys "R" Us ont ce genre d'influence. La deuxième source d'influence est la compétence. La troisième, l'influence par association avec un autre membre du circuit, est à effet réciproque. Par exemple, des détaillants luttent pour obtenir les modèles Ralph Lauren, ou des manufacturiers de vêtements tentent d'obtenir que La Baie vende leurs produits. Dans les deux cas, le désir des entreprises d'être associées à la firme sollicitée lui donne de l'influence dans le circuit. La quatrième source d'influence provient parfois d'une simple disposition légale. Cela se produit dans les systèmes de marketing verticaux contractuels. Un franchiseur est légalement en droit de réagir à certains agissements du franchisé. Les façons d'assurer la coopération dans le circuit de distribution varient selon les types de systèmes.

Il arrive que des firmes usent de leur influence dans un circuit pour obtenir des concessions de la part d'autres membres. Par exemple, certaines grandes chaînes de supermarchés qui veillent à l'entreposage et à l'étalage des produits des fabricants s'attendent à ce que ces derniers les dédommagent en argent ou en marchandises gratuites. Comme tu peux le lire dans l'encadré Question d'éthique, certains fabricants qualifient d'extorsion le fait de demander ce genre de remise[20].

Les considérations juridiques Les conflits dans les circuits de distribution se règlent généralement par la négociation et le jeu des influences internes. Mais il arrive qu'ils donnent lieu à des poursuites judiciaires. Il est donc important de connaître les dispositions légales régissant les stratégies et les procédés de distribution. En général, les fournisseurs ont le droit de choisir les intermédiaires qui prennent possession de leurs produits et qui en assurent la représentation. Mais ils peuvent faire l'objet de poursuites légales s'ils refusent de traiter avec des intermédiaires qui satisfont à leurs conditions habituelles de commerce. La *Loi sur la concurrence* interdit en effet aux fournisseurs d'empêcher un intermédiaire d'obtenir leurs produits, ou de les lui retirer, si cette pratique nuit à l'intermédiaire.

Il y a distribution mixte quand un fabricant distribue ses produits par son propre circuit de distribution, en concurrence directe avec les grossistes et les détaillants qui vendent également ses produits. Si le procédé est perçu comme une tentative abusive de réduire la concurrence par l'élimination de grossistes et de détaillants, il pourrait être dénoncé devant le Bureau de la concurrence comme une infraction à la *Loi sur la concurrence.*

La *Loi sur la concurrence* interdit les ententes de vente exclusive et les ventes liées ou forcées si l'on peut démontrer qu'elles réduisent excessivement la concurrence et créent des monopoles. Il y a entente de vente exclusive quand un fournisseur exige que les membres du circuit ne vendent que ses produits et qu'il empêche les distributeurs de faire la vente directe de produits concurrents. Il y a ventes liées ou forcées quand un fournisseur oblige un distributeur qui lui achète certains produits à lui en acheter d'autres. Ces genres de dispositions sont courants dans le franchisage. Le Bureau de la concurrence doit enquêter sur des allégations de ventes liées si les produits imposés sont également offerts à un juste prix et suivant les normes du franchiseur par d'autres fournisseurs. En effet, ces ventes liées ou forcées pourraient alors porter atteinte à la libre concurrence. Imposer une gamme complète de produits est une forme particulière de vente liée ou forcée. Cela se produit quand un membre du circuit est obligé de vendre la gamme complète d'un fournisseur s'il veut obtenir un produit vedette de ce fournisseur. Il y a restrictions de revente ou limitations de marché quand un fournisseur tente d'imposer aux distributeurs les acheteurs pour ses produits et leurs zones géographiques ou des territoires de vente. Ces restrictions violent la *Loi sur la concurrence* s'il est prouvé qu'elles empêchent ou limitent la concurrence.

RÉVISION DES CONCEPTS

1. Quelles sont les trois intensités de distribution?
2. Quelles sont les trois questions en fonction desquelles les gestionnaires en marketing choisissent un circuit de distribution et des intermédiaires?
3. Qu'entend-on par « entente de distribution exclusive » ?

RÉSUMÉ

1. Un circuit de distribution se compose d'individus et d'entreprises qui s'occupent d'acheminer un produit ou un service aux consommateurs ou aux utilisateurs industriels.

2. Pour assurer le flux des produits et des services, des producteurs aux consommateurs, les intermédiaires effectuent certaines fonctions transactionnelles, logistiques et d'appui. Ce faisant, ils créent les utilités de temps, de place, de forme et de possession.

3. La structure du circuit définit le parcours suivi par les produits et les services pour aller des producteurs aux acheteuses ou aux acheteurs. Le circuit direct est le parcours le plus court, car les producteurs y sont directement en contact avec les personnes qui achètent. Dans les circuits indirects, il se trouve des intermédiaires entre les producteurs et les consommateurs.

4. En général, les circuits de distribution des produits et des services destinés aux consommateurs comprennent plus d'intermédiaires que les circuits de distribution des produits et des services industriels. Dans certains cas, les producteurs utilisent Internet, le marketing direct, les circuits multiples et les alliances stratégiques de distribution pour atteindre la clientèle.
5. Un circuit de distribution peut comprendre plusieurs types de grossistes. Il y a ceux qui prennent possession de la marchandise qu'ils vendent et les autres. On distingue aussi les grossistes par le type de fonction qu'ils assument dans le circuit.
6. Les gestionnaires en marketing choisissent un circuit de distribution et son mode de gestion en fonction de l'environnement, des consommateurs, du produit et de l'entreprise elle-même.
7. Lorsqu'on conçoit un circuit de distribution, il faut tenir compte de la couverture du marché cible recherchée par les producteurs, de la satisfaction des exigences des acheteuses ou des acheteurs et de la rentabilité du circuit. Selon la couverture du marché cible recherchée, on optera pour une distribution intensive, exclusive ou sélective. Les exigences des acheteuses ou des acheteurs concernent la quantité d'information sur un produit, sa commodité, la variété de produits offerte et les services auxiliaires qu'on leur assure. La rentabilité renvoie aux marges bénéficiaires de chaque membre du circuit et du circuit dans son ensemble.
8. Sur le marché mondial, les circuits de distribution reflètent les traditions, les coutumes, la géographie et l'histoire économique de chaque pays et de chaque société. Ces facteurs influent sur la structure du circuit et sur les relations que ses membres entretiennent entre eux.
9. Les conflits sont inévitables dans les circuits de distribution. Les conflits verticaux mettent aux prises différents niveaux de circuit, tandis que les conflits horizontaux découlent de désaccords entre des intermédiaires d'un même niveau de circuit.
10. Les principaux litiges en gestion de circuits de distribution ont trait aux six procédés suivants : refus de faire affaire, distribution mixte, intégration verticale, accord de vente exclusif, vente liée ou forcée et contraintes de revente ou limitations du marché.

MOTS CLÉS ET CONCEPTS

agent de vente
agent du fabricant
alliance stratégique de distribution
capitaine de circuit
circuit de distribution
circuit de marketing direct
circuit direct
circuit électronique de distribution
circuit indirect
courtier
désintermédiation
distributeur industriel
distribution exclusive
distribution intensive
distribution mixte
distribution sélective
grossiste étalagiste
grossiste général
grossiste-livreur
grossiste « payer et emporter »
grossiste spécialisé
intermédiaire en gros

EXERCICES INTERNET

La logistique est une activité importante dans la distribution des produits et des services. Elle réalise une part importante du produit intérieur brut (PIB) canadien avec 50 milliards de revenus et emploie directement et indirectement près de 500 000 personnes. Industrie Canada consacre une partie de son site à cette activité.

Pour plus d'informations au sujet d'Industrie Canada, rends-toi à l'adresse suivante : www.dlcmcgrawhill.ca.

Va sur ce site et réponds aux questions suivantes.

1. Quelles sont les principales activités logistiques qu'on peut trouver dans un circuit de distribution ?
2. Que sont les tiers fournisseurs de services de logistique (TFSL) ? Ils se développent à l'heure actuelle. Que font-ils ? Pourquoi deviennent-ils si importants ?
3. Qu'est-ce que la gestion de la chaîne d'approvisionnement ?
4. Quels impacts ont les nouvelles technologies de l'information et de la communication sur la logistique ?

QUESTIONS DE MARKETING

1. « Les distributeurs s'accaparent des marges qui augmentent inutilement les prix des produits que les consommateurs achètent. » Que penses-tu de cet énoncé ? Est-il exact ou pas ?

2. Un distributeur de la compagnie Celanese Chemicals entrepose d'importantes quantités de produits chimiques, effectue des mélanges selon les spécifications des clients et fait livraison à leurs entrepôts dans les 24 heures suivant la réception de la commande. Quels types d'utilités ce distributeur dispense-t-il ?

3. Te voilà responsable de la distribution chez un manufacturier de tapis. Le président de l'entreprise te demande d'ignorer ses grossistes habituels et de vendre directement aux magasins de détail, aux magasins à rayons et aux magasins de meubles. Quelles seraient tes réticences et quels renseignements prendrais-tu avant de donner une réponse au président ?

4. À quel type de conflit de circuit la distribution mixte peut-elle mener ? Quel type de conflit la distribution directe permet-elle généralement d'éviter ? Pourquoi ?

5. Associe les trois intensités de distribution (intensive, exclusive, sélective) aux produits suivants : *a)* produits spécialisés ; *b)* emplettes ; et *c)* produits de grande consommation. Pour chaque association, donne l'exemple d'une marque connue.

6. Le sujet d'Internet a souvent été abordé dans ce livre. Est-ce que le commerce électronique fera disparaître les intermédiaires ? Le cas d'introduction semble affirmer qu'il se développe toujours des magasins de détail, malgré l'arrivée d'Internet. Qu'en penses-tu ? Quels impacts Internet a-t-il sur les circuits de distribution ? Peux-tu définir d'autres intermédiaires dont le rôle a été changé par l'arrivée d'Internet ?

ÉTUDE DE CAS 15-1 CHÂTEAU INTERNET DANS LA MÊLÉE DES CAVISTES VIRTUELS

Lancé le 15 décembre 1999, Château Internet se présente comme un site de spécialistes en vins dans un secteur aujourd'hui dominé par des hommes de marketing. Au départ, le site proposait environ 500 vins de plusieurs origines et assurait le paiement sécurisé. Le stock se composait alors d'environ 2 500 bouteilles. Guillaume du Foussat, initiateur du projet, était conscient d'intervenir sur un marché déjà fort encombré (Chateauonline, 1855, Vinternet, Rouge & Blanc, etc.). Il s'est attaché les services de Stéphane Berthet, ancien caviste de la région de Saint-Émilion, pour sélectionner des vins et proposer, pour chaque cru, une fiche détaillée guidant l'acheteur novice.

Château Internet fait figure de Petit Poucet à côté des puissants cavistes. Pourtant, ce site a dégagé un bénéfice en 2001. Le nombre de commandes est restreint : « Nous enregistrons environ 50 commandes par mois que nous traitons et expédions nous-mêmes, dans toute l'Europe, par la poste », explique le président-directeur général de Château Internet. Mais la valeur du panier moyen est relativement élevée, puisqu'elle oscille entre 610 et 762 euros. Aujourd'hui, le site propose environ 1 500 produits comprenant des vins de viticulteurs de différentes régions de France, des grands crus et des vins rares. Ce qui explique la forte valeur du panier moyen. « Une grosse partie de notre chiffre d'affaires provient également de la vente de primeurs », explique Guillaume du Foussat. Le site a été l'un des tout premiers, dès sa création en 1999, à proposer un système de réservation de vins primeurs.

En 2002, Château Internet prévoyait une croissance d'environ 50 % de son chiffre d'affaires. En 2001, de 30 à 35 % des commandes ont été générées par des clients étrangers, alors que le site n'existe qu'en français et qu'aucune publicité n'est faite au niveau international. Les ventes aux entreprises se limitent à la période très forte de Noël. En 2001, les ventes aux entreprises durant cette période ont représenté 20 % du chiffre d'affaires de la société.

LE SECTEUR DES VINS ET SES CIRCUITS DE DISTRIBUTION

Actuellement, le secteur des vins connaît d'intéressants changements. Les ventes, qui étaient à la baisse depuis 1984, se sont accrues ces dernières années. On avait attribué cette baisse à des modifications démographiques de la clientèle, à des changements d'habitudes de consommation et à l'incertitude de l'économie. On croit maintenant que le regain d'intérêt s'explique en partie par la publicité qui s'est faite autour du lien qui existerait entre le vin rouge et une bonne santé. La progression du secteur a aussi été favorisée par l'augmentation considérable du prix du vin, résultant de la rareté des bons produits importés, de la variation des taux de change et de l'apparition du phylloxéra, un parasite qui s'attaque à la vigne. De plus, plusieurs viticulteurs ont décidé de changer l'image du produit. Ils veulent que les consommateurs cessent de considérer le vin comme une boisson réservée aux grandes occasions ou à la gastronomie et qu'ils en consomment couramment.

Le secteur doit par ailleurs réorganiser sa distribution. En effet, le grand nombre de producteurs et la diversité des consommateurs nécessitent un réseau de distribution complexe. En combinant différents types d'intermédiaires, le secteur arrive à satisfaire les exigences de nombreux consommateurs. De plus, comme la vente du vin est réglementée, les circuits de distribution multiples facilitent la vente des vins en plusieurs endroits.

Le type de circuit le plus commun fonctionne de la façon suivante : les distributeurs achètent le vin directement aux viticulteurs et le revendent aux magasins de détail et aux restaurants de son territoire. Certains distributeurs, toutefois, achètent plusieurs marques à un exploitant d'un entrepôt. En effet, les quantités dont ces distributeurs ont besoin sont trop minimes pour qu'ils les achètent directement du producteur. Une courtière ou un courtier faciliterait les ventes en transmettant de l'information aux distributeurs, en formant leur force de vente et même en faisant de la vente auprès des détaillants. John Drady, courtier chez Creston Vineyards, explique : « Il est très important pour nous de transmettre nos connaissances et nos habiletés de vente au personnel de vente du distributeur pour qu'il vende ensuite plus volontiers. »

Certaines entreprises du secteur utilisent également d'autres circuits. Sur certains marchés, par exemple, on peut vendre directement aux consommateurs ou encore directement à certains gros détaillants. Les clubs de spécialistes des vins forment un autre circuit de distribution. Les participants peuvent obtenir des renseignements sur les vins. Ces clubs, toujours plus populaires, représentent une part de plus en plus importante du marché. Enfin, le plus récent type de circuit de distribution utilisé dans l'industrie est le service en ligne. Certaines entreprises ont maintenant leur site sur le Web : on peut y trouver de la documentation sur les vins offerts, commander ceux que l'on désire et se les faire livrer.

LES GRANDES QUESTIONS

Dans un secteur comptant des milliers de produits et des centaines de producteurs, Château Internet est relativement nouvelle et petite. Il lui faut donc bien choisir ses circuits de distribution et leur mode de gestion, de façon à répondre le mieux possible aux besoins des nombreux intervenants. Le soutien en marketing, le transport, l'entreposage et le crédit ne sont que quelques-unes des fonctions que les exploitants d'entrepôts, les courtiers, les distributeurs et les détaillants doivent assurer pour acheminer le produit des viticulteurs aux consommateurs.

L'entreprise doit évaluer si les circuits de distribution choisis sont les plus efficaces. Est-ce que la vente directe, aux club d'œnologie et par les services en ligne, permettra à Château Internet d'augmenter substantiellement ses ventes ? D'autres circuits ou de nouvelles versions des circuits existants apparaîtront-ils dans un proche avenir ? Est-ce que ses circuits de distribution lui permettront de fournir de la valeur à tous ses clients, qu'il s'agisse d'hôtels, de restaurants ou de simples particuliers ?

Pour plus d'informations au sujet de Journal du Net, rends-toi à l'adresse suivante : www.dlcmcgrawhill.ca.

Questions

1. Quelles fonctions les intermédiaires remplissent-ils dans l'industrie du vin ?
2. Quels intermédiaires et circuits de distribution Château Internet utilise-t-elle actuellement ?
3. Explique comment les divers circuits de distribution touchent les différents segments de consommateurs. Existe-t-il des segments que les circuits de distribution actuels de Château Internet ne permettent pas d'atteindre ?

La chaîne d'approvisionnement
La gestion de la logistique au XXIe siècle

CHAPITRE 16

LA GESTION INTÉGRÉE PRODUCTION-DISTRIBUTION ET LA GESTION LOGISTIQUE

16

APRÈS AVOIR LU CE CHAPITRE, TU SERAS EN MESURE

- d'expliquer en quoi consistent la gestion intégrée production-distribution, la gestion logistique et leurs interactions avec le marketing mix ;
- de comprendre la nature des échanges logistiques entre le transport, les stocks et diverses fonctions logistiques ;
- d'expliquer comment les gestionnaires évaluent différents coûts de logistique se rapportant au service à la clientèle afin d'arrêter une décision logistique ;
- de voir en quoi la part du service à la clientèle entrant dans une décision logistique contribue à l'ajout d'une valeur-client ainsi qu'à la réussite des programmes marketing ;
- de connaître les principales fonctions logistiques du transport, de l'entreposage et de la manutention du matériel, du traitement des commandes et de la gestion des stocks, de même que le rôle naissant des fournisseurs externes de soutien logistique.

AÏE ! MÊME LES PLUS GRANDS PEUVENT MORDRE LA POUSSIÈRE

Les grandes sociétés ne sont pas à l'abri des coups du sort. Voyez, par exemple, ce qui s'est produit chez Boeing, Hewlett-Packard et Procter & Gamble. Chacun de ces chefs de file a mordu la poussière à un moment ou l'autre de son existence en raison d'un ou de plusieurs produits.

Comment expliquer ces déconvenues, ces insuccès ? Pourquoi causent-elles tant de dégâts ? Une déconvenue survient lorsque l'entreprise dispose de trop ou de trop peu de stock pour satisfaire les besoins de la clientèle, lorsqu'elle ne respecte pas son calendrier de production. Il y a déconvenue lorsque le service de transport ou de livraison de l'entreprise est inopérant en raison d'une erreur de communication avec les fournisseurs de matériaux, les fabricants et les revendeurs de biens de consommation et industriels. La déconvenue se traduit par un piètre service à la clientèle, et par une perte de recettes et de bénéfice.

Fournisseurs, fabricants et revendeurs savent que, pour échapper à une déconvenue, ils doivent concentrer leur attention sur la technologie et sur la coordination des activités. La technologie et la coordination des activités leur permettront d'assurer la circulation physique et la transformation des biens entre le moment où ils sont à l'état de matières premières et celui où ils parviennent aux consommateurs, ou à l'industriel. Tous savent aussi qu'ils limitent les dégâts en transmettant une information précise et opportune. Une communication bien réglée profite autant à la clientèle qu'à l'entreprise[1].

Nous pénétrons ici dans une sphère d'activités sans gloire, mais indispensables : la gestion intégrée production-distribution et la gestion logistique. L'équation se résume simplement : il est inutile d'élaborer d'ingénieux programmes marketing pour commercialiser des produits haut de gamme s'ils ne sont pas disponibles en temps opportun, à l'endroit voulu et sous la forme ou l'état souhaités par les consommateurs. La difficulté est d'assurer en permanence la continuité de l'approvisionnement sous une forme voulue. Dans ce chapitre, nous examinerons la part de la gestion intégrée production-distribution et la part de la gestion logistique qui intéressent le marketing. Nous verrons aussi comment une firme équilibre ses frais de distribution et l'efficacité de son service à la clientèle.

L'IMPORTANCE DE LA GESTION INTÉGRÉE PRODUCTION-DISTRIBUTION ET DE LA GESTION LOGISTIQUE

Nous parlons souvent de *distribution physique* sans nous arrêter à son importance pour le marketing. Les entreprises canadiennes consacrent chaque année des milliards de dollars au transport de matières premières et de produits finis. Elles en consacrent davantage à la manutention des matériaux, à l'entreposage, au stockage et à la tenue d'un inventaire. À l'échelle internationale, ces activités coûtent chaque année aux entreprises des centaines de milliards de dollars[2]. Dans ce chapitre, nous nous intéresserons aux méthodes de distribution physique, notamment la gestion des chaînes d'approvisionnement et du soutien logistique. Nous verrons en quoi chacun de ces éléments influe sur le marketing mix.

Les interactions entre les circuits de commercialisation, la gestion des chaînes d'approvisionnement et le soutien logistique

Nous l'avons vu au chapitre précédent, un circuit de commercialisation mise sur la logistique afin que les produits parviennent aux consommateurs et aux industriels. La **logistique** regroupe les activités visant à acheminer en quantités opportunes les produits opportuns aux endroits et au moment opportuns au coût le plus modique qui soit. La séquence de ces activités forme la **gestion logistique.** La gestion logistique consiste à *gérer efficacement la circulation* des matières premières, des produits en cours de fabrication et des produits finis en tenant compte de leurs coûts. Elle gère aussi les renseignements concernant matières premières et produits depuis leur origine jusqu'au lieu de consommation. Ces activités sont menées dans le but de satisfaire les *exigences de la clientèle*[3].

Metro Canada Logistique est l'un des premiers fournisseurs au Canada dans le domaine des services de gestion logistique connexes.

Trois éléments de cette définition méritent que l'on s'y attarde. Premièrement, la logistique traite de la *circulation* du produit. Il s'agit des décisions grâce auxquelles un produit transite depuis la source de ses matières premières jusqu'à son lieu de consommation. Deuxièmement, ces décisions doivent être efficaces en matière de *rentabilité.* S'il importe d'ajouter les coûts de la logistique, il existe une limite à ne pas franchir. Troisièmement, une firme doit resserrer ses coûts de logistique tant qu'elle peut maintenir un *service à la clientèle* correspondant aux attentes de cette dernière. Le rôle des gestionnaires consiste à s'assurer que l'entreprise répond aux attentes de sa clientèle de la façon la plus rentable qui soit. Lorsqu'on s'acquitte bien de cette tâche, les résultats peuvent s'avérer fulgurants. Procter & Gamble nous en fournit un exemple probant. Au début des années 1990, cette société a décidé de mieux répondre aux besoins de sa clientèle. Elle a obtenu la collaboration de ses fournisseurs et de ses détaillants dans le but de s'assurer que les produits parvenaient sur les tablettes en temps opportun et à moindre coût. Cet effort collectif a été couronné de succès. En effet, pendant une période de 18 mois, les revendeurs de Procter & Gamble ont enregistré des économies de 65 millions de dollars en coûts de logistique, tout en améliorant le service à la clientèle[4].

L'expérience de Procter & Gamble ne constitue pas un exemple isolé. Les entreprises reconnaissent que l'acheminement d'articles pour la consommation ou la production en temps, lieu, état et coûts opportuns tient à des circonstances indépendantes de leur volonté. Il est donc nécessaire de s'appuyer sur la collaboration, la coordination et la mise en commun de l'information entre fabricants, fournisseurs et distributeurs afin de créer un flux de produits et de services aux consommateurs. Cette façon de voir représente bien le concept de chaîne d'approvisionnement et de gestion de cette chaîne.

Une **chaîne d'approvisionnement** est formée de plusieurs firmes. Ces firmes, les unes à la suite des autres, exécutent les activités nécessaires à la fabrication et à la livraison d'un bien ou d'un service aux consommateurs ou aux industriels[5]. Les participants à cette chaîne sont différents de ceux qui composent le circuit de commercialisation. Une chaîne d'approvisionnement est formée des fournisseurs de matières premières au fabricant, des grossistes et des détaillants de produits finis proposés aux consommateurs. La **gestion intégrée production-distribution** repose sur l'intégration et l'organisation des activités de renseignement et de logistique *dans les entreprises* de la chaîne d'approvisionnement pour fabriquer et livrer des biens et des services de valeur au consommateur. La figure 16.1 illustre les interactions entre les circuits de commercialisation, la gestion logistique et la gestion intégrée production-distribution. Cette dernière mise grandement sur les technologies propres au commerce électronique. Les entreprises emploient l'informatique, le codage par code à barres (CUP), les lecteurs optiques, l'échange de données informatisé (ÉDI), l'extranet et le télévirement (transfert électronique de fonds). Ces technologies leur permettent d'exploiter et de partager des systèmes de traitement des commandes, d'indication des services de transports et de gestion des stocks.

La localisation des sources d'approvisionnement, l'assemblage et la livraison d'un nouveau véhicule : la chaîne d'approvisionnement de l'industrie automobile

Les entreprises participent toutes à une ou plusieurs chaînes d'approvisionnement. Pour l'essentiel, une chaîne d'approvisionnement est formée d'une suite de fournisseurs et de consommateurs. Chaque cliente ou chaque client devient fournisseur à son tour jusqu'à ce qu'un produit fini parvienne au consommateur. Une telle chaîne peut avoir des ramifications complexes. À la page suivante, la figure 16.2[6] illustre la chaîne d'approvisionnement simplifiée de l'industrie automobile canadienne. Le réseau de fournisseurs d'un constructeur automobile canadien compte des centaines d'entreprises. Celles-ci fournissent des matières premières telles que l'acier et le caoutchouc, des composants tels que la boîte de vitesse, les pneus, les freins et les fauteuils. Elles livrent des assemblages partiels et complexes tels que ceux assurant la liaison flexible entre le cadre de châssis et les essieux. Le constructeur automobile s'appuie grandement sur les prestations logistiques : transport, traitement des commandes, contrôle des stocks, manutention des matériaux et technologie de l'information. Cette logistique permet au constructeur de coordonner et d'agencer la circulation des matériaux et des composants qui constitueront les véhicules. Les gestionnaires d'approvisionnement forment le maillon central de cette chaîne. Ils font

FIGURE 16.1
Les interactions entre les circuits de commercialisation, la gestion logistique et la gestion intégrée production-distribution

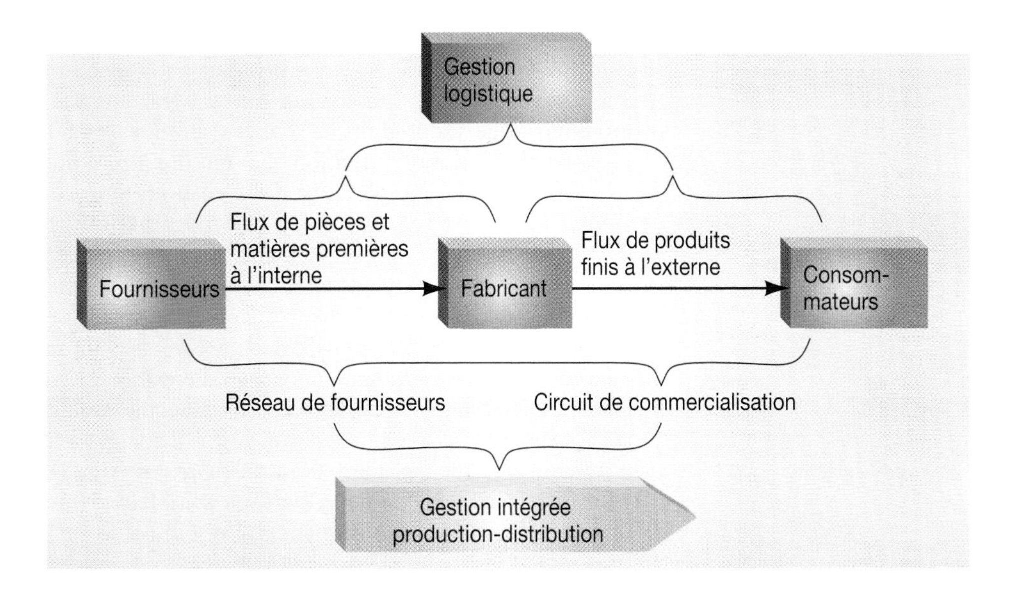

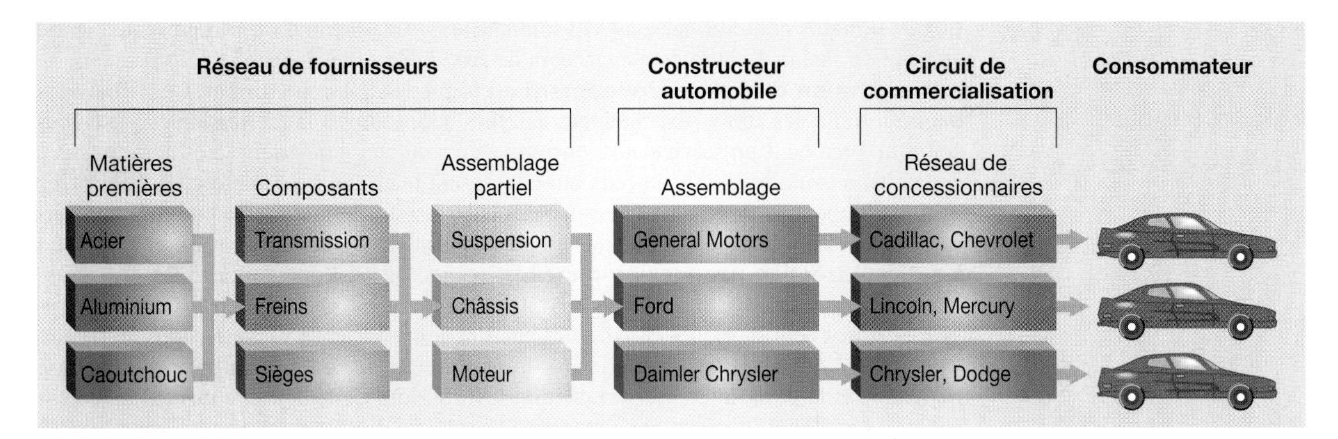

FIGURE 16.2
Le circuit de production et de distribution dans l'industrie automobile

en sorte que les exigences de la clientèle se traduisent en commandes. Ils prévoient les dates de livraison et concluent les accords financiers avec les concessionnaires. C'est une tâche énorme étant donné les préférences variées des consommateurs et les prix qu'ils consentent à payer. Si tu t'intéresses aux défis qui attendent le gestionnaire d'approvisionnement, consulte l'encadré Branchez-vous ! de la page suivante.

Les éléments logistiques du circuit de commercialisation de l'industrie automobile font partie intégrante de la chaîne d'approvisionnement. Ici, les principales responsabilités tiennent au transport. Celui-ci comprend le recours ou non à des transporteurs externes (sociétés de transport routier, aérien, ferroviaire et maritime). Le transport consiste à acheminer les véhicules et les pièces de rechange chez les concessionnaires, et à veiller à l'exploitation des centres de distribution, à la gestion des stocks de produits finis et au traitement des commandes. Le gestionnaire d'approvisionnement tient un rôle prépondérant dans le circuit de commercialisation. Par son étroite collaboration avec un large réseau de concessionnaires, il s'assure que les différents établissements disposent d'une combinaison opportune de véhicules et des pièces de rechange nécessaires à la révision et à la réparation des véhicules. Ce travail s'accomplit par le biais d'un intranet ou d'un extranet. Ces réseaux assureront le lien entre tous les participants de la chaîne d'approvisionnement de l'industrie automobile. Combien coûte un tel soutien logistique ? On estime que les coûts de logistique varient entre 25 % et 30 % du prix de détail d'un véhicule neuf.

Pour plus d'informations au sujet de Compaq, rends-toi à l'adresse suivante : www.dlcmcgrawhill.ca

La gestion intégrée production-distribution et la stratégie marketing

L'importance de l'interaction entre le marketing et la gestion intégrée production-distribution peut être mise en lumière à partir de ton expérience de consommatrice ou de consommateur. Songe à ta déception lorsque tu accours à une boutique annonçant un solde pour apprendre que l'article convoité est en rupture de stock (épuisement de stock) ou a été perdu pendant le transport. Imagine la réaction d'un fabricant d'ordinateurs tel que Compaq lorsqu'il apprend, après avoir investi des sommes considérables en promotion, que ses produits ne sont pas sur les rayons. En résumé, une mauvaise gestion intégrée production-distribution peut réduire à zéro une excellente stratégie marketing. Afin de souligner l'importance de la gestion intégrée production-distribution dans la sphère du marketing, envisage les répercussions que pourrait avoir une chaîne d'approvisionnement sur les éléments du marketing mix (les facteurs liés au produit, au prix, à la communication [promotion] et à la distribution [place]).

Les facteurs liés au produit Les caractéristiques physiques d'un produit, et les matières premières qui le composent, détermineront souvent son mode de transport, sa durée de stockage et le nombre d'emplacements où on le met en vente. La nature périssable du produit compte parmi ses principales caractéristiques physiques, car elle a d'importantes répercussions sur sa *durée de vie*. Ainsi, la distribution de denrées fraîches repose sur la ponctualité de la livraison et un faible volume d'approvisionnement afin de minimiser les pertes. Les aliments à consommer avant une date déterminée doivent être frais lorsqu'ils parviennent aux commerces et ne pas se gâter pendant l'entreposage. On

Un cauchemar de gestion intégrée de la production et de la distribution : faire en sorte que ces produits jumelés atterrissent sur les tablettes des détaillants tout en équilibrant soutien logistique et avantages commerciaux avec les coûts

doit parfois les stocker en atmosphère réfrigérée et les acheminer à bord de véhicules réfrigérants. D'autres produits conservent leur fraîcheur durant une très brève période, par exemple, les fleurs coupées, les fruits de mer ou encore les journaux. Il faut donc les transporter rapidement, souvent par fret aérien, et parfois ils ne peuvent être distribués qu'à l'échelle régionale.

L'emballage d'un produit constitue l'un des plus importants liens entre ses caractéristiques physiques et la logistique. D'un côté, le spécialiste du marketing considère l'emballage comme un important élément promotionnel sur le lieu de vente. De l'autre, de nombreuses considérations logistiques pèseront sur l'emballage. L'emballage protecteur réduira-t-il la densité des produits, de sorte qu'on peut en charger moins à bord des camions ou dans l'entrepôt ? Dans l'affirmative, les coûts de logistique augmenteront. En raison de son conditionnement, faudra-t-il ranger le produit dans une boîte ou dans un contenant extérieur ? Le cas échéant, on doit prévoir une autre manutention chez les détaillants pour préparer le produit à la vente. L'encadré Question d'éthique, à la page suivante, montre comment les caractéristiques de l'emballage peuvent compliquer la manutention, l'empilage, le remplissage ou la mise au rebut des emballages. Ici encore, les coûts de logistique seront à la hausse[7].

Les facteurs liés au prix Les interactions sont nombreuses entre la fixation des prix et la gestion intégrée production-distribution. Comme nous l'avons vu au chapitre 14 lorsque nous avons parlé du redressement des prix selon les régions géographiques, les coûts de transport incombent à ceux qui achètent lorsque le prix est indiqué prix initial FAB et d'expédition. Les coûts de logistique entreront aussi dans le calcul des remises

BRANCHEZ-VOUS !

Avec Saturn, faites comme bon vous semble!

Les gestionnaires de la production et de la distribution font en sorte que les produits pertinents parviennent en temps et lieux opportuns aux consommateurs à des prix convenant à leur bourse. Dans l'industrie automobile, cette tâche est complexe à cause du nombre élevé d'options que l'on peut ajouter aux modèles de base.

Tu peux consulter la liste de prix, assembler ton propre modèle, obtenir aussitôt le prix de détail suggéré par le fabricant. Tu peux le comparer le prix de *ta* Saturn avec celui de tes camarades.

Cette tâche, simple dans ton cas, est considérable pour les gestionnaires en approvisionnement chez Saturn. Tu l'ignores peut-être, mais un véhicule de cette marque compte quelque 3000 versions avec les accessoires que les concessionnaires peuvent proposer. Le concessionnaire doit disposer de ces accessoires et pouvoir les installer au moment où la clientèle souhaite prendre livraison des véhicules.

Pour plus d'informations au sujet de Saturn, rends-toi à l'adresse suivante : www.dlcmcgrawhill.ca.

quantitatives. En général, la structure des frais de transport prévoit que le transporteur accorde une remise quantitative, de sorte qu'il en coûte moins d'expédier de grandes quantités.

Les facteurs promotionnels Les facteurs promotionnels jouent sur la logistique en matière de publicité, de promotion des ventes et de vente personnelle. On doit planifier et coordonner les campagnes publicitaires et promotionnelles à l'aide du système logistique pour assurer la disponibilité d'un produit en temps opportun. General Motors a constaté que sa clientèle désirant acheter un modèle Cadillac était découragée par les huit semaines de délai. Au lieu de patienter, 11 % des personnes préféraient acheter un modèle concurrent. Cadillac cherche à accroître sa réceptivité aux besoins de la clientèle. Elle souhaite se démarquer de ses concurrents en se donnant pour objectif de livrer sans tarder des modèles configurés selon les indications les plus courantes. Cadillac voudrait tenir un délai de 24 heures lorsque le concessionnaire ne dispose pas d'un modèle. Lorsque les exigences de la clientèle sont plus pointues, le constructeur prend les commandes, assemble les véhicules selon les options choisies et les livre en trois semaines[8]. La distribution doit donc être synchronisée pour assurer le traitement efficace des commandes.

Les facteurs liés à la distribution Le Service de logistique doit faire en sorte que le produit opportun parvienne au bon endroit sous une forme utilisable. Il faut que l'entreprise tienne compte des facteurs logistiques lorsqu'elle décide du lieu d'implantation de ses usines ou de ses centres de distribution par rapport aux marchés. Ces décisions doivent considérer les frais de transport si le produit parcourt de longues distances et subit un long entreposage.

La maîtrise de la logistique peut ouvrir la porte des principaux points de vente. La guerre des chaussures de sport oppose Nike à Reebok. Toutes deux se battent pour s'approprier deux grands segments de marché : les adolescents et la génération X. Ces consommateurs consentent à débourser 90 $ et plus pour une paire de chaussures de sport. Ils forment l'essentiel de la clientèle de la chaîne Foot Locker. Nike a récemment remporté une manche chez Foot Locker. En conséquence, Reebok doit restructurer, entre autres, son système de repérage des données. Elle doit aussi régler ses problèmes de distribution, sinon Foot Locker réduira la mise en rayon des produits Reebok[9].

LE FONDEMENT MORAL

QUESTION D'ÉTHIQUE

Le coût social de l'emballage

Des spécialistes estiment que les systèmes logistiques de nombreuses firmes reposent inutilement sur l'emballage des marchandises. Sans doute, les matériaux servant à l'emballage permettent-ils de faire appel à des modes de transport moins dispendieux ou à des entrepôts de stockage moins perfectionnés. Ces avantages sont toutefois souvent annulés quand on tient compte du prix payé par la société dans son ensemble. Que devrions-nous faire du suremballage de nombreux produits ? Dans plusieurs cas, l'évacuation des matériaux d'emballage qui emplissent vite les sites d'enfouissement s'avère difficile. De plus, le recyclage des matières constitue un enjeu complexe qui comporte ses propres coûts et ses avantages. À titre d'exemple, Procter & Gamble a lancé son assouplisseur Ultra Downy dans un contenant entièrement composé de matières plastiques recyclées. Toutefois, le plan marketing prévoit un nouveau contenant de couleur dont le recyclage se révèle difficile.

Quels sont les avantages et les inconvénients d'une pareille tendance pour la société ? Que pourraient faire les collectivités afin de contrer le suremballage ? À l'échelle mondiale, quelles sont les responsabilités des citoyens à cet égard ?

RÉVISION DES CONCEPTS

1. Quelle est la principale différence entre un circuit de commercialisation et une chaîne d'approvisionnement ?
2. Quelles sont les interactions entre la logistique et l'élément produit du marketing mix ?

L'OBJECTIF DE LA GESTION LOGISTIQUE AU SEIN D'UNE CHAÎNE D'APPROVISIONNEMENT

Au sein d'une chaîne d'approvisionnement, la gestion logistique a pour objectif de minimiser les frais liés à l'approvisionnement et d'offrir un service à la clientèle optimal. Pour atteindre cet objectif, l'entreprise doit souvent s'entourer de logisticiens et d'experts-conseils externes. Elle doit aussi faire appel à des programmes et à des logiciels spécialisés afin de surveiller les coûts et les variables du service.

On le verra nettement en parcourant la description des coûts de logistique et du service à la clientèle qui suit.

Le coût total de la logistique

Nous retiendrons que le **coût total de la logistique** comprend les frais liés au transport, à la manutention et à l'entreposage, aux stocks, aux ruptures de stock (lorsqu'on n'a plus de marchandises à écouler) et au traitement des commandes. Parmi les coûts relatifs à la circulation des produits et participant au coût total de la logistique, on peut citer[10] :

- Le transport ;
- L'entreposage et le stockage ;
- L'emballage ;
- La manutention des matériaux ;
- Le contrôle des stocks ;
- Le traitement des commandes ;
- Le service à la clientèle ;
- L'emplacement de l'usine et de l'entrepôt ;
- La manutention des marchandises de retour.

Comme plusieurs de ces coûts sont interreliés, la modification de l'un entraîne des changements sur les autres. Ainsi, lorsqu'une firme tente de réduire ses frais de transport en expédiant de plus grandes quantités, elle voit son niveau de stock augmenter. Un niveau de stock élevé fait croître les frais de gestion, mais réduit les risques de rupture. En conséquence, avant tout changement, il importe d'étudier ses répercussions sur tous les éléments de la logistique.

La figure 16.3 schématise cette équation. Très souvent, la stratégie d'une chaîne d'approvisionnement s'articule autour de plusieurs entrepôts. Ceux-ci recevront de grandes quantités de stock que l'on redistribue par la suite en quantités moindres à la clientèle de la région. Une multiplication du nombre d'entrepôts a pour effet d'augmenter les frais de gestion des stocks, mais de diminuer ceux du transport. En d'autres termes, on entrepose davantage de marchandises, mais on les transporte en quantité répondant aux besoins de la clientèle. Comme l'illustre la figure 16.3, les 10 entrepôts dont la firme dispose ont pour effet de réduire le total des coûts du soutien logistique. La courbe du coût total est donc minimale à un point où ni les coûts ni le nombre d'entrepôts ne sont à leur minimum. Alors que, dans son ensemble, le système présente une valeur optimale.

L'étude du coût total du soutien logistique de National Semiconductor a eu des conséquences spectaculaires pour ce fabricant de microcircuits. En l'espace de deux ans, son délai de livraison habituel a diminué de 47 %, ses frais de distribution ont fondu de 2,5 %

FIGURE 16.3
Les écarts de coûts du soutien logistique en fonction du nombre d'entrepôts

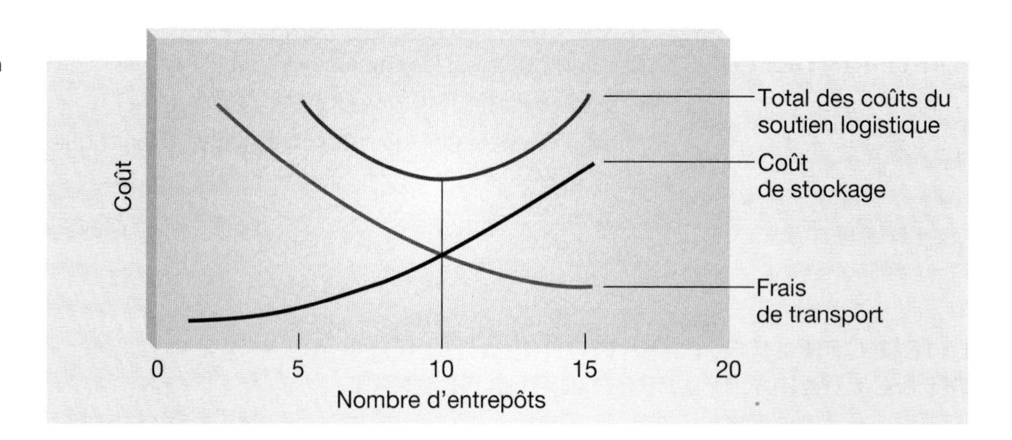

et son chiffre d'affaires a augmenté de 34 %. Ces changements sont survenus après que National Semiconductor a fermé six entrepôts à l'échelle internationale et qu'elle a expédié ses microcircuits à partir de son vaste centre de distribution de Singapour. National Semiconductor n'envoie ses commandes qu'à partir d'un seul endroit, bien qu'elle compte six usines dans le monde. Plusieurs de ses modèles n'étant pas rentables, la firme a réduit de 45 % le nombre de ses produits. Cette décision a entraîné la simplification de son soutien logistique et la hausse de ses bénéfices[11].

Le service à la clientèle

Si nous reprenons l'analogie entre une chaîne d'approvisionnement et la *circulation d'un courant,* alors sa *destination* ou son *aboutissement* est le service offert à la clientèle. Ce service peut toutefois coûter cher. Une entreprise a constaté que les mesures prises pour faire passer de 95 % à 100 % la ponctualité de sa livraison avaient triplé le coût total de son soutien logistique. Un service de meilleure qualité suppose diverses mesures. Il pourrait s'agir, par exemple, d'éviter les ruptures en augmentant le stock, d'accélérer la vitesse de livraison et de réduire les dégâts en employant un meilleur transporteur, et de multiplier la vérification des commandes pour s'assurer de leur exactitude. Ces mesures ont toutefois un prix. Une firme cherche à offrir un service à la clientèle convenable tout en contrôlant ses coûts de logistique. Désormais, on ne perçoit plus le service à la clientèle comme un poste de dépense. On le considère plutôt comme une façon d'augmenter la satisfaction des clients et le chiffre d'affaires. Ainsi, une enquête sur le service à la clientèle commandée par 3M auprès de 18 000 personnes dans 16 pays d'Europe a fait ressortir une étonnante unanimité à propos de l'importance qu'on lui prête. Les personnes interrogées ont souligné des facteurs décisifs à leurs yeux tels que l'état des produits au moment de la réception, la ponctualité de la livraison et la résolution efficace des problèmes[12].

Dans une chaîne d'approvisionnement, on peut voir le **service à la clientèle** comme l'aptitude des logisticiens à satisfaire cette clientèle. La satisfaction passe par le délai de livraison, la fiabilité, la communication et la commodité[13]. Comme l'illustre la figure 16.4, la principale tâche des gestionnaires de chaîne d'approvisionnement consiste à trouver l'équilibre entre ces quatre éléments du service à la clientèle et les facteurs rattachés au coût total du soutien logistique.

Le délai de livraison Dans une chaîne d'approvisionnement, on parle du **délai de livraison** comme du laps de temps entre le moment où on commande un produit et celui où on le reçoit pour l'utiliser ou le mettre en vente. On parle aussi de *délai d'approvisionnement ou de réapprovisionnement.* Ce principe importe toutefois davantage aux détaillants ou aux grossistes qu'aux consommateurs. Le cycle de commandes est ponctué de divers éléments : la nécessité de passer une commande, sa transmission, son traitement, les documents relatifs à la livraison et le transport. Actuellement, les gestionnaires de chaînes d'approvisionnement cherchent à diminuer le délai de livraison. Cette démarche minimise les niveaux de stocks destinés à la clientèle. On cherche aussi à simplifier le plus possible le mode de réapprovisionnement et de réception des produits. Pour cela, on

FIGURE 16.4
Les responsables du soutien logistique tentent d'équilibrer les coûts du soutien logistique et le service à la clientèle.

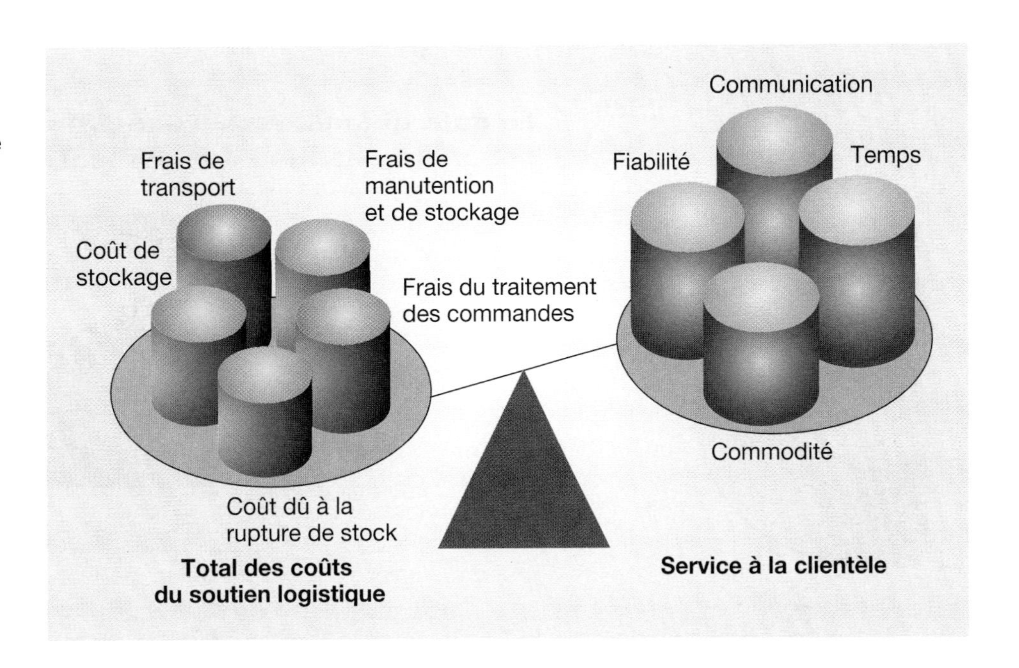

utilise des systèmes de diffusion et de stockage électroniques[14]. Ces systèmes de gestion des stocks permettent d'abréger les délais, ainsi les détaillants reçoivent plus vite la marchandise. Grâce au gain de temps, ils réduisent les investissements dans les stocks, ils améliorent le service à la clientèle et ils réduisent leurs coûts de logistique (voir l'encadré, à la page suivante)[15]. Nous étudierons plus loin le délai de livraison consacré au traitement des commandes.

La fiabilité La fiabilité désigne la constance du réapprovisionnement. Elle importe à toute firme constituant une chaîne d'approvisionnement, et au consommateur. On peut segmenter la fiabilité en trois éléments : la constance du délai de livraison, la sûreté de la livraison et la livraison complète. Un service fondé sur la constance favorise la planification (par exemple, des niveaux de stocks opportuns). Les variations créeront souvent de mauvaises surprises. Les intermédiaires acceptent mieux un délai plus long s'ils en sont prévenus et s'ils peuvent s'y préparer. L'allongement imprévu du délai peut entraîner l'arrêt d'une chaîne de fabrication. Une livraison avant la date est presque toujours source de complications dues à l'entreposage des marchandises excédentaires. La fiabilité s'avère essentielle aux stratégies du juste-à-temps que nous verrons en fin de chapitre.

La communication La communication constitue une avenue à deux voies entre l'acheteur et le vendeur. Elle sert à la surveillance du service et à la prévision des besoins. Les rapports d'étape ponctuant le réapprovisionnement offrent l'exemple d'une meilleure communication entre l'acheteur et le vendeur. Les transporteurs dotés de systèmes de communication ont amélioré la précision des renseignements en circulation, permettant ainsi aux acheteurs d'établir des calendriers de réception plus précis. Ces renseignements ont seulement une valeur corrective et ne remplacent pas la constance et la ponctualité des livraisons. En conséquence, certaines entreprises ont formé des associations avec des firmes spécialisées en soutien logistique. Ces associations institutionnalisent une circulation proactive de renseignements utiles. Ces derniers, à leur tour, améliorent la ponctualité des livraisons. Hewlett-Packard, fabricant d'imprimantes micro-systèmes, a récemment confié la gestion de l'approvisionnement de ses matières premières à une firme spécialisée en soutien logistique. Elle gère l'entreposage et coordonne la livraison des pièces de rechange. Le fabricant peut ainsi se concentrer sur sa principale activité, la mise au point d'imprimantes. Ce faisant, Hewlett-Packard estime qu'elle a réduit d'environ 10 % les frais d'exploitation de ses entrepôts[16].

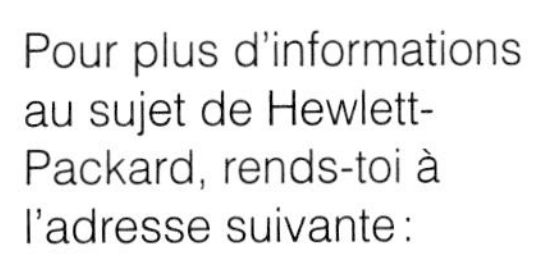

Pour plus d'informations au sujet de Hewlett-Packard, rends-toi à l'adresse suivante : www.dlcmcgrawhill.ca

TECHNOLOGIE

TENDANCES MARKETING

Le goût et la vitesse d'exécution démarquent la commercialisation des aliments et des vêtements

Les vêtements et les aliments possèdent plusieurs points communs. Citons notamment le goût qui influence leur choix et la vitesse d'exécution nécessaire à leur mise en marché. La mode exige des fournisseurs et des détaillants une faculté d'adaptation rapide aux tendances, aux couleurs et aux saisons. Les boutiques de mode doivent distinguer les articles vendeurs de ceux qui ne le sont pas afin d'éviter les réductions. Depuis le milieu des années 1990, nombre de boutiques font appel à un système de *livraison rapide* pour acheminer les articles mode dans les points de vente. Ainsi, des lecteurs optiques enregistrent les articles vendus au cours d'une journée. Lorsque le stock atteint un seuil minimal, le système renouvelle automatiquement la commande. Les fournisseurs de vêtements et d'articles de mode tels que Benetton reçoivent, par voie électronique, une commande qu'ils exécutent en 48 heures.

Les commerçants et les détaillants du secteur de l'alimentation parlent d'*efficacité continuellement renouvelée* (ECR) pour désigner leur système de réapprovisionnement. Tous les grands noms de l'agroalimentaire, dont General Mills, Del Monte, Heinz, Nestlé et Kraft Canada, font appel à l'ECR afin de minimiser les ruptures de stock dans les articles les plus demandés et le surstockage des produits peu demandés. La réduction des stocks chez les détaillants et l'efficacité du soutien logistique se traduisent en économies pour les consommateurs canadiens.

La commodité Dans l'esprit des gestionnaires d'une chaîne d'approvisionnement, la commodité signifie que les gens qui achètent doivent déployer un minimum d'efforts afin de traiter avec une vendeuse ou un vendeur. Est-il facile de passer une commande ? Les produits sont-ils offerts sur plusieurs points de vente ? Doit-on acheter de grandes quantités d'un produit ? Le personnel de vente se chargera-t-il de tous les détails pertinents, dont le transport ? Ceux qui vendent doivent veiller à supprimer tous les obstacles inutiles qui pourraient gêner le consommateur. Cet élément du service à la clientèle a donné lieu à la gestion des stocks par les fournisseurs, question abordée plus loin dans ce chapitre.

Les normes du service à la clientèle

En général, l'entreprise exploitant efficacement une chaîne d'approvisionnement rédige ses normes relatives au service à la clientèle. Les objectifs à atteindre serviront de repères pour mesurer les résultats et assurer un contrôle. Afin d'élaborer ces normes, l'entreprise recueille de l'information concernant les besoins de la clientèle. Elle doit aussi connaître l'offre des concurrents et savoir si les consommateurs consentent à débourser davantage pour profiter d'un meilleur service. Lorsque l'entreprise a répondu à ces questions, elle définit des normes réalistes et met en place un programme de surveillance continue. Note que les exemples présentés au tableau 16.1 indiquent que les normes du service à la clientèle varient selon le type d'entreprise.

TABLEAU 16.1
Exemples de normes de service à la clientèle

TYPES D'ENTREPRISES	NORMES DE SERVICE À LA CLIENTÈLE
Grossiste	Exécution précise d'au moins 98 % des commandes
Fabricant	Délai de commande n'excédant pas cinq jours
Détaillant	Retours acceptés dans un délai de 30 jours
Transporteur aérien	Un minimum de 90 % des arrivées à l'heure prévue
Transport par camion	Un maximum annuel de 5 % de pertes et avaries (dommages)
Restaurant	Repas servi dans un délai de cinq minutes après la commande

RÉVISION DES CONCEPTS

1. Vers quelle stratégie se replie désormais l'entreprise qui souhaite comprimer les coûts du soutien logistique tout en offrant un bon service à la clientèle?
2. En quoi les principaux éléments du service à la clientèle sont-ils différents pour un fabricant ou pour un détaillant?
3. Quelle est l'interaction entre les frais de transport et le volume des marchandises transportées? Quelle est son incidence sur la fixation des prix de ces mêmes marchandises?

LES PRINCIPALES FONCTIONS LOGISTIQUES D'UNE CHAÎNE D'APPROVISIONNEMENT

Pour plus d'informations au sujet de FedEx, rends-toi à l'adresse suivante : www.dlcmcgrawhill.ca

Le transport, l'entreposage et la manutention, le traitement des commandes et la gestion des stocks constituent les quatre principales fonctions logistiques d'une chaîne d'approvisionnement. Ces fonctions sont si complexes que de nombreuses entreprises les confient désormais à des fournisseurs externes de soutien logistique. Un **fournisseur externe de soutien logistique** effectue l'ensemble ou la plupart des fonctions logistiques qui sont habituellement exécutées par les fabricants, les fournisseurs et les distributeurs[17]. La plupart des grands fabricants canadiens sous-traitent désormais une ou plusieurs des fonctions logistiques. UPS Worldwide Logistics et FedEx exécutent toutes deux des fonctions logistiques au nom de leur clientèle. Il en est de même pour DHL Worldwide Express. Selon Steve Lindsay, directeur général de cette entreprise dans la région d'Ottawa-Gatineau, « l'introduction de votre entreprise à un fournisseur externe de soutien logistique facilite la gestion des opérations journalières de la chaîne d'approvisionnement. Cette collaboration permet aux différents professionnels d'augmenter la productivité tout en diminuant les coûts ». À titre d'exemple, UPS gère la distribution des produits nord-américains de marques FRAM, Bendix et Autolite pour le compte d'Allied Signal auprès de 10 000 clientes et clients du continent. Les services logistiques Roadway se chargent du transport des approvisionnements et des livraisons des ordinateurs Dell. Les paragraphes suivants traitent en détail de ces quatre fonctions et des fournisseurs externes de soutien logistique.

Le transport

Le transport assure la circulation des biens nécessaires à une chaîne d'approvisionnement. Il existe cinq modes élémentaires de transport. Il s'agit des lignes ferroviaires (trains), du transport routier (camions), du transport aérien (avions), du transport par pipeline et du transport maritime (bateaux). Citons également les combinaisons modales

faisant appel à deux de ces modes de transport ou plus, par exemple des remorques routières montées sur des wagons plats.

On évalue tous les modes de transport en fonction de six critères relatifs au service, soit :

- Le *coût* ou les frais de transport ;
- Le *temps* de déplacement ;
- La *capacité* réelle d'un mode de transport ;
- La *fiabilité* du service en fonction du délai, des pertes et des avaries (dommages) ;
- L'*accessibilité* ou la commodité des voies modales (par exemple la présence d'un pipeline) ;
- La *fréquence* ou l'établissement du calendrier.

Le tableau 16.2 schématise les avantages et inconvénients des cinq modes de transport.

Les lignes ferroviaires On achemine par train les marchandises lourdes et encombrantes devant parcourir de longs trajets. Parmi celles-ci, on trouve le charbon, les produits agricoles, les substances chimiques et les matières minérales non métalliques. Ces marchandises représentent la majeure partie du tonnage ferroviaire. Le train transporte de plus grandes quantités que les camions (exprimées en poids global par véhicule). Le réseau ferroviaire compte toutefois moins de ramifications. Parmi les innovations utiles, on trouve les trains blocs et les services intermodaux. Les wagons d'un *train bloc* sont chargés d'une seule et même marchandise, souvent du charbon. Ce train dessert une même région déterminée entre deux points. Bien qu'il revienne vide à son point de départ, son efficacité est telle que ce mode de transport est l'un des moins chers qui soient. Le train bloc roule selon un horaire précis. Le client peut donc compter sur la fiabilité de la livraison. Le train bloc transporte d'ordinaire des produits que l'on peut charger et décharger avec rapidité grâce à des engins automatiques.

Les sociétés ferroviaires ont étendu le concept du train bloc jusqu'au **transport intermodal.** Le transport intermodal allie différents modes de transport en tirant profit des avantages de chacun. Ce type de transport offre un service apprécié par ceux qui acheminent des produits de grande valeur habituellement transportés par camions. L'association la plus courante réunit le camion et le train. On la désigne par les expressions

TABLEAU 16.2
Les avantages et inconvénients de cinq modes de transport

MODES	AVANTAGES RELATIFS	INCONVÉNIENTS RELATIFS
Train	Rendement optimal Réseau à grande échelle Peu de frais	Fiabilité quelconque, avaries potentielles Collecte et livraison partielles Lenteur occasionnelle
Camion	Collecte et livraison intégrales Réseau à grande échelle Passablement rapide	Contraintes liées à la taille et au poids Coût plus élevé Vulnérable aux conditions météorologiques
Voie aérienne	Rapide Peu d'avaries Départs fréquents	Coût élevé Possibilités limitées
Pipeline	Peu de frais Très fiable	Accessibilité limitée Lenteur
Voie maritime	Peu de frais Nombreuses possibilités	Lenteur Réseau et horaires limités Plus vulnérable aux conditions météorologiques

rail-route et *wagon plat porte-remorques*. Le transport intermodal est aussi très courant dans l'import-export où les conteneurs remplacent les remorques. On charge les conteneurs à bord de navires, de trains et de porteurs-remorqueurs. Ainsi, pour le segment terrestre du transport international, on manœuvre les conteneurs comme des remorques. On utilise des conteneurs pour le transport international parce qu'ils tiennent moins d'espace à bord des navires transocéaniques.

Cette publicité du CN met l'accent sur l'importance du réseau et sur la fiabilité.

Le transport routier À l'opposé du secteur ferroviaire, l'industrie du transport routier compte de nombreuses petites entreprises. Plusieurs sont indépendantes et possèdent leurs propres véhicules pour transporter les produits.

La livraison porte-à-porte demeure le plus grand avantage des transporteurs routiers. Un camion peut se rendre partout où une route conduit. Grâce au matériel de roulement qui existe à présent, il peut transporter presque toutes sortes de marchandises. La taille du camion et les règlements imposés par les provinces et les États limitent la charge transportée. Les camions ont meilleure réputation que les trains en ce qui concerne les pertes et les avaries. Ils assurent un service plus rapide et plus fiable, en particulier sur de courts trajets. En conséquence, on confie aux camions le transport de marchandises de valeur supérieure, d'utilité temporaire, dont le stockage est très coûteux. Par contre, les tarifs en vigueur dans le transport routier s'avèrent de beaucoup plus élevés que dans le transport ferroviaire.

Les transporteurs aériens et les compagnies de messageries Le transport aérien coûte cher. Sa rapidité peut toutefois se traduire par des économies de stockage. Des contraintes physiques limitent la circulation de certains articles. On utilise le transport aérien pour les articles de valeur, les articles légers ou d'utilité temporaire, par exemple des fleurs fraîches, des vêtements et des composants électroniques. Ce mode de transport est très indiqué pour les produits expédiés en conteneurs. Des entreprises spécialisées assurent la collecte et la livraison des marchandises par voie terrestre entre l'expéditeur et l'aérogare. Lorsqu'une grande compagnie aérienne se charge du transport, les marchandises sont en général stockées à l'intérieur de la soute à bagages à bord des vols passagers. Ainsi, le transporteur aérien peut rentabiliser de l'espace de chargement qui resterait inemployé.

Les groupeurs de marchandises Les **groupeurs de marchandises** accumulent de modestes envois jusqu'à constituer un chargement important. Ils en confient ensuite le déplacement à un transporteur, moyennant, d'ordinaire, un tarif réduit. Rappelle-toi que les sociétés de transport consentent des réductions tarifaires sur les quantités élevées. Les groupeurs récoltent les petits colis devant parvenir à une même destination. Ils versent au transporteur le tarif le plus avantageux, car il s'agit d'une grande quantité. On fait donc en sorte que les lots de marchandises atteignent le volume nécessaire au chargement d'un plein camion. Sans l'intervention des groupeurs, les volumes et le poids seraient insuffisants pour profiter du tarif d'envoi par camion complet. Le tarif facturé par le groupeur à chaque expéditeur est quelque peu inférieur à celui des petites quantités. La différence entre les deux constitue la marge bénéficiaire. En général, on profite d'un meilleur service d'expédition à moindre coût. Il existe des groupeurs pour tous les modes de transport. Les entreprises se spécialisent souvent dans un mode particulier, le fret aérien par exemple. Le groupeur de marchandises international occupe une place importante dans les échanges commerciaux fondés sur l'importation et l'exportation.

Le groupeur est un spécialiste du mouvement de marchandises privilégiant un mode de transport particulier. Les compagnies aériennes cèdent parfois en sous-traitance leurs excédents d'espace de chargement à des *groupeurs de marchandises* ou à des *compagnies de messageries* qui proposent leurs services au grand public. Là où la demande est présente, les grandes compagnies aériennes ont mis en place leurs propres services de fret, souvent pour des destinations internationales.

L'entreposage et la manutention des matériaux

On classe les entrepôts en deux catégories : l'entrepôt d'emmagasinage et le centre de distribution. L'*entrepôt d'emmagasinage* sert à remiser les biens pendant quelque temps, pour que s'opère leur vieillissement ou simplement pour ranger des biens ménagers. Par contre, le *centre de distribution* consiste en installations situées à proximité des clients pour faciliter le mouvement des produits. Il s'agit d'éléments essentiels à la chaîne d'approvisionnement. Celle-ci représente le deuxième poste de dépense après le transport.

Grâce aux centres de distribution, l'entreprise peut décentraliser l'entreposage de ses marchandises. Elle peut plus facilement trier et consolider les produits en provenance de différentes usines ou de plusieurs fournisseurs. Il est aussi possible de procéder à quelques transformations physiques dans un centre de distribution. Citons, par exemple, le mélange de certains ingrédients, l'étiquetage et le remballage. Des fabricants de peinture tels que Sherwin-Williams et Benjamin Moore réalisent ces opérations. Le centre de distribution peut aussi servir de bureau de représentation à un fabricant et de centre de traitement des commandes.

La **manutention des matériaux** consiste à faire circuler les biens sur de courtes distances entre les usines de fabrication et les entrepôts. Elle constitue une activité primordiale de l'exploitation d'un entrepôt. Les frais de main-d'œuvre élevés et un fort taux de pertes et d'avaries sont les deux principales difficultés de l'exploitant. À chaque manipulation, on s'expose à un risque de perte ou d'avarie. En général, l'équipement de manutention se compose de chariots élévateurs à fourche, de grues et de convoyeurs.

Équipement Johnston est la seule entreprise à fabriquer de l'équipement de manutention au Canada.

Depuis peu, la manutention des matériaux s'est automatisée. On fait maintenant appel à l'informatique et à des robots afin de réduire les coûts liés au remisage, au déplacement et à la tenue de l'inventaire.

Le traitement des commandes

Le traitement d'une commande s'échelonne sur plusieurs étapes. La moindre erreur en cours de route risque d'occasionner des inconvénients aux consommateurs. Le procédé débute avec la transmission de la commande. Elle peut se réaliser de plusieurs manières, notamment par Internet, par intranet ou par ÉDI. On enregistre ensuite la commande dans les bases de données pertinentes et on achemine l'information aux personnes concernées. À titre d'exemple, un bon de commande parvient à un entrepôt régional. Après vérification des stocks, une nouvelle commande auprès du fabricant ou une demande d'approvisionnement à un fournisseur sont peut-être nécessaires. Quand l'article est en rupture de stock, on passe une commande. On doit suivre la trace de cette portion de la commande originale pour savoir où en sont les choses. De plus, on doit parfois vérifier le crédit des clients. Ensuite, il faut réunir tous les documents relatifs à la commande, veiller aux préparatifs du transport et émettre une confirmation de la commande. En général, on évalue le système de traitement des commandes en fonction de sa rapidité et de sa précision.

Dans les grandes entreprises, l'informatique remplace le traitement manuel des commandes[18]. Ainsi, IBM prévoit de négocier par voie électronique avec l'ensemble de ses fournisseurs, soit par Internet, soit par ÉDI. La société Kiwi Brands, fabricant des cirages à chaussures Kiwi, des produits Endust et Beehold, reçoit 75 % des bons de commande des détaillants par ÉDI. Elle a mis en place un ÉDI pour ses activités financières. L'ÉDI envoie les factures aux détaillants et reçoit les ordres de paiement et les avis de remise, ainsi que les paiements par télévirement. Les expéditeurs sont aussi branchés au système, de sorte que Kiwi reçoit par courriel leurs rapports d'expédition.

La gestion des stocks

La gestion des stocks constitue l'une des responsabilités primordiales des gestionnaires de chaîne d'approvisionnement. La plus grande difficulté réside dans l'équilibre à trouver entre trop et trop peu de marchandises. Une quantité insuffisante de marchandises se traduit par un mauvais service, des ruptures de stock, le changement de marque et une diminution de la part détenue dans le marché. Un surplus de marchandises entraîne une hausse des coûts en raison de l'argent dormant dans l'entrepôt et le risque qu'elles deviennent périmées. Rappelle-toi la déconvenue dont nous avons parlé en début de chapitre.

Avec un peu d'imagination, il est possible de réaliser des économies au fil d'une chaîne d'approvisionnement. À titre d'exemple, IBM ferme progressivement ses entrepôts de pièces de rechange. En effet, le service de livraison en 24 heures de Federal

La manutention des matériaux est désormais automatisée.

Express (voir l'encadré, à la page suivante) est en mesure de répertorier les pièces d'IBM à ses points de transbordement (points où se fait le transfert des marchandises entre deux transporteurs) et de les livrer rapidement aux clients du géant de l'informatique[19].

Les raisons d'être de l'inventaire On tient un inventaire pour plusieurs raisons: 1) pour amortir les fluctuations entre l'offre et la demande naissant de l'incertitude des prévisions de la demande; 2) pour offrir un meilleur service à la clientèle souhaitant être servie sur-le-champ; 3) pour favoriser les économies de production; 4) pour se protéger des hausses de prix des fournisseurs; 5) pour bénéficier d'un escompte sur les achats et sur le transport; et 6) pour protéger l'entreprise des éventualités telles que les grèves et les pénuries.

Les frais de stockage Il est souvent compliqué de déceler les frais précisément liés au stockage. On peut difficilement les chiffrer, car ils sont répartis entre plusieurs secteurs de l'entreprise. Voici quelques types de frais associés au stockage des marchandises:

- *Le coût des investissements* Le coût de l'immobilisation du capital dans les stocks (plutôt que de l'employer à des fins plus rentables). Le coût des investissements est lié aux taux d'intérêt;
- *Le coût lié au service* Il s'agit de postes de dépense tels que les assurances et les taxes en vigueur dans les provinces;
- *Les frais d'entreposage* L'espace occupé par les marchandises et les frais de manutention;
- *Le coût du risque* Les pertes, les avaries, le gaspillage, la nature périssable et la dépréciation.

Les frais d'entreposage, le coût du risque et quelques coûts liés au service varient selon les caractéristiques de l'article conservé en stock. Ainsi, le coût du risque des produits périssables ou saisonniers s'avère beaucoup plus élevé que celui d'un produit d'utilisation courante comme le bois de sciage. Le coût des investissements est toujours présent. Il est proportionnel à la *valeur* de l'article et aux taux d'intérêt en cours. Les frais de stockage varient selon les circonstances et oscillent entre 10 % et 35 %.

Les stratégies de stockage au sein d'une chaîne d'approvisionnement Au cours de la décennie précédente, une entreprise se protégeait de l'incertitude en tenant un stock de réserve dans chacun de ses établissements de fabrication et de stockage. Toutefois, ce système d'approvisionnement conventionnel demandait un niveau de stocks inutilement élevé. À présent, on se fie au système de **gestion juste-à-temps** qui nécessite peu de stocks, mais exige une livraison rapide. Lorsqu'on manque de pièces à l'usine de fabrication, les fournisseurs les expédient au moment opportun, c'est-à-dire ni avant ni après qu'elles ne soient utiles. On fait appel à ce système de gestion lorsque l'on peut se fier à la prévision de la demande, par exemple pour approvisionner la chaîne de montage d'automobiles. Il ne convient toutefois pas aux articles que l'on entrepose pendant de longues périodes.

Saturn fait appel à un impressionnant système de livraison juste-à-temps. Un ordinateur central organise les camions pour livrer des pièces inspectées à des moments précis: 21 heures sur 24, 6 jours sur 7, à l'une des 56 rampes de déchargement de l'usine. Ce système informatisé assure la coordination auprès des fournisseurs de Saturn. En effet, plusieurs sont établis à des centaines de kilomètres de la chaîne de production. Le système de livraison juste-à-temps est-il fiable chez Saturn? La réponse est résolument affirmative. La chaîne de montage n'a été interrompue qu'à une seule reprise, seulement pendant 18 minutes, parce qu'une pièce n'avait pas été livrée au bon endroit à l'heure convenue.

La gestion du système de livraison juste-à-temps en place chez Saturn a été confiée à Ryder Integrated Logistics. Les grands routiers de Ryder constituent les éléments les plus dispendieux du système. La clé du système est un disque informatique en forme de clé. Ceux qui conduisent les camions les insèrent dans un ordinateur de bord. Sur l'écran s'affichent les directives concernant les destinations, le trajet à emprunter et le temps prévu pour s'y rendre[20].

À L'ÉCHELLE MONDIALE

TENDANCES MARKETING

La messagerie Federal Express: rapidité et simplicité au service de la clientèle

Avec un travail scolaire noté C–, Frederick W. Smith n'a pas réinventé la roue. Il n'a pas attendu que la gloire sonne à sa porte. Il a plutôt prouvé qu'avec une simple innovation il sonnerait aux portes de n'importe qui.

Monsieur Smith a mis sur pied un service de livraison de colis porte-à-porte qu'il a baptisé *Federal Express*. Ce service est assuré par des avions de couleur orange, mauve et blanc. Il a axé sa publicité sur la livraison garantie en 24 heures des colis de 30 kg et moins, soit le poids qu'un individu peut porter. « Nous devions faire preuve d'une fiabilité exemplaire, explique M. Smith, puisque l'on fait souvent appel à nous pour acheminer des pièces de rechange onéreuses, des organes vitaux ou des cargaisons en urgence. »

Federal Express n'est pas une entreprise qui progresse comme une autre. Monsieur Smith a puisé quatre millions de dollars dans la *fiducie familiale* pour fonder l'entreprise. Celle-ci, rappelons-le, a accusé une *perte* de 27 millions de dollars au cours des 26 premiers mois de son exploitation.

Toutefois, M. Smith possédait une bonne idée. Il comprenait bien les rouages du service à la clientèle, il était tenace et disposait des ressources financières pour piloter son projet jusqu'au bout. Il a estimé en premier lieu qu'il lui fallait posséder des avions à

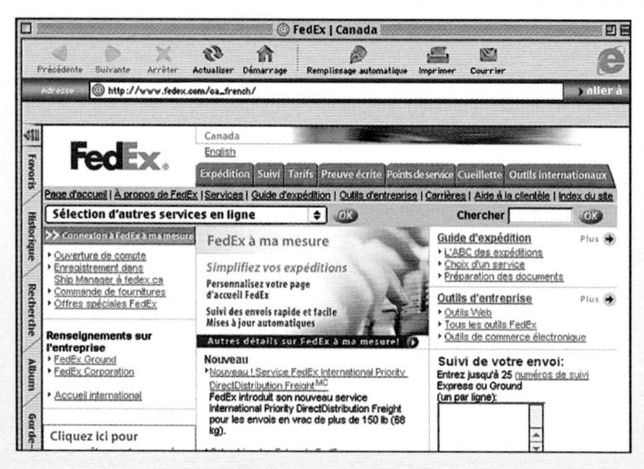

réaction afin que *tous* les colis soient collectés tôt le matin pour être acheminés à un seul centre de tri (à Memphis) et réacheminés vers leurs destinataires avant la fin de la soirée. La simplicité de ce concept a fait la réussite de l'entreprise pendant les premières années. Toujours à la recherche d'une meilleure idée, FedEx a lancé par la suite un logiciel d'expédition en versions Mac et Windows. Ce logiciel permet aux clients de signaler les collectes, d'imprimer les étiquettes d'expédition et de suivre à la trace leurs livraisons express sans téléphoner. L'entreprise profite aussi de la réduction des frais de services téléphoniques et de ramassage des colis. Elle élimine des erreurs d'écritures qui peuvent avoir des répercussions néfastes au tri des colis.

L'ÉDI, la messagerie électronique, la pression constante en vue d'abréger le renouvellement des stocks, ont transformé la façon dont négocient les fournisseurs et la clientèle d'une même chaîne d'approvisionnement. La gestion des stocks est désormais confiée aux fournisseurs. On parle d'**inventaire géré par le fournisseur.** Ce système de gestion des stocks permet au fournisseur de déterminer la quantité de produits et l'assortiment dont la clientèle (par exemple un détaillant) a besoin et de lui livrer automatiquement les articles en question[21].

Le système en place chez Campbell Soups illustre bien les rouages de ce mode de gestion[22]. La société a d'abord établi une correspondance ÉDI avec les détaillants. Chaque matin, ces derniers lui transmettent par voie électronique leurs demandes de produits Campbell et le niveau des stocks dans leurs centres de distribution. Campbell s'appuie sur ces renseignements pour établir ses prévisions relatives à la demande. Grâce à elles, on peut déterminer le renouvellement de produits précis à partir des limites minimales et optimales de stocks établies pour chaque détaillant. La marchandise quitte le point d'expédition de Campbell en après-midi et parvient aux centres de distribution des détaillants le même jour.

Grâce au système de livraison juste-à-temps en place chez Saturn, un camionneur au service de Ryder télécharge à partir d'une disquette en forme de clé les directives de livraison qu'il stocke dans son ordinateur de bord.

Pour plus d'informations au sujet de Ryder, rends-toi à l'adresse suivante : www.dlcmcgrawhill.ca

Boucler la boucle : la logistique inverse

La circulation des biens au sein d'une chaîne d'approvisionnement ne se termine pas avec les consommateurs ou les industriels. Les entreprises conviennent désormais qu'une chaîne d'approvisionnement peut fonctionner en sens inverse[23]. La **logistique inverse** concerne la récupération des matériaux recyclables et réutilisables, les retours de marchandises dans le but de les retravailler, de les réparer ou de les éliminer. La logistique inverse réduit la quantité de déchets dans les sites d'enfouissement et les frais d'exploitation des entreprises.

Eastman Kodak (pour ses appareils photo réutilisables) et Hewlett-Packard (pour ses cartouches d'encre) ont mis en œuvre des programmes de logistique inverse qui portent leurs fruits. D'autres firmes confient ce procédé à des fournisseurs externes comme elles le font pour d'autres fonctions liées à l'approvisionnement. GNB Technologies, Inc. fabrique des batteries à l'acide et au plomb pour les automobiles et les bateaux. Cette firme a confié la majeure partie de ses activités d'approvisionnement à UPS Worldwide Logistics[24]. GNB confie à UPS la gestion des expéditions entre ses usines, ses centres de distribution et de recyclage, et ses détaillants. Ce mouvement touche les batteries neuves, et les produits usagés destinés au recyclage. UPS traite également le transport routier et ferroviaire pour GNB Technologies. Cette association, doublée d'initiatives mises en place par d'autres fabricants de batteries, a été profitable sur les plans économique et écologique. En recyclant 90 % du plomb présent dans les batteries usagées, les fabricants ont réduit la demande de plomb neuf, ce qui en a fait baisser le prix à la consommation. De plus, cette mesure a permis de réduire les frais de gestion des déchets solides et d'atténuer les incidences du plomb sur l'environnement.

RÉVISION DES CONCEPTS

1. Quels sont les principaux avantages et inconvénients des différents modes de transport ?
2. Quels modes de gestion des stocks conviennent à un entrepôt d'emmagasinage et à un centre de distribution ?
3. Quelles sont les forces et les faiblesses du système de livraison juste-à-temps ?

RÉSUMÉ

1. La logistique regroupe les activités visant à acheminer en quantités opportunes les produits opportuns aux endroits et au moment opportuns au coût le plus modique qui soit. La séquence de ces activités forme la gestion logistique. La gestion logistique consiste à gérer la circulation efficace par rapport aux coûts des matières premières, des produits en cours de fabrication, des produits finis et des renseignements afférents à leur point d'origine jusqu'au point de consommation dans le but de satisfaire les exigences de la clientèle.

2. Une chaîne d'approvisionnement est formée de plusieurs firmes. Ces firmes, les unes à la suite des autres, exécutent les activités nécessaires à la fabrication et à la livraison d'un bien ou d'un service aux clients consommateurs ou industriels. La gestion intégrée production-distribution repose sur l'intégration et l'organisation des activités de renseignement et de logistique dans les entreprises de la chaîne d'approvisionnement pour fabriquer et livrer des biens et services de valeur pour le consommateur.

3. Les spécialistes du marketing qui se soucient peu de la logistique risquent beaucoup. La logistique a un lien direct sur la réussite d'un programme marketing et sur chaque élément du marketing mix.
4. Le coût total de la logistique comprend les frais afférents au transport, à la manutention et à l'entreposage, aux stocks, aux ruptures de stock et au traitement des commandes.
5. Il est peu productif de minimiser le coût total de la logistique sans établir un niveau acceptable de service à la clientèle. Les principaux facteurs du service à la clientèle relèvent de l'emplacement. Il importe aussi de satisfaire la clientèle en matière de délai de livraison, de fiabilité, de communication et de commodité.
6. Le transport, l'entreposage et la manutention, le traitement des commandes et la gestion des stocks constituent les quatre principales fonctions logistiques au sein d'une chaîne d'approvisionnement. Les fournisseurs externes de soutien logistique exécutent l'ensemble ou la plupart des fonctions logistiques qui reviennent d'ordinaire aux fabricants, aux fournisseurs et aux distributeurs.
7. Différents modes de transport, par exemple, le train, le fret aérien et les camions, présentent différents avantages pour l'expédition. Un service amélioré est souvent plus coûteux. Il peut toutefois se traduire en économies sous d'autres aspects du soutien logistique.
8. L'entreposage et la manutention facilitent le stockage et la circulation des biens. Les centres de distribution offrent une marge de manœuvre et facilitent le tri et la consolidation des produits entre différentes usines ou plusieurs fournisseurs.
9. La gestion des stocks et le traitement des commandes vont de pair dans une chaîne d'approvisionnement. Ces deux fonctions profitent à présent de la technologie propre au commerce électronique. Deux modes de gestion des stocks ont la faveur des gestionnaires de chaîne d'approvisionnement : la gestion juste à temps et la gestion des stocks confiée aux fournisseurs.
10. La logistique inverse boucle la chaîne d'approvisionnement. La logistique inverse concerne la récupération des matériaux recyclables et réutilisables, et les retours de marchandises dans le but de les retravailler, de les réparer ou de les éliminer.

MOTS CLÉS ET CONCEPTS

chaîne d'approvisionnement
coût total de la logistique
délai de livraison
fournisseur externe de soutien logistique
gestion intégrée production-distribution
gestion juste-à-temps
gestion logistique
groupeur de marchandises
inventaire géré par le fournisseur
logistique
logistique inverse
manutention des matériaux
service à la clientèle
transport intermodal

EXERCICES INTERNET

Les fournisseurs externes de soutien logistique occupent une place importante dans la chaîne d'approvisionnement. Leur nombre continue de croître à mesure que les spécialistes du marketing font appel à leurs services pour mettre en place les principales fonctions logistiques.

L'annuaire virtuel des logisticiennes et des logisticiens regroupe les divers intervenants en logistique ainsi que les cabinets conseils en gestion de chaîne d'approvisionnement. Rends-toi à ce site Web et, tout en parcourant cet annuaire, réponds aux questions suivantes :

1. Retrouve les quatre principales fonctions logistiques présentées dans ce chapitre et reclasse les entreprises de l'annuaire dans ces catégories. Quelle est l'importance de chacune ?
2. Quel pourcentage des sociétés répertoriées offre des services en dehors de l'Amérique du Nord ?

Pour plus d'informations au sujet de Logiroute, rends-toi à l'adresse suivante : www.dlcmcgrawhill.ca.

QUESTIONS DE MARKETING

1. Énumère plusieurs entreprises pour qui la logistique a peu d'importance.
2. Dresse une autre liste d'entreprises, selon qu'elles s'intéressent surtout à la logistique interne ou externe.
3. Illustre par un exemple l'impact de la logistique sur les stratégies de promotion commerciale.
4. Dans quels types d'entreprises le traitement des commandes compte-t-il parmi les facteurs primordiaux de réussite ?
5. Quels problèmes peut-on prévoir si l'on ne tient pas compte de l'importance de la logistique au sein d'une entreprise ?
6. Voici différentes entreprises qui font toutes appel à des fournisseurs de produits et de services : a) un fabricant de jus de fruits ; b) un commerce de détail spécialisé dans les vêtements ; c) un centre hospitalier ; et d) une construction de maisons. Pour ces entreprises, dresse la liste des plus importants facteurs de service à la clientèle.
7. Fournis quelques exemples où un niveau de service clientèle très élevé (disons 99 %) serait justifié.
8. Nomme le mode de transport qui convient le mieux aux produits suivants : a) les livres ; b) les fleurs coupées ; c) les viandes surgelées ; et d) le charbon. Justifie ton choix.
9. L'industrie automobile s'appuie fortement sur la méthode juste-à-temps. Décris cette méthode. Pourquoi est-elle importante dans l'automobile ? Quels autres secteurs industriels pourraient s'en inspirer ? Quels sont les points communs de tous ses secteurs ?

ÉTUDE DE CAS 16-1 NAVISTAR INTERNATIONAL

Quelle est désormais l'importance de la gestion de la chaîne d'approvisionnement et du soutien logistique dans le cadre de l'exploitation industrielle ? Pour le savoir, il suffit de poser la question aux gestionnaires de la firme Navistar dont tu peux trouver la description par l'intermédiaire de l'Association canadienne des constructeurs de véhicules. L'un des membres de cette association, construit chaque jour jusqu'à 400 camions adaptés aux besoins des clients.

Pour plus d'informations au sujet de l'Association canadienne des constructeurs de véhicules, rends-toi à l'adresse suivante : www.dlcmcgrawhill.ca.

L'ENTREPRISE

Navistar est l'un des plus grands constructeurs de poids moyens et lourds au monde. Une grande part de sa réussite est attribuable à un emploi judicieux du micromarketing. Grâce à ce dernier, on peut livrer un camion doté des caractéristiques destinées à accroître la productivité de chaque cliente ou client. Toutefois, une telle stratégie entraîne un problème, à savoir la quantité impressionnante de pièces qu'il faut avoir en stock. Afin de pouvoir préparer des camions selon des exigences personnalisées, Navistar doit stocker 80 000 pièces, dont certaines sont utilisées très peu souvent.

La réussite de Navistar tient également à la qualité supérieure de ses produits. Le service de fabrication déploie beaucoup d'efforts pour que les camions comptent très peu de défauts. Ce souci de qualité ralentit cependant le rythme de production, aussi le délai de livraison a grimpé à 100 jours. L'efficacité de la fabrication se mesure en pourcentage de livraisons conforme au délai convenu. Selon un contrôle, 40 % des camions de Navistar étaient livrés en retard.

Pour répondre aux attentes de la clientèle, il fallait abréger le délai de livraison et réduire les frais de stockage tout en fabriquant des camions de qualité répondant aux exigences des clients. Dans un souci d'équilibrer les différents besoins des services de vente, d'ingénierie et de fabrication, on a fait appel à la gestion logistique.

LA GESTION LOGISTIQUE CHEZ NAVISTAR

Devant ces enjeux, Navistar a élaboré un système de planification des matériaux nécessaires. Ce système permet de gérer l'achat de pièces et de composants auprès des nombreux fournisseurs. Navistar a également mis en place avec ses principaux fournisseurs un échange de données informatisé (ÉDI). Il achemine par voie électronique les spécifications, les devis, les bons de commande, les factures et les paiements. L'ÉDI a retiré de la circulation des millions de documents papier. Il a supprimé les erreurs et les pratiques inefficaces dues au traitement manuel de milliers de commandes. Pour terminer, Navistar a adopté un système de livraison juste-à-temps afin d'ajuster la livraison des matériaux aux exigences de la fabrication.

Ces deux systèmes ont favorisé l'intégration des nombreuses tâches complexes de la construction de camions selon les indications des clients. De plus, ces systèmes ont amélioré le service à la clientèle des concessionnaires. Ces derniers acheminent désormais leurs demandes par voie électronique et reçoivent les renseignements concernant le délai des différents composants et la date de livraison probable du camion assemblé. Dans un proche avenir, les systèmes de Navistar seront plus performants. Les détaillants auront accès à l'état des commandes, aux modifications du calendrier de livraison et à d'autres renseignements d'importance.

Navistar s'est fixé de grands défis logistiques. En premier lieu, elle souhaite que toutes ses livraisons soient exécutées dans le délai convenu. En deuxième lieu, elle espère que le délai de livraison passera de 45 à 30 jours. Enfin, l'entreprise a l'intention de réduire ses stocks. Sur l'ensemble, Navistar croit que ces changements représenteront une valeur accrue pour ses clients et lui permettront de maintenir sa position dominante sur le marché des camions.

Questions

1. Quels sont les facteurs qui ont permis aux cadres de Navistar de reconnaître que la gestion logistique leur permettrait de mieux répondre aux exigences des clients ?
2. Quels systèmes ont été mis en place dans le but d'améliorer la productivité ? De quelle manière Navistar peut-elle en mesurer les conséquences ?
3. Explique en quoi les nouveaux systèmes ont-ils amélioré le service clientèle de Navistar.
4. Parmi les autres entreprises membres de l'Association canadienne des constructeurs de véhicules, lesquelles sont susceptibles de connaître les mêmes problèmes que Navistar ?

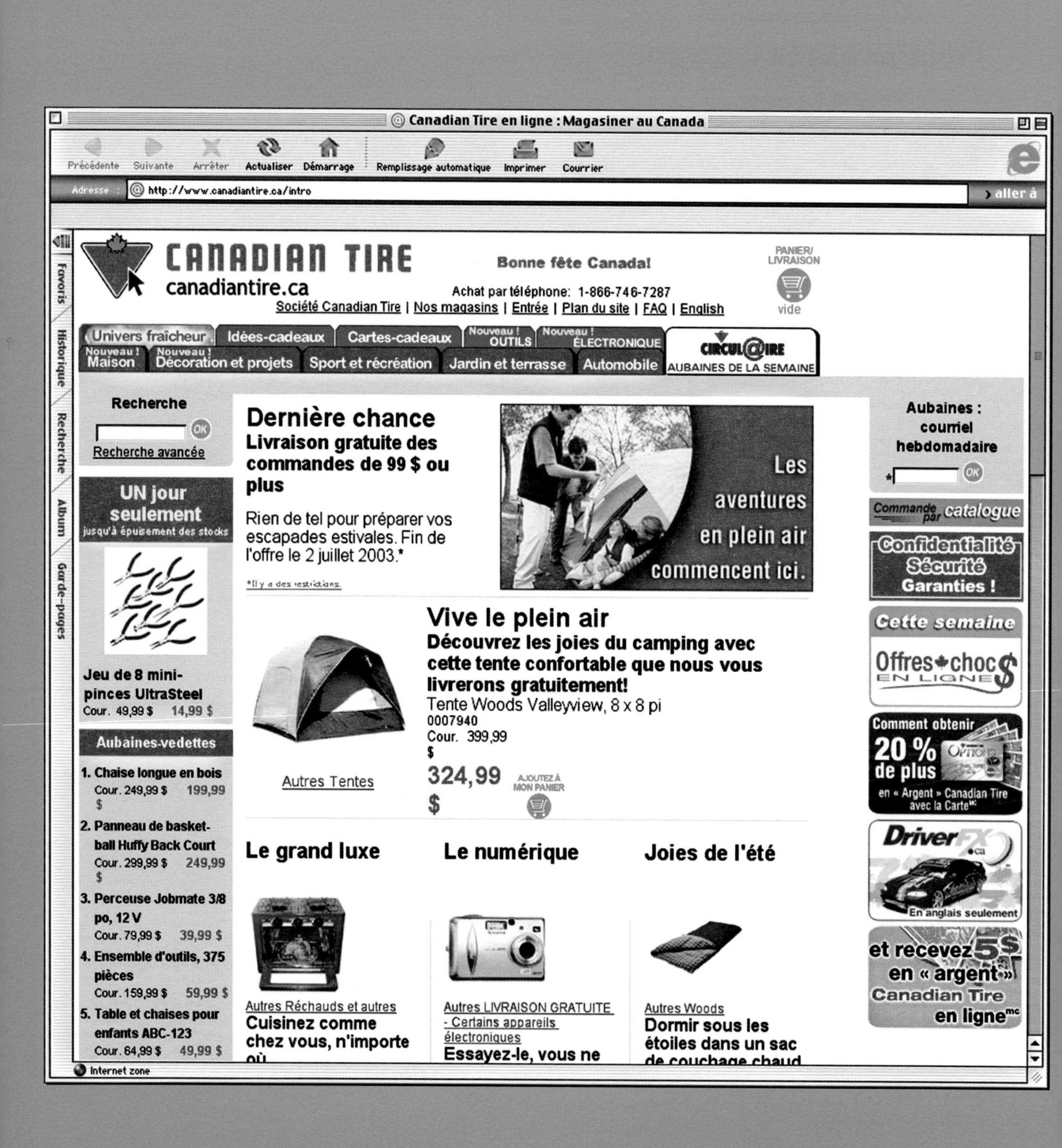

Canadian Tire en ligne : Magasiner au Canada
Précédente
Suivante
Arrêter
Actualiser
Démarrage
Remplissage automatique
Imprimer
Courrier
Adresse
http://www.canadiantire.ca/intro
aller à
Favoris
Historique
Recherche
Album
Garde-pages
CANADIAN TIRE
canadiantire.ca
Bonne fête Canada!
Achat par téléphone: 1-866-746-7287
Société Canadian Tire | Nos magasins | Entrée | Plan du site | FAQ | English
PANIER/ LIVRAISON
vide
Univers fraîcheur
Idées-cadeaux
Cartes-cadeaux
Nouveau ! OUTILS
Nouveau ! ÉLECTRONIQUE
Nouveau ! Maison
Nouveau ! Décoration et projets
Sport et récréation
Jardin et terrasse
Automobile
AUBAINES DE LA SEMAINE
Recherche
Recherche avancée
UN jour seulement
jusqu'à épuisement des stocks
Jeu de 8 mini-pinces UltraSteel
Cour. 49,99 $ 14,99 $
Aubaines-vedettes
1. Chaise longue en bois
Cour. 249,99 $ 199,99 $
2. Panneau de basket-ball Huffy Back Court
Cour. 299,99 $ 249,99 $
3. Perceuse Jobmate 3/8 po, 12 V
Cour. 79,99 $ 39,99 $
4. Ensemble d'outils, 375 pièces
Cour. 159,99 $ 59,99 $
5. Table et chaises pour enfants ABC-123
Cour. 64,99 $ 49,99 $
Dernière chance
Livraison gratuite des commandes de 99 $ ou plus
Rien de tel pour préparer vos escapades estivales. Fin de l'offre le 2 juillet 2003.*
Les aventures en plein air commencent ici.
Vive le plein air
Découvrez les joies du camping avec cette tente confortable que nous vous livrerons gratuitement!
Tente Woods Valleyview, 8 x 8 pi
0007940
Cour. 399,99 $
324,99 $
AJOUTEZ À MON PANIER
Autres Tentes
Le grand luxe
Le numérique
Joies de l'été
Autres Réchauds et autres
Cuisinez comme chez vous, n'importe où
Autres LIVRAISON GRATUITE - Certains appareils électroniques
Essayez-le, vous ne
Autres Woods
Dormir sous les étoiles dans un sac de couchage chaud
Aubaines : courriel hebdomadaire
Commande par catalogue
Confidentialité Sécurité Garanties !
Cette semaine
Offres choc$ EN LIGNE
Comment obtenir 20 % de plus en « Argent » Canadian Tire avec la Carte
DriverFX.ca
En anglais seulement
et recevez 5$ en « argent » Canadian Tire en ligne
Internet zone

CHAPITRE 17

LE COMMERCE DE DÉTAIL

17

APRÈS AVOIR LU CE CHAPITRE, TU SERAS EN MESURE

- de distinguer les détaillants selon les utilités qu'ils procurent;
- d'expliquer les différents modes de classification des magasins de détail;
- de comprendre les nombreuses techniques de vente au détail hors magasin;
- de situer les détaillants dans la grille de positionnement du commerce de détail.

Pour plus d'informations au sujet de curling.ca, rends-toi à l'adresse suivante: www.dlcmcgrawhill.ca

Pour plus d'informations au sujet d'Archambault, de Super Pet, du Canadian Internet Mall, de Rue des achats de la Ryerson Polytechnic University et d'Omer DeSerres, rends-toi à l'adresse suivante: www.dlcmcgrawhill.ca

COMMERCE DE DÉTAIL ET CYBERMARCHÉ

Les adeptes de curling du monde entier peuvent acheter des souvenirs du Nokia Brier dans le confort de leur foyer. Ils n'ont, en effet, qu'à chercher le site curling.ca, puis à cliquer sur «General Store» (Magasin général). Ils y verront les produits et pourront en faire l'achat aisément et en toute sécurité. Ils peuvent également choisir des places et acheter des billets pour les matchs du Brier, car le site est pourvu d'un lien avec la billetterie en ligne.

Voilà un exemple simple de commerce de détail électronique. Dans le cybermarché, tu trouves des vitrines virtuelles individuelles, comme la vitrine d'Archambault, où tu peux voir et acheter de la marchandise. Il en est de même pour la vitrine de la chaîne Super Pet, où il est possible d'acheter des animaux et des accessoires. Tu trouves des cybercentres commerciaux, comme le Canadian Internet Mall ou ruedesachats.com, qui regroupent de 30 à 100 magasins électroniques de vente au détail. Le commerce de détail électronique propose des produits tangibles, mais aussi des produits intangibles comme des services bancaires et des réservations de voyages. Il suffit de quelques frappes sur un clavier pour que tout un monde virtuel de biens et de services soit soudain à ta portée. Aujourd'hui, le marché virtuel de détail est à l'avant-scène du commerce de détail. Pour en savoir plus sur le commerce de détail électronique au Canada, visite le Retail Information Centre parrainé par la chaire Eaton de commerce de la Ryerson Polytechnic University. Ce site Web est conçu à l'intention des détaillants, des chercheurs et des élèves en administration. Il comprend des hyperliens avec plus de 200 sites de commerce de détail canadiens[1].

Quels types de produits les consommateurs achèteront-ils directement par catalogue, par correspondance, par ordinateur ou par téléphone? Dans quel genre de magasin chercheront-ils les produits qu'ils ne peuvent acheter directement? Quelle est l'importance de l'emplacement d'un magasin? La clientèle s'attend-elle à des services de retouches, de livraison, d'installation ou de réparations? Quel prix devrait-on facturer pour chaque produit? Voilà les questions à la fois difficiles et importantes qui sont reliées au commerce de détail. Dans le circuit de distribution, la clientèle et le produit entrent en contact lors de la vente au détail. Le commerce de détail rend l'échange possible (un aspect primordial du marketing). Le **commerce de détail** comprend toutes les activités nécessaires à la vente, à la location et à la fourniture des biens et services dont les consommateurs finaux (au bout du compte) feront un usage personnel, familial ou domestique.

LA VALEUR DU COMMERCE DE DÉTAIL

Le commerce de détail est une importante activité de marketing. En effet, il met commercialement en rapport producteurs et consommateurs, il crée de la valeur et a un effet majeur sur l'économie. Les consommateurs jugent la valeur du commerce de détail par les avantages qu'il leur procure. La valeur économique du commerce de détail est fonction de la quantité de main-d'œuvre employée et des échanges financiers générés.

Les utilités créées par le commerce de détail pour les consommateurs

Les utilités fournies par les détaillants créent de la valeur pour les consommateurs. La plupart des détaillants offrent, à divers degrés, les utilités de temps, d'emplacement, de possession et de forme. Toutefois, ils en développent une plus particulièrement. Lis le texte du tableau 17.1 et essaie d'apparier le détaillant avec l'utilité première ressortant de la description.

La Banque Royale fournit des GAB (guichets automatiques bancaires) et des services bancaires téléphoniques. Elle rapproche ses produits et services des consommateurs et crée ainsi l'utilité de l'emplacement. Saturn offre le financement ou un service de location et donne une valeur de reprise pour l'ancienne voiture. Ainsi, Saturn facilite l'achat et fournit l'avantage de la possession. Le détaillant Bô-Stores fabrique des stores selon les spécifications de chaque client. Elle crée l'utilité de la forme, c'est-à-dire la production et

TABLEAU 17.1
À quelle utilité associe-t-on spontanément les différentes entreprises?

Banque Royale	L'un des leaders de l'automatisation bancaire, la Banque Royale offre à sa clientèle commodité et services bancaires 24 heures sur 24.
Saturn	Les concessionnaires Saturn ont adopté une stratégie de prix unique qui élimine les événements imprévisibles de la négociation. On propose aux clients un même prix, et on leur offre des essais sur route, du financement, la reprise de leur vieux véhicule et un service de location pour les inciter à acheter une Saturn.
Levi Strauss	Levi Strauss proposait le programme « Original Spin ». Il permettait aux clients de créer leur propre jean en choisissant entre trois modèles, cinq styles de jambes, deux types de braguettes et une grande variété de couleurs et de tissus. Les jeans étaient livrés en deux ou trois semaines et coûtaient 55 $. Ce programme a dû être abandonné. Les détaillants qui vendaient des jeans Levi's considéraient comme déloyale cette façon de faire. Maintenant, le programme permet aux clientes et aux clients de choisir une paire de jeans et les invite à aller sur le site de Sears pour en faire l'acquisition.
Toys "R" Us	Ce magasin de jouets, facilement identifiable par son « R » à l'envers, est un paradis pour enfants. Chez Toys "R" Us, c'est Noël tous les jours. Contrairement aux autres magasins, qui réduisent le rayon des jouets une fois le temps des Fêtes terminé, Toys "R" Us propose, à longueur d'année, un gigantesque choix de jouets en magasin.

Tente d'apparier les utilités aux entreprises présentées.

Utilité du temps	Utilité de l'emplacement	Utilité de la possession	Utilité de la forme
________	________	________	________

Pour plus d'informations au sujet de la Banque Royale, de Saturn, de Levi Strauss et de Toys "R" Us, rends-toi à l'adresse suivante: www.dlcmcgrawhill.ca

la modification du produit. Les détaillants Toys "R" Us tiennent des rayons de jouets remplis à l'année. Ainsi, ils créent l'utilité de temps et comblent les rêves des enfants (et de beaucoup de parents). De nombreux détaillants proposent une combinaison des quatre utilités de base. Certains supermarchés, par exemple, sont bien situés (utilité de l'emplacement) et sont ouverts 24 heures sur 24 (utilité du temps). De plus, les consommateurs y trouvent d'autres utilités, comme du divertissement, des loisirs et de l'information[2].

Le commerce de détail dans l'économie mondiale

Le commerce de détail est important pour les économies canadienne et mondiale. Les ventes au détail, en 2001, au Canada, se sont élevées à 289 milliards de dollars[3]. Le commerce de détail emploie plus de 1,8 million de personnes au Canada, soit environ 15 % de la main-d'œuvre active totale. Et 65 % de tout le commerce de détail dans le pays est généré par trois grands secteurs. Il s'agit des magasins d'alimentation, des concessionnaires automobiles et des magasins de vêtements (voir le tableau 17.2)[4].

L'envergure des ventes au détail dépasse l'imagination. Ainsi, les ventes annuelles de certains grands détaillants canadiens excèdent le PIB (produit intérieur brut) de plusieurs petits pays. Une étude sur le commerce de détail mondial a révélé que les 100 plus importants détaillants dans le monde réalisent annuellement plus de 1 000 milliards de dollars américains de vente. Ces compagnies internationales possèdent des réseaux de plus de 185 000 magasins et ont leurs sièges sociaux dans 15 pays. Wal-Mart et Metro-Kaufhof International (allemand) font partie des 10 plus gros détaillants mondiaux. À eux seuls, ils génèrent des ventes annuelles de plus de 270 milliards de dollars[5]. L'encadré Tendances marketing décrit l'incroyable expansion de ces détaillants à l'échelle mondiale[6]. Dans le golfe Persique, la ville de Dubaï se présente comme la porte d'entrée du Moyen-Orient avec sa grande foire commerciale. Plus de 3 000 détaillants y proposent soldes, rabais, offres spéciales et autres promotions. Chaque jour, les responsables de la foire organisent le tirage d'un lingot d'or d'une valeur de 16 000 $ et une tombola permettant de gagner deux Lexus. L'événement attire plus de 2 millions de personnes et, par conséquent, des détaillants du monde entier sont intéressés à y participer, de même qu'aux autres marchés en croissance[7].

RÉVISION DES CONCEPTS

1. Quand la compagnie Bô-Stores fabrique des stores selon les préférences et les mesures d'une cliente ou d'un client, quelle utilité propose-t-elle?
2. On peut mesurer l'importance du commerce de détail dans l'économie mondiale par ____________ et par ____________.

TABLEAU 17.2
Les ventes au détail par type de commerce

	VENTES (EN MILLIARDS DE DOLLARS)	% DU TOTAL
Automobile	115 633,4	39,9
Alimentation	63 917,2	22,1
Marchandise en tout genre	32 504,6	11,2
Vêtements	15 933,2	5,5
Produits pharmaceutiques	14 477,3	5
Ameublement	16 346,7	5,6
Autres	31 019,4	10,7
	289 831,7	100%

MONDIALISATION

TENDANCES MARKETING Le monde en vitrine

Dans le monde, les goûts des consommateurs convergent de plus en plus, les obstacles au commerce disparaissent et les détaillants se lancent dans une politique d'expansion frénétique. Les experts estiment que, d'ici quelques années, les détaillants investiront des milliards pour ouvrir de nouveaux magasins dans des pays étrangers. Wal-Mart, par exemple, prévoit ouvrir entre 75 et 80 nouveaux magasins en Argentine, au Brésil, en Chine, en Corée, au Mexique et à Porto Rico. Gap projette d'ajouter 50 magasins à sa section internationale, qui en compte déjà 249. Eddie Bauer, Toys "R" Us et Home Depot ont aussi des plans d'expansion. La maison italienne Benetton possède déjà des magasins dans 120 pays, et la société britannique Marks & Spencer a maintenant 150 magasins dans le monde.

Pourquoi les détaillants cherchent-ils à s'étendre si rapidement? D'abord, parce que de nombreux marchés sont saturés de détaillants. Les gros marchands cherchent donc de nouveaux endroits où investir.

Ces détaillants voudraient aussi faire de leur nom une marque mondiale. Cela leur permettrait de dégager une marge de profit supérieure lors de la vente de leurs produits maison. Ils voudraient aussi éviter les guerres de prix et jouir d'un meilleur pouvoir de négociation auprès des fournisseurs. Résumant les ambitions de sa firme, Keith Oates, de Marks & Spencer, dit: « Un jour nous serons une marque mondiale, comme Coca-Cola. »

LA CLASSIFICATION DES COMMERCES DE DÉTAIL

Il n'y a pas une façon unique de classer les commerces de détail. En effet, les types et les formes de commerces de détail sont extrêmement variés. Pour bien différencier ces commerces, il faut en comprendre les divers modes de classification.

- Classification par ***mode de propriété.*** Qui possède le magasin?
- Classification par ***niveau de service.*** L'ampleur du service offert aux consommateurs.
- Classification par ***gamme de produits.*** Combien de différents types de produits le magasin vend-il et dans quel assortiment?

Comme on peut le voir dans le tableau 17.3, chaque méthode de classification présente plusieurs types de magasins.

Le mode de propriété

Le détaillant indépendant L'un des modes de propriété parmi les plus communs est le commerce indépendant que possède une personne. Les petits détaillants se trouvent le plus souvent dans la quincaillerie, les articles de sport, la bijouterie, les dépanneurs et les magasins de cadeaux. Ils sont également actifs dans les domaines des accessoires et des pièces d'automobiles, du livre, de la peinture, des appareils photographiques et des accessoires pour dames. Ce genre de commerce a un avantage pour la ou le propriétaire: il est son propre patron. Les consommateurs y trouvent commodité, qualité et service personnel, ainsi que des articles propres à leur style de vie[8].

TABLEAU 17.3
La classification des commerces de détail

MÉTHODE DE CLASSIFICATION	DESCRIPTION DU COMMERCE DE DÉTAIL
Mode de propriété	Détaillant indépendant Entreprise à succursales multiples Système contractuel • Coopérative de détaillants • Chaîne volontaire créée à l'initiative d'un grossiste • Franchise
Niveau de service	Libre-service Service limité Service complet
Gamme de produits	Profondeur • Gamme unique • Gamme limitée Étendue Marchandises diverses Présentation d'articles variés

L'entreprise à succursales multiples Dans l'entreprise à succursales multiples, les propriétaires exploitent de nombreux magasins. Si tu as fait des achats chez La Baie, Zellers ou Loblaws, tu as acheté dans une entreprise à succursales multiples.

Dans ce type d'entreprise, les décisions et les achats sont souvent centralisés. Plus l'entreprise compte de succursales, plus elle a de pouvoir de négociation au regard des fournisseurs. En effet, une grande entreprise à succursales multiples pourra obtenir un meilleur service du fabricant et des ristournes sur ses commandes. Vu son énorme volume d'achat, Wal-Mart est en position de force face aux fabricants de la plupart des produits. Le pouvoir de négociation des entreprises à succursales multiples est évident dans le commerce de détail des ordinateurs. En effet, les petits commerçants indépendants obtiennent les appareils à 75 % du prix courant, tandis que les grandes entreprises à succursales multiples les paient entre 60 et 65 % du prix courant[9]. Par ailleurs, les consommateurs ont aussi avantage à traiter avec des entreprises à succursales multiples. Ils disposent ainsi de plusieurs magasins offrant des marchandises semblables et une politique de gestion uniforme.

Dans les grandes entreprises à succursales multiples, le commerce de détail est affaire de haute technologie. Ainsi, Wal-Mart a mis au point des systèmes de gestion des coûts et de gestion du stock qui lui permettent de changer rapidement le prix de chaque article en magasin. Bien sûr, la technologie coûte cher, mais elle est aujourd'hui un outil essentiel pour affronter la concurrence. Cela, Formacias Benavides, l'une des plus grandes chaînes de pharmacies du Mexique, ne l'ignore pas. En effet, quand Wal-Mart et d'autres magasins de rabais ont ouvert des magasins dans ce pays, Formacias Benavides s'est servie de son système informatique de pointe pour offrir les produits pharmaceutiques populaires à des prix identiques à ceux de ses nouveaux concurrents[10].

Le système contractuel Le système contractuel est un système où des magasins appartenant à des propriétaires indépendants se regroupent pour fonctionner à la manière d'une entreprise à succursales. Les trois types décrits dans le chapitre 15 sont les coopératives de détaillants, les chaînes volontaires créées à l'initiative d'un grossiste et les franchises. Uniprix est une coopérative de détaillants composée de pharmacies de quartier. Toutes ont convenu d'acheter leurs produits à un même grossiste. De cette façon, les membres profitent des ristournes généralement consenties aux

Pour plus d'informations au sujet de Marchands Unis, rends-toi à l'adresse suivante : www.dlcmcgrawhill.ca

entreprises à succursales. Ils donnent l'impression d'être une importante chaîne, ce qu'apprécient certains consommateurs. Les chaînes volontaires créées à l'initiative d'un grossiste, comme Marchands Unis et IGA (Independent Grocers' Alliance) tentent d'obtenir ce genre d'avantage.

Le chapitre 15 présentait les systèmes de franchises. Une personne ou une firme (le franchisé) convient, par contrat avec la société mère (le franchiseur), de mettre sur pied un commerce ou un point de vente. McDonald's, Holiday Inn, Midas, H&R Block et Stéréo Plus font du franchisage à divers niveaux. Le franchiseur participe généralement au choix de l'emplacement de l'établissement, à la mise en place du magasin, à la publicité et à la formation du personnel. Le franchisé paie un droit d'entrée, puis des redevances de franchisage annuelles, habituellement liées aux ventes du magasin. Le franchisage n'est pas un phénomène nouveau. Au début des années 1900, ce mode de propriété était courant dans le domaine des stations-service[11]. Les gens qui désirent se lancer en affaires sont attirés par le franchisage, car cela leur permet de se joindre à une société de renom, bien établie, et de bénéficier de judicieux conseils de gestion. Selon Mario Lalonde, franchisé de Stéréo Plus à Rockland (Ontario), « une franchise procure plusieurs avantages. Ce type de commerce permet, entre autres, d'avoir accès à un inventaire de produits de marques prestigieuses et de partager les frais de publicité de grande envergure (par exemple, à la radio et à la télévision). Depuis l'intégration de mon entreprise avec la franchise Stéréo Plus, mon chiffre d'affaires a augmenté de 150 % ». De plus, le droit d'entrée est souvent inférieur à ce qu'il en coûterait pour mettre sur pied un commerce indépendant. L'International Franchise Association annonçait récemment que le franchisage est présentement l'un des plus vigoureux segments de l'économie[12].

Mario Lalonde, franchisé de Stéréo Plus à Rockland (Ontario), a été le récipiendaire du prix d'excellence de la PME 2003, décerné par le Regroupement de développement économique et d'employabilité de l'Ontario.

Les droits d'entrée payés au franchiseur varient beaucoup : ils vont d'un minime 20 000 $ pour une franchise de Midas jusqu'à 520 000 $ pour la franchise d'un restaurant McDonald's. Quand on ajoute à ces droits les coûts de la propriété foncière et de l'équipement, l'investissement total peut se révéler considérable. Le tableau 17.4 présente quelques secteurs franchisés et ce qu'il en coûte pour y accéder. En vendant des franchises, une entreprise réduit ses coûts d'expansion sans toutefois perdre la maîtrise de ses affaires. Un bon franchiseur surveille attentivement ses magasins franchisés. Il veille surtout à la livraison et à la présentation de la marchandise. Il s'efforce de mettre en valeur et de faire connaître le nom de la franchise[13].

Pour plus d'informations au sujet de l'International Franchise Association, rends-toi à l'adresse suivante : www.dlcmcgrawhill.ca

Le niveau de service

La plupart des consommateurs sont peu touchés par le mode de propriété des commerces. Il en va autrement lorsqu'il est question du niveau de service. Ainsi, certains magasins à rayons n'offrent que peu de services. Dans certains supermarchés, chez Food Basics, par exemple, les consommateurs remplissent eux-mêmes leurs sacs de provisions. Par contre, des commerces comme Holt Renfrew assurent à la clientèle toute une gamme de services allant de l'emballage cadeau au conseil vestimentaire.

TABLEAU 17.4
Le franchisage et ses coûts.

FRANCHISE	TYPE DE COMMERCE	COÛTS TOTAUX DE DÉMARRAGE
McDonald's	Restauration rapide	385 000 $ - 520 000 $
Steamatic	Service de nettoyage après sinistre	Non disponible
Midas	Service de vidange d'huile	À partir de 20 000 $
Tim Hortons	Casse-croûte	375 000 $ - 425 000 $
Radio Shack	Accessoires électroniques	Non disponible
Stéréo Plus	Accessoires électroniques	100 000 $ - 150 000 $

Le libre-service Le libre-service est le degré zéro du service, car la consommatrice ou le consommateur est pratiquement laissé à lui-même. Les magasins de matériaux de construction et les stations-service sont souvent des libres-services. Les magasins-entrepôts, d'une taille souvent plusieurs fois supérieure à celle d'un magasin traditionnel, sont des établissements de libre-service. On y a éliminé tous les services non essentiels à la clientèle. Il y a plusieurs nouveaux types de libres-services. Les centaines de postes d'expédition de colis ouverts par Federal Express dans des magasins de détail comme les Sam's Club en sont un exemple. Le Portable Personnel Shopper est un système de lecteur optique en libre-service installé dans certains supermarchés des Pays-Bas[14].

Le service limité Les magasins à service limité assurent certains services, comme le crédit et le retour des marchandises. Ils n'offrent pas, par exemple, de vêtements sur mesure. Les magasins offrant une grande variété d'articles, comme Wal-Mart et Zellers, sont généralement considérés comme des magasins à service limité. Les clientes et les clients sont habituellement laissés à eux-mêmes, bien que du personnel de vente soit à leur disposition dans les rayons des produits électroniques, des bijoux et du jardinage.

Le service complet Les détaillants à service complet comprennent la plupart des magasins spécialisés et certains magasins à rayons. Ils offrent de nombreux services à leur clientèle. Le personnel de vente y est plus nombreux et le magasin assure la livraison des achats à domicile. La stratégie de service complet est souvent l'un des avantages concurrentiels de ce type de commerce[15].

La gamme de produits

Les points de vente au détail se distinguent par l'étendue et la **profondeur de la gamme** de produits offerts à leur clientèle (voir la figure 17.1). Une gamme de produits a de la profondeur quand elle comprend un vaste assortiment de chaque article. Par exemple, un magasin de chaussures qui vend des chaussures de course, des chaussures de soirée et des chaussures pour enfants. L'**étendue de la gamme** renvoie au nombre d'articles différents tenus en magasin.

La profondeur de la gamme Les magasins offrant un vaste choix (profondeur) d'une gamme de produits apparentés sont des magasins à gamme limitée. La gamme des appareils photo proposés par le Centre Japonais de la Photo a une profondeur considérable. Les **magasins à gamme unique** ont une gamme principale de marchandises d'une fantastique profondeur. C'est le cas, par exemple, de la gamme de lingerie féminine

FIGURE 17.1
L'étendue et la profondeur des gammes de marchandises

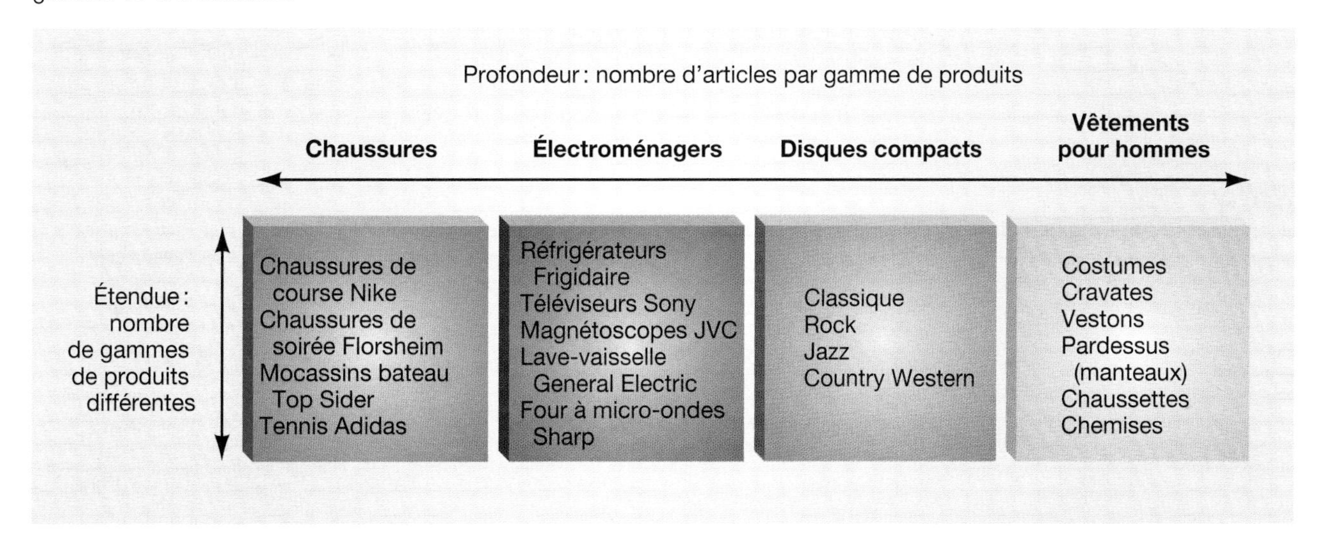

des boutiques Victoire Delage ou Pommelle, et de la gamme de sous-vêtements pour hommes des boutiques Caleçon vos goûts. Les commerces à gamme limitée et à gamme unique sont souvent qualifiés de « magasins spécialisés ».

Les magasins spécialisés se concentrent sur un type de produit, comme les accessoires électroniques, les fournitures de bureau ou les livres, vendus à des prix très concurrentiels. Ces magasins sont qualifiés de « majeurs » parce qu'ils dominent le marché, souvent au point d'étouffer la concurrence. Toys "R" Us, par exemple, contrôle une part importante du marché du jouet[16]. Future Shop, pour sa part, contrôle une grande part du marché des accessoires électroniques.

L'étendue de la gamme Les magasins qui tiennent une large gamme de produits, à profondeur limitée, sont appelés « magasins de marchandises diverses ». Par exemple, les grands magasins à rayons offrent un vaste éventail de différents types de produits, mais pas les tailles exceptionnelles. Les décisions quant à l'étendue et à la profondeur des gammes de marchandises sont importantes pour un détaillant. Les magasins ont généralement des gammes apparentées de produits. De nos jours, il est courant qu'un magasin présente des marchandises diverses. Ainsi, les pharmacies d'aujourd'hui proposent des aliments, de l'équipement photo, des magazines, de la papeterie, des jouets, de petits articles de quincaillerie et des produits pharmaceutiques. Les supermarchés louent des cassettes vidéo, font du développement photo et vendent des fleurs.

L'**hypermarché** spécialisé dans la présentation d'articles variés est une formule qui fonctionne bien en Europe depuis la fin des années 1960. Le premier commerce de ce genre, implanté en région parisienne, a pris le nom de « Carrefour » car il était situé à la croisée de deux routes. Les hypermarchés sont d'immenses magasins (plus de 18 000 mètres carrés). Leur stock comprend 40 % de produits alimentaires et 60 % de fournitures de tout genre. Les prix sont généralement de 5 à 20 % inférieurs à ceux des magasins de rabais. L'idée de ce genre d'établissements est simple : tout offrir aux consommateurs dans un même magasin, de façon à éliminer le besoin d'aller ailleurs.

En dépit de leur vogue européenne, les hypermarchés ne sont pas populaires en Amérique du Nord. Beaucoup de consommateurs sont mal à l'aise dans ces gigantesques magasins. De plus, la concurrence dans le domaine est féroce. En effet, les magasins-entrepôts offrent de meilleurs prix que les hypermarchés, les magasins spécialisés, une meilleure sélection, et les magasins à rabais, un meilleur emplacement.

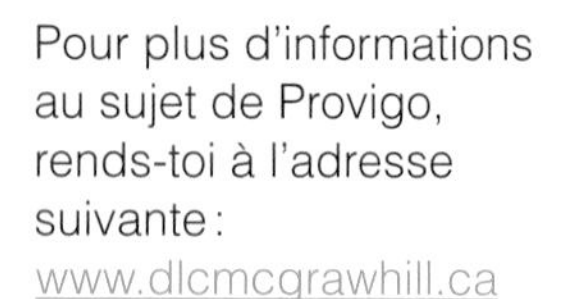

Pour plus d'informations au sujet de Provigo, rends-toi à l'adresse suivante : www.dlcmcgrawhill.ca

Toujours à la recherche de formules gagnantes, certains détaillants font l'essai de nouveaux magasins, appelés supermagasins, qui combinent le magasin traditionnel à l'épicerie complète. Provigo exploite Maxi, une formule combinant épicerie et magasin à rayons. Ces magasins offrent la sélection complète des produits d'épicerie de même que de la papeterie, de la quincaillerie, de la literie, des articles de cuisine, des vidéos, des livres, des logiciels, des produits de beauté, etc.[17]. Le tableau 17.5 illustre les différences entre les magasins de rabais, les supermagasins et les hypermarchés[18].

La présentation d'articles variés est commode pour les consommateurs, qui n'ont plus besoin d'acheter de place en place. Pour les détaillants, cela signifie que la concurrence s'exerce entre des types de magasins de détail très différents. Il y a donc concurrence externe. Ainsi, la pâtisserie du coin peut se trouver en concurrence avec un magasin à

TABLEAU 17.5
Une comparaison de différents types de magasins

	MAGASIN DE RABAIS	SUPERMAGASIN	HYPERMARCHÉ
Taille moyenne (en mètres carrés)	6 500	14 000	21 500
Nombre d'employés	200 – 300	300 – 350	400 – 600
Ventes annuelles (en millions $ par magasin)	10 $ – 20 $	20 $ – 50 $	75 $ – 100 $
Marge bénéficiaire brute	18 % – 19 %	15 % – 16 %	7 % – 8 %
Nombre d'articles en stock	60 000 – 80 000	100 000	60 000 – 70 000

rayons, un magasin de rabais et même la station-service du voisinage. On imagine aisément que la présentation d'articles variés et la **concurrence externe** ne facilitent pas la vie des détaillants.

RÉVISION DES CONCEPTS

1. La centralisation des achats et de la prise de décision est un avantage du mode de propriété des ___________.
2. Donne quelques exemples de nouveaux types de détaillants à libre-service.
3. La gamme de produits d'une mercerie pour hommes corpulents vendant des pantalons de taille 40 à 60 est-elle profonde ou étendue?

LA VENTE AU DÉTAIL HORS MAGASIN

La plupart des exemples de vente au détail que nous avons vus jusqu'ici concernaient les ventes en magasin. Il s'agissait d'entreprises à succursales multiples, de magasins à rayons ou de magasins spécialisés à gamme limitée ou à gamme unique. De nos jours, il existe aussi un commerce de détail hors magasin. Clientes, clients et détaillants y participent à divers degrés. La figure 17.2 illustre six types de vente au détail hors magasin: la vente automatique, le publipostage et la vente par catalogues, le téléachat, la vente au détail en ligne, le télémarketing et la vente directe.

La vente automatique

La vente au détail hors magasin peut se faire à l'aide de machines distributrices. Celles-ci permettent de servir la clientèle là et au moment où les magasins ne le peuvent pas. Les

FIGURE 17.2
Les types de vente au détail hors magasin

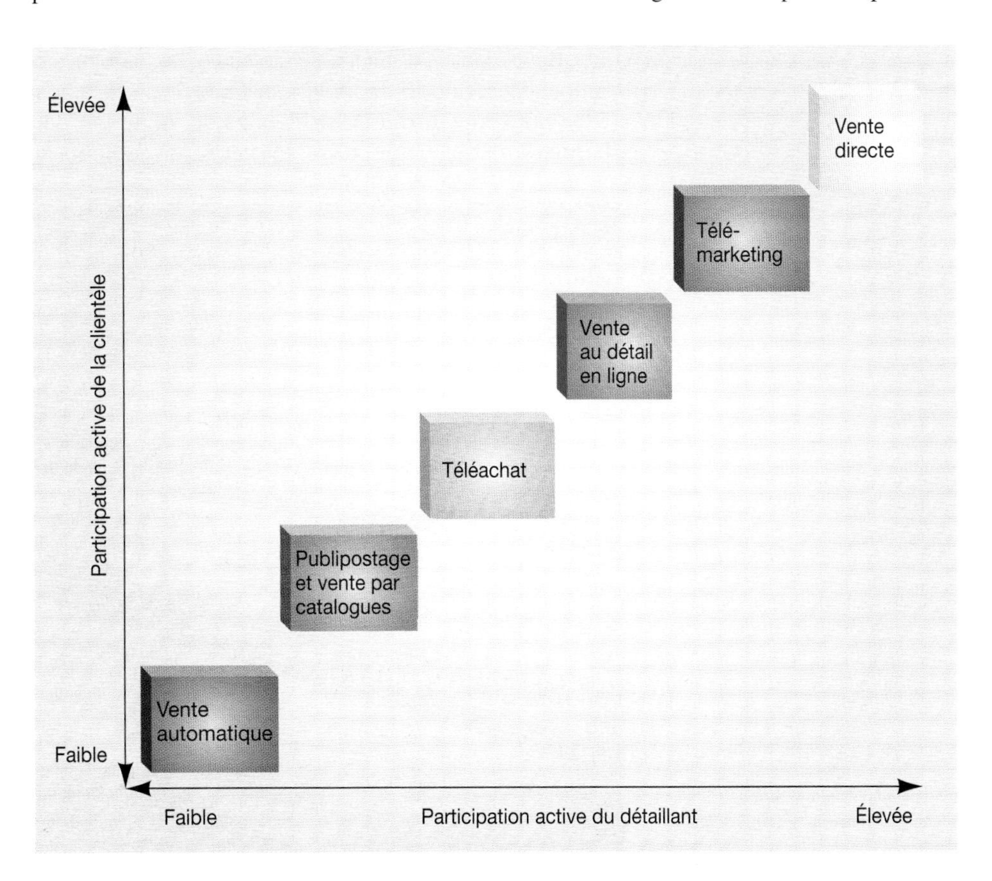

coûts d'entretien et d'exploitation de ces machines sont élevés. Les prix des produits qu'elles proposent sont donc supérieurs à ceux qu'on trouve en magasin. Les machines distributrices contiennent généralement de petits produits de consommation courante. En fait, ces machines vendent surtout des boissons gazeuses et des friandises. Toutefois, grâce à certaines innovations technologiques, les machines distributrices acceptent maintenant les cartes de crédit, ce qui permet de vendre des articles plus coûteux. Ainsi, dans certains aéroports, des machines distributrices proposent des logiciels aux passagers qui utilisent un ordinateur portatif. Certains centres de mise en forme ont des machines contenant des sous-vêtements. De nombreux supermarchés ont des machines qui vendent de la musique sur disques compacts. Ces machines continuent de s'améliorer et certaines sont maintenant équipées de modems qui avertissent les détaillants lorsqu'elles sont vides. On prévoit que les ventes automatiques doubleront d'ici cinq ans[19].

Le publipostage et la vente par catalogues

L'intérêt du publipostage et de la vente au détail par catalogues est d'éliminer les coûts relatifs aux magasins et aux préposés à la vente. De plus, ces techniques permettent une mise en marché plus efficace. En effet, elles favorisent la segmentation et le ciblage, et elles créent de la valeur pour la consommatrice et le consommateur en fournissant un mode d'achat rapide et commode. Les consommateurs canadiens achètent de plus en plus par publipostage et par catalogues. Ils ne sont pas les seuls : la tendance est mondiale[20]. Par exemple, les spécialistes en vente directe organisent des campagnes de publipostage pour offrir aux fermiers japonais de l'équipement de plein air à rabais dont ils assurent la livraison en 72 heures[21].

Avec la popularité croissante de ces deux types de vente au détail, le nombre de publipostages et de catalogues a atteint des sommets vertigineux. Un ménage moyen reçoit maintenant plusieurs catalogues par année. Toutefois, cette nouvelle concurrence, combinée à l'augmentation des coûts du papier et des frais postaux, a nui aux gros marchands par catalogues. Pour se tirer d'affaire, nombre d'entre eux distribuent maintenant des catalogues spécialisés dans des marchés bien identifiés dans leurs bases de données ou à des consommateurs ayant déjà acheté par ce moyen (comme le fait Sears). Ainsi, L. L. Bean, dans le domaine de la vente par catalogues depuis toujours, a mis au point un catalogue individualisé pour les amateurs de pêche à la mouche[22].

De nouvelles formules originales de vente par catalogues s'élaborent également. Hallmark, par exemple, offre des cartes de souhaits adaptées aux entreprises dans un

Les machines distributrices servent la clientèle là et au moment où les magasins ne le peuvent pas.

catalogue en ligne. Prime de luxe expédie environ un catalogue par saison à sa clientèle. C'est là un moyen de solliciter des commandes postales et des commandes téléphoniques (par un numéro 800). De nombreux détaillants par catalogues, comme Sears, prennent maintenant des commandes téléphoniques, postales et électroniques (par courriel)[23].

Le téléachat

Pour faire du téléachat, les consommateurs doivent syntoniser un réseau télématique où sont présentés des produits. Les commandes se font ensuite par téléphone. Au Canada, les populaires émissions Les Boutiques TVA et The Shopping Channel touchent des milliers de ménages. Le téléachat souffre du manque d'interaction entre les personnes qui achètent et celles qui vendent. En plus, les consommateurs ne peuvent pas vérifier les articles proposés. Mais, grâce aux progrès technologiques, ils pourront bientôt choisir entre 500 canaux et interagir avec le programme source[24].

Le commerce de détail en ligne

Le commerce de détail en ligne permet aux consommateurs de chercher, d'évaluer et de commander des produits dans Internet. De nombreux consommateurs trouvent avantageux d'avoir ainsi accès, en tout temps, à une grande variété de produits. Ils comparent et achètent en privé et en toute sûreté. Mais l'attrait du commerce en ligne n'est pas universel. Des études sur les cyberconsommateurs révèlent, en effet, que les hommes sont plus susceptibles de faire des achats en ligne que les femmes, même si ces dernières naviguent tout autant qu'eux. On s'attend cependant à ce que les ventes augmentent au fur et à mesure des améliorations de la qualité de l'offre des détaillants en ligne[25].

Pour plus d'informations au sujet de canadian-shoppingdeals.com, netbuyer.fr, dell.com, promenade_Ontario.com, sportiveplus.com, amazon.com, hmv.com, exit.ca et ebay.com, rends-toi à l'adresse suivante : www.dlcmcgrawhill.ca

Il y a plusieurs façons de faire des achats au détail en ligne. Ainsi, les consommateurs peuvent payer un abonnement à un service d'escompte en ligne, comme canadian-shoppingdeals.com. Ce service propose à ses deux millions d'abonnés plus d'un million d'articles à très bas prix. Le recours à un robot de recherche, tel netbuyer.fr, est une autre façon d'acheter. Sur ce site, un agent de lèche-vitrine électronique fouille le Web à la recherche du produit demandé par la consommatrice ou le consommateur et lui indique l'endroit où les prix sont les meilleurs. Les consommateurs peuvent aussi acheter par Internet chez les fabricants d'ordinateurs, dans des cybercentres commerciaux, des boutiques de vêtements, des librairies, des épiceries, des magasins de musique et de vidéos, et des agences de voyages. Enfin, ils peuvent aussi participer à des enchères électroniques, de plus en plus populaire. Les cyberconsommateurs ont tout le loisir de faire des offres sur des produits répartis dans plus de 1 000 catégories[26].

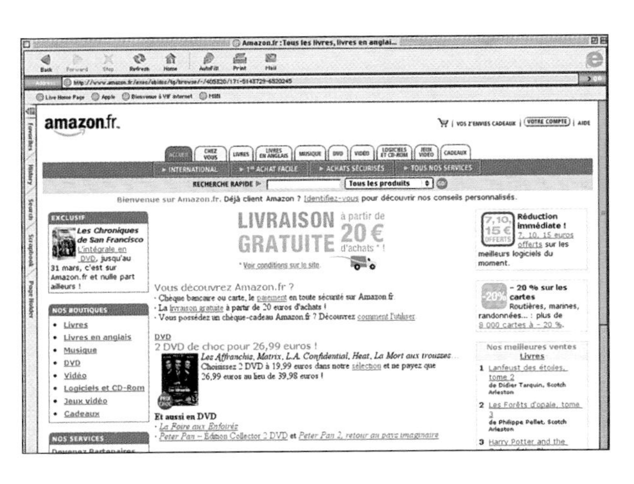

Pour stimuler l'intérêt des consommateurs pour les achats en ligne, de nombreux détaillants rendent leurs sites plus intéressants en proposant des expériences ou des activités interactives. L'encadré Branchez-vous ! de la page suivante décrit comment les magasins de vêtements se servent de mannequins et de salles d'essayage virtuels pour engager les consommateurs dans le processus d'achat et les aider à faire leur choix[27]. D'autres changements se profilent à l'horizon avec l'avènement de l'Internet haute vitesse par satellite, des lignes téléphoniques numériques à grande vitesse. Citons également une nouvelle génération de modems par câble qui fonctionneront de 50 à 100 fois plus rapidement que les lignes téléphoniques actuelles. La fusion du téléachat et du commerce de détail en ligne s'est amorcée avec l'avènement du WebTV, un service d'accès Internet permettant le branchement à l'aide d'un

« infoménager » raccordé au téléviseur. Les experts prévoient la naissance d'un nouveau mode d'achat appelé Interactive Home Shopping (IHS). Celui-ci se développera à mesure que la technologie améliorera l'interactivité entre les consommateurs et les détaillants. Il n'est pas nécessaire de posséder un ordinateur ou même un téléviseur pour profiter du commerce électronique, puisqu'il existe des cafés Internet[28]. Cependant, ces cafés Internet, révolutionnaires dans les années 1990, sont maintenant en voie de disparition.

Le télémarketing

Le **télémarketing** est une autre forme de commerce de détail hors magasin. Il consiste à joindre par téléphone les acheteuses et acheteurs potentiels pour leur vendre directement des produits. Le télémarketing semble souvent plus efficace que le publipostage pour cibler les consommateurs. Cependant, ces deux techniques sont souvent utilisées ensemble. Par exemple, Information Management Network, une société de Dallas, adresse annuellement un publipostage à 30 millions de personnes dont 650 000 répondront. Ces intéressés sont ensuite appelés au téléphone par des « télémarketeurs ». Chez Location de camions Ryder, du personnel bien formé parle avec 15 clients potentiels chaque heure. Sears fait du télémarketing auprès des clientes et des clients ayant acheté des produits pour leur vendre des contrats de service et des garanties supplémentaires. Le télémarketing gagne en popularité, car les entreprises sont à la recherche de nouvelles façons de réduire les coûts tout en assurant à leur clientèle un accès commode aux produits qu'elles offrent[29].

BRANCHEZ-VOUS !

Faites fureur (par mannequin virtuel interposé) !

Le magasinage en ligne a de nombreux avantages : on y accède jour et nuit, on peut aisément comparer les prix, on évite les problèmes de stationnement et... on essaie les vêtements dans le confort de son foyer. Eh oui ! Tu peux maintenant « construire » un mannequin virtuel ayant ta corpulence. Tu lui fais essayer toutes les combinaisons de vêtements désirées et tu vois comment cela t'irait. Tu veux tenter l'expérience ? Va chez mvm.com, réponds à quelques questions et choisis des vêtements. Et alors ? Vas-tu faire fureur ?

Pour plus d'informations au sujet de mvm.com, rends-toi à l'adresse suivante : www.dlcmcgrawhill.ca.

Avec le développement du télémarketing, le respect de la vie privée est une question dont se préoccupent de plus en plus les consommateurs, les gouvernements fédéral et provinciaux et les entreprises. Peu à peu, les normes du secteur, les règles éthiques et les nouvelles lois sur la protection de la vie privée évoluent et tentent de concilier les différents points de vue[30].

La vente directe

La vente directe, parfois appelée vente au porte-à-porte, consiste à entrer personnellement en interaction avec des consommateurs. Il s'agit de leur faire une démonstration et de leur vendre directement des biens et des services, à domicile ou au bureau. De nombreuses entreprises, aussi connues que Fuller Brush, Avon, Tupperware, Electrolux et Mary Kay Cosmetics, ont fait naître un secteur de plusieurs milliards de dollars en procurant aux consommateurs services personnalisés et commodités. Au Canada, cependant, les ventes déclinent depuis que des entreprises à succursales multiples comme Wal-Mart vendent à rabais des produits similaires. Dans les ménages, les deux conjoints travaillent de plus en plus à l'extérieur. Cela réduit le nombre d'acheteurs potentiels à domicile aux heures où le personnel de vente s'y présente.

Réagissant à ces changements, de nombreux détaillants faisant de la vente directe tâchent de développer d'autres marchés. Avon, par exemple, a déjà en poste 1,3 million de représentantes et représentants des ventes dans 26 pays, dont le Mexique, la Pologne, l'Argentine et la Chine. De même, des détaillants comme Amway, Herbalife et Electrolux ont rapidement pris de l'expansion. Amway réalise plus de 70 % de son chiffre d'affaires de 7 milliards de dollars à l'extérieur de l'Amérique du Nord. Ses ventes au Japon sont supérieures au total de ses ventes nord-américaines[31]. Il est probable que la vente directe continuera de prospérer sur les marchés où l'absence de bons circuits de distribution fait apprécier la commodité du porte-à-porte. Ce développement se portera là où le manque d'information sur les produits et les marques fait ressortir l'utilité du contact personnel[32].

RÉVISION DES CONCEPTS

1. Les détaillants qui réussissent dans la vente par catalogues envoient souvent des catalogues __________ dans des marchés __________ bien identifiés dans leurs bases de données.
2. Comment les détaillants s'y prennent-ils pour stimuler la participation des consommateurs au commerce électronique?
3. Où la vente directe au détail est-elle en croissance? Comment ce phénomène s'explique-t-il?

LA STRATÉGIE DU COMMERCE DE DÉTAIL

La présente section traite du positionnement des magasins de détail et des actions servant à l'élaboration d'une stratégie de commerce de détail.

Le positionnement d'un commerce de détail

Pour déterminer le positionnement d'un magasin par rapport à ses concurrents, on peut se servir des différentes classifications présentées dans les sections précédentes.

La matrice de positionnement du commerce de détail La **matrice de positionnement du commerce de détail** est une grille d'analyse mise au point par le MAC Group, une firme de conseillères et de conseillers en gestion[33]. Elle permet de positionner les commerces de détail en fonction de deux facteurs : l'étendue de la gamme de produits et la valeur ajoutée. Comme on l'a déjà indiqué, l'étendue de la gamme est l'éventail de produits vendus dans chaque point de vente. Le second facteur, la *valeur ajoutée,* comprend des éléments tels que l'emplacement, la fiabilité du produit (comme dans le cas des Holiday Inn ou des McDonald's) ou le prestige (comme dans le cas de Holt Renfrew).

La matrice de positionnement du commerce de détail présentée à la figure 17.3 illustre quatre positions possibles. Une entreprise peut réussir dans chacune d'elles, à condition d'adopter les stratégies qui conviennent dans chacun des quarts. Considérons les quatre magasins placés dans la matrice.

1. La Baie a une haute valeur ajoutée et une gamme de produits étendue. Les détaillants, dans ce quart, se soucient du design du magasin et des gammes de produits. La marge de profit sur la marchandise, qui est de haute qualité, est souvent élevée. Les magasins dans cette position offrent généralement de hauts niveaux de service.

FIGURE 17.3
La matrice de positionnement des commerces de détail

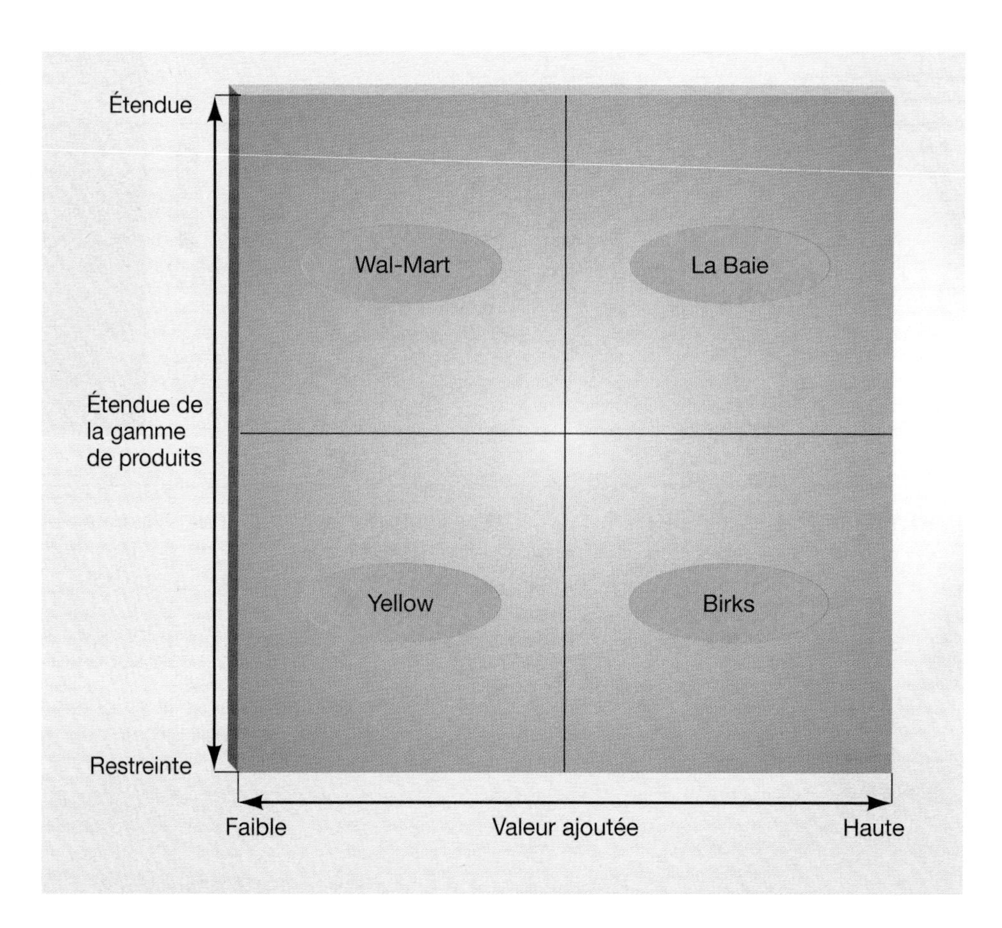

2. Wal-Mart a une faible valeur ajoutée et une gamme étendue. Cette entreprise, comme d'autres du même genre, mise sur les bas prix pour accroître son volume de vente. Les détaillants dans cette position se concentrent sur les prix, n'assurent que de faibles niveaux de service et veulent projeter l'image d'un magasin où l'on peut faire de bonnes affaires.
3. Birks a une haute valeur ajoutée et une gamme restreinte. Les détaillants de ce type vendent généralement un éventail très limité de produits de prestige. Les clientes et les clients bénéficient aussi de hauts niveaux de service.
4. Yellow a une faible valeur ajoutée et une gamme restreinte. Les détaillants de ce genre sont des marchands de masse spécialisés. Yellow, par exemple, vend des chaussures à bon prix pour toute la famille. Ces magasins attirent les consommateurs sensibles à la valeur. La centralisation de la publicité, du marchandisage, des achats et de la distribution permet de réaliser des économies d'échelle. Tous les magasins sont habituellement construits sur le même modèle, présentent la même disposition et proposent la même marchandise. Chacun est, en quelque sorte, la réplique de l'autre.

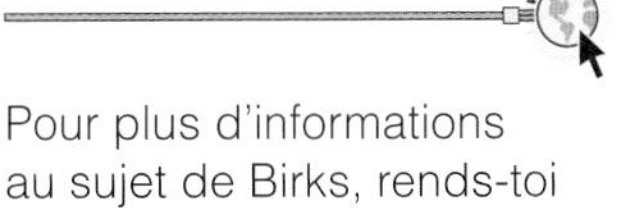

Pour plus d'informations au sujet de Birks, rends-toi à l'adresse suivante: www.dlcmcgrawhill.ca

Notions de positionnement Pour bien se positionner, un magasin doit avoir une identité lui procurant à la fois des avantages sur ses concurrents et une image reconnaissable par la clientèle[34]. Quand une compagnie décide de positionner des magasins dans plusieurs quarts de la matrice, elle nomme habituellement ses magasins différemment, selon leur position dans la matrice. Ainsi, la Compagnie de la Baie d'Hudson possède les magasins à rayons La Baie (à haute valeur ajoutée et à gamme étendue) et les magasins Zellers (à faible valeur ajoutée et à gamme étendue). Il est également possible de passer d'un quart à l'autre dans la matrice de positionnement, mais il faut alors revoir tous les éléments de la stratégie de commerce de détail[35].

La « préparation commerciale »

Pour élaborer leur stratégie de commerce de détail, les gestionnaires travaillent avec une « **préparation commerciale** ». Elle se compose : 1) des produits et services, 2) de la distribution matérielle et 3) des tactiques de communication choisies par le magasin (voir la figure 17.4)[36]. Les décisions relatives à la « préparation » sont centrées sur la consommatrice et le consommateur. Chacun des domaines illustrés est important, mais nous ne traiterons que des trois principaux : 1) la détermination des prix, 2) l'emplacement du magasin et 3) l'image et l'ambiance. Les composantes communication et promotion seront étudiées dans les chapitres 19 et 20, portant respectivement sur la publicité et sur la vente personnelle.

Fixation des prix au détail En fixant les prix des marchandises, les détaillants doivent décider de la majoration (ou marge sur le coût d'achat), des démarques et du moment où il faut effectuer ces démarques. La *majoration* est le montant que le détaillant ajoute au prix payé pour un produit afin d'établir le prix de vente final de ce produit. Le détaillant détermine ainsi une *majoration initiale* qui, avec le temps, finit par devenir une *majoration fixe*. La majoration initiale est la différence entre le coût du détaillant et le prix de vente initial. Quand les produits ne se vendent pas aussi rapidement que prévu, on réduit les prix. La différence entre le prix final de vente et le coût du détaillant est la majoration fixe, appelée aussi *marge bénéficiaire brute*.

Lorsqu'un produit ne se vend pas au prix initial proposé, le détaillant procède à une *démarque de prix* et vend le produit à rabais. Souvent, c'est l'apparition de nouveaux modèles ou de nouveaux styles qui oblige le détaillant à démarquer le prix des produits en vente. On peut aussi effectuer des réductions pour stimuler la demande de produits complémentaires[37]. Par exemple, les détaillants peuvent réduire le prix des chaînes stéréo pour stimuler la vente de disques compacts. Ils peuvent aussi réduire le prix des préparations pour gâteau pour stimuler l'achat de glaçages. Le *moment* de la démarque est parfois important. De nombreux détaillants procèdent au démarquage dès que les ventes commencent à fléchir. Ainsi, ils libèrent un précieux espace d'étalage et encaissent de

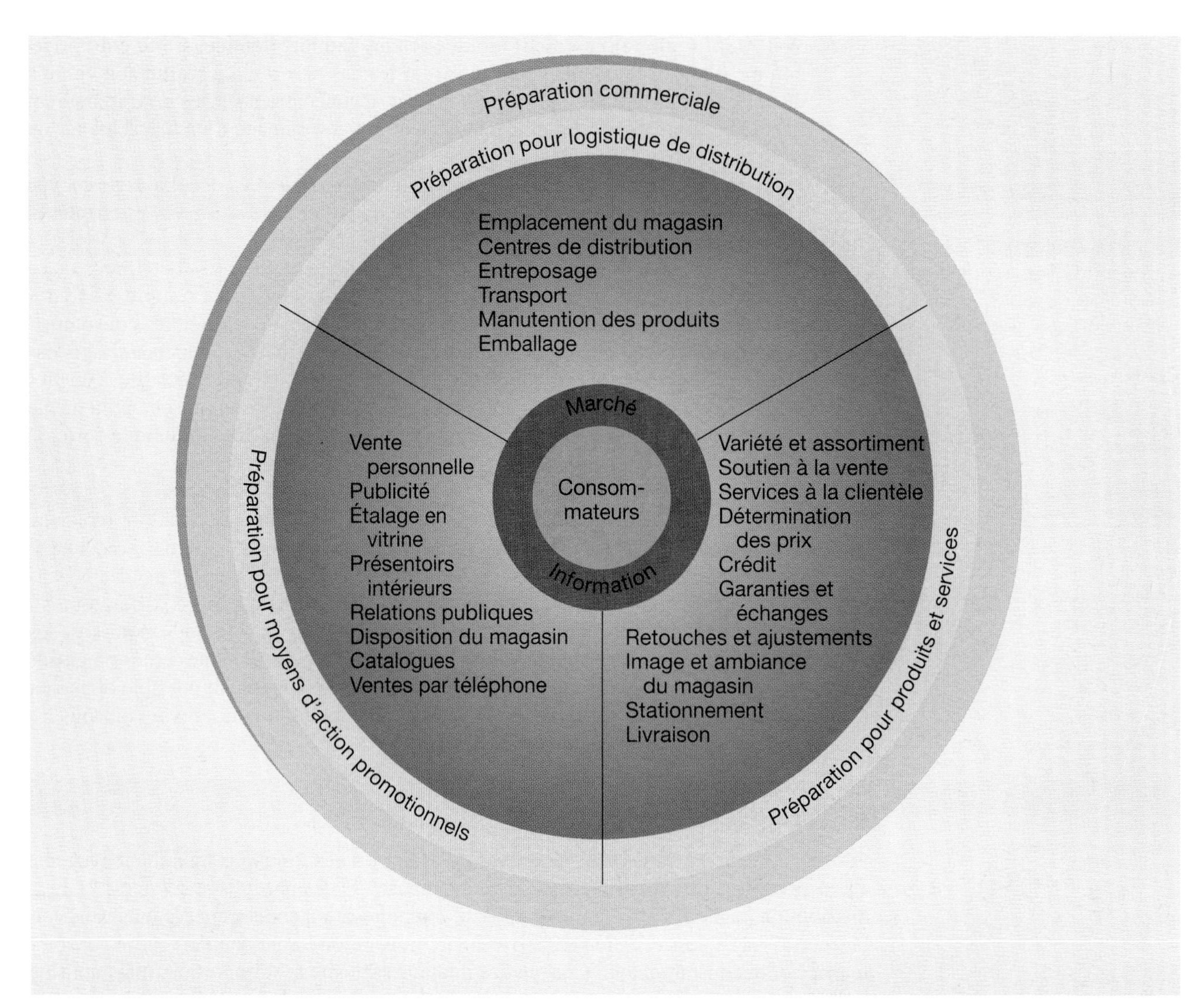

FIGURE 17.4
La « préparation commerciale »

l'argent. D'autres reportent les démarques pour décourager les chasseurs de soldes et maintenir une image de qualité. Il n'y a pas de recette infaillible, car les détaillants doivent évaluer l'impact que pourrait avoir le moment de la démarque sur les ventes futures.

La plupart des détaillants planifient leur démarquage. Cependant, pour beaucoup d'entre eux, les réductions font partie intégrante de la politique de prix. C'est le cas chez Wal-Mart et chez Home Depot. Leurs stratégies de bas prix continuels éliminent la nécessité des démarques ou des soldes, et ont particulièrement bien réussi[38]. Toutefois, les consommateurs jugent souvent de la qualité d'un produit par son prix. Il faut, lorsqu'on applique ce genre de stratégie, soigner l'image du magasin et bien choisir les noms de marque qu'on y offrira[39].

Les détaillants qui s'efforcent de maintenir les prix bas doivent tenir compte d'un problème particulier : le **vol de marchandises.** Selon toi, qui vole le plus : les clients ou les employés ? Pour le savoir, lis Question d'éthique à la page suivante[40].

Le prix dégriffé est une technique de fixation de prix au détail maintenant très répandue. Offrir de la marchandise à **prix dégriffé** consiste à vendre des produits de marques connues à des prix inférieurs aux prix courants. Un détaillant offrant des prix dégriffés achète à des prix inférieurs aux prix du gros la marchandise excédentaire de certains fabricants. Il diffère du magasin à rabais, qui achète sa marchandise au plein prix de gros. Cependant, il s'accorde une majoration inférieure à celle des magasins à rayons traditionnels. Cette façon d'acheter les marchandises rend imprévisible la sélection offerte

FONDEMENT MORAL

QUESTION D'ÉTHIQUE

Qui a les doigts les plus crochus? Surprise!

Le vol à l'étalage fait perdre annuellement aux détaillants presque 2 % de leurs ventes. Pour combattre ce fléau, de nombreux magasins se sont équipés de détecteurs magnétiques, de vitrines verrouillées, et ont mis en place certains autres moyens de dissuasion. Mais peut-être seras-tu étonné d'apprendre que plus de 50 % des vols sont attribuables aux employés, pas à la clientèle! Les articles les plus volés sont les confiseries dans les dépanneurs, les chemises dans les magasins à rayons et les piles dans les magasins à rabais. Quand ces larcins ont-ils lieu? Généralement, entre 15 et 18 heures. Pourquoi, selon toi, y a-t-il tant de vols à l'étalage? Que conseillerais-tu aux détaillants pour se défendre contre ce problème?

dans les boutiques à prix dégriffé . De nombreux consommateurs s'y livrent avec plaisir à la chasse aux bonnes affaires. En effet, les économies réalisables dans ces magasins sont souvent considérables, puisque les prix proposés peuvent représenter 70 % des prix en vigueur dans les magasins à rayons traditionnels[41].

Les magasins de vente à prix réduits ont plusieurs formules à leur disposition. L'une d'elle est le club-entrepôt. Ces vastes magasins (plus de 9 000 mètres carrés) ont d'abord été de mornes entrepôts n'offrant ni étalages raffinés, ni service à la clientèle, ni livraison à domicile. Pour y faire des achats, il faut payer un abonnement annuel (généralement 25 $ ou plus). Un magasin Wal-Mart classique a en stock 70 000 articles, les clubs-entrepôts n'en tiennent environ que 3 500. Ils ne proposent qu'un nom de marque par appareil ou par produit alimentaire. Le service est minimal et la clientèle paie généralement comptant ou par chèque. L'attrait de ces clubs-entrepôts tient dans les prix extrêmement concurrentiels des marchandises offertes[42]. Parmi les grands clubs-entrepôts, tu connais sans doute Costco. Les ventes de ces magasins ont augmenté de façon spectaculaire ces dernières décennies[43].

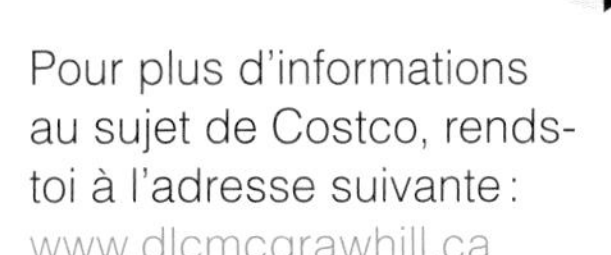

Pour plus d'informations au sujet de Costco, rends-toi à l'adresse suivante : www.dlcmcgrawhill.ca

Le magasin d'usine est un autre type de magasins de vente à prix réduits. Le prix des produits offerts dans des magasins d'usine tels que Les Factoreries Saint-Sauveur et Danck Factories Outlet est de 25 à 30 % inférieur au prix de détail suggéré. Les fabricants utilisent ces magasins pour écouler la marchandise excédentaire et toucher les clients sensibles aux prix. Des magasins de détail comme Liquidation Maynards permettent aux détaillants de vendre de la marchandise excédentaire. Cette activité ne nuit pas à l'image de marque de leur magasin principal, où l'on vend les marchandises à plein prix. Certains experts prévoient que la prochaine tendance sera de regrouper plusieurs de ces magasins dans des « centres de commerce à rabais »[44].

Une troisième version du magasin de vente à prix réduits est le magasin à prix unique exploité par des détaillants comme Dollarama et Carnaval du dollar. Ces magasins de 550 mètres carrés environ, attirent les consommateurs recherchant de la valeur mais préférant le magasin du coin à l'énorme centre commercial. Certains experts croient que ce type de commerce de détail est appelé à connaître une croissance extraordinaire[45].

L'emplacement du magasin Les décisions relatives à l'emplacement et au nombre de magasins font partie du deuxième aspect de la « préparation commerciale ». Les magasins à rayons, d'abord établis dans les centres-villes, ont suivi les consommateurs en banlieue. Ces dernières années, de plus en plus de magasins ont été ouverts dans de vastes galeries marchandes régionales. De nos jours, la plupart des magasins sont regroupés dans l'un des cinq environnements suivants : le centre des affaires, le centre commercial régional, le centre commercial communautaire, le galerie de boutiques et le complexe commercial.

Le **centre des affaires** est le plus ancien lieu de commerce de détail ; c'est le centre-ville. Avant la migration vers les banlieues, il s'agissait de la principale aire d'achat. Depuis, il n'a fait que décliner. Aujourd'hui, on tente de lui donner une vocation culturelle et gastronomique.

Les **centres commerciaux régionaux** sont les galeries marchandes de la banlieue d'aujourd'hui. Ils regroupent entre 50 et 150 magasins et attirent les gens vivant dans un rayon de 8 à 16 kilomètres. Ces grandes aires commerciales comprennent souvent deux ou trois *magasins piliers*. Ce sont des magasins nationaux ou régionaux bien connus, comme Sears et La Baie. Parmi les centres commerciaux établis en Ontario, on compte le Centre Rideau à Ottawa, le Tecumseh Mall à Windsor, le Centre New Sudbury et le Centre Eaton à Toronto.

Beaucoup moins spectaculaire, le **centre commercial communautaire** se compose généralement d'un magasin principal (habituellement une succursale d'un magasin à rayons) et de 20 à 40 magasins plus petits. Ces centres desservent habituellement une population habitant à 10 ou à 20 minutes de voiture de leur emplacement.

Mais les magasins de banlieue ne se trouvent pas tous dans des centres commerciaux. Dans de nombreuses localités, les magasins sont regroupés dans ce qu'on appelle des **galeries de boutiques.** Elles desservent les gens se trouvant à 5 ou à 10 minutes de voiture de leur emplacement. Elles comprennent habituellement station-service, quincaillerie, laverie, épicerie et pharmacie. Contrairement aux vastes centres commerciaux, la composition de la galerie marchande n'est généralement pas planifiée. L'emplacement du **complexe commercial** s'apparente à celui de la galerie marchande. Par contre, cet emplacement gigantesque possède plusieurs magasins piliers (ou magasins nationaux). Les complexes commerciaux sont pratiques pour les consommateurs. En effet, ils allient les avantages de l'emplacement typique des galeries marchandes à l'intérêt présenté par les magasins nationaux . De plus, ils regroupent souvent entre deux et cinq magasins majeurs et comprennent un supermarché qui attire les acheteuses et acheteurs sur les lieux[46].

Les chariots, les stands et les éléments muraux sont de nouveaux types d'emplacements de commerce de détail. Ils sont populaires dans les aéroports et dans les aires communes des galeries marchandes parce qu'ils sont facilement accessibles aux consommateurs. Ils permettent aussi aux propriétaires des lieux où ils sont installés d'en tirer des revenus de location. Enfin, ils coûtent moins cher aux détaillants qu'un magasin ordinaire.

L'image et l'ambiance du magasin Les décisions relatives à l'image d'un magasin de détail sont très importantes et les détaillants en tiennent compte depuis la fin des années 1950. Pour Pierre Martineau, l'image d'un magasin est « la façon dont ce magasin se trouve défini dans l'esprit de l'acheteur ». Cela dépend à la fois de qualités tangibles et d'attributs plus diffus relevant davantage du psychisme[47]. Dans cette définition, le mot *tangible* renvoie aux éléments de la « préparation », comme les fourchettes de prix, les agencements du magasin, et l'étendue et la profondeur des gammes. Les attributs relevant de la psychologie individuelle sont des éléments intangibles comme le sentiment d'appartenance, le piquant, le style ou la chaleur de l'endroit. On sait que l'image comprend des impressions sur l'entreprise qui exploite le magasin. L'image dépend également de la catégorie ou du type de magasin, des catégories de produits en magasin, des marques dans chaque catégorie, de la qualité de la marchandise et du service, et des activités de commercialisation proposée par le magasin[48].

L'ambiance dans le magasin ou l'atmosphère qui s'en dégage est étroitement liée au concept de l'image du magasin. Plusieurs détaillants croient que l'agencement du magasin, sa couleur, son éclairage et son fond sonore ont un effet sur les ventes. De même, si l'environnement matériel touche les clients, il devrait aussi influencer les employés[49]. Pour élaborer l'image et créer l'atmosphère qui conviennent à son magasin, le détaillant essaie de cerner son public cible. Il tente de découvrir ce que la clientèle veut retirer de son expérience d'achat. Ainsi, il espère renforcer les croyances qu'elle entretient et les réactions émotionnelles qu'elle recherche[50]. Sears, par exemple, tente de changer son image de marchand d'appareils électroménagers et d'outils. L'entreprise a donc ciblé les femmes à revenu moyen dans sa campagne publicitaire intitulée « L'autre côté de Sears ». Elle a annoncé, par ailleurs, son intention de vendre les produits Benetton[51].

RÉVISION DES CONCEPTS

1. Nomme les deux facteurs de la matrice de positionnement du commerce de détail.
2. Quelle différence y a-t-il entre la majoration initiale et la majoration fixe?
3. Une énorme galerie marchande comprenant plusieurs magasins piliers est un ____________________ commercial.

RÉSUMÉ

1. Le commerce de détail crée de la valeur pour la consommatrice et le consommateur en dispensant des utilités de temps, de place, de possession et de forme. Sur le plan économique, l'importance du commerce de détail se mesure au nombre de personnes qu'il emploie et aux échanges monétaires qu'il génère.
2. On peut classer les commerces de détail suivant plusieurs types: mode de propriété, niveaux de service ou gamme de marchandise.
3. Il y a plusieurs modes de propriété: l'entreprise indépendante, l'entreprise à succursales multiples, la coopérative de détaillants, la chaîne volontaire créée à l'initiative d'un grossiste et la franchise.
4. Les magasins se distinguent par le niveau de service qu'ils accordent. Les trois niveaux de service sont le libre-service, le service limité et le service complet.
5. Les commerces de détail se distinguent par l'étendue et la profondeur de leurs gammes de marchandise. L'étendue renvoie au nombre d'articles différents mis en vente. La profondeur renvoie à l'assortiment de produits offerts pour chaque article.
6. Le commerce de détail hors magasin s'effectue à l'aide de machines distributrices, par publipostage et par catalogues, par téléachat, par commerce électronique, par télémarketing et par vente directe.
7. Le positionnement d'un commerce de détail est fonction de deux facteurs: l'étendue de la gamme de produits et la valeur ajoutée, laquelle comprend l'emplacement du commerce, la fiabilité du produit et le prestige du nom.
8. La stratégie de commerce de détail se fonde sur la «préparation commerciale», qui comprend la «préparation» des produits et services, la «préparation» de la logistique de distribution et les moyens d'action promotionnels.
9. En ce qui concerne la détermination des prix de détail, les détaillants doivent décider de la majoration (ou marge sur coût d'achat), de la démarque et du moment de l'application de la démarque. Dans les boutiques dégriffées, les marchandises de marque sont offertes à des prix inférieurs aux prix courants. Les commerces de vente à prix réduits comprennent les clubs-entrepôts, les magasins d'usine et les magasins à prix unique.
10. Dans le domaine du commerce de détail, le choix de l'emplacement d'un magasin est une importante décision. Les possibilités d'emplacement les plus courantes sont le centre des affaires, le centre commercial régional, le centre commercial communautaire et la galerie de boutiques. Le complexe commercial est une variante de la galerie de boutiques; il comprend normalement de nombreux grands magasins et un supermarché.
11. Les détaillants développent l'image et l'ambiance de leur magasin en fonction de l'expérience d'achat que recherchent les clientes et clients de leur marché cible.

MOTS CLÉS ET CONCEPTS

centre commercial communautaire
centre des affaires
centres commerciaux régionaux
commerce de détail
complexe commercial
concurrence externe
étendue de la gamme
galerie de boutiques
gamme de produits
hypermarché
magasin à gamme unique
matrice de positionnement du commerce de détail
mode de propriété
niveau de service
préparation commerciale
prix dégriffé
profondeur de la gamme
télémarketing
vol de marchandise

EXERCICES INTERNET

Comme on l'a vu en introduction, le commerce électronique est, de nos jours, l'un des sujets les plus d'actualité en commerce de détail. Les nouvelles occasions d'affaires enthousiasment les entreprises, mais posent aussi un certain nombre de problèmes aux détaillants canadiens. À ce sujet, visite le site construit en partenariat par le Conseil canadien du commerce de détail et Industrie Canada. À l'aide des renseignements que tu y trouveras, tire le portrait du secteur du commerce de détail électronique au Canada. Énumère également les principaux défis que devront relever les détaillants canadiens.

Pour plus d'informations au sujet du Conseil canadien du commerce de détail et d'Industrie Canada, rends-toi à l'adresse suivante : www.dlcmcgrawhill.ca.

QUESTION DE MARKETING

1. Donne ton opinion sur l'effet : a) de l'accroissement du nombre de ménages à deux revenus ; et b) du vieillissement de la population sur le commerce de détail.
2. Quelle influence la valeur ajoutée a-t-elle sur la situation concurrentielle d'un magasin ?
3. En commerce de détail, les détaillants ont souvent une majoration fixe (action de chiffrer plus haut l'évaluation d'un prix). Explique en quoi cette majoration fixe diffère de la majoration initiale et dis pourquoi elle est si importante.
4. Détermine les différentes formes de vente et les types de magasins où tu peux retrouver les produits suivants : a) une boisson gazeuse ; b) une montre ; c) une automobile ; d) du beurre ; et e) ce livre de marketing.
5. Quelles caractéristiques des produits précédents pourraient expliquer le nombre et le type de magasins dans lesquels on peut les retrouver ?
6. Quel est l'intérêt d'une entreprise d'être présente dans le plus grand nombre de points de vente ? À l'inverse, aurait-elle un intérêt à n'être présente que dans une seule sorte de point de vente ?
7. L'étendue et la profondeur de la gamme sont deux importantes composantes permettant de distinguer les types de magasins de détail. Discute de ce qu'impliquent la profondeur et l'étendue de la gamme pour les détaillants suivants dont on a déjà parlé dans le texte : a) Levi Strauss ; b) Wal-Mart ; c) L. L. Bean ; et d) Future Shop.
8. Compare les prix d'une pinte de lait chez un dépanneur et dans une épicerie. Qu'est ce qui peut justifier la différence de prix ? Essaie de l'expliquer à l'aide d'un concept abordé en début de chapitre.
9. Classe les différents magasins de détail en produits alimentaires que tu connais selon : a) le mode de propriété ; b) le niveau de service ; et c) la gamme de produits offerts. Qu'est-ce qui pousserait une consommatrice ou un consommateur à aller visiter l'un de ces magasins plutôt que les autres ? Comment peuvent-ils se différencier les uns des autres ?

ÉTUDE DE CAS 17-1 IKEA

IKEA a vu le jour en Suède en 1940. C'était une entreprise de vente par correspondance. Aujourd'hui, IKEA possède des succursales dans plus de vingt pays et réalise des ventes excédant 5 milliards de dollars. C'est l'une des plus grandes chaînes de magasins d'ameublement au monde. IKEA a 19 magasins en Amérique du Nord, 7 au Canada et 12 aux États-Unis. En 1999, les ventes de ces magasins s'élevaient à plus de 550 millions de dollars.

LES VISÉES D'IKEA

Ingvar Kamprad, le roi de la vente par catalogue suédois, a fondé l'entreprise. IKEA est un acronyme formé des premières lettres de son nom et de celles de son village natal, Elmtaryd Agunnaryd. La société IKEA suit la philosophie énoncée par Kamprad dans son « Testament d'un vendeur de meubles ».

On peut y lire : « forme, fonction, prix = meubles attrayants, utiles et abordables ». En somme, IKEA promet un vaste choix d'articles pour la maison qui soient pratiques, d'un bon design et à prix si bas que la majorité des gens peuvent se les offrir. L'économie, l'ingéniosité, la simplicité et le travail bien fait sont des valeurs enracinées dans la compagnie.

Contrairement aux magasins traditionnels, les magasins IKEA combinent entrepôt et salle d'exposition. Les produits sont étalés dans des pièces entièrement décorées, ce qui permet d'imaginer ces objets chez soi. Les produits sont entreposés dans des cartons plats que les consommateurs viennent chercher et qu'ils assemblent à la maison. La clientèle d'IKEA forme en quelque sorte des « prosommateurs » (moitié producteurs, moitié consommateurs). En effet, elle se charge de l'assemblage des produits et participe au processus de distribution en assumant la livraison à domicile.

Malgré ce parti-pris pour le libre-service et l'assemblage par le client, IKEA offre aussi quelques services aux consommateurs. Par exemple, certains magasins font la livraison à domicile moyennant des frais supplémentaires. Lorsqu'elle n'offre pas la livraison, IKEA met la clientèle en contact avec une compagnie de livraison locale. L'entreprise loue même des porte-bagages de toit aux consommateurs qui doivent transporter leurs achats à la maison. Plusieurs magasins IKEA offrent des services de décoration à la clientèle qui désire meubler entièrement une pièce ou une maison. La plupart des magasins ont un service de design de cuisine. À l'aide de simulations par ordinateur, des décoratrices et décorateurs de cuisine expérimentés travaillent avec la clientèle pour élaborer et choisir la cuisine qui lui convient. Les produits d'IKEA sont faciles à assembler et ne requièrent ni habileté ni outils spéciaux. Cependant, IKEA peut référer les clientes et les clients qui en font la demande à des entreprises. Celles-ci se rendent au domicile de la cliente ou du client pour y assembler les meubles.

IKEA propose un éventail total de 12 000 produits. Chaque magasin a une sélection correspondant à sa taille, mais les principaux produits sont les mêmes dans le monde entier. Plus de 2 000 fournisseurs, dans plus de 60 pays, ont des contrats avec IKEA. Les fabricants expédient les composants aux vastes entrepôts ou centres de distribution. Ces derniers, à leur tour, approvisionnent les différents magasins. Les fournisseurs doivent procurer des produits de bon design, de haute qualité et typiquement scandinaves. Ils s'engagent à le faire à bas prix et à assurer la continuité de l'approvisionnement.

Le véhicule promotionnel clé d'IKEA est son catalogue. L'entreprise produit chaque année 30 éditions de ce catalogue, dans 17 langues, pour 31 pays. Elle a aussi recours à de la publicité accrocheuse et souvent controversée pour stimuler le bouche à oreille. Par exemple, IKEA a été la première compagnie à présenter des consommateurs gais dans des messages publicitaires diffusés sur les chaînes de télévision grand public. La compagnie utilise aussi des publicités originales et humoristiques pour atteindre la clientèle. Bien sûr, IKEA a un site Web pour communiquer avec elle.

Le principal marché cible d'IKEA sont des membres de professions libérales, jeunes (de corps ou d'esprit), instruits, à l'esprit ouvert et peu préoccupés par le statut social. Ce segment de marché existe dans tous les pays ou toutes les régions où IKEA s'est établie. La démographie change, et le vieillissement de la population se constate dans de nombreux pays. IKEA cherche donc à élargir son marché cible pour attirer une « clientèle plus mûre ». IKEA a aussi lancé une gamme d'ameublement de bureau en Amérique du Nord, dans le but de toucher le segment de marché commercial.

L'expansion d'IKEA dans le commerce de détail se fait dans une perspective de croissance contrôlée. La société prévoit n'ouvrir qu'un petit nombre de nouveaux magasins chaque année dans le monde.

Pour plus d'informations au sujet d'IKEA , rends-toi à l'adresse suivante : www.dlcmcgrawhill.ca.

Questions

1. En t'inspirant des « P » du marketing mix (produit, prix, communication [promotion] et distribution [place]), décris sommairement la façon dont IKEA met en marché ses produits.

2. Selon toi, pourquoi IKEA a-t-elle si bien réussi sur le marché hautement concurrentiel du commerce de meubles au détail ?

3. Pour la consommatrice et le consommateur, quels sont les attraits d'un commerce de détail du style d'IKEA par rapport à un magasin traditionnel de meubles ?

Tom Hanks Meg Ryan

Ils se détestent dans la vie...
Ils s'aiment sur internet.

Par la réalisatrice de NUITS BLANCHES A SEATTLE

Vous avez un Mess@ge

(You've Got Mail)

WARNER BROS.
LAUREN SHULER DONNER NORA EPHRON TOM HANKS MEG RYAN "VOUS AVEZ UN MESSAGE" (YOU'VE GOT MAIL)
PARKER POSEY JEAN STAPLETON DAVE CHAPPELLE STEVE ZAHN DABNEY COLEMAN GREG KINNEAR GEORGE FENTON RICHARD MARKS
DAN DAVIS JOHN LINDLEY DELIA EPHRON, JULIE DURK C. MAC BROWN NORA EPHRON DELIA EPHRON
LAUREN SHULER DONNER NORA EPHRON NORA EPHRON
www.message.lefilm.com

CHAPITRE 18

LE PLAN DE COMMUNICATION INTÉGRÉ ET LE MARKETING DIRECT

18

APRÈS AVOIR LU CE CHAPITRE, TU SERAS EN MESURE

- d'expliquer les éléments du processus de communication;
- de présenter les différents éléments du mix promotionnel;
- de décrire le mix promotionnel en fonction du caractère unique de chacun de ses composants;
- d'énumérer les différentes étapes de l'élaboration d'un programme de promotion;
- d'apprécier l'utilité du marketing direct tant pour les consommateurs que les vendeurs.

DU COURRIER POUR MEG ET TOM

Un vendredi soir, tu décides d'aller au cinéma. Meg Ryan et Tom Hanks sont mis en vedette dans une comédie romantique. Le titre de leur film, *You've Got Mail* (*Vous avez un message*), t'est familier. Le film montre les deux personnages s'échangeant une correspondance par courrier électronique. Tu constates qu'ils font appel au même serveur que toi, America Online. Est-ce là une coïncidence? Jamais de la vie!

La visibilité d'America Online dans ce film est l'aboutissement d'une entente promotionnelle entre le fournisseur du service en ligne et les studios Warner Bros. En échange d'apparitions à l'écran, America Online a payé le studio. La somme oscillerait entre trois et six millions de dollars. Cette entente a profité aux deux parties. Le studio a ainsi compensé une part de ses frais de marketing et de production tout en ajoutant au réalisme des scènes. America Online a touché un vaste auditoire à l'aide d'un moyen de communication de longue durée.

Plusieurs autres films ont aussi fait la promotion de produits de marque. Le film *E.T.* de Steven Spielberg montrait des friandises Reese de Hershey's, ce qui les a popularisées. De même, Tom Cruise a porté des lunettes de soleil Ray-Ban de Bausch and Lomb dans *Risky Business* et le modèle aviateur dans *Top Gun*. Les ventes de ces articles ont grimpé en flèche, passant de 100 000 à 7 millions de paires en 5 ans. Après cela, nul n'a remis en cause l'impact du placement de produits. Ajoutons que James Bond conduisait une automobile décapotable BMW Z3 dans *Goldeneye*, que Mel Gibson et Danny Glover cassaient la croûte chez Dunkin Donuts dans *Leathal Weapon 4* (*L'Arme Fatale 4*), et que Matthew McConaughey et Jenna Elfman employaient des téléphones cellulaires Motorola dans *EdTV*. Le site Web Equisearch.com diffuse de l'information à l'intention des amateurs de sports équestres. Il est sorti de l'obscurité après avoir été mis en valeur dans *The Horse Whisperer* (*L'Homme qui murmurait à l'oreille des chevaux*). Enfin, notons que MGM et EON Productions, producteurs du film avec James Bond intitulé *Die Another Day* (*Meurs un autre jour*), se sont associés à Philips Electronics. Doit-on alors s'étonner de voir le héros du film utiliser autant de gadgets de la même marque ?

Toutefois, il n'y a pas que les films. Ce type de communication trouve des véhicules promotionnels dans les vidéoclips, les émissions de télévision, les jeux-questionnaires et même dans les publicités d'autres entreprises. Sans doute as-tu déjà entendu parler de la populaire émission du matin *Salut, Bonjour*, diffusée par le réseau TVA. Sais-tu pourquoi on compte autant de tasses de café affichant le logo Folger's sur le plateau ? Ne cherche plus ! Guy Mongrain est aussi le porte-parole québécois de cette marque de café. Leur association dure depuis plusieurs années.

Le placement de produits dans de nombreux supports médiatiques est devenu un important volet du marketing et de la promotion. Les utilisations de cette technique illustrent l'importance de la créativité lorsqu'on communique avec d'éventuels consommateurs. On devra toutefois mettre en place un procédé qui intègre l'ensemble des communications marketing. Cette démarche assure que le placement de produits et les activités promotionnelles font passer un message homogène.

La communication marketing (promotion) constitue le quatrième élément du marketing mix. Elle regroupe plusieurs outils dont disposent les spécialistes du marketing. Il s'agit de la publicité, de la vente personnelle (force de vente), de la promotion des ventes, des relations publiques et du marketing direct. Ces outils forment ce que l'on appelle le *mix de communication* (promotion). Chaque outil se révèle utile quand il s'agit : 1) d'informer les acheteurs éventuels des avantages d'un produit ; 2) de les persuader d'en faire l'achat ; et 3) de leur rappeler les avantages qu'ils ont tirés de ce produit. Ce chapitre présente un survol du processus de communication et des éléments promotionnels nécessaires au marketing, et explore le marketing direct. Le chapitre 19 porte sur la publicité, la promotion des ventes et les relations publiques.

LE PROCESSUS DE COMMUNICATION

La **communication** est un processus par lequel on transmet un message à autrui. Comme l'illustre la figure 18.1, le message prend appui sur six éléments. Les éléments consistent en un émetteur, un message, un canal de communication, un récepteur et les procédés de codage et de décodage du message[1]. L'**émetteur** peut être un individu ou une entreprise qui souhaite transmettre de l'information. L'information transmise par l'émetteur, par exemple la description d'une nouvelle boisson amaigrissante, forme le **message.** Le message est transmis à l'intérieur d'un **canal de communication,** par

FIGURE 18.1
Le processus de communication

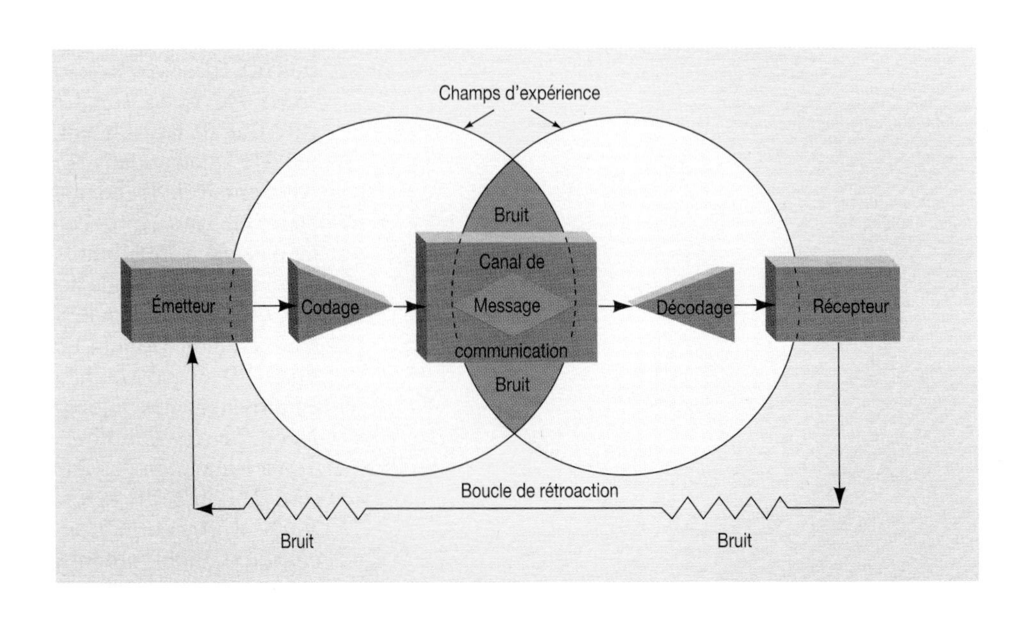

exemple une vendeuse ou un vendeur, un média publicitaire, dont la télévision, la presse et la radio, ou par une forme de relations publiques. Les consommateurs exposés au message sont les **récepteurs.**

Le codage et le décodage

Le codage et le décodage sont parties prenantes de la communication. Le **codage** est le procédé par lequel l'émetteur transforme une idée abstraite en un ensemble de symboles. Le **décodage** est l'inverse, c'est-à-dire le procédé par lequel le récepteur reçoit un ensemble de symboles – le message – et les configure en une idée abstraite. Examine les publicités ci-dessous. Qui en est l'émetteur et quel est son message ?

Le récepteur se charge du décodage selon ses propres schèmes de référence : ses attitudes, ses valeurs et ses convictions[2]. Dans notre exemple, Ford et Dodge sont les émetteurs. Ces publicités forment le message paru dans le magazine *L'actualité* (le support de communication). Comment interprètes-tu ces publicités ? Comment les décodes-tu ? Les photos et les textes montrent que l'intention des émetteurs est de susciter de l'intérêt en faveur des véhicules utilitaires et des mini-fourgonnettes. Les émetteurs estiment que ces publicités sauront plaire aux lectrices et aux lecteurs du magazine en question.

Le processus de communication n'apporte pas toujours le résultat escompté. Des erreurs peuvent survenir sur plusieurs plans. L'émetteur peut échouer lorsqu'il transforme une idée abstraite en un ensemble de symboles convaincants. Par ailleurs, un message bien codé peut circuler à l'intérieur du mauvais circuit sans jamais parvenir à son récepteur. Ce dernier peut décoder de façon erronée un ensemble de symboles en une idée abstraite différente de l'idée initiale. Enfin, la rétroaction peut acculer un tel retard ou être déformée à tel point qu'elle n'est d'aucune utilité à l'émetteur. En général, on croit qu'il est facile de communiquer. Établir une communication efficace n'est toutefois pas une mince tâche.

Pour plus d'informations au sujet de Ford et de Dodge, rends-toi à l'adresse suivante : www.dlcmcgrawhill.ca

Pour qu'un message soit communiqué avec efficacité, l'émetteur et le récepteur doivent partager un **champ d'expérience** commun. Ce champ correspond à la somme de connaissances et de visions communes des deux acteurs. La figure 18.1 présente les champs d'expérience de l'émetteur et du récepteur qui se chevauchent dans le message. Dans les entreprises canadiennes, les problèmes de communication surgissent souvent lorsqu'on tente de faire passer un message d'une culture à l'autre dont les champs d'expérience ont peu en commun. Les interprétations erronées naissent souvent d'erreurs de traduction. Ainsi, General Motors a commis une erreur lorsqu'elle a traduit en flamand (ensemble des dialectes néerlandais parlés en Belgique) *Body By Fisher* (carrosserie signée Fisher) par *Cadavre de Fisher*[3].

Un émetteur et un message

La rétroaction

On aperçoit une *boucle de rétroaction* à la figure 18.1. La **rétroaction** est une communication inversée entre un récepteur et un émetteur. Elle indique que le message a été ou non décodé et compris comme on l'entendait. Nous verrons au chapitre 19 que les publicitaires font appel à un prétest pour s'assurer à l'avance que le message sera bien décodé.

Le bruit

Dans ce contexte, le **bruit** désigne les facteurs extérieurs qui entravent l'efficacité de la communication en déformant le message ou la rétroaction (*voir la figure 18.1*). Il peut s'agir d'une simple erreur, par exemple une coquille modifiant la signification d'un message publicitaire ou l'emploi de mots ou d'images brouillant la transmission du message. On parle aussi de bruit lorsqu'un acheteur éventuel perçoit mal le message du vendeur, que ce soit en raison de son accent, de l'emploi d'une expression argotique ou d'une manière de communiquer entravant la compréhension du message.

RÉVISION DES CONCEPTS

1. Quels sont les six éléments nécessaires à toute communication?
2. Dans les entreprises canadiennes, les problèmes de communication surgissent souvent lorsqu'on tente de faire passer un message d'une culture à l'autre dont les ________________ ont peu en commun.
3. Un texte publicitaire comportant une coquille est un exemple de ________________.

LES ÉLÉMENTS DU MIX PROMOTIONNEL

Afin de communiquer avec les consommateurs, une entreprise dispose de cinq démarches promotionnelles. Ces démarches sont la publicité, la vente personnelle, la promotion des ventes, les relations publiques et le marketing direct. Le tableau 18.1 résume les distinctions entre ces cinq démarches. Trois d'entre elles, la publicité, la promotion des ventes et les relations publiques, servent souvent à la *communication de masse,* car on y recourt devant des groupes d'acheteurs éventuels. À l'opposé, la vente personnelle repose sur une *interaction personnalisée* entre les vendeurs et les acheteurs éventuels. Les activités utiles à la vente personnelle sont la communication face à face, la téléphonie et la communication électronique interactive. Le marketing direct emploie aussi des messages personnalisés en fonction de différents clients.

La publicité

La **publicité** est une forme impersonnelle de présentation d'une entreprise, d'un produit, d'un service ou d'une idée. Elle est assurée par l'intermédiaire d'un commanditaire dûment identifié. La *commandite* (somme d'argent payée) est un élément important de cette définition car, en général, on achète l'espace publicitaire. Les messages d'intérêt public constituent une exception lorsque le diffuseur accorde gratuitement du temps d'antenne ou un espace publicitaire. Ainsi, une annonce pleine page en quadrichromie (imprimée en quatre couleurs) coûte entre 3 170 $ et 3 695 $ dans le magazine informatique *Guide Internet*[4], entre 13 800 $ et 15 400 $ dans *L'actualité*[5] et plus de 30 000 $ dans le magazine *Châtelaine.* La forme *impersonnelle* importe aussi. La publicité touche les canaux de communication de masse tels que la radio, la télévision, les journaux et les revues. Impersonnels, ces canaux n'entraînent aucune boucle de rétroaction immédiate comme la vente personnelle. Aussi, avant même la diffusion du message, on recourt à une étude de marché. On veut déterminer, par exemple, si le marché cible saisit le message et s'il remarque le média retenu.

Pour plus d'informations au sujet de *Châtelaine,* rends-toi à l'adresse suivante : www.dlcmcgrawhill.ca

ÉLÉMENT DE COMMUNICATION	COMMUNICATION DE MASSE OU PERSONNALISÉE	MODE DE PAIEMENT	FORCES	FAIBLESSES
Publicité	De masse	En fonction de l'espace occupé ou du nombre d'heures	• Moyen efficace pour atteindre une grande quantité de gens	• Dépenses élevées • Difficile de recevoir une rétroaction immédiate et efficace
Vente personnelle	Personnalisée	Rémunération payée au personnel de vente sous forme de salaires ou de commissions	• Rétroaction immédiate • Très convaincante • Peut s'adapter à son auditoire • Peut fournir une information complexe	• Frais très élevés par personne rejointe • Messages pouvant varier selon le vendeur
Relations publiques	De masse	Sans paiement direct aux médias	• Souvent l'émetteur le plus crédible aux yeux des consommateurs	• Difficile d'obtenir la coopération des médias
Promotion des ventes	De masse	Tarifs variant beaucoup en fonction de la promotion retenue	• Efficace pour modifier un comportement en peu de temps • Offre beaucoup de souplesse	• Facilement galvaudée, dépréciée • Peut entraîner une guerre promotionnelle • Facilement imitable
Marketing direct	Personnalisé	Frais de communication par la poste, le téléphone ou l'ordinateur	• Message préparé rapidement • Facilite les relations avec la clientèle	• Difficulté de retenir l'attention des clients • Gestion dispendieuse de la base de données

TABLEAU 18.1
Le mix de communication (promotion)

Des publicités qui captent l'attention

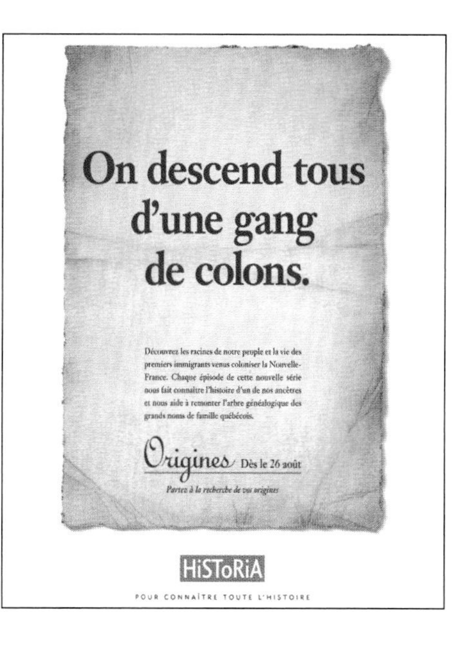

Une entreprise trouve plusieurs avantages à inclure la publicité à son mix de communication (promotion). Elle permet de capter l'attention, comme les annonces de Toyota et de la chaîne Historia reproduites sur cette page. Elle peut aussi communiquer les avantages précis d'un produit aux acheteurs éventuels. En réservant un espace publicitaire, l'entreprise décide de *ses propos*. Dans une certaine mesure, elle choisit les *destinataires* de son message. Supposons qu'une société de produits électroniques souhaite adresser aux étudiants universitaires son message à propos d'un lecteur de disques compacts. Elle réserve donc de l'espace publicitaire dans le journal étudiant de l'université qu'ils fréquentent. La publicité permet aussi à l'entreprise de décider du *moment* de diffusion de son message et de sa fréquence. L'élément impersonnel de la publicité comporte aussi ses avantages. Dès que le message est au point, il est expédié à tous les récepteurs occupant un segment de marché. Lorsque le message a été l'objet d'un pré-test, l'entreprise peut être assurée qu'il sera décodé par l'ensemble des récepteurs de ce segment de marché.

La publicité comporte quelques désavantages. Ainsi que l'indique le tableau 18.1, les frais liés à la production et à la diffusion des annonces sont élevés. De plus, faute de rétroaction directe, on ignore à quel point le message a bien été reçu.

La vente personnelle

La **vente personnelle** constitue la deuxième démarche promotionnelle. Il s'agit de la circulation de l'information dans les deux sens entre les acheteurs et les vendeurs. La vente personnelle a souvent lieu durant une rencontre destinée à influencer la décision d'achat d'une personne ou d'un groupe. Contrairement à la publicité, la vente personnelle est, d'ordinaire, une communication face-à-face entre vendeurs et acheteurs. La vente par téléphone et le commerce électronique ne sont pas de vrais face-à-face, mais ils connaissent actuellement une pleine croissance. Pourquoi les entreprises font-elles appel à cette technique ?

La vente personnelle comporte d'importants avantages présentés au tableau 18.1. Les vendeurs peuvent décider devant *qui* la présentation aura lieu. Comme l'illustre la publicité de produits électroniques du journal étudiant, il est possible d'exercer un contrôle sur la publicité en choisissant le média. Cependant, des gens n'appartenant pas à la clientèle cible des lecteurs de disques compacts peuvent lire ce journal. Pour le fabricant de ces appareils, atteindre les lecteurs n'entrant pas dans la catégorie visée entraîne un effet nul. La vente personnelle permet de diminuer l'effet nul. L'élément personnel de la vente comporte un autre avantage par rapport à la publicité. En effet, les vendeurs peuvent voir ou entendre la réaction des acheteurs éventuels devant une publicité. Quand la rétroaction est défavorable, les vendeurs modifient le message.

La souplesse propre à la vente personnelle peut jouer à son détriment. Le message peut être modifié selon la personne chargée de la vente, au risque de modifier la cohérence de la communication. Le coût élevé de la vente personnelle est peut-être son principal inconvénient. En général, il s'agit de l'élément promotionnel le plus dispendieux du coût par contact.

Les relations publiques

Les **relations publiques** constituent une forme de gestion de la communication qui tente d'influer sur les sentiments, les opinions ou les convictions des consommateurs, des actionnaires, des fournisseurs, des employés et d'autres publics qui détiennent des enjeux à propos d'une entreprise et de ses produits ou services[6]. Un service de relations publiques dispose de plusieurs outils. Il peut compter notamment sur les manifestations spéciales, les politiques de coulisses, les rapports annuels et la gestion de l'image. Toutefois, la **publicité rédactionnelle** occupe une place primordiale. La publicité rédactionnelle est une forme de présentation impersonnelle d'une entreprise, d'un produit ou d'un service. Elle est assurée par l'intermédiaire de médias indirectement payés. Elle peut prendre la forme d'un reportage, d'un éditorial ou d'une annonce. La rémunération est la principale différence entre la publicité et la publicité rédactionnelle. Pour cette dernière, la paye est indirecte. Une entreprise qui passe de la publicité rédactionnelle dans un média grand public, à la télévision ou à la radio, par exemple, ne débourse rien. Au contraire, elle porte à la connaissance générale une information dans l'espoir que les

Pour plus d'informations au sujet du *Guide du Routard Canada Ouest et Ontario*, rends-toi à l'adresse suivante : www.dlcmcgrawhill.ca

médias y fassent écho gratuitement. En ce sens, la publicité rédactionnelle entraîne des frais indirects que l'on doit affecter à l'administration d'un service de relations publiques.

La publicité rédactionnelle a pour avantage d'apporter de la crédibilité au produit ou au service en question. Lorsqu'on lit un article favorable à un produit, par exemple la critique élogieuse d'un restaurant, on est porté à croire ce qui est écrit. Les touristes du monde entier se sont fiés à des guides de voyage tels que *Le Guide du Routard* et *Le Petit Futé*. Ces livres mettent en relief des hôtels, des auberges, des gîtes du passant et des restaurants peu chers situés en dehors des sentiers battus. Les guides font une publicité gratuite à tous ces établissements. Ces commerces n'achètent ni ne peuvent acheter aucun espace à l'intérieur du guide. L'éditeur en écoule des millions d'exemplaires dans le monde.

La publicité rédactionnelle présente un inconvénient : l'entreprise qui l'utilise ne la contrôle pas. Un promoteur peut convier un journaliste à l'inauguration d'un nouveau gymnase ultramoderne et espérer un commentaire favorable au bulletin de nouvelles de 18 h. Si ce promoteur n'a retenu aucun temps publicitaire, rien ne lui garantit un passage à l'antenne. Il ne sait pas si l'ouverture de son gymnase fera l'objet d'un reportage ou si le reportage sera diffusé au moment où la clientèle cible regardera la télévision. Le promoteur peut demander la rediffusion du reportage au télédiffuseur. Ce dernier pourrait lui répondre qu'une nouvelle éventée n'a plus d'intérêt. La publicité rédactionnelle ne permet pas de contrôler les propos tenus, le contexte et le moment de leur diffusion. En conséquence, elle sera rarement la principale composante d'une campagne de communication (promotion).

La promotion des ventes

La **promotion des ventes** constitue le quatrième élément du mix de communication (promotion). Il s'agit d'un stimulant de courte durée visant à éveiller l'intérêt pour un bien ou un service et à en encourager l'achat. Ces stimulants sont employés conjointement avec la publicité ou la vente personnelle. Ils sont proposés aux intermédiaires et aux acheteurs finaux. Les coupons-rabais, les rabais, la distribution d'échantillons ou les concours publicitaires sont des exemples de stimulants dont nous parlerons plus loin.

L'avantage des stimulants tient aux délais serrés durant lesquels on les offre. Ainsi, les coupons-rabais ou les concours font l'objet d'une date limite. Par ailleurs, ces stimulants permettent de dynamiser les ventes des articles en cause. En effet, proposer aux consommateurs de toucher un rabais sur un produit ou un service les incite à l'achat.

Les stimulants ne peuvent constituer le seul fondement d'une campagne promotionnelle. En effet, les gains sont souvent temporaires et les ventes accusent une chute aussitôt que l'offre prend fin[7]. On doit doubler ces stimulants d'un soutien publicitaire. Celui-ci finit de convaincre les consommateurs tentés par une promotion pour qu'ils deviennent des acheteurs fidélisés[8]. Les stimulants n'ont plus d'effet si on les utilise continuellement. Les consommateurs reportent alors leurs achats jusqu'à la nouvelle promotion ou ils remettent en cause la valeur du produit. Ce type de promotion fait aussi l'objet d'une réglementation de la part des gouvernements fédéral et provinciaux. Nous nous y attarderons au prochain chapitre.

Le marketing direct

Le **marketing direct** est un autre procédé communicationnel (promotionnel) par lequel on entre en relation directement avec la consommatrice ou le consommateur afin de susciter une commande, une demande d'information supplémentaire ou une visite en magasin[9]. Cette communication peut prendre plusieurs formes : la vente face-à-face, le publipostage, les catalogues, la sollicitation téléphonique, la publicité directe (à la télévision, à la radio et dans les journaux) et le marketing électronique. Comme la vente directe, le marketing direct se fonde souvent sur une communication interactive. Il comporte aussi l'avantage d'être configuré selon les besoins de marchés précisément ciblés. On peut vite élaborer et adapter les messages dans le but de faciliter les rapports individuels avec les clientes et les clients.

Le marketing direct compte parmi les formes de promotion qui ont connu une expansion phénoménale au cours des dernières années. Il comporte tout de même plusieurs inconvénients. En premier lieu, quelle que soit la forme retenue, le marketing direct nécessite une base de données complète et actualisée concernant le marché cible. La gestion de base de données exige beaucoup de temps et de ressources financières. De plus, les consommateurs se préoccupent de la confidentialité des renseignements les concernant. En conséquence, ce type de communication accuse un taux de réponse à la baisse. Les entreprises qui pratiquent avec succès le marketing direct font preuve de sensibilité devant cet enjeu. Elles combinent souvent plusieurs méthodes de marketing direct. Elles jumellent aussi le marketing direct à d'autres outils de communication (promotion) afin d'accroître la valeur pour les clientes et les clients.

L'INTERFONCTIONNEL

TENDANCES MARKETING Yo Quiero... les communications intégrées!

La stratégie publicitaire des restaurants Taco Bell consiste à attirer les consommateurs âgés de 18 à 24 ans en misant sur l'interaction, la différenciation par rapport aux autres produits, les défis et les autres activités destinées aux jeunes. L'année dernière, le budget de publicité et de promotion de Taco Bell atteignait presque 250 millions de dollars et prévoyait un éventail d'activités doublées d'un plan de communication (promotion) intégré. En voici quelques-unes :

- des messages publicitaires mettant en vedette un chihuahua parlant ;
- un concours publicitaire lié aux films de la série *Stars Wars* (*La Guerre des Étoiles*) ;
- des primes en magasin (par exemple, des répliques du chihuahua parlant qui articulaient les phrases : « ¡Viva Gorditas ! » et « ¡Yo Quiero Taco Bell ! ») ;
- un site Web présentant la valeur nutritive des mets inscrits à son menu, les adresses de ses succursales, les offres d'emplois, des jeux et des photos tirées des publicités télévisées ;
- un concours à l'occasion de la Saint-Valentin invitant les consommateurs à faire parvenir une photo ou une bande vidéo présentant une demande en mariage au cours de laquelle le chihuahua prononcerait les mots : « Je pense que je suis amoureux » (une bague de fiançailles de 10 000 dollars était offerte en cadeau) ;
- des accords d'autorisation pour vendre des sacs à dos, des porte-clefs, des casquettes et des t-shirts, et des ententes avec de grandes surfaces telles que Wal-Mart pour vendre une version grandeur nature du chihuahua.

La campagne intégrée s'est avérée un véritable succès. Le chiffre d'affaires de Taco Bell dépasse à présent cinq milliards de dollars, quelques-uns de ses jouets se vendent dans Internet à raison de 100 dollars et, selon Laurie Gannon, la porte-parole de la chaîne, « les clients veulent voir davantage le chien. Il a la faveur auprès de la population. Sa détermination fait de lui un héros que tous semblent aimer. »

RÉVISION DES CONCEPTS

1. Quelle est la différence entre la publicité et l'information publicitaire présentées à la télévision ?
2. Quel élément promotionnel doit-on offrir seulement à court terme ?
3. La ________________ est l'élément promotionnel le plus dispendieux sous le rapport du coût par contact.

L'ÉLABORATION D'UN PROGRAMME DE COMMUNICATION (PROMOTION)

La publicité par l'entremise des médias occasionne des frais élevés. On doit donc aborder la réflexion sur la communication (promotion) avec méthode et prendre les décisions avec soin. La mise en œuvre et le mécanisme de contrôle forment le processus de stratégie marketing (voir le chapitre 2). En parallèle, le processus décisionnel de la communication (promotion) se segmente en trois phases. La figure 18.2 illustre ces phases. Ce sont l'élaboration, l'exécution et l'évaluation du programme. L'élaboration d'un programme de communication (promotion) s'articule autour des quatre axes suivants :

- *Qui* constitue le marché cible ?
- *Quels* sont les objectifs de la communication (promotion), les sommes d'argent budgétisées à cette fin et les méthodes communicationnelles (promotionnelles) à retenir ?
- *Où* la communication (promotion) doit-elle avoir lieu ?
- *Quand* la communication (promotion) doit-elle avoir lieu ?

Déterminer le marché cible

Avant d'élaborer un programme de communication (promotion), on doit d'abord déterminer le *marché cible*. Le marché cible est le groupe de consommateurs éventuels vers lequel on orientera ce programme. Dans la mesure où l'on dispose de suffisamment de temps et d'argent, on détermine le marché cible d'une communication (promotion). Le marché cible, auquel on tente de vendre un produit, est déterminé à partir d'études de marché et d'études de segmentation du marché. Il faut bien connaître le profil d'un marché cible : les habitudes, les attitudes et les valeurs des gens que l'on souhaite atteindre. Plus on en sait, mieux on peut élaborer un programme de communication (promotion) en fonction de ses caractéristiques. L'entreprise souhaitant t'atteindre par le biais de publicités à la télévision et dans les revues doit connaître les émissions que tu regardes et les revues que tu lis.

Préciser les objectifs visés

Lorsque l'on a déterminé le marché cible, on doit décider des objectifs que la communication (promotion) doit atteindre. Les consommateurs réagissent par une succession de

FIGURE 18.2
Le processus décisionnel conduisant au déroulement d'une communication (promotion)

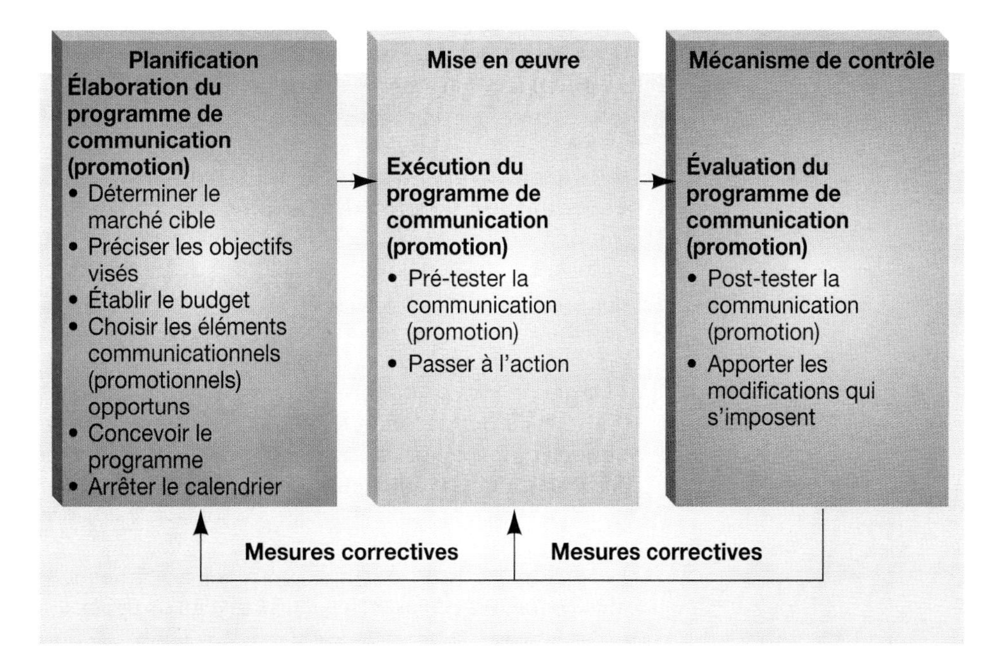

stades. Ces stades les conduisent à l'identification d'un besoin d'action (l'essai ou l'achat d'un produit). On parle alors de **hiérarchie des effets** afin de désigner ces stades qui s'établissent dans l'ordre suivant[10] :

- *La prise de conscience* La prise de conscience par la consommatrice ou le consommateur est sa faculté de se souvenir du nom d'un produit ou d'une marque.
- *L'intérêt* Le consommateur désire en apprendre davantage au sujet des caractéristiques d'un produit ou d'une marque.
- *L'évaluation* Le consommateur évalue un produit ou une marque en fonction de ses principaux attributs.
- *L'essai* L'essai est le premier achat et la première utilisation d'un produit ou d'une marque.
- *L'adoption* Après un premier essai jugé favorable, le consommateur renouvelle l'achat et emploie ce produit ou cette marque.

Quand il s'agit d'un produit nouveau, cette séquence vaut pour l'ensemble de la catégorie du produit. Toutefois, lorsqu'il s'agit d'une nouvelle marque faisant son entrée dans une catégorie existante, elle ne vaut que pour cette marque. On peut s'appuyer sur cette succession de stades pour déterminer les objectifs d'une communication (promotion).

En général, on détermine les objectifs d'un programme de communication (promotion) en fonction d'un seul stade de la hiérarchie des effets. Cependant, on peut choisir d'en combiner plusieurs. Peu importe l'objectif visé, il s'agit de provoquer une prise de conscience ou de favoriser le renouvellement des achats. Les objectifs d'une communication (promotion) doivent posséder trois caractéristiques importantes[11]. Ils doivent être déterminés en fonction : 1) d'un marché cible bien défini ; 2) de leur nature quantifiable ; et 3) de limites à l'intérieur d'une période précise.

Établir le budget

Lorsque les objectifs de la communication (promotion) sont fixés, on doit décider du budget que l'on souhaite y consacrer. Les frais à consentir afin d'atteindre des millions de ménages canadiens sont astronomiques. En 1999, les entreprises canadiennes ont consacré plus de huit milliards de dollars à la publicité. Selon certaines évaluations, le double de cette somme a été alloué à la promotion et au marketing direct[12]. De grandes sociétés telles que McDonald's Canada, Procter & Gamble, General Motors du Canada et la Banque Royale dépensent chaque année des centaines de millions de dollars en communication (promotion) de toutes sortes.

Déterminer le montant qu'il faudrait idéalement allouer au budget de communication (promotion) demeure difficile. Il n'existe aucune méthode permettant de mesurer avec précision le résultat découlant des sommes investies. Toutefois, on dispose de plusieurs méthodes pour établir un tel budget[13].

Selon un pourcentage du chiffre d'affaires La **budgétisation selon un pourcentage du chiffre d'affaires** réserve une somme allouée à la communication (promotion) en se fondant sur un pourcentage du chiffre d'affaires antérieur ou prévisionnel, exprimé en dollars ou en unités vendues. Il s'agit d'une méthode de budgétisation courante que l'on peut résumer ainsi : « Notre budget de communication (promotion) de l'année en cours équivaut à 3 % des ventes brutes de l'année dernière[14]. » Cette méthode comporte un avantage évident en plus de sa simplicité. Elle offre une certaine sécurité financière, car elle lie le budget communicationnel (promotionnel) au chiffre d'affaires. Elle repose toutefois sur une idée trompeuse : la vente engendre la communication (promotion). Partant de cette méthode, une entreprise peut réduire son budget de communication (promotion) à cause d'un fléchissement des ventes antérieures ou d'un ralentissement prévisible. Pourtant, ce sont deux situations où la promotion s'impose.

Selon les actions de la concurrence Une méthode de budgétisation, parmi les plus courantes, consiste à égaler le niveau de dépenses d'un concurrent ou le pourcentage alloué par point de part du marché. On parle alors de **budgétisation selon la**

concurrence ou sur la *part de marché*. Il importe de considérer la concurrence pour préparer un budget[15]. Les réactions de la consommatrice et du consommateur face à ces communications sont déterminées par les activités des concurrents. Ainsi, quand une entreprise achète 30 publicités radiophoniques par semaine, une autre entreprise aura du mal à faire passer son message si elle n'en prévoit que 5[16]. L'enveloppe budgétaire des concurrents ne doit cependant pas constituer le seul facteur déterminant d'un budget communicationnel (promotionnel). Ces derniers peuvent se fixer des objectifs différents nécessitant des sommes différentes.

Selon les ressources disponibles Cette méthode est commune à toutes les petites et moyennes entreprises. La **budgétisation selon les ressources disponibles** consiste à allouer des sommes à la publicité lorsque tous les autres frais sont réglés. Un cadre supérieur a résumé de façon éloquente cette façon de préparer un budget : « C'est très simple. D'abord, je monte chez le contrôleur. Je lui demande combien il peut nous donner cette année. Il répond : "Un million et demi." Par la suite, le patron entre dans mon bureau et demande combien nous devrions dépenser. Je fais mine de réfléchir un instant et je lui réponds : "Environ un million et demi." Nous disposons ensuite des crédits affectés à la communication[17]. »

Cette méthode conservatrice sous l'angle fiscal a cependant peu à offrir. En fondant son budget sur cette philosophie, l'entreprise agit comme si elle ignorait tout de l'interaction entre la promotion et la vente ou, pire, comme si elle n'avait aucun objectif réel de communication (promotion).

Selon les objectifs et les tâches La **budgétisation selon les objectifs et les tâches** demeure la meilleure solution. Elle consiste : 1) à préciser les objectifs publicitaires ; 2) à déterminer les tâches nécessaires à la réalisation de ces objectifs ; et 3) à établir les coûts de réalisation de ces tâches[18].

Cette méthode tient compte des objectifs que l'entreprise veut atteindre. Tout d'abord, elle doit les préciser[19]. Cette méthode intègre les forces des autres méthodes de budgétisation. En effet, la force de chacune des méthodes précédentes naît des objectifs. À titre d'exemple, quand les coûts s'élèvent au-delà de ce que l'entreprise peut débourser, on réaménage les objectifs et on revoit les tâches. Ici, la difficulté tient à la décision qui s'impose afin de déterminer les tâches nécessaires à la réalisation des objectifs. Faut-il deux ou quatre passages dans le magazine *L'actualité* pour sensibiliser la clientèle en fonction du seuil voulu ? Le tableau 18.2 présente un plan média en trois points : objectifs, tâches et coûts. On prévoit de budgétiser un montant global de 126 160 $. Toutefois, si l'entreprise ne peut y consacrer que 100 000 $, on devra réaménager les objectifs, redéfinir les tâches et recalculer les coûts prévus.

Choisir les éléments promotionnels opportuns

Lorsque l'on a établi le budget, on choisit parmi les outils promotionnels qui participent au processus d'intégration des communications (promotion). Il s'agit de la publicité, de la vente personnelle, de la promotion des ventes, des relations publiques et du marketing direct. Cette sélection permet de former la combinaison désirée. On peut choisir les outils à partir de plusieurs facteurs. Le nombre élevé des associations possibles d'outils sous-entend que plusieurs d'entre elles permettent de parvenir au même objectif. En conséquence, cette étape particulièrement importante du processus décisionnel exige à la fois de l'expérience et un cheminement analytique. Le mix retenu peut ne compter qu'un seul programme appuyé sur un seul outil ou regrouper toutes les formes de promotion. Les Jeux olympiques nous offrent un exemple éloquent de plan de communication (promotion) marketing intégré. En raison du caractère biennal (Jeux d'été et Jeux d'hiver) de cette grande manifestation sportive, la promotion est presque continuelle. Le programme regroupe des campagnes publicitaires, des activités de vente personnelle par les organisateurs et le Comité olympique, des stimulants tels que des promotions conjointes et des commandites. Il comprend aussi des programmes de relations publiques administrés par les villes hôtesses et des activités de marketing direct orientées vers plusieurs

Pour plus d'informations au sujet des Jeux olympiques, rends-toi à l'adresse suivante : www.dlcmcgrawhill.ca

groupes : les gouvernements, les organismes, les entreprises, les athlètes et la population[20]. À cette étape, il importe de mesurer l'importance relative de chaque outil communicationnel (promotionnel). Il paraît souhaitable de retenir et d'intégrer plusieurs formes de communication (promotion). On doit cependant mettre l'une d'elles en relief tout particulièrement. À ce chapitre, les Jeux olympiques accordent une importance prépondérante aux relations publiques et à la publicité.

Concevoir le programme de communication (promotion)

L'élément central du programme de communication reste la promotion. La publicité réunit le texte de l'annonce, les illustrations ou la bande sonore que le marché cible verra ou entendra. La vente personnelle repose sur les caractéristiques et les aptitudes des personnes qui en sont chargées. La promotion des ventes est liée aux stimulants offerts ou distribués, par exemple les coupons-rabais, les échantillons et les concours. Les relations publiques sont perceptibles grâce à des éléments tangibles tels que les communiqués de presse. Le marketing direct est lié à la transmission de messages écrits, oraux ou électroniques. La conception de la campagne de communication (promotion) s'inscrit au cœur du message qui sera communiqué. En général, la conception est l'étape qui exige le plus de créativité de la part de ses auteurs.

TABLEAU 18.2
La méthode des objectifs et des tâches.

OBJECTIFS

Faire connaître un nouvel assistant numérique personnel (ANP) aux dirigeants d'entreprise. À la fin de l'année, 20 % d'entre eux devraient connaître le produit lancé au mois de septembre. Aujourd'hui, ce pourcentage est nul.

TÂCHES	COÛTS
Annonces pleine page en quadrichromie qui paraîtront dans le magazine *L'actualité*, de septembre à décembre, à raison de deux fois par mois	118 160 $
Envoi de coupons-rabais aux dirigeants des 500 plus grandes entreprises francophones	2 500
Commandite d'un concours national pour le tirage de cinq ANP	5 500
Budget global	126 160 $

Ajoutons que les concepts les plus décisifs ont pour origine une réflexion sur les centres d'intérêt et le comportement d'achat des consommateurs. Chaque outil du mix promotionnel peut servir de différentes manières. Ainsi, la publicité peut miser sur la peur, l'humour ou d'autres émotions pour attirer l'attention. De même, le marketing direct peut s'inscrire sur différents axes qui commandent la teneur des messages. La conceptrice ou le concepteur d'un plan de communication (promotion) marketing intégré doit relever un défi : faire en sorte que chacune des activités de ce plan véhicule un même message.

Arrêter le calendrier de la communication (promotion)

Lorsque la conception de chaque élément du mix de communication (promotion) est achevée, il importe de déterminer le moment le plus opportun pour y recourir. Le calendrier du mix de communication (promotion) indique la séquence et la fréquence d'appel des outils promotionnels retenus. Ainsi, la sortie du film *Die Another Day* (*Meurs un autre jour*) a été précédée d'une vaste campagne publicitaire, d'une promotion dans les grands magasins ainsi que d'une promotion en ligne. La campagne avait pour but de susciter un engouement pour le dernier James Bond, d'attirer une clientèle plus nombreuse dans les salles de cinéma et… de stimuler la vente de produits Revlon. Qui était au centre de cette campagne ? Nulle autre que Halle Berry, actrice et porte-parole de Revlon !

D'autres facteurs tels que le caractère saisonnier et les promotions concurrentes peuvent jouer sur le calendrier d'une promotion. Des entreprises telles que les stations de sports d'hiver, les compagnies aériennes et les équipes de sport professionnel freinent leur activité promotionnelle durant la saison morte. De même, on assiste à une hausse de l'activité promotionnelle des restaurants, des commerces de détail et des centres de conditionnement physique lorsque de nouveaux venus s'aventurent sur leur territoire.

L'EXÉCUTION ET L'ÉVALUATION D'UN PROGRAMME DE COMMUNICATION (PROMOTION)

La figure 18.2, à la page 489 illustre l'exécution d'un programme de communication (promotion). Il devrait s'appuyer sur le contrôle préalable (pré-test) de chaque concept avant sa mise en œuvre. Il serait ainsi possible d'apporter les correctifs nécessaires avant qu'il ne soit lancé auprès du grand public. On conseille aussi le contrôle postérieur (post-test) après le lancement d'un tel programme afin d'évaluer son effet (influence) et son apport à la réalisation des objectifs. À cet égard, les pré-tests et post-tests les plus élaborés visent la publicité. Nous en reparlerons au chapitre 19. Les contrôles mesurant l'efficacité de la promotion des ventes et du marketing direct comparent différents concepts ou les réactions de divers segments. Afin de tirer le maximum de son plan de communication (promotion) marketing intégré, l'entreprise doit mettre en place une base de données. Elle doit aussi l'actualiser sans cesse pour être en mesure de comparer l'incidence (l'influence) relative de ses outils promotionnels. À partir de ces données, l'entreprise prend des décisions éclairées concernant la conception et l'exécution du programme de communication (promotion). Lors du bilan annuel, l'entreprise justifie ses actions devant le Service des finances et le Service de la comptabilité, en leur fournissant son programme de communication (promotion) marketing intégré. Ainsi, l'équipe de baseball les Expos de Montréal a élaboré une base de données concernant le taux de participation du public aux matches. Cette base de données se rattache à son plan de communication (promotion) marketing intégré. Elle est alimentée à partir des activités spéciales, de la vente de produits dérivés et d'un programme de fidélisation.

Pour plus d'informations au sujet des Expos de Montréal, rends-toi à l'adresse suivante : www.dlcmcgrawhill.ca

L'exécution d'un programme de promotion exige du temps et de l'argent. De l'avis d'un chercheur, « [...] une entreprise dont le chiffre d'affaires annuel est inférieur à 10 millions de dollars peut mettre en place un plan de communication (promotion) marketing intégré en une année. Il faut environ trois ans à celle dont le chiffre d'affaires annuel oscille entre 200 et 500 millions de dollars. Cinq ans sont nécessaires à celle qui fait entre 2 et 5 milliards de dollars par année. » Dans le but de faciliter cette transition, on fait appel aux services d'une agence de communication (promotion) intégrée. Certaines grandes firmes de publicité adoptent des « solutions de communication (promotion) globales ». La plupart des agences de publicité comptent encore des services spécialisés, par exemple, dans la promotion ou le marketing direct. Cependant, on constate une nette tendance favorable à l'intégration de toutes les formes de communication[21].

RÉVISION DES CONCEPTS

1. Qu'est-ce qui caractérise un objectif de communication (promotion) valable ?
2. Quelles sont les faiblesses de la méthode de budgétisation selon un pourcentage du chiffre d'affaires ?
3. Comment les agences de publicité ont-elles transformé leur exploitation afin d'intégrer l'ensemble des communications (promotion) ?

LE MARKETING DIRECT

Le marketing direct prend plusieurs formes et fait appel à une variété de médias. Nous avons abordé ses formes les plus courantes – le publipostage, les catalogues, la télévision, le télémarketing et la vente directe – au chapitre 17 lorsqu'il a été question de la vente directe. Nous avons aussi examiné le marketing interactif ou électronique au chapitre 8. Nous nous attarderons ici à l'expansion du marketing direct, à ses avantages et à ses enjeux sur les plans international, technique et éthique.

L'expansion du marketing direct

L'expansion marquée du marketing direct traduit l'intérêt croissant des relations avec la clientèle. Les spécialistes du marketing sont séduits par la possibilité de personnaliser leurs communications. Ils mettent en place des interactions en face-à-face, en particulier lorsqu'un plan de communication (promotion) marketing intégré est lancé. Pourtant, les méthodes du marketing direct n'ont rien de nouveau. Dans ce cas, l'informatique et les bases de données permettent à présent de les remodeler selon les besoins du moment. Ces dernières années, le marketing direct a enregistré une croissance supérieure à la croissance économique générale en matière de dépenses, de recettes et de création d'emplois. Le tableau 18.3 présente les dépenses en marketing direct des entreprises de différents pays du monde, tant auprès du marché des particuliers que des entreprises. Ces compilations provenant de l'Association américaine de marketing direct donnent un ordre de grandeur du volume d'affaires généré par cette pratique. Ainsi, le Canada a investi, en 2001, plus de 6,8 milliards de dollars en marketing direct, ce qui lui a procuré des revenus de l'ordre de 37,6 milliards de dollars. Malgré sa sixième position au classement des investisseurs, le Canada se situe loin derrière le Japon !

TABLEAU 18.3
Les dépenses en marketing direct des entreprises de différents pays du monde

	DÉPENSES		REVENUS	
	2001	2005	2001	2005
Japon	70	87	561,9	758,4
Allemagne	25,6	36,9	114,9	188,1
Royaume-Uni	17,7	24,3	102,8	155,6
France	15,7	21,6	113,4	184,1
Italie	13	18,9	59,3	104,3
Canada	6,8	8,9	37,6	53,9

Note : Les montants indiqués pour 2005 sont des projections.
Les chiffres sont donnés en milliards de dollars américains, arrondis à l'unité près.

Source : Direct Marketing Association (DMA). Compilation de données statistiques classées en ordre décroissant par dépense pour 2001. Ces données sont tirés des sites Web suivants : « International Direct Marketing Expenditures in All Markets » et « International Direct Marketing Revenues in All Markets ». Si le marketing direct te dérange, l'encadré de la page suivante t'indique comment te débarrasser des appels incessants ou du courrier inondant ta boîte aux lettres.

Pour plus d'informations au sujet de DMA, rends-toi à l'adresse suivante : www.dlcmcgrawhill.ca

Pour plus d'informations au sujet de la Maison Columbia, rends-toi à l'adresse suivante : www.dlcmcgrawhill.ca

La Maison Columbia, quant à elle, est une entreprise qui participe à l'expansion du marketing direct. Peut-être as-tu reçu par la poste l'une de ses offres promotionnelles. Elle te proposait 12 disques compacts gratuits pour l'achat de 5 disques au cours des 2 prochaines années. À une époque, les disques étaient expédiés chez les consommateurs à moins d'indications contraires de la part de la clientèle. À présent, grâce à un nouveau programme intitulé *Play*, la cliente ou le client décide de la date de sa commande. Chez Columbia, on estime que ce changement de stratégie constitue un investissement en vue d'une relation de longue durée avec la clientèle. Selon Sharon Kuroki, vice-présidente administrative du marketing des disques, « [...] Au départ, ces adhérents achètent peu. Ils font toutefois partie du club plus longtemps. Ils finissent par acheter autant que les participants sous l'ancienne formule[22]. »

L'expansion du marketing direct est attribuable à la popularité croissante du réseau Internet. Le nombre de consommateurs disposant d'une connexion à Internet connaît une croissance soutenue. Le nombre d'entreprises dotées d'un site Web et pratiquant le commerce électronique croît également. On peut donc penser que l'expansion du marketing direct est loin d'être terminée.

Le marketing direct et la protection des renseignements personnels

La croissance explosive du marketing direct décourage nombre de consommateurs fatigués par les sollicitations de trop nombreuses entreprises. Les consommateurs qui souhaitent réduire le nombre d'appels téléphoniques et de publipostages dont ils sont l'objet peuvent demander que leur nom soit rayé des listes des entreprises membres de l'Association canadienne du marketing (ACM). Le site Web de l'ACM leur offre cette possibilité par l'entremise d'un service « Ne pas poster/ne pas téléphoner ». Aux dires de l'ACM, « Les consommateurs demandant qu'on supprime leurs coordonnées des listes de publipostage devraient noter une réduction du nombre de publipostages et de sollicitations téléphoniques au bout de trois mois. »

Pour plus d'informations au sujet de l'Association canadienne du marketing, rends-toi à l'adresse suivante : www.dlcmcgrawhill.ca.

La valeur du marketing direct

Pour les consommateurs, l'un des indicateurs les plus visibles de la valeur du marketing direct demeure l'éventail de formes qu'il peut prendre. Près de la moitié de la population canadienne a, un jour ou l'autre, commandé des produits ou services au téléphone ou par la poste. Des millions de personnes ont commandé un produit après l'avoir vu à la télévision. Certaines ont consacré des heures incalculables à accéder aux services en ligne. Environ 20 % des adultes commandent chaque année à partir d'un catalogue. Les consommateurs signalent de nombreux avantages, notamment ne pas avoir à se déplacer, pouvoir passer ses commandes quelle que soit l'heure, épargner du temps pour faire autre chose, ne pas être embarrassés par le personnel de vente, réaliser des économies, s'amuser tout en faisant quelque chose d'utile et faire ses achats de façon plus discrète que dans les boutiques.

De nombreux consommateurs sont d'avis que le marketing direct assure un excellent service à la clientèle[23]. Les consommateurs faisant appel au marketing direct voient une valeur ajoutée dans les numéros sans frais, les services de livraison en 24 heures, les garanties sans conditions et le fait que le service à la clientèle ait accès aux données concernant leurs préférences.

Pour plus d'informations au sujet de Club Med, rends-toi à l'adresse suivante : www.dlcmcgrawhill.ca

Pour les vendeuses et vendeurs, la valeur du marketing direct se mesure aux réactions qu'il suscite[24]. Les offres de marketing direct contiennent tous les renseignements nécessaires aux acheteuses et acheteurs pour prendre leur décision et conclure la transaction. On parle alors de **commande directe.** À titre d'exemple, Club Med envoie par courriel des offres promotionnelles de dernière minute aux clientes et clients présents dans sa base de données. Les messages sont acheminés en milieu de semaine. Ils proposent des chambres d'hôtel et des billets d'avion offerts à 30 % ou 40 % de rabais. Il faut que les personnes puissent partir en voyage dans un court délai[25]. On parle d'**indication de client** lorsqu'une offre de marketing direct a pour objet de susciter l'intérêt pour un produit ou un service, ainsi qu'une demande d'information supplémentaire. Les deux formes de publicité mettent en relief les économies réalisables par les ménages d'âge moyen et de revenu moyen. Ces publicités indiquent un numéro sans frais à composer pour obtenir un devis (estimation d'un prix)[26]. Enfin, la **création d'achalandage** découle d'une offre de marketing direct visant à inciter les gens à visiter un commerce. Dans cette optique, plusieurs dizaines de milliers de consommatrices québécoises ont reçu une offre promotionnelle d'Yves Rocher par la poste. En participant à la promotion, elles couraient la chance de gagner une voiture décapotable BMW Z3, un voyage dans les Caraïbes ou l'un des milliers de paniers de produits de beauté.

Les enjeux techniques, internationaux et éthiques du marketing direct

La technologie de l'information et les bases de données dont nous avons parlé au chapitre 9 constituent les fondements de tout programme de marketing direct. Les bases de données représentent la somme des efforts qu'une entreprise a déployés pour amasser des renseignements sur les profils démographiques, médiatiques ainsi que sur le comportement des consommateurs. Les bases de données permettent à l'entreprise d'orienter ses outils de marketing direct, par exemple les catalogues, vers les personnes réceptives[27].

La plupart des entreprises s'efforcent de classer dans les archives les renseignements concernant les achats des consommateurs. Elles doivent toutefois disposer d'autres données pour personnaliser leurs relations avec leur clientèle. En soi, une donnée a peu de valeur. Pour être traduite en donnée, une information doit être impartiale, juste, pertinente, accessible et organisée. Une telle donnée peut ainsi aider le gestionnaire à prendre une décision qui entraînera une activité de marketing direct. Certaines données sont recueillies auprès des ménages. Par exemple, celles qui concernent le mode de vie, les médias qui retiennent l'intérêt et les habitudes de consommation. On en recueillera d'autres auprès des commerces où les achats sont effectués. Grâce aux percées technologiques, il existe à présent des lecteurs optiques avec lesquels on collecte de l'information sans trop s'interposer dans la vie des gens. Ainsi, on emploie des lecteurs optiques pour lire les codes à barres figurant sur les coupons-rabais et pour retrouver les millions de consommateurs présents dans la base de données[28].

L'expansion internationale du marketing direct passe assurément par la technologie. En comparaison du Canada et des États-Unis, les systèmes de marketing direct de dizaines d'autres pays sont sous-développés. Toutefois, de nombreux pays sont susceptibles d'améliorer leurs systèmes postaux et leurs réseaux téléphoniques. Ces améliorations dégageront de nouvelles possibilités pour le marketing direct. Les avancées de la recherche sur le marketing international et la gestion des bases de données faciliteront l'expansion du marketing direct à l'échelle planétaire. Par exemple, en Argentine, on peut observer un retard dans le développement du réseau postal et téléphonique. Ceci rend peu

QUESTION D'ÉTHIQUE

La confidentialité est-elle à vendre?

MasterCard International a récemment sondé ses clients pour connaître leurs points de vue sur le marketing direct. Pour 75 % des personnes interrogées, on doit trouver un moyen d'empêcher le gouvernement et les entreprises d'amasser de l'information sur les gens ordinaires. Les gouvernements fédéral et provinciaux se montrent préoccupés par la question. Ils ont resserré les règles régissant le marketing direct. Trois grandes questions ont ainsi été abordées:

- *La divulgation* Doit-on obliger les entreprises à révéler aux consommateurs qu'elles amassent des données à leur sujet?
- *Les connaissances* Doit-on limiter les types de renseignements et la quantité d'information que les entreprises amassent au sujet des individus?
- *La suppression* Les consommateurs devraient-ils avoir le droit de réclamer que les renseignements les concernant soient supprimés des bases de données?

De nombreuses entreprises favorables à l'autoréglementation ont adopté des codes de déontologie portant sur le respect de la confidentialité des renseignements. L'Association canadienne du marketing (ACM) offre aux consommateurs un moyen de supprimer leurs coordonnées des listes de publipostage (voir l'encadré Branchez-vous! à la page 495). Les consommateurs interrogés pour le compte de MasterCard ont affirmé qu'ils dévoileraient davantage de renseignements personnels moyennant certains bénéfices. Quels étaient les bénéfices préférés des personnes sondées? Une protection accrue contre la fraude et des taux d'intérêt moins élevés.

Que penses-tu des enjeux soulevés par la confidentialité des renseignements?

performant l'envoi de coupons. L'Argentine est cependant le premier pays à déréglementer complètement son service postal. Ce pays mise sur une amélioration rapide du service grâce à l'intervention d'une société privée, Correo Argentino. Au Mexique, les techniques de marketing direct sont plus évoluées. Récemment, la société Pond's procédait au publipostage de 20 000 envois. À son grand étonnement, elle a obtenu un taux de réponse de 33 %[29]. Le mode de paiement représente un autre enjeu pour le spécialiste du marketing direct. En effet, il y a de moins en moins de détenteurs de carte de crédit. On doit donc prévoir d'autres modes de paiement tels que le service d'envoi contre remboursement (CR) et les dépôts bancaires.

De nos jours, le spécialiste du marketing direct est confronté à des situations d'ordre moral chez lui et à l'étranger. On a fait grand cas de méthodes contrariantes comme la sollicitation téléphonique à l'heure des repas ou en soirée. De nouvelles préoccupations relatives au respect de la vie privée et à la confidentialité des renseignements ont récemment obligé les spécialistes du marketing direct à rédiger des règles de conduite. Elles assurent un équilibre entre les intérêts des consommateurs et ceux des entreprises. L'Union européenne (UE) vient d'édicter une loi intitulée « La Directive sur la protection des données ». Elle concerne la protection des renseignements personnels. Il a fallu des années de pourparlers avec la Fédération européenne du marketing direct (FEDMA) et la Direct Marketing Association (UK) Ltd. Au Canada, le ministère de la Consommation et des Affaires commerciales, de même que la plupart des gouvernements provinciaux, se préoccupent de la protection des renseignements personnels[30]. L'encadré précédent fait la lumière sur quelques questions entourant ce débat[31].

RÉVISION DES CONCEPTS

1. Depuis que nous disposons de ________ et de ________, nous sommes davantage en mesure de concevoir et d'utiliser les programmes de marketing direct.
2. Nomme les trois types de réaction qu'entraînent les activités de marketing direct.

RÉSUMÉ

1. La communication est un processus par lequel on transmet un message à autrui. Il prend appui sur six éléments : un émetteur, un message, un canal de communication, un récepteur, le codage et le décodage.
2. Pour que le message soit communiqué avec efficacité, l'émetteur et le récepteur doivent partager un champ d'expérience. La rétroaction est une communication inversée entre un récepteur et un émetteur. Elle indique qu'un message a été ou non décodé et compris ainsi qu'on l'entendait ou si, au contraire, des bruits l'ont déformé.
3. Les éléments promotionnels sont la publicité, la vente personnelle, la stimulation des ventes, les relations publiques et le marketing direct. Ces outils varient selon que l'on s'adresse à quelqu'un en particulier. Ils peuvent être apparentés à un commanditaire et contrôlés en fonction des destinataires, du moment, de l'endroit et de la fréquence des messages.
4. Le processus décisionnel de la promotion est segmenté en trois phases : l'élaboration, l'exécution et l'évaluation du programme. L'élaboration du programme s'articule autour de la détermination du marché cible, du message à transmettre, des endroits où le faire passer et des moments de diffusion.
5. On se fonde sur la hiérarchie des effets pour déterminer les objectifs d'une promotion. Les objectifs doivent être déterminés en fonction d'un marché cible précis, être quantifiables et limités à l'intérieur d'une période précise.
6. On peut réaliser un budget pour une promotion à partir d'un pourcentage du chiffre d'affaires, de l'alignement sur la concurrence ou des ressources disponibles. La meilleure méthode de budgétisation consiste à préciser les objectifs publicitaires et à déterminer les tâches nécessaires à la réalisation de ces objectifs.
7. En raison du nombre élevé de combinaisons possibles entre les divers éléments du mix promotionnel, le choix des éléments, la conception du mix et sa programmation exigent de l'expérience et de l'ingéniosité.
8. Les consommateurs trouvent de nombreux avantages au marketing direct : commodité, divertissement, économie de temps, prix modiques et service à la clientèle. Il permet aux vendeurs de profiter de commandes directes, d'indications de clientes et de clients et de création d'achalandage.
9. Le marketing direct connaîtra une ampleur internationale lorsque les services postaux et les réseaux téléphoniques s'amélioreront à travers le monde. Les préoccupations des consommateurs par rapport au respect de la confidentialité des données seront l'un des principaux enjeux de l'avenir.

MOTS CLÉS ET CONCEPTS

bruit
budgétisation selon la concurrence
budgétisation selon les objectifs et les tâches
budgétisation selon les ressources disponibles
budgétisation selon un pourcentage du chiffre d'affaires
canal de communication
champ d'expérience
codage
commande directe
communication
création d'achalandage
décodage
émetteur
hiérarchie des effets
indication de client
marketing direct
message
promotion des ventes
publicité
publicité rédactionnelle
récepteur
relations publiques
rétroaction
vente personnelle

EXERCICES INTERNET

Plusieurs grandes agences de publicité ont remodelé leur philosophie en y ajoutant l'intégration des communications dans leur ensemble. Cela donne souvent des campagnes qui associent les cinq éléments promotionnels. Le site Web du Groupe Cossette Communication offre ses services dans l'ensemble du Canada. Parmi les campagnes réalisées par le groupe Cossette, trouve les entreprises qui ont fait appel à ce type de campagne.

Pour plus d'informations au sujet de Groupe Cossette Communication, rends-toi à l'adresse suivante : www.dlcmcgrawhill.ca.

1. Décris les éléments promotionnels d'une campagne de ton choix. Pourquoi a-t-on retenu ces éléments ? Comment sont-ils intégrés les uns aux autres ?
2. Quelle est ton évaluation de l'efficacité de chacun des éléments promotionnels retenus ? Quelle est ton évaluation de l'efficacité de la campagne dans son ensemble ?

QUESTIONS DE MARKETING

1. Après avoir assisté à un exposé promotionnel, Louise Massicotte adhère au centre de conditionnement physique de son quartier. En se présentant au gymnase, elle apprend qu'elle devra débourser la location du terrain de racquetball. « Jamais il n'en a été question dans l'argumentation qu'on nous a présentée. J'avais cru comprendre que les frais d'adhésion donnaient droit à toutes les installations sportives », explique Louise. Présente ce problème sous l'angle des communications.
2. Trouve une publicité imprimée dans ton livre de marketing. Comment l'aurais-tu adaptée si elle devait devenir une publicité pour la télévision ?
3. Dresse un tableau permettant de comparer les cinq éléments du mix promotionnel selon trois critères : les *destinataires* du message, le *contenu* du message et le *moment* de sa diffusion.
4. Explique en quoi les outils promotionnels d'une compagnie aérienne seraient différents si le marché cible était : a) des touristes ; et b) des hommes et des femmes d'affaires au moment de leurs déplacements professionnels.
5. « La promotion des ventes dégrade l'image de marque d'un produit ». Qu'est ce qui, selon toi, peut permettre une telle affirmation ?
6. Le fabricant de jouets pour enfants Fisher-Price vient de lancer une collection de vêtements à leur intention. Établis un plan promotionnel pour présenter ce produit sur le marché.
7. Quels sont les meilleurs outils promotionnels pour atteindre : a) des professionnels ; b) des étudiants du secondaire ; et c) de jeunes couples mariés. Justifie ton choix d'outils.
8. Énumère les outils promotionnels utiles pour vanter : a) une nouvelle marque de yaourt ; b) les feuillets autocollants Post-it® ; et c) la gomme à mâcher Wrigley à saveur de menthe.
9. Conçois un plan de communication (promotion) intégré à partir de chacun des cinq éléments promotionnels à l'intention d'une boutique de disques en ligne.
10. Parfois une entreprise peut vouloir s'adresser à des clients industriels ou à ses détaillants et pas uniquement aux consommateurs. En quoi cela peut-il changer son plan de communication (promotion) ?
11. Ton école te donne le mandat de développer un programme de communication (promotion) visant à la faire connaître à des étudiants potentiels. Décris les différentes étapes du plan de communication (promotion) que tu suivrais.

ÉTUDE DE CAS 18-1 AIRWALK, INC.

« Lorsqu'on veut communiquer avec les jeunes et les atteindre, fait observer Sharon Lee, il faut d'abord mériter leur confiance, savoir ce qu'ils pensent et connaître leur schème de pensée. On doit constamment s'intéresser à ce qui les intéresse, savoir quelles sont leurs lectures, quels disques ils écoutent, quels sont leurs jeux et quelles émissions ils regardent. »

Sharon Lee sait de quoi elle parle. Elle est chargée de compte chez Lambesis, l'agence de publicité qui a propulsé les chaussures Airwalk dans la stratosphère grâce à son plan de communication (promotion) intégré. Le rôle de Mme Lee consiste à servir d'intermédiaire entre Airwalk et Lambesis. Sa profonde connaissance du marché jeunesse a grandement contribué à la percée spectaculaire de la marque Airwalk. Mais les choses n'ont pas toujours été simples.

LA LUTTE DES DÉBUTS

George Yohn a fondé l'entreprise en 1986 dans l'espoir de s'approprier une part du marché florissant des chaussures de sport dominé par Nike et Reebok. Sa première tentative de commercialisation de chaussures de sport *aérobic* s'est heurtée à un mur. Il a donc dû se tourner vers un nouveau produit et une nouvelle stratégie marketing. Soudain, l'un de ses dessinateurs découvrit un sport qui n'avait pas encore attiré l'attention des autres fabricants : la planche à roulettes. Yohn observa comment les planchistes effectuaient les virages et le freinage à l'aide de leurs pieds. Il mit ensuite au point des chaussures de sport dotées de plusieurs couches de cuir, de semelles de caoutchouc plus épaisses, parcourues de surpiqûres pour les rendre plus résistantes. C'est en voyant des planchistes virevolter dans les airs qu'il songea à nommer sa nouvelle société Airwalk.

Les nouvelles chaussures colorées se sont envolées des boutiques de sport à la vitesse de l'éclair. Airwalk s'est alors diversifiée vers d'autres segments du matériel de sport style libre tels que les planches à neige, les vélos BMX et les vélos de montagne. Le chiffre d'affaires de Airwalk a atteint 20 millions de dollars en 1990, mais un mouvement contre le surf des neiges a interdit l'accès des pentes aux planchistes et les revenus ont chuté de 8 millions de dollars en 1992.

LE REPOSITIONNEMENT SUR LE MARCHÉ

Yohn a une idée géniale. Il part du principe que les joueurs de basket ne sont pas les seuls à porter des chaussures de basket. Il se dit que les chaussures de planches à roulettes ne devaient pas être réservées aux planchistes. En 1992, il repositionne Airwalk sur le marché de telle sorte que son image casse-cou soit transposée. Il s'adresse à un grand public de jeunes désireux de se procurer des chaussures cool sans nécessairement pratiquer la planche à roulettes.

En principe, un tel repositionnement était logique mais y parvenir ne fut pas facile. La marque était connue des amateurs de sports casse-cou mais les jeunes du grand public n'avaient pratiquement jamais entendu parler d'Airwalk. C'est à peu près à cette époque que Yohn lança une gamme chaussures de sport destinées aux jeunes, en particulier aux adolescents.

COOL RECHERCHÉ

En jetant un coup d'œil sur le début des années 1990, on peut déceler quelques éléments ayant conduit Airwalk à sa réussite actuelle. Citons les efforts investis dans la recherche des tendances de l'heure, comme nous l'avons vu au chapitre 9. Lambesis compte parmi ses employés une spécialiste chargée de repérer les tendances : Dee Gordon. Elle signe le *Rapport L* publié chaque trimestre par Lambesis. Cette entreprise sonde 18 000 faiseurs de tendances et représentants du grand public âgés de 14 à 30 ans sur tous les aspects de leur vie. La recherche de Mme Gordon procure à Lambesis des renseignements de première main concernant les idées, les occupations et les achats des « ados *cool* ». Dee Gordon observe également les tendances internationales pour mieux appuyer les stratégies marketing des clients de Lambesis dans le monde.

LA RÉALISATION D'UNE IDÉE OU L'INTÉGRATION DES COMMUNICATIONS (PROMOTION)

Airwalk et Lambesis savaient qu'une part de la réussite de Nike et de Reebok était due non seulement au commerce des chaussures, mais à la décontraction de leurs produits. Airwalk a donc confié à Lambesis la rude tâche de préciser un concept aussi fluide que l'idée de cool. Ce concept allait présider au lancement de sa première gamme de chaussures de sport destinée au marché des jeunes.

Le plus difficile pour Lambesis a consisté à élargir le marché des chaussures Airwalk pour atteindre davantage de segments sans rien perdre de son image auprès des consommateurs acquis. Chad Farmer, directeur de la création chez Lambesis, est chargé de formuler des idées de publicité pour Airwalk. Il a vu la possibilité de positionner la marque sur le marché jeunesse comme le précurseur en matière de style. En même temps, on misa sur le plan de communication (promotion) intégré de l'entreprise pour souligner la qualité et la durabilité des chaussures tout en vantant l'originalité des modèles et des couleurs.

Le plan de communication (promotion) intégré de Chad Farmer montre la diversité des médias et stratégies dont disposent les agences de création publicitaire et leur clientèle afin de se démarquer auprès du public. Les jeunes d'aujourd'hui sont exposés à environ 3 000 messages publicitaires par jour. Les publicités télévisées et imprimées d'Airwalk dégagent un vent de liberté, des répliques vives et teintées d'humour. Dans plusieurs des 14 pays où l'on vend les chaussures Airwalk, les jeunes dérobent les affiches pour les punaiser aux murs de leurs chambres.

La stratégie d'intégration des communications (promotion) ne s'en tient toutefois pas qu'aux médias conventionnels. L'équipe d'Airwalk regroupe les meilleurs planchistes, surfeurs des neiges, cyclistes et surfeurs urbains qui la représentent lors de toutes les compétitions internationales. Des groupes rock et des musiciens tels que Beastie Boys, Green Day, Pearl Jam et R.E.M. portent des chaussures Airwalk, ce qui accroît la visibilité de la marque. Lambesis obtient le placement des produits en différents endroits stratégiques, qu'il s'agisse des films et des vidéoclips, des camps d'entraînement pour les planchistes et les adeptes de vélos ou encore dans les magazines de mode.

Qu'est-il ressorti de cette stratégie ? Au milieu des années 1990, le chiffre d'affaires a gonflé de 400 % en une seule année. Il s'établit aujourd'hui à plus de 300 millions de dollars. Selon Teen Research Unlimited, un groupe d'étude de marketing, Airwalk surfe désormais sur la crête des marques les plus cool qui soient !

Questions

1. Quels étaient les objectifs promotionnels d'Airwalk lorsqu'elle décida de cibler les jeunes grand public grâce à un plan de communication (promotion) intégré et de sa gamme de chaussures ?
2. Airwalk a déployé une stratégie sous trois angles, elle mettait en lumière trois mots concepts employés dans ses messages et dans son plan de communication (promotion) intégré s'adressant aux jeunes. Selon ce que tu sais d'Airwalk et du marché jeunesse, quels sont ces trois mots ?
3. Comment Lambesis et Airwalk pourraient-elles ajouter à leur plan de communication (promotion) intégré les médias ou les éléments promotionnels suivants afin d'atteindre le marché jeunesse réputé injoignable : a) la télévision b) les panneaux réclame c) le placement des produits au cinéma d) les manifestations spéciales e) un site Web ? Justifie tes réponses.
4. Puisqu'Airwalk met en marché des chaussures partout dans le monde, elle a choisi une stratégie marketing mondiale telle que nous l'avons vue au chapitre 5. a) Quels sont les avantages et les inconvénients d'une telle stratégie pour Airwalk ? b) Comment pourrait-elle profiter de cette stratégie dans ses publicités imprimées ?

Cyberpresse
Précédente
Suivante
Arrêter
Actualiser
Démarrage
Remplissage automatique
Imprimer
Courrier
Adresse
http://www.cyberpresse.ca/
aller à
Apple
Bienvenue à VIF internet
MSN
Actualités | Ados | Arts & spectacles | Automobile | Clavardage | Économie | Hobbies & loisirs
Internet | Le monde | Opinions | Politique | Sciences | Sports | Tendances | Voyages
Tout le site
Favoris
Historique
Recherche
Album
Garde-pages
À l'affiche sur votre écran
La Presse
édition électronique
cyberpresse.ca
ABONNEZ-VOUS AUX QUOTIDIENS
workopolis.com
Chercher un emploi
Par mots-clés
Par lieu de travail
Par date
Sociétés qui embauchent
La Presse
NOUVEAUTÉS
cyberpresse.ca
Nos quotidiens
La Presse
LE SOLEIL
LeDroit
La Tribune
Le Nouvelliste
La Voix de l'Est
QUOTIDIEN
BULLETIN SPÉCIAL
Tournoi de Wimbledon
La Belge Kim Clijsters (N.2) s'est qualifiée pour le troisième tour du tournoi de tennis sur gazon de Wimbledon. Suivez les rencontres en direct.
Actualiser la page
Dernière minute
15h00 Molson ferme la brasserie Ribeirao Preto
14h38 Les syndiqués de Labatt rejettent l'offre
14h21 Fed: baisse de 0,25 du taux directeur
14h01 Chirac réaffirme son soutien au TPI
13h40 Procès des «émirs de sang» au Maroc
13h35 Brésil: le parlement convoqué en juillet
SUPERPAGES.CA
Recherche d'entreprises
Entreprise
Catégorie
Ville
QC
Trouver
En manchette
Le mercredi 25 juin 2003
Photo AP
PROCHE-ORIENT
Une trêve aurait été acceptée
Le Hamas, le Jihad islamique et le Fatah ont accepté de suspendre pour trois mois leurs attaques anti-israéliennes, a annoncé un haut responsable du Fatah, l'organisation de Yasser Arafat.
Réagissez à cette nouvelle!
Webcam - circulation
MÉTÉO
Montréal 28 °C
Jeudi max. 35 °C min. 22 °C
Vendredi max. 27 °C min. 21 °C
Samedi max. 25 °C min. 15 °C
LE QUÉBEC QU'ON AIME
La belle saison du VÉLO
REVUE DE PRESSE EUROPÉENNE
J. F. Bégin
EXCLUSIF
SPORTS
Wimbledon 2003
EN DIRECT
Publicité
En vitrine
Recherche de personnes
Recherche d'entreprises
Rencontres
Factures ici,vous en Italie !
Automobile : le Touareg
Comparateur d'assurance auto
Petites auberges
Croisières Montréal - Québec
Devenez un vrai bricoleur !
Loft à gagner !
Lien : http://www.cyberpresse.ca/meteo/Montreal.htm

CHAPITRE 19

LA PUBLICITÉ, LA PROMOTION DES VENTES ET LES RELATIONS PUBLIQUES

19

APRÈS AVOIR LU CE CHAPITRE, TU SERAS EN MESURE

- d'expliquer les différences entre la publicité d'un produit et la publicité institutionnelle, et de présenter les différentes formes prises par ces publicités ;
- de comprendre les étapes de mise au point, d'exécution et d'évaluation d'un plan de campagne publicitaire ;
- d'expliquer les avantages et les désavantages des différents médias publicitaires ;
- de décrire les forces et les faiblesses de la promotion des ventes adaptée aux besoins des consommateurs et de la promotion dans le réseau ;
- de dire pourquoi les relations publiques constituent une importante forme de communication (promotion).

L'UNIVERS FOU DE LA PUBLICITÉ WEB

Si tu navigues dans Internet, tu es exposé à une forme de publicité qui n'existait pas quelques années auparavant. Maintenant, des annonceurs dépensent annuellement des millions en publicité Web. Certains experts prévoient que ces dépenses connaîtront une croissance à trois chiffres au cours des prochaines années. Pourquoi cette rapide progression ? Évidemment, les annonceurs sont étonnés par le nombre grandissant d'entreprises et de ménages qui utilisent le Web, mais ce n'est pas là l'unique raison. Il est désormais possible de mesurer le rendement des annonces publicitaires sur le Web. En effet, grâce à la technologie Web, l'annonceur peut savoir combien de personnes ont vu sa publicité, combien ont cliqué dessus pour consulter sa page Web et, dans bien des cas, combien ont fait un achat. Les annonceurs sont intéressés par ce genre de données, car elles les aident à concevoir des annonces efficaces et à cibler les publics réceptifs.

Une autre raison pour laquelle la publicité Web retient autant l'attention est son bon potentiel de création de valeur pour les consommateurs. En faisant de la publicité interactive, les publicitaires peuvent donner aux consommateurs des renseignements précis et utiles. Par exemple, le populaire site Web de *Cyberpresse* permet aux annonceurs ou aux commanditaires d'apparaître dans ses pages Web. De même, grâce au site interactif de Claritin, tu peux connaître la densité du pollen de l'endroit où tu te trouves. En conséquence, tu décides de prendre ou non cet antihistaminique. Le cas échéant, on t'indique la dose appropriée. Avec les progrès technologiques, on intègre de plus en plus d'éléments interactifs audio et vidéo aux publicités. La publicité Web accompagne les consommateurs durant tout le processus d'achat, de la sensibilisation au produit à la réponse aux demandes de renseignements, en passant par la prise de commandes et le service à la clientèle. Beaucoup d'experts croient que la publicité Web favorisera la mise au point de plans de promotion simplifiés.

Procter & Gamble (P&G) est l'un des annonceurs les plus importants du monde. Pour stimuler le développement de la publicité Web, la firme a récemment convoqué à un « sommet » des spécialistes en marketing, des compagnies de technologie et des agences de publicité. Les objectifs de cette rencontre étaient d'inciter les intervenants à collaborer, de les amener à s'entendre sur des formats communs d'innovations technologiques et d'améliorer l'efficacité de la publicité Web. Selon Denis Beausejour, vice-président du service de la publicité chez Procter & Gamble, « pour qu'un accroissement phénoménal des ventes par Internet se réalise, il faudra absolument procéder à des changements profonds ». Alors, que nous réserve l'avenir ? Selon Beausejour et d'autres intervenants, Internet pourrait bientôt devenir un média de masse capable de rivaliser avec la télévision[1] !

La publicité interactive est l'un de ces extraordinaires changements que connaît le monde de la publicité aujourd'hui. Dans le chapitre 18, la **publicité** est définie comme toute forme de promotion de masse, *impersonnelle* et *payée* par un commanditaire nettement identifié, portant sur une organisation, un produit, un service ou une idée. Le présent chapitre traitera des différents types d'annonces publicitaires, du processus de décision en publicité, de la promotion des ventes et des relations publiques.

LES TYPES D'ANNONCES PUBLICITAIRES

Compte tenu de leur diversité, tu penses peut-être que les annonces publicitaires dans les revues, à la télévision, à la radio ou dans Internet ont peu de points communs. Pourtant, les différentes annonces publicitaires sont conçues en fonction de buts particuliers, et il n'en existe que deux types : l'annonce de produit et l'annonce institutionnelle.

Les annonces de produits

Destinées à vendre un produit ou un service, les **annonces de produits** sont de trois types. Il s'agit de la publicité de lancement (ou informative), de la publicité comparative (ou de persuasion) et de la publicité de rappel. Observe la publicité de Nissan, celle du ministère du Tourisme du Nouveau-Brunswick et celle des filtres à eau Brita présentées ici, et détermine le type et l'objectif de chacune.

La *publicité de lancement* présente le produit aux gens durant la phase d'introduction du cycle de vie d'un produit. Cette publicité indique quel est l'usage du produit et où on peut se le procurer. L'objectif premier de l'annonce de lancement (comme celle de

Les annonces publicitaires servent différents objectifs. À ton avis, laquelle des annonces suivantes constitue : 1) une publicité de lancement ; 2) une publicité concurrentielle ; et 3) une publicité de rappel ?

AU PARTENARIAT

Comme l'illustre cette publicité de Merck Frosst, l'objectif des annonces institutionnelles est d'améliorer l'image de l'entreprise plutôt que de faire la promotion d'un produit ou d'un service spécifique.

Nissan est d'informer les consommateurs formant le marché cible. Les annonces informatives sont généralement intéressantes, convaincantes et efficaces[2].

La publicité qui vante les caractéristiques et les avantages d'une marque est une *publicité concurrentielle.* Ces messages ont pour objectif de persuader les consommateurs du marché cible de choisir cette marque plutôt qu'une marque concurrente. La *publicité comparative,* de plus en plus usitée en publicité concurrentielle, montre les forces d'une marque par rapport à celles des concurrents[3]. Ainsi, la publicité du Nouveau-Brunswick met en lumière l'avantage concurrentiel de cette région touristique maritime sur les États américains de l'Atlantique Nord : l'eau y est bien plus chaude. Des études révèlent que les annonces comparatives attirent davantage l'attention et améliorent la perception de la qualité de la marque de l'annonceur[4]. Les entreprises qui font de la publicité comparative doivent cependant faire des études de marché et tester leurs résultats, de façon à donner une validité légale à leurs affirmations[5].

La *publicité de rappel* sert à renforcer la connaissance que les gens ont déjà d'un produit. C'est le cas, par exemple, de la publicité pour les filtres à eau Brita. En plus de passer un message sur la consommation durant les fêtes, elle offre une idée de cadeau aux lecteurs de la revue. Les publicités de rappel conviennent particulièrement bien aux produits renommés se trouvant dans la phase de maturité de leur cycle de vie. La *publicité de renforcement,* autre forme de publicité de rappel, sert à rassurer les utilisatrices et les utilisateurs en leur disant qu'ils ont fait le bon choix.

Les annonces institutionnelles

L'objectif des **annonces institutionnelles** est de créer de l'achalandage ou d'améliorer l'image d'une entreprise plutôt que de faire la promotion d'un produit ou d'un service spécifique. Ainsi, la publicité institutionnelle de sociétés comme la Banque Royale, Pfizer et IBM Canada vise à établir un nom inspirant confiance[6]. On se sert souvent de cette forme de publicité pour soutenir un programme de relations publiques ou pour contrer une mauvaise image. Les quatre sortes d'annonces institutionnelles les plus courantes sont les suivantes.

Pour plus d'informations au sujet de IBM, rends-toi à l'adresse suivante : www.dlcmcgrawhill.ca

1. Le *plaidoyer publicitaire,* par lequel une entreprise énonce sa position sur une question donnée. Par exemple, les annonces de MADD Canada *(Mothers against drunk driving)* font la promotion de la consommation responsable d'alcool, comme en témoignent certaines publicités.
2. Comme les annonces de lancement de produits dont on a déjà parlé, les annonces *institutionnelles de lancement* servent à présenter une entreprise, à expliquer ce qu'elle peut faire et où elle se trouve. Par exemple, Bayer a récemment lancé le message publicitaire « Nous guérissons plus que des maux de tête », pour informer les consommateurs que l'entreprise fabrique, en plus de l'Aspirine, beaucoup d'autres produits.
3. Les annonces *institutionnelles comparatives* mettent en valeur les avantages d'une classe de produits par rapport à une autre et sont utilisées sur les marchés où différentes classes de produits se disputent les mêmes acheteurs.
4. Les annonces *institutionnelles de rappel* montrent, par exemple, la forme du produit. Elles servent simplement à rappeler le nom de l'entreprise aux consommateurs du marché cible.

Un plaidoyer publicitaire de MADD Canada sur la consommation responsable d'alcool

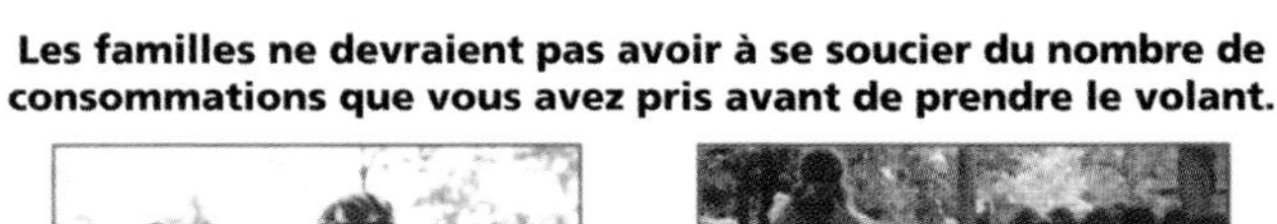

Les familles ne devraient pas avoir à se soucier du nombre de consommations que vous avez pris avant de prendre le volant.

1(800) 665-MADD www.madd.ca

DITES NON À L'ALCOOL AU VOLANT

RÉVISION DES CONCEPTS

1. Quelle différence y a-t-il entre les publicités de lancement et les publicités concurrentielles ?
2. Quel est le but de la publicité institutionnelle ?

L'ÉLABORATION D'UN PLAN DE CAMPAGNE PUBLICITAIRE

Le processus de décision promotionnelle décrit au chapitre 18 est applicable à chacun des éléments de la communication (promotion). On peut, par exemple, diriger la publicité en suivant les trois étapes de ce processus (élaboration, exécution et évaluation).

Afin de rejoindre son marché cible, Bosch annonce ses produits dans les magazines destinés aux adeptes du bricolage.

Le choix du public cible

Avant toute chose, quand on élabore un plan de campagne publicitaire, il faut déterminer son *public cible,* c'est-à-dire le groupe d'acheteuses et d'acheteurs potentiels auxquels la campagne publicitaire s'adresse. Dans l'idéal, une entreprise qui a les ressources et le temps nécessaires choisit le marché cible d'un produit en faisant des études de marché et de segmentation. Ce marché cible, c'est aussi le public cible du plan de campagne. Plus une entreprise connaît le profil de son public cible – style de vie, attitudes et valeurs –, plus il lui sera facile d'élaborer son plan de campagne publicitaire. En effet, pour que ses annonces publicitaires t'atteignent, l'entreprise doit savoir quelles émissions de télévision tu regardes et quelles revues tu lis.

L'établissement des objectifs publicitaires

La façon de fixer les objectifs promotionnels, exposée au chapitre 18, s'applique aussi à l'établissement des objectifs publicitaires. Cette étape facilite également d'autres décisions des publicitaires, comme le choix des médias et l'évaluation de la campagne. Par exemple, si l'objectif publicitaire est de faire connaître un produit, on aura alors avantage à faire paraître une publicité dans une revue plutôt qu'une inscription dans un annuaire comme les Pages jaunes[7]. De même, un annonceur qui veut convaincre les consommateurs de faire l'essai d'un produit ou de se rendre dans un magasin utilisera une forme de publicité à réponse directe comme le publipostage direct. L'organisme Normes canadiennes de la publicité est tellement convaincu de l'importance des objectifs publicitaires qu'il a créé les Cassies (*Canadian Advertising Success Stories*), des récompenses décernées aux publicitaires ayant réalisé leurs objectifs de campagne. De l'avis des experts, des éléments comme la catégorie de produit, la marque et le degré d'implication de l'acheteuse ou de l'acheteur dans le processus d'achat pourraient modifier l'importance – et peut-être même la séquence – de la hiérarchie des effets. Par exemple, la compagnie Snickers savait que sa clientèle n'engagerait pas des recherches poussées avant d'acheter son produit. Sa campagne publicitaire présenta donc de simples messages humoristiques plutôt que de l'information factuelle élaborée[8].

L'établissement du budget publicitaire

Les méthodes d'établissement du budget de communication (promotion) d'ensemble décrites au chapitre 18 sont également applicables à l'établissement d'un budget publicitaire particulier. Comme dans le cas du budget de communication (promotion) et de celui du plan de communication (promotion) marketing intégré, il vaut mieux établir un budget publicitaire en procédant par objectifs et par tâches. L'annonceur dispose de nombreuses possibilités de publicité, qui nécessitent toutes des investissements substantiels.

Pour s'assurer de produire une publicité efficace dans le cadre d'un processus budgétaire formel, il est essentiel de choisir le type de publicité convenant au public cible. Il est également nécessaire d'évaluer si ces choix peuvent atteindre leurs objectifs, et de comparer les coûts relatifs de chacune des options.

La conception de la publicité

Dans une publicité présentant un produit, le message publicitaire porte généralement sur les avantages du produit intéressant l'acheteuse ou l'acheteur potentiel qui en fait l'essai et en envisage l'achat. Le message sera conçu en fonction du genre d'appel utilisé dans l'annonce publicitaire et des mots que cette annonce doit comprendre.

Le contenu du message Dans la plupart des messages publicitaires, les éléments d'information et de persuasion sont souvent si embrouillés qu'on parvient difficilement à les distinguer. Par exemple, l'information de base contenue dans beaucoup d'annonces, comme le nom du produit, ses avantages, ses caractéristiques et son prix, est présentée de façon à attirer l'attention et à inciter à l'achat. En effet, même les publicités les plus persuasives doivent contenir au moins quelques éléments d'information élémentaires pour atteindre leur cible.

Cette publicité fait appel à la peur et insinue que les consommateurs pourraient s'éviter bien des problèmes en achetant ce produit.

En combinant contenu informatif et arguments persuasifs, les publicitaires peuvent créer un appel capable de faire passer les consommateurs à l'action. Bien que les spécialistes en marketing puissent exploiter plusieurs types d'appels, les plus utilisés sont la peur[9], le charme et l'humour.

Les annonces employant l'*appel à la peur* insinuent que les consommateurs pourraient s'éviter bien des désagréments en achetant ou en utilisant un produit ou en changeant de comportement. Par exemple, les compagnies d'assurances mettent souvent en scène le malheur familial d'une personne qui meurt sans assurance vie ou sans assurance hypothécaire suffisante. Les producteurs alimentaires cherchent à vendre des produits faibles en gras et à haute teneur en fibres. Pour cela, ils les présentent comme des moyens de réduire le taux de cholestérol et les risques de crise cardiaque[10]. Les publicitaires utilisant la peur doivent s'assurer que leur appel est assez puissant pour capter l'attention du public et susciter son intérêt, sans toutefois être insoutenable au point de détourner ce public du message. L'encadré « Tendances marketing » propose quelques recommandations à suivre lors de l'élaboration d'une publicité faisant appel à la peur[11].

Très différent, l'*appel de charme* suggère aux utilisateurs que tel produit les rendra plus attrayants. On recourt à l'appel de charme pour presque toutes les catégories de produits, autant les automobiles que la pâte dentifrice. Malheureusement, de nombreuses annonces publicitaires usant de l'appel de charme ne réussissent qu'à capter provisoirement l'attention du public et n'ont que peu d'effet sur la pensée, les sentiments ou les actions des consommateurs. Certains experts croient que l'appel de charme brouille la communication, car il distrait le public du but de l'annonce.

L'*appel humoristique* affirme ou insinue que le produit annoncé est plus agréable ou plus fantastique que celui des concurrents. Tout comme l'appel à la peur et l'appel de charme, l'appel humoristique est très répandu en publicité, et on y a recours pour plusieurs catégories de produits. Hélas, l'humour ne dure pas, et les consommateurs s'y habituent rapidement. C'est d'ailleurs pour éviter cet effet d'usure que les publicités d'Energizer mettant en vedette un lapin à piles changent si souvent. Ce genre d'appel n'est pas efficace dans toutes les cultures, ce qui est un inconvénient si on a l'intention d'en user dans une campagne de publicité à l'échelle mondiale[12].

La production du message Les « gens créatifs » des agences de publicité – les rédactrices et les rédacteurs publicitaires, et les conceptrices et les concepteurs graphiques – ont la responsabilité des appels. Ces personnes se servent de caractéristiques comme la qualité, le style, la fiabilité, l'économie et le service pour produire des annonces accrocheuses et crédibles. L'agence de publicité LG2

VALEUR POUR LE CLIENT

TENDANCES MARKETING

La conception des publicités traitant de questions difficiles

As-tu déjà ressenti de l'angoisse après avoir écouté une annonce publicitaire? Si oui, tu as peut-être été victime de ce que les publicitaires nomment un *appel à la peur*. Les publicités sur les détecteurs de fumée reposent souvent sur ce procédé, en mettant en scène l'incendie d'une résidence. Certaines publicités font aussi appel à la peur : les dénonciations idéologiques de certains politiciens et les messages d'intérêt public exposant les dangereuses conséquences des drogues, de l'alcool ou du sida. Le mécanisme de l'appel à la peur s'exerce en trois temps. Premièrement, on instaure la crainte en informant le public de l'importance de la menace ou de sa probabilité. Deuxièmement, on décrit la façon de résoudre le problème ou les moyens de composer avec son existence. Troisièmement, on suggère la manière de mettre en œuvre la solution.

Cependant, la façon dont les gens réagissent aux appels à la peur varie énormément, selon leur savoir et leur expérience. Cette question soulève des problèmes éthiques concernant le bien-être psychologique des consommateurs. Les publicitaires doivent donc élaborer leurs annonces publicitaires en ayant à l'esprit les recommandations suivantes :

1. Utiliser de préférence des niveaux de peur faibles ou modérés (plutôt qu'élevés).
2. Suggérer plusieurs solutions.
3. Éviter les promesses trompeuses (par exemple, affirmer qu'un produit réglera complètement un terrible problème).
4. Tester chaque annonce pour s'assurer qu'il y a un juste équilibre entre le message et le niveau d'anxiété qu'on lui associe.

a obtenu le grand prix « Best of the Best » lors des RVSP Awards 2001 de l'Association canadienne de marketing pour son travail en faveur de la Banque Nationale[13]. La campagne de publicité *Pensez différent* d'Apple est un exemple du travail de cette agence. En effet, la publicité salue « les fous, les marginaux, les rebelles [...], tous ceux qui voient les choses différemment ». Puis, au moment où sont présentées des personnalités comme Albert Einstein, Pablo Picasso et Jim Hensen, une voix hors-champ proclame : « Vous pouvez les admirer ou les désapprouver [...] Mais vous ne pouvez pas les ignorer. Car ils changent les choses. »

Le recours à des personnages connus dans les campagnes publicitaires et l'emploi d'une célébrité comme porte-parole sont des exemples d'un genre de publicité très populaire de nos jours. Dans tout le pays, les consommateurs sont touchés, chez eux, par des championnes et des champions sportifs, des vedettes de rock, des actrices et des acteurs de cinéma et d'autres célébrités qui s'adressent à eux par l'intermédiaire de tous les médias disponibles. Les publicitaires qui utilisent des porte-parole croient que ce type de publicité a un meilleur effet sur les ventes que d'autres genres d'annonces. De plus, quand ces campagnes durent longtemps, les consommateurs associent automatiquement le produit au porte-parole célèbre. Par exemple, quand les consommateurs voient ou entendent Claude Meunier, il est probable qu'ils pensent à Pepsi. De la même façon, Véronique Cloutier est associée à Suzuki et le hockeyeur Marc Messier aux croustilles Lays.

Omega et Revlon ont fait appel à Anna Kournikova et à Halle Berry dans le but d'influencer les consommateurs.

La réalisation publicitaire est un processus complexe, car il faut convertir les idées des rédacteurs publicitaires en annonces crédibles. La conception d'une maquette de qualité, la préparation de la mise en page et la production des annonces publicitaires sont des opérations coûteuses et laborieuses. La production d'une annonce télévisée de 30 secondes coûte généralement plus de 200 000 $. Les publicités à grande visibilité peuvent être encore plus chères. Ainsi, la réalisation de deux annonces publicitaires de 15 secondes pour les médicaments antiacides Rolaids a coûté 500 000 $ et a nécessité le travail de 75 personnes durant six mois. Dans ce genre de production, il faut généralement faire 70 prises, en moyenne, pour répondre aux exigences fixées au départ[14].

RÉVISION DES CONCEPTS

1. Quelles sont les caractéristiques des bons objectifs publicitaires?
2. Quel est l'avantage de recourir à des célébrités dans les publicités?

Le choix des médias appropriés

Tout annonceur doit décider de l'endroit où il doit placer ses publicités. Les *médias publicitaires,* c'est-à-dire les moyens utilisés pour communiquer le message au public cible, sont nombreux. Les journaux, les revues, la radio et la télévision sont des exemples de médias publicitaires. Il faut sélectionner les médias selon le public cible, le type du produit, la nature du message, les objectifs de la campagne publicitaire, le budget et les coûts des médias optionnels. La figure 19.1 présente la répartition, entre les différents médias, de plus de huit milliards de dollars dépensés en publicité au Canada[15].

FIGURE 19.1
Pourcentages des dépenses publicitaires par média au Canada

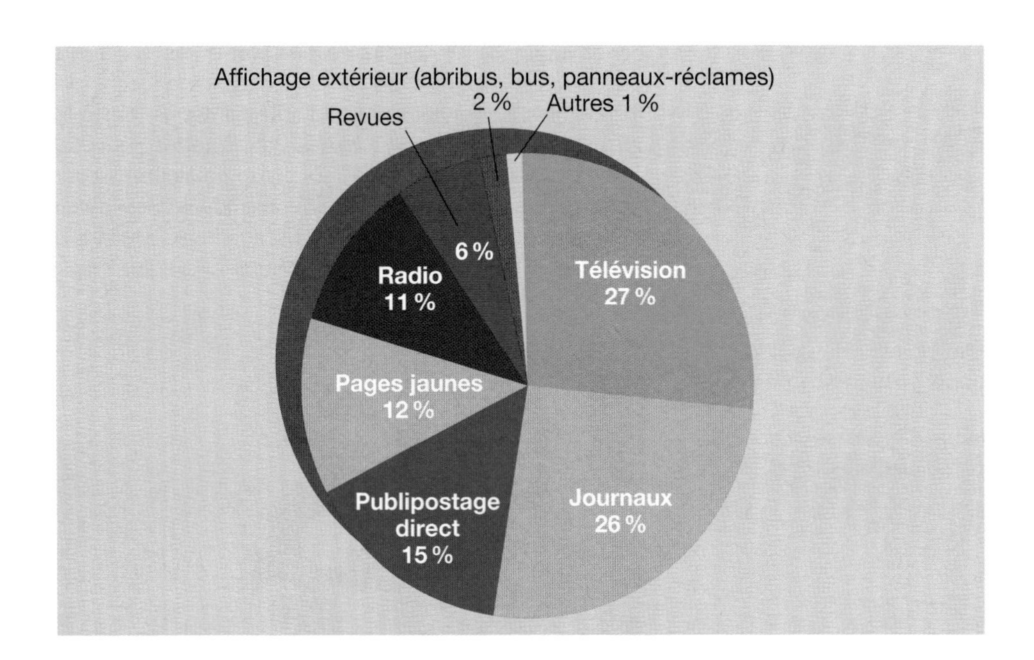

Le choix du média et de son support Il existe plusieurs médias où placer de la publicité, chacun offrant plusieurs possibilités ou divers supports. Souvent, les annonceurs combinent différents genres de médias et de supports de façon à maximiser l'exposition du message au public cible et à minimiser les coûts. Ces deux objectifs conflictuels, soit une exposition maximale à des coûts minimaux, sont au cœur de la planification relative aux médias.

Un peu de vocabulaire Les personnes qui achètent de l'espace dans les médias (les acheteurs-média) ont un jargon que doivent connaître les publicitaires qui choisissent pour eux les médias appropriés à leurs campagnes. Les termes les plus couramment utilisés sont présentés au tableau 19.1.

Avec leur message, les publicitaires cherchent à atteindre le plus grand nombre d'individus dans leur marché cible ; ils doivent donc se soucier de l'audience cumulée. L'**audience cumulée** (ou la **portée**) est le nombre d'individus ou de ménages différents exposés à une annonce publicitaire à un moment ou à un autre d'une période de référence. La définition de l'audience cumulée varie parfois selon les médias. Les journaux utilisent l'expression pour désigner leur tirage ou le nombre de ménages qui ont parcouru, lu ou feuilleté leur publication. Dans l'univers de la télévision et de la radio, par contre, l'audience cumulée s'appelle **cote d'écoute.** Il s'agit du pourcentage des ménages, dans un marché, qui écoutent telle émission de télévision ou tel poste de radio à un moment donné. En général, les publicitaires essaient de toucher la plus grande audience cumulée sur leur marché cible, et ce, le plus économiquement possible.

L'audience cumulée est importante, mais les publicitaires veulent aussi que le public cible soit exposé à leur publicité plus d'une fois. En effet, les consommateurs ne prêtent pas toujours attention aux messages publicitaires qui contiennent souvent des informations relativement complexes. Quand les publicitaires veulent atteindre le même auditoire plus d'une fois, ils se préoccupent de **fréquence.** Il s'agit du nombre moyen de fois où un individu, faisant partie du public cible, est exposé à un message ou à une annonce publicitaire. Comme dans le cas de l'audience cumulée, on essaie généralement d'obtenir la plus grande fréquence possible[16].

En multipliant l'audience cumulée (exprimée en pourcentage du marché total) par la fréquence, on obtient ce qu'on appelle les **points d'exposition bruts** (PEB). En d'autres termes, un PEB représente 1 % de la population. Pour atteindre le nombre de PEB nécessaire à la réalisation des objectifs d'une campagne publicitaire, les responsables de la planification des médias doivent équilibrer audience cumulée et fréquence, en tenant compte des coûts. Le **coût par mille expositions** désigne ce qu'il en coûte pour qu'un message publicitaire diffusé par un média donné atteigne 1 000 individus ou ménages.

Les différents choix de médias

Au tableau 19.2, tu trouveras un résumé des avantages et des inconvénients des principaux médias publicitaires, que nous décrirons ensuite de façon plus détaillée.

TABLEAU 19.1
Le jargon de l'acheteur-média

TERME	DÉFINITION
Audience cumulée (ou portée)	Le nombre d'individus ou de ménages atteints par une publicité, dans un marché, et au cours d'une période donnée.
Cote d'écoute	Le pourcentage de ménages, dans un marché, qui suivent une émission de télévision ou de radio à un moment donné.
Fréquence	Le nombre moyen de fois où un individu est exposé à une publicité donnée dans une période de temps définie.
Points d'exposition bruts (PEB)	L'audience cumulée (exprimée en pourcentage du marché total) multipliée par la fréquence.
Coût par mille	Le coût d'un support publicitaire divisé par le nombre de milliers d'individus ou de ménages exposés (lecteurs, téléspectateurs, auditeurs, etc.).

Pour plus d'informations au sujet de Télétoon, rends-toi à l'adresse suivante : www.dlcmcgrawhill.ca

La télévision a recours a de la publicité dans les magazines pour attirer de nouveaux spectateurs.

La télévision La télévision est un média utile parce qu'elle marie visuel, son et mouvement. L'imprimé, lui, est incapable de transmettre la sensation d'une voiture sport filant à toute vitesse ou de communiquer la passion de Ford pour la nouvelle Mustang. De plus, la télévision est le seul média qui atteint 99 % des foyers canadiens[17]. L'Ontario n'est pas en reste, puisque la population de cette province écoute en moyenne 20,1 heures de télévision par semaine. Le principal inconvénient de la télévision est son coût : une annonce publicitaire de 30 secondes, aux heures de grande écoute sur un réseau national, coûte en moyenne 30 000 $[18]. Le record québécois du coût d'une annonce publicitaire a été atteint lors du spectacle de Céline Dion au centre Molson le 31 décembre 1999 : un message de deux minutes a été vendu à un manufacturier automobile pour la somme de 170 000 $[19]. Vu l'importance de ces coûts, de nombreux annonceurs ont diminué la durée de leurs publicités de 30 à 15 secondes. Ce procédé réduit les coûts, mais limite sérieusement le nombre de données informatives et la charge émotive que l'on veut transmettre. Toutefois, les recherches montrent que le souvenir de deux versions d'une publicité de 15 secondes présentées en continu est très durable[20].

La télévision a un autre inconvénient : la probabilité d'une *couverture à effet nul,* c'est-à-dire la probabilité que la publicité soit inutilement présentée à des personnes ne faisant pas partie du public cible. Ces dernières années, les problèmes de coûts et de couverture à effet nul ont été réduits grâce à l'avènement de la télévision par câble. Le temps publicitaire coûte souvent moins cher sur les chaînes du câble que sur les grands réseaux nationaux. De plus, de nombreuses chaînes de télévision par câble, comme TV5, le Réseau des Sports (RDS), Musimax, Canal Vie, Télétoon ou Historia, peuvent atteindre des publics très bien définis[21].

Pour plus d'informations au sujet de Canal Indigo et de Bell ExpressVu, rends-toi à l'adresse suivante : www.dlcmcgrawhill.ca

L'avènement d'autres types de chaînes de télévision pourrait modifier bientôt la publicité télévisuelle. En effet, les chaînes de télévision sur commande, les services de télévision à la carte comme Canal Indigo ou Bell ExpressVu et les magnétoscopes numériques ouvrent la voie à un espace télévisuel dépourvu de publicité.

TABLEAU 19.2
Les avantages et les désavantages des principaux médias publicitaires

MÉDIA	AVANTAGES	DÉSAVANTAGES
Télévision	Atteint de très vastes publics; permet des effets par l'image, l'écrit, le son et le mouvement; permet de cibler des publics précis.	Coûts élevés de préparation et de diffusion des annonces; courte durée d'exposition et message périssable; véhicule difficilement l'information complexe.
Radio	Économique; peut cibler des publics précis; mise en ondes rapide des annonces; permet l'exploitation efficace du son, de l'humour et de l'intimité.	Absence de stimulation visuelle; courte durée d'exposition et message périssable; véhicule difficilement de l'information complexe.
Revues	Permet de cibler des publics précis; définition des couleurs de haute qualité; durée de vie de la publicité plus longue; les publicités peuvent être découpées et conservées; peut véhiculer de l'information complexe.	Long délai de parution; choix de la page de publication limité; relativement cher; les publicités sont en concurrence avec les articles.
Journaux	Excellente couverture des marchés locaux; placement et remplacement rapides des annonces; possibilité de les conserver; suscitent une réponse rapide du consommateur; économiques.	Les publicités sont en concurrence avec les articles du journal; aucun pouvoir de décision sur la mise en page de la publicité; courte durée de vie; ne permet pas de cibler des publics précis.
Publipostage direct	Meilleur support pour cibler des publics précis; très souple (annonces tridimensionnelles et en relief); les publicités peuvent être conservées; résultats mesurables.	Relativement cher; souvent considéré comme du courrier-déchet par le public; éclipsé par le courrier personnel.
Internet	Ressources vidéo et audio; animation accrocheuse capable de retenir l'attention; possibilité d'annonces interactives pourvues d'hyperliens avec le site Web de l'annonceur.	Contenu d'animation et interactivité nécessitent beaucoup de mémoire et un temps de téléchargement considérable; efficacité encore incertaine.
Publicité extérieure	Économique; idéal pour les marchés locaux; grande visibilité; favorise la fréquence d'exposition.	Nécessite des messages courts et simples; peu de sélectivité du public; dénoncée comme une source d'accidents et de pollution visuelle.

Sources: William F. Arens, *Contemporary Advertising,* 7e éd., New York, McGraw-Hill/Irwin, 1999, p. 268, R20, et William G. Nickels, James M. McHugh et Susan M. McHugh, *Understanding Business,* 4e éd., Homewood (Illinois), Richard D. Irwin, 1996, p. 495.

Le publireportage est un autre type de publicité télévisuelle relativement nouveau et de plus en plus populaire. Les **publireportages** sont des publicités informatives de la durée d'une émission (30 minutes). Volvo, Club Med, General Motors, Mattel, Revlon et beaucoup d'autres compagnies se servent de publireportages pour diffuser de façon distrayante de l'information pertinente et utile à leur clientèle potentielle[22]. Grâce à un récent publireportage, n'ayant été diffusé que 13 fois en 2 semaines, Volvo a récolté 4 000 demandes d'information supplémentaire[23].

La radio Il y a environ 25 000 stations de radio dans le monde, dont 700 au Canada[24]. Le principal avantage de la radio, c'est d'être un média segmenté. Il y a des stations de jazz, des stations de musique classique, des stations de variétés et des stations de rock.

Toutes sont écoutées par des marchés cibles particuliers. Les élèves des écoles secondaires, des collèges et des universités sont de fidèles auditeurs radiophoniques. En fait, ils passent quotidiennement plus de temps à écouter la radio qu'à regarder la télévision : en moyenne 2,2 heures contre 1,6 heure. Les entreprises, dont ces jeunes constituent le marché cible, doivent donc sérieusement songer à annoncer à la radio. Les jeunes ne sont pas les seuls à vouer un tel engouement pour ce média. En moyenne, les adultes consacrent plus de 22 heures par semaine à l'écoute de la radio[25], que ce soit dans leur lit, dans leur voiture, à la maison, au travail, dans les transports en commun, dans les magasins ou dans les centres de conditionnement physique. La radio est présente partout.

L'inconvénient de la radio, c'est qu'elle convient peu aux produits qui doivent être vus. Il est aussi très facile de changer de poste pour éviter les annonces publicitaires. C'est un média qui cherche à capter l'attention de gens déjà absorbés par la conduite automobile, le travail ou la relaxation. Les heures de grande écoute radiophonique se situent entre 6 heures et 10 heures, et entre 16 heures et 19 heures, alors que les conducteurs se rendent au travail et en reviennent.

Pour plus d'informations au sujet d'*Aventure chasse et pêche* et d'*Espaces*, rends-toi à l'adresse suivante : www.dlcmcgrawhill.ca

Les magazines Le magazine est en train de devenir un média très spécialisé. Il y a environ 500 revues d'intérêt général au Canada[26]. Le grand avantage de ce média est d'offrir une foule de publications spécialisées qui intéressent des segments de lectrices et de lecteurs bien définis. Les chasseurs et les pêcheurs lisent *Aventure chasse et pêche*, les adeptes de la voile, *Voile Magazine,* les amateurs de jardinage s'abonnent à *100 idées jardin*, les enfants feuillettent *Coulicou* et les adeptes du bricolage achètent *Rénovation Bricolage.* Le segment de lecteurs de chaque revue a souvent un profil distinctif. Ainsi, celui d'*Espaces* se compose de gens qui voyagent, qui font de grandes randonnées pédestres et qui skient plus que la moyenne. Un fabricant d'équipement de skis peut donc y placer une annonce et espérer atteindre son public cible. De plus, vu le bon rendu des couleurs dans les revues, on peut y présenter des images frappantes, ce qui est un autre avantage.

Par contre, la publicité dans les grands magazines nationaux coûte cher. Heureusement, nombre d'entre eux préparent aussi des éditions régionales et même limitées à une ville, ce qui réduit les coûts et les risques de couverture à effet nul. En plus de coûter cher, la publicité dans les revues offre peu en fréquence. Au mieux, les revues paraissent une fois par semaine, mais de nombreuses publications spécialisées ne sont publiées que mensuellement et même moins fréquemment.

Les journaux Les journaux constituent d'importants médias locaux capables de rassembler un excellent auditoire cumulé. Comme la plupart des journaux sont des quotidiens, les annonces publicitaires peuvent porter sur des événements particuliers et immédiats, comme un « solde d'un jour ». Le journal est souvent l'unique média publicitaire des détaillants locaux.

Puisque les gens conservent rarement les journaux, les entreprises y font généralement paraître des publicités appelant une réponse immédiate de la part de la clientèle (rien n'empêche les clients de découper et de conserver les annonces). Les journaux ne permettent pas non plus aux entreprises de faire paraître des annonces en couleur aussi belles que celles qu'on trouve dans la plupart des revues.

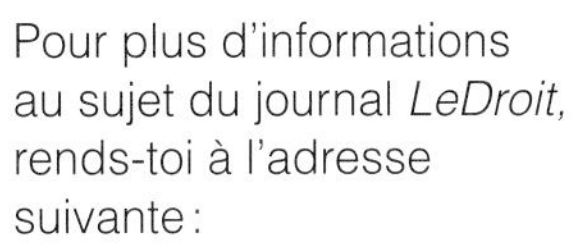

Pour plus d'informations au sujet du journal *LeDroit*, rends-toi à l'adresse suivante : www.dlcmcgrawhill.ca

Le journal est un média que les organisateurs de campagnes publicitaires nationales ignorent généralement, sauf lorsque les produits sont annoncés avec des distributeurs locaux. Dans ce cas, les deux parties se partagent souvent les frais de publicité suivant une formule dont nous parlerons plus loin dans ce chapitre. Évidemment, un journal à diffusion nationale comme le *Globe and Mail* fait exception et peut être utile dans une campagne publicitaire à l'échelle nationale.

Pour fournir une couverture journalistique de tous les instants, de nombreux journaux ont maintenant des éditions électroniques, ce qui constitue un nouvel espace publicitaire, comme le célèbre portail *Cyberpresse,* dont nous avons déjà parlé.

Le publipostage Le publipostage permet la plus grande sélectivité de public. Les compagnies de publipostage fournissent aux annonceurs des fichiers d'adresses postales de leur marché cible. Citons, par exemple, celui des élèves habitant dans un rayon de deux

Il existe également une version électronique du journal *LeDroit.*

kilomètres autour d'un magasin donné, celui des chefs de produits vivant à Toronto, ou celui des propriétaires de maisons mobiles. Contrairement aux publicités d'une durée de 15, 30 ou 60 secondes diffusées à la télévision ou à la radio, le publipostage direct permet de transmettre de l'information complète sur un produit. De nombreux annonceurs combinent maintenant ce moyen à d'autres médias pour créer un *plan de communication (promotion) marketing intégré.* Ils ont recours aux médias de masse pour faire connaître un produit et se servent du publipostage pour établir la relation avec la clientèle et lui faciliter l'achat de ce produit.

Cependant, avec l'augmentation des frais postaux, le publipostage est devenu plus coûteux. Plusieurs entreprises se tournent maintenant vers des services privés de livraison dont les tarifs applicables aux catalogues et aux autres brochures publicitaires sont souvent moins élevés. Le principal inconvénient des messages publipostés, c'est qu'ils sont souvent considérés comme du courrier-déchet. Le défi est donc d'inciter les gens à ouvrir l'enveloppe. Grâce à des bases de données bien précises, les spécialistes en marketing peuvent maintenant limiter l'envoi de courrier aux membres de leur marché cible. Ces derniers sont susceptibles d'être intéressés par ce courrier; aussi, cette façon de faire a beaucoup amélioré le taux de réponse des consommateurs.

Internet Malgré l'accroissement spectaculaire de la publicité électronique et l'intérêt que lui portent les entreprises les plus diverses, Internet demeure toujours pour les annonceurs un nouveau média publicitaire. La publicité électronique est semblable à la publicité imprimée, car elle présente un message visuel. Elle a cependant des avantages supplémentaires, car elle dispose des ressources audio et vidéo d'Internet. En plus de capter l'attention des internautes, le mouvement et le son apportent un élément de divertissement au message. La publicité électronique a aussi l'avantage d'être la seule publicité interactive. Appelées *média enrichi,* ces publicités interactives comprennent des jeux, des menus déroulants ou des moteurs de recherche qui stimulent la participation des consommateurs. Certaines bannières incitent l'internaute à faire des choix dans un menu et des recherches à l'aide de mots clés. Grâce aux publicités électroniques, les consommateurs peuvent aussi, d'un simple clic, accéder au site Web de l'annonceur, où ils trouveront de l'information additionnelle ou la possibilité de faire un achat en ligne. La publicité interactive est de plus en plus élaborée, et de nombreux experts prévoient que le contenu et le style des annonces seront bientôt comparables à ceux de la télévision[27].

L'un des désavantages de ce genre de publicité est la longueur du temps de téléchargement des annonces comprenant des éléments audio et vidéo. S'il est trop long, les gens se lassent et cliquent sur une autre page, sans attendre l'apparition de la publicité. Comme le média est nouveau, il n'y a pas encore de consensus sur les normes techniques et administratives qui devraient prévaloir, et cela peut être une source de désagréments. Enfin, il est difficile de mesurer l'achalandage que crée la publicité électronique. Les techniques actuelles de mesure ne donnant que des résultats très variables, les annonceurs ne peuvent savoir si les frais qu'ils engagent en valent la peine. Comme le dit Norman Lehoullier, directeur de l'agence Grey Interactive Worldwide : « Cette inconstance des mesures nuit à l'achat de publicité sur Internet[28]. »

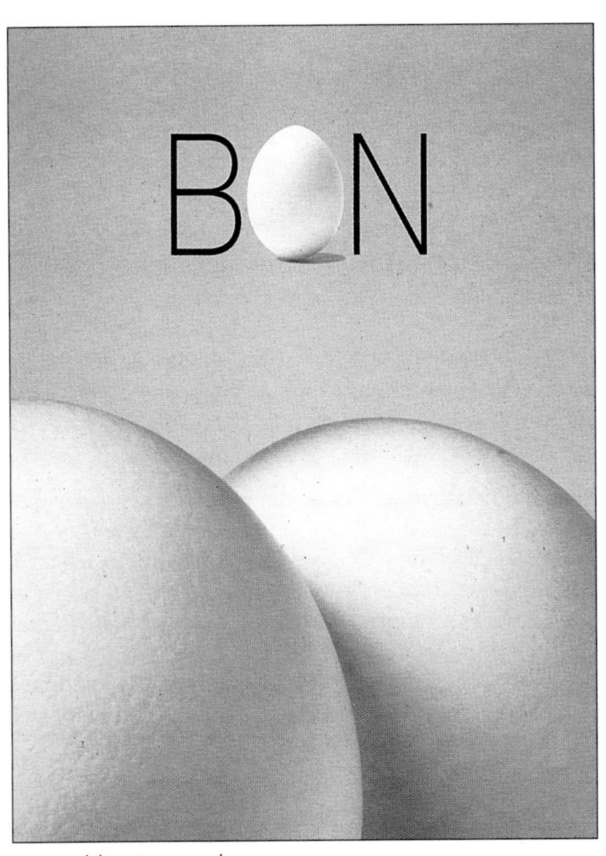

Une publicité accrocheuse sur les œufs

L'affichage extérieur L'affichage extérieur est un média de rappel très efficace. Le type le plus connu de publicité extérieure est le *panneau publicitaire,* qui donne souvent de bons résultats en audience cumulée, en fréquence et en augmentation des ventes[29]. La visibilité de ce média relativement économique et souple fournit une bonne publicité de renforcement aux produits bien connus. De plus, l'annonceur peut limiter ses achats d'espaces publicitaires à la zone géographique qui l'intéresse. Par contre, il est impensable de mettre beaucoup de texte publicitaire sur un panneau d'affichage. Ils doivent être bien situés, là où il y a de la circulation et là où les automobilistes qui font la file peuvent les apercevoir. En de nombreux endroits, des lois sur l'environnement limitent l'utilisation de ce média.

Si tu vis dans une grande ville, tu connais bien la publicité ambulante et tu as l'habitude de voir des messages à l'extérieur et à l'intérieur des autobus, des wagons de métro et des taxis ou encore sur des camions portant d'immenses panneaux publicitaires. Avec l'accroissement du transport en commun, cet autre moyen d'affichage extérieur prend de plus en plus d'importance. L'affichage sur les moyens de transport est un média sélectif, car les annonceurs peuvent acheter de l'espace sur les circuits qui les intéressent. Paradoxalement, c'est lorsque le public est le plus nombreux aux heures de pointe qu'il est le moins enclin à lire les textes publicitaires. Dans le métro, entassés comme des sardines, les gens cherchent avant tout à ne pas rater l'arrêt et prêtent peu d'attention à la publicité.

Les autres médias Comme les médias traditionnels sont devenus chers et engorgés, les publicitaires font de plus en plus de publicité dans des endroits inhabituels. Les messages sont placés là où se rend un public cible précis. Citons, par exemple, les aéroports, les cabinets des médecins, les clubs de remise en forme, les cinémas (où les annonces sont projetées avant la présentation des films), et même dans les toilettes des bars, des restaurants et des boîtes de nuit[30] !

Lancée en 1989, l'entreprise de communication Zoom Média est devenue, en quelques années seulement, le chef de file incontesté en matière d'espaces publicitaires non conformistes pour séduire le public des 18-34 ans. C'est ainsi que ses 30 000 espaces publicitaires se trouvent dans 1 600 resto-bars et 700 campus en Amérique du Nord, dans les restaurants McDonald's et dans les centres de conditionnement physique.

Pour plus d'informations au sujet de Zoom Média, rends-toi à l'adresse suivante : www.dlcmcgrawhill.ca

Les critères de sélection des médias Le choix entre différents médias publicitaires n'est pas facile et dépend de plusieurs facteurs. Avant toute chose, il faut connaître les habitudes médiatiques du public cible. Ensuite, il arrive que le choix des médias soit dicté par certains attributs du produit. Par exemple, si la couleur est l'un des attraits du produit, la radio est exclue. Les journaux sont utiles pour annoncer rapidement des initiatives visant à déjouer des concurrents. Les revues conviennent bien aux messages compliqués parce que le lecteur prendra normalement plus de temps pour les lire, comparativement aux journaux. Enfin, le dernier critère de sélection des médias est le coût. Quand on le peut, on compare différents médias à l'aide d'un indicateur tenant compte à la fois de l'audience cumulée et du coût, soit une mesure comme le CPM (coût par mille).

L'établissement du calendrier publicitaire

Il n'existe pas de calendrier publicitaire infaillible pour annoncer un produit, mais il y a trois facteurs à considérer. Premièrement, il y a le *rythme d'apparition des nouveaux consommateurs,* qui est la fréquence à laquelle les nouveaux acheteurs arrivent sur le marché pour y acheter un produit. Plus la rotation des acheteuses et des acheteurs est forte, plus il faut de publicité. Deuxièmement, il faut examiner la *fréquence d'achat* : plus l'achat d'un produit est fréquent, moins on a besoin de répéter la publicité. Enfin, les entreprises doivent tenir compte de la *vitesse d'oubli,* c'est-à-dire de la vitesse à laquelle les acheteuses et les acheteurs oublient une marque qui ne jouit plus d'aucune publicité.

Pour dresser des calendriers publicitaires, il faut bien comprendre le comportement du marché. La plupart des entreprises suivent l'une des trois méthodes fondamentales suivantes.

Cette publicité des sirops Benylin est conçue en fonction d'une parution durant les mois d'hiver.

1. *Le calendrier régulier.* Quand les facteurs saisonniers n'entrent pas en ligne de compte, la publicité se fait en continu durant toute l'année.
2. *Le calendrier de publicité sporadique.* Pour tenir compte de la demande saisonnière, on fait alterner des périodes de publicité avec des périodes sans publicité.
3. *La programmation d'impulsion.* Ce calendrier, qui combine calendrier de publicité sporadique et calendrier régulier, est adopté en période d'accroissement de la demande, d'intense promotion ou de lancement d'un nouveau produit.

Par exemple, la demande pour des produits tels que les céréales pour le petit-déjeuner est stable durant toute l'année ; on établira donc un calendrier publicitaire régulier. Par contre, les produits comme les skis alpins et les lotions solaires font l'objet d'une demande saisonnière. Aussi, on élaborera de préférence un calendrier de publicité sporadique coïncidant avec la demande saisonnière. Certains produits, comme les jouets ou les automobiles, nécessitent une programmation publicitaire d'impulsion capable de faciliter les ventes à la fois durant toute l'année et durant les périodes de demande accrue (comme à la période des fêtes ou lors de lancements de nouvelles voitures). Il semble, d'ailleurs, que les programmations à impulsion soient supérieures aux autres stratégies publicitaires[31].

RÉVISION DES CONCEPTS

1. Tu constates qu'une annonce publiée dans *L'actualité* et dans *Les Affaires* se trouve aussi sur des panneaux publicitaires en plus d'être diffusée à la télévision. Cherche-t-on ici à maximiser l'audience cumulée ou la fréquence ?
2. Pourquoi Internet est-il devenu un média publicitaire populaire ?
3. Quels facteurs doit-on considérer quand on fait un choix entre différents médias publicitaires ?

L'EXÉCUTION DU PLAN DE CAMPAGNE PUBLICITAIRE

Pour réaliser le plan d'une campagne publicitaire, il faut d'abord tester le texte publicitaire, puis mener à bien la campagne. Un publicitaire faisait la remarque suivante : « Je sais qu'une moitié de mon travail publicitaire est inutile, mais j'ignore laquelle. » En évaluant leurs offensives publicitaires, les spécialistes en marketing tentent d'éviter que leurs dépenses publicitaires ne se fassent en pure perte[32]. L'évaluation se fait habituellement en deux temps : avant et après la parution ou la diffusion des annonces publicitaires dans le cadre de la campagne. Nous présenterons ici les nombreuses méthodes d'évaluation utilisées à l'étape de la formulation des idées et de l'élaboration du texte publicitaire. L'examen des méthodes de contrôle employées après cette étape se fera dans la section sur l'évaluation.

Le contrôle préalable de la publicité

Pour déterminer si une publicité transmet bien le message voulu ou pour choisir entre ses différentes versions, les publicitaires la soumettent à ce qu'ils appellent des « **prétests** » avant qu'elle ne soit diffusée.

Les tests de relecture On se sert des tests de relecture pour évaluer les différentes versions d'un texte publicitaire. On remet à des consommateurs un document contenant des annonces parmi lesquelles se trouve celle que l'on veut tester. Une fois la lecture terminée, on demande aux gens de noter leurs impressions sur les annonces suivant des échelles, allant, par exemple, de «très informative» à «pas très informative».

Les tests d'évaluation en direct Dans ce type de prétest, on montre à un panel de consommateurs un texte publicitaire dont ils doivent évaluer et noter le niveau d'attrait, et dire à quel point il leur a plu et a retenu leur attention. Comme le test de relecture, ce test repose sur l'opinion des consommateurs. Par contre, la publicité à tester n'est pas dissimulée parmi d'autres.

Les tests d'annonces dans les salles de cinéma Le test d'annonces dans les salles de cinéma est le plus élaboré des prétests. Des consommateurs sont invités à visionner de nouvelles émissions de télévision ou des films au cours desquels les annonces à tester sont insérées. Les spectatrices et les spectateurs notent ce que les publicités leur ont inspiré sur un magnétophone portatif ou en remplissant un questionnaire après le visionnage.

La réalisation d'une campagne publicitaire

Comme on le voit au tableau 19.3, il y a trois types d'agences à qui l'on peut confier la responsabilité d'une campagne publicitaire. L'**agence de publicité à service complet** offre l'éventail de services le plus complet, comprenant étude de marché, choix de médias, mise au point du texte publicitaire, illustration publicitaire et production. Les agences qui se chargent de l'élaboration et du placement des publicités pour leur clientèle retirent généralement une commission de 15 % sur le coût de médias. Toutefois, depuis que les entreprises se sont restructurées et ont resserré leurs budgets, de nouveaux modes de rémunération ont vu le jour. Aujourd'hui, environ 45 % des annonceurs paient des honoraires basés sur le rendement. Ainsi, l'agence de publicité Young et Rubicam a reçu de Sears beaucoup plus que 15 %, car sa campagne faisant la promotion de «L'autre côté de Sears» a été un grand succès. La compagnie Wrigley rémunère aussi BBDO, son agence de publicité, en fonction du rendement des campagnes développées[33]. L'**agence de publicité à service limité** se spécialise dans l'un des aspects du processus publicitaire, comme la création de messages ou l'achat de nouveaux espaces. Les agences de publicité à service limité qui font de la création sont engagées et payées à contrat. Enfin, les **agences maison,** constituées du personnel publicitaire de l'entreprise, peuvent fournir des services complets ou limités.

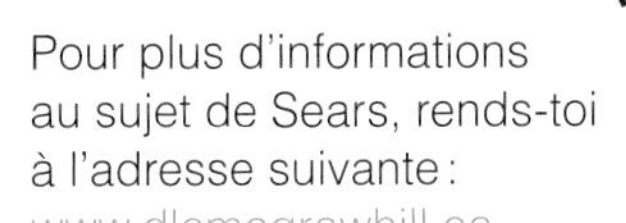

Pour plus d'informations au sujet de Sears, rends-toi à l'adresse suivante : www.dlcmcgrawhill.ca

TABLEAU 19.3
Les différents types d'agences de publicité capables de mener à bien un plan de campagne publicitaire

TYPE D'AGENCE	SERVICES OFFERTS
Agence à service complet	Effectue des études de marché ; procède au choix des médias ; met au point des textes publicitaires et des illustrations publicitaires.
Agence à service limité	Se spécialise dans l'un des aspects du processus de création ; réalise de la création ; achète du nouvel espace médiatique.
Agence maison	Fournit un éventail de services répondant aux besoins de l'entreprise.

L'ÉVALUATION D'UNE CAMPAGNE PUBLICITAIRE

Le processus de décision en publicité ne prend pas fin au moment où le plan de campagne est mis à exécution. En effet, il faut «post-tester» les publicités afin de déterminer si elles ont atteint leurs objectifs ou si, au contraire, leur rendement fait qu'il vaudrait mieux modifier le plan de campagne retenu.

Le contrôle ultérieur de la publicité

Nous verrons ici cinq types courants de « **post-tests**[34] » qui permettent d'établir si une publicité a eu les effets escomptés auprès de son public cible.

Le test de notoriété assistée Lors d'un test de notoriété assistée, on demande à des personnes testées comment elles ont pris connaissance de la publicité qu'on leur soumet. L'ont-elles vue, lue ou entendue auparavant ? Dans le test de Starch, on a recours au souvenir assisté pour déterminer le pourcentage de celles qui : 1) se souviennent d'avoir vu une annonce de revue (*observé*) ; 2) ont vu ou lu une quelconque partie de la publicité et peuvent indiquer le produit ou la marque annoncé (*vu et associé*) ; et 3) ont lu au moins la moitié de l'annonce (*lu la majeure partie*). On agrafe ensuite les éléments de la publicité aux résultats.

Le test de mémorisation pure Dans ce test, on demande aux personnes interrogées quelles annonces publicitaires elles se souviennent avoir vues la veille, mais sans aucunement les aiguiller. Ce test d'efficacité séquentiel est aussi connu sous le nom de « day after-recall » (DAR).

Les tests d'attitude On interroge des personnes pour mesurer leur changement d'attitude une fois la campagne publicitaire terminée. On leur demande, par exemple, si elles sont maintenant plus favorables au produit annoncé[35].

Les tests de demande de renseignements Lors des tests de demande de renseignements, on remet aux personnes testées de l'information supplémentaire sur le produit, des échantillons ou des primes. Les annonces ayant suscité le plus de demandes de renseignements seront jugées les plus efficaces.

Les épreuves commerciales Les épreuves commerciales sont des études. Il peut s'agir d'expériences menées auprès de groupes témoins. Par exemple, on fait de la publicité à la radio pour un marché et dans les journaux pour un autre, et on compare les résultats. Il peut s'agir aussi de tests d'achat à la consommation en mesurant les ventes au détail résultant d'une campagne de publicité donnée. Les méthodes expérimentales les plus avancées aujourd'hui permettent aux fabricants, aux distributeurs ou aux agences de publicité de faire varier une composante publicitaire (le calendrier publicitaire ou le texte publicitaire). Ensuite, ils observent l'effet de cette action sur les ventes à l'aide des données recueillies par les lecteurs optiques des supermarchés, et qui leur sont transmises directement par un système de câblage[36].

La mise en place des modifications nécessaires

On décide des changements à apporter au plan de campagne publicitaire en fonction des résultats des « post-tests ». S'ils démontrent qu'une publicité n'améliore pas la notoriété de la marque ou n'est pas efficace sur le plan des coûts, on peut la retirer et la remplacer par une autre. Par contre, il se peut qu'une publicité ait tant de succès qu'on la présente à répétition ou qu'on en fasse la base d'une plus vaste campagne publicitaire. C'est le cas notamment de certaines publicités de Coca-Cola, de McDonald's ou, encore, de Nike.

RÉVISION DES CONCEPTS

1. Explique les différences entre les « prétests » et les « post-tests » auxquels on soumet les textes publicitaires.
2. Quelle différence y a-t-il entre les « post-tests » de notoriété assistée et ceux de mémorisation pure ?

LA PROMOTION DES VENTES

L'importance de la promotion des ventes

Il fut un temps où la promotion des ventes ne représentait qu'un des éléments des moyens promotionnels. La promotion des ventes augmentant, les spécialistes en marketing la considèrent désormais autrement. Aujourd'hui, au Canada, on dépense plus en promotion des ventes qu'en publicité[37].

L'importance accrue de la promotion des ventes s'explique de plusieurs façons. Premièrement, de nombreux spécialistes en marketing voudraient mesurer les résultats de leurs offensives promotionnelles et savoir si la promotion des ventes est efficace. Deuxièmement, les consommateurs, les commerçantes et les commerçants (par exemple, les détaillants) sont de plus en plus sensibles à la valeur, donc plus intéressés par les activités de promotion des ventes. Troisièmement, certains croient que cette augmentation de la promotion des ventes vient d'un effet d'entraînement. De nombreux spécialistes en marketing feraient davantage de promotion des ventes seulement pour imiter leurs concurrents. Enfin, la technologie de l'information, en offrant des dispositifs tels que les lecteurs optiques, a favorisé la croissance de la promotion des ventes.

Les techniques de promotion des ventes sont plus courantes et mieux considérées, mais on les utilise rarement comme des outils promotionnels autonomes. En effet, la tendance est à l'intégration des communications (promotions) de marketing ; on les combine donc à d'autres moyens. Toutefois, pour bien choisir et bien intégrer ces diverses techniques de promotion des ventes, il faut comprendre les avantages et les inconvénients de chacune[38].

La promotion des ventes adaptée aux besoins des consommateurs

La **promotion des ventes adaptée aux besoins des consommateurs** cible les consommateurs finaux. Autrement dit, la promotion auprès des consommateurs comprend des outils servant à soutenir la publicité et la vente personnalisée. Ces outils de promotion auprès des consommateurs comprennent les bons de réduction, les ventes à prix réduit, les primes, les concours, les loteries publicitaires, les échantillons, les programmes de fidélisation, les présentoirs de publicité sur le lieu de vente (PLV), les remises en argent et le placement de produit (voir le tableau 19.4).

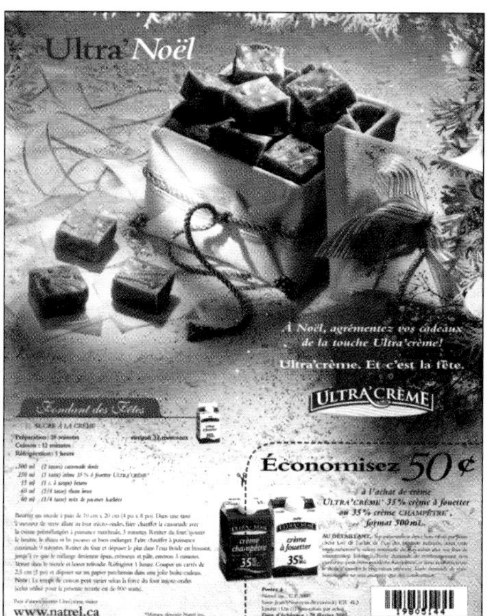

Les bons de réduction sont parfois distribués directement dans les publicités.

Les bons de réduction Les bons de réduction sont généralement des imprimés donnant droit à une remise en argent ou à une réduction du prix à l'achat d'un produit donné. On utilise les bons pour stimuler la demande de produits arrivés à maturité ou pour promouvoir l'essai d'une nouvelle marque. On estime que 2,7 milliards de bons ont été distribués au Canada en 1999. Les consommateurs en ont échangé plus de 130 millions, d'une valeur moyenne de 86 cents chacun. Ces personnes ont ainsi économisé environ 112 millions de dollars sur leurs achats[39].

Des études démontrent que la part de marché des entreprises ayant recours aux bons augmente immédiatement après la distribution de ces bons[40]. Cependant, les bons réduisent les revenus bruts, car les consommateurs fidèles, qui auraient de toute façon acheté le produit, l'obtiennent à prix réduit[41]. Voilà pourquoi les fabricants et les détaillants préfèrent offrir des bons dans le cadre d'opérations visant directement les nouveaux acheteurs. La chose est réalisable grâce à des distributrices électroniques de bons. Ces dispositifs installés en magasin associent les bons aux plus récents achats[42].

Les ventes à prix réduit (les offres à prix spécial) proposent des réductions de courte durée. Elles sont couramment utilisées pour stimuler l'essai d'un produit par la clientèle potentielle ou pour contrer une offensive de la concurrence. Il y a deux types de ventes à prix réduit : l'étiquetage démarqué et la promotion à prix réduit. Les produits à étiquetage démarqué sont offerts à un prix inférieur au prix courant, et

OUTILS DE PROMOTION DES VENTES	OBJECTIFS	AVANTAGES	DÉSAVANTAGES
Bons	Stimuler la demande	Ils soutiennent le commerce de détail.	Les consommateurs retardent l'achat.
Ventes à prix réduit	Accroître le taux d'essai ; contrer les actions de la concurrence	Elles réduisent les risques pour les consommateurs.	Les consommateurs retardent l'achat; elles réduisent la valeur perçue du produit.
Primes	Créer de l'achalandage	Elles plaisent aux consommateurs, qui aiment obtenir de la marchandise à prix réduit ou gratuitement.	Les consommateurs achètent la prime plutôt que le produit.
Concours	Augmenter les achats des consommateurs ; accroître le stock de l'entreprise	Ils stimulent l'engagement des consommateurs avec le produit.	Ils nécessitent une pensée créative et analytique.
Loteries publicitaires	Inciter la clientèle actuelle à acheter davantage ; réduire au minimum les infidélités à la marque	Elles incitent les consommateurs à utiliser le produit et à fréquenter le magasin plus souvent.	Les ventes retombent une fois la loterie terminée.
Échantillons	Stimuler l'essai de nouveaux produits	Ils amoindrissent les risques pour les consommateurs.	Ils coûtent cher à l'entreprise.
Programmes de fidélisation	Inciter à répéter l'achat	Ils favorisent la fidélisation.	Ils coûtent cher à l'entreprise.
Présentoirs de publicité sur le lieu de vente	Accroître les essais de produit; fournir le support en magasin pour d'autres promotions	Ils offrent une bonne visibilité au produit.	Il est difficile d'obtenir du détaillant un endroit achalandé.
Remises en argent	Inciter la clientèle à l'achat; freiner le déclin des ventes	Elles stimulent efficacement la demande.	Elles sont facilement imitables ; elles cannibalisent les ventes futures ; elles réduisent la valeur perçue du produit.
Placements de produit	Lancer de nouveaux produits ; faire la démonstration d'un produit	Ils véhiculent un message positif dans un environnement non commercial.	Ils offrent peu de contrôle sur la présentation du produit.

TABLEAU 19.4
Les différents outils de promotion des ventes

la réduction est généralement indiquée sur l'étiquette ou sur le paquet. L'étiquetage démarqué stimule efficacement les ventes à court terme, souvent beaucoup mieux que les bons.

Les promotions à prix réduit offrent aux consommateurs un extra, par exemple « 20 % de plus pour le même prix » ou « deux paquets pour le prix d'un ». Ce genre de promotion est très utile pour contrer l'offensive d'un concurrent ou le prendre de vitesse. Ainsi, pour réduire l'effet du lancement par une société rivale d'une nouvelle préparation pour gâteau, on offrira son propre produit dans un format « 2 pour 1 ». Du coup, on occupera la majeure partie de l'espace de rayonnage réservé aux préparations pour gâteau. Les spécialistes en marketing doivent cependant prendre garde de ne pas abuser de ce genre de promotion, car cela risque de réduire la valeur que les consommateurs attribuent à leur produit.

Les primes Les primes sont des articles offerts gratuitement ou à prix très réduit afin de susciter l'achat d'un autre produit. Une prime *auto-payante* est une prime que l'on propose aux consommateurs à un prix inférieur au prix courant, mais qui couvre néanmoins le coût d'achat. De nombreuses stations-service offrent, par exemple, de la vaisselle à un coût dérisoire lorsque les automobilistes viennent faire le plein. Les offres de primes gratuites ou à faible prix incitent la clientèle à revenir fréquemment ou à utiliser davantage le produit. Toutefois, l'entreprise doit faire en sorte que la clientèle n'achète pas que la prime.

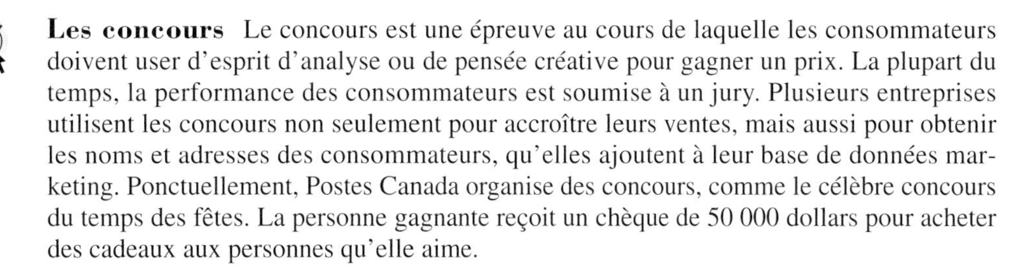

Pour plus d'informations au sujet de Postes Canada, rends-toi à l'adresse suivante : www.dlcmcgrawhill.ca

Les concours Le concours est une épreuve au cours de laquelle les consommateurs doivent user d'esprit d'analyse ou de pensée créative pour gagner un prix. La plupart du temps, la performance des consommateurs est soumise à un jury. Plusieurs entreprises utilisent les concours non seulement pour accroître leurs ventes, mais aussi pour obtenir les noms et adresses des consommateurs, qu'elles ajoutent à leur base de données marketing. Ponctuellement, Postes Canada organise des concours, comme le célèbre concours du temps des fêtes. La personne gagnante reçoit un chèque de 50 000 dollars pour acheter des cadeaux aux personnes qu'elle aime.

Pour plus d'informations au sujet de *Reader's Digest*, rends-toi à l'adresse suivante : www.dlcmcgrawhill.ca

Les loteries publicitaires Les loteries publicitaires sont de purs jeux de hasard. Elles ne nécessitent ni esprit d'analyse ni effort de création. Pour y participer, on doit remplir un formulaire quelconque. Une des plus connues est celle du *Reader's Digest.* Au Canada, les lois fédérales et provinciales exigent que les loteries publicitaires, concours et autres jeux se déroulent impartialement, que les chances de gagner soient clairement indiquées et que les prix soient effectivement remis aux personnes gagnantes.

Pour plus d'informations au sujet de Nestlé, rends-toi à l'adresse suivante : www.dlcmcgrawhill.ca

Les échantillons Un autre type de promotion des ventes bien connu est la distribution d'échantillons ou de produits gratuits ou à prix très réduits. On l'utilise souvent avec les nouveaux produits, car elle permet de mettre le produit entre les mains des consommateurs. Le format d'essai distribué est généralement plus petit que le format ordinaire. En donnant un échantillon, on fait le pari que, s'il plaît aux consommateurs, ils s'en souviendront et achèteront le produit. Simultanément, par mesure de renforcement, on peut télédiffuser une publicité et faire paraître dans les journaux et les revues des annonces accompagnées de bons de réduction. La société Nestlé a recours à ce type de promotion. Son programme « bon départ », portant sur des aliments pour nouveau-nés, propose aux nouvelles mamans de recevoir des échantillons gratuits de produits en s'inscrivant sur le site Web de l'entreprise. Dans l'industrie des cosmétiques, les entreprises lancent souvent leurs dernières nouveautés en insérant un échantillon gratuit dans les publicités qui paraissent dans les magazines féminins.

Les programmes de fidélisation Les programmes de fidélisation sont des outils de promotion des ventes utilisés pour stimuler les achats répétés. Ces programmes récompensent les consommateurs par une prime quand leurs achats atteignent une certaine somme. Les programmes grands voyageurs des compagnies d'aviation et hôtes réguliers des chaînes hôtelières en sont des exemples. Même General Motors du Canada a un programme de fidélisation. La compagnie propose une carte de crédit sur laquelle les consommateurs peuvent accumuler des points qu'on déduira du prix d'un nouveau véhicule GM. Tu connais sans doute les cartes d'achat de Sears, de La Baie ou de Pétro-Canada, qui permettent d'amasser des points lors des achats avec ce mode de paiement. En échange d'un certain nombre de points, les consommateurs peuvent acquérir ce qu'ils désirent.

Les présentoirs de publicité sur le lieu de vente Il est courant de trouver dans les allées des magasins des outils de promotion qu'on appelle des présentoirs de publicité sur le lieu de vente. Ils tiennent lieu d'enseignes publicitaires, contiennent parfois le produit ou le mettent en valeur. Ils sont généralement placés dans les aires d'achalandage, près des comptoirs, des caisses ou au bout des allées (têtes de gondoles). La photo ci-contre présente les caissettes utilisées par Nabisco pour ses biscuits en forme d'animaux. Placés à l'extrémité d'une allée, ces présentoirs de publicité sur le lieu de vente servent à contenir le produit, à en préserver la fraîcheur et à attirer l'attention des consommateurs.

Selon certaines études, les consommateurs prennent les deux tiers de leurs décisions d'achat dans le magasin. Les fabricants de produits alimentaires doivent donc transmettre leur message au moment où ils se trouvent près de leurs produits, dans l'une des allées du supermarché. Peut-être le feront-ils à l'aide d'un présentoir de publicité dans un lieu de vente. Pour que les consommateurs se souviennent des produits susceptibles de les intéresser, on utilise aussi l'affichage sur les paniers des marchés d'alimentation et sur des écrans électroniques dans les allées, et les messages sonores. Ces méthodes de promotion sont avantageuses pour l'annonceur, qui n'est plus soumis à la mémoire des consommateurs. D'autres types de promotions en magasin, comme les stands interactifs, deviennent populaires[43]. Chez Costco, notamment, les consommateurs savent qu'ils pourront faire l'essai de produits alimentaires tout à fait gratuitement et, s'ils les ont appréciés, qu'ils pourront les acheter en bénéficiant bien souvent d'un bon de réduction.

Les remises Les remises en argent sont des sommes reçues par la clientèle en échange d'une preuve d'achat. Pour repousser les assauts de la concurrence, les fabricants d'automobiles les utilisent souvent. Les manufacturiers Toyota, General Motors ou Hyundai proposent des remises aux étudiants allant jusqu'à 1 000 $, en fonction du diplôme obtenu et du véhicule considéré[44]. Cependant, quand la remise s'applique à des articles à bas prix, de nombreux consommateurs, pourtant attirés par la promotion, ne prennent ni la peine ni le temps de poster la preuve d'achat pour réclamer la remise. Par contre, les amatrices et les amateurs de remises font rarement preuve de ce genre de « laisser-aller[45] ».

Le placement de produit Promotion visant les consommateurs finaux, le **placement de produit** consiste à montrer une marque de produit dans un film, dans une émission de télévision, dans un clip vidéo ou dans une publicité pour un autre produit. Les entreprises recherchent généralement ce genre de visibilité pour leurs produits. Les studios de cinéma les acceptent moyennant contrepartie, car ils considèrent que les placements de produits ajoutent une touche d'authenticité aux films ou aux émissions. Les montants accordés en argent s'élèvent généralement à 40 000 $, mais on peut aussi payer en marchandises plutôt qu'en espèces. C'est ainsi que James Bond enfourche une motoneige Bombardier dans son dernier film *Meurs un autre jour (Die Another Day).* Déjà fournisseur officiel lors des Jeux olympiques de Salt Lake City en 2002, Bombardier a créé une version spéciale du modèle MX Z*-REV* pour ce film. Ainsi, au cours de la saison hivernale 2002-2003, le modèle MX Z*-REV* 007 2003 édition spéciale a fait son apparition chez les distributeurs Ski-Doo autorisés afin que les amateurs du film puissent, comme leur héros, vivre des sensations fortes. Comment ces placements de produits sont-ils organisés ? Plusieurs compagnies envoient tout simplement des brochures et des catalogues aux services d'approvisionnement des studios de cinéma. D'autres ont des agents qui lisent les scénarios à la recherche de scènes susceptibles de convenir à tel ou tel produit[46].

La MX Z*-REV* 007 2003 édition spéciale, une motoneige conçue pour le dernier film de James Bond

La promotion auprès des intermédiaires

La **promotion auprès des intermédiaires** regroupe des instruments de vente servant à soutenir la publicité et la vente personnalisée d'une compagnie auprès des grossistes, des détaillants ou des distributeurs. Il peut s'agir de certaines des promotions des ventes que nous venons de voir. Il en existe trois autres s'adressant plus précisément à ces intermédiaires. Ce sont les indemnités et les remises, la publicité à frais partagés et la formation de la force de vente des distributeurs.

Les indemnités et les remises Les promotions dans le réseau ont souvent pour but de maintenir ou d'accroître les niveaux de stock dans le circuit de distribution. Offrir des indemnités et des remises est une façon efficace d'inciter les intermédiaires à accroître leurs achats. Toutefois, il faut éviter d'abuser de ces « réductions de prix », car les détaillants pourraient modifier leurs habitudes de commande dans l'attente de telles offres. Les fabricants disposent de plusieurs types d'indemnités et de remises, mais les trois plus employées sont : l'indemnité de mise en valeur, la remise par caisse et l'indemnité de financement[47].

L'*indemnité de mise en valeur* est un remboursement consenti par le fabricant aux détaillants qui lui fournissent du matériel de présentation supplémentaire ou se chargent de mettre en vedette une marque particulière. Les contrats de rendement établis entre fabricant et détaillant stipulent généralement les engagements des détaillants. Par exemple, faire paraître dans le journal une photo du produit, accompagnée d'un bon échangeable dans un magasin donné. L'indemnité de mise en valeur peut être un pourcentage de réduction applicable au prix courant par quantité commandée durant la période promotionnelle. Le fabricant paie les indemnités lorsqu'il a des preuves de rendement (par exemple, un exemplaire de la publicité que le détaillant a fait paraître dans le journal local).

Autre outil de promotion dans le réseau, la *remise par caisse* est un rabais consenti par le fabricant par caisse commandée, pendant une période déterminée. Ces indemnités sont généralement déduites sur la facture. Il peut aussi s'agir d'une quantité de marchandises gratuites établie en fonction de la commande des détaillants, par exemple une caisse gratuite par commande de dix caisses[48].

Enfin, l'*indemnité de financement* consiste à payer aux détaillants les frais de financement ou les pertes financières découlant de la promotion des ventes aux consommateurs. Cette promotion dans le réseau est très courante et existe sous différentes formes. L'une d'elles est le plan de protection de la marchandise en magasin. Les fabricants consentent aux détaillants une remise par caisse pour les produits qu'ils gardent en entrepôt, de façon à garantir l'approvisionnement des rayons durant la période de promotion. Également très courantes, les indemnités pour livraison dédommagent les détaillants qui assurent le transport des commandes de l'entrepôt au fabricant.

La publicité à frais partagés Les détaillants se chargent souvent de la promotion des produits du fabricant sur le marché local. Pour les aider à améliorer la qualité de ces opérations et à en accroître la quantité, le fabricant participe normalement à des programmes de **publicité à frais partagés.** C'est ainsi qu'il paiera un certain pourcentage des frais de publicité locale engagés par les détaillants pour promouvoir ses produits.

Ce pourcentage, souvent de 50 %, n'excédera cependant pas un plafond fixé en fonction de la quantité de produits que les détaillants achètent au fabricant. De plus, le fabricant fournit souvent aux détaillants une sélection d'annonces publicitaires convenant à différents médias. Les détaillants reçoivent, par exemple, des maquettes d'annonces de même que des publicités radiophoniques ou télévisées qu'ils peuvent adapter et utiliser[49].

La formation de la force de vente des distributeurs Ce sont les intermédiaires qui contactent les clientes et les clients et leur vendent les produits du fabricant. C'est là une de leurs fonctions. Les détaillants et les grossistes emploient et dirigent leur propre personnel de vente. Le fabricant a donc tout intérêt à contribuer à la formation de ce personnel, car sa réussite dépend souvent des compétences de ces revendeuses et revendeurs.

Le personnel de vente n'a souvent qu'une connaissance rudimentaire des produits du fabricant ; ce dernier peut améliorer son rendement en faisant de la formation. En prévision de séances de formation, le fabricant fait donc préparer des manuels et des brochures. Ces ouvrages de formation sont de précieux outils que le personnel de vente peut utiliser sur le terrain. Pour motiver et informer le personnel sur les produits qu'il lui faudra vendre, le fabricant peut aussi commanditer les réunions nationales du personnel vendeur et visiter les installations de ses revendeurs. Le fabricant peut aussi développer des programmes d'incitation au rendement ou de reconnaissance formelle pour motiver le personnel de ses revendeurs à vendre ses produits.

RÉVISION DES CONCEPTS

1. De quel outil de promotion des ventes se sert-on le plus avec les nouveaux produits ?
2. Quelle différence y a-t-il entre un bon de réduction et une vente à prix réduit ?
3. Quelle promotion de vente utilise-t-on en continu ?

LES RELATIONS PUBLIQUES

Les relations publiques constituent une forme de gestion de la communication visant à promouvoir l'image d'une entreprise et les produits et les services qu'elle offre. Dans les opérations de relations publiques, on dispose de tout un ensemble d'outils pour s'adresser à de nombreux publics. Le personnel des relations publiques s'emploie généralement à communiquer une image positive de l'entreprise, mais il agit aussi pour désamorcer les effets négatifs d'une controverse ou d'une crise. Intel, par exemple, avait déjà expédié des millions de microprocesseurs Pentium quand on s'est rendu compte qu'ils avaient un défaut causant des erreurs mathématiques[50]. Malheureusement, l'entreprise nia d'abord l'importance du problème, ce qui ne fit que compliquer la tâche du service des relations publiques.

Les outils de relations publiques

Les spécialistes en marketing disposent de plusieurs outils et tactiques pour monter une campagne de relations publiques. L'outil le plus courant est l'information publicitaire, définie au chapitre 18 comme la présentation impersonnelle et indirectement payée d'une entreprise, d'un produit ou d'un service. L'information publicitaire se transmet habituellement au moyen d'un *communiqué de presse* faisant état de changements dans la compagnie ou dans la gamme de produits.

Le communiqué de presse vise à promouvoir une idée de reportage auprès d'un journal, d'une station de radio ou de tout autre média. Une étude a d'ailleurs démontré que plus de 40 % des mentions non payées d'une marque sont faites dans le cadre des actualités[51]. La *conférence de presse* est un autre outil de relations publiques. Il s'agit d'une réunion en prévision de laquelle les représentants des médias, qui sont tous invités, reçoivent un dossier d'information. Les conférences de presse sont souvent convoquées quand une entreprise fait l'objet de rumeurs et qu'elle doit se défendre[52]. Ce fut le cas lors de la vague d'empoisonnements provoqués par les capsules Tylenol et quand les Audi 5000 ont connu des problèmes d'accélération.

Pour plus d'informations au sujet de la Croix-Rouge, rends-toi à l'adresse suivante : www.dlcmcgrawhill.ca

Les organisations sans but lucratif recourent énormément à l'information publicitaire pour transmettre leurs messages. Elles le font couramment en diffusant des messages d'intérêt public dans des espaces ou du temps mis gratuitement à leur disposition par les médias. La Croix-Rouge canadienne, par exemple, fait connaître ses besoins par l'intermédiaire de messages d'intérêt public radiodiffusés ou télédiffusés.

Un secteur des relations publiques connaît actuellement un grand essor. Il s'agit du secteur de la création, du soutien et de la promotion d'*événements spéciaux,* comme les séminaires parrainés par une entreprise, les conférences, les compétitions sportives, les événements culturels et d'autres célébrations. Une entreprise qui commandite ces événements crée une tribune pour se faire connaître ou pour vanter sa marque auprès d'un public cible. Ainsi, Air Canada commandite le Grand Prix de Formule 1 du Canada. La brasserie Molson et les bottes Boulet commanditent le Festival western de Saint-Tite, un des plus grands rassemblements du genre en Amérique du Nord, tandis qu'un certain nombre d'entreprises et d'organismes soutiennent financièrement le Festival franco-ontarien qui a lieu chaque année à Ottawa.

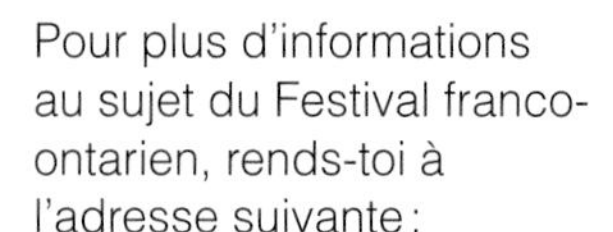

Pour plus d'informations au sujet du Festival franco-ontarien, rends-toi à l'adresse suivante : www.dlcmcgrawhill.ca

Les entreprises peuvent aussi réaliser une opération de relations publiques en participant à des *activités d'intérêt public,* par exemple en mettant sur pied ou en soutenant des projets communautaires devant contribuer au bien-être de la société. Ainsi, l'Association pulmonaire canadienne commandite le programme *Une vie 100 fumer* mis sur pied par Santé Canada pour inciter les jeunes à cesser de fumer.

Plusieurs entreprises et organismes soutiennent financièrement le Festival franco-ontarien.

TENDANCES MARKETING Le Festival franco-ontarien

Le Festival franco-ontarien existe depuis 1976. Cette célébration annuelle a lieu au cœur même de la capitale nationale du Canada : Ottawa. Cet événement culturel donne l'occasion aux Franco-Ontariennes et aux Franco-Ontariens de célébrer leur appartenance à la culture francophone.

Le festival accueille des artistes francophones du Canada et de partout dans le monde. Il constitue une vitrine pour les nouveaux talents franco-ontariens, notamment dans le cadre du concours *Ontario Pop* destiné aux compositeurs et aux interprètes. Le festival comporte un programme rempli d'activités en plus de présenter des spectacles en soirée.

Selon l'artiste Breen Leboeuf, « le Festival franco-ontarien a toujours témoigné de la pertinence de la réalité francophone en Ontario. Il constitue une véritable célébration de la richesse culturelle de l'Ontario et il a toujours mis en valeur la communauté franco-ontarienne des différentes régions de l'Ontario : de Windsor à Ottawa, de Sault Sainte Marie à Cornwall, de Timmins à Niagara Falls ».

Comme tout autre événement de cette importance, le Festival franco-ontarien compte sur le financement de commanditaires et de partenaires. Voici quelques entreprises francophones et organismes franco-ontariens qui soutiennent financièrement le festival et qui profitent de l'occasion pour se faire connaître et pour promouvoir leur image dans l'ensemble de la communauté franco-ontarienne :

Commanditaires

Partenaires

Enfin, la production de matériels auxiliaires tels que les rapports annuels, les brochures, les bulletins ou les présentations vidéo sur une entreprise et ses produits sont aussi des outils fondamentaux de relations publiques. Ces matériels fournissent de l'information aux marchés cibles et génèrent souvent de l'information publicitaire.

Les bonnes opérations de relations publiques sont planifiées et font partie d'un plan intégré de communication (promotion). Elles doivent toutefois être utilisées prudemment et de façon éthique et socialement responsable[53] (voir l'encadré Question d'éthique).

ÉTHIQUE

QUESTION D'ÉTHIQUE

Les relations publiques : que faut-il croire ?

Les organisations savent que la plupart des consommateurs considèrent les relations publiques, particulièrement l'information publicitaire qui fait les gros titres, comme plus crédibles que la publicité classique. Plusieurs sociétés ont donc mis sur pied des programmes efficaces de relations publiques ayant pour but d'influencer la perception de leurs publics cibles envers leur sujet ou celui des causes qu'elles soutiennent. En répandant de l'information sur elles-mêmes, ces organisations tentent de se montrer sous leur meilleur jour ou de faire connaître au public leur vision des choses. C'est ainsi qu'une bataille de relations publiques a eu lieu entre l'association PETA (personnes pour le traitement éthique des animaux) et l'Association des éleveurs canadiens (Canadian Cattlemen Association). La première a en effet lancé une campagne pour persuader les hommes de ne plus manger de viande. Son message : manger de la viande conduit à l'impuissance. Bien que la dénonciation contienne une part de vérité, les médecins considèrent qu'une telle conclusion est pour le moins audacieuse. L'Association des éleveurs rejette ces accusations en les qualifiant de « ridicules ». Cette campagne de PETA faisait suite à une autre campagne de ce style visant les chrétiens et s'intitulant *Jésus était végétarien.*

À quoi s'expose-t-on quand des organisations aux vues contradictoires essaient de faire prévaloir leurs points de vue en montant des opérations de relations publiques ? Quel rôle les médias jouent-ils dans ce genre de situation ?

RÉVISION DES CONCEPTS

1. Qu'est-ce qu'un communiqué de presse ?

2. La création d' ______________________ est un secteur des relations publiques en plein essor.

RÉSUMÉ

1. Il y a deux types de publicité : la publicité sur le produit et la publicité institutionnelle. La publicité sur le produit a trois formes : l'annonce de lancement (ou d'information), l'annonce comparative (ou de persuasion) et l'annonce de rappel. La publicité institutionnelle utilise ces trois formes d'annonces et, également, le plaidoyer publicitaire.

2. Le processus de décision promotionnelle décrit au chapitre 18 est applicable à chacun des éléments promotionnels, comme la publicité.

3. Les rédactrices et les rédacteurs publicitaires, et les conceptrices et les concepteurs graphiques doivent choisir les avantages clés d'un produit à mettre en valeur dans les publicités visant à attirer l'attention du public cible. Les principaux appels auxquels ils peuvent recourir sont la peur, le charme et l'humour.

4. Pour sélectionner le média qui convient, on doit procéder à un arbitrage entre les avantages et les inconvénients de la télévision, de la radio, des revues, des journaux, du publipostage, de l'affichage extérieur et des autres médias. La décision dépend des habitudes médiatiques du public cible, des caractéristiques des produits, des contraintes du message et des coûts du média.

5. En établissant les calendriers publicitaires, on doit trouver un équilibre entre les attentes d'audience cumulée et de fréquence.

La planification doit tenir compte de la rotation des acheteuses et des acheteurs, de la fréquence d'achat et de la vitesse d'oubli des consommateurs.
6. On évalue une publicité avant et après la parution ou la diffusion de l'annonce. Les « prétests » peuvent être des tests de relecture, des tests d'évaluation en direct et des tests d'annonces dans les salles de cinéma. Il y a cinq types de « post-tests » : le test de notoriété assistée, le test de mémorisation pure, le test d'attitude, le test de demande de renseignements et l'épreuve commerciale.
7. Pour réaliser leur plan de campagne publicitaire, les entreprises peuvent s'adresser à divers types d'agences de publicité. Ces agences offrent un éventail de services complet ou se spécialisent dans les tâches de création ou de placement de publicités. Certaines entreprises ont leur propre service publicitaire.
8. Il se dépense plus d'argent en promotion des ventes qu'en publicité. Pour choisir les promotions des ventes qui conviennent, il faut bien comprendre les avantages et les désavantages de chaque type de promotion.
9. Il y a un grand éventail de promotions auprès des consommateurs : les bons, les ventes à prix réduit, les primes, les concours, les loteries publicitaires, les échantillons, les programmes de fidélisation, les présentoirs de publicité sur le lieu de vente, les remises et les placements de produits.
10. Les moyens de promotion auprès des intermédiaires sont les indemnités et les remises, la publicité à frais partagés et la formation du personnel de vente des distributeurs.
11. L'outil de relations publiques le plus utilisé est l'information publicitaire, c'est-à-dire une présentation impersonnelle et indirectement payée d'une organisation, d'un produit ou d'un service au moyen de communiqués de presse, de conférences de presse ou de messages d'intérêt public.

MOTS CLÉS ET CONCEPTS

agence de publicité à service complet
agence de publicité à service limité
agence maison
annonce de produit
annonce institutionnelle
audience cumulée (portée)
cote d'écoute
coût par mille expositions
fréquence
placement de produit
point d'exposition brut
post-test
prétest
promotion auprès des intermédiaires
promotion des ventes adaptée aux besoins des consommateurs
publicité
publicité à frais partagés
publireportage

EXERCICES INTERNET

La cinémathèque de Jean-Marie Boursicot présente une collection de 550 000 films publicitaires du monde entier, de 1898 à nos jours. L'inscription est gratuite et tu pourras rechercher et consulter des tas de films publicitaires.

Pour plus d'informations au sujet de la cinémathèque de Jean-Marie Boursicot, rends-toi à l'adresse suivante : www.dlcmcgrawhill.ca.

1. Trouve trois films publicitaires et détermine si ces derniers se classent parmi :
a) les annonces de produit ou les annonces institutionnelles ;
b) les publicités de lancement, concurrentielle, comparative ou de rappel.
2. Détermine la cible probable du message.

QUESTIONS DE MARKETING

1. Quelle différence y a-t-il entre la publicité concurrentielle sur un produit et la publicité institutionnelle concurrentielle ?
2. Tu es responsable de la publicité d'une nouvelle gamme de parfums pour enfant. Quel type de média utiliseras-tu pour faire connaître ce nouveau produit ?
3. Tu es depuis peu responsable de la publicité pour la compagnie Outils Timkin. Dès la première rencontre, monsieur Timkin déclare : « La publicité, c'est du gaspillage ! Ça fait six mois que j'en fais et mes ventes n'ont pas augmenté. Dis-moi donc pourquoi je devrais continuer. » Réponds à monsieur Timkin.
4. Une importante compagnie d'assurances a décidé de remplacer l'appel à la peur, utilisé jusque-là dans ces publicités, pour se tourner vers l'humour. Quelles sont les forces et les faiblesses d'un tel changement de stratégie ?
5. Certains annonceurs nationaux ont découvert que leur publicité a plus d'efficacité s'ils font de nombreuses annonces pendant un certain temps et qu'ils cessent ensuite pour une certaine période. Pourquoi un tel calendrier de publicité sporadique serait-il plus efficace qu'un calendrier régulier ?

6. Lequel des médias suivants a le plus faible coût par mille expositions ?

MÉDIA	COÛT	PUBLIC
Émission de télévision	5 000 $	25 000
Magazine	2 200	6 000
Journal	4 800	7 200
Radio MF	420	1 600

7. Chaque année, lors de l'élaboration du plan de campagne publicitaire pour leurs produits, les producteurs laitiers du Canada évaluent les nombreux médias publicitaires à leur disposition. Donne les avantages et les inconvénients de chaque possibilité. Quels médias leur recommanderais-tu ?

8. Donne deux des avantages et deux des inconvénients des post-tests décrits dans le chapitre.

9. La Banque Royale veut entreprendre des promotions auprès des consommateurs pour inciter les aînés à effectuer le dépôt direct de leurs prestations fédérales de retraite. Examine les possibilités de promotion des ventes et recommandes-en deux à la Banque.

ÉTUDE DE CAS 19-1 LYSOL

L&F est une entité commerciale nord-américaine de la société Kodak qui produit la gamme Lysol. La plupart des consommateurs canadiens connaissent le vaporisateur Lysol. L&F veut accroître non seulement les ventes de ce produit, mais aussi de toute la gamme de produits Lysol. Au Canada, elle cherche à élaborer une stratégie pour mettre en marché davantage de produits de la gamme.

La marque Lysol est connue depuis longtemps au Canada, surtout grâce à son vaporisateur. Le pouvoir désinfectant du produit est un avantage très distinctif. Au début des années 1990, la pénétration du vaporisateur Lysol était de 44 % dans les foyers canadiens. Ce n'était pas le cas des autres produits Lysol : nettoyant pour salles de bain, nettoyant pour cuvette et nettoyant liquide tout usage. Les produits étaient disparates et offraient peu de synergie entre eux. L&F voulait transformer cette gamme en un tout. Si elle y parvenait, l'entreprise allait pouvoir réaliser des économies d'échelle sur les coûts de marketing. La compagnie croyait qu'en fusionnant les budgets de marketing des quatre produits, elle aurait plus d'impact sur le marché. Elle avait l'impression que le pouvoir désinfectant était le lien entre les produits.

L&F voulait réaliser une meilleure pénétration de marché pour chacun des quatre produits. Cependant, cette catégorie de produits d'entretien ménager ne connaissait pas de progression, et elle avait même tendance à décliner dans certaines zones. Des observateurs ont expliqué la situation en disant que les gens faisaient moins de ménage, et que le secteur était victime de la récession. La nouvelle croissance de Lysol allait donc devoir se faire aux dépens de ses concurrents.

Ces derniers faisaient tous de la publicité et offraient des bons de réduction, mais la véritable bataille se livrait sur les rayons. Pour accaparer les parts de marché, les concurrents s'arrachaient littéralement les espaces de rayonnage. La promotion dans le réseau était intense, souvent sous forme de réductions de prix. L&F refusa de consentir des rabais de gros qui nuiraient aux marges bénéficiaires. Toutefois, l'entreprise croyait que son plan de communication (promotion) auprès des consommateurs devait inclure une offre limitée de bons de réduction.

L&F était consciente que la personnalité de la marque Lysol manquait de fraîcheur. Elle voulait la rajeunir en la dotant d'une image intéressante, bien de son temps et même un peu provocatrice. La plupart des consommateurs pensent que la catégorie des produits d'entretien ménager est vraiment inintéressante. Pour accroître la notoriété de la gamme, il fallait auparavant augmenter la participation du consommateur. Le tout était de trouver comment susciter cet intérêt ou cette participation, comment présenter la gamme de façon à capter l'attention des consommateurs.

L&F savait que le moment choisi serait important. En effet, l'intérêt pour cette catégorie de produits est plus élevé juste avant ou durant le grand ménage du printemps. Au Canada, il a généralement lieu entre la fin de février et le début de mai. L'intérêt se ranimerait à la fin de l'automne ou en début d'hiver. Cependant, le choix du bon moment ne changerait pas grand-chose à la situation sans une cure de rajeunissement de la gamme.

L&F devait donc mettre au point un bon message, original pour le consommateur, choisir le média de communication approprié et trouver de nouveaux moyens d'accroître les ventes et la part de marché de cette gamme.

Questions

1. Quel média publicitaire permettrait le mieux à L&F d'atteindre son marché ?

2. Donne un moyen original d'intéresser les consommateurs à cette gamme de produits.

3. Outre le média publicitaire que tu as recommandé à L&F à la première question, quelles autres activités promotionnelles lui conseillerais-tu pour accroître les ventes et la part de marché de la gamme Lysol ?

4. Selon toi, quel type de calendrier publicitaire L&F devrait-elle utiliser durant l'année ?

MODULE 5

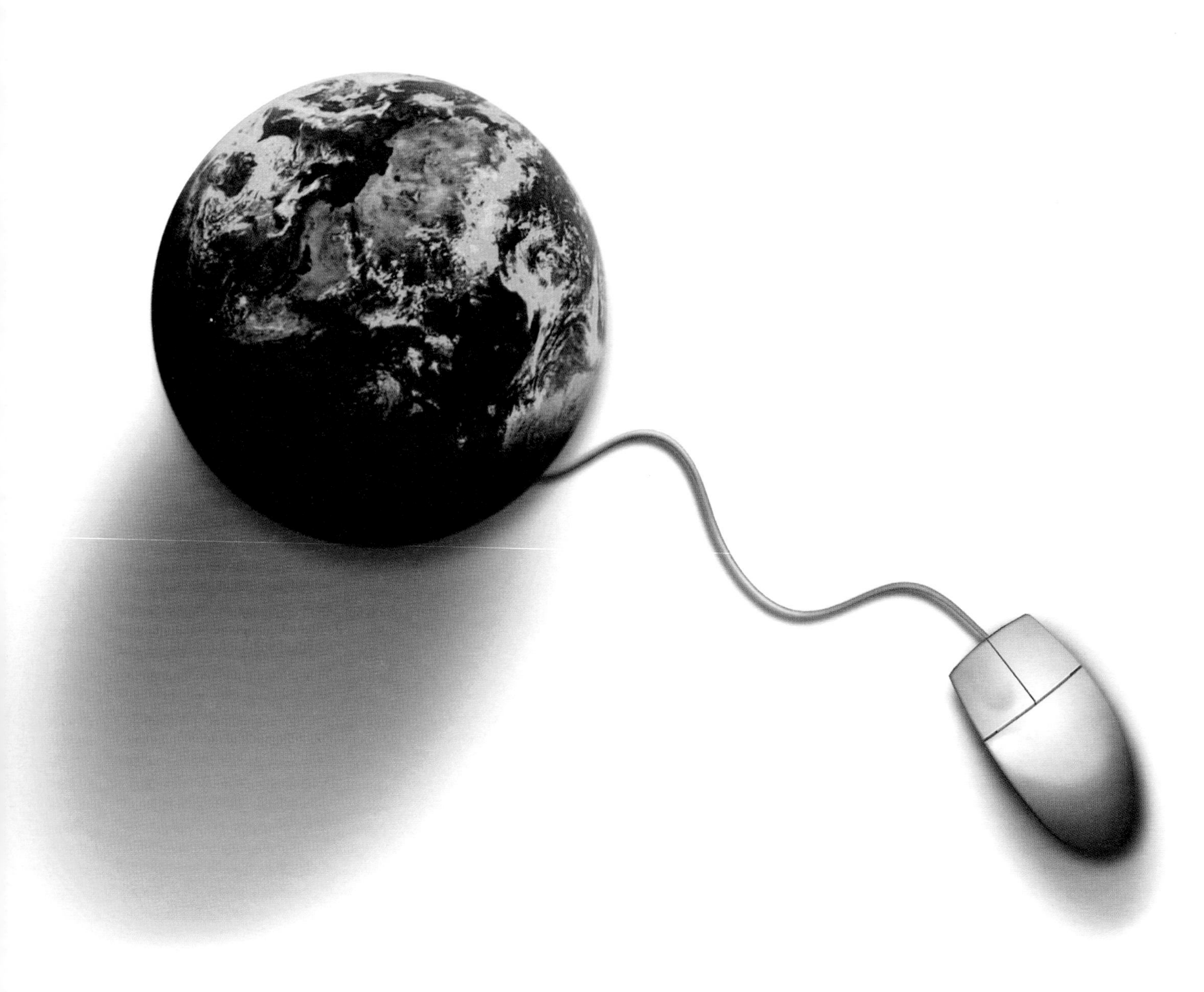

5 LA GESTION DU PROCESSUS DE MARKETING

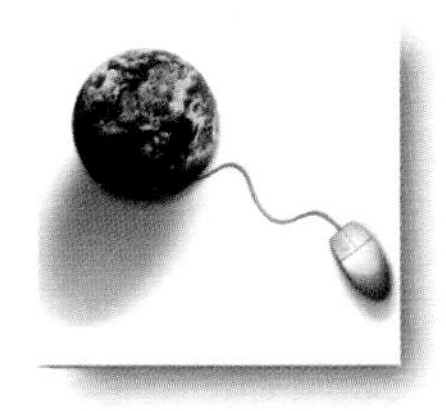

CHAPITRE 20
Le processus du marketing stratégique

Dans le module 5, nous aborderons les questions et les techniques essentielles aux phases de planification. Nous verrons, dans le présent chapitre, la manière dont les responsables du marketing s'y prennent pour créer un avantage concurrentiel et répartir les ressources de façon à obtenir les meilleurs résultats possible. Nous étudierons aussi les stratégies d'amélioration de la planification marketing et les grandes lignes de l'élaboration d'un plan de marketing efficace. De plus, nous examinerons les activités de planification d'une excellente opération de marketing en suivant le lancement des Cheerios givrées, la nouvelle céréale pour déjeuner de General Mills.

SAVE
ÉCONOMISEZ 50 ¢
General Mills
Honey Nut Cheerios
au miel et aux noix
525 g
Betty Crocker
FAIT À PARTIR DE VRAIS FRUITS !
FRUIT - O-LONG
RAISIN
6 rouleaux de 3 pieds
128 g
Carrot ~ Carottes
Betty Crocker
SuperMoist
Betty Crocker
Green Giant
Géant Vert
NIBLETS
Whole Kernel Corn
POIS TENDRES
14 oz liq 398 mL
CHAUSSONS
BLEUETS
Fruit véritable
Pillsbury
Pour 8

LE PROCESSUS DU MARKETING STRATÉGIQUE

20

APRÈS AVOIR LU CE CHAPITRE, TU SERAS EN MESURE

- d'expliquer la façon dont les responsables du marketing s'y prennent pour effectuer l'allocation de leurs ressources, en théorie et en pratique ;
- de décrire trois modèles de planification marketing : les stratégies génériques de marché de Porter, les stratégies d'accroissement des profits et les synergies marché-produit ;
- de décrire les éléments d'un plan de marketing efficace et les inconvénients de chacun.

LA STRATÉGIE DE MARKETING DE GENERAL MILLS : SEGMENTS, PARTS DE MARCHÉ, ESSAIMAGE (DIVERSIFICATION) ET SYNERGIES

Tu es responsable du marketing chez General Mills. Il n'y a pas de quoi rire : tu dois réussir le lancement de nouvelles marques de céréales. Ta vie n'est pas rose. Vois un peu.

- Une nouvelle marque sur cinq est une réussite. La réussite vaut ici une part de marché de 0,5 %, soit 1/2 % d'un marché annuel de 9 milliards de dollars, en Amérique du Nord.
- Les coûts de lancement d'un nouveau produit s'élèvent généralement à 40 millions de dollars[1].
- Vu le rythme frénétique de leur vie, les consommateurs au Canada déjeunent en vitesse, avalant rapidement *bagels, muffins* ou Pop Tarts, ce qui fait chuter les ventes de céréales pour le déjeuner. Les ventes de ta nouvelle céréale se feront donc aux dépens des marques existantes.

Enfin, de petits concurrents sont arrivés sur le marché des céréales pour le déjeuner. Ils ensachent des céréales bien connues de ta compagnie et de Kellogg et les vendent un dollar moins cher[2]. Mais, rassure-toi, tout n'est pas noir pour toi chez General Mills.

- De plus en plus de jeunes adultes engouffrent à la poignée des céréales sèches, au travail ou le soir ; rappelle-toi Fingo au chapitre 11[3] !
- Les plus grands consommateurs de céréales prêtes-à-manger sont les moins de 18 ans et les plus de 44 ans. Ces segments sont en croissance[4].
- General Mills n'a jamais réussi à créer une synergie entre ses entreprises de fabrication alimentaire et ses établissements de restauration. Leurs cultures organisationnelles sont trop différentes. Aussi, General Mills a favorisé, sous l'égide de la société Darden, l'essaimage des chaînes Red Lobster, Olive Garden et China Coast. Tu n'auras donc pas à leur disputer des ressources.

L'essaimage de Darden a été réussi. Les stratèges en commercialisation de General Mills espéraient que l'entreprise pourrait dorénavant canaliser ses efforts de marketing pour accroître ses ventes et ses profits. Comme responsable du marketing, tu as de beaux défis à relever. Les pages suivantes sont consacrées à l'analyse du lancement des Cheerios givrées, une nouvelle marque de céréales.

Nous étudierons dans le présent chapitre les questions et les techniques essentielles aux phases de planification du processus du marketing stratégique. Vous comprendrez mieux ainsi à quoi s'emploient les stratèges de General Mills qui doivent assurer la croissance de l'entreprise.

LES BUTS DU MARKETING STRATÉGIQUE : L'ALLOCATION EFFICACE DES RESSOURCES

Comme nous le mentionnions au chapitre 2, les gestionnaires et les responsables du marketing sont toujours à la recherche d'un avantage concurrentiel. Cet avantage est souvent relatif à la qualité, au temps, aux coûts, à l'innovation ou à la connaissance profonde de la clientèle. Il permet à un produit de se démarquer des produits concurrents. Une fois cet avantage établi, les responsables procèdent à l'allocation des ressources de l'entreprise pour l'exploiter[5]. Il faut choisir le moment propice pour le lancement d'un produit et l'offensive sur le marché. Ceux-ci peuvent avoir un effet sur l'envergure et la durée de l'avantage concurrentiel d'une entreprise[6].

L'allocation des ressources de commercialisation à l'aide de la fonction de réponse des ventes

La **fonction de réponse des ventes** est le rapport entre les dépenses consacrées à l'offensive en marketing et les résultats obtenus[7]. Pour simplifier, nous n'analyserons, dans les exemples qui suivent, que les résultats annuels de l'offensive en marketing par rapport aux revenus des ventes. Mais la fonction de réponse des ventes s'applique aussi à des indices de résultat tels que le profit, le nombre d'unités vendues et la notoriété.

La maximisation des revenus différentiels moins le coût différentiel Selon les économistes, le différentiel (ou incrément) mesure le rapport entre deux changements. Par exemple, lorsqu'une entreprise augmente son budget publicitaire de 10 %, elle peut s'attendre à voir ses ventes grimper. Dans ce cas précis, le différentiel mesure le rapport entre l'augmentation du budget publicitaire et l'accroissement des ventes.

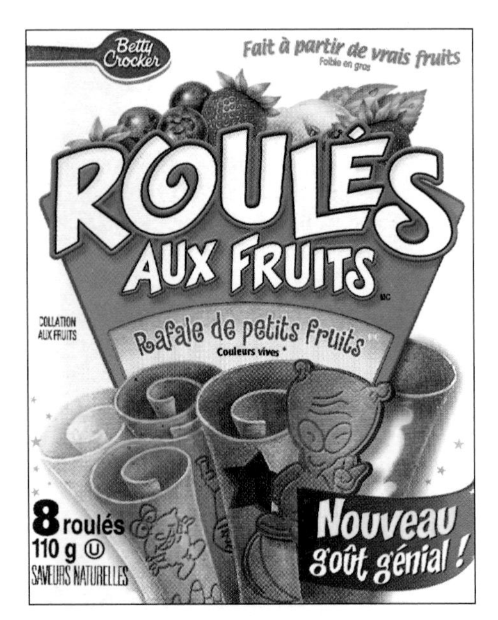

Les économistes donnent le conseil suivant aux gestionnaires désireux d'effectuer une allocation optimale des ressources : « Consacrez les ressources de commercialisation, les ressources de production et les ressources financières de l'entreprise aux marchés et aux produits les plus avantageux quant au rapport entre les revenus différentiels et les coûts différentiels. » Cette affirmation équivaut à l'analyse du revenu marginal et du coût marginal présentée au chapitre 13.

Ce principe d'allocation des ressources est illustré au tableau 20.1. L'offensive annuelle en marketing de l'entreprise, exprimée en frais de ventes et de publicité, a été reportée sur l'axe horizontal. Plus cette offensive annuelle s'accentue, plus les revenus des ventes augmentent. La relation est présumée en forme de S. Cela signifie qu'en injectant 1 autre million de dollars dans l'offensive, au milieu de l'étendue (à 4 millions de dollars), on obtiendrait une plus forte augmentation des ventes qu'aux deux extrémités (à 2 millions et à 7 millions de dollars).

Un exemple chiffré d'allocation des ressources Supposons que le graphique du tableau 20.1 se rapporte à un produit de General Mills, comme les Roulés aux fruits. Convenons aussi que la fonction de réponse des ventes ne varie pas dans le temps. Le point *A* marque la position de l'entreprise

TABLEAU 20.1
La fonction de réponse des ventes pour deux années différentes

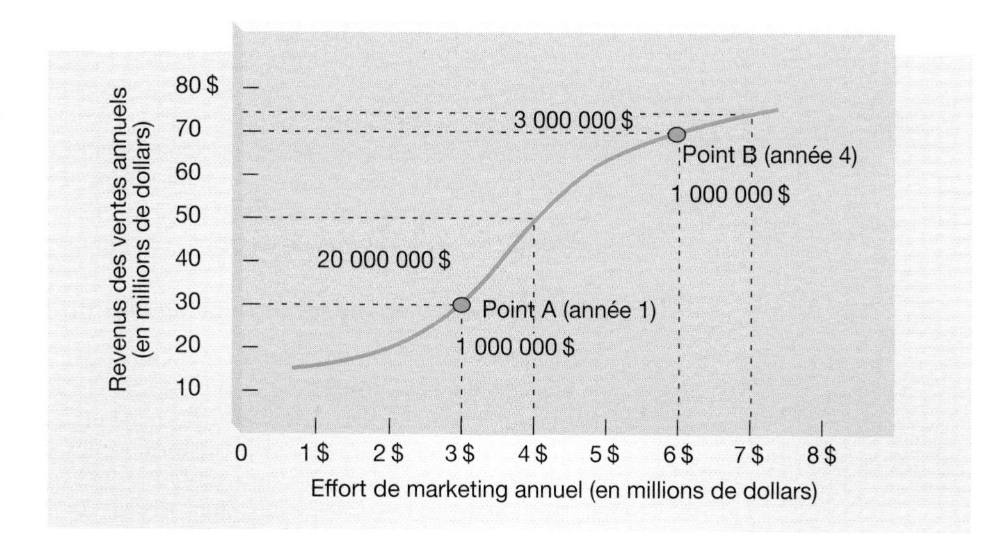

dans l'année 1 et le point *B,* sa position au bout de 3 ans, dans l'année 4. L'investissement en publicité et dans d'autres promotions est passé de 3 millions de dollars à 6 millions de dollars par année, et les revenus des ventes, de 30 millions de dollars à 70 millions de dollars par année.

Posons la question de l'allocation des ressources : quelle augmentation des ventes de Roulés aux fruits obtiendrait-on dans les années 1 et 4 en investissant 1 autre million de dollars dans l'effort de marketing ?

Année 1
Accroissement de l'effort de marketing de 3 000 000 $ à 4 000 000 $ = 1 000 000 $;
accroissement des revenus des ventes de 30 000 000 $ à 50 000 000 $ = 20 000 000 $;
ratio revenus des ventes différentiels et effort = 20 000 000 $: 1 000 000 $ = 20 : 1.

Année 4
Accroissement de l'effort de marketing de 6 000 000 $ à 7 000 000 $ = 1 000 000 $;
accroissement des revenus des ventes de 70 000 000 $ à 73 000 000 $ = 3 000 000 $;
ratio revenus des ventes différentiels et effort = 3 000 000 $: 1 000 000 $ = 3 : 1.

Donc, dans l'année 1, 1 dollar supplémentaire investi dans l'effort de marketing a généré 20 dollars de revenus des ventes, tandis que, dans l'année 4, il n'en a rapporté que 3. Si l'on ne prévoit pas d'autres dépenses, cela pourrait valoir le coup d'investir 1 million de dollars dans l'année 4 pour gagner 3 millions en revenus différentiels des ventes. Toutefois, il pourrait être beaucoup plus judicieux pour General Mills d'injecter cette somme ailleurs. Par exemple, dans ses nouvelles céréales Frosted Flakes ou dans ses nouveaux desserts Betty Crocker, dont la préparation ne nécessite que l'ajout d'un peu d'eau[8]. Le principe de l'allocation des ressources est simple : il faut investir les ressources différentielles là où le rendement différentiel semble devoir être le meilleur dans un avenir prévisible.

L'allocation des ressources de marketing en pratique

Comme bien d'autres entreprises de ce genre, General Mills veut s'assurer qu'elle procède à une allocation efficace de ses ressources en marketing. L'entreprise fait donc de nombreuses analyses en prenant les **points de part de marché,** ou points de pourcentage de part du marché, comme base de comparaison. Cela lui permet d'apporter une réponse à la question suivante : « Que gagnerons-nous à accroître notre part de marché de 1 autre (ou de 2, ou de 5, ou de 10) point de pourcentage ? »

Cela permet aussi à la haute direction de procéder à des arbitrages, sur le plan de l'attribution des ressources, entre les différentes unités de l'organisation. Pour prendre ces décisions d'allocation des ressources, les directeurs de marketing doivent évaluer : 1) la part de marché du produit ; 2) les revenus générés par point de part de marché (présentement, un point de part du marché des céréales pour déjeuner vaut 72 millions de dollars, peut-être 5 fois plus que celui des préparations à gâteaux) ; et 3) la part de frais généraux et de profits (ou marge bénéficiaire) par point de part de marché.

Le processus d'allocation des ressources aide General Mills à choisir intelligemment entre les différentes possibilités associées à ses produits et à ses marchés.

L'allocation des ressources et le processus du marketing stratégique

Les ressources de l'entreprise entrent réellement dans le processus du marketing stratégique quand on mène des actions de commercialisation fondées sur les renseignements recueillis sur le marché. Le tableau 20.2 présente un résumé du processus du marketing stratégique. Elle apporte certaines précisions sur les actions de mise en marché et sur l'information qui les amène. Il s'agit, en fait, d'une simplification de ce processus. En effet, sur le schéma, les trois phases du processus du marketing stratégique sont représentées distinctement. Les actions de mise en marché sont absentes de l'information à caractère commercial, tandis qu'en pratique, elles se marient et interagissent.

TABLEAU 20.2
Le processus du marketing stratégique

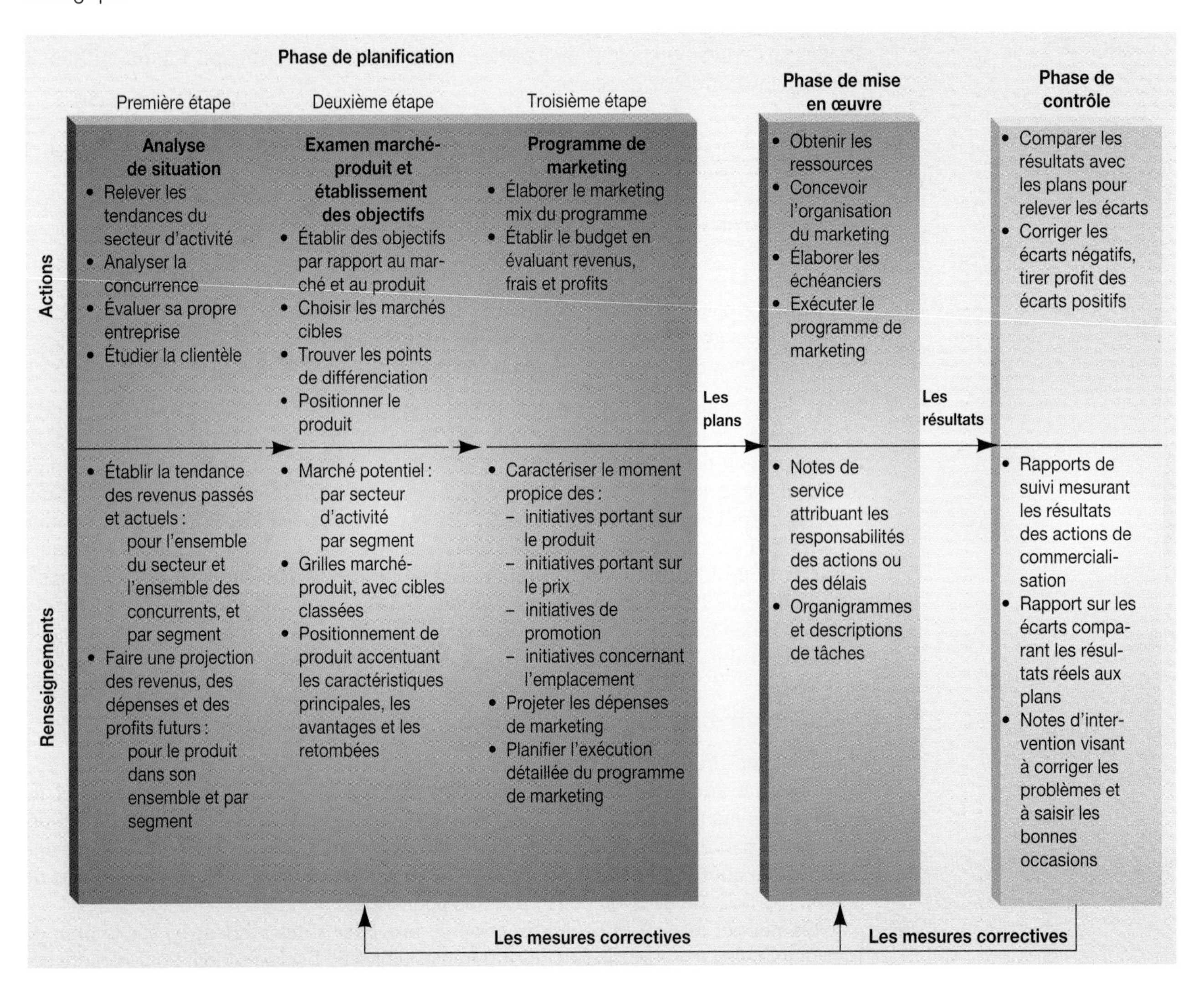

Selon le tableau 20.2, les actions essentielles à chaque phase du processus du marketing stratégique se trouvent dans la partie supérieure des boîtes. Les renseignements et les rapports utilisés sont énumérés dans la partie inférieure. Observe le tableau et tu pourras constater qu'il existe un rapport d'étape pour chacune des phases.

PHASE	RAPPORT D'ÉTAPE
Planification	Plans (ou programmes) de marketing énonçant les buts et les stratégies de marketing mix à réaliser.
Mise en œuvre	Bilans (notes de service ou rapports informatiques) décrivant les résultats de la mise en œuvre des plans.
Contrôle	Notes d'intervention comparant les résultats aux plans et proposant 1) des solutions aux problèmes et 2) des mesures à prendre pour tirer parti des occasions qui se présentent.

LA PHASE DE PLANIFICATION DU PROCESSUS DU MARKETING STRATÉGIQUE

Les trois aspects suivants du processus du marketing stratégique méritent qu'on s'y arrête : 1) la diversité des plans de marketing ; 2) les modèles de planification marketing qui se sont révélés utiles ; 3) quelques leçons de planification et de stratégie marketing.

La diversité des plans de marketing

La phase de planification du processus du marketing stratégique aboutit à un plan de marketing. Il détermine l'orientation des actions de mise en marché d'une entreprise. Comme les plans d'affaires, les plans de marketing ne sont pas tous tirés du même moule. Ils varient en fonction de la durée de la période de planification, de leur raison d'être et de leur public cible. Voyons-en rapidement trois types : le plan à long terme, le plan annuel et le plan de nouveau produit.

Les plans de marketing à long terme Les plans de marketing à long terme portent généralement sur les activités de mise en marché qui se dérouleront au cours d'une période allant de deux à cinq ans. Les plans des entreprises appartenant à des secteurs comme ceux de l'automobile, de l'acier ou des produits forestiers doivent être mis à part. Dans les autres secteurs, les plans de marketing ont rarement une durée supérieure à cinq ans. En effet, les facteurs d'incertitude sont très nombreux. Aussi, l'effort nécessaire à une telle planification risquerait de ne pas être compensé par les avantages potentiels. Les plans de marketing à long terme sont souvent destinés à la haute direction et aux conseils d'administration.

Les plans de marketing annuels Ils sont généralement élaborés par un chef de produit. Dans une entreprise commerciale comme General Mills, les plans de marketing annuels tiennent compte des buts de commercialisation et des stratégies applicables, pendant un an, à un produit, à une gamme de produit ou à l'ensemble de l'entreprise. Les principales étapes de l'élaboration d'un plan de marketing annuel dans une entreprise comme Kellogg, Coca-Cola ou Johnson & Johnson sont présentées au tableau 20.3[9]. Ce cycle annuel de planification débute généralement par une recherche marketing détaillée portant sur les utilisatrices et les utilisateurs. Il prend fin, 48 semaines plus tard, par l'approbation du plan par le directeur général de la division, soit 10 semaines avant le début de l'année financière. Entre ces deux moments, on s'efforce continuellement de trouver de nouvelles idées sur les questions clés. On organise des séances de remue-méninges et des discussions auxquelles participent des spécialistes recrutés à l'intérieur et à l'extérieur de l'entreprise. Le plan est ensuite retouché minutieusement à plusieurs niveaux de l'entreprise, de façon à éviter les mauvaises surprises et à ne rien laisser au hasard.

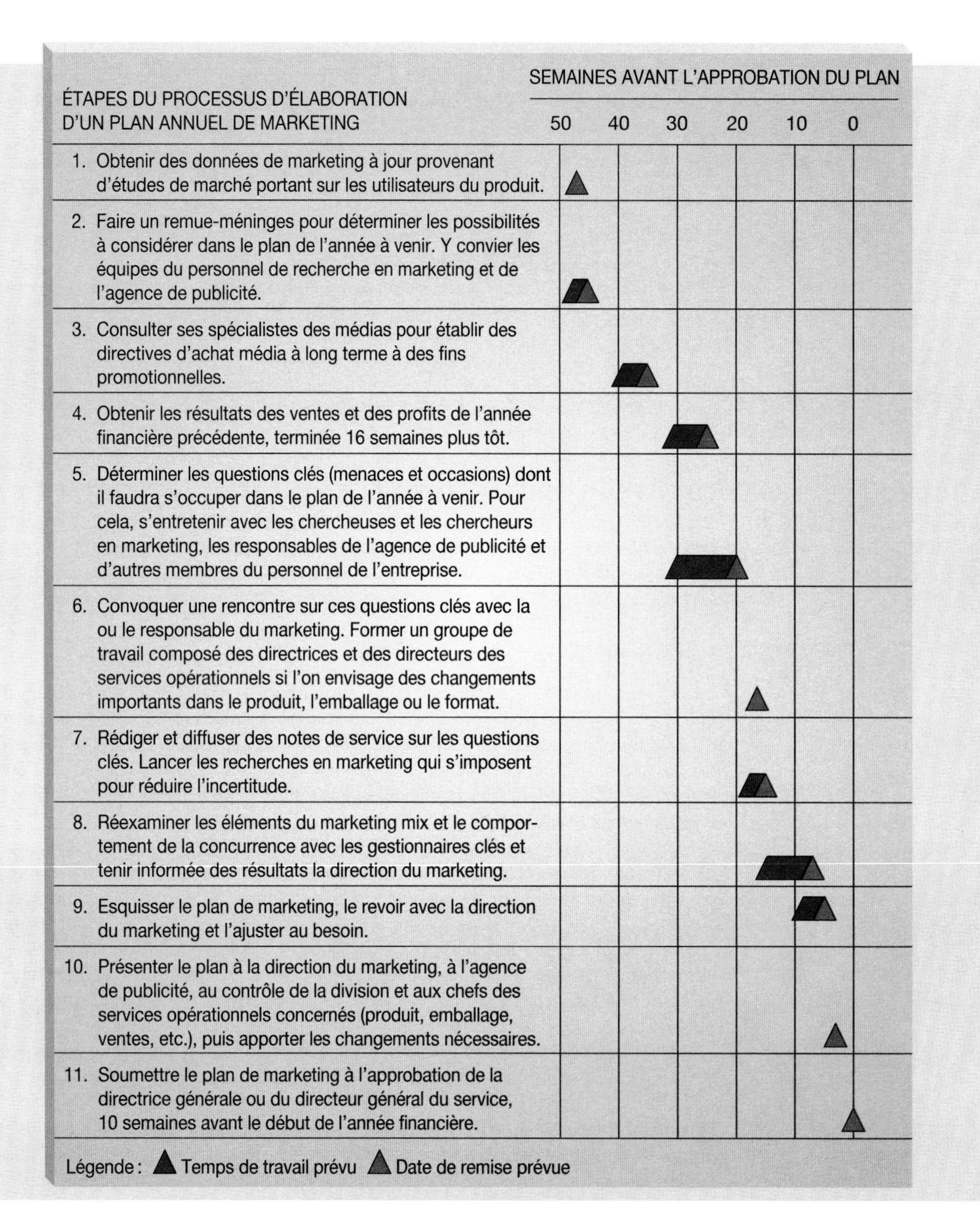

ÉTAPES DU PROCESSUS D'ÉLABORATION D'UN PLAN ANNUEL DE MARKETING	SEMAINES AVANT L'APPROBATION DU PLAN 50	40	30	20	10	0
1. Obtenir des données de marketing à jour provenant d'études de marché portant sur les utilisateurs du produit.						
2. Faire un remue-méninges pour déterminer les possibilités à considérer dans le plan de l'année à venir. Y convier les équipes du personnel de recherche en marketing et de l'agence de publicité.						
3. Consulter ses spécialistes des médias pour établir des directives d'achat média à long terme à des fins promotionnelles.						
4. Obtenir les résultats des ventes et des profits de l'année financière précédente, terminée 16 semaines plus tôt.						
5. Déterminer les questions clés (menaces et occasions) dont il faudra s'occuper dans le plan de l'année à venir. Pour cela, s'entretenir avec les chercheuses et les chercheurs en marketing, les responsables de l'agence de publicité et d'autres membres du personnel de l'entreprise.						
6. Convoquer une rencontre sur ces questions clés avec la ou le responsable du marketing. Former un groupe de travail composé des directrices et des directeurs des services opérationnels si l'on envisage des changements importants dans le produit, l'emballage ou le format.						
7. Rédiger et diffuser des notes de service sur les questions clés. Lancer les recherches en marketing qui s'imposent pour réduire l'incertitude.						
8. Réexaminer les éléments du marketing mix et le comportement de la concurrence avec les gestionnaires clés et tenir informée des résultats la direction du marketing.						
9. Esquisser le plan de marketing, le revoir avec la direction du marketing et l'ajuster au besoin.						
10. Présenter le plan à la direction du marketing, à l'agence de publicité, au contrôle de la division et aux chefs des services opérationnels concernés (produit, emballage, ventes, etc.), puis apporter les changements nécessaires.						
11. Soumettre le plan de marketing à l'approbation de la directrice générale ou du directeur général du service, 10 semaines avant le début de l'année financière.						

Légende : Temps de travail prévu   Date de remise prévue

TABLEAU 20.3
Les étapes de l'élaboration d'un plan annuel de marketing dans une entreprise commerciale

Plans de marketing pour le lancement d'un nouveau produit : les Cheerios givrées Examine comment une équipe de General Mills a planifié et mis en œuvre le lancement des Cheerios givrées. Tu constates que le succès d'une telle opération repose sur la cohésion entre, d'une part, la stratégie et les tactiques de marketing et, d'autre part, l'information, les actions et les intervenants. Au cœur de toute cette activité, il y a le plan de marketing du nouveau produit. Comme on l'a mentionné au chapitre 11, en 1993 et 1994, General Mills a lancé un ensemble de céréales pour déjeuner qui n'a pas eu de succès. En 1995, Mark Addicks fut nommé directeur du marketing et chargé du lancement de nouvelles céréales. Il savait que la compagnie avait besoin d'un gros succès. Le tableau 20.4 présente, sur une ligne de temps, les actions d'un plan de marketing, depuis l'idée des Cheerios givrées jusqu'à leur livraison en magasin, en septembre 1995. Comme on le voit, l'opération a duré 6 mois, de mars à septembre 1995, soit la moitié du temps qu'il faut normalement pour lancer une nouvelle céréale chez General Mills[10].

Plusieurs des concepts clés du marketing, étudiés dans le présent manuel, entrent en jeu au tableau 20.4 :

- *Les équipes interfonctionnelles* Avant toute chose, Addicks forma une équipe composée d'une personne représentant chacun des services concernés : marketing, ventes, recherche et développement, recherche en marketing, développement de produits et fabrication.
- *Les buts de l'organisation* Les Cheerios givrées devaient contribuer à la réalisation des objectifs de l'entreprise : augmenter annuellement les bénéfices par action de 12 % et le volume unitaire de 5 %.
- *Les objectifs commerciaux* Le nouveau produit ne devait ni réduire les ventes des autres sortes de Cheerios ni nuire à leur image. Enfin, tel que mentionné plus haut, la mesure du succès devait représenter une part de marché de 0,5 %.
- *Le budget de marketing* La haute direction alloua 56 millions de dollars au lancement, une somme sans précédent pour ce genre d'opération.

TABLEAU 20.4
Les Cheerios givrées : de l'idée à la mise en place en épicerie, en six mois

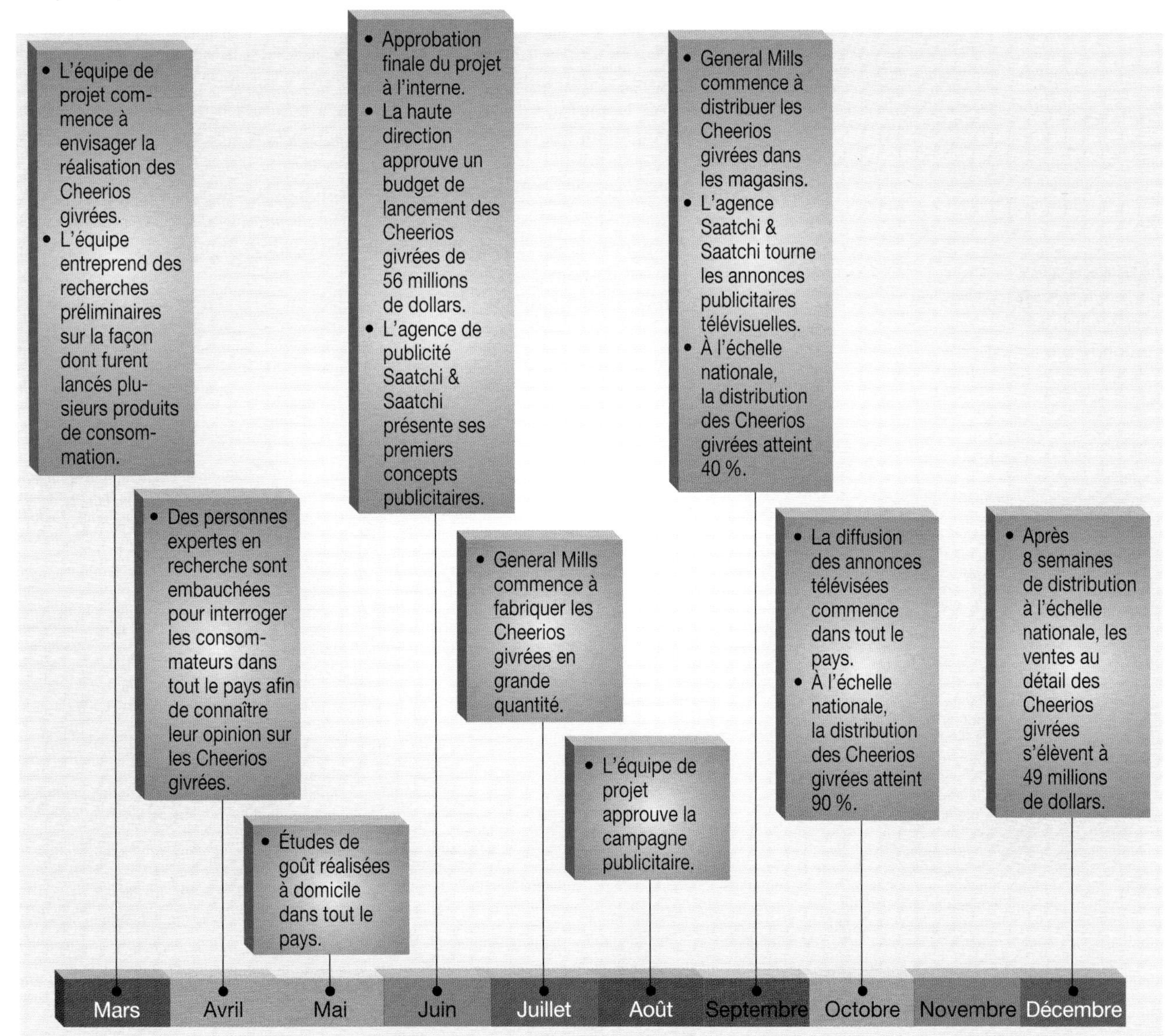

• L'équipe de projet commence à envisager la réalisation des Cheerios givrées.
• L'équipe entreprend des recherches préliminaires sur la façon dont furent lancés plusieurs produits de consommation.
• Des personnes expertes en recherche sont embauchées pour interroger les consommateurs dans tout le pays afin de connaître leur opinion sur les Cheerios givrées.
• Études de goût réalisées à domicile dans tout le pays.
• Approbation finale du projet à l'interne.
• La haute direction approuve un budget de lancement des Cheerios givrées de 56 millions de dollars.
• L'agence de publicité Saatchi & Saatchi présente ses premiers concepts publicitaires.
• General Mills commence à fabriquer les Cheerios givrées en grande quantité.
• L'équipe de projet approuve la campagne publicitaire.
• General Mills commence à distribuer les Cheerios givrées dans les magasins.
• L'agence Saatchi & Saatchi tourne les annonces publicitaires télévisuelles.
• À l'échelle nationale, la distribution des Cheerios givrées atteint 40 %.
• La diffusion des annonces télévisées commence dans tout le pays.
• À l'échelle nationale, la distribution des Cheerios givrées atteint 90 %.
• Après 8 semaines de distribution à l'échelle nationale, les ventes au détail des Cheerios givrées s'élèvent à 49 millions de dollars.
Mars
Avril
Mai
Juin
Juillet
Août
Septembre
Octobre
Novembre
Décembre

- *Le marché cible* Le marché cible était constitué des enfants (60 %) et des *baby-boomers* (40 %), qui n'ont pas les mêmes scrupules que leurs parents sur les céréales sucrées.
- *L'étalonnage concurrentiel* L'équipe a étudié toutes sortes de lancements couronnés de succès, y compris ceux des films de Disney et des émissions de télévision de Nickelodeon. Elle en a tiré des leçons applicables au lancement d'une céréale.
- *Recherche en marketing* En avril, (voir le tableau 20.4), les consommateurs ont été sondés. On voulait connaître leur opinion sur les Cheerios givrées et 88 % des enfants ont déclaré en manger. En mai, on a approfondi davantage l'enquête en procédant à des essais de dégustation à domicile pour déterminer la meilleure de trois préparations.
- *Avantages concurrentiels / points de différenciation* Les possibilités d'imitation du produit représentaient un problème auquel il fallait s'attaquer. L'équipe d'Addicks décida donc que le produit devrait posséder les qualités suivantes : assez complexe pour empêcher la copie, assez sucré pour plaire au marché cible et avec un goût de grain conforme à la saveur et à l'image des Cheerios.
- *Stratégie de produit* La fabrication des Cheerios givrées se révéla beaucoup plus compliquée que celle des Cheerios ordinaires, qu'il suffit de plonger dans le sucre. Les scientifiques du département de recherche et développement voulaient obtenir le « croquant » typique des Cheerios. Pour cela, il leur fallait mélanger de la farine de maïs à la farine d'avoine habituelle. L'emballage final, illustré au tableau 20.5, fut choisi parmi sept autres maquettes. La planification détaillée nécessaire au bon positionnement du produit auprès des consommateurs y est aussi présentée.
- *Stratégie de prix* L'équipe a fixé un prix comparable à celui des autres sortes de Cheerios et concurrentiel par rapport à celui des autres céréales sucrées, comme les Frosted Flakes de Kellogg.
- *Stratégie de promotion* En collaboration avec l'équipe, l'agence de publicité tourna (aux États-Unis) en septembre (voir le tableau 20.4) les annonces télévisuelles faisant appel à des personnages populaires comme l'Underdog, le rapeur Queen Latifah et Gilbert Gottfried, le comique fort en gueule[11].
- *Stratégie d'emplacement* Comme le montre le tableau 20.4, General Mills a commencé son placement en magasin en septembre et avait réalisé 90 % de la distribution le mois suivant.

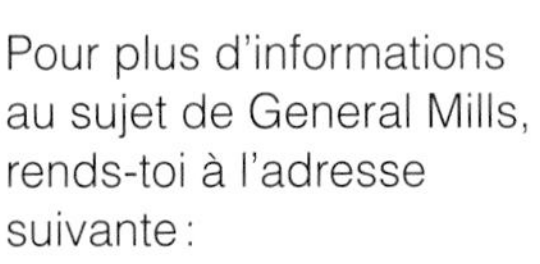

Pour plus d'informations au sujet de General Mills, rends-toi à l'adresse suivante : www.dlcmcgrawhill.ca

TABLEAU 20.5
Le raisonnement de l'équipe interfonctionnelle à l'origine du conditionnement des Cheerios givrées

On s'est assuré que les Cheerios givrées seraient sur les rayons des détaillants quand la campagne publicitaire télévisée démarrerait. Cette mise en œuvre est toujours essentielle lors du lancement de nouveaux produits d'alimentation. Selon les analystes du secteur, ce lancement a été le plus réussi de tous les lancements de céréales prêtes-à-manger jamais vus[12]. Il est clair que les Cheerios givrées sont une énorme réussite sur tous les plans. Ce succès est attribuable à la cohésion de l'équipe interfonctionnelle, à l'attention prêtée aux détails et au respect des échéances du plan de marketing du nouveau produit.

RÉVISION DES CONCEPTS

1. Comment faut-il interpréter la forme en S de la fonction de réponse des ventes présentée au tableau 20.1?
2. Quels sont les principaux rapports d'étape de chacune des phases du processus du marketing stratégique?
3. Nomme les trois types de plans de marketing.

Des méthodes pour améliorer la planification marketing

La planification marketing d'une entreprise ayant plusieurs produits en vente sur plusieurs marchés est un processus complexe. On les nomme une entreprise « multiproduit » et un « multimarché ». Pour prendre les décisions importantes relatives à l'allocation des ressources, les gestionnaires et les spécialistes en marketing d'une telle firme ont recours aux trois méthodes suivantes : 1) les stratégies génériques de marché de Porter ; 2) les stratégies d'accroissement des profits ; et 3) les synergies marché-produit. Toutes font appel à des éléments présentés dans des chapitres précédents.

Les stratégies génériques de marché de Porter Comme on le voit au tableau 20.6, Michael E. Porter a élaboré un modèle qui comprend quatre stratégies fondamentales ou « génériques »[13]. La **stratégie générique de marché** est une stratégie que toute entreprise, quel que soit son produit ou son secteur, peut adopter pour dégager un avantage concurrentiel. Selon des recherches récentes, une firme aurait besoin de plusieurs points forts, et non pas d'un seul, pour conserver longtemps son avantage concurrentiel[14]. Par contre, d'autres études indiquent qu'il est préférable de se concentrer sur un seul point. Par exemple, il faudrait se concentrer sur l'excellence opérationnelle, la dominance du produit ou la connaissance du client[15].

Toutes les méthodes dont nous discuterons ici mettent en jeu des stratégies génériques, mais ce terme est normalement associé au modèle de Porter. Dans ce tableau, les colonnes désignent les deux principales possibilités envisageables par les entreprises à la recherche d'un avantage concurrentiel : 1) devenir le fabricant à faible coût des marchés sur lesquels elles évoluent ; ou 2) se distinguer de la concurrence en développant des points de différenciation dans l'offre de produits ou dans les programmes de mise en marché. Les lignes désignent la portée concurrentielle : 1) une cible étendue si l'on s'attaque à plusieurs segments de marché ; ou 2) une cible étroite si l'on se limite à quelques segments ou même à un seul. En combinant colonnes et lignes, on obtient quatre stratégies de marché. Toutes peuvent procurer un avantage concurrentiel au regard des unités d'activités stratégiques similaires dans un même secteur.

1. La **stratégie de domination du marché par les coûts** (cellule 1) nécessite une sérieuse réduction des dépenses. Grâce à elle, on peut baisser le prix des articles vendus dans un assez vaste ensemble de segments de marché. Pour parvenir à de faibles coûts unitaires, il faut parfois investir dans de l'équipement essentiel à l'amélioration des processus de production ou de distribution. Cependant, l'entreprise qui domine par le coût doit aussi offrir un bon niveau de qualité. Wal-Mart possède des systèmes avancés d'entrepôts régionaux et d'échange de données

TABLEAU 20.6
Les quatre stratégies génériques de marché de Porter

PORTÉE CONCURRENTIELLE	SOURCE DE L'AVANTAGE CONCURRENTIEL	
	COÛT RÉDUIT	**DIFFÉRENCIATION**
CIBLE ÉTENDUE	1. Domination par les coûts	2. Différenciation
CIBLE ÉTROITE	3. Focalisation sur le coût	4. Focalisation sur la différenciation

électroniques avec les détaillants. Ces systèmes lui ont permis de faire d'énormes économies et de réaliser sa stratégie de domination du marché par les coûts.

2. La **stratégie de différenciation** (cellule 2) nécessite des produits qui marient innovation et différenciation importante à une qualité élevée, à une technologie avancée ou à un service supérieur dans un grand nombre de segments de marché. Cela permet d'augmenter le prix. OnStar a eu recours à cette stratégie. Elle relie, par des communications satellites, une voiture à ses services d'urgence 24 heures sur 24. Ce système indique le trajet pour te rendre à destination ou te permet de commander un film pendant que tu es en route.
3. La **stratégie de focalisation sur le coût** (cellule 3) consiste à contrôler ses dépenses pour ensuite réduire les prix dans quelques segments de marché. Cette stratégie réussit bien aux chaînes de détail ne ciblant que quelques segments, et pour un groupe limité de produits. Elle s'est aussi révélée efficace pour certaines compagnies aériennes qui l'appliquent et relient quelques villes choisies à des tarifs très réduits.
4. Finalement, la **stratégie de focalisation sur la différenciation** (cellule 4) exploite d'importants points de différenciation dans un ou dans quelques segments de marché, peu nombreux. Volkswagen a connu un spectaculaire succès en ciblant le segment « nostalgie ». Sa Beetle, équipée de nouveautés technologiques, vise les *baby-boomers* âgés entre 35 et 55 ans[16].

Ces stratégies sont aussi à la base de la théorie de Michael Porter sur ce qui assure le succès du secteur économique d'un pays, comme on l'a vu au chapitre 5.

Les moyens d'accroître le profit Si une entreprise veut augmenter ses profits, elle peut 1) accroître ses revenus ; 2) réduire ses dépenses ; ou 3) faire les deux. Nous verrons d'abord les stratégies visant à augmenter les revenus, puis celles ayant trait à la réduction des dépenses.

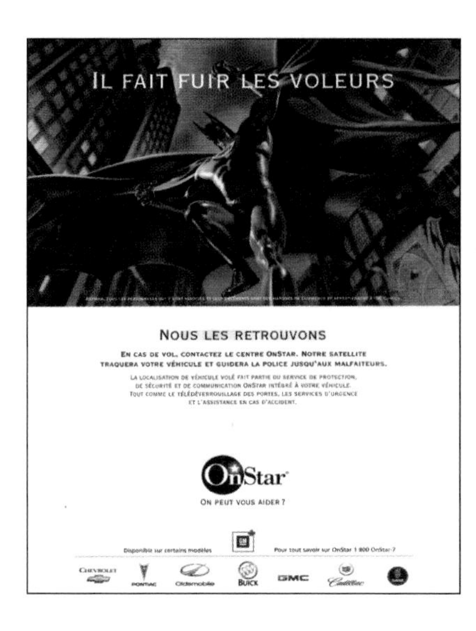

OnStar et Volkswagen utilisent une des stratégies de Porter. Laquelle ? Pour le savoir et te renseigner sur ces stratégies, lis le texte.

Pour accroître ses revenus, on doit recourir à l'une des quatre stratégies applicables aux marchés et aux produits actuels ou nouveaux, ou à une combinaison de certaines d'entre elles (voir le tableau 20.7). Ces stratégies sont : 1) la pénétration du marché ; 2) le développement du produit ; 3) le développement du marché ; et 4) la diversification (elles ont été décrites au chapitre 2).

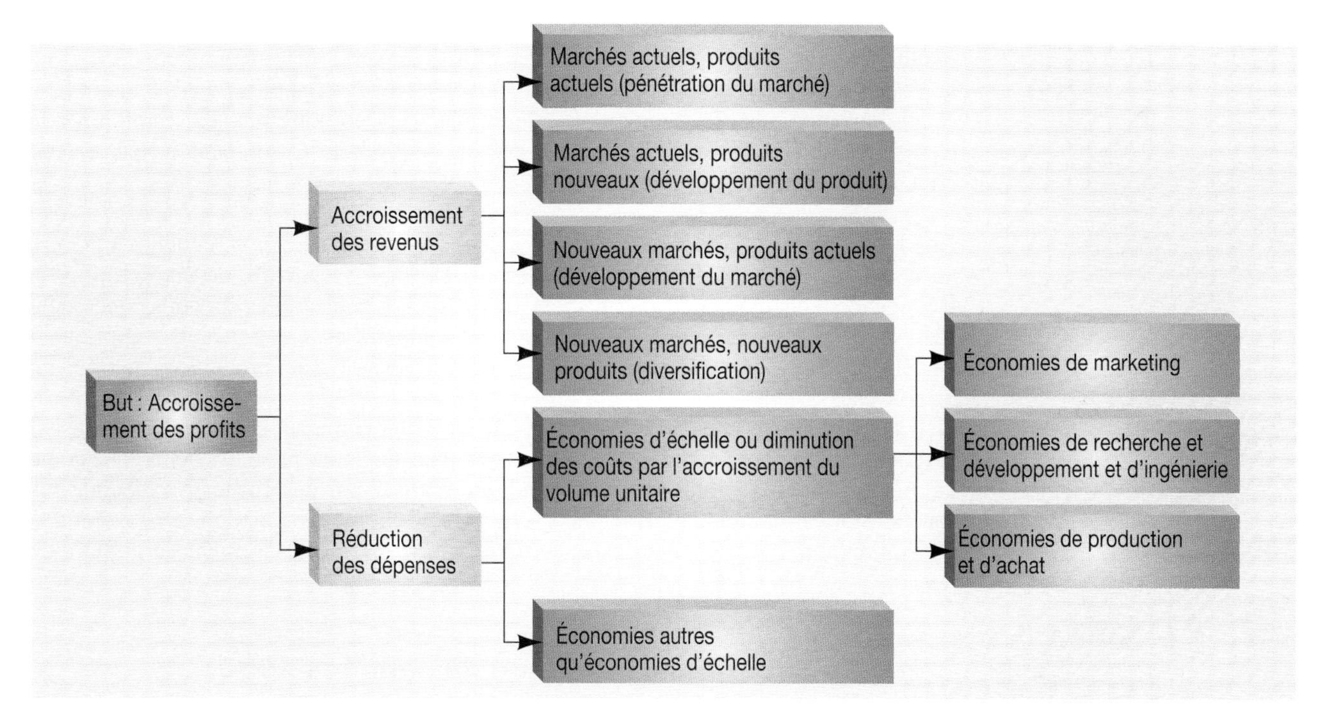

TABLEAU 20.7
Les stratégies d'accroissement des profits

Procter & Gamble a mené avec succès une stratégie de pénétration de marché (marchés actuels, produits actuels) en s'efforçant de dominer le marché de chacune de ses 30 catégories de produits. L'entreprise détient actuellement la plus grande part dans la moitié des marchés visés. Toutefois, des études récentes révèlent que la part de marché ne serait directement liée à la profitabilité que dans certains secteurs, et non dans tous. Des objectifs organisationnels, comme l'objectif d'accroître la satisfaction du consommateur, pourraient donner de meilleurs résultats que la simple maximisation de la part de marché[17].

Inversement, Johnson & Johnson a réalisé avec succès une stratégie de développement de produit. L'entreprise a trouvé de nouveaux produits pour de nouveaux marchés en produisant des compléments pour ses produits populaires comme l'analgésique Tylenol et les lentilles cornéennes Accuvue. Pour concurrencer Bristol-Meyers et d'autres entreprises, Johnson & Johnson a mis au point Tylenol contre les douleurs arthritiques qui allie analgésique et somnifère. L'entreprise a également créé Surevue des lentilles cornéennes jetables, mais de longue durée.

Pour concurrencer d'autres entreprises, Johnson & Johnson a développé un produit destiné à un nouveau marché : Tylenol contre les douleurs arthritiques.

La compagnie Walt Disney a entrepris une stratégie de développement de marché (nouveau marché, produit actuel) à la suite du succès du parc Disneyland à Anaheim, en Californie. La première expansion de marché s'est faite à Orlando, en Floride. Plus récemment, Disney a fait construire des parcs thématiques à Tokyo et à Paris. Disney a également mené une stratégie de diversification. Elle s'est ainsi lancée dans le cinéma, en mettant sur pied Touchstone Pictures et, dans le sport professionnel, en exploitant les Mighty Ducks, une concession de la Ligue nationale de hockey.

On peut classer les stratégies de réduction des dépenses en deux grandes catégories (voir le tableau 20.7). L'une dépend des économies d'échelle ou des économies découlant d'un volume de production accru. Celui-ci fait chuter les coûts unitaires et s'élever les marges bénéficiaires brutes. Les télécopieurs et les messageries vocales, dont les prix ont baissé de moitié ces dernières années, sont les meilleurs exemples de ce phénomène. Les économies d'échelle peuvent se produire en marketing, en recherche et développement, en ingénierie, en production ou sur les achats.

L'autre stratégie de réduction des dépenses consiste simplement à trouver de nouvelles façons de réduire les coûts. Par exemple, on diminue l'équipe de direction, on accroît l'efficacité de la force de vente en la formant ou on réduit le nombre de produits rejetés au contrôle. Pour abaisser leurs coûts, IBM Canada et Xerox Canada ont toutes deux réduit leur main-d'œuvre en procédant à des mises à pied. Procter & Gamble décida que le monde n'avait pas vraiment besoin de 31 variétés de shampooing Head & Shoulders. En diminuant le nombre d'emballages, de formats et de formules de soins capillaires, la compagnie diminua presque de moitié le nombre de produits. Ces opérations ont eu pour effet de réduire ses dépenses et d'accroître ses profits[18].

Les synergies marché-produit Il y a deux types de synergies essentielles à la mise au point de stratégies d'entreprises et de marketing : la synergie de marketing et la synergie de recherche et développement-fabrication. Les exemples suivants concernent des synergies externes réalisées par fusions et acquisitions. Les concepts s'appliquent également aux synergies internes créées en ajoutant de nouveaux produits ou en trouvant de nouveaux marchés.

Une étape importante de l'analyse consiste à évaluer comment ces stratégies de fusion et d'acquisition peuvent créer de la **synergie** dans une entreprise. La synergie est une augmentation de la valeur à la consommation réalisée par une firme en exécutant ses fonctions organisationnelles avec plus d'efficacité. Cette « augmentation de la valeur à la consommation » peut se manifester de diverses façons : accroissement du nombre de

VALEUR DE CONSOMMATION

TENDANCES MARKETING

La question stratégique des années 1990 : la création de synergies

Compaq a acquis Digital Equipment « pour créer une synergie ». Ford a acheté Volvo « pour créer une synergie ». En ces jours de fusions et d'acquisitions majeures, les compagnies s'allient dans le dessein de créer des synergies.

La récente fusion des sociétés Alcan à Montréal, Péchiney en France et Algroup en Suisse a permis de constater certains des avantages de la synergie : économies d'échelle, efficacité et productivité accrues, extension de la couverture du marché et amélioration de la qualité du produit offert à la clientèle.

On prévoit que la nouvelle compagnie réalisera annuellement des synergies d'une valeur de 600 millions de dollars.

Tente ta chance au jeu de la synergie en imaginant que tu es responsable du marketing chez Great Lawns Corporation. Ses gammes de produits se composent de tondeuses à gazon motorisées et non motorisées. À droite, on présente une grille d'analyse marché-produit de ton entreprise. On constate que tu distribues les tondeuses non motorisées dans les trois segments de marché et les tondeuses motorisées dans le seul segment de la banlieue.

Les grandes questions stratégiques que tu dois te poser sont les suivantes :

1. Où se trouvent les synergies sur le plan du marketing (les efficiences) ?
2. Où se trouvent les synergies entre la recherche et développement et la fabrication (les efficiences) ?
3. Idéalement, quel aspect devrait avoir la grille d'analyse marché-produit d'une entreprise avec laquelle Great Lawns aurait avantage à fusionner ?

Pour trouver la réponse à ces questions, lis le texte et étudie les tableaux 20.8 et 20.9.

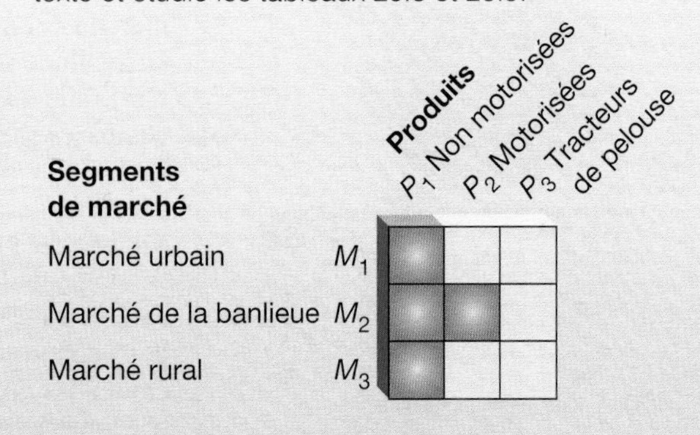

produits, meilleure qualité des produits existants, plus bas prix, meilleure distribution, etc. Il importe avant tout que cette synergie profite à la clientèle. Cela étant, l'entreprise devrait également s'en porter mieux, car elle fidélisera davantage la clientèle satisfaite.

La grille d'analyse marché-produit aide à déterminer les arbitrages dans le cadre du processus du marketing stratégique. Comme dans l'encadré Tendances marketing, imagine que tu es responsable du marketing, en charge de la gamme de tondeuses à gazon motorisées et non motorisées vendue par Great Lawns Corporation sur le marché de la consommation. Tu cherches de nouvelles occasions d'affaires pour le produit et sur le marché dans le but d'accroître les revenus et les profits de l'entreprise.

Tu mènes une étude de segmentation de marché. Élabore une grille produit-marché pour analyser les possibilités futures. Tu dégages de ce marché trois segments géographiques principaux : 1) les ménages urbains ; 2) les ménages de banlieue ; et 3) les ménages ruraux. Ces segments de marché sont définis en fonction de la dimension de la pelouse que les consommateurs doivent tondre. Les trois blocs de produits sont constitués : 1) des tondeuses non motorisées ; 2) des tondeuses motorisées ; et 3) des tracteurs de pelouse. Les grilles d'analyse marché-produit présentées dans le tableau 20.8 illustrent les cinq différentes stratégies commerciales possibles. Les importantes efficiences en marketing – ou synergies – se lisent horizontalement, par ligne. Inversement, les points d'efficience entre la recherche et développement et la production – ou synergies – se lisent verticalement, par colonne. Examinons les effets de la synergie sur les cinq combinaisons présentées au tableau 20.8.

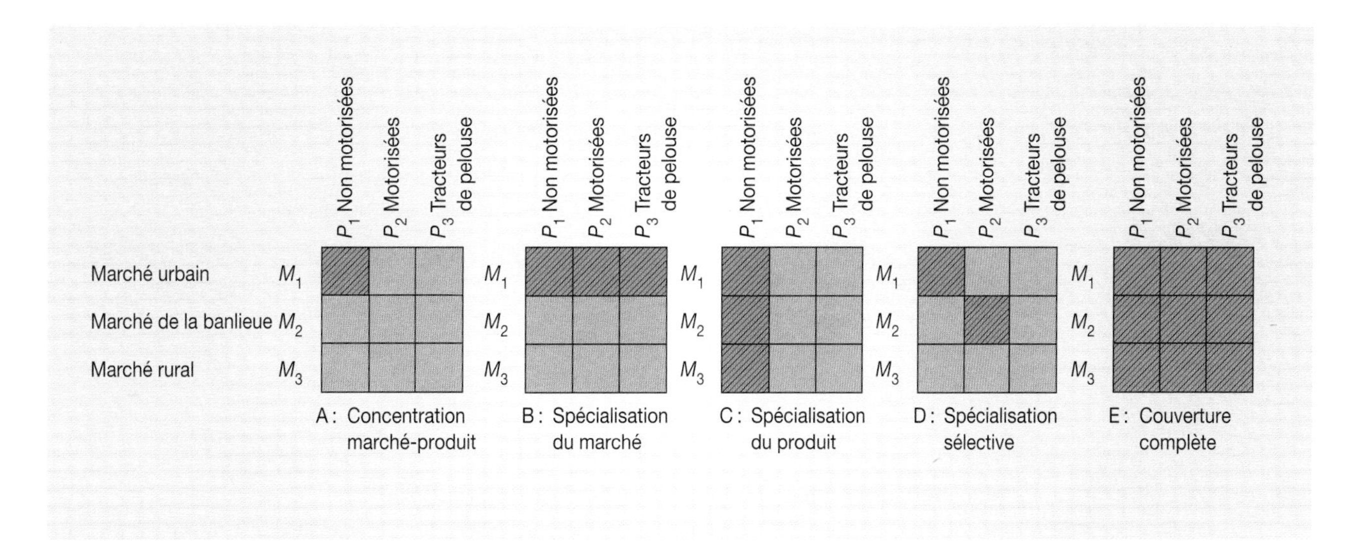

TABLEAU 20.8
Grille d'analyse marché-produit présentant les stratégies commerciales que pourrait adopter un fabricant de tondeuses à gazon

A. *Stratégie de concentration marché-produit* Il y a des avantages pour l'entreprise à concocter une gamme de produits et un segment de marché. Par contre, elle perd ainsi des occasions de synergies substantielles en marketing et en recherche et développement-fabrication.

B. *Stratégie de spécialisation du marché* En offrant une gamme complète de produits, l'entreprise bénéficie de la création d'une synergie en marketing. Toutefois, la recherche et développement-fabrication en fait les frais, car elle doit maintenant développer et produire deux nouveaux produits.

C. *Stratégie de spécialisation du produit* Grâce à la synergie créée entre la recherche et développement et la fabrication, la firme réalise des économies d'échelle, mais il lui faut assurer la distribution dans trois différentes zones géographiques, ce qui est coûteux.

D. *Stratégie de spécialisation sélective* Il ne se crée de synergies ni en marketing ni en recherche et développement-fabrication, à cause de la très grande spécificité des combinaisons marché-produit.

E. *Stratégie de couverture complète* La firme réalise le potentiel synergique maximal tant en marketing qu'en recherche et développement-fabrication. Il reste à savoir, dans ce cas, si l'on ne se disperse pas trop.

Dans l'encadré Tendances marketing, on s'interrogeait sur le partenaire idéal de l'entreprise en considérant les combinaisons marché-produit représentées. Si, en tant que responsable, tu optes pour une stratégie de couverture complète, le partenariat idéal de fusion serait celui que présente le tableau 20.9. Cette entente vous donnerait le potentiel synergique maximal à condition de ne pas trop disperser les ressources des entreprises fusionnées. Le marketing y gagne une gamme complète dans toutes les régions. La recherche et développement-fabrication, grâce à l'accès à de nouveaux marchés, permet de réaliser des économies d'échelle en production. En effet, il faut fabriquer les produits actuels en plus grands volumes.

TABLEAU 20.9
La fusion idéale permettant à Great Lawns de réaliser une couverture complète du marché

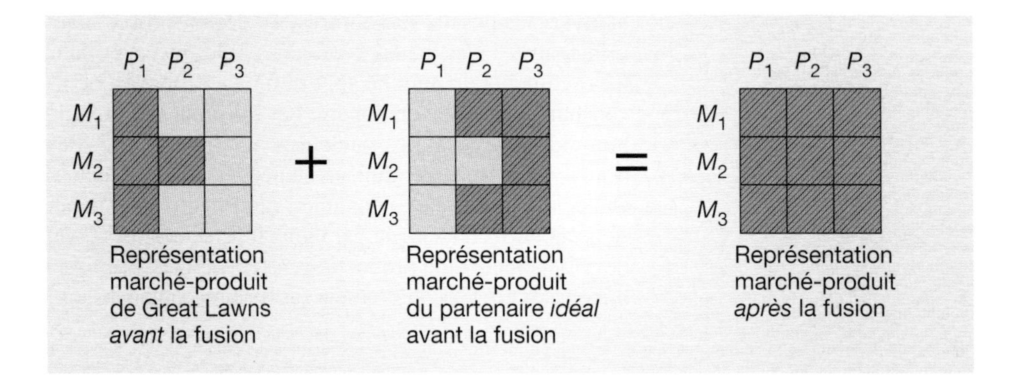

RÉVISION DES CONCEPTS

1. Décris les quatre stratégies génériques de marché de Porter.
2. Quelles sont les quatre moyens d'accroître les profits d'une entreprise si l'on considère les stratégies d'accroissement du profit ?
3. Sur la grille d'analyse marché-produit, comment inscrit-on : a) les synergies en marketing ; et b) les synergies entre la recherche et développement et la fabrication ?

Quelques leçons de planification et de stratégie

On ne peut élaborer un plan de marketing efficace en appliquant machinalement des stratégies. Il faut, au contraire, exercer son sens des affaires. Il faut aussi respecter certaines conditions qui tiennent du sens commun. Nous en traitons ici. Il sera ensuite question des problèmes courants.

Conseils relatifs à l'élaboration d'un plan de marketing efficace Dwight D. Eisenhower, commandant les forces alliées durant la Seconde Guerre mondiale, fit ce commentaire célèbre : « Les plans ne sont rien ; tout est dans la planification. » C'est grâce au rigoureux processus de planification qu'on peut concentrer les efforts de l'entreprise et la mener à la réussite. Les plans changent au gré des circonstances et sont souvent secondaires. Les plans et la planification efficaces comprennent à coup sûr des objectifs bien définis, des stratégies ou des démarches précises et des moyens pour les réaliser. Voici quelques conseils pour élaborer des plans de marketing efficaces.

- *Détermine des buts réalisables et mesurables* Idéalement, les buts devraient être quantifiés et mesurables. On doit pouvoir établir les réalisations et leur date d'exécution. Cette formulation d'objectif : « Faire passer la part de marché de 18 à 22 % d'ici le 31 décembre 2002 » est préférable à celle-ci : « Maximiser notre part de marché en fonction des ressources disponibles ». De plus, pour se motiver, les gens doivent poursuivre des buts réalisables.

- *Fonde tes plans sur des faits et sur des hypothèses valides* Un plan de marketing doit être basé sur des faits et des hypothèses valides plutôt que sur des suppositions. Ainsi, il y aura peu d'incertitudes et on prendra moins de risques en l'exécutant. La bonne recherche en marketing est une aide précieuse.
- *Dresse des plans simples, mais clairs et précis* Pour qu'un plan soit réalisé, il faut qu'à tous les niveaux de l'entreprise, les gens comprennent les tâches qui leur sont confiées et qu'ils sachent quand et comment ils doivent les réaliser.
- *Conçois des plans complets et réalisables* Les plans de marketing doivent tenir compte de tous les facteurs clés du marketing mix et être soutenus par les ressources adéquates.
- *Élabore des plans contrôlables et souples* Les plans de marketing doivent comprendre des mesures permettant de comparer les résultats avec les cibles. Ils doivent également être assez souples pour qu'on puisse les retoucher, si cela est nécessaire.

Problèmes de planification et de stratégie en marketing En faisant l'examen rétrospectif des plans fructueux et de ceux qui ont échoué, on peut établir d'où viennent les problèmes durant la phase de planification du processus du marketing stratégique d'une entreprise. Examinons la liste de ces problèmes.

1. Les plans sont parfois fondés sur de fragiles hypothèses concernant certains facteurs contextuels, particulièrement les fluctuations des conditions économiques et les actions des concurrents. Pour les Canadiennes et les Canadiens, rince-bouche fut longtemps synonyme de Listerine. Mais Scope lança une campagne anti-Listerine. L'entreprise réussit à convaincre sa clientèle qu'un rince-bouche efficace n'avait pas forcément mauvais goût. Résultat ? Listerine ne domine plus le marché.
2. Les planificateurs oublient parfois les besoins des consommateurs. Par exemple, le slogan « meilleurs ingrédients, meilleure pizza » embarrasse les dirigeants de Pizza Hut. Ce slogan de la chaîne de pizzerias Papa John's International rappelle en effet le soin minutieux apporté au détail par cette entreprise. Celle-ci est cinq fois plus petite que Pizza Hut, mais elle est en train de lui grignoter sa part de marché. Exemple du détail qui compte : si le fromage d'une pizza présente ne serait-ce qu'une bulle ou si sa croûte n'est pas bien dorée, cette pizza n'est pas servie au client[19] !

De meilleurs ingrédients, une meilleure pizza et une meilleure planification augmentent la popularité de Papa John's International.

3. Il arrive que l'on consacre trop de temps et d'efforts à recueillir des données et à rédiger les plans. Ainsi, chez Westinghouse, les instructions de planification destinées aux unités opérationnelles « avaient l'allure d'un manuel de réparation de voiture ». L'entreprise a ramené le document à cinq ou six pages.
4. Souvent, les chefs des opérations se sentent étrangers à la mise en œuvre des plans. Andy Grove, ancien président-directeur général d'Intel, a déclaré : « Nous avions un système aberrant [...] nous confiions la planification stratégique à des spécialistes de la planification stratégique. Les stratégies qu'ils élaboraient n'avaient aucun rapport avec ce que nous faisions vraiment[20]. » Il résolut donc de remettre la planification des activités entre les mains des gestionnaires des opérations – les gens qui, en fait, les mènent à bien.

Il est plus facile de parler de planification que d'en faire. Joue les consultants et aide Hugo's Ski Shack à élaborer des plans de marketing convenant à la situation décrite dans l'encadré Branchez-vous !

L'arbitrage entre valeurs et les valeurs dans les plans de marketing stratégique Deux tendances importantes vont probablement influer sur le processus du marketing stratégique dans l'avenir. La première, la planification fondée sur la valeur, combine les notions de planification marketing et les techniques de planification financière. Elle vise à évaluer l'importance de la contribution d'une division ou d'une unité d'activités stratégiques à la valeur de l'action d'une compagnie (ou à la valeur pour l'actionnaire). Une activité stratégique crée de la valeur quand sa rentabilité financière excède le coût des ressources qu'on lui a consacrées.

La seconde tendance est caractérisée par un intérêt croissant à l'égard des stratégies basées sur les valeurs. Ces stratégies considèrent les préoccupations éthiques, l'intégrité, le souci de la santé et de la sécurité du personnel et les mesures de protection de l'environnement. Ces stratégies allient ces préoccupations à des valeurs d'entreprises plus classiques comme la croissance, le profit, le service à la clientèle et la qualité. Certains experts font remarquer que les nombreuses entreprises, dont la publicité, les communiqués de presse et les bulletins d'information exaltent le sens élevé des valeurs, n'ont toujours pas modifié leurs plans stratégiques de façon à en tenir vraiment compte[21].

BRANCHEZ-VOUS !

Examen final du cours Marketing 101 : résous en ligne les cas de marketing soumis par BCG

Le Boston Consulting Group, ou BCG, est surtout connu pour le tableau croissance-part de marché. Cette firme renommée de conseillers en gestion entretient un site Web décrivant ses services. Le site comprend une étude de cas stratégique interactive. Cette étude de cas se trouve sur le site de BCG. Lis-la attentivement, résous-la dans le temps qui t'est accordé et offre à BCG tes services comme conseillère ou conseiller le jour où tu auras obtenu ton diplôme !

Pour plus d'informations au sujet de BCG et pour consulter l'étude de cas interactive qui est actuellement présentée sur leur site, rends-toi à l'adresse suivante : www.dlcmcgrawhill.ca.

RÉSUMÉ

1. Les responsables de marketing utilisent le processus de marketing stratégique pour effectuer l'allocation des ressources le plus efficacement possible. Les fonctions de réponse des ventes peuvent les aider à évaluer la manière dont le marché réagira à un effort de marketing supplémentaire.

2. La phase de planification du processus de marketing stratégique sert généralement à élaborer un plan de marketing établissant l'orientation des activités de commercialisation de l'entreprise. Il y a trois types de plans de marketing : le plan à long terme, le plan annuel et le plan de nouveau produit.

3. On dispose de trois modèles utiles pour améliorer la planification en marketing : a) les stratégies génériques de marché de Porter ; b) les stratégies d'accroissement des profits ; et c) les synergies marché-produit.

4. Un plan de marketing efficace contient des buts mesurables et réalisables. Il se fonde sur des faits et des hypothèses valides. Il est simple, clair et précis. Il est complet et faisable, contrôlable et souple.

MOTS CLÉS ET CONCEPTS

fonction de réponse des ventes
points de part de marché
stratégie de différenciation
stratégie de domination du marché par les coûts
stratégie de focalisation sur la différenciation
stratégie de focalisation sur le coût
stratégie générique de marché
synergie

EXERCICES INTERNET

Deux chaînes de magasins présentes au Canada offrent maintenant leurs produits dans Internet, il s'agit de Sears et de La Baie. Imaginons que tu sois à la recherche d'un lecteur de DVD : visite leur site et note les différentes étapes à franchir pour acheter ce lecteur de DVD. Note bien les informations qu'on te demande, ainsi que les problèmes que tu rencontres.

1. Quel processus de commande pour ton DVD te convient le mieux ?

2. Est-il probable que tu fasses un achat dans un magasin virtuel maintenant ou dans un avenir rapproché ? Pourquoi ?

3. Que devraient faire les compagnies pour amener les gens à acheter leurs produits ou services dans leurs magasins virtuels plutôt que dans les magasins de détail, sur les catalogues ou dans les autres points de vente ?

Pour plus d'informations au sujet de Sears et de La Baie, rends-toi à l'adresse suivante : www.dlcmcgrawhill.ca.

QUESTIONS DE MARKETING

Nous allons, pour les exercices suivants, imaginer une école similaire à la tienne et qui désirerait mettre en œuvre une démarche complète en marketing. Ayant entendu parler de tes compétences récemment acquises en marketing, le directeur fait appel à toi pour l'aider à développer son plan marketing stratégique.

1. Selon toi, quel avantage concurrentiel cette école peut-elle avoir ?

2. Quelles sont les grandes tendances de l'environnement dont l'école devra tenir compte dans le futur ?

3. Il existe différents plans marketing qui varient selon la durée qu'ils couvrent. Quels produits ou services de cette école pourraient faire l'objet d'un plan marketing à long terme, annuel ou de lancement d'un nouveau produit ?

4. Michael E. Porter détermine quatre grandes stratégies de base pour les entreprises. Quelles sont ces stratégies ?

5. Comment peut-on adapter ces quatre stratégies à différents produits ou services de l'école ?

6. Quelles pistes cette école pourrait-elle suivre pour améliorer ses profits ?

7. Détermine la grille produit-marché de cette école.

8. Il est possible, à partir de la grille produit-marché que tu as élaborée à la question précédente, de définir plusieurs stratégies d'implantation. Quelles sont-elles ?

9. Qu'est-ce qui pourra garantir le succès du plan marketing de cette école ?

10. Définis les outils de mise en marché dont l'école dispose pour mettre en route son plan marketing.

ÉTUDE DE CAS 20-1 CLEARLY CANADIAN

Clearly Canadian Beverage Corporation, ayant son siège social à Vancouver, est le premier producteur de boissons nouvel âge de haute qualité. Ses produits comprennent les eaux pétillantes à saveur de fruits Clearly Canadian, les boissons Clearly Canadian O+2, REfresher et Orbitz. La compagnie est considérée comme l'une des pionnières du secteur des boissons nouvel âge, estimé à 8 milliards de dollars. Elle distribue ses produits partout au Canada, aux États-Unis et dans plusieurs pays du monde.

L'HISTORIQUE

Clearly Canadian a fait son entrée sur le marché des boissons, à la fin des années 1980. Son succès fut immédiat auprès des consommateurs en quête de nouveauté. Les eaux pétillantes à saveur de fruits de Clearly Canadian n'étaient sans doute pas les premières boissons nouvel âge, mais elles étaient les premières à être désignées comme telles. Ces eaux ne créaient pas la catégorie, mais elles la définissaient cependant. Elles ouvraient ainsi la voie à d'innombrables concurrents comme Snapple, Mistic et Arizona. Au début, la compagnie allait à contre-courant. Elle voulait se tailler une niche en offrant un produit à prix élevé, d'une image sophistiquée et d'un emballage distinctif.

Clearly Canadian est entrée sur le marché tôt et a misé sur le nouvel engouement pour les eaux parfumées. Grâce à son emballage original, le produit se distinguait nettement des autres boissons encombrant les rayons. Le prix élevé a aussi aidé à positionner Clearly Canadian comme un produit de haute qualité. Par ailleurs, la compagnie avait connu un succès rapide en réalisant une distribution étendue au Canada et aux États-Unis. Elle mena également une vigoureuse stratégie de développement de marché et étendit sa distribution au Mexique, à l'Angleterre, à l'Irlande, au Japon et à d'autres pays. En 1992, Clearly Canadian avait vendu environ 22 millions de caisses de sa boisson.

Toutefois, vers 1993, la croissance de la catégorie des boissons nouvel âge commença à ralentir et les ventes de la compagnie baissèrent. En fait, elles n'étaient plus que de 7 millions de caisses. Certains experts attribuaient cette chute aux goûts changeants des consommateurs et au nombre croissant de nouvelles marques. D'autres soutenaient qu'avec tant de nouvelles marques, les boissons nouvel âge prétendument haut de gamme ne pouvaient plus exiger un prix élevé. Plusieurs nouvelles marques s'employaient à détruire la niche haut de gamme de la catégorie en soutenant des stratégies de bas prix. Clearly Canadian se mit à perdre des parts de marché. Les imitations moins coûteuses et les autres types de boissons, comme le thé glacé, en profitèrent.

CLEARLY CANADIAN CONTRE-ATTAQUE

Clearly Canadian Beverage Corporation convenait qu'elle avait elle-même alimenté son déclin. Elle s'était contentée de réagir au marché, alors qu'elle aurait dû se montrer proactive. Les concurrents continuaient à innover sur les plans de l'emballage, de l'image et des nouveaux produits, mais Clearly Canadian déclinait. L'entreprise comprit qu'il lui fallait revenir à l'esprit d'innovation qui avait fait son succès. En 1994, elle avait ajouté de nouveaux parfums à sa gamme et précommercialisé une bouteille de format familial de même qu'un emballage de quatre bouteilles.

Elle lança aussi une bouteille de 200 ml visant le tourisme. La compagnie entreprit de nouvelles activités de promotion et mit sur pied un programme de stimulants à la vente pour ses représentantes et ses représentants. Malgré tout, les ventes ne s'accrurent pas en conséquence. Clearly Canadian semblait avoir fait son temps.

La compagnie élabora un plan quinquennal (5 ans) stratégique qu'elle s'empressa de mettre en œuvre. Elle se restructura à l'interne et revint avec un nouveau portefeuille de produits. Elle s'était réinventée. Elle était passée d'une compagnie qui vendait une boisson à une compagnie de boissons. Elle lança sa première eau embouteillée (Clearly Canadian Natural Artesian Water), et les Quenchers, une gamme de boissons pétillantes aux fruits, sans

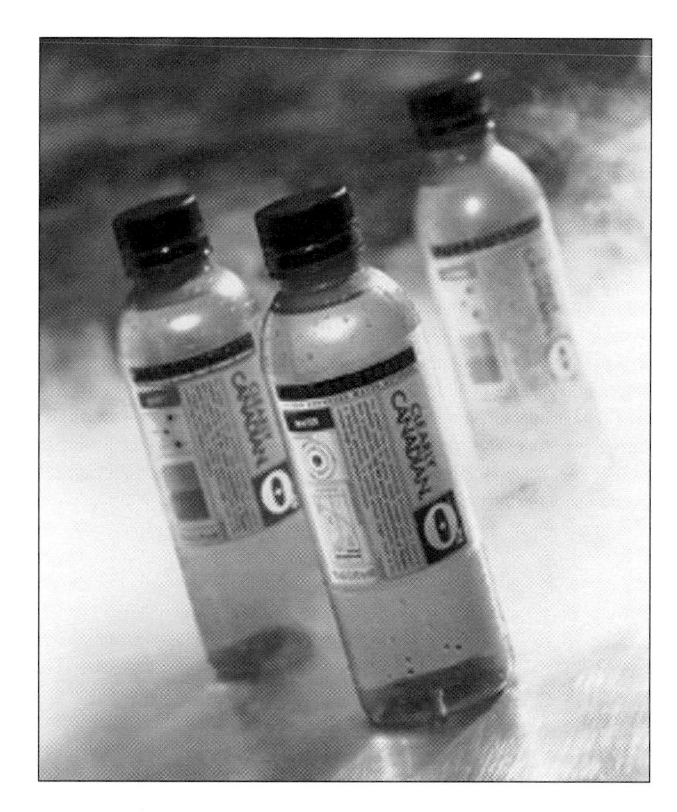

agent de conservation. En 1996, elle lança Orbitz, boisson fruitée et claire contenant des particules gelées de saveur en suspension. En 1997, elle relança les eaux pétillantes à saveur de fruit Clearly Canadian, dans une bouteille audacieuse et colorée et en y ajoutant trois nouvelles saveurs. Vers la fin de 1997, les revenus de vente de Clearly Canadian permettaient à l'entreprise de rejoindre les rangs des 10 plus importantes compagnies de boissons nouvel âge.

SUR LA VOIE DE LA CROISSANCE

En 1998, Clearly Canadian acheta la compagnie Cascade Clear Water. Ainsi, elle dota son portefeuille d'un produit grand public qui lui faisait défaut. Celui-ci, l'eau embouteillée, lui permettrait d'accroître sa capacité de fabrication. À la fin de l'année, Clearly Canadian fusionna ses deux succursales américaines, Clearly Canadian Beverage (É.-U.) Corporation et Cascade Clear Water, en une seule entreprise à propriété entière, appelée CC Beverage (É.-U.) Corporation. CC Beverage fabrique les produits Clearly Canadian vendus en Amérique du Nord et dans les pays du littoral du Pacifique. Équipée d'installations de fabrication à la pointe du progrès, elle fait aussi la mise en bouteille à forfait. Cette activité s'adresse aux chaînes d'épiceries régionales, aux compagnies d'eau embouteillée et à d'autres fabricants et distributeurs de boissons américains et internationaux. De plus, CC Beverage dirige aux États-Unis une entreprise de livraison d'eau embouteillée sous le nom de Cascade Clear.

La compagnie a aussi conclu des ententes de distribution pour vendre ses produits chez certains des plus grands détaillants en alimentation et en boissons aux États-Unis. Au même moment, elle rachetait ses droits de distribution auprès des grands distributeurs, étendant ainsi son contrôle à tout son système de distribution en Amérique du Nord.

Clearly Canadian a également décidé de concentrer davantage ses initiatives promotionnelles au niveau local. Pour cela, elle collabore étroitement avec les consommateurs et les distributeurs, pour réaliser des promotions à valeur ajoutée, sur les marchés clés. La compagnie utilise les techniques du marketing de guérilla. Ainsi, elle remet des échantillons dans la rue et dans les événements spéciaux, plutôt que de payer pour de coûteuses publicités télévisées ou imprimées. En 1999, Clearly Canadien s'est jointe à Warner-Lambert. Ce programme conjoint consistait à offrir gratuitement aux consommateurs un paquet de gomme à mâcher Trident sucrée sans sucre, pour l'achat d'une bouteille d'un litre d'eau pétillante à saveur de fruits Clearly Canadian.

L'entreprise a par ailleurs conclu des ententes de distribution de ses produits sur les principaux marchés européens comme la France, l'Espagne, le Portugal et la Turquie. Ces ententes viennent s'ajouter à une présence déjà bien établie en Angleterre et en Suède. La compagnie exerce également un sérieux contrôle des coûts de distribution, de marketing et de production sans toutefois sacrifier le service à la clientèle et la qualité du produit.

L'AN 2000 ET APRÈS

Depuis plus d'une décennie, Clearly Canadian a vendu plus de 1,4 milliards de bouteilles de son produit et s'organise à présent pour atteindre son deuxième milliard. Elle croit qu'il lui faudra miser sur son esprit de défricheur et innover pour répondre aux besoins des consommateurs et devancer la concurrence. La compagnie a maintenant un spectaculaire portefeuille de nouveaux produits. Citons Clearly Canadian 0+2, une eau ultra-oxygénée destinée aux adultes actifs, Battery, une boisson énergétique, de même que toute la gamme de produits Cascade Clear. La moitié des ventes de cette compagnie multimarques provient d'autres produits que ceux de Clearly Canadian. Pour elle, le défi des années 2000 sera de générer du volume. L'objectif demeure cependant le même : créer des marques de prestige et atteindre plus de clients en plus d'endroits, de façon plus rentable.

Questions

1. Quelle stratégie générique de marché (voir le tableau 20.6) Clearly Canadian menait-elle lors de son entrée sur le marché des boissons nouvel âge et quelle stratégie semble-t-elle poursuivre aujourd'hui ?

2. Explique les stratégies génériques de marketing (voir le tableau 20.7) que Clearly Canadian a suivies et continue de suivre aujourd'hui.

3. Observe le tableau 20.8. Laquelle des cinq stratégies de marketing de la grille marché-produit correspond à la stratégie actuelle de Clearly Canadian ?

CAS DU MODULE 5
LA STRATÉGIE EN COMMERCE ÉLECTRONIQUE

Chaque fois qu'il est question de commerce électronique, amazon.com est immanquablement mentionnée. Jeff Bezos, son fondateur et président, a su donner à son entreprise un nom incontournable sur le Web. Cette compagnie de Seattle avait ouvert ses portes virtuelles en 1995. En juin 1999, date mémorable, elle réalisait sa dix-millionième ventes en ligne[1]. Jeff Bezos avait lancé sa compagnie en imaginant une librairie virtuelle. Maintenant, amazon.com est plus qu'une techno-librairie : elle est devenue une corporation virtuelle multiproduit internationale.

LA CROISSANCE À GRANDE VITESSE

La croissance d'amazon.com a fait des vagues dans plus d'un secteur d'activité, et il semble que rien ne puisse arrêter cet élan. Amazon.com surprend à bien des égards dans le monde du commerce électronique. Le plus étonnant, malgré des ventes vertigineusement élevées et une clientèle en croissance, est que la compagnie n'a toujours pas fait de profits. Ses pertes avant impôt pour l'année financière 1998 étaient de 124,5 millions de dollars[2], pour des ventes nettes de 605 millions de dollars. Ce qui représentait une saine amélioration par rapport aux pertes de 1997, de 31 millions de dollars, pour des ventes nettes de 147,8 millions de dollars[3]. Les ventes continuent d'augmenter, de même que les pertes. Malgré cela, amazon.com n'entend pas se limiter à la vente de livres et de disques. Elle s'emploie à devenir très vite le plus important portail de vente en ligne. Pour l'instant, les pertes de la compagnie ne semblent pas inquiéter les investisseurs et amazon.com peut librement se livrer à sa stratégie échevelée de croissance. Cette stratégie est risquée, mais Jeff Bezos est prêt à relever le défi. Les incertitudes sont nombreuses dans ce secteur en émergence. Amazon.com se prépare à envahir des marchés où des compagnies bien établies et renommées vont tout faire pour freiner ses progrès.

Il n'est pas facile de se monter une bonne clientèle. David Risher, premier vice-président au développement de produits de l'entreprise, a émis ce commentaire sur la capacité d'amazon.com de fidéliser les consommateurs : « Une solide clientèle de 10 millions de personnes ne tombe pas du ciel. Pour l'obtenir, il faut avoir créé un formidable service qui satisfasse les besoins des gens[4]. » La démarche d'amazon.com repose sur le fait que, dans la plupart des cas, le client achètera de nouveau. À 64 %, les commandes proviennent de la cyberclientèle ayant déjà une relation avec amazon.com. Risher croit que, « sur le cybermarché, le nom est important, mais pas autant qu'un bon service. Si vous créez quelque chose qui plaît aux clientes et clients, ça vous fait un nom. Le bouche à oreille est votre meilleur moyen de promotion[5]. »

Amazon.com est née d'une idée de Jeff Bezos. Il a négocié des ententes de distribution et recueilli un million de dollars auprès de sa famille et de ses amis pour l'élaboration de logiciels. Ensuite, il a lancé sa librairie virtuelle en ligne, en 1995. La saga de cette compagnie, désormais chef de file du commerce électronique, a commencé par la vente de livres, et elle ne semble pas près de se terminer. Bezos a étendu sa gamme de produits en y ajoutant de la musique et d'autres produits de divertissement, comme les cassettes vidéo. Amazon.com a poursuivi l'expansion de l'éventail des produits qu'elle offre. Aussi, elle a fini par se trouver en concurrence, dans plusieurs secteurs bien établis, avec une foule de compagnies réputées.

LES PRESSIONS SUR L'ÉTABLISSEMENT

Dans le secteur du livre, amazon.com a attiré l'attention d'au moins deux grandes chaînes de librairies américaines, Barnes & Noble et Borders. Barnes & Noble est toujours la plus importante chaîne de librairies aux États-Unis. Elle possède 521 magasins Barnes & Noble et 466 magasins B. Dalton. Amazon.com a commencé à vendre des livres en ligne. Aussi, Barnes & Noble a mis sur pied une nouvelle succursale pour concurrencer amazon.com directement sur le Net. À la fin de l'année financière 1998, cette succursale, barnesandnoble.com, avait fait perdre 42 millions de dollars à la société mère. Ceci démontre que le commerce électronique est une aventure coûteuse, même pour les compagnies expérimentées, expertes en marketing et dotées d'une image de marque. Toutefois, Barnes & Noble est dans une solide position pour concurrencer amazon.com, vu son importante clientèle. En plus de ses magasins et de ses librairies virtuelles, la compagnie possède des entreprises de vente directe de livres et une maison d'édition[6]. Tout cela lui procure les ressources pour défendre son marché. Forte d'une raison sociale renommée et de son expertise en marketing, Barnes & Noble parcourt la région de Memphis, au Tennessee, à la recherche d'un espace pour y construire un nouveau centre de distribution[7]. Elle investit dans ces nouvelles installations pour se doter d'une infrastructure améliorée. Elle permettra d'assurer la manutention de ses stocks et le traitement des commandes en ligne. En lançant un site Web, Barnes & Noble a dû réexaminer son traitement des commandes pour pouvoir concurrencer amazon.com.

Borders est un autre concurrent d'amazon.com dans le secteur du livre. Deuxième plus importante chaîne de librairies aux États-Unis, Borders a été lente à réagir à la menace d'amazon.com. Toutefois, l'entreprise n'est pas encore hors circuit. Elle n'a pas de magasins qu'aux États-Unis. Elle est aussi bien implantée au Royaume-Uni, en Australie et à Singapour. Elle possède plus de 1 100 librairies, 250 supermagasins de livres et de musique, et 900 librairies Walden, présentes dans la plupart des centres commerciaux. La philosophie « musique et café » de Borders est similaire à celle de Chapters et d'Indigo, les deux plus grands détaillants canadiens de livres. L'agencement des magasins de Borders, comprenant casse-croûte et fauteuils confortables, se veut une invitation à la lecture[8]. Toutefois, cela ne suffira peut-être pas à tenir amazon.com et Barnes & Noble à distance.

LA MUSIQUE ET INTERNET

Quand amazon.com a commencé à vendre de la musique en ligne, CDNow a accusé le coup. Entreprise spécialisée dans le commerce en ligne, CDNow a été fondée par les jumeaux Jason et Matthew Olim. Elle peut se vanter d'offrir, sur son site Web, plus de 300 000 articles à sa clientèle. La majorité de ces articles sont des disques compacts, mais CDNow vend aussi des clips vidéo, des T-shirts et des films. Son site Web intéresse les adeptes de musique en tout genre qui peuvent y trouver des disques compacts rares. La valeur du site est rehaussée par la présentation de critiques musicales. Les consommateurs y créent leur propre disque compact grâce à son unité de son BOOM[9]. CDNow se portait bien quand amazon.com a commencé à offrir des disques compacts en ligne, en juin 1998[10]. Dès ce moment, sa part de marché se mit à décliner, et la compagnie fut bientôt en difficulté. En juillet 1999, les sociétés Sony et Time Warner annonçaient que l'entreprise de vidéo et de musique Maison Columbia, qu'ils possèdent conjointement, allait fusionner avec CDNow[11]. Cette affaire avait l'avantage de tirer d'un mauvais pas le pionnier de la musique numérique en ligne. De plus, Maison Columbia accédait au bassin de 16 millions de clients de CDNow. Maison Columbia est un agent de vente directe d'enregistrements musicaux et vidéo fonctionnant principalement par publipostage et par Internet. CDNow est maintenant associée à deux des plus importantes maisons de disques au monde, Warner Music et Sony Music. Elles contrôlent, à elles seules, 35 % des ventes de musique enregistrée aux États-Unis. La technologie de CDNow a transformé l'industrie musicale en permettant aux clients de télécharger des chansons grâce à un branchement Internet. Sony et Time Warner s'intéressent à ce segment, qui semble cacher un bon potentiel de croissance. Grâce à ce lien entre Maison Columbia et CDNow, Sony et Time Warner ont désormais accès à ce segment du secteur du divertissement. Amazon.com a donc maintenant deux nouveaux concurrents dans le domaine de la vente de disques.

Malgré les défis posés par certains de ses concurrents, puissants et déterminés, amazon.com continue de se lancer dans la vente de nouveaux produits et l'élaboration de nouveaux projets. La croissance qu'elle connaît ne semble pas vouloir ralentir. Les changements au sein de la compagnie reflètent la volonté de croissance de la direction. En juin 1999, Jeff Bezos a nommé Joseph Galli président et directeur de l'exploitation[12]. Galli doit rendre compte à Bezos, qui demeure président-directeur général (P.-D.G.). Galli a fait ses classes chez Black & Decker, où il était responsable du développement de nouveaux produits et de l'amélioration du service à la clientèle. Il est renommé pour avoir créé un système de développement de nouveaux produits à l'échelle mondiale. Il a aussi participé à la mise en œuvre d'une infrastructure internationale de fabrication et d'achat. Avec Bezos et Galli, il faut s'attendre à d'autres changements, puisque ce commerce entrepreneurial est en voie de devenir une grande entreprise internationale[13].

Depuis ses débuts en tant que commerce électronique de livres, en 1995, amazon.com a connu une croissance considérable. L'entreprise est la plus importante compagnie virtuelle à vendre de la musique, des vidéocassettes et des livres, mais elle offre aussi gratuitement cartes de vœux et jeux électroniques. Les clients réguliers profitent d'un emballage et de l'achat en un clic. Ces deux prestations font partie du service et rendent l'expérience d'achat en ligne aussi pratique et sûre que possible[14]. En plus des recommandations d'achats personnalisés aux habitués, on a ajouté Bid-Click en avril 1999, pour rendre le site encore plus attrayant. Ce dispositif permet aux clients d'amazon.com de faire des offres sur la marchandise de leur choix et de participer ainsi à une expérience de magasinage originale.

Amazon.com exploite également d'autres sites internationaux au Royaume-Uni, en Allemagne, en France, et au Canada. Outre les sites portant sa marque, l'entreprise exploite sur le Web un service de carnet d'adresses, de calendrier et de rappel. Les autres sites Internet gérés par amazon.com offrent un répertoire de films et un site d'enchères en direct. Mais l'influence d'amazon.com sur le marché virtuel ne se limite pas à ses propres sites. Elle a aussi investi dans d'autres détaillants en ligne, comme drugstore.com, Pets.com et HomeGrocer.com. La compagnie semble déterminée à atteindre ses objectifs pour « devenir le meilleur endroit où acheter, trouver et découvrir tout produit ou service disponibles en ligne[15] ». Amazon.com croit que, pour réussir, elle doit continuer à investir en marketing et en communication (promotion), tout en développant les produits, la technologie et l'infrastructure actuels.

Pour plus d'informations au sujet d'amazon.com, Planetall, Imdb et Livebid, rends-toi à l'adresse suivante : www.dlcmcgrawhill.ca.

CONTINUER À PRENDRE DE L'EXPANSION

À l'été 1999, amazon.com bouillonnait d'activités et lançait de nouvelles offensives d'expansion. C'est ainsi que l'entreprise conclut avec Liquid Audio une entente de publicité mutuellement profitable dans Internet. Liquid Audio est un fournisseur de logiciels et de services de livraison de musique par Internet[16]. En vertu de cette entente, les clients d'amazon.com peuvent utiliser le logiciel de Liquid Audio pour télécharger de la musique. Amazon.com a aussi signé un contrat de dix ans avec la maison Sotheby. À la fin de 1999, cette prestigieuse société de vente aux enchères a mis au point et lancé, en collaboration avec amazon.com, un site conjoint de vente aux enchères. Amazon.com a investi 45 millions de dollars dans cette institution vieille de 225 ans. La maison Sotheby entend exploiter son propre site et réserver le site Web conjoint à « de la marchandise moins courante, comme des pièces de monnaie, des timbres et des souvenirs ayant trait aux sports et au cinéma hollywoodien[17] ». De plus, amazon.com a négocié avec fashionmall.com une licence de renseignements sur les produits. Elle donne le droit d'utiliser les index des produits vendus sur ce portail consacré à la mode[18]. En échange, fashionmall.com a accès à l'énorme bassin de clientèle d'amazon.com au moyen de liens directs vers les pages de son site Web. Ces ententes conjointes font partie du plan d'amazon.com, qui consiste à ajouter continuellement de nouveaux produits à son activité principale.

Mais amazon.com ne s'occupe pas que d'ententes conjointes. Elle a également annoncé l'ouverture d'un autre mégacentre de distribution, portant ainsi à 7 le nombre de ses centres de distribution aux États-Unis[19]. Ce septième centre, dans le Sud-Est, dote amazon.com d'une capacité de distribution en sol américain de quelque 325 000 mètres carrés.

La presse économique loue la conception du site Web d'amazon.com et sa vigoureuse politique de croissance. Il n'en demeure pas moins que cette très jeune compagnie a déjà de sérieux problèmes. Sa performance chaotique en bourse (ses actions s'échangent tour à tour à la baisse et à la hausse, entre 19,50 $ et 221 $) indique que les investisseurs doutent d'elle. Heather Clancy, une rédactrice et observatrice dans le domaine des affaires, a déclaré : « J'utilise régulièrement les services d'amazon.com, mais le phénomène “amazon” m'échappe. Peut-être que je ne comprends pas bien la bourse. Ou peut-être sommes-nous dans une nouvelle ère, où c'est la compagnie qui dépense le plus pour acquérir des commerces et des entreprises électroniques qui gagne le plus en bourse[20]. » Les pertes d'amazon.com continuent de s'accumuler, tandis que les ventes poursuivent leur progression. Il viendra un temps où cette rapide croissance nuira plus à la compagnie qu'elle ne l'aidera.

Quand une compagnie attire l'attention en maintenant l'offensive sur le marché, certaines autres peuvent s'en offusquer. En octobre 1998, par exemple, Wal-Mart a poursuivi amazon.com pour violation de secrets commerciaux. Amazon.com avait embauché plusieurs des personnes anciennement employées de Wal-Mart et considérées comme expertes en technologie de l'information[21]. Wal-Mart plaidait qu'en engageant ces personnes bien au fait de ses systèmes de distribution et informatiques, amazon.com s'était rendue coupable de vol de secrets commerciaux. Amazon.com répliqua par une autre poursuite en justice[22]. Un règlement, dont les termes n'ont pas été révélés, est intervenu au printemps 1999. À ce moment-là, Amazon Bookstore intentait une autre poursuite pour imitation de marque contre amazon.com[23]. Cette librairie de Minneapolis possédait le nom depuis 1970 et prétendait que le succès d'amazon.com semait la confusion autour d'elle. Amazon.com prenait conscience du prix de la renommée. Sa visibilité l'exposait à la critique. En février 1999, amazon.com fut dénoncée parce qu'elle avait fait paraître, moyennant rémunération, des critiques littéraires sur des parutions. Certains considéraient cette pratique comme contraire à l'éthique. Jeff Bezos se défendit en soutenant qu'elle équivalait à l'indemnité reçue couramment par les détaillants qui organisent la promotion des livres dans les librairies traditionnelles[24].

L'avenir d'amazon.com est incertain. La compagnie a connu une croissance incroyable. Et, en peu de temps, elle est devenue le symbole du commerce électronique. Cela a surpris certaines compagnies et en a fait la cible d'attaques. Ses pertes accumulées ont de quoi faire frémir la plupart des investisseurs. Pourtant, ces derniers serrent inexplicablement les rangs derrière cette entreprise à peine sortie du nid, un peu comme si rien ne pouvait freiner sa croissance. Ceux qui surveillent amazon.com sont comme des spectateurs regardant évoluer Wayne Gretzky sur la glace : ils sont peu intéressés par l'endroit où se trouve le disque, mais fascinés par l'endroit où il finira sa course.

Pour plus d'informations au sujet de Barnes &Noble, Borders, CDNow, Sotheby et fashionmall.com, rends-toi à l'adresse suivante : www.dlcmcgrawhill.ca.

Discussions

1. Comment qualifierais-tu la stratégie d'affaires d'amazon.com ? Cette compagnie souffre-t-elle de paralysie analytique ? Explique tes réponses.
2. À ton avis, pourquoi Jeff Bezos a-t-il engagé un expert en développement de produits comme nouveau président ?
3. Considère les gammes de produits et les nouvelles ententes conjointes d'amazon.com. Y vois-tu des synergies ? Trouves-tu que les derniers développements d'amazon.com coïncident avec les objectifs d'ensemble de la compagnie ?
4. Selon toi, quel est l'avenir d'amazon.com si l'entreprise poursuit la même démarche stratégique ?

ANNEXE B

LE MARKETING, UN CHOIX DE CARRIÈRE

VENDRE SA CANDIDATURE POUR DÉCROCHER UN EMPLOI

Te voilà sans doute à la fin de ton cours de marketing ou du moins à la fin de ce livre. Le marketing t'intéresse, tu songes même à ce domaine pour décrocher un emploi ou un stage pour l'été. Avec cette annexe, nous allons essayer de te diriger un peu dans ce choix d'une expérience ou d'une carrière en marketing. En premier lieu, nous allons refaire ensemble un survol de différents métiers liés au marketing et pour lesquels tu pourrais postuler. Comme tu t'en doutes, il n'existe pas, en règle générale, de poste qui toucherait l'ensemble du marketing. Chaque poste correspond à une fonction du marketing comme tu les as étudiées dans ce livre : la distribution, la publicité, les ventes, la recherche de nouveaux produits, l'analyse de marché, etc. L'exception, confirmant la règle énoncée précédemment, serait que, seul ou avec des amis, tu lances une petite entreprise. En effet, les PME (petites et moyennes entreprises) n'ont généralement pas les moyens d'avoir plusieurs départements. Il revient donc à une personne, bien souvent le chef de l'entreprise, de jouer à l'homme-orchestre et d'assumer un peu tous les rôles imaginables et nécessaires au développement de l'entreprise.

Une fois que tu auras une meilleure idée des emplois liés au marketing, nous décrirons la démarche de recherche d'emploi ou de stage, un peu à la façon dont une entreprise aborde un nouveau marché. En effet, comme cette dernière, tu peux faire appel à des notions de marketing pour « te mettre en avant sur le marché du travail ». En ce sens, il te faudra mener une étude de marché à partir d'une analyse de tes qualités et des possibilités de travail. Partant de ces données, tu peux choisir un marché cible (les possibilités d'emploi cadrant avec tes domaines d'intérêt, tes objectifs, tes compétences professionnelles et tes aptitudes) et assembler un marketing mix autour de ce marché cible. Puisque tu deviens un produit, tu dois te positionner sur le marché du travail. Le facteur prix de ton marketing mix est le salaire que tu souhaites obtenir. Ta promotion consiste à prendre contact avec les employeurs éventuels au moyen d'une correspondance écrite (ta publicité) et d'entrevues (ta vente personnelle). Le facteur de distribution aborde la manière d'atteindre les employeurs éventuels, par exemple les conseillers en orientation de ton école ou les salons de l'emploi.

Enfin, nous finirons en décrivant les possibilités qui te sont offertes en vue de continuer ta formation en marketing. Il se peut, en effet, que tu veuilles travailler tout de suite, mais que tu t'aperçoives qu'il te manque encore quelques compétences. Aussi, tu estimerais judicieux de poursuivre tes études en marketing au-delà de ce cours, à l'université par exemple, plutôt que de te lancer tout de suite sur le marché du travail. Tout ce que nous aurons dit sur la recherche d'emploi restera encore valable, mais serait repoussé d'une ou plusieurs années. En contrepartie de ce délai, tu ferais l'acquisition de connaissances supplémentaires en marketing pour enrichir ton curriculum vitæ.

LES EMPLOIS CONNEXES AU MARKETING

L'éventail des possibilités professionnelles dans le domaine du marketing se reflète dans les nombreux types d'emplois proposés dans des secteurs aussi différents que l'approvisionnement, la recherche en marketing, les relations publiques et la gestion des produits. Le secteur tertiaire et les organismes sans but lucratif (dont les hôpitaux, les institutions financières, les entreprises des arts de la scène et les divers paliers de gouvernement) manifestent un intérêt croissant à l'égard du marketing. Cet intérêt se traduit par une augmentation des possibilités déjà nombreuses offertes par les employeurs habituels tels que les fabricants, les détaillants, les cabinets d'experts-conseils et les agences de publicité. De plus, les entreprises de haute technologie s'orientant vers les consommateurs, elles font appel à un nombre record de personnes qualifiées en marketing[1]. Ford Canada, la Banque Royale, Nortel, Procter & Gamble, Cisco, IBM Canada, Pillsbury Canada, le cabinet de consultation Deloitte et le groupe Angus Reid, pour n'en nommer que quelques-unes, sont des entreprises canadiennes qui embauchent des diplômés en marketing. La plupart des emplois en marketing offrent un cadre de travail intéressant à celle ou à celui qui cherche à relever des défis aussi stimulants que gratifiants.

Des études portant sur le cheminement de carrière et sur les salaires donnent à penser que les emplois connexes au marketing offrent d'excellentes possibilités d'avancement et une rémunération appréciable. Des enquêtes menées auprès de chefs de la direction de sociétés dont les actions

Chez Procter & Gamble, chaque marque a son directeur ou sa directrice de produit.

sont cotées en bourse, révèlent qu'ils ont généralement fait carrière en marketing et en finance avant d'occuper leur poste de dirigeant. De même, des études sur le salaire initial moyen des diplômés universitaires montrent que la rémunération dans le secteur du marketing se compare favorablement à celle d'autres domaines. Les perspectives d'avenir semblent plus prometteuses encore. Une récente enquête menée au Canada désigne le marketing et les technologies de l'information comme les deux secteurs où l'embauche sera la plus forte au cours des prochaines années. Cette enquête précise que le marketing comptera pour 65 % des embauches des sociétés à but lucratif[2].

Le tableau B.1 présente les principaux emplois connexes au marketing, répartis dans six catégories : la gestion de produits et la distribution, la publicité, le commerce de détail, la vente, la recherche en marketing et le marketing sans but lucratif. L'une de ces sphères de spécialisation pourrait te convenir. À la fin de l'annexe, tu trouveras d'autres sources de renseignements qui pourraient être utiles à ta démarche professionnelle.

La gestion de produits et la distribution

Dans de nombreuses entreprises, on confie un produit à une directrice ou à un directeur. Ainsi, chez Procter & Gamble, chaque marque de détersif a sa direction de produit. Les directrices ou directeurs de produits ou de marques sont présents à chacune des étapes de la mise en marché, qu'il s'agisse de la recherche en marketing, de la vente, de la promotion de vente, de la publicité, de la fixation des prix et même de la fabrication. Les directrices ou directeurs de produits semblables travaillent, en général, sous la supervision de la directrice ou du directeur d'une catégorie de produits et peuvent appartenir à une *équipe de gestion des produits*[3].

Les diplômés universitaires munis de baccalauréats et de maîtrises en marketing et en administration entrent au service de Procter & Gamble à titre d'adjointes ou d'adjoints aux gestionnaires de marques, le seul poste de débutant dans ce secteur. Chaque année, des universitaires du Canada trouvent un emploi chez Procter & Gamble. Ces adjointes ou adjoints aux gestionnaires de marques ont des responsabilités qui touchent surtout la vente et la formation du personnel de vente.

Après une ou deux années de bons services, les adjointes ou les adjoints aux gestionnaires de marques sont promus adjointes ou adjoints aux chefs de marques et, à la suite d'une période de même durée, elles ou ils deviennent chefs de marques ou de produits. En général, cette progression dans la hiérarchie d'une entreprise repose sur plusieurs groupes de marques. Ainsi, les jeunes peuvent entrer au service de Proctor & Gamble à titre d'adjointe ou d'adjoint au gestionnaire des marques de savons et détergents, être promus adjointe ou adjoint au chef de la marque de dentifrice Crest et, par la suite, devenir chef de la marque de café Folger's, du papier hygiénique Charmin ou des couches Pampers. Henry de Montebello explique cette rotation : « À l'avenir, des alliances stratégiques lieront tous les intervenants, et les gestionnaires qui réussiront posséderont une feuille de route bien équilibrée[4]. »

Plusieurs autres emplois connexes à la gestion de produits (voir le tableau B.1) se trouvent dans la distribution. Ils concernent, par exemple, l'entreposage des produits ouvrés (les stocks), la circulation des produits entre l'usine de fabrication et les clients (le transport), le maintien de relations cordiales avec les clients (le service clientèle), et les nombreuses autres facettes de la fabrication et de la vente de marchandises. Les perspectives d'emploi en ce domaine sont susceptibles d'augmenter à mesure que les grossistes s'occuperont davantage de vente et de distribution, et qu'ils s'ouvriront au commerce outre-mer[5].

La publicité

Si la publicité nous interpelle des centaines de fois au cours d'une journée, nous ne voyons jamais ses artisans à l'œuvre. Il s'agit d'un domaine aussi fascinant que complexe. De

LA GESTION DE PRODUITS ET LA DISTRIBUTION

Directrice, directeur de produit Sur l'avis de la direction, et avec son consentement, développe des produits nouveaux destinés au marché de grande consommation, et qui peuvent coûter plusieurs millions de dollars. Il s'agit d'un poste comportant de nombreuses responsabilités.
Directrice, directeur de la gestion intégrée production-distribution Supervise l'organisation du transport des produits pour qu'ils atteignent les consommateurs, et se charge du service à la clientèle.
Chef de l'exploitation Supervise l'entreposage et d'autres fonctions relatives à la distribution ; organise souvent le déplacement des marchandises à l'intérieur de l'entrepôt.
Chef du mouvement et du transport des marchandises Évalue les coûts et les avantages de différents modes de transport.
Chef du contrôle des stocks Prévoit la demande de marchandises de réserve, coordonne la production avec les chefs d'usine et suit l'évolution des expéditions pour assurer l'approvisionnement de la clientèle.
Analyste administratif Effectue l'analyse des coûts reliés aux systèmes de distribution.
Directrice, directeur du service à la clientèle Entretient des relations cordiales avec la clientèle en s'appuyant sur la coordination des interventions du personnel de vente, des gestionnaires du marketing et des gestionnaires de la distribution.
Spécialiste de la distribution physique Organise le transport et la distribution des marchandises.

LA VENTE

Représentante, représentant à domicile Démarche les clientes et les clients éventuels en se présentant à leur domicile.
Représentante, représentant auprès des entreprises Démarche les détaillants ou les grossistes afin qu'ils vendent les produits des manufacturiers.
Représentante, représentant en produits industriels ou semi-techniques Vend du matériel et des services aux entreprises.
Représentante, représentant en produits complexes Vend des produits complexes ou personnalisés aux entreprises. Ce travail fait appel à une très bonne compréhension des caractéristiques techniques et du fonctionnement du produit.

LE MARKETING SANS BUT LUCRATIF

Gestionnaire en marketing Conçoit et dirige des campagnes de publicité directe et des campagnes de financement pour des organismes sans but lucratif, et gère leurs relations publiques.

LA PUBLICITÉ

Chef de la publicité Entretient les contacts avec la clientèle tout en coordonnant le travail de création des graphistes et des rédactrices ou des rédacteurs. Dans les agences de publicité à service complet, les chefs de publicité sont considérés comme les partenaires de la clientèle pour la promotion des produits, et elles ou ils collaborent à l'élaboration des stratégies marketing.
Acheteuse, acheteur de médias Achète aux médias de l'espace et du temps d'antenne, avec les représentantes et les représentants, et analyse la pertinence des médias retenus.
Rédactrice, rédacteur publicitaire Travaille, avec la conceptrice ou le concepteur graphique, à la visualisation d'une annonce et rédige le texte d'un imprimé ou d'une publicité radiophonique, ou les scénarios des messages publicitaires télévisés.
Directrice, directeur artistique Est responsable de l'aspect visuel des publicités.
Directrice, directeur de la promotion de vente Conçoit les promotions relatives aux produits de consommation et travaille en collaboration avec une agence de publicité ou de promotion des ventes.
Directrice, directeur des relations publiques Élabore des messages écrits ou filmés destinés au grand public et se charge des communications avec la presse.
Directrice, directeur de la publicité par cadeaux-primes Élabore des publicités à l'intention du personnel de vente et des consommateurs ou des distributeurs.

LE COMMERCE DE DÉTAIL

Acheteuse, acheteur Choisit les produits qu'un commerce met en vente, sonde les tendances des consommateurs et évalue après coup le rendement des produits et des fournisseurs.
Directrice, directeur de magasin Encadre le personnel et dirige les services offerts dans un établissement de vente.

LA RECHERCHE EN MARKETING

Chargée, chargé de projet Travaille pour un fournisseur ; coordonne et supervise les études de marché pour le compte d'une cliente ou d'un client.
Chargée, chargé de compte Travaille pour un fournisseur ; agit comme agent de liaison entre un client et une firme spécialisée dans la recherche commerciale.
Directrice, directeur de projet interne Agit comme chargée ou chargé de projet (voir ci-dessus) responsable des études de marché de la firme qui l'emploie.
Spécialiste des études de marché Travaille pour une agence de publicité ; exécute ou accorde en sous-traitance des études de marché au nom des agences clientes.

Source : David W. Rosenthal et Michael A. Powell, *Careers in Marketing,* Englewood Cliffs, N. J., Prentice Hall, 1984, p. 352-354. Adapté avec l'autorisation de l'éditeur.

TABLEAU B.1
Vingt-six emplois connexes au marketing

nombreuses firmes offrent des postes de débutants dans la publicité. Les publicitaires avouent candidement être attirés par le caractère non routinier de leur profession et par le travail de création réunissant des êtres dynamiques et passionnés.

Trois types d'entreprises emploient des publicitaires : les annonceurs, les entreprises médiatiques et les agences de publicité. Parmi les annonceurs, on trouve les fabricants, les détaillants, les entreprises du secteur des services et plusieurs autres types de sociétés. Ils disposent souvent de leur propre service de publicité chargé de la préparation des messages publicitaires et du placement média. On peut également faire une carrière de publicitaire dans les médias, que ce soit la télévision, la radio, les magazines ou les journaux. Enfin, les agences de publicité offrent des emplois dans leurs services de gestion des comptes, de recherche, des médias et de création.

Chez un annonceur ou dans une agence de publicité, on est embauché à titre d'adjointe ou d'adjoint à quelqu'un comptant plusieurs années d'expérience. L'adjointe ou l'adjoint à la rédactrice ou au rédacteur publicitaire aide à rédiger le texte ou le message d'une

CARRIÈRES EN MARKETING

Everest Communication Marketing

Everest Communication Marketing est une agence de communication intégrée située à Ottawa depuis 1998. Membre du groupe Draft Québec, cette agence est partenaire du réseau *DraftWorldWide,* un géant mondial de la communication intégrée possédant 46 établissements dans 25 pays.

Everest Communication Marketing offre des services intégrés en communication Elle est donc en mesure d'offrir ses compétences dans toutes les facettes de la communication : publicité, relations publiques, promotion, recherche en stratégie, création, production, commandites ou partenariat, communications interactives et placement dans les médias. Parmi ses clients, on compte notamment la Cité collégiale, le Musée canadien des civilisations et Patrimoine canadien.

Geneviève Le Bel, administratrice de compte

Administratrice de compte chez Everest Communication Marketing, Geneviève Le Bel a toujours aimé la publicité. Après des études universitaires en communication, elle s'est lancée dans cette activité à titre d'adjointe administrative en marketing, puis comme coordonnatrice de compte publicitaire.

Aujourd'hui, son rôle d'administratrice de compte au sein de l'agence consiste principalement à être le point de contact avec la clientèle. La gestion de projet, le contrôle des budgets, le développement, la préparation des plans publicitaires et la consultation stratégique font partie de son quotidien. Brièvement, un administrateur de compte fait la liaison entre le client et l'équipe de création et il communique fréquemment, chez ses clients, avec les responsables des activités publicitaires. Un administrateur de compte est habituellement responsable de un ou de plusieurs clients, selon la taille et les ressources de l'agence. Geneviève Le Bel s'occupe de trois à cinq clients, en fonction du volume et de la durée du travail dans l'année.

Les qualités requises pour accomplir cette tâche sont principalement le sens d'organisation, le tempérament d'un chef, la débrouillardise, la créativité et la diplomatie.

Denis Baby, directeur, service à la clientèle

Au cours des années, Denis Baby a acquis une expérience bien diversifiée. Entre autres, il a travaillé plus de dix ans dans le domaine des relations publiques et de la communication avant son arrivée chez Everest Communication Marketing.

En tant que directeur du service à la clientèle, il négocie directement avec la direction de ses clients. Il est responsable de la gestion des comptes clients. Les tâches spécifiques d'un directeur de service à la clientèle comprennent notamment la planification à long terme de l'agence, l'attribution des ressources humaines nécessaires selon le client et la rentabilité générale des comptes. Il conseille aussi les clients en matière de stratégie de marketing et de communication, et il coopère avec les autres membres de l'agence au développement des campagnes. Le directeur du service à la clientèle est également responsable de l'augmentation du nombre de nouveaux comptes.

Les qualités essentielles pour accomplir cette tâche sont l'esprit de commandement, le sens aigu de l'analyse, l'esprit d'équipe, le sens de l'organisation, le désir de s'impliquer et le goût des responsabilités.

Geneviève Le Bel et Denis Baby

annonce. L'adjointe ou l'adjoint à une directrice ou un directeur artistique prend part à la conception des éléments visuels d'une annonce. Les postes de débutants dans les médias concernent l'achat des espaces médiatiques diffusant une annonce, journaux et magazines, par exemple, ou la vente de temps d'antenne à la radio et à la télévision. Afin d'être promu à des postes de responsabilité, on doit manifester des aptitudes pour la planification, avoir une vue d'ensemble et être en mesure de repérer rapidement une idée qui aura un impact. Les personnes que la publicité intéresse doivent affiner leur talent pour la communication et peuvent prendre de l'expérience dans le cadre de stages ou d'emplois d'été dans une agence de publicité.

La vente au détail

On peut faire carrière dans deux domaines distincts de la vente au détail : la gestion de marchandises ou la gestion d'un établissement (voir le tableau B.2). Le principal poste dans la gestion de marchandises est celui d'acheteuse ou d'acheteur. Cette fonction consiste à choisir les marchandises, à tracer les grands axes de leur promotion, à fixer les prix, à négocier avec les grossistes, à former le personnel de vente et à surveiller étroitement la concurrence. Une acheteuse ou un acheteur doit être en mesure de mettre sur pied et de coordonner plusieurs activités primordiales à l'intérieur de délais établis. À l'opposé, la gestion d'un établissement se traduit par la supervision du travail des employés de tous les rayons et la gestion générale de toutes les installations, du matériel et de la présentation des marchandises. De plus, une directrice ou un directeur d'établissement est responsable du rendement économique de chacun des rayons et du magasin dans son ensemble. Parmi les postes de cet ordre, notons ceux de gestionnaire régional, de chef régional et de vice-présidente ou de vice-président divisionnaire[6].

On offre surtout des postes de stagiaires aux débutants dans le commerce de détail. En général, on inscrit un stagiaire à un programme de formation en gestion, après quoi on lui confie un poste d'adjointe ou d'adjoint à une acheteuse ou un acheteur ou à un chef de rayon. On peut rapidement progresser et se voir attribuer davantage de responsabilités en raison d'un manque d'employés qualifiés dans le commerce de détail et parce que le chiffre d'affaires et les bénéfices, deux marques visibles de la réussite, témoignent presque immédiatement du rendement d'un individu.

La vente

Les postes connexes à la vente attirent les diplômés des collèges et des universités dans de nombreuses disciplines en raison de leur caractère de plus en plus professionnel et des nombreuses possibilités qu'ils offrent. Une carrière dans la vente procure des avantages que l'on trouve difficilement dans d'autres domaines : la possibilité de progresser rapidement dans l'échelle hiérarchique (vers l'administration ou vers de nouveaux territoires ou de nouveaux clients), l'éventualité d'une rémunération très alléchante, le sentiment de réalisation et de satisfaction personnelle, et une meilleure confiance en soi. Une telle carrière offre de l'autonomie, puisque la plupart des représentants commerciaux gèrent

TABLEAU B.2
Cheminement caractéristique d'une personne intéressée par la vente au détail

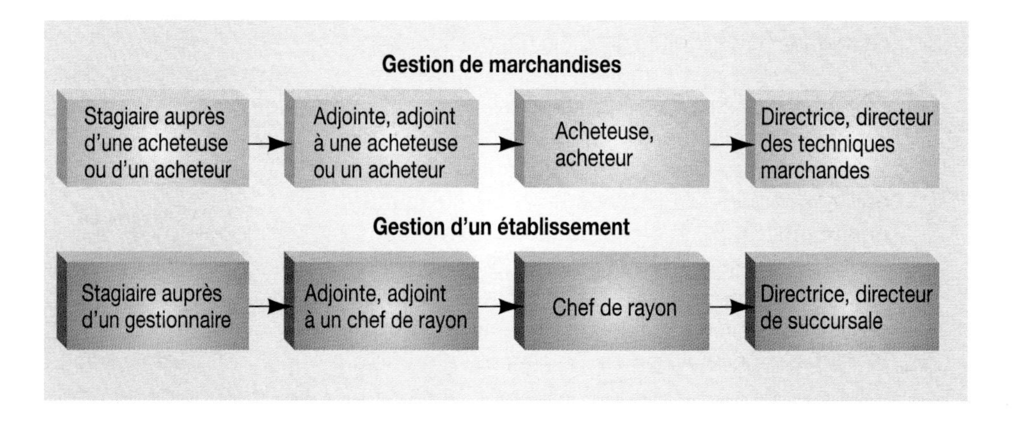

comme ils l'entendent leur emploi du temps et leurs activités. Deux voies se présentent maintenant aux personnes désireuses de faire carrière dans la vente ; la première a trait à la gestion et à l'administration, la seconde, à la vente proprement dite.

On trouve un emploi dans la vente dans plusieurs types d'entreprises : les compagnies d'assurances, les commerces de détail et les entreprises de services financiers. Le travail d'une représentante ou d'un représentant est axé sur la *fonction de vente,* c'est-à-dire le démarchage (sollicitation de la clientèle à son domicile), la démonstration du produit et l'établissement des prix. Le travail porte également sur la *fonction de soutien des ventes,* qui englobe, par exemple, la réception des plaintes et la résolution des problèmes de la clientèle. Enfin, cette activité touche les *fonctions autres que la vente,* comme la rédaction de rapports, la participation aux réunions de l'équipe de vente et la surveillance des activités de la concurrence. La prospérité de l'entreprise repose sur des représentantes et des représentants commerciaux qui peuvent bien s'acquitter de ces diverses tâches.

CARRIÈRES EN MARKETING

Les aliments M&M ltée (*M&M Meat Shops*)

Établie à Kitchener en Ontario, M&M est la plus importante chaîne de détaillants de produits alimentaires surgelés au Canada. Elle compte plus de 350 points de vente au Canada, dont 192 en Ontario. Depuis sa fondation en 1980, M&M demeure le chef de file du marché des aliments surgelés et, pour une deuxième année consécutive, l'entreprise a été désignée comme l'une des 50 sociétés les mieux gérées du Canada.

Lyne et Louis Lahaie, franchisés

Avant de se lancer dans le domaine de l'alimentation, Lyne et Louis Lahaie menaient, à Rockland, des carrières bien différentes. Lyne travaillait dans un bureau en tant qu'adjointe administrative et Louis était membre de la Gendarmerie royale du Canada. Ils connaissaient déjà depuis un certain temps les aliments M&M et s'y rendaient souvent pour se procurer des aliments sains, nutritifs et faciles à préparer. Lyne et Louis appréciaient les produits M&M à un point tel qu'un jour, ils décidèrent de changer de carrière, de se lancer en affaires et d'effectuer une demande de franchise.

Après avoir été sélectionnés en tant que franchisés par M&M, Lyne et Louis se rendent au siège social de l'entreprise où ils reçoivent une formation en ressources humaines, en marketing, en gestion, en construction, en comptabilité et en vente au détail. À la suite de cette formation, ils reviennent à Rockland et, en 1996, ils ouvrent leur premier commerce d'alimentation M&M. L'expérience leur plaît tellement, qu'en 2000, ils décident d'ouvrir une deuxième succursale à Ottawa.

Se lancer en affaires dans le domaine de la vente au détail exige de nombreuses qualités. Il faut avoir de bonnes aptitudes pour communiquer, savoir écouter le client et comprendre ses besoins. Il faut également aimer travailler en équipe, avoir le sens de l'équité, être méthodique et avoir une connaissance approfondie du produit que l'on vend.

Une entreprise de vente au détail comme M&M accorde beaucoup d'importance au service à la clientèle. En ce sens, le vendeur doit agir à titre de conseiller et ne pas se limiter à prendre la commande. Il doit engager la conversation avec le client, lui suggérer des produits susceptibles de l'intéresser et même lui proposer de faire une dégustation. Selon Lyne et Louis Lahaie, la qualité des aliments et du service à la clientèle sont les deux éléments clés de la réussite dans ce domaine.

Pour plus d'informations au sujet de M&M, rends-toi à l'adresse suivante : www.dlcmcgrawhill.ca.

Le marketing direct enregistre en ce moment une croissance très marquée de l'embauche. L'intérêt pour les technologies de l'information, le marketing personnalisé et le marketing intégré supposent un contact soutenu avec la clientèle. En ce sens, de nombreuses firmes doivent déployer davantage d'efforts au plan du télémarketing, alors que d'autres doivent accorder davantage de temps aux relations avec la clientèle.

La recherche en marketing

Les personnes chargées de recherches en marketing occupent désormais une place importante dans la structure d'une entreprise. Il leur incombe de recueillir, d'analyser et d'interpréter les données qui serviront ensuite à prendre les décisions qui s'imposent sur le plan du marketing. Pour l'essentiel, les chercheuses et les chercheurs en marketing s'occupent de résoudre les problèmes. La réussite en ce domaine tient à une bonne compréhension des statistiques et de l'informatique, à des connaissances étendues sur la commercialisation et à un talent en communication quand il s'agit de s'adresser à la direction[7]. Les personnes curieuses et méthodiques, ayant un bon esprit d'analyse et centrées sur la recherche de solutions, réussissent bien dans cette carrière.

Parmi les responsabilités des personnes chargées de recherches en marketing, on trouve la définition de problèmes, la conception de questionnaires, le choix d'échantillons, la récolte et l'analyse de données et, enfin, la rédaction de rapports de recherche. Trois types d'entreprises offrent de tels emplois. Les *sociétés d'experts-conseils en marketing* effectuent de la recherche sur les produits et les services pour le compte de grandes entreprises[8]. Les *agences de publicité* peuvent offrir des services de recherche à leur clientèle aux prises avec des problèmes relevant de la publicité ou de la promotion. Enfin, certaines sociétés ont une *équipe de recherche interne* chargée de concevoir et d'exécuter les projets de recherche. Les emplois caractéristiques en ce domaine sont ceux de directrice, de directeur, de statisticienne, de statisticien, d'analyste, de directrice ou de directeur des stagiaires et d'intervieweuse ou d'intervieweur[9].

Si les chargées ou chargés de recherches en marketing entrent dans la carrière à titre d'adjointe ou d'adjoint à qui l'on confie des tâches routinières, ils sont vite investis de plus grandes responsabilités. La structure des enquêtes, la conduite d'entrevues, la rédaction de rapports et les diverses facettes de la recherche font une carrière stimulante. De plus, les projets de recherche touchent en général des enjeux aussi différents que la motivation des consommateurs, la fixation des prix, la prospective et la concurrence. Une enquête réalisée auprès de firmes de recherche montre que les gens qui mènent une carrière fructueuse dans ce milieu ont un don pour la communication écrite, orale et interpersonnelle, qu'ils maîtrisent l'art de la statistique et de l'analyse, qu'ils savent structurer une recherche et qu'ils ont un esprit logique. Cette même enquête établit également qu'une expérience en milieu de travail (par exemple, un stage) apparaît comme le complément idéal à l'acquisition de connaissances théoriques[10].

BRANCHEZ-VOUS !

L'Association professionnelle de recherche en marketing, association sans but lucratif, vise à encourager le développement de meilleures pratiques dans le domaine du marketing et, plus particulièrement, dans le cadre de la recherche marketing. L'Association vise aussi à promouvoir le marketing auprès de publics divers allant des entreprises à l'État en passant par les consommateurs. Elle donne également des cours à propos des différentes méthodes de recherche utilisées en marketing.

Pour plus d'informations au sujet de l'Association professionnelle de recherche en marketing, rends-toi à l'adresse suivante : www.dlcmcgrawhill.ca.

Les carrières internationales

La plupart des postes dont il vient d'être question se trouvent aussi à l'échelle internationale, entre autres auprès de transnationales canadiennes, de petites et moyennes entreprises faisant de l'exportation et dans les franchises. Le cabinet de relations publiques internationales Burson-Marstellar, par exemple, a des bureaux à New York, Sydney, Copenhague et Bangkok. Une entreprise telle que Blockbuster Entertainment connaît une expansion qui déborde le cadre nord-américain. Les changements qui marquent l'Europe et la nécessaire reconstruction des économies des pays de l'ancienne Union soviétique présenteront certaines possibilités à exploiter. Il est également possible de faire alterner des périodes de travail à l'étranger avec des retours au siège social. Et on peut également travailler au Canada pour le compte d'une entreprise étrangère.

Les personnes intéressées à travailler à l'étranger doivent savoir évoluer sur la scène mondiale. Elles doivent, de plus, avoir le don des langues et s'intéresser aux cultures étrangères. Une description du Conference Board du Canada est éloquente à ce sujet :

> Les gestionnaires émérites de demain parleront probablement le japonais et l'anglais, auront de solides assises à Bruxelles et des contacts dans la région du Pacifique, et connaîtront les cafés et les bars de Singapour.

Dans plusieurs entreprises, on estime que l'expérience de la scène internationale est un critère de promotion et d'avancement professionnel[11].

Voici quelques exemples de carrières reliées au marketing que tu peux trouver sur Internet. N'hésite pas non plus à consulter ses divers liens pour mieux comprendre certains domaines du marketing. Que les exemples soient ontariens ou non, tu devrais en apprendre beaucoup.

Pour plus d'informations au sujet des collèges de l'Ontario, rends-toi à l'adresse suivante : www.dlcmcgrawhill.ca

Sur le site des collèges de l'Ontario, tu trouveras les expériences de différents diplômés ontariens, entre autres du domaine du marketing, de la vente au détail, de la publicité et du design, ainsi que du commerce dans les PME.

Pour plus d'informations au sujet d'info-carrières, rends-toi à l'adresse suivante : www.dlcmcgrawhill.ca

Le site d'info-carrières est un peu similaire au précédent. Il permet de t'orienter après tes études secondaires et il présente de nombreux exemples de professions reliées au marketing : acheteuse ou acheteur, agente ou agent de publicité, aide en publicité, directrice ou directeur des ventes ou encore vendeuse ou vendeur de publicité.

Pour plus d'informations au sujet d'Emploi-Avenir Ontario et de Ressources Humaines Canada, rends-toi à l'adresse suivante : www.dlcmcgrawhill.ca

Le site d'Emploi-Avenir Ontario te décrit de très nombreuses professions avec leurs fonctions principales, les études nécessaires pour y accéder, les perspectives d'emploi, les revenus en début et en cours de carrière, ainsi que des liens pour approfondir tes connaissances. Les mêmes informations sont disponibles à l'échelle du Canada sur le site de Ressources Humaines Canada où tu peux constater que le domaine du marketing est bien placé par rapport aux autres secteurs !

Pour plus d'informations au sujet de sectorieldetail.qc.ca, rends-toi à l'adresse suivante : www.dlcmcgrawhill.ca

Le site sectorieldetail.qc.ca est développé au Québec. Il recèle une foule d'informations, des vidéos, des publications et beaucoup d'autres renseignements utiles pour une carrière dans le monde du détail.

Te voilà renseigné sur les différents postes ouverts en marketing. Tu souhaites peut-être décrocher un emploi dans un de ces domaines ou simplement y trouver un stage qui te permettrait de mieux le connaître. Tu peux aussi vouloir commencer une carrière. Il te reste à passer à l'étape suivante (et non la moindre !) : chercher et trouver un emploi.

La recherche d'emploi se fait, comme nous l'avons mentionné dans l'introduction de cette annexe, un peu comme une analyse de marché. La première étape est de bien te connaître toi-même, de savoir ce que tu as à offrir à un employeur potentiel : tes forces, tes faiblesses, tes compétences, les atouts qui te démarquent des autres candidates ou candidats et font de toi la personne unique et idéale à employer. Nous commencerons donc par voir comment tu peux réaliser cette évaluation personnelle. Ensuite, il faudra aussi que tu connaisses bien le marché de l'emploi dans ta région ou celui de la région où tu désires travailler, afin de déterminer les possibilités existantes d'embauche, autrement dit la demande. Enfin, viendra le temps où l'offre (toi) et la demande (un employeur) devront se rencontrer. Nous aborderons donc les moyens de contacter un employeur : par écrit et en face-à-face. Passons en revue ces différents éléments.

LA RECHERCHE D'UN EMPLOI

Lorsque tu seras à la recherche d'un emploi, tu auras intérêt à procéder à une évaluation objective de ta candidature avant de définir les offres à retenir, de rédiger ton curriculum vitæ et la correspondance s'y rattachant, et de te présenter aux entrevues auxquelles on te conviera.

L'évaluation personnelle

Comme toujours, tu dois bien connaître ton produit, c'est-à-dire toi-même, afin de le commercialiser adroitement auprès des employeurs éventuels. En conséquence, tu dois, avant toute chose, procéder à une autoanalyse critique des critères suivants : tes centres d'intérêt, tes compétences, ton niveau d'éducation, ton expérience de travail, ta personnalité, le cadre de travail que tu souhaites et tes objectifs personnels[12]. Un conseiller en gestion a souligné ainsi l'importance d'une telle évaluation[13] :

> De nombreux diplômés se retrouvent en milieu de travail sans même avoir conscience de leurs particularités et sans connaître les compétences et les motivations qui leur sont propres [...] Une telle ignorance a de tragiques répercussions. À défaut de savoir qui ils sont, la plupart des diplômés sont condamnés à occuper trop longtemps des postes qui ne leur conviennent pas [...] Il est essentiel de bien se connaître afin de bien diriger sa carrière.

S'interroger sans détour Lorsqu'on procède à une autoanalyse, on doit se poser des questions existentielles qui demandent parfois de la réflexion avant que naisse une réponse (voir le tableau B.3). Il est essentiel que tu y répondes avec franchise puisque tes réponses te serviront de repères dans ta recherche d'un emploi[14]. Une évaluation qui ne serait pas intègre te servirait mal, car elle pourrait mener à un mauvais choix de carrière.

Déterminer ses forces et ses faiblesses Après t'être posé les questions du tableau B.3, tu es en mesure de déterminer tes forces et tes faiblesses. Pour ce faire, trace un trait vertical au centre d'une feuille et intitule un des côtés « Forces » et l'autre « Faiblesses ». En te fondant sur tes réponses, note tes points forts et tes points faibles dans l'une ou l'autre des colonnes. Idéalement, tu devrais procéder à cet inventaire sur une période de quelques jours pour t'accorder un temps de réflexion. De plus, tu pourrais demander l'avis de tes proches qui te connaissent bien (par exemple, tes parents, des membres de ta famille, des amis, des professeurs ou ton employeur) et qui peuvent présenter un point de vue plus objectif. Ils pourraient même répondre aux questions de l'autoanalyse et tu pourrais comparer leurs réponses aux tiennes. Le tableau B.4 présente une liste de forces et faiblesses fictives.

Quelles sont les aptitudes les plus importantes ? Bien sûr, la réponse varie selon le métier et l'employeur à qui on pose la question. Toutefois, des études récentes montrent que les employeurs valorisent les aptitudes pour la résolution de problème, la communication, l'établissement de liens interpersonnels, l'analyse et l'informatique, ainsi que l'autorité personnelle. Parmi les caractéristiques personnelles que les employeurs espèrent trouver chez un candidat, il y a l'honnêteté, l'intégrité, la motivation, l'initiative, la confiance en soi, la souplesse et l'enthousiasme. Enfin, la plupart des employeurs recherchent les candidates ou les candidats qui ont une forme quelconque d'expérience professionnelle, qu'elle ait été acquise lors d'un stage ou dans un travail coopératif[15].

Des tests d'aptitude professionnelle On offre souvent dans les écoles secondaires, les collèges et les universités des tests de personnalité ou d'intérêt professionnel dont les résultats permettent de mieux se connaître. Après que l'on a passé le test et que les résultats sont notés, on rencontre les conseillers afin de discuter des conclusions que l'on peut en tirer. En général, on s'appuie sur de telles conclusions pour déterminer les voies professionnelles qui s'ouvrent aux candidates et aux candidats, compte tenu de leurs intérêts. Deux tests sont habituellement proposés au niveau collégial, le test d'inventaire des intérêts particuliers et le test d'habileté et d'intérêts Campbell. Dans quelques centres

CENTRES D'INTÉRÊT

Quels sont mes passe-temps ?
Est-ce que je recherche la compagnie d'autrui ?
Est-ce que j'ai un bon rapport avec la mécanique et avec les machines ?
Est-ce que j'aime manier les chiffres ?
Suis-je membre d'une ou de plusieurs associations ?
Est-ce que j'apprécie l'activité physique ?
Est-ce que j'aime la lecture ?

APTITUDES

Est-ce que je sais manier les chiffres ?
Est-ce que je sais travailler avec un ordinateur ?
Est-ce que j'ai de bonnes aptitudes pour la communication orale et écrite ?
Quelles sont mes aptitudes particulières ?
Quelles sont les compétences que je souhaite parfaire ?

ÉDUCATION

En quoi les cours que j'ai suivis et mes activités parascolaires m'ont-ils préparée, préparé pour un emploi particulier ?
Quelles matières étaient mes points forts ? Celles où j'avais des faiblesses ? Les plus et les moins amusantes ?
Ma note pondérée constitue-t-elle un reflet fidèle de mes compétences scolaires ? Pourquoi ?
Est-ce que je souhaite détenir un diplôme universitaire supérieur ? En détenir un avant d'entrer sur le marché du travail ?
Pour quelles raisons me suis-je spécialisée, spécialisé dans cette matière ?

EXPÉRIENCE

Quels sont les emplois que j'ai déjà occupés ? Quelles étaient mes responsabilités ?
Quels postes de stagiaire ou en travail coopératif ai-je occupés ? Quelles étaient mes responsabilités ?
Quels postes de bénévole ai-je occupés ? Quelles étaient mes responsabilités ?
L'un de mes postes ou emplois précédents a-t-il un rapport avec ce que je cherche à présent ? Sous quel angle ?
Qu'est-ce qui me plaisait le plus de mes emplois précédents ? Qu'est-ce qui me plaisait le moins ?
Si c'était à refaire, est-ce que j'accepterais ces emplois ? Pourquoi ?

PERSONNALITÉ

Quels sont mes traits de caractère positifs et négatifs ?
Est-ce que j'ai l'esprit de compétition ?
Est-ce que j'aime travailler en équipe ?
Est-ce que j'ai mon franc-parler ?
Suis-je un chef ou une suiveuse, un suiveur ?
Est-ce que je peux travailler sous pression ?
Est-ce que je travaille avec rapidité ou avec méthode ?
Est-ce que je suis sociable ?
Est-ce que j'ai de l'ambition ?
Est-ce que je travaille bien indépendamment des autres ?

CADRE DE TRAVAIL SOUHAITÉ

Est-ce que j'accepterais de déménager ? Pourquoi ?
Y a-t-il une région que je préfère ? Pour quelle raison ?
Est-ce que je consens à effectuer des déplacements professionnels ?
Faut-il, pour ma satisfaction personnelle, que je sois embauché par une grande firme internationale ?
Le poste que j'accepterai devra-t-il vite conduire à une promotion ?
Si je pouvais définir mon métier, quelles en seraient les caractéristiques ?
Quelle importance accorderai-je à un salaire de départ élevé ?

OBJECTIFS PERSONNELS

Quels sont mes objectifs à court et à long terme ? Pour quelles raisons ?
Suis-je avant tout attiré par la réussite personnelle ou mes centres d'intérêt vont-ils au-delà du travail ?
Quels sont mes objectifs sur le plan professionnel ?
Quels sont les emplois susceptibles de m'aider à les atteindre ?
Où voudrais-je me trouver dans cinq ans ? Dans dix ans ?
Qu'est-ce que je souhaite tirer de l'existence ?

TABLEAU B.3
Questions servant à une autoanalyse

de conseils, on propose également l'indicateur de type Myers-Briggs, à l'aide duquel on peut déterminer les professions susceptibles de correspondre à la personnalité d'une candidate ou d'un candidat[16]. Si ce n'est déjà fait, tu pourrais te renseigner auprès du service d'orientation de ton école sur les possibilités de passer ce genre de tests.

Déterminer les possibilités d'emploi

Afin de connaître et d'analyser le marché de l'emploi, il faut mener une étude de marché. Tu peux ainsi déterminer les secteurs industriels *et* les entreprises qui offrent des emplois pouvant correspondre à ton profil. Pour ce faire, tu disposes de plusieurs ressources. En voici quelques-unes.

Les conseillers en orientation de ton école Les conseillers en orientation de ton école sont une mine de renseignements sur les emplois proposés. Le service à l'élève de ton école saura te conseiller sur tes perspectives de carrière à court et à long terme, te

TABLEAU B.4
Liste des forces et faiblesses d'une candidate fictive ou d'un candidat fictif

FORCES	FAIBLESSES
Je suis sociable.	Je n'aime pas travailler avec un ordinateur.
Je suis une lectrice, un lecteur passionné.	Mon expérience professionnelle est mince.
J'ai du talent pour la communication.	Ma moyenne scolaire est médiocre.
Je participe à plusieurs activités parascolaires.	Je suis parfois impatiente, impatient.
Je travaille bien en équipe.	Je déteste être dirigée, dirigé de trop près.
Je travaille bien seul.	Je travaille de façon méthodique (lentement).
Je suis honnête et fiable.	Je ne veux pas déménager.
Je consens à me déplacer.	Je m'emporte facilement, parfois.
Je résous facilement des problèmes.	Je ne suis pas assez centrée, centré sur le client.
J'ai le sens de l'humour.	
J'ai de l'initiative et de la motivation.	

montrer comment rédiger un curriculum vitæ, évaluer tes forces et tes faiblesses au cours d'une entrevue et ils t'aideront à étudier une offre d'emploi. De plus, les conseillers en orientation te proposeront de nombreux documents portant sur diverses industries et entreprises, de même que des trucs et astuces à l'intention de la chercheuse ou du chercheur d'emploi.

Pour plus d'informations au sujet du ministère canadien du Développement des ressources humaines, rends-toi à l'adresse suivante : www.dlcmcgrawhill.ca

Services de placement en ligne Aujourd'hui, moins d'entreprises pratiquent le recrutement sur les campus. Elles s'en remettent plutôt à des services de placement en ligne à partir desquels elles affichent les offres d'emploi et demandent aux candidates et aux candidats des renseignements supplémentaires. Le ministère canadien du Développement des ressources humaines s'est doté d'un site Web consacré à la recherche d'emplois. Le Service de placement électronique met en communication les employeurs ayant des postes à pourvoir et les chercheuses ou les chercheurs d'emplois, beaucoup plus rapidement que les méthodes habituelles. Tu peux faire appel à ce service pour trouver un emploi partout au Canada. Si tu n'as pas de connexion à Internet, tu peux probablement te servir d'un ordinateur dans une bibliothèque ou à ton école.

La bibliothèque Tu trouveras dans une bibliothèque publique, universitaire ou dans celle de ton école des ouvrages de référence qui traitent des firmes prospères et de leur exploitation, décrivent les tâches propres à divers postes et publient les prévisions sur les perspectives d'emploi. Ainsi, le magazine *The Financial Post* publie un rapport sur les 500 plus importantes sociétés canadiennes et sur leurs chiffres d'affaires et bénéfices respectifs. Dun & Bradstreet publie l'annuaire des entreprises présentes au Canada. Une ou un libraire peut t'indiquer les publications utiles dans le cadre de ta recherche d'emploi ou de stage.

Les petites annonces Un simple coup d'œil à la section des petites annonces consacrées aux offres d'emplois donne un aperçu de la situation. Les journaux régionaux, ceux des collèges ou des universités, les publications destinées aux professionnels et les magazines spécialisés dans les affaires ont tous une section d'annonces classées où paraissent en général les offres d'emplois, souvent de premier échelon. La lecture de ces annonces te donnera une idée des postes offerts, des exigences qui y sont rattachées et des désignations de fonction. Tu verras quel type d'entreprise offre tel type d'emploi, les différentes échelles de rémunération, etc.

Les agences de placement Une agence de placement t'orientera vite vers les emplois inoccupés, car elle peut puiser à un grand nombre de sources à partir d'une base de données informatiques. Plusieurs agences se spécialisent dans une sphère d'activité, la vente et le marketing par exemple. Faire appel à une agence de placement compte plusieurs avantages. Cela réduit notamment les frais relatifs à la recherche d'un emploi, car elle met en rapport

les chercheurs et les employeurs. Elle dispose souvent d'un répertoire d'emplois exclusifs qui échappent à celles et à ceux qui ne font pas appel à ses services. Elle accomplit une bonne partie de la recherche d'emploi au nom de la candidate ou du candidat et elle s'efforce de décrocher un poste qui cadre avec les qualifications professionnelles et les intérêts de sa clientèle. Les agences de placement ont souvent mauvaise réputation en raison des pratiques douteuses de quelques-unes. Informe-toi auprès du Bureau d'éthique commerciale du Canada ou de tes relations professionnelles avant de fixer ton choix.

Les relations personnelles Les relations personnelles, une importante source de renseignements, sont souvent négligées par les étudiants en quête d'un emploi. Quelques-unes de tes connaissances sont peut-être au courant d'une possibilité d'emploi. Aussi, ferais-tu mieux de dire à tous que tu es à la recherche d'un emploi. Tes parents et amis peuvent t'aider à trouver un emploi. Les instructeurs que tu connais bien et tes relations professionnelles peuvent te renseigner sur les postes inoccupés et t'aider à décrocher une entrevue de sélection avec un employeur éventuel. Ils peuvent également favoriser une rencontre informative avec un employeur éventuel qui n'a pas, pour l'instant, de poste à combler. Ce genre d'entrevue te permettra d'en apprendre davantage au sujet d'un employeur ou d'un secteur industriel, ce qui sera à ton avantage lorsqu'un poste se libérera. Tu ferais bien de confier ton curriculum vitæ à toutes tes relations personnelles afin qu'elles puissent le transmettre à quiconque serait à la recherche de candidats. Les associations étudiantes sont également de bonnes sources de renseignements en la matière, en particulier celles qui collaborent étroitement avec le monde des affaires. Les antennes régionales d'organismes commerciaux et professionnels sauront également te renseigner. Tu devrais établir un premier contact avec le bureau de la présidence des sections locales pour obtenir l'aide de tels organismes. Au cours des années 1990, la plus forte croissance de l'emploi s'est remarquée chez les petits employeurs pour qui les contacts personnels sont la principale source de recommandation[17].

Le contact direct Bien sûr, on peut obtenir des renseignements au sujet de l'emploi par un contact direct, c'est-à-dire en communiquant avec les employeurs (soit par écrit, soit par téléphone) pour leur signaler qu'on aimerait éventuellement travailler pour eux. Il n'est pas nécessaire pour cela que des postes soient inoccupés dans leurs entreprises. Si tu communiques par écrit avec un employeur éventuel, tu devrais d'abord lui faire parvenir ton curriculum vitæ accompagné d'une lettre de présentation. L'objectif d'un contact direct consiste à décrocher une entrevue.

Curriculum vitæ et entrevue, voilà deux mots qui sont revenus souvent dans la démarche de recherche d'emploi dont nous venons de parler. À quoi servent-ils ? Ils te permettent d'entrer en contact avec un employeur potentiel, que ce soit par écrit avec le curriculum vitæ ou en face-à-face avec l'entrevue. Il va sans dire que tu dois faire une bonne impression lors de ce premier contact, car c'est de lui que dépend ton embauche. Pour mettre toutes les chances de ton côté, il faut que tu prépares bien ce contact. C'est ce dont nous allons parler maintenant.

La rédaction d'un curriculum vitæ

Un curriculum vitæ est un document qui précise aux employeurs éventuels qui tu es. L'employeur qui parcourt un curriculum vitæ a deux questions en tête : quel est le profil de cette candidate ou de ce candidat et que peut-elle, ou peut-il faire pour l'entreprise ? Il est indispensable de rédiger un curriculum qui tient compte de ces questions et qui te présente sous un jour favorable.

Le curriculum vitæ Un curriculum vitæ bien structuré présente en général jusqu'à neuf rubriques : 1) l'identification (nom, adresse et numéro de téléphone) ; 2) l'objectif professionnel ; 3) le niveau d'instruction ; 4) les activités parascolaires ; 5) l'expérience de travail ; 6) les aptitudes ou habiletés (en lien avec le type de l'emploi qui est visé) ; 7) les réalisations ; 8) les centres d'intérêt personnels ; et 9) les références personnelles. Il n'existe pas de structure universelle de curriculum, mais on en compte trois qui sont fréquemment utilisées : le curriculum chronologique, le curriculum par sphères de compétence et le curriculum orienté. Un curriculum *chronologique* présente l'expérience de travail et les études en fonction de leur déroulement dans le temps. Si tu as occupé plusieurs emplois ou étudié dans plusieurs collèges ou universités, cette formule te permettra de mettre en relief tes réalisations. Un curriculum par *sphères de compétence* regroupe tes aptitudes selon des catégories qui mettent tes forces en évidence. Cette formule te convient particulièrement si tu n'as aucune ou très peu d'expérience dans le domaine qui t'intéresse. Un curriculum *orienté* porte sur tes compétences pour un emploi particulier. Cette dernière formule convient quand on sait quel emploi on souhaite occuper et que l'on est qualifié pour l'obtenir. Cependant, quelle que soit la formule que tu retiendras, tu devras inclure des renseignements quantitatifs sur tes réalisations et ton expérience professionnelle, par exemple, « hausse de 20 % du chiffre d'affaires l'année où j'ai dirigé une boutique de vêtements au détail ». Le tableau B.5 présente un curriculum vitæ établi selon l'ordre chornologique[18].

La nouvelle technologie demande une forme de curriculum électronique. La version papier, comme on la connaît, peut être facilement acheminée par télécopieur, mais la

TABLEAU B.5
Exemple de curriculum vitæ chronologique

Adresse sur le campus (jusqu'au 1er juin 2000) :
App. 2B, Elm Street Appartments
College Town (Ontario) M1B 0A7
Téléphone : (416) 555-1648
Courriel : asvalois@ou.edu

Adresse résidentielle :
123, rue du Bord de mer
Vancouver (C.-B.) V6C M1B
Téléphone : (613) 555-4995

ÉTUDES UNIVERSITAIRES

Bachelière en administration des entreprises, Université Oméga, 2000, note globale pondérée de 3,3 et de 3,6 en administration.

EXPÉRIENCE DE TRAVAIL

J'ai payé 70 % de mes frais de scolarité grâce aux emplois à temps partiel et estivaux suivants.

Secrétaire juridique, cabinet d'avocats Smith, Lee & Jones, Burnaby, C.-B., été 1998

- Je prenais la dictée et transcrivais les actes de procédure enregistrés sur dictaphone.
- Je dactylographiais les contrats et autres documents juridiques.
- J'ai réorganisé les dossiers clients pour en faciliter la consultation.
- Je répondais au téléphone et je filtrais les appels des associés.

Commis, librairie de l'université, College Town, années scolaires 1997-1998, 1998-1999

- Je conseillais les clients dans le choix des livres.
- Je remettais de l'ordre dans les rayons et j'aidais les étalagistes.
- Je participais à l'inventaire de fin d'exercice.
- J'assumais les responsabilités de la gérante lorsqu'elle était malade ou en vacances.

Gérante adjointe, boutique de cadeaux Treasure Place, Vancouver, vacances de Noël et d'été, 1996 à 1999

- Je supervisais le travail de deux commis.
- Je participais à la sélection des marchandises dans les foires commerciales.
- J'étais en charge de la comptabilité quotidienne.
- Je travaillais bien malgré la pression pendant les périodes d'achalandage.

ACTIVITÉS PARASCOLAIRES

- J'ai été élue capitaine de l'équipe de tennis féminin à deux reprises.
- J'ai travaillé comme journaliste et rédactrice de nuit pour le journal de l'université pendant deux ans.

CENTRES D'INTÉRÊT

- Je collectionne les horloges antiques, j'écoute du jazz, je pratique la natation.

RÉFÉRENCES FOURNIES SUR DEMANDE

plupart des spécialistes en placement conseillent à leur clientèle de prévoir une version électronique. En effet, les ordinateurs ne lisent pas les documents comme nous le faisons. Il faut donc préparer une version électronique de son curriculum (à l'aide d'un jeu de caractères courant au corps bien lisible, sans italique ni graphique, ni ombrage, ni trait de soulignement ou vertical) afin de profiter au maximum des possibilités offertes par le réseau télématique mondial. On lance le recrutement en ligne à l'aide de mots clés, aussi faut-il en prévoir quelques-uns et éviter les abréviations[19].

La lettre de présentation La lettre qui accompagne un curriculum vitæ, ou lettre de présentation, est la carte de visite de la candidate ou du candidat qui postule un emploi. Elle doit donc capter l'intérêt du lecteur, à défaut de quoi il ne poussera pas la curiosité jusqu'à lire le curriculum avec soin. Quand tu rédiges la lettre de présentation d'un curriculum vitæ, tu dois tenir compte des critères suivants[20] :

- elle doit être adressée à un destinataire nommément désigné ;
- elle doit préciser le poste pour lequel tu présentes ta candidature et le moyen par lequel tu as su qu'il était libre ;
- elle doit indiquer la raison pour laquelle tu présentes ta candidature ;
- elle doit résumer tes principaux titres et qualités ;
- elle doit renvoyer le lecteur au curriculum qui est joint ;
- elle doit proposer une rencontre et préciser le lieu et le moment où on peut te joindre.

L'exemple d'une lettre de présentation qui tient compte de ces six critères est présenté dans le tableau B.6. Certaines personnes font preuve d'imagination afin que leurs lettres de présentation se démarquent du lot, allant jusqu'à lui joindre un cadeau ou à l'expédier dans un emballage extravagant. Si ce genre de tactique peut retenir l'attention d'un agent de recrutement, la plupart des responsables de l'embauche sont d'avis que la frivolité est le fait d'une personne frivole. En général, rien ne vaut une lettre de présentation impeccable accompagnée de bonnes attestations d'étude.

L'entrevue d'emploi

L'entrevue d'emploi est un entretien entre un employeur et une candidate ou un candidat. Elle vise à déterminer si la candidate ou le candidat possède les qualités requises pour répondre aux exigences de l'employeur. Cette entrevue est décisive. Si tout se passe bien, les chances de décrocher le poste augmentent, mais, dans le cas contraire, ce sera probablement l'élimination de la course.

La préparation Pour faire bonne figure au cours d'une entrevue d'emploi, tu dois t'y préparer de manière à ce que ton professionnalisme soit manifeste et que l'employeur sache que tu es sérieux, dans l'éventualité d'une embauche. Plusieurs points doivent être considérés durant la préparation d'une telle entrevue.

Avant l'entrevue, rassemble des données concernant le secteur d'activité de l'entreprise, l'employeur et le poste à pourvoir. Tu aurais intérêt à connaître la description de la charge de travail, les produits ou services de l'entreprise, la taille de l'entreprise, le nombre de personnes à son service, sa situation financière, son rang par rapport à ses concurrentes, les exigences relatives au poste à pourvoir, ainsi que le nom et la personnalité de l'intervieweuse ou de l'intervieweur. Ces renseignements te donneront un tableau précis de l'entreprise et te serviront à formuler les questions que tu poseras à la personne rencontrée. On se procure ce genre de renseignements en consultant les rapports financiers et les bilans annuels des grandes entreprises, et en lisant *The Globe and Mail*, *The Financial Post* ou encore des publications spécialisées. Si l'information manque, tu peux l'obtenir auprès du service des relations publiques de l'entreprise en expliquant que tu souhaites te préparer à une entrevue d'emploi.

La préparation à l'entrevue comprend également, si cela est possible, un jeu de rôle au cours duquel tu réponds aux questions d'un employeur fictif. Toutefois, avant de procéder à ce jeu de rôle, essaie de prévoir les questions qui te seront posées et les réponses que tu

TABLEAU B.6
Exemple d'une lettre de présentation jointe à un curriculum vitæ

Anne-Sophie Valois
App. 2B, Elm Street Appartments
College Town (Ontario) M1B 0A7
Le 31 janvier 2000

M. J. B. Jones
Directeur commercial
Hilltop Manufacturing Company
Markham (Ontario) L1N 9B6

Monsieur,

M. William Johnson, professeur en administration des entreprises à l'Université Oméga, m'a conseillée de m'adresser à vous au sujet du poste de représentante à pourvoir dans votre entreprise, et qui m'intéresse au plus haut point. Titulaire d'un baccalauréat en administration des entreprises, et ayant suivi des cours sur la vente personnelle et la gestion des ventes, je crois que je pourrais apporter une contribution positive à l'entreprise que vous dirigez.

Au cours des quatre dernières années, j'ai été commis dans une boutique de vêtements et gérante adjointe dans une boutique de cadeaux. Dans le cadre de ces deux emplois, je devais m'acquitter de diverses tâches relatives à la vente, à l'achat, à l'entreposage et à la supervision. En conséquence, j'ai une bonne connaissance des points de vue des consommateurs, du commis et de la direction. Compte tenu de mes antécédents et de l'enthousiasme qui m'anime, je pense être particulièrement apte à occuper un poste de représentante au sein de votre entreprise.

Vous trouverez en annexe mon curriculum vitæ, qui présente mes études et mon expérience en milieu de travail. Par ailleurs, mes activités parascolaires devraient s'avérer utiles au travail de représentante.

Il me tarde de m'entretenir avec vous, car je crois pouvoir vous démontrer pourquoi je suis une candidate sérieuse pour ce poste. J'ai des amis à Markham chez qui je peux passer le week-end, de sorte que je pourrais vous rencontrer un lundi ou un vendredi, à votre convenance. Je vous téléphonerai la semaine prochaine afin de voir si nous pouvons fixer un rendez-vous. Je souhaite vivement que votre emploi du temps le permette.

Je vous remercie de l'attention que vous porterez à ma proposition. Pour toute information complémentaire, vous pouvez communiquer avec moi.

Veuillez agréer, Monsieur, mes salutations distinguées.

Anne-Sophie Valois

p.j. curriculum vitæ

y apporteras (voir le tableau B.7). N'apprends pas les réponses par cœur parce que tu devras faire preuve de spontanéité lors de l'entrevue, tout en misant sur la logique et l'intelligence. Néanmoins, tu aurais avantage à t'exercer à répondre aux questions. De plus, formule des questions qui te semblent importantes et que tu pourrais poser à l'intervieweuse ou à l'intervieweur (voir le tableau B.8).

Dans le cadre du jeu de rôle, une personne en qui tu as confiance te fait passer une fausse entrevue. Après cette entrevue, demande à « l'intervieweur » d'évaluer ta performance sur le plan du contenu et du style. Tu pourrais enregistrer cette fausse entrevue sur vidéocassette. Plusieurs détails doivent retenir ton attention avant de passer l'entrevue. Vérifie l'heure et le lieu de convocation. Inscris-les dans ton agenda, et ne te fies pas à ta mémoire. Mémorise la raison sociale de l'entreprise. Trouve le nom de la personne qui t'interviewera et apprends à le prononcer. Apporte un calepin et un stylo au cas où il te faudrait noter certaines choses au cours de l'entrevue. Soigne ton apparence et essaie de

TABLEAU B.7
Questions que posent fréquemment les intervieweuses et les intervieweurs

QUESTIONS DE L'INTERVIEWEUSE OU DE L'INTERVIEWEUR

1. Dites-moi en quelques phrases qui vous êtes.
2. Quelles sont vos forces? Quelles sont vos faiblesses?
3. À votre avis, quelle est votre plus importante réalisation à ce jour?
4. Que prévoyez-vous faire dans cinq ans? Dans dix ans?
5. Êtes-vous un leader? Justifiez votre réponse.
6. Qu'est-ce que vous souhaitez retirer de la vie?
7. De quelle façon vous décririez-vous?
8. Pourquoi avez-vous choisi cette spécialité?
9. Quelles étaient vos activités parascolaires? Justifiez vos choix.
10. Quels emplois avez-vous le plus appréciés? Le moins appréciés? Pour quelles raisons?
11. En quoi votre expérience de travail vous a-t-elle préparé à occuper maintenant un emploi?
12. Pour quelles raisons voulez-vous entrer au service de notre entreprise?
13. Selon vous, quelles compétences doit-on détenir afin d'évoluer au sein d'une entreprise comme la nôtre?
14. Que savez-vous de notre entreprise?
15. Sur quels critères fondez-vous l'opinion que vous vous faites de l'entreprise pour laquelle vous travaillez?
16. Dans quel genre de ville préféreriez-vous habiter?
17. Que voulez-vous savoir au sujet de notre entreprise?
18. Consentiriez-vous à déménager?
19. Consentiriez-vous à suivre une formation d'au moins six mois? Justifiez votre réponse.
20. Pour quelle raison devrions-nous vous embaucher?

TABLEAU B.8
Questions que posent fréquemment les personnes interrogées

QUESTIONS DES PERSONNES INTERROGÉES

1. Quelles raisons aurais-je de vouloir être à votre service?
2. En quoi votre entreprise est-elle différente de ses concurrentes?
3. Quelle est la politique d'avancement au sein de votre organisation?
4. Parlez-moi de la charge de travail caractéristique lors de la première année d'embauche.
5. De quelle manière procède-t-on à l'évaluation d'un employé?
6. Quelles sont les possibilités de croissance personnelle?
7. Votre entreprise est-elle dotée d'un programme de formation?
8. Quels sont les projets d'expansion de l'entreprise?
9. Quel est le taux de maintien des effectifs du poste à combler?
10. De quelle manière mes aptitudes me seront-elles utiles?
11. L'entreprise s'est-elle dotée de programmes de perfectionnement?
12. Quelle image l'entreprise projette-t-elle dans la collectivité?
13. Pour quelles raisons aimez-vous votre travail?
14. Quelle serait ma part de responsabilité si j'occupais ce poste?
15. En quoi consiste la culture de l'entreprise?

projeter une image professionnelle. Surtout, sois à l'heure, sinon tu auras l'air de quelqu'un sur qui on ne peut compter.

Réussir l'entrevue d'emploi Ta préparation est terminée, arrive le grand moment où tu te présentes à l'entrevue. Tu as peut-être quelques papillons dans l'estomac. Aussi, pour chasser le trac, envisage l'entrevue comme une conversation entre toi et l'employeur éventuel. Vous êtes tous deux là afin de vous jauger mutuellement et de voir si vous êtes faits pour travailler ensemble. Tu connais bien ton sujet (toi-même), sans compter que tu n'as rien à perdre puisque, de toute façon, tu ne travailles pas dans cette entreprise. Prends une grande bouffée d'air et détends-toi.

Lorsque la personne responsable de l'entrevue se présente à toi, appelle-la par son nom, aie une bonne contenance, sourie et regarde-la dans les yeux. D'entrée de jeu,

montre-lui que tu sais mener une conversation. Assieds-toi après qu'elle t'aura désigné un fauteuil. Ne fume jamais. Tiens-toi bien droit, aie l'œil vif et montre ton intérêt à ses propos. Détends-toi et évite de laisser paraître ton stress. Fais preuve d'enthousiasme.

Au cours de l'entrevue, sois toi-même. Si tu tentes d'adopter une attitude qui n'est pas la tienne, la manigance n'échappera pas à la personne qui t'interviewe. Ou alors tu décrocheras le poste à l'aide d'un moyen détourné et l'on s'apercevra par la suite que tu ne possédais pas les aptitudes requises. En plus de juger tes titres et qualités en fonction du poste à pourvoir, l'intervieweuse ou l'intervieweur tentera probablement d'évaluer ton désir d'engagement à long terme envers l'entreprise. William Kucker, recruteur pour le compte de la General Electric, affirme d'emblée: «Nous cherchons des candidats désireux de s'engager.»

Quand l'entrevue tire à sa fin, mets-y un terme sur une note positive. Remercie ton interlocutrice ou ton interlocuteur d'avoir bien voulu te rencontrer afin de discuter d'une perspective d'emploi. Si le poste t'intéresse toujours, fais-le-lui savoir. En principe, l'intervieweuse ou l'intervieweur te dira alors quelle est la prochaine étape de la sélection des candidats. On offre rarement un poste à la fin d'une entrevue. Le cas échéant, si tu désires occuper cet emploi, accepte sur-le-champ. Toutefois, si un doute subsiste, demande un délai de réflexion.

La démarche après l'entrevue À la suite de l'entrevue, fais parvenir un mot de remerciement à la personne qui te recevait. Ce mot doit lui indiquer si le poste t'intéresse ou non. Si tu désires décrocher cet emploi, une insistance polie pourrait te permettre de parvenir à tes fins. Selon un spécialiste, «trop de gens en quête d'un emploi croient que leur sort est entre les seules mains de l'intervieweuse ou de l'intervieweur lorsque l'entrevue est terminée». Il est possible d'exercer une influence sur l'intervieweuse ou l'intervieweur *après* une entrevue.

Le mot de remerciement sert à souligner ton appréciation et à assurer ta visibilité auprès de la personne concernée. (Souviens-toi du vieil adage qui dit: «Loin des yeux, loin du cœur!») Même si l'entrevue ne s'est pas déroulée comme tu l'aurais souhaité, un mot de remerciement est susceptible de faire bonne impression et de changer l'opinion que l'on a de toi. Après l'envoi du mot de remerciement, tu pourrais passer un coup de fil afin de savoir où on en est dans la décision d'embauche. Si, au cours de l'entrevue, on t'a dit à quel moment on prendrait contact avec toi, fais ton appel *après* cette date (bien sûr, si l'on n'est pas entré en contact avec toi avant cela). Si aucune date n'a été avancée, passe ton coup de fil environ une semaine après avoir posté ton mot de remerciement.

Dans la démarche qui fait suite à l'entrevue, montre-toi tenace sans renoncer pour autant à la politesse. Si tu manifestes trop d'empressement, deux choses peuvent se produire, qui mèneront à l'élimination de ton dossier: l'employeur pourrait croire que tu es un casse-pieds et craindre que tu n'agisses ainsi au travail ou, encore, il pourrait y voir l'énergie du désespoir, ce qui nuirait à ta candidature.

Pour plus d'informations au sujet de la Cité collégiale d'Ottawa et du collège Boréal, rends-toi à l'adresse suivante : www.dlcmcgrawhill.ca

Pour plus d'informations au sujet de l'Université d'Ottawa et de l'Université Laurentienne de Sudbury, rends-toi à l'adresse suivante : www.dlcmcgrawhill.ca

Pour plus d'informations au sujet du Collège militaire royal du Canada, rends-toi à l'adresse suivante : www.dlcmcgrawhill.ca

Essuyer un refus Tu as fait de ton mieux pour trouver un emploi. Tu as rédigé un curriculum vitæ bien structuré et tu as soigné ta préparation à l'entrevue d'embauche. L'entrevue s'est apparemment bien déroulée. Malgré cela, l'employeur éventuel peut t'adresser une lettre de refus. (« Nous sommes navrés que vos excellentes qualités ne correspondent pas aux besoins de l'entreprise. ») Tu en éprouveras assurément de la déception, mais toutes les entrevues ne débouchent pas sur une offre d'emploi, car on compte en général davantage de candidates ou de candidats que de postes à pourvoir.

Si tu reçois une lettre de refus, réfléchis au déroulement de l'entrevue. Quels en sont les faits saillants ? Quels sont les points à améliorer ? Essaie de répondre à ces questions et tires-en des leçons qui te seront utiles lors d'entrevues ultérieures. Présente-toi à d'autres entrevues afin de cumuler de l'expérience en ce sens. Tôt ou tard, ta persistance sera récompensée.

Dans les parties précédentes, nous nous sommes placés dans la perspective où tu désirerais trouver un emploi ou un stage, mais il se peut aussi que tu veuilles poursuivre ta formation en marketing au-delà de ce cours et, pourquoi pas, au collège ou à l'université. Avec la partie qui suit, nous allons découvrir différents endroits où tu pourrais prolonger ta formation.

En Ontario, tu peux poursuivre tes études secondaires par une formation universitaire ou collégiale. Nous n'aborderons ici que des programmes dispensés en français. Il va de soi qu'il existe beaucoup d'autres ressources collégiales et universitaires en anglais.

La Cité collégiale d'Ottawa et le collège Boréal offrent tous deux ce type de programme. La première offre un programme de trois ans en administration des affaires-marketing, un autre programme deux ans en publicité, trois programmes en administration des affaires–commerce dont un spécialisé pour les P.M.E. Le second dispense un programme de deux ans en commerce-marketing à Sudbury et pas moins de huit programmes en commerce sur ses différents campus.

Pour une formation universitaire, il est plus difficile de trouver un programme axé uniquement sur le marketing. En général, on combine le marketing aux sciences de la gestion dans des diplômes de premier cycle (certificat et baccalauréat) ou de deuxième cycle (maîtrise). À noter qu'il faudra tout d'abord commencer par un programme de premier cycle avant de songer à une maîtrise.

L'Université d'Ottawa offre trois baccalauréats en administration et en sciences commerciales dont un avec une option en marketing, un certificat ainsi que des maîtrises en administration des affaires.

L'Université Laurentienne de Sudbury propose un baccalauréat en administration des affaires et gestion, et un autre en commerce.

Le Collège militaire royal du Canada offre deux baccalauréats en administration des affaires et une maîtrise en administration des affaires.

Il est également important de noter, pour ceux d'entre vous qui sont éloignés des centres urbains ou qui ne peuvent pas se déplacer, qu'il existe aussi des programmes de formation à distance dispensés en français par des universités ou des collèges.

BRANCHEZ-VOUS !

Le site *Perspective, guide de la planification de carrière en Ontario* reprend une démarche très similaire à celle que nous venons de te présenter. Il décrit en quatre étapes une démarche de planification de carrière. *Sachez qui vous êtes* t'aide à t'analyser avec, en particulier, un questionnaire pour découvrir tes principales habiletés. *Mettez vos atouts en valeur* récapitule la façon de rédiger un curriculum vitæ et une lettre d'accompagnement, et replace l'emploi dans une perspective de vie plus large. *Choisissez votre voie* te présente différentes perspectives de carrières à partir d'exemples vécus, et *Consultez les experts* te donne une foule de liens qui pourraient t'être très utiles sur les emplois d'été, les universités, les collèges, les secteurs d'activité, etc.

Pour plus d'informations au sujet du collège de l'Acadie et des collèges communautaires du Nouveau-Brunswick, rends-toi à l'adresse suivante : www.dlcmcgrawhill.ca

Pour plus d'informations au sujet des différentes universités québécoises, rends-toi à l'adresse suivante : www.dlcmcgrawhill.ca

Pour plus d'informations au sujet du Réseau francophone d'enseignement à distance, rends-toi à l'adresse suivante : www.dlcmcgrawhill.ca

En marketing, pour différents cours de niveau collégial, tu peux t'adresser au collège de l'Acadie et aux collèges communautaires du Nouveau-Brunswick.

Parmi les différentes universités, retiens l'Université du Québec en Abitibi-Témiscamingue, Télé-Université, l'Université Laval et l'Université de Montréal qui offrent des programmes allant du certificat à la maîtrise.

Tu pourras retrouver tous ces renseignements et bien d'autres sur le site du Réseau Francophone d'Enseignement à Distance.

À l'opposé de ceux qui ne peuvent pas s'éloigner de leur domicile, il y a ceux qui peuvent partir et, pour cela, le réseau universitaire canadien offre de nombreux programmes en français liés au marketing. En plus de te permettre d'ouvrir tes horizons au reste de la réalité canadienne, sans être exhaustif, citons entre autres : l'Université du Québec à Montréal, l'Université Laval à Québec et l'Université de Sherbrooke.

Le marketing, des métiers à découvrir Le marketing est un domaine très vaste qui regroupe des professions et des métiers laissant la place à toutes sortes de compétences et d'habiletés. De même, les voies pouvant conduire à une carrière en marketing sont très nombreuses, des études collégiales aux études universitaires, de cycles courts à des cycles plus longs et ce, à peu près partout en Ontario et dans le reste du Canada. Choisir le marketing, c'est choisir une carrière passionnante qui peut en offrir pour tous les goûts. Bonne chance sur cette route qui commence !

RÉFÉRENCES CHOISIES

Voici une liste de références choisies qui devraient t'être utiles pendant tes études et au cours de ta vie professionnelle.

Publications sur les affaires et le marketing

Alain d'Astous, *Le projet de recherche en marketing,* Montréal, Chenelière/McGraw-Hill, 1995.

Alain d'Astous, Pierre Balloffet, Naoufel Dagphous et Chrystèle Boulaire, *Comportement du consommateur,* Montréal, Chenelière/McGraw-Hill, 2001.

Canadian Business Index. Il s'agit d'un index accessible dans Internet (CAN/OLE) qui recense environ 200 périodiques traitant des entreprises canadiennes.

Daniel Trudel, Jean Bouliane et Nevil Bernard, *Simulation en marketing. Le marché de la chaussure de sport,* Montréal, Chenelière/McGraw-Hill, 2000.

Denis Pettigrew et Normand Turgeon, *Marketing,* Montréal, Chenelière/McGraw-Hill, 2000.

Gilbert Rock et Gérard Couturier, *Communication et représentation commerciale,* 2e édition, Montréal, Chenelière/McGraw-Hill, 2003.

Jeffrey F. Rayport et Bernard J. Jaworski, *Commerce électronique,* Montréal, Chenelière/McGraw-Hill, 2002.

Jeffrey Heilbrunn, éd., *Marketing Encyclopedia,* Lincolnwood, Ill., NTC Publishing, 1995. Ce livre regroupe une collection d'essais, signés par des spécialistes du marketing, portant sur les enjeux et les tendances qui modèleront le marketing à l'avenir.

Jerry M. Rosenberg, *Dictionary of Business and Management,* New York, John Wiley & Sons, 1995. Ce dictionnaire réunit plus de 5 500 définitions concises de termes connexes au marketing et à la publicité.

Jill Cousins et Lesley Robinson, éd., *The Online Manual,* 2e éd., Cambridge, Mass., Blackwell Publishers, 1993. Voici un manuel pratique qui aide tant le néophyte que l'utilisateur chevronné à choisir parmi les milliers de bases de données désormais accessibles dans Internet.

Judi Misener et Susan Butler, *Horizons 2000+, Exploration des choix de carrières,* Montréal, Chenelière/McGraw-Hill, 2001.

Peter D. Bennett, éd., *Dictionary of Marketing Terms,* 3e éd., Lincolnwood, Ill., NTC Publishing, 1998. Ce dictionnaire réunit les définitions de plus de 3 000 termes relatifs au marketing.

Victor P. Buell, éd., *Handbook of Modern Marketing,* 2e éd., New York, McGraw-Hill, 1986. Ce manuel, qui est une source fiable d'informations, permet au lecteur de se faire une idée générale du marketing ; il se termine par une section contenant des renseignements pratiques.

Publications sur la planification d'une carrière

Richard N. Bolles, *The 1999 What Color Is Your Parachute ? : A Practical Manual for Job-Hunters and Career-Changers,* Berkeley, Cal., Ten Speed Press, 1998. Un manuel accompagne cet ouvrage.

Karmen Crowther, *Researching Your Way to a Good Job,* New York, John Wiley & Sons, 1993.

Fred E. Jardt et Mary B. Nemnich, *Cyberspace Resume Kit : How to Make and Launch a Snazzy Online Resume,* Indianapolis, JIST Works, 1998.

Ronald L. Krannich et Caryl Rae Krannich, *The Best Jobs for the 21st Century,* 3e éd., 1998 ; *Interview for Success : A Practical Guide to Increasing Job Interviews, Offers, and Salaries,* 7e éd., 1998 ; *Find a Federal Job Fast,* 4e éd., 1998 ; *Jobs and Careers with Non Profit Organizations,* 1998 ; *The Complete Guide to International Jobs and Careers,* 2e éd., 1992, Manassas Park, Virginie, Impact Publications.

Margaret Riley, Frances Roehm et Steve Oserman, *The Guide to International Job Searching : 1998-1999 Edition,* Lincolnwood, Ill., NTC Publishing Group, 1998.

Martin Yate, *Knock 'Em Dead : 1999 Edition ; Cover Letters That Knock 'Em Dead ; and Resumes That Knock 'Em Them,* Holbrook, Mass., Adams Media Corporation, 1999.

Périodiques sur la vente

Advertising Age, Crain Communications (publication bi-hebdomadaire).
Business Horizons, Indiana University (publication bimestrielle).
Business Week, McGraw-Hill (publication hebdomadaire).
eCommerce Times, eMarketer.com (publication quotidienne).
Fortune, Time (publication bimensuelle).
Harvard Business Review, Harvard University (publication bimensuelle).
Industrial Marketing Management, Elsevier Science Publishing (publication trimestrielle).
Internet Marketing & Technology Report, Internet Marketing Resources (publication mensuelle).
Journal of Advertising Research, Advertising Research Foundation (publication bimestrielle).
Journal of Business and Industrial Marketing, MCB University Press (publication trimestrielle).
Journal of Consumer Research, Journal of Consumer Research (publication trimestrielle).
Journal of Health Care Marketing, American Marketing Association (publication trimestrielle).
Journal of Marketing, American Marketing Association (publication trimestrielle).
Journal of Marketing Research, American Marketing Association (publication trimestrielle).
Journal of Retailing, Institute of Retailing Management, JAI Press (publication trimestrielle).
Marketing, McLean Hunter (publication hebdomadaire).
Marketing News, American Marketing Association (publication bimensuelle).
Sales and Marketing Management, Bill Communications (16 publications par année).
Pour plus d'informations au sujet des publications citées, rends-toi à l'adresse suivante : www.dlcmcgrawhill.ca.

Associations professionnelles

American Marketing Association
250 S. Wacker Drive
Chicago, Illinois 60606-5819
(312) 648-0536

Section de Toronto
100, av. University
Toronto (Ontario) M5W 1V8
(416) 367-3573

Fondation canadienne de la publicité
350, rue Bloor Est, bureau 402
Toronto (Ontario) M4W 1H5
(416) 961-6311

Fondation canadienne de recherche en publicité
175, rue Bloor Est, Tour Sud, bureau 307
Toronto (Ontario) M4W 3R8
(416) 964-3832

Association canadienne des radiodiffuseurs
350, rue Sparks, bureau 306
Case postale 627, succursale B
Ottawa (Ontario) K1P 5S2
(613) 233-4035
Courriel : CAB-ACR.ca

Association canadienne du marketing direct
1, Concorde Gate, bureau 607
Don Mills (Ontario) M3C 3N6
(416) 391-2362

Fédération canadienne des clubs de femmes de carrières libérales et commerciales
56, rue Sparks, bureau 308
Ottawa (Ontario) K1P 5A9
(613) 234-7619

La Fédération canadienne de l'entreprise indépendante
4141, rue Yonge, bureau 401
Willowdale (Ontario) M2P 2A6
(416) 222-8022

L'Institut canadien du marketing
41, Capital Drive
Nepean (Ontario) K2G 0E7
(613) 727-0954

Conference Board du Canada
255, chemin Smyth
Ottawa (Ontario) K1H 8M7
(613) 526-3280

Institut de la publicité canadienne
Centre Yonge-Eglinton
2300, rue Yonge
Case postale 2350, bureau 500
Toronto (Ontario) M4P 1E4

Association canadienne de gestion des achats
2, rue Carlton, bureau 1414
Toronto (Ontario) M5B 1J3
(416) 977-7111

Association professionnelle de recherche en marketing
2323, rue Yonge, bureau 806
Toronto (Ontario) M4P 2C9
(416) 493-4080

Conseil canadien du commerce de détail
121, rue Bloor Est, bureau 1210
Toronto (Ontario) M4W 3M5
(416) 922-6678

Association des marchands détaillants du Canada
1780, chemin Birchmount
Scarborough (Ontario) M1P 2H8
(416) 291-7903

Pour plus d'informations au sujet de ces différentes associations professionnelles, rends-toi à : www.dlcmgrawhill.ca.

GLOSSAIRE

A

Accord général sur les tarifs douaniers et le commerce (GATT) Traité international visant à limiter les barrières tarifaires et à promouvoir le commerce international en réduisant les tarifs douaniers. Signé en 1947, ce traité a été remplacé par l'Organisation Mondiale de Commerce en 1995.

achat de précaution Pratique des supermarchés qui profitent des rabais que leur consent un manufacturier pour acheter plus de marchandises qu'ils savent pouvoir en vendre durant une promotion. Les stocks restants sont vendus plus tard au prix courant ou transférés dans un autre magasin.

achat par ordinateur Utilisation de la technologie d'Internet pour trouver de l'information, évaluer les possibilités d'achat et prendre des décisions d'achat.

acheteur industriel Fabricant, détaillant ou organisme gouvernemental qui achète des biens ou des services pour son propre usage ou pour la revente.

acheteur organisationnel Fabricant, détaillant et organisme gouvernemental qui achète des biens ou des services pour son propre usage ou aux fins de la revente.

agence de publicité à service complet Agence de publicité proposant un éventail de services comprenant études de marché, sélection de médias, conception de messages, design publicitaire et production.

agence de publicité à service limité Agence se spécialisant dans l'un des aspects du processus publicitaire, comme la création de messages publicitaires ou l'achat de nouveaux espaces publicitaires.

agence maison Personnel publicitaire d'une entreprise qui peut fournir des services complets ou limités en matière de publicité.

agent de vente Personne ou firme qui représente un fabricant et est responsable de toutes les fonctions de marketing de ce fabricant.

agent du fabricant Individu ou firme qui travaille pour plusieurs fabricants et qui offre des marchandises complémentaires et non concurrentielles sur un territoire exclusif (aussi appelé *agent manufacturier*).

alliance stratégique Entente de coopération à long terme entre deux ou plusieurs firmes indépendantes visant l'atteinte de buts communs.

alliance stratégique de distribution Utilisation du circuit de marketing d'une firme pour vendre les produits d'une autre firme.

analyse de l'écart Outil d'évaluation servant à comparer les attentes par rapport à un service particulier avec l'expérience réelle qu'un client a de ce service.

analyse de la valeur Évaluation systématique du design, de la qualité et des spécifications d'un produit dans le but de réduire les coûts d'achat.

analyse de la valeur et de la rentabilité Analyse consistant à préciser les caractéristiques d'un produit, à élaborer la stratégie de marketing pour sa mise en marché et à faire les projections financières nécessaires.

analyse de rentabilité Moyen de mesurer la rentabilité des produits d'une firme, de ses clientèles, de ses territoires de vente, de ses circuits de distribution et de la taille de ses commandes.

analyse de sensibilité Méthode d'analyse où on recourt à des questions « Et si... » pour déterminer les effets qu'auraient sur les revenus des ventes ou sur les profits des changements dans des domaines comme le prix ou la publicité.

analyse de situation Portrait de la situation récente d'un produit ou d'une firme, de sa situation présente et de sa situation future en ce qui a trait aux plans de l'organisation, aux facteurs externes et aux tendances auxquelles ces plans sont soumis.

analyse des tâches Description écrite de ce qu'on attend d'un membre du personnel de vente.

analyse des ventes Moyen de contrôle des programmes de marketing servant à évaluer les ventes réelles par rapport aux objectifs de ventes et à déterminer les forces et les faiblesses.

analyse différentielle Analyse où l'on estime l'impact marginal d'une action sur les coûts et les revenus. Par exemple, si on ajoute une station de télévision à une campagne publicitaire, l'analyse marginale estimera les coûts et les bénéfices de cette opération.

analyse du portefeuille d'activités d'une entreprise Analyse des unités d'activités stratégiques d'une organisation comme s'il s'agissait d'un ensemble d'investissements distincts.

analyse du seuil de rentabilité Analyse des revenus totaux par rapport aux coûts totaux avec l'objectif de déterminer la quantité minimale qu'il faut vendre pour être rentable.

analyse FFOM Acronyme désignant l'évaluation qu'une organisation fait de ses forces et faiblesses internes et des possibilités et menaces extérieures.

analyse interculturelle Étude des ressemblances et des différences entre les consommateurs de deux ou de plusieurs pays ou sociétés.

annonce banderole Forme courante de publicité dans Internet. Il s'agit d'une petite affiche rectangulaire qu'on retrouve sur des sites Internet généraux ou d'information. Les bannières peuvent être fixes, animées ou interactives. Le format de ces bannières est défini par un organisme spécialisé nommé l'IAB *(Interactive Advertising Bureau).*

annonce de rappel Publicité utilisée pour renforcer ce que le consommateur sait déjà d'un produit.

annonce institutionnelle Publicité destinée à créer de l'achalandage ou à faire mousser l'image de l'organisation, plutôt qu'à faire la promotion d'un produit ou d'un service donné.

annonce institutionnelle comparative Publicité institutionnelle vantant les avantages d'une classe de produits par rapport à une autre et ayant cours sur les marchés où diverses classes de produits se disputent le même acheteur.

annonce institutionnelle de lancement Publicité institutionnelle présentant une entreprise, ou ce qu'elle peut faire, ou l'endroit où elle est située.
annonce produit Publicité destinée à vendre un produit ou un service et pouvant avoir trois formes : 1) publicité de lancement (ou informationnelle) ; 2) annonce concurrentielle (ou de persuasion) ; et 3) annonce de rappel.
apprentissage Comportements résultant : 1) de la répétition d'une expérience ; et 2) de la réflexion.
approche Dans le processus de vente personnelle, première rencontre entre un représentant et un client potentiel, ayant pour objet de capter l'attention du client, de stimuler son intérêt et de se préparer à une présentation de vente.
approche préliminaire Étape du processus de vente personnelle durant laquelle le vendeur se renseigne davantage sur un client potentiel et décide de sa méthode d'approche.
argumentaire type Présentation de vente consistant à amener les clients à acheter en les informant sur le produit d'une façon exacte, complète et systématique.
article Produit original qui se définit par sa marque, son format et son prix.
article spécialisé Produit pour lequel des consommateurs consentent à faire des efforts particuliers afin de se le procurer.
atmosphère Ambiance d'un magasin ou son décor.
attitude Réactions apprises homogènes par rapport à un objet ou à une classe d'objets.
aubaine Promotion de vente où on propose une réduction de prix à court terme.
audience cumulée (portée) Nombre de personnes et de ménages ayant été exposés à une annonce publicitaire.
autofinancement Financement d'une entreprise au moyen de ses propres ressources.
autoréglementation Volonté d'un secteur d'activité de se réglementer lui-même plutôt que de faire les frais de contrôles gouvernementaux.
avantage concurrentiel Force distinctive par rapport aux concurrents qui a souvent trait à la qualité, au temps, au coût, à l'innovation ou à une connaissance profonde de la clientèle.
avantage concurrentiel durable Force inhérente au produit que l'on offre ou force que l'on possède sur les marchés que l'on dessert et dont sont dépourvus les concurrents.

B

baby-boomers Génération des personnes nées entre 1946 et 1964.
balance commerciale Différence entre la valeur des biens et services qu'un pays exporte et la valeur des biens et services qu'il importe.
barrière à l'entrée Pratique ou condition commerciale destinée à entraver l'entrée d'une nouvelle entreprise sur un marché.
bénéficiaire Cliente ou client d'un organisme sans but lucratif (quand il n'y a pas d'argent en jeu).
bénévolat Situation d'une personne qui accomplit un travail gratuitement.
besoin Ce qui se produit lorsqu'un individu manque de ce qu'il faut pour se nourrir, se vêtir ou se loger.
bien de consommation Produit acheté par le consommateur final.
bien de production Bien entrant dans la fabrication d'autres articles qui font partie du produit final.
bien durable Bien destiné à un usage constant ou répété et dont la valeur d'utilisation ne diminue qu'au cours d'une période relativement longue.
bien industriel Produit entrant dans la fabrication d'autres produits.
bien non durable Article consommé en un ou en quelques usages.
bilan social Évaluation systématique des objectifs, des stratégies et de la performance d'une firme sur le plan de sa responsabilité sociale.
bon de réduction Attestation donnant au porteur une réduction à l'achat d'un produit donné.
bouche à oreille Influence mutuelle qu'exercent les gens lorsqu'ils conversent en tête-à-tête.
boucle de rétroaction commerciale Loi selon laquelle les importations et les exportations d'un pays s'influencent mutuellement.
bruit Facteur extérieur qui entrave l'efficacité de la communication en déformant le message ou la rétroaction.
budgétisation alignée sur la concurrence (ou sur la part de marché) Approche consistant à égaler le niveau de dépenses d'un concurrent ou le pourcentage alloué par point de part du marché.
budgétisation courante Établissement du budget publicitaire en fonction d'un pourcentage des ventes passées ou prévues, soit en dollars ou en unités vendues.
budgétisation selon les objectifs et les tâches Approche budgétaire qui consiste : 1) à préciser ses objectifs publicitaires ; 2) à déterminer les tâches nécessaires à la réalisation de ces objectifs ; et 3) à établir les coûts de réalisation de ces tâches.
budgétisation selon les ressources disponibles Pratique consistant à n'allouer de fonds à la publicité que lorsque tous les autres frais sont couverts.
budgétisation selon un pourcentage du chiffre d'affaires Établissement du budget publicitaire à partir d'un pourcentage des ventes passées ou prévues, soit en dollars ou en unités vendues.
but Au travail, niveau de rendement visé, fixé à l'avance.
but de l'entreprise Cible stratégique de rendement que l'ensemble de l'organisation doit atteindre pour tenter de réaliser sa vision.
but de l'organisation Objectif précis qu'une entreprise commerciale ou une organisation sans but lucratif cherche à réaliser et qui lui sert à mesurer son rendement.
but de l'unité d'activités stratégiques Cible de rendement qu'une unité d'activités stratégiques cherche à atteindre pour réaliser sa mission.

C

calendrier de publicité sporadique Planification publicitaire faisant alterner, au gré de la demande saisonnière, périodes de publicité et périodes sans publicité.

calendrier régulier Programmation selon laquelle la publicité suit un ordonnancement annuel régulier.
campagne de financement Activité organisée dans le but d'amasser des fonds.
canal de communication Moyen (il peut s'agir de représentants des ventes, de médias publicitaires ou d'outils de relations publiques) de transmettre un message à un récepteur.
cannibalisme Gain d'un fabricant qui nourrit sa part de marché à l'aide d'un nouveau produit au détriment d'un autre produit.
capacité de production inutilisée Situation où un fournisseur de services est disponible alors qu'il n'y a pas de demande.
capitaine de circuit Membre du circuit de marketing qui coordonne, dirige et soutient d'autres membres du circuit; il peut s'agir d'un manufacturier, d'un grossiste ou d'un détaillant.
capital marque Valeur ajoutée qu'une marque donnée apporte à un produit.
caractère national Ensemble distinct de traits de personnalité communs aux gens d'un pays ou d'une société.
caveat emptor Expression latine signifiant « que l'acheteur prenne garde ».
centre commercial communautaire Centre de commerce de détail regroupant un magasin principal (généralement une succursale d'un grand magasin à rayons) et de 20 à 40 établissements moindres et desservant une population d'environ 100 000 personnes.
centre commercial régional Mail de banlieue comprenant généralement un ou deux magasins piliers et jusqu'à 100 autres magasins, et qui attire des clients habitant dans un rayon de 8 à 16 kilomètres.
centre des achats Groupe de personnes qui, dans une organisation, participent au processus d'achat et partagent certains objectifs, risques et connaissances importantes reliés à ce processus.
centre des affaires Le plus ancien lieu de commerce dans les agglomérations urbaines.
chaîne d'approvisionnement Entreprises qui, les unes à la suite des autres, exécutent les activités nécessaires à la fabrication et à la livraison d'un bien ou d'un service aux consommateurs ou aux utilisateurs industriels.
chaîne volontaire créée à l'initiative d'un grossiste Système contractuel dans lequel des grossistes indépendants se regroupent pour former une chaîne.
champ d'expérience Ensemble du savoir et de la compréhension des choses qu'a une personne; pour communiquer efficacement, l'émetteur et le récepteur doivent avoir un champ d'expérience commun.
chef de marque Voir chef de produit.
chef de produit Personne qui planifie, met en œuvre et contrôle les plans annuels et à long terme des produits sous sa responsabilité.
circuit de distribution Individus et entreprises engagés dans le processus d'acheminement des produit ou des services aux consommateurs ou aux utilisateurs industriels.
circuit de marketing dans Internet Circuit utilisant Internet pour mettre à la disposition des consommateurs ou des acheteurs industriels des biens de consommation et des services d'usage courant.
circuit de marketing direct Achat de produits par le truchement des médias publicitaires sans contact personnel avec un vendeur.
circuit direct Circuit de marketing dans lequel le producteur et le consommateur final sont directement en contact.
circuit indirect Circuit de marketing au sein duquel les intermédiaires font le lien entre le producteur et les consommateurs.
classe de produits Catégorie complète de produits ou secteur d'activité.
classe sociale Regroupement relativement durable et homogène de gens ou de familles ayant des valeurs, des intérêts et des comportements similaires.
clientèle internationale Groupe de consommateurs de plusieurs pays ou régions du monde dont les besoins sont similaires et qui cherchent dans un produit ou un service des caractéristiques et des bénéfices similaires.
club-entrepôt Grande surface de vente au détail (plus de 10 000 mètres carrés) où on peut magasiner moyennant le paiement d'un abonnement annuel.
codage Processus par lequel un émetteur traduit une idée abstraite en un ensemble de symboles.
code d'éthique Énoncé formel de règles d'éthique et de conduite.
code de déontologie Ensemble de règles et de devoirs d'une profession donnée.
code universel des produits (CUP) Numéro d'identification des produits constitué d'une série de barres de différentes largeurs lisible par des lecteurs optiques.
coentreprise Entente selon laquelle deux entreprises joignent leurs efforts dans la création d'une autre entreprise. Dans le contexte du marketing international, il s'agira souvent d'une compagnie étrangère qui investit avec une firme locale dans la création d'une place d'affaires.
comarquage Appariement des marques de deux fabricants à des fins de « comarketing ».
commande directe Aboutissement des offres de marketing direct; contient toutes les informations nécessaires à un acheteur potentiel pour prendre sa décision d'achat et conclure la transaction.
commerce compensé Recours au troc plutôt qu'à l'échange d'argent pour faire des ventes à l'international.
commerce de détail Toutes les activités par lesquelles on vend, loue ou procure aux consommateurs finaux des biens et des services dont ils font un usage personnel, familial ou domestique.
commerce de détail assisté par ordinateur Méthode de vente au détail par laquelle les clients commandent des produits par ordinateur après les avoir vus annoncés à la télévision ou sur leur écran d'ordinateur.
commerce électronique Toute activité recourant à une forme quelconque de communication électronique; il peut s'agir de tenue d'inventaire, de commerce, de publicité, de distribution, et de paiement de biens et de services.
commercialisation Dernière phase du développement d'un nouveau produit durant laquelle les fonctions de production et de vente sont lancées à plein régime.

commercialisation circulaire Notion selon laquelle une organisation devrait découvrir les besoins de ses clients et les satisfaire d'une manière qui contribuerait également au bien-être de la société.
communication Processus de transmission d'un message entre individus. Les six éléments nécessaires à la réalisation de la communication sont une source, un message, un circuit de communication, un récepteur, un procédé d'encodage et un procédé de décodage.
communiqué de presse Outil publicitaire dont on se sert pour annoncer des changements dans une entreprise ou dans une gamme de produits.
compagnie Société constituée légalement, fondée sur le capital d'actionnaires, et dont la responsabilité des membres face à l'endettement est limitée à la valeur de leurs actions.
compétence de l'unité d'activités stratégiques Habileté particulière inhérente au personnel, aux ressources ou aux services d'une unité d'activités stratégiques.
compétition Ensemble des entreprises, autres que la sienne propre, pouvant offrir un produit satisfaisant aux besoins spécifiques d'un marché donné.
complexe commercial Vaste centre commercial bien situé regroupant plusieurs magasins piliers (ou grands magasins nationaux) et un supermarché.
comportement de l'acheteur industriel Relatif au processus de décision par lequel une organisation établit ses besoins en produits, évalue les différentes marques et les fournisseurs, et fait un choix.
comportement du consommateur Comprend les actions qu'entreprend une personne qui achète et utilise des produits et des services, de même que les processus mentaux et sociaux qui précèdent et suivent ces actions.
concept de soi Façon dont les gens se perçoivent et se croient perçus par les autres.
concertation horizontale des prix Ce qui se produit lorsque deux ou plusieurs concurrents s'entendent explicitement ou implicitement pour fixer les prix.
concertation verticale sur les prix Fixation des prix de revente, par laquelle un fabricant indique d'une manière impérative à ses détaillants le prix qu'ils doivent pratiquer lors de la revente. La concertation verticale est interdite en vertu de la *Loi sur la concurrence.*
concession de licence Contrat par lequel une compagnie en autorise une autre à utiliser son nom de marque, son brevet, ses procédés de fabrication ou d'autres droits, et reçoit, en contrepartie, des redevances.
concours Promotion des ventes dans laquelle les consommateurs doivent faire preuve d'esprit d'analyse ou de créativité pour gagner un prix.
concurrence externe Concurrence entre différents types de points de vente au détail résultant d'une présentation d'articles variés.
concurrence internationale Situation concurrentielle d'une entreprise qui crée, produit et met en marché des produits et des services dans le monde entier.
concurrence libre Environnement dans lequel un grand nombre de vendeurs se font concurrence avec des produits similaires.
concurrence monopolistique Environnement concurrentiel dans lequel un grand nombre de vendeurs offrent des produits uniques mais interchangeables.
conférence de presse Outil publicitaire rassemblant de façon informelle les représentants des médias qui ont reçu, au préalable, des dossiers de presse sur le contenu de la rencontre.
configuration perceptuelle Façon de représenter en deux dimensions la place qu'occupent des produits ou des marques dans l'esprit des consommateurs.
conflit de circuit horizontal Mésentente entre des intermédiaires de même niveau au sein d'un circuit de marketing.
conflit de circuit vertical Désaccord entre différents niveaux d'un circuit de marketing.
consommateur final Individu qui achète des biens et des services pour son ménage. Parfois appelé utilisateur final.
consommateur précoce Le segment de 13,5 % de la population dans lequel se recrutent les meneurs par qui l'information sur les nouveaux produits se transmet dans un milieu.
consommateurisme Mouvement visant à accroître l'influence, le pouvoir et les droits des consommateurs au regard des institutions.
continuum de services Représentation échelonnée de la demande du marché pour les produits allant des biens tangibles aux biens intangibles, ou pour les produits par rapport aux services.
contrainte de fixation de prix Facteurs dont doit tenir compte une entreprise en fixant ses prix.
contrat d'approvisionnement exclusif Contrat selon lequel un acheteur doit s'approvisionner en partie ou totalement auprès d'un vendeur particulier durant une période donnée.
contrôle des stocks en magasin Mesure des ventes en magasin d'un produit donné et nombre de caisses qu'un magasin a commandées auprès d'un grossiste.
coopération en circuit Ententes et procédés établis entre les membres d'un circuit pour assurer le traitement des commandes et l'acheminement physique des produits, d'un fabricant au consommateur final.
coopérative de détaillants Système contractuel en vertu duquel des détaillants indépendants s'entendent pour fonctionner comme une chaîne.
cote d'écoute Pourcentage des ménages ou des individus d'un marché qui écoutent une émission de télé ou une émission de radio.
courbe de demande Représentation graphique du volume d'un produit que les consommateurs achèteront à différents niveaux de prix.
courtier Intermédiaire au sein d'un circuit n'ayant pas de droits de propriété sur la marchandise et vivant des commissions et honoraires que lui vaut la négociation de contrats ou d'ententes entre les acheteurs et les vendeurs.
coût de pénalité Amende que paient les fabricants aux détaillants lorsqu'un produit n'atteint pas un niveau de vente prédéterminé.
coût des marchandises vendues Valeur totale des produits vendus durant une période donnée.
coût fixe Frais stables qui ne varient pas selon les quantités fabriquées ou vendues.

coût marginal Accroissement (ou diminution) des coûts totaux générés par la production et la mise en marché d'une unité additionnelle de produit.
coût par mille expositions (CPM) Ce qu'il en coûte pour qu'un message publicitaire diffusé par un média donné rejoigne 1 000 individus ou ménages.
coût total Total des frais qu'encourt une firme pour fabriquer et mettre en marché un produit, incluant les frais fixes et les frais variables ; dans les décisions sur la distribution physique, la somme de tous les frais applicables aux activités logistiques.
coût total de la logistique Frais associés au transport, à la manutention des matériaux et à leur entreposage, aux stocks, aux ruptures de stock et au traitement des commandes.
coût variable Frais qui varient directement en fonction de la quantité de produits fabriqués et vendus.
coût variable par unité de produit Variable de coût exprimée à l'unité.
coutume Ensemble des normes et attentes concernant la façon de faire des gens d'un pays donné.
couverture à effet nul Personnes ne faisant pas partie du public cible qu'une compagnie veut rejoindre qui voient, entendent ou lisent la publicité de cette compagnie.
création d'achalandage Résultat d'une offre de marketing direct visant à inciter les gens à visiter un commerce.
critère d'achat Facteur sur lequel se fondent les organisations acheteuses pour évaluer un fournisseur potentiel et ce qu'il veut vendre.
critère d'achat industriel Comprend les attributs objectifs des produits et services d'un fournisseur et ses capacités.
critère d'évaluation Attribut d'une marque, tant objectif que subjectif, dont se servent les consommateurs pour évaluer différentes marques ou différents produits.
croyance Appréciation subjective que se font les consommateurs des attributs d'un produit ; cette appréciation est basée sur l'expérience personnelle, la publicité et les discussions avec des pairs.
culture Ensemble des valeurs, des idées et des attitudes communes à un groupe et transmises de génération en génération.
culture organisationnelle Ensemble des attitudes et des comportements communs aux employés d'une même organisation et qui les distinguent des employés d'autres compagnies.
cybermarché ou marché virtuel Environnement dans lequel s'échangent de l'information et des communications à l'aide d'ordinateurs sophistiqués et de technologies de télécommunication numérique.
cycle de vie d'un produit Composé des quatre phases de la vie d'un produit : introduction, croissance, maturité et déclin.
cycle de vie d'une famille Théorie voulant que chaque famille passe par un nombre distinct de phases auxquelles sont associés des comportements d'achat types.
cycle de vie du commerce de détail Les quatre phases de la vie d'un commerce de détail : première croissance, développement accéléré, maturité et déclin.

D

décision de fabriquer ou d'acheter Évaluation à laquelle procède une firme pour décider s'il vaut mieux acheter un produit ou ses composants auprès d'un fournisseur extérieur ou en assumer la fabrication.
décision de routine Décision de travail qui revient à intervalles réguliers durant l'année.
décision non répétitive Décision unique afférente à un moment précis ou à une situation particulière.
décodage Processus par lequel le récepteur se saisit d'un ensemble de symboles, le message, et le transforme en une idée abstraite.
degré d'implication Sens personnel, social et économique que les consommateurs attachent à leur achat.
délai d'approvisonnement (ou de réapprovisonnement) Voir délai de suite.
délai de livraison Laps de temps entre le moment où on commande un produit et celui où on le reçoit pour l'utiliser ou le mettre en vente.
délai de suite Délai entre le moment où un article est commandé et celui où il est reçu et prêt à être utilisé.
demande dérivée Vente d'un produit (généralement industriel) qui découle de la vente d'un autre article (souvent de consommation courante).
demande inélastique Situation de la demande lorsqu'un faible pourcentage de réduction de prix se solde par un pourcentage encore plus faible de l'augmentation de la demande.
demande primaire Désir pour une classe de produits plutôt que pour une marque précise.
demande sélective Demande pour une marque donnée dans une classe de produits.
démarche marketing Idée voulant qu'une organisation devrait : 1) s'efforcer de satisfaire les besoins des consommateurs 2) tout en tentant de réaliser ses objectifs.
démarque de prix Réduction du prix de détail généralement exprimée en un pourcentage égal au montant de la réduction, divisée par le prix initial et multipliée par 100.
démographie Étude des caractéristiques de la population.
dénonciateur Employé qui dénonce les manquements à l'éthique ou les actes illégaux de son employeur.
déploiement régional Lancement séquentiel d'un nouveau produit dans différentes zones géographiques pour que puissent s'établir graduellement les niveaux de production et les activités de marketing.
description de tâches Document écrit décrivant les relations de travail et les exigences caractéristiques de chaque poste au sein du personnel de vente.
désintermédiation Procédé par lequel un membre du circuit se désengage à l'égard d'un autre membre pour vendre ou acheter directement des produits.
détaillant de vente par correspondance Opération de vente au détail où on offre de la marchandise aux clients par la poste.
détaillant indépendant Point de vente de détail appartenant à un propriétaire unique.
détermination du prix d'une gamme de produits Détermination du prix de tous les articles d'une gamme de produits.

développement Phase du processus de création d'un nouveau produit durant laquelle l'idée sur papier devient prototype ; comprend les tests de fabrication et de laboratoire, et les essais auprès des consommateurs.
développement de produits développer un nouveau produit pour des marchés existants.
développement des marchés Action de vendre ses produits actuels sur de nouveaux marchés.
développement durable Concept dans lequel une entreprise met l'accent sur la protection et la mise en valeur de l'environnement ainsi que sur la concertation avec le milieu dans la réalisation de ses projets et de ses activités.
développement parallèle Processus de développement de nouveaux produits dans lequel il y a développement simultané du produit et du processus de fabrication.
différenciation de produit Notion ayant plusieurs sens apparentés. Cette stratégie renvoie à l'utilisation que fait une firme des activités du marketing mix (comme la présentation de produits et la publicité) pour amener les consommateurs à percevoir le produit qu'elle offre comme différent et supérieur.
diffusion de l'innovation Processus qui fait que les gens reçoivent l'information nouvelle et acceptent les nouveaux produits et les nouvelles idées.
diffusion Web Procédé visant à pousser l'information que contient le site Web d'une entreprise vers les consommateurs en ligne ; on n'a pas ainsi à attendre qu'ils trouvent le site eux-mêmes.
discrimination du stimulus Capacité de percevoir des différences de stimuli.
discrimination par les prix Fait de charger des prix différents à certains acheteurs pour des biens de genre et de qualité semblables.
dissonance cognitive Sentiment de tension psychologique et d'anxiété qu'éprouvent souvent les consommateurs après un achat.
distributeur industriel Type particulier d'intermédiaire entre les fabricants et les consommateurs qui, généralement, vend, entrepose et livre un assortiment complet de produits.
distribution d'exclusivité territoriale Entente par laquelle un fabricant accorde à un seul revendeur le droit de vendre un produit dans une aire géographique donnée.
distribution exclusive Stratégie de distribution d'un fabricant qui, dans une zone géographique donnée, vend ses produits à l'aide d'un unique point de vente.
distribution intensive Stratégie de distribution suivant laquelle un fabricant vend des produits ou des services dans le plus de points de vente possible dans une même zone géographique.
distribution mixte Utilisation de deux ou de plusieurs types de circuits pour rejoindre les consommateurs d'un même produit de base.
distribution physique Organisation du mouvement et de l'entreposage des produits finis destinés aux consommateurs.
distribution sélective Distribution des produits d'un fabricant dans un nombre restreint de points de vente à l'intérieur d'une zone géographique donnée.
diversification Stratégie consistant à développer de nouveaux produits et à les vendre sur de nouveaux marchés.
don volontaire Forme de prix demandé par les organismes sans but lucratif.
donateur Fournisseur d'organismes sans but lucratif.
donnée d'un questionnaire Fait et donnée qu'on obtient en questionnant les gens sur leurs attitudes, leurs perceptions, leurs intentions et leurs comportements.
donnée de source unique Information en provenance d'une seule firme sur le profil démographique et le mode de vie des ménages, et sur leurs achats, leurs habitudes d'écoute télévisuelle et leurs réponses aux outils de promotion comme les bons de réduction ou les échantillons gratuits.
donnée primaire Donnée recueillie et classée précisément pour le projet dans lequel on se lance.
donnée secondaire Donnée déjà recueillie et classée pour un projet autre que celui dont on s'occupe mais qui peut être utile à notre recherche actuelle.
droit sur les importations Taxe qu'impose un gouvernement sur les biens et services qui entrent au pays.
dumping Vente de produits dans des pays étrangers à des prix inférieurs au prix national.
durée utile Temps qu'un produit peut être entreposé avant de se gâter.

E

échange Transaction par laquelle un objet de valeur passe de l'acheteur au vendeur à la satisfaction des deux parties.
échange de données informatisées (EDI) Ordinateurs qu'on relie dans deux firmes et dont on se sert pour transmettre des documents tels que des commandes d'achat, des bons de chargement et des factures.
échange élargi Transaction qui va au-delà de l'argent, des produits ou des services comme seuls éléments d'échange (bénéfices sensoriels, psychologiques, spatiaux, temporels et monétaires).
échantillon Promotion de vente consistant à offrir un produit gratuitement ou à très bas prix.
échantillonnage non probabiliste Méthode de prélèvement d'un échantillon qui consiste à choisir des éléments plus ou moins arbitrairement, de façon que la chance de sélectionner un élément particulier soit inconnue ou nulle.
échantillonnage probabiliste Méthode de prélèvement d'un échantillon selon des règles permettant de s'assurer que tous les éléments de la population ont une probabilité connue d'être sélectionnés.
échantillonnage Collecte de données auprès d'une partie de la population totale plutôt qu'auprès de tous ses membres.
échelle de Likert ou échelle d'opinion Question à alternative constante à laquelle on répond en indiquant son degré d'accord ou de désaccord par rapport à un énoncé.
échelle sémantique dégressive Échelle verbale à plusieurs points dont les deux extrémités correspondent à des adjectifs de sens opposés. (Exemple : salé/sucré ; bon marché/dispendieux, etc.)
économie Ensemble des revenus, des dépenses et des ressources qui influent sur le coût de fonctionnement d'une entreprise ou d'un ménage.

élaboration d'une stratégie de lancement d'un produit Étape du processus de développement d'un nouveau produit durant laquelle une firme définit le rôle que joueront les nouveaux produit par rapport à ses objectifs d'ensemble.
élargissement de la gamme Utilisation d'une marque existante pour pénétrer un nouveau segment de marché dans sa classe de produits.
élasticité de la demande Situation où un faible pourcentage de réduction du prix génère une forte augmentation de la quantité demandée, au point d'accroître les revenus de vente.
élasticité de la demande par rapport au prix Elle mesure la sensibilité de la demande par rapport aux variations de prix, c'est-à-dire la réaction des consommateurs par rapport aux variations de prix. Elle correspond ainsi au changement en pourcentage de la quantité demandée relative à un changement en pourcentage du prix d'un bien.
élasticité unitaire de la demande Situation reflétant un pourcentage de changement dans la quantité demandée égal au pourcentage de changement dans le prix.
élément du marchéage Voir marchéage.
emballage Contenant dans lequel un produit est mis en vente et sur lequel apparaît l'information le concernant.
émetteur Personne ou entreprise disposant d'informations à transmettre.
enquête Technique de recherche consistant à recueillir des données auprès des gens en leur demandant de répondre à un questionnaire dont on enregistre les réponses.
enquête auprès d'une équipe de vente Technique consistant à demander aux représentants des ventes leur estimation des ventes pour la période à venir.
enquête auprès des spécialistes Interview mené auprès d'experts sur un sujet afin de se faire une opinion sur un événement futur.
enquête fondée sur l'opinion des dirigeants Interrogation à l'interne des gestionnaires (dirigeants) bien informés sur les ventes probables de la période à venir.
enquête sur les intentions d'achat Méthode de prévision de ventes qui consiste à interroger les consommateurs potentiels sur leurs futures intentions d'achat d'un produit ou d'un service au cours d'une période de temps donnée.
ensemble évoqué Sélection de marques que des consommateurs jugent acceptables pour une classe de produits parmi l'ensemble des marques qu'ils connaissent.
entente de vente exclusive Entente entre un fabricant et un revendeur selon laquelle le revendeur s'engage à ne s'occuper que des produits de ce fabricant et ignorer ceux des autres fabricants.
entité gouvernementale Organisme fédéral, provincial ou municipal qui achète des biens et des services au nom des contribuables qu'il dessert.
entrepôt d'emmagasinage Endroit, souvent situé hors des grands centres, qu'une firme utilise pour entreposer, rassembler, laisser vieillir ou mixer des stocks, ou pour entreposer des produits faisant l'objet d'un programme de rappel, ou comme mesure d'allégement de son fardeau fiscal.
entreprise Organisation privée ou publique selon qu'elle appartient à des individus ou à l'État. Le terme organisation, lorsqu'il désigne l'entreprise, signifie toute entité économique génératrice d'emplois et de flux monétaires.
entreprise à succursales multiples Dans le commerce de détail, type de propriété qui fait qu'une même firme détient plusieurs points de vente.
entreprise commerciale Organisation de propriété privée qui dessert une clientèle afin de réaliser un profit.
entreprise industrielle Acheteur organisationnel qui, d'une façon quelconque, transforme les biens ou services qu'il achète avant de les revendre.
entreprise publique Entreprise qui appartient à l'État.
entrevue en profondeur Entretien individuel détaillé avec des gens importants pour un projet de recherche.
environnement Collecte d'informations sur des événements se produisant à l'extérieur de l'entreprise et interprétation de tendances potentielles.
environnement social Ensemble des caractéristiques de la population, de ses valeurs et de ses comportements dans un environnement donné.
équation du profit Profit = total des revenus – total des frais.
équipe de vente interfonctionnelle Utilisation d'un groupe de professionnels pour assurer la vente et le service auprès des clients importants.
équipe interfonctionnelle Petit groupe de personnes provenant de différents services d'une organisation qui sont mutuellement responsables de leurs objectifs de rendement.
équipe spéciale de nouveau produit Groupe multidisciplinaire composé de personnel du marketing, de la fabrication et de la recherche et du développement, qui s'occupe d'un nouveau produit de l'étape de la conception à celle de la production.
équipement accessoire Articles servant à soutenir la production d'autres biens.
espionnage industriel Collecte clandestine de secrets commerciaux ou d'informations déposées appartenant à la concurrence.
essai avant commercialisation Mise en vente limitée d'un produit dans une zone visant à connaître la réaction des consommateurs par rapport à ce produit, en déterminer la viabilité commerciale et évaluer le programme de marketing.
essaimage Aide financière, technique ou juridique qu'apporte une entreprise à certains membres du personnel pour favoriser la création d'une nouvelle entreprise distincte.
établissement du prix en fonction de la courbe d'expérience Fixation des prix à la baisse suivant la réduction des coûts attribuables à l'expérience (ventes cumulées) de la firme.
étalonnage concurrentiel Dans le cas d'une entreprise, découvrir comment d'autres organisations s'y prennent pour réussir mieux qu'elle dans le but d'imiter ou de devancer la concurrence.
étape de l'analyse économique Quatrième étape du processus de création d'un nouveau produit, durant laquelle sont établies les caractéristiques du produit, la stratégie de marketing et les prévisions financières nécessaires à sa commercialisation.

étape de la présentation Phase cruciale du processus de vente personnelle, où le vendeur s'emploie à instiller au client potentiel le désir du produit ou du service qu'il lui offre.
étape de prospection Dans le processus de vente personnelle, recherche et filtrage de clients potentiels.
étendue de la gamme Éventail des différents articles que tient un magasin ou un grossiste.
éthique Principes moraux et valeurs régissant les actions et les décisions d'un individu ou d'un groupe.
ethnocentrisme culturel Croyance que certains aspects de sa propre culture sont supérieurs à ceux d'une autre.
ethnocentrisme du consommateur Tendance à considérer comme incorrect, voire immoral, le fait d'acheter des produits étrangers.
étiquette Élément descriptif d'un emballage qui comprend généralement la marque de commerce ou un symbole, le nom et l'adresse du fabricant ou du distributeur, la composition du produit, sa taille ainsi que les utilisations recommandées.
euromarquage Stratégie consistant à vendre un produit sous une même marque de commerce dans tous les pays de l'Union européenne.
expérience Manipulation d'une variable indépendante (cause) et mesure des effets de cette manipulation sur la variable dépendante (effet) dans des conditions contrôlées.
expérience en laboratoire Simulation d'une activité de marketing dans un environnement hautement contrôlé.
expérience sur le terrain Test des variables de marketing réalisé en magasin ou dans un lieu de commerce.
exportation Vente dans un pays de biens produits dans un autre pays.
exportation directe Vente à l'étranger sans intermédiaire de produits fabriqués sur le territoire national.
exportation indirecte Vente à l'étranger, au moyen d'un intermédiaire, de biens produits localement.
extension ascendante Action de donner de la valeur à un produit en y ajoutant des caractéristiques ou des matériaux de qualité plus élevée.
extension de la marque Utilisation d'un nom de marque courant pour lancer une classe de produits complètement différente.
extension descendante Action de réduire le nombre de caractéristiques, la qualité ou le prix d'un produit.
extranet Réseau informatique qui permet, au moyen d'un serveur Web sécurisé, des communications d'entreprise à entreprise, ou entre une entreprise et ses fournisseurs, ses distributeurs et ses autres partenaires.
extrapolation des tendances Projection dans le futur d'un modèle observé dans les données passées.

F

FAB franco à bord Point géographique à compter duquel le vendeur cesse de payer des frais de transports.
facilitateur Intermédiaire qui contribue à la bonne marche des circuits de distribution en assurant la manutention, l'entreposage, le financement ou l'assurance des produits.
facteur de consommation Facteur mesurant la volonté et la capacité des consommateurs de payer pour des produits et services.
facteur de la demande Élément qui influe sur la demande. Par exemple, le prix, le revenu et les goûts des consommateurs.
facteur du milieu Facteur incontrôlable comprenant des agents sociaux, économiques, technologiques, concurrentiels et réglementaires.
facteur incontrôlable Voir variable environnementale.
facteur situationnel Effet d'une situation sur la nature et l'étendue du processus de décision. Comprend : 1) la tâche d'achat ; 2) l'environnement social ; 3) l'environnement physique ; 4) l'effet du temps ; et 5) les états précédents.
famille reconstituée Ménage constitué de membres issus de deux précédents mariages.
fidélité à la marque Préjugé favorable envers une marque et constance d'achat de cette marque.
firme Entreprise industrielle, financière ou commerciale désignée par un nom patronymique ou une raison sociale.
firme industrielle Entreprise qui transforme un bien ou un service qu'elle achète avant de le revendre.
fixation collusoire des prix Collusion entre deux ou plusieurs entreprises visant à éliminer la concurrence en fixant les mêmes prix.
fixation du prix dans un but de pénétration du marché Fixation d'un prix peu élevé afin d'accaparer une importante part du marché et de décourager la concurrence.
fixation du prix en fonction de la valeur Fixation des prix des biens et services fondée sur l'estimation du prix que les consommateurs accepteraient de payer.
folie passagère Produit dont le cycle de vie a deux temps : démarrage rapide et déclin rapide.
fonction de réponse des ventes Relation entre les dépenses consacrées à l'effort de marketing et les résultat obtenus. Les indices de résultat du marketing sont le chiffre de ventes, le profit, le nombre d'unités vendues et l'indice de notoriété de la marque.
forme du produit Différentes version d'un produit dans une classe de produits donnée.
formule du prix non arrondi Fixation de prix à quelques dollars ou cents sous un nombre pair, 19,95 $, par exemple.
formule du prix unique Politique selon laquelle on vend au même prix à des consommateurs similaires un produit acheté dans les mêmes quantités et aux mêmes conditions.
fournisseur d'accès à Internet (FAI) Entreprise qui procure de l'information électronique ou des services de marketing à des abonnés qui paient un tarif mensuel.
fournisseur externe de soutien logistique Firme qui exécute la plupart sinon toutes les fonctions logistiques dont les fabricants, les fournisseurs et les distributeurs se chargeraient normalement eux-mêmes.
frais d'étalage Ce qu'il en coûte à un fabricant pour placer un nouveau produit dans les étalages d'un détaillant.
franchisage Contrat entre une compagnie mère et un individu ou une entreprise qui donne au franchisé le droit d'exploiter un certain type de commerce sous un nom établi et suivant des règles précises.
franchisage jumelé Type de franchisage dans lequel des magasins exploités par une chaîne vendent des produits ou des services d'une autre firme en franchise.

fréquence Nombre moyen d'expositions des personnes d'un auditoire cible à un message ou à une publicité.
fréquence d'achat Fréquence à laquelle on achète un produit en particulier.

G

galerie de boutiques Regroupement non planifié de commerces desservant des gens se trouvant à quelques minutes de voiture de leur emplacement.
gamme de produits Groupe de produits étroitement apparentés parce qu'ils répondent à une catégorie de besoins, parce qu'ils sont utilisés ensemble, vendus à un même groupe de consommateurs, distribués dans les mêmes points de vente ou parce qu'ils se trouvent dans la même gamme de prix.
garantie Énoncé des obligations d'un fabricant en cas de défauts dans son produit.
garantie express Déclaration écrite des obligations d'un fabricant concernant les défauts dans ses produits.
garantie restreinte Déclaration du fabricant indiquant les limites de ses obligations de couverture et de non-couverture des déficiences de son produit.
garantie tacite Garantie selon laquelle le manufacturier est responsable des défauts d'un article vendu par un détaillant.
généralisation du stimulus Ce qui se produit lorsqu'une réponse à un stimulus est reportée sur un autre stimulus.
génération X Génération des personnes nées entre 1965 et 1976.
génération Y Génération des personnes nées depuis 1977.
genèse d'idée de nouveaux produits Phase du processus de nouveaux produits durant laquelle une firme développe un bassin d'idées susceptibles de devenir de nouveaux produits.
gestion de la marque Utilisation par une organisation d'un nom, d'un slogan, d'un design, d'un symbole ou d'une combinaison de ces moyens pour identifier des produits et les démarquer de ceux de la concurrence.
gestion des clients importants Recours à un effort d'équipe pour établir avec les clients importants des relations de coopération mutuellement bénéfiques à long terme.
gestion des ventes Action de planifier, de mettre en œuvre et de contrôler les efforts de vente personnelle d'une firme.
gestion du rendement Gestion de la demande d'un service pour en assurer la disponibilité aux consommateurs.
gestion intégrée production-distribution Intégration et organisation des activités d'information et de logistique dans les entreprises d'une chaîne d'approvisionnement pour fabriquer et livrer des biens ou offrir des services qui créent de la valeur pour les consommateurs.
gestion juste à temps Système de gestion des stocks fonctionnant sur la base d'un niveau d'inventaire très bas et nécessitant un système de livraison rapide et à temps.
gestion logistique Organisation d'un acheminement rentable et conforme aux exigences des clients des matières premières, des produits semi-finis et finis ainsi que de l'information afférente, du point d'origine au point de consommation.
gestion par exception Outil dont se sert le directeur du marketing pour relever les écarts entre les résultats et les prévisions, pour en établir les causes, pour dresser de nouveaux plans d'action appropriés et pour les mettre en œuvre.
gestionnaire de produit (ou de programme) Personne capable et désireuse de contourner les lourdeurs administratives pour défendre un programme ou un produit et le faire avancer.
graphique du point d'équilibre Représentation graphique de l'intersection de la courbe de l'offre et de la courbe de la demande.
graphique du point mort Représentation graphique d'une analyse du seuil de rentabilité.
grille d'analyse marché-produit Cadre dans lequel on établit un lien entre les segments de marché et les produits offerts ou les activités de marketing potentielles d'une firme.
grossiste à série de produits limitée Point de vente au détail, comme un magasin d'articles de sport, qui offre un assortiment considérable d'une gamme d'articles apparentés, ou de la profondeur dans les articles proposés.
grossiste général Marchand à service complet qui tient un vaste assortiment de marchandises et qui remplit toutes les tâches dans le circuit.
grossiste «payer et emporter» Marchand de gros à service limité ayant un droit de propriété sur la marchandise, mais ne vendant qu'à des acheteurs qui viennent voir la marchandise, la paient comptant et en assurent le transport.
grossiste spécialisé Grossiste à service complet qui offre peu de produits mais un vaste assortiment de chaque produit.
grossiste-étalagiste Grossiste qui fournit les présentoirs ou les rayons pour mettre en montre la marchandise dans les magasins de détail, qui exécute toutes les fonctions du circuit et qui vend en consignation.
grossiste-livreur Petit grossiste tenant généralement quelques assortiments d'articles périssables et à forte rotation qu'il vend au comptant, directement de son camion.
groupe de discussion Session d'entretiens informels où six à dix personnes participant à un projet de recherche sont réunies dans une pièce, en compagnie d'un modérateur, pour discuter de sujets relatifs à un problème de recherche en marketing.
groupe de référence Individus par rapport auxquels une personne s'évalue et apprécie ses valeurs personnelles.
groupeur de marchandises Firme qui accumule de petits chargements jusqu'à former un volume suffisant pour pouvoir engager un transporteur qui en assurera la manutention, généralement à tarifs réduits.

H

hétérogénéité Élément caractéristique des services : la qualité d'un service varie selon les capacités de ceux qui le livrent.
hiérarchie des effets Stades successifs menant un acheteur potentiel de la reconnaissance d'un besoin à l'action (essai ou achat du produit). Ces stades sont la prise de conscience, l'intérêt et la recherche d'information, l'évaluation des solutions, l'essai, puis l'adoption.
hypermarché Grand magasin (de plus de 18 500 mètres carrés) offrant produits d'alimentation et articles d'usage courant.

I

idéalisme moral Attitude qui fait qu'on tend à considérer, en toutes circonstances, certains droits ou devoirs individuels comme universels.

idée de produit Ébauche descriptive du produit ou du service qu'une entreprise pense à offrir.
imitation frauduleuse Copie d'un produit de marque populaire, fabriquée à moindres coûts par un fabricant autre que le fabricant légitime.
impartition Donner à contrat à de petites entreprises extérieures le travail dont se chargeaient auparavant ses propres employés dans des services tels que la recherche en marketing, la publicité et les relations publiques.
indemnité de financement Promotion réseau dans laquelle on paie aux détaillants les frais de financement ou les pertes financières associées à la promotion des ventes auprès des consommateurs.
indemnité de mise en valeur Promotion réseau dans laquelle on indemnise le détaillant qui a accepté des présentoirs spéciaux dans son magasin ou qui y a mis en vedette une marque donnée.
indication de client On parle d'information de client lorsqu'une offre de marketing direct a pour but de susciter l'intérêt pour un produit ou un service ainsi qu'une demande d'information supplémentaire.
induction statistique Fait de tirer des conclusions sur une population en fonction d'un échantillon qu'on y a recueilli.
informatisation de la force de vente Application de technologies à la fonction de vente dans le but d'en améliorer l'efficacité.
infrastructure économique Ensemble des systèmes financier, de communication, de transport et de distribution d'un pays.
ingénieur technico-commercial Membre du personnel de vente doté d'une expertise technique et dont l'intervention consiste à identifier, à analyser et à résoudre les problèmes de la clientèle sans toutefois vendre directement des produits ou des services.
innovateur Il s'agit des premiers 2,5 % des consommateurs à adopter un nouveau produit. Ils sont généralement plus audacieux et plus instruits que la moyenne des gens.
innovation continue Nouveau produit dont l'usage ne nécessite pas de nouvel apprentissage.
innovation discontinue Nouveau produit nécessitant que les consommateurs acquièrent de nouveaux modèles de consommation.
innovation dynamiquement continue Produit qui sort de l'ordinaire et brise la routine des consommateurs mais qui ne nécessite que de légers changements dans les habitudes de consommation et d'utilisation.
inséparabilité Caractéristique propre aux services ; le fait qu'un service soit indissociable de la personne qui le livre ou de l'endroit où il est rendu.
intangible Caractéristique propre aux services ; le fait que les services ne peuvent être touchés, tenus ou vus avant la décision d'achat.
intelligence émotionnelle Capacité de comprendre ses propres émotions et celles des gens avec lesquels on est en interaction au quotidien.
intermédiaire en gros Marchand de gros qui possède et vend de la marchandise sans en assumer la manutention, l'entreposage ou la livraison.
Internet Réseau mondial intégré d'ordinateurs donnant accès à de l'information et à de la documentation.
intranet Réseau Web ou accessible par Internet utilisé à l'intérieur d'une organisation.
inventaire géré par le fournisseur Système de gestion des stocks qui permet à un fournisseur de déterminer la quantité de produits et l'assortiment dont un client (un détaillant, par exemple) a besoin et de lui livrer automatiquement les articles appropriés.
investissement direct Se dit, en marketing international, d'une entreprise nationale qui possède et investit dans une succursale ou une division à l'étranger.
ISO 9 000 Enregistrement et certification indiquant qu'un fabricant respecte les standards internationaux sur les plans de la gestion de la qualité et de l'assurance qualité.
ISO 14 000 Renvoie aux normes mondiales sur la qualité de l'environnement et sur les pratiques du marketing vert.

L

leader d'opinion Individu qui exerce directement ou indirectement une influence sociale sur les autres.
limitation de la gamme de prix Détermination du prix d'une gamme de produits en différents points d'établissement des prix.
liste des soumissionnaires Liste des entreprises que l'on croit qualifiées pour fournir un article donné.
littoral du Pacifique Région du monde comprenant les pays d'Asie et l'Australie.
logistique Regroupement des activités visant à acheminer en quantités adéquates les produits opportuns aux endroits et au moment opportuns au coût le plus bas qui soit.
logistique inverse Récupération des matériaux recyclables et réutilisables, et des retours de marchandises dans le but de les retravailler, de les réparer ou d'en disposer.
loi Valeurs et normes d'une société ayant force exécutoire en cour.
Loi sur la concurrence Principale loi conçue pour protéger la concurrence et les consommateurs au Canada.
loterie publicitaire Outil de promotion des ventes sous forme de jeu de hasard ne requérant ni analyse ni créativité pour gagner un prix.

M

machine distributrice Opération de commerce de détail dans laquelle les produits sont entreposés dans des machines et vendus à l'aide de ces machines.
macromarketing Étude du flux de l'ensemble des biens et services dont un pays fait bénéficier la société.
magasin à gamme unique Magasin offrant une gamme de produits d'une extraordinaire profondeur ; c'est le cas, par exemple, d'un magasin de chaussures de sport.
magasin à prix unique Forme de commerce promotionnel dans lequel tous les articles en magasin sont vendus à un seul bas prix.
magasin de marchandises diverses Commerce tenant une large gamme de produits mais de profondeur limitée.
magasin majeur Point de vente spécialisé qui se concentre sur une catégorie de produits, le matériel électronique ou les fournitures de bureau, par exemple, qu'il offre à des prix défiant toute compétition.

magasin pilier Magasin régional ou national bien connu installé dans des centres commerciaux régionaux.
magasin spécialisé Détaillant offrant de vastes sélections dans un éventail de produits restreint.
mail linéaire Groupement de magasins desservant moins de 30 000 personnes établies à 5 ou 10 minutes du mail en voiture.
majoration Montant ajouté au coût des marchandises vendus pour parvenir au prix de vente. S'exprime en dollars ou en pourcentage.
majorité précoce Segment de 34 % de la population qui achète un nouveau produit après le segment des innovateurs. Ce segment est composé de consommateurs avisés, c'est-à-dire de gens qui s'informent sur les nouveaux produits.
majorité tardive Segment de 34 % de la population qui achète un nouveau produit après la majorité précoce. Ce segment est composé de gens de classe sociale inférieure à la moyenne Ils utilisent moins la publicité et la vente personnelle pour s'informer que les innovateurs et la majorité précoce.
manutention des matériaux Déplacement des marchandises sur de courtes distance. Il peut s'agir de les amener dans un entrepôt ou dans une usine de fabrication, de les déplacer à l'intérieur même de ces locaux ou de les en faire sortir.
marché Gens ayant le désir et la capacité d'acheter un produit donné.
marché cible Groupe de consommateurs potentiels vers lequel une organisation dirige ses efforts de marketing.
marché contrôlé choisi Endroit où les détaillants sont payés pour mettre en montre de nouveaux produits sur lesquels une firme de recherches mène un test de marché.
marché d'âge mûr Ménages ayant à leur tête des gens de plus de 50 ans.
marché de la distribution forcée Voir marché contrôlé choisi.
marché gris (semi-clandestin) Marché où les produits sont vendus par l'intermédiaire de circuits de distribution non autorisés ; aussi appelé importation parallèle.
marché standard Endroit dont les compagnies se servent pour tester un produit dans les canaux de distribution normaux et contrôler les résultats.
marché test Phase du processus de création de nouveaux produits au cours de laquelle on offre un nouveau produit aux consommateurs potentiels, dans des conditions réalistes, pour voir s'ils l'achèteront.
marge Montant ajouté au coût des marchandises vendues pour parvenir au prix de vente. S'exprime en dollars ou en pourcentage.
marge bénéficiaire brute Les ventes nettes moins le coût des marchandises vendues.
marge bénéficiaire standard Prix résultant de l'addition d'un pourcentage fixe au coût de tous les articles d'une classe donnée de produits.
marketing Processus servant à planifier et à réaliser la conception, la fixation des prix, la promotion et la distribution d'idées, de biens et de services, lesquels feront l'objet d'échanges visant à satisfaire des objectifs personnels ou organisationnels.
marketing à vocation humanitaire Procédé suivant lequel une entreprise lie directement sa contribution à des œuvres caritatives aux revenus de vente qu'elle tire de la promotion de l'un de ses produits.
marketing auprès des entreprises Mise en marché de services et de biens auprès d'entreprises, de gouvernements et d'organisations commerciales ou sans but lucratif, qui les utiliseront pour créer des biens et des services qu'ils mettront en marché tant auprès d'autres entreprises clientes que d'individus ou de consommateurs finaux.
marketing ciblé Conception de la vente selon laquelle, avec le temps, un vendeur tisse des liens avec la clientèle en s'intéressant à ses besoins, qu'il s'engage à satisfaire.
marketing de guérilla Type de marketing non traditionnel qui fait appel à une approche massive et radicale. Il est associé au marketing de rue.
marketing de rue Type de marketing qui fait appel à un nombre important de personnes qui sont engagées pour distribuer en masse des feuillets publicitaires et des échantillons à divers endroits publics achalandés.
marketing direct Procédé promotionnel consistant à entrer en communication avec les consommateurs afin de susciter une commande, une demande d'information supplémentaire ou une visite en magasin.
marketing générationnel Utilisation de programmes de marketing conçus en fonction des attitudes et du comportement de consommation propres aux cohortes et aux générations qui constituent un marché.
marketing interactif Communications établies par ordinateurs entre vendeurs et acheteurs, où les acheteurs contrôlent le type et le volume des informations en provenance des vendeurs.
marketing interne Notion selon laquelle une entreprise de service doit d'abord se concentrer sur ses employés, ou son marché interne, avant de pouvoir lancer des programmes efficaces auprès de clients.
marketing inversé Efforts des acheteurs organisationnels pour établir des relations avec les fournisseurs pour que ces derniers ajustent leurs produits, leurs services et leurs capacités de façon à mieux répondre aux besoins des acheteurs et à ceux de leurs clients.
marketing mix Ensemble des variables contrôlables, comme le produit, le prix, la promotion et l'emplacement, sur lesquelles le directeur du marketing peut agir pour résoudre un problème.
marketing par bases de données Efforts que déploie une organisation pour constituer les profils démographique, médiatique et de consommation de la clientèle afin de mieux la cibler.
marketing personnalisé Établissement de liens entre l'organisation et ses clients, employés, fournisseurs et autres partenaires pour le bénéfice mutuel à long terme des uns et des autres.
marketing régional Forme de segmentation géographique qui permet de développer des plans de marketing qui reflètent, par zone, des différences de goût, de besoins perçus ou d'intérêts.
marketing vert Efforts de marketing déployés pour produire, promouvoir et réclamer des produits respectueux de l'environnement.
marketing viral Type de marketing qui utilise Internet pour diffuser de l'information et, tel un virus, créer une contagion de cette information.
marquage maison Les produits que fabrique une compagnie et qui sont vendus sous le nom du grossiste ou du détaillant ont un marquage maison.

marquage mixte Stratégie de marquage selon laquelle une compagnie peut mettre en marché ses produits sous son propre nom et sous le nom d'un revendeur.
marquage sans nom Stratégie de marquage qui ne donne pas de nom au produit, seulement une description du contenu.
marque de commerce Identification légale du droit exclusif d'une compagnie d'utiliser un nom commercial ou une marque de fabricant.
marque du fabricant Stratégie de marquage selon laquelle le nom de marque d'un produit est celui du fabricant, suivant une approche multiproduit ou multimarque.
matrice de positionnement du commerce de détail Cadre dans lequel on positionne des points de vente au détail en tenant compte de la largeur de la gamme de produits et de la valeur ajoutée.
média de proximité Média publicitaire non traditionnel qui place des messages dans des endroits où se trouve un public cible précis, dans les aéroports, les cabinets de médecins ou les clubs de remise en forme, par exemple.
média enrichi Promotion en ligne utilisant une bande passante interactive incluant du contenu multimédia (audio et vidéo) pour retenir davantage l'attention des internautes et ajouter un élément de divertissement au message.
mendicité Condition d'une personne qui demande la charité.
message Dans le processus de la communication, information envoyée à un récepteur par une source.
message d'intérêt public Outil publicitaire qu'on utilise en profitant de l'espace ou du temps offerts gratuitement par les médias.
microanalyse des ventes Moyen de contrôle des programmes de marketing par lequel on relie les revenus des ventes à leurs sources, soit par produits spécifiques, par territoires de vente ou par clients.
micromarketing Façon dont une organisation mène ses activités de marketing et répartit ses ressources pour le bénéfice de sa clientèle.
mission d'une entreprise (ou d'une unité d'activités stratégiques) Énoncé précisant les marchés dans lesquels l'unité d'activités stratégiques évoluera et les gammes de produits qu'elle promouvra.
mix de communication Combinaison des éléments promotionnels auxquels une firme a recours pour communiquer avec sa clientèle. Ces éléments comprennent : les annonces publicitaires, la vente personnelle, la promotion des ventes et les relations publiques.
mix de détail Composants stratégiques que gère un détaillant, incluant les biens et les services, la distribution physique et les tactiques de communication.
mix de produits Ensemble de toutes les gammes de produits qu'offre une compagnie.
mode de propriété Relatif à la propriété d'un commerce de détail. Il peut s'agir d'un indépendant, d'une société possédant une chaîne de magasins à succursale, d'une coopérative ou d'une franchise.
modification de produit Stratégie consistant à changer les caractéristiques d'un produit, telles que la qualité, le rendement ou l'apparence.
modification du marché Tentative d'accroître l'utilisation d'un produit en lui créant de nouveaux usages ou en trouvant de nouveaux clients.
moment (choix du) Décision quant au temps approprié pour offrir un rabais sur le prix de la marchandise.
monopole Environnement concurrentiel dans lequel il n'y a qu'un seul vendeur pour un produit ou un service.
motivation Action des forces qui déterminent le comportement visant la satisfaction d'un besoin.
mutation des valeurs Souci des consommateurs d'obtenir, à un prix donné, un produit ou un service de qualité présentant les meilleures caractéristiques et le meilleur rendement.

N

naissance de l'idée de produit Les idées de nouveaux produits sont souvent suggérées par les consommateurs, les employés de l'entreprise, par le département de recherche et de développement, et par la concurrence.
niveau de l'organisation Niveau où la haute direction dirige la stratégie d'ensemble de toute l'organisation.
niveau de l'unité d'activités stratégiques Niveau où les directeurs des unités d'activités stratégiques établissent l'orientation de leurs produits et de leurs marchés.
niveau de service Type de service offert au client par un fournisseur : libre-service, service limité ou service complet.
niveau fonctionnel Niveau où des groupes de spécialistes créent de la valeur pour l'organisation.
nom de marque Tout nom ou moyen (design, forme, son ou couleur) qu'utilise une compagnie pour démarquer ses produits de ceux de ses concurrents.
nouvel achat Premier achat d'un produit ou d'un service, caractérisée par un potentiel de risque élevé.

O

objectif Cible de rendement précise et mesurable, et échéance.
objectif de la fixation des prix Objectif précisant le rôle du prix dans le plan de marketing et le plan stratégique d'une entreprise.
observation Action d'observer, par des moyens mécaniques ou en personne, le comportement des gens.
offre complémentaire Offre qui sert à agrémenter ou à faciliter l'offre de base d'un organisme sans but lucratif.
offre de base Correspond à la mission première ou à la raison d'être d'un organisme sans but lucratif.
offre servant à attirer les ressources Produit ou service offert par un organisme sans but lucratif dans le but d'obtenir du financement.
oligopole Environnement concurrentiel dans lequel quelques compagnies contrôlent une grande part des ventes d'un secteur d'activités.
organisation de gestion par marché Groupement organisationnel qui confie à une unité la responsabilité d'un type donné de consommateurs.
organisation de gestion par produit Regroupement organisationnel dans lequel une unité est responsable de certains produits.

organisation fonctionnelle Regroupement organisationnel au sein duquel une unité d'activités stratégiques est subdivisée en services tels que fabrication, marketing et finances.
organisation géographique Regroupement organisationnel au sein duquel une unité d'activités stratégiques est divisée en fonction de la localisation géographique.
Organisation mondiale du commerce Institution ayant à sa tête un panel d'experts qui édicte les règles gouvernant le commerce entre les pays membres.
organisme de bénévoles Voir organisme sans but lucratif.
organisme sans but lucratif Organisation constituée et administrée pour s'assurer du bien-être social, des améliorations locales, pour s'occuper des loisirs ou fournir des divertissements, ou encore exercer toute autre activité non lucrative.
organisme volontaire Voir organisme sans but lucratif.
orientation vers le marché Concentration des efforts d'une organisation sur : 1) la collecte continuelle d'informations sur les besoins des consommateurs et les capacités de la concurrence ; 2) sur la diffusion de ces informations dans tous les services ; et 3) sur l'utilisation de ces informations pour créer de la valeur pour le consommateur.
OSBL (organisme sans but lucratif) Organisme non gouvernemental qui dessert sa clientèle sans avoir le profit comme objectif.
outil publicitaire Moyen de présentation impersonnelle d'une organisation, d'un bien ou d'un service sans coût direct. Comprend les communiqués et les conférences de presse, de même que les annonces d'intérêt public.

P

P (les quatre) Voir marketing mix.
panel Échantillon de consommateurs ou de magasins dont se servent les chercheurs pour prendre une série de mesures.
part de marché Pourcentage que représentent les ventes d'une entreprise par rapport aux ventes totales dans un secteur d'activités, incluant les ventes de cette firme.
part relative de marché Ventes d'une firme, ou d'une unité d'activités stratégiques, divisées par les ventes de la plus importante firme du secteur d'activités ; sert souvent d'axe horizontal dans l'analyse du portefeuille d'une entreprise.
partenariat de fournisseurs Efforts concertés d'un acheteur organisationnel et d'un fournisseur pour abaisser les coûts ou augmenter la valeur du produit livré au consommateur final.
partenariat de vente Démarche par laquelle acheteurs et vendeurs mettent en commun expertise et ressources pour trouver des solutions standardisées, se doter d'une planification coordonnée et se partager l'information sur les clients, la concurrence et la compagnie, le tout pour leur profit mutuel et, éventuellement, pour celui de la clientèle.
pénétration de marché Pour une entreprise, stratégie d'accroissement des ventes de ses produits actuels dans ses marchés actuels.
perception Processus par lequel un individu choisit, organise et interprète l'information pour se créer une image sensée du monde.
perception sélective Dans un environnement complexe, tendance qu'ont les humains à filtrer ou à choisir l'information de façon à comprendre le monde.
perception subliminale Fonction par laquelle une personne voit ou entend des messages sans en être consciente.
personnalisation massive des produits Fabrication, en grand volume et à un prix relativement bas, de biens et de services adaptés aux goûts des consommateurs individuels.
personnalité Comportements ou réponses typiques d'une personne dans une situation donnée.
personnalité de marque Ensemble de caractéristiques humaines associées à une marque de commerce.
phase d'introduction Première phase du cycle de vie d'un produit, durant laquelle les ventes et le profit progressent lentement.
phase de croissance Deuxième phase du cycle de vie d'un produit caractérisée par une croissance rapide des ventes et l'apparition de concurrents.
phase de croissance d'un produit Deuxième phase du cycle de vie du commerce de détail caractérisée par une rapide croissance de la part du marché et des profits.
phase de déclin d'un produit Quatrième et dernière phase du cycle de vie d'un produit caractérisée par la chute des ventes et des profits.
phase de maturité Troisième phase du cycle de vie d'un produit ou d'un commerce de détail qui se caractérise par le plafonnement de la part du marché et la diminution des profits.
phase de suivi Phase du processus de vente personnelle où on s'assure que la livraison de l'achat a bien été faite, que le produit est installé et que les difficultés d'utilisation ont été réglées promptement et à la satisfaction de la clientèle.
philosophie de l'entreprise Les valeurs et les « règles de conduite » qui régissent le fonctionnement d'une organisation.
placement de produit Publicité que paie un fabricant pour qu'un produit portant sa marque apparaisse dans un film.
plaidoyer publicitaire Publicité institutionnelle énonçant la position d'une entreprise sur une question donnée.
plan d'affaires Plan traçant les activités futures de l'ensemble d'une organisation pour une période donnée, de un an ou de cinq ans, par exemple.
plan de communication marketing intégré Conception de programmes de communication coordonnant toutes les activités promotionnelles – publicité, vente personnelle, promotion des ventes, marketing direct et relations publiques – de façon à livrer un message homogène à tous les publics et à tirer le meilleur parti possible du budget promotionnel.
plan de rétribution à salaire fixe Plan de rémunération en vertu duquel un représentant des ventes reçoit un salaire hebdomadaire, mensuel ou annuel fixe.
plan de vente Énoncé décrivant ce qu'il faudra réaliser, de même que l'endroit où les efforts de ventes des représentants devront être déployés et la façon dont ils seront déployés.
plan global d'action Liste à trois colonnes visant à faciliter la mise en œuvre d'un plan de marché. On indique les tâches à réaliser dans la première colonne, le nom des personnes responsables dans la deuxième, et la date à laquelle la tâche doit être terminée dans la troisième.

plan marketing Plan des activités de marketing d'une organisation établi pour une période donnée, un an ou cinq ans, par exemple.
pleine garantie Énoncé des obligations illimitées d'un manufacturier.
point d'exposition brut (PEB) Nombre référence pour les annonceurs résultant de la multiplication de la couverture (exprimée en pourcentage) par la fréquence.
point de différenciation Caractéristique d'un produit qui le rend supérieur au produit de substitution de la concurrence.
point de part de marché Point de pourcentage de la part du marché ; souvent utilisé comme base de comparaison pour répartir efficacement les ressources de marketing.
point mort ou seuil de rentabilité Point où les revenus et les coût totaux s'équilibrent et au-delà duquel les profits commencent.
politique d'écrémage Prix élevé qu'une entreprise attribue à un produit dans l'espoir d'en récupérer les coûts de développement.
politique de gestion des comptes Politique précisant aux représentants des ventes les personnes à contacter, ainsi que les types d'activités de vente à mener et les services à la clientèle à offrir, et la façon de le faire ; dans les agences de publicité, désigne les règles qui régissent les rapports des chargés de compte avec leurs clients.
politique de prix variables Procédé consistant à offrir à des clients semblables un même produit dans des quantités identiques mais à des prix différents.
politique des bas prix quotidiens Pratique consistant à remplacer l'escompte de promotion aux détaillants par des prix de catalogue plus bas.
portail Page d'entrée électronique donnant accès à la toile mondiale. On y offre des nouvelles, des divertissements, des sources d'information et des services de magasinage en ligne.
positionnement de produit Technique consistant à placer un produit dans l'esprit des consommateurs quant à ses attributs et relativement aux produits des concurrents.
positionnement frontal Technique consistant à se mesurer directement à ses concurrents en jouant sur les caractéristiques similaires de produits analogues s'adressant au même marché cible.
positionnement par différenciation Technique consistant à éviter la stratégie de comparaison directe en faisant plutôt la promotion des aspects originaux de son produit.
poste fonctionnel Poste occupé par une personne qui conseille les individus détenant des postes de direction sans toutefois pouvoir leur donner directement des ordres.
poste opérationnel Poste occupé par une personne qui, comme les directeurs de groupes de marketing, a l'autorité et la responsabilité de commander aux gens qui se rapportent à elle, le directeur du marketing, par exemple.
post-test Test qu'on fait passer après qu'une publicité a été montrée à un public cible afin de déterminer si elle a eu les effets escomptés.
potentiel d'un secteur d'activité Voir potentiel de marché.
potentiel de marché ou d'un secteur d'activité Ventes totales maximales d'un produit que pourraient réaliser, dans un segment donné, toutes les firmes d'un secteur réunies, dans des conditions environnementales données et en fournissant les efforts de marketing nécessaires.
pratique des affaires Comprend les règles du jeu, les limites entre une saine attitude combative et le manque d'éthique, et le code de conduite en affaires.
pratique trompeuse en matière de prix Pratique consistant à gonfler artificiellement les prix pour les réduire ensuite de façon à simuler un rabais.
précyclage Effort des fabricants pour contrer le gaspillage : ils réduisent l'emballage de leurs produits.
première croissance Dans le commerce de détail, première phase du cycle de vie d'un nouveau point de vente, qui se démarque alors rapidement des autres formes de concurrence.
preneur de commandes Vendeur qui s'occupe des commandes de routine et du renouvellement des commandes pour des produits qui ont déjà été vendus par l'entreprise.
préparation commerciale Ensemble de décisions centrées sur les consommateurs qui portent sur les produits et services, sur la logistique de distribution et sur les moyens d'action promotionnels.
présentation axée sur la satisfaction des besoins Approche de vente où le vendeur se met à l'écoute du client potentiel et le questionne afin de connaître ses besoins et ses intérêts.
présentation d'articles variés Offre de plusieurs gammes de produits non apparentés dans un même magasin de détail.
présentation stimulus-réponse Technique de vente reposant sur l'idée que le client potentiel achètera si le personnel de vente fournit les stimulus appropriés.
présentoir de P. L. V. (publicité sur le lieu de vente) Présentoir disposé dans les magasins, dans des aires de grand achalandage, souvent à proximité des comptoirs des caisses.
prestation extérieure de services Stratégie consistant à donner, par contrat, à une autre entreprise la production et le marketing de l'un de ses produits en phase de déclin.
pré-test Test auquel on procède avant de montrer une publicité, pour déterminer si elle transmet bien le message escompté ou pour choisir entre ses différentes versions.
prévision des ventes Ce qu'une entreprise s'attend à vendre dans des conditions données, compte tenu des facteurs contrôlables et incontrôlables qui peuvent influer sur les prévisions.
prévision directe Estimation immédiate, établie sans étape.
prévision du cheval perdu Méthode consistant à partir de la dernière valeur connue de l'article pour lequel on veut établir des prévisions pour dresser la liste des facteurs susceptibles d'influer sur les prévisions, pour décider s'ils auront des effets négatifs ou positifs et pour faire une prévision finale.
prévision par consolidation Prévision totale obtenue par la sommation des prévisions des ventes de toutes les composantes.
prévision par fractionnement Division des prévisions globales en leurs principales composantes.
prévision technique Action de prévoir le moment où une découverte scientifique verra le jour.

prime Promotion de vente qui consiste à offrir de la marchandise gratuitement ou à un prix considérablement inférieur au prix de détail habituel.
prime auto-payante Promotion de vente où on offre une marchandise à un prix représentant une bonne aubaine pour le client et couvrant le coût de la prime.
prise de contrôle d'une organisation Achat d'une firme par des agents extérieurs.
prix Argent ou autres rétributions échangés contre l'achat ou l'utilisation d'un produit, d'une idée ou d'un service.
prix ciblant la rentabilité des ventes Prix courant qui a pour but de rapporter un bénéfice exprimé en pourcentage du volume des ventes.
prix ciblant le bénéfice Prix déterminé selon une marge bénéficiaire annuelle exprimée en dollars.
prix ciblant le rendement du capital investi Formule établie à partir d'un logiciel de simulation. Les gestionnaires s'en servent pour envisager diverses possibilités à partir desquelles ils préparent un état des résultats (revenus – coûts). À partir de chaque possibilité, les gestionnaires établissent un prix qui permet de réaliser le rendement du capital investi fixé au départ.
prix coûtant majoré Ajout, au coût total d'une unité de produit ou de service, d'une certaine somme jusqu'à concurrence d'un prix donné.
prix d'appel Prix inférieur au prix habituel afin d'attirer l'attention de la clientèle dans l'espoir qu'elle achètera d'autres produits.
prix d'ensemble Mise en marché de deux ou de plusieurs produits à un seul prix d'ensemble.
prix de livraison uniforme Prix de vente qui tient compte de tous les frais de transport.
prix dégriffé Vente de marchandises de marque à des prix inférieurs aux prix courants.
prix du marché Fixation des prix supérieure, égale ou inférieure en fonction des prix sur le marché.
prix en fonction de la marge bénéficiaire normalisée Prix établi selon un pourcentage fixe ajouté au coût de tous les articles d'une catégorie de produits.
prix en fonction du coût moyen complet Formule selon laquelle on calcule le coût unitaire global d'un produit ou d'un service auquel on ajoute une somme déterminée afin d'obtenir un prix.
prix en fonction du rendement Variation des prix en fonction de l'heure, du jour, de la semaine ou de la saison. Les gestionnaires s'appuient sur l'offre et la demande pour établir le prix d'un service.
prix fixé selon un retour sur investissement attendu Fixation d'un prix qui permette de réaliser le rendement du capital investi cible.
prix groupé Prix appliqué pour la mise en marché de deux ou de plusieurs produits à un seul prix d'ensemble.
prix habituel Méthode de détermination des prix fondée sur la tradition du marché, un circuit de distribution standardisé ou d'autres facteurs concurrentiels.
prix indicatif Ajustement délibéré de la composition et des caractéristiques d'un produit en fonction d'un prix cible à offrir aux consommateurs.
prix inférieur à celui du marché, à son niveau ou au-dessus Prix subjectif proposé par les gestionnaires en marketing par rapport aux prix du marché ou de la concurrence. Les gestionnaires peuvent à volonté fixer un prix inférieur à celui du marché, à son niveau ou encore supérieur.
prix initial FAB Politique de prix selon laquelle l'acheteur prend possession de la marchandise au point de chargement.
prix pair-impair Formule de prix basée sur quelques dollars ou quelques cents de moins qu'un nombre pair. (Exemple : prix fixé à 39,99 $ plutôt qu'à 40 $.)
prix psychologique Voir prix symbolique.
prix rendu Pratique consistant à refuser de livrer un article à un consommateur selon les conditions consenties à d'autres consommateurs dans un même lieu.
prix symbolique Technique de fixation de prix selon laquelle il existe, pour l'acheteur, certains prix (ou échelles de prix) plus attrayants que d'autres. Pour l'entreprise sans but lucratif, il s'agit de responsabiliser le bénéficiaire.
prix unique Formule qui consiste à fixer un même prix pour une même clientèle achetant le même produit, en même quantité, à des conditions identiques.
processus de décision d'achat Étapes par lesquelles passe un consommateur avant d'arrêter son choix sur les produits qu'il achètera.
processus de marketing stratégique Approche qui consiste à répartir les ressources sur le plan du marketing mix afin de mieux rejoindre les marchés cibles.
processus de prise de décision Choix conscient entre des possibilités.
processus de vente personnelle Activités de vente se tenant avant et après la vente elle-même. Comprend six étapes : 1) la prospection ; 2) l'approche préliminaire ; 3) l'approche ; 4) la présentation ; 5) la conclusion ; et 6) le suivi.
produit Bien, service ou idée dotés d'attributs tangibles et intangibles pouvant satisfaire les consommateurs et qu'on peut obtenir en échange d'argent ou d'une quelconque unité de valeur.
produit à apprentissage court Produit qui se vend rapidement dans la phase d'introduction, parce que les avantages qu'il offre aux consommateurs sont facilement observables et que son utilisation ne nécessite pas un long apprentissage.
produit à apprentissage long Produit dont le cycle de vie comporte une longue phase d'introduction parce que son utilisation par les consommateurs repose sur un important apprentissage.
produit à effet de mode Produit dont la courbe du cycle de vie peut décliner puis reprendre dans un autre cycle de vie.
produit d'achat réfléchi Produit qu'un acheteur ne se procure pas avant d'avoir procédé à des comparaisons avec d'autres produits, et ce, selon de multiples critères.
produit de consommation courante Article que les consommateurs achètent fréquemment et sans grand magasinage.
produit intérieur brut Valeur monétaire de tous les biens et services produits dans un pays au cours d'une année.
produit non recherché Produit que des consommateurs ne connaissent pas ou qu'ils connaissent mais dont ils n'ont pas envie de prime abord.

profit Rétribution qu'obtient une firme pour le risque qu'elle prend en mettant en vente un produit ; l'argent qui reste une fois tous les frais soustraits du produit total des ventes.
profondeur de la gamme Ensemble de tous les articles que tient un magasin ou un grossiste.
programmation d'impulsion Échéancier combinant programmation de continuité et programmation de publicité sporadique que l'on adopte à cause d'un accroissement de la demande, d'une période de promotion chargée ou de l'introduction d'un nouveau produit.
programme d'ordonnancement Ligne de temps présentant l'agencement temporel des différentes tâches d'un programme.
programme de fidélisation Promotion des ventes où on encourage et récompense les achats répétés en offrant au consommateur une prime tenant compte de son volume d'achat.
programme marketing Plan intégrant le marchéage et visant à offrir un bien, un service ou une idée à des clients potentiels.
projet de nouveau produit Séquence d'activités à laquelle se livre une entreprise pour découvrir des opportunités d'affaires et les transformer en un bien ou en un service vendable. Comprend sept étapes : stratégie de développement d'un nouveau produit, recherche d'idées, filtrage et évaluation, analyse économique, développement, test du marché et commercialisation.
promotion auprès des intermédiaires Outil de vente visant à soutenir les efforts de publicité et de vente personnelle qu'une entreprise déploie auprès des grossistes, des distributeurs ou des détaillants. Les trois approches courantes sont les remises, la publicité collective et la formation de la force de vente.
promotion des ventes Incitatif à court terme visant à éveiller l'intérêt pour un bien ou un service et à en encourager l'achat.
promotion des ventes adaptée aux besoins du consommateur Outils de vente visant à soutenir les efforts de publicité et de vente personnelle qu'une entreprise fait au regard du consommateur final. Les bons de réduction, les loteries publicitaires et les timbres-primes font partie de ces outils.
propriété directe En commerce international, se dit d'une entreprise nationale qui possède une succursale ou une division à l'étranger et y investit.
protectionnisme Imposition de droits de douane ou de quotas par un pays qui veut, ainsi, protéger un ou plusieurs de ses secteurs économiques de la concurrence étrangère.
protocole Dans le processus de développement de nouveaux produits, le protocole est l'énoncé préliminaire qui désigne le marché cible, qui précise les besoins, désirs et préférences des consommateurs, et qui décrit le produit et ses attributs.
psychographie Ensemble réunissant des caractéristiques relatives à la personnalité et au mode de vie (activités, intérêts et opinions).
publicité Toute forme de communication impersonnelle payée par un annonceur nettement identifié et portant sur une organisation, un produit, un service ou une idée dans le but de provoquer chez les récepteurs des comportements conformes aux objectifs de l'annonceur.
publicité à frais partagés Programme de publicité par lequel un manufacturier paie une portion des frais de publicité locale d'un détaillant pour que ce dernier fasse la promotion de ses produits.
publicité comparative Publicité vantant les forces d'une marque par rapport à celles d'une marque concurrente.
publicité concurrentielle Publicité faisant la promotion des caractéristiques et des avantages spécifiques d'une marque.
publicité de lancement Publicité expliquant un produit, ce qu'il fait et où on peut le trouver.
publicité rédactionnelle Forme impersonnelle de présentation d'une organisation, d'un produit ou d'un service, que l'entreprise ne paie pas directement.
publicité-leurre Pratique publicitaire consistant à mettre en montre un produit qu'on n'a pas l'intention de vendre, de façon à attirer la clientèle dans le magasin et à lui vendre un article de prix plus élevé.
publireportage Programme publicitaire de longue durée, souvent de 30 minutes, où on adopte une approche de communication éducative avec les clients potentiels.
pulsion Besoin qui pousse l'individu à l'action.

Q

qualité Traits et caractéristiques d'un produit qui influent sur sa capacité de satisfaire les besoins des consommateurs.
quatre caractéristiques du service (les) Ce sont l'intangibilité, l'inséparabilité entre la production du service et sa consommation, l'hétérogénéité et la nature périssable.
question dichotomique Question dirigée à laquelle on ne peut répondre que par oui ou par non.
question dirigée Question à laquelle on répond en sélectionnant un élément dans une liste de choix de réponses.
question fermée Voir question dirigée.
question ouverte Question à laquelle le répondant peut formuler sa réponse dans ses propres mots.
quête Demande de ressources faite directement aux membres d'une organisation.
quota Quantité maximale de produits qu'un pays admet à l'importation ou à l'exportation.

R

rachat modifié Situation d'achat où les utilisateurs, les prescripteurs ou les décideurs changent les spécifications du produit, son prix, l'échéancier de livraison ou le fournisseur.
rachat simple Situation d'achat dans laquelle l'acheteur ou le responsable des achats renouvelle une commande de produits ou de services existants à partir d'une banque de fournisseurs agréés.
raison sociale Nom commercial légal sous lequel une entreprise fait des affaires.
réacheteur Individu qui a fait l'essai d'un produit, qui l'a aimé et qui l'a acheté de nouveau.
réaction favorable du consommateur Voir réaction rapide.
réaction rapide Système de gestion d'inventaire conçu pour réduire le délai d'approvisionnement d'un détaillant.
récepteur Dans le processus de communication, désigne les consommateurs qui lisent, entendent ou voient le message émis par une source.
recette globale Somme totale d'argent provenant de la vente d'un produit.

recherche en marketing La recherche en marketing est un procédé par lequel on définit un problème ou une possibilité sur le plan commercial. Elle permet de recueillir des données à l'aide de méthodes de collecte d'informations. Les données recueillies sont ensuite analysées, ce qui permet de comprendre l'information et de recommander des mesures visant à améliorer les efforts promotionnels de l'entreprise.
réciprocité Entente d'achat industriel par laquelle deux entreprises conviennent d'acheter des produits l'une de l'autre.
récolte Stratégie qu'utilise une compagnie quand, durant la phase de déclin du cycle de vie d'un produit, elle continue d'offrir ce produit en en réduisant cependant les frais de soutien.
recyclage Utilisation d'innovations technologiques permettant de réutiliser plusieurs fois des produits dans le cycle de fabrication.
réduction Procédé consistant à réduire la quantité de produit utilisable sans pour autant réduire le format de l'empaquetage. Cette réduction est souvent accompagnée d'un maintien du prix et, parfois, d'une hausse du prix.
région métropolitaine de recensement (RMR) Zone d'un marché du travail ayant une population de 100 000 personnes et plus.
règle des 80/20 Principe selon lequel 80 % des ventes (et des coûts) proviennent de 20 % des articles vendus ou de 20 % de la clientèle.
réglementation Ensemble des lois régissant la conduite des affaires.
relations publiques Forme de gestion de la communication qui tente d'influer sur les sentiments, les opinions ou les croyances qu'entretiennent les consommateurs, les actionnaires, les fournisseurs, les employés et d'autres publics à l'égard d'une entreprise et de ses produits ou services.
remise Réduction, par rapport au prix de liste, qu'un vendeur consent à un acheteur pour le remercier de faire commerce avec lui.
remise par caisse Promotion de ventes consentant aux détaillants un rabais par caisse commandée, durant une période donnée.
remise professionnelle Réduction de prix consentie aux grossistes ou aux détaillants en prévision de fonctions marketing qu'ils assumeront pour le fabricant.
remise saisonnière Réduction de prix consentie aux intermédiaires qui acquièrent des produits au moment où ils ne sont pas en demande chez les consommateurs.
remise sur quantité Réduction du coût à l'unité pour des commandes de quantités importantes.
remise sur quantité cumulative Rabais consenti à un acheteur, calculé selon le nombre d'achats d'un produit sur une période donnée, généralement une année.
remise sur quantité non cumulative Réduction de prix fondée sur la taille d'une commande d'achat et qui ne tient pas compte des achats identiques préalablement effectués par la clientèle.
rémunération à salaire fixe plus commission Programme de rémunération en fonction duquel les membres du personnel de ventes reçoivent un salaire donné plus une commission basée sur les ventes ou le bénéfice.
rémunération fixe Mode de rémunération en fonction duquel l'entreprise consent aux membres du personnel de vente un salaire hebdomadaire, mensuel ou annuel fixe.
renforcement Récompense qui tend à renforcer une réponse.
repositionnement Action de modifier la place qu'occupe son offre par rapport à celle qu'occupe l'offre des concurrents dans l'esprit des consommateurs.
représentant commercial Vendeur, dans le sens conventionnel du mot, qui s'emploie à découvrir les clients potentiels qu'il informera sur les produits qu'il vend, s'attachant à les persuader de les acheter, et qui, après avoir conclu une vente, assurera un suivi auprès de l'acheteur.
représentant missionnaire Personnel de vente qui ne sollicite pas directement des commandes, mais qui se consacre plutôt aux activités de promotion et à l'introduction de nouveaux produits.
responsabilité de la partie intéressée Notion selon laquelle une organisation n'a d'obligation qu'envers les gens qui peuvent influer sur la réalisation des objectifs.
responsabilité de profit Conception voulant que l'unique obligation des entreprises soit de maximiser les profits pour le bénéfice des propriétaires ou des actionnaires.
responsabilité sociale Notion selon laquelle les organisations font partie d'une société élargie et doivent, de ce fait, rendre compte de leurs actions à la société. Par exemple, les entreprises ont l'obligation de préserver l'environnement et de contribuer au bien-être de la société.
restructuration (aussi rationalisation et réorganisation) Opération par laquelle les corporations internationales cherchent à améliorer leur efficacité. Consiste à éliminer le dédoublement des fonctions dans différentes succursales de l'entreprise, à éliminer des usines ou des bureaux non rentables et à procéder à des mises à pied.
retardataire Le segment de 16 % de la population qui craint l'endettement, s'informe auprès d'amis et n'accepte les idées et les produits que lorsqu'ils sont depuis longtemps sur le marché.
retour Remboursement ou crédit remis au client qui rend un article qu'il avait au préalable acheté.
retraduction dans la langue d'origine Procédé par lequel un interprète ramène un mot ou une phrase dans la langue originelle de façon à détecter les erreurs.
rétroaction Flot de la communication retournant du récepteur à l'émetteur ; indique si l'intention du message a été décodée et comprise.
revendeur Grossiste ou détaillant qui achète des produits tangibles et les revend sans aucune transformation.
revenu brut Somme totale d'argent gagnée annuellement par une personne, une famille ou un ménage.
revenu discrétionnaire Argent restant une fois que sont payées les taxes et les autres nécessités.
revenu disponible Revenu après taxes dont dispose un consommateur pour la nourriture, le logement et le vêtement.
revenu marginal Accroissement (ou diminution) des revenus provenant de la vente d'une unité supplémentaire.
revenu moyen Somme moyenne tirée de la vente d'une unité d'un produit.
revenu total Montant total que l'on retire de la vente d'un produit.
risque perçu Anxiété qu'éprouve un consommateur qui, incertain de l'issue d'une démarche, en appréhende les conséquences négatives.

ristourne promotionnelle Somme d'argent ou quantité supplémentaire de produits « gratuits » qu'un fabricant remet aux vendeurs d'un circuit de distribution parce qu'ils se sont chargés de certaines activités de publicité ou de vente visant à promouvoir un produit.
robot de recherche Agents de magasinage électronique ou robots qui passent au crible des sites Web pour comparer prix, produits et services.
rotation de l'acheteur Fréquence à laquelle les nouveaux acheteurs entrent sur le marché pour y acheter un produit.
roue du commerce de détail Concept selon lequel les points de commerce de détail sont d'abord des exploitations de statut inférieur et à marge bénéficiaire peu élevée avant de s'améliorer graduellement par rapport à ces deux éléments.

S

secteur d'activités Ensemble des entreprises offrant des produits assez semblables.
segment de marché Groupe résultant du processus de segmentation du marché ; ensemble relativement homogène d'acheteurs potentiels.
segmentation du marché Processus par lequel on classe par groupes ou segments des acheteurs potentiels : 1) qui ont des besoins en commun ; et 2) qui répondent de façon similaire à des actions de marketing.
sélection préalable et évaluation Phase du processus de développement de nouveaux produits durant laquelle, se fondant sur des évaluations internes et externes, une firme procède à l'élimination des idées qui ne méritent pas davantage d'efforts de développement.
séminaire de vente Type de vente en équipe dans laquelle un programme d'information décrivant les dernières innovations de l'entreprise est offert au personnel technique de l'entreprise cliente.
sémiotique Étude de la correspondance entre les signes et le sens que les gens leur attribuent.
service Activités, avantages ou autres biens intangibles que l'on offre à la clientèle en échange d'argent ou d'une autre valeur.
service à la clientèle Capacité d'un système logistique de satisfaire les utilisateurs sur le plan du temps, de la fiabilité, des communications et de la commodité.
service complet Détaillant offrant un éventail complet de services à sa clientèle.
service limité Détaillant offrant à la clientèle des services choisis, comme le crédit ou le retour de la marchandise.
signal Symbole ou stimulus que perçoivent les consommateurs.
site Web communautaire Site Web se consacrant à des groupes particuliers d'individus ayant des intérêts communs.
site Web d'entreprise Site Web interactif qu'une entreprise met sur pied pour répondre aux questions et messages des employés, des investisseurs, des fournisseurs et de la clientèle.
site Web de marketing Site Internet où on cherche à vendre un produit ou un service en engageant un dialogue ou une communication interactive avec les consommateurs, ou en les faisant progresser vers une décision d'achat.
situation d'achat Éventail de possibilités allant du renouvellement d'usage à l'achat d'un nouveau produit ou service. On en dénombre trois : le rachat simple, le rachat modifié et le nouvel achat.
socialisation du consommateur Processus par lequel les gens acquièrent les habiletés, le savoir et les attitudes nécessaires à la consommation.
société Association de personnes qui, dans les conditions prévues par la loi, mettent en commun des ressources afin de partager les bénéfices qui en découlent.
sous-culture Sous-groupe d'une culture plus vaste ou nationale ayant des valeurs, des idées et des attitudes qui lui sont propres.
stade de la conclusion Phase du processus de vente personnelle durant laquelle on doit obtenir l'engagement d'un client potentiel.
stock 1) Marchandise achetée de fournisseurs qui, retravaillée ou non, sera revendue aux clients. 2) Caractéristique des services ; le besoin et le coût d'avoir un fournisseur de services à sa disponibilité.
stratégie corrective Lorsqu'une entreprise réagit à l'apparition d'un nouveau produit concurrent en développant elle aussi un nouveau produit, elle organise sa défense à l'aide d'une stratégie corrective.
stratégie d'aspiration Action d'orienter les moyens promotionnels vers les consommateurs finaux pour les inciter à demander un produit donné au détaillant.
stratégie de différenciation Stratégie consistant à se démarquer par l'innovation et les points de différenciation des produits, ou par une qualité supérieure, une technologie de pointe ou un service supérieur, dans de nombreux segments de marché.
stratégie de domination du marché par les coûts Engagement formel à réduire les coûts afin de réduire subséquemment les prix d'articles vendus dans de nombreux segments de marché.
stratégie de focalisation sur le prix Contrôle des dépenses suivi d'une réduction de prix dans un nombre restreint de segments de marché.
stratégie de marketing multiforme Stratégie adoptée par les entreprises multinationales. Elle comporte autant de variations de produits, de marques et de campagnes publicitaires que de pays ou se trouvent ces entreprises.
stratégie de pression Action de diriger les moyens promotionnels vers les membres du circuit de distribution ou les intermédiaires pour les convaincre de commander et de stocker un produit.
stratégie générique de marché Stratégie que l'on peut adapter à n'importe quelle firme, sans égard au produit ou au secteur d'activités, pour en tirer un avantage concurrentiel.
stratégie marketing Concentration des efforts d'une organisation : 1) sur la collecte continuelle d'informations sur les besoins des consommateurs et les capacités de la concurrence ; 2) sur la diffusion de ces informations dans tous les services ; et 3) sur l'utilisation de ces informations pour créer de la valeur pour les consommateurs.
stratégie marketing international Procédé visant à standardiser les activités de marketing là où il y a des similarités culturelles et à les adapter quand la culture diffère.

stratégie marketing multidomestique Stratégie de marketing selon laquelle une firme évoluant à l'échelle mondiale offre, dans chaque pays, des versions de produits différentes, utilise des noms de marque différents et développe des programmes de publicité différents.
stratégie multimarque Stratégie de marquage selon laquelle un fabricant donne un nom distinct à chacun de ses produits.
stratégie multiproduit Stratégie de marquage qu'adopte une compagnie qui n'utilise qu'un nom de marque pour tous ses produits. Aussi appelé marquage par nom de famille.
stratégie proactive Stratégie relative aux nouveaux produits misant sur une répartition énergique des ressources pour découvrir les occasions de développement de produits.
style de vie Façon de vivre qu'on définit par les activités des gens (ce à quoi ils emploient leur temps et leurs ressources), leurs intérêts (ce qu'ils considèrent comme important dans leur environnement) et leurs opinions (ce qu'ils pensent d'eux-mêmes et du monde environnant).
succursale et bureau de vente du fabricant Opération indépendante d'un fabricant qui réalise certaines fonctions dans le circuit, y compris la tenue d'inventaire, généralement accomplie par un grossiste multiservices.
suppression Stratégie consistant à retirer un produit de sa gamme, généralement durant la phase de déclin du cycle de vie de ce produit.
symbole culturel Concept qui englobe tout ce qui représente les idées et les valeurs d'une culture.
synergie Augmentation de la valeur perçue par les consommateurs pour un produit offert qu'une firme obtient en exécutant les fonctions organisationnelles avec plus d'efficience.
Système de classification des industries de l'Amérique du Nord (SCIAN) Système de classification des organisations selon leur activité principale ou les principaux biens ou services qu'elles offrent. Utilisé dans les trois pays de l'Alena – Canada, États-Unis et Mexique.
système de marketing vertical contractuel Entente de circuit selon laquelle des firmes indépendantes de fabrication et de distribution s'engagent, par contrat, à joindre leurs efforts pour réaliser plus d'économies et de ventes qu'elles n'en auraient autrement réalisées.
système de marketing vertical corporatif Entente de circuit suivant laquelle les stades successifs de production et de distribution sont assumés par un seul propriétaire.
système marketing vertical Circuit marketing professionnellement géré et centralisé conçu pour réaliser des économies d'exploitation et avoir un impact maximal sur le marché.

T

tableau croisé Méthode de présentation et de mise en relation des résultats concernant deux ou plusieurs variables qui permet d'analyser les données et de découvrir les relations qu'elles entretiennent entre elles.
tactique de marketing Moyens que prendra une entreprise pour réaliser ses objectifs de marketing. Comprend des décisions sur : 1) le marché cible ; et 2) le programme de marketing.
tarif réduit aux heures creuses Méthode de fixation des prix qui consiste à exiger des prix différents à divers moments de la journée ou certains jours de la semaine (fin de semaine généralement) de manière à tenir compte des écarts de la demande.
tarification de prestige Fixation d'un prix élevé visant à attirer les consommateurs soucieux de leur image et de leur statut.
tarification en temps réel Établissement de différents prix visant à maximiser les revenus pour une capacité de production donnée à un moment donné.
taux d'utilisation Quantité consommée ou achalandage durant une période donnée, qui varie grandement selon les différents groupes de consommateurs.
taux de change Valeur de la monnaie d'un pays exprimée en fonction d'une devise étrangère.
taux de croissance du marché Taux annuel de croissance d'un marché ou d'un secteur d'activités donné dans lequel une entreprise ou une unité d'activités stratégiques évolue.
technologie Force génératrice d'inventions et d'innovations résultant des sciences appliquées ou de la recherche en génie.
technologie de l'information Élément permettant de concevoir et de gérer des systèmes informatiques et de communication capables de satisfaire les besoins de stockage, de traitement de données et d'accès aux données de l'organisation.
télémarketing Utilisation du téléphone pour rejoindre les acheteurs potentiels et leur vendre directement des produits.
télémarketing en amont Mise à la disposition des consommateurs de numéros téléphoniques leur permettant de faire des appels sans frais afin d'obtenir de l'information sur des produits ou des services et d'en faire l'acquisition.
télémarketing en aval Établissement du contact avec la clientèle par téléphone plutôt que par une visite personnelle.
témoin Fichier informatique que les spécialistes du marketing peuvent télécharger dans l'ordinateur des visiteurs de leur site Web, pour en suivre le parcours et emmagasiner des données les concernant.
temps de réassortiment Voir délai de suite.
test Prétest où on montre à un jury de consommateurs une publicité ; chacun doit évaluer et noter le niveau d'attrait de la publicité, et dire à quel point elle lui a plu et a retenu son attention.
test d'annonces dans les salles de cinéma Prétest dans lequel des consommateurs visionnent les annonces à tester dans le cadre de nouvelles émissions de télévision ou de films, et rendent compte de ce qu'elles leur ont inspiré sur enregistreuse ou en remplissant un questionnaire.
test de concept Évaluation externe d'une idée de produit (et non du produit lui-même) que l'on réalise auprès des consommateurs.
test de reliure Prétest au cours duquel des consommateurs regardent un portefeuille d'annonces dans lequel se trouve, entre autres, l'annonce que l'on veut tester. On leur demande ensuite leurs impressions sur les annonces.
test de Starch Post-test servant à évaluer jusqu'à quel point les consommateurs reconnaissent une annonce parue dans un magazine qu'ils ont lu.
toile mondiale Voir World Wide Web.

train-bloc Train réservé à un type de denrée, dont le chargement et le déchargement nécessitent de l'équipement spécialisé, qui se rend à destination à grande vitesse.
transport intermodal Combinaison de plusieurs modes de transport afin de tirer le meilleur parti de chacun.
troc Pratique consistant à échanger des biens et des services, contre d'autres biens et services.

U
unité d'activités stratégiques Élément d'une entreprise qui commercialise un ensemble de produits apparentés destiné à un groupe bien défini de consommateurs. Dans une grande entreprise, centre de profit décentralisé traité à la manière d'une entité commerciale indépendante.
unité de gestion de stock (UGS) Numéro de commande identifiant un article.
utilisateur Clientèle d'un organisme sans but lucratif (quand l'organisme demande une rémunération pour le bien qu'il cède).
utilitarisme Philosophie personnelle qui consiste à évaluer les coûts et les avantages d'un comportement éthique pour s'assurer qu'il apporte « le plus grand bonheur au plus grand nombre ».
utilité Bénéfices ou valeur de consommation que retirent les utilisateurs d'un produit.
utilité de forme Valeur pour les consommateurs résultant de la fabrication ou de la modification d'un bien ou d'un service.
utilité de l'emplacement Valeur que constitue pour les consommateurs le fait de trouver un produit ou un service à l'endroit où ils en ont besoin.
utilité de possession Valeur que constitue le fait de faciliter l'achat d'un article en prévoyant des dispositions permettant l'utilisation de cartes de crédit ou certains aménagements financiers.
utilité du temps Valeur que représente pour les consommateurs la disponibilité d'un bien ou d'un service lorsqu'ils en ont besoin.

V
valeur Rapport entre la qualité perçue d'un bien ou d'un service et son prix (valeur = bienfaits perçus / prix).
valeur ajoutée Dans le cadre de décisions stratégiques en commerce de détail, une dimension de la matrice de positionnement relative au niveau de service d'un détaillant et à sa façon de fonctionner.
valeur-client Ensemble des reçus par les acheteurs cibles sur le plan de la qualité, du prix, de la commodité du produit, de la livraison en temps voulu, et du service avant et après-vente.
valeurs Modes de conduite personnellement ou socialement préférables ou états de vie durables.
vente adaptative Présentation de vente « besoin-satisfaction » que l'on adapte à la situation de vente.
vente consultative Présentation de vente axée sur la satisfaction des besoins au cours de laquelle un représentant des ventes s'attache à découvrir les problèmes de l'acheteur et sert d'expert en reconnaissance de problèmes.
vente personnelle Processus par lequel un vendeur se trouve en relation directe avec un acheteur qu'il cherche à influencer.
vente-conférence Type de vente en équipe où un représentant des ventes et d'autres personnes-ressources de l'entreprise rencontrent des acheteurs pour discuter de problèmes et d'occasions d'affaires.
vérification commerciale Revue périodique complète et objective du processus de marketing stratégique d'une firme ou d'une unité d'activités stratégiques.
vérification des contacts clients Graphique de l'évolution des points d'interaction entre un consommateur et un fournisseur de service.
vision de l'organisation Image bien définie, souvent teintée d'idéalisme, qu'une organisation a de son avenir.
vitesse d'oubli Vitesse à laquelle les acheteurs oublient une marque qu'ils ne voient plus dans les publicités.
vol de marchandises Vol à l'étalage dans un magasin par les clients et les employés.
volume de travail Méthode utilisée pour déterminer la taille de la force de vente en tenant compte du nombre de clients, de la fréquence d'appel et du temps qu'il faudra pour développer une force de vente comprenant le nombre de représentants désirés.

W
World Wide Web (W3) Partie du réseau Internet logeant un système d'extraction où on formate information et documents sous forme de pages Web.

NOTES

CHAPITRE 1

1. Entretien personnel avec David Samuels, février 1999.
2. Renseignement obtenu de Bauer Canada, mai 1999.
3. Steven A. Meyerowitz, « Surviving Assaults on Trademarks », *Marketing Management,* n° 1, 1994, p. 44-46 ; et Carrie Goerne, « Rollerblade Reminds Everyone That Its Success Is Not Generic », *Marketing News,* 2 mars 1992, p. 1-2.
4. Peter D. Bennett, *Dictionary of Marketing Terms*, 2e éd., Lincolnwood, Ill., NTC Publishing Group, 1995, p. 166.
5. Frederick E. Webster fils, « The Changing Role of Marketing in the Corporation », *Journal of Marketing,* octobre 1992, p. 1-17 ; et Jagdish N. Sheth et Rajendra S. Sisodia, « Feeling the Heat », *Marketing Management,* automne 1995, p. 9-23.
6. Richard P. Bagozzi, « Marketing as Exchange », *Journal of Marketing,* octobre 1975, p. 32-39 ; et Gregory T. Gundlach et Patrick E. Murphy, « Ethical and Legal Foundations of Relational Marketing Exchanges », *Journal of Marketing,* octobre 1993, p. 35-46.
7. E. Jerome McCarthy, « Basic Marketing : A Managerial Approach », Homewood, Ill., Richard D. Irwin, 1960 ; et Walter van Waterschoot et Christophe Van den Bulte, « The 4P Classification of the Marketing Mix Revisited », *Journal of Marketing,* octobre 1992, p. 83-93.
8. James Surowiecki, « The Return of Michael Porter », *Fortune,* février 1999, p. 135-138 ; et Kathleen M. Eisenhardt et Shona L. Brown, « Time Pacing : Competing in Markets That Won't Stand Still », *Harvard Business Review,* mars-avril 1998, p. 59-69.
9. Rahul Jacob, « The Struggle to Create an Organization for the 21st Century », *Fortune,* 3 avril 1995, p. 90-99 ; et « Putting a Price on Customer Loyalty », *Dallas Morning News,* 26 juin 1994, p. 2H. Voir également « What's a Loyal Customer Worth ? », *Fortune,* 11 décembre 1995, p. 182.
10. Michael Treacy et Fred D. Wiersema, « The Discipline of Market Leaders », Reading, Mass., Addison-Wesley, 1995 ; Michael Treacy et Fred Wiersema, « How Market Leaders Keep Their Edge », *Fortune,* 6 février 1995, p. 88-98 ; et Michael Treacy, « You Need a Value Discipline–But Which One ? », *Fortune,* 17 avril 1995, p. 195.
11. « Faded Blues : Levi Struggles to Fit in Again », *Star Tribune,* 13 février 1999, p. A1, A6.
12. Susan Fournier, Susan Dobseha et David Glen Mick, « Preventing the Premature Death of Relationship Marketing », *Harvard Business Review,* janvier-février 1998, p. 42-51.
13. Les renseignements sur la stratégie marketing de Rollerblade sont fondés sur un entretien accordé par David Samuels, l'information affichée sur le site Web de la société et les prospectus de vente des produits Rollerblade.
14. Joseph Pereira, « Your Inner Skateboard : "Grinding Shoes" », *The Wall Street Journal,* 9 novembre 1998, p. B1, B4.
15. Robert F. Keith, « The Marketing Revolution », *Journal of Marketing,* janvier 1960, p. 35-38.
16. « Rapport d'exercice de 1952 », New York, General Electric Company, 1952, p. 21.
17. John C. Narver, Stanley F. Slater et Brian Tietje, « Creating a Market Orientation », *Journal of Market Focused Management,* n° 2, 1998, p. 241-255 ; Stanley F. Slater et John C. Narver, « Market Orientation and the Learning Organization », *Journal of Marketing,* juillet 1995, p. 63-74 ; et George S. Day, « The Capabilities of Market-Driven Organizations », *Journal of Marketing,* octobre 1994, p. 37-52.
18. Minnette E. Drumwright, « Socially Responsible Organizational Buying : Environmental Concern as a Noneconomic Buying Criterion », *Journal of Marketing,* juillet 1994, p. 1-19 ; Michael E. Porter et Claas van er Linde, « Green et Competitive Ending the Stalemate », *Harvard Business Review,* septembre-octobre 1995, p. 120-134 ; Jacquelyn Ottman, « Edison Winners Show Smart Environmental Marketing », *Marketing News,* 17 juillet 1995, p. 16, 19 ; et Jacquelyn Ottman, « Mandate for the '90s : Green Corporate Image », *Marketing News,* 11 septembre 1995, p. 8.
19. Shelby D. Hunt et John J. Burnett, « The Macromarketing/Micromarketing Dichotomy : A Taxonomical Model », *Journal of Marketing,* été 1982, p. 9-26.
20. Philip Kotler et Sidney J. Levy, « Broadening the Concept of Marketing », *Journal of Marketing,* janvier 1969, p. 10-15.
21. C. K. Prahalad et Kenneth Lieberthal, « The End of Corporate Imperialism », *Harvard Business Review,* juillet-août 1998, p. 69-79.

L'étude de cas 1-1, « Rollerblade, Inc. », a été rédigée par Giana Eckhardt de l'Université du Minnesota.

CHAPITRE 2

1. Texte repris du *Plan stratégique de marketing 2003-2005* de la Commission canadienne du tourisme. Ce plan de marketing est disponible à l'adresse Internet suivante : www.ftp.canadatourism.com/ctxuploads/fr_publications/B-StrategicPlan2003-2005.pdf
2. Ces renseignements proviennent de Gulf Canada, août 1999.
3. Roger A. Kerin, Vijay Mahajan et P. Rajan Varadarajan, *Contemporary Perspectives on Strategic Marketing Planning,* Boston, Allyn & Bacon, 1990, chap. 1 ; et Orville C. Walker fils, Harper W. Boyd fils et Jean-Claude Larreche, *Marketing Strategy,* Burr Ridge, Ill., Richard D. Irwin, 1992, chap. 1 et 2.
4. Charles W. L. Hill et Gareth R. Jones, *Strategies Management : An Integrated Approach,* 4e éd., Boston, Houghton-Mifflin, 1998.
5. Gary Hamel et C. K. Prahalad, « Strategic Intent », *Harvard Business Review,* mai-juin 1989, p. 63-76.
6. « Coca-Cola Co. Restructures Itself into Units Covering Globe », *Star Tribune,* 13 janvier 1996, p. D2.
7. Lesley Dow, « Pillsbury Turnover », *Marketing,* 14 juillet 1997, www.marketingmag.ca, site consulté le 17 juillet 1997.
8. Jeffrey Abrams, *The Mission Statement Book,* Berkeley, Calif., Ten Speed Press, 1995, p. 41.
9. Loyd Eskildson, « TQM's Role in Corporate Success : Analyzing the Evidence », *National Productivity Review,* automne 1995, p. 25-38.

10. Mark Maremont, « Kodak's New Focus », *Business Week,* 30 janvier 1995, p. 63-68.
11. Claudia H. Deutsch, « There's Gold in These Old Photos in the Attic », *The New York Times,* 30 juin 1998, p. C6.
12. Michael J. Himowitz, « Kodak's Cool Digital Pix Site », *Fortune,* 28 septembre 1998, p. 285. Les publicités proviennent de chez Ogilvy & Mather, Atlanta, Géorgie.
13. Laura Johannes, « Kodak Looks for Another Moment with Film for Pros », *The Wall Street Journal,* 13 mars 1998, p. B1, B6.
14. Emily Nelson, « For Kodak's Advantix, Double Exposure as Company Relaunches Camera System », *The Wall Street Journal,* 23 avril 1998, p. B1, B11 ; et Linda Grant, « Why Kodak Still Isn't Fixed », *Fortune,* 11 mai 1998, p. 179-181.

L'étude de cas 2-1, « Specialized Bicycle Components, Inc. », a été rédigée par Giana Eckardt de l'Université du Minnesota.

CHAPITRE 3

1. Don Tapscott, *Growing Up Digital,* New York, McGraw-Hill, 1998 ; Melinda Beck, « Generation Y : Next Population Bulge Shows Its Might », *The Wall Street Journal,* 3 février 1997, p. B1 ; et Faye Rice, « Making Generational Marketing Come of Age », *Fortune,* 26 juin 1995, p. 110-114.
2. « U.S. Consumption of Coffee Drops to Record Low », *Food and Drink Weekly,* 20 avril 1998 ; « Gourmet Coffee Craze Bucks National Decline in Coffee Consumption », *PR Newswire,* 29 septembre 1998 ; Shannon Dortch, « Coffee at Home », *American Demographics,* août 1995, p. 4-6 ; et Marcia Mogelonsky, « Instant's Last Drop », *American Demographics,* août 1995, p. 10.
3. Seanna Browder et Emily Thornton, « Reheating Starbucks », *Business Week,* 28 septembre 1998, p. 66, 70.
4. « American Marketing Association Special Report on Trends and Forces Shaping the Future of Marketing », Chicago, American Marketing Association, 19 mai 1998 ; James Heckman, Maricris G. Briones et Michelle Wirth Fellman, « Outlook 99 : A Look at What the Year Ahead Will Bring », *Marketing News,* 7 décembre 1998, p. 1 ; Brent Schlender, « Peter Drucker Takes the Long View », *Fortune,* 28 septembre 1998, p. 162-173 ; Michael J. Mandel, « The 21st Century Economy », *Business Week,* 31 août 1998, p. 58-67 ; Statistique Canada, CANSIM, matrice 6 231 ; Goldfarb Consultants, Toronto, 1998 ; Nina Munk, « The New Organization Man », *Fortune,* 16 mars 1998, p. 63-74 ; et Harry S. Dent fils, *The Roaring 2000s,* New York, Simon and Schuster, 1998.
5. Statistique Canada, CANSIM, matrices 6 367-6 379 et 6 367-6 900.
6. *Ibid.*
7. D. Allan Kerr, « Where There's Gray There's Green », *Marketing News,* 22 juin 1998, p. 2.
8. Patricia Braus, « The Baby Boom at Mid-Decade », *American Demographics,* avril 1995, p. 40-45 ; et Cheryl Russell, « On the Baby-Boom Bandwagon », *American Demographics,* mai 1991, p. 24-31.
9. Marcy Magiera et Pat Sloan, « Levis, Lee Loosen Up for Baby Boomers », *Advertising Age,* 3 août 1992, p. 9.
10. Toddi Gutner, « Generation X : To Be Young, Thrifty, and in the Black », *Business Week,* 21 juillet 1997, p. 76 ; Howard Gleckman, « Generation $ Is More Like It », *Business Week,* 3 novembre 1997, p. 44 ; Karen Ritchie, « Marketing to Generation X », *American Demographics,* avril 1995, p. 34-39 ; et Diane Crispell, « Generations to 2025 », *American Demographics,* janvier 1995, p. 4.
11. Beck, *op. cit.* ; et Susan Mitchell, « The Next Baby Boom », *American Demographics,* octobre 1995, p. 22-31.
12. Statistique Canada, catalogue 97-213-XPB, Ottawa, 1998.
13. Renseignement obtenu de Goldfarb Consultants, Toronto, 1998.
14. Statistique Canada, catalogue 13-207-XPB.
15. Statistique Canada, « Manuel statistique pour études de marché », catalogue 63-224, Ottawa, 1999.
16. www.angus.reid.ca.
17. Douglas Bell, « Immigration Trends Shape Demet », *Marketing,* 21 mai 1993, p. 29.
18. « Grizzlies Capitalize on Asian Fan Interest in NBA », *Marketing,* 5 août 1996, p. 2.
19. Chad Rubel, « Parents Magazines Make Room for Daddy », *Marketing News,* 27 février 1995, p. 1, 5, 14.
20. Renseignements obtenus de la société d'embouteillage Clearly Canadian le 11 juin 1999.
21. Donalee Moulton, « Sobeys Takes Low Road in Food Pricing », *Marketing,* 5 août 1996, p. 2.
22. « Banks Poach Credit Card Business with Lower Rates », *Marketing,* 5 août 1996, p. 4.
23. Statistique Canada, « Répartition du revenu du Canada selon la taille du revenu », catalogue 13-207, Ottawa, 1997.
24. Robert D. Hof, Gary McWilliams et Gabrielle Saveri, « The "Click Here" Economy », *Business Week,* 22 juin 1998, p. 122-128 ; Rochelle Garner, « The Ecommerce Connection », *Sales and Marketing Management,* janvier 1999, p. 40-46 ; Clint Willis, « 25 Cool Things You Wish You Had and Will », *Forbes ASAP,* 1er juin 1998, p. 49-60 ; et Rebecca Piirto, « Cable TV », *American Demographics,* juin 1995, p. 40-43.
25. Neil Gross, Peter Coy et Otis Post, « The Technology Paradox », *Business Week,* 6 mars 1995, p. 76-84.
26. Leon Jaroff, « Smart's the Word in Detroit », *Time,* 6 février 1995, p. 50-52.
27. Clint Willis, « 25 Cool Things You Wish You Had and Will », *Forbes ASAP,* 1er juin 1998, p. 49-60.
28. Stephanie Anderson, « There's Gold in Those Hills of Soda Bottles », *Business Week,* 11 septembre 1995, p. 48 ; Maxine Wilkie, « Asking Americans to Use Less Stuff », *American Demographics,* décembre 1994, p. 11-12 ; et Jacquelyn Ottman, « New and Improved Won't Do », *Marketing News,* 30 janvier 1995, p. 9.
29. Don Peppers, Martha Rogers et Bob Dorf, « Is Your Company Ready for One-to-One Marketing ? », *Harvard Business Review,* janvier-février 1999, p. 151-160 ; et Peter Burrows, « Instant Info Is Not Enough », *Business Week,* 22 juin 1998, p. 144.
30. Mark Campbell, « Dial a Bank », *Canadian Banker,* septembre-octobre 1996, p. 18-23.
31. « Rural Phone Firm Takes Aim at Giant Rival », *The Chronicle Herald,* 15 juillet 1997, p. C3.
32. Michael Porter, *Competitive Advantage,* New York, The Free Press, 1985 ; et Michael Porter, *Competitive Strategy,* New York, The Free Press, 1980.
33. Cary Hamel et Jeff Sampler, « The E-Corporation », *Fortune,* 7 décembre 1998, p. 80-92 ; Shikhar Ghosh, « Making Business Sense of the Internet », *Harvard Business Review,* mars-avril 1998, p. 127-135 ; Ramon J. Peypoch, « The Case for Electronic Business Communities », *Business Horizons,* septembre-octobre 1998, p. 17-20 ; Dent fils, *op. cit.,* p. 137 ; et Erick Schonfeld, « Schwab Puts It All Online », *Fortune,* 7 décembre 1998, p. 94-100.
34. www.marketingmag.ca, site consulté le 19 janvier 1999.
35. James B. Treece, Kathleen Kerwin et Heidi Dawley, « Ford », *Business Week,* 3 avril 1995, p. 94-104 ; et Keith Hammonds, Kevin Kelly et Karen Thurston, « The New World of Work », *Business Week,* 17 octobre 1994, p. 76-87.
36. Bureau de la consommation, 2002. *Guide du consommateur canadien,* Ottawa, Industrie Canada, www.strategis.ic.gc.ca/SSGF/ca01136f.html.
37. Interactive Digital Software Association (www.idsa.com).
38. Obtenue de IDSA, évaluation « E » faite par l'organisme d'évaluation américain ESRB (www.Esrb.org).

L'étude de cas 3-1, « Imagination Pilots Entertainment », a été préparée par Steven W. Hartley.

CHAPITRE 4

1. Pour un examen de la question de la déontologie, voir Eugene R. Lazniak et Patrick E. Murphy, *Ethical Marketing Decisions : The Higher Road,* Boston, Mass., Allyn & Bacon, 1993, chap. 1.
2. Verne E. Henderson, « The Ethical Side of Enterprise », *Sloan Management Review,* printemps 1982, p. 37-47.
3. M. Bommer, C. Gratto, J. Grauander et M. Tuttle, « A Behavioral Model of Ethical and Unethical Decision Making », *Journal of Business Ethics,* vol. 6, 1987, p. 265-280.
4. F. G. Crane, « What's Ethical and What's Not with Canadian Business Students », Working Paper, 1997.
5. Afin d'examiner en profondeur la question du fondement moral du marketing, voir Gregory T. Gunlach et Patrick E. Murphy, « Ethical and Legal Foundations in Relational Marketing Exchanges », *Journal of Marketing,* octobre 1993, p. 35-46 ; et John Tsalikis et David J. Fritzche, « Business Ethics : A Literature Review with a Focus on Marketing Ethics », *Journal of Business Ethics,* vol. 8, 1989, p. 695-743. Voir également Lawrence B. Chonko, *Ethical Decision Making in Marketing,* Thouset Oaks, Calif., Sage, 1995.
6. William Beaver, « Levi's Is Leaving China », *Business Horizons,* mars-avril 1995, p. 35-40.
7. Barry R. Shapiro, « Economic Espionage », *Marketing Management,* printemps 1998, p. 56-58 ; et Damon Darlin, « Where Trademarks Are Up for Grabs », *The Wall Street Journal,* 5 décembre 1989, p. B1, B4.
8. « Borrowing Software », *Brandweek,* 2 mars 1998, p. 20 ; et « Piracy Losses Top $12 Billion », *Dallas Morning News,* 17 février 1999, p. 2D.
9. « Good Grief », *The Economist,* 8 avril 1995, p. 57. Voir également James Krohe fils, « The Big Business of Business Ethics », *Across the Board,* mai 1997, p. 23-29.
10. Savior L. S. Nwachukwu et Scott J. Vitell fils, « The Influence of Corporate Culture on Managerial Ethical Judgments », *Journal of Business Ethics,* vol. 17, 1997, p. 757-776 ; et Ismael R. Akaah et Daulatram Lund, « The Influence of Personal Values and Organizational Values on Marketing Professionals' Ethical Behavior », *Journal of Business Ethics,* vol. 13, 1994, p. 417-430.
11. « The Uncommon Good », *The Economist,* 19 août 1995, p. 55-56 ; « Workers Who Blow the Whistle on Bosses Often Pay a High Price », *The Wall Street Journal,* 18 juillet 1995, p. B1.
12. Pour un examen approfondi de ces philosophies morales, voir R. Eric Reidenbach et Donald P. Robin, *Ethics and Profits,* Englewood Cliffs, N. J., Prentice Hall, 1989 ; Chonko, *op. cit.* ; et Lazniak et Murphy, *op. cit.*
13. James Q. Wilson, « Adam Smith on Business Ethics », *California Management Review,* automne 1989, p. 59-72 ; Edward W. Coker, « Smith's Concept of the Social System », *Journal of Business Ethics,* vol. 9, 1990, p. 139-142 ; et George M. Zinkhan, Michael Bisesi et Mary Jane Saxton, « MBAs : Changing Attitudes Toward Marketing Dilemmas », *Journal of Business Ethics,* vol. 8, 1989, p. 963-974.
14. Alix M. Freedman, « Bad Reaction : Nestlé's Bid to Crash Baby-Formula Market Ache U.S. Stirs a Row », *The Wall Street Journal,* 16 février 1989, p. A1, A6 ; et Alix Freedman, « Nestlé to Drop Claim on Label of Its Formula », *The Wall Street Journal,* 13 mars 1989, p. B5.
15. Robert B. Reich, « The New Meaning of Corporate Social Responsibility », *California Management Review,* hiver 1998, p. 8-17.
16. Milton Friedman, « A Friedman Doctrine : The Social Responsibility of Business Is to Increase Profits », *New York Times Magazine,* 13 septembre 1970, p. 126.
17. « Beating the Odds in Biotech », *Newsweek,* 12 octobre 1992, p. 63.
18. « Can Perrier Purify Its Reputation ? », *Business Week,* 26 février 1990, p. 45 ; et « Perrier Expects North American Recall to Rest of Globe », *The Wall Street Journal,* 15 février 1990, p. B1, B4.
19. « Environment Winners Show Sustainable Strategies », *Marketing News,* 27 avril 1998, p. 6 ; et Bennett Davis, « Whole Earth Commerce », *Ambassador Magazine,* mai 1998, p. 36-41. Voir également Ajay Menon et Anil Menon, « Environpreneurial Marketing Strategy : The Emergence of Corporate Environmentalism as Market Strategy », *Journal of Marketing,* janvier 1997, p. 51-67 ; et Cathy L. Hartman et Edwin R. Stafford, « Crafting "Environpreneurial" Value Chain Strategies Through Green Alliances », *Business Horizons,* mars-avril 1998, p. 62-72.
20. Voir Olivier Boiral et Jean-Marie Sala, « Environmental Management : Should Industry Adapt ISO 14001 ? », *Business Horizons,* janvier-février 1998, p. 57-64.
21. Pour un examen approfondi du sujet, voir P. Rajan Varadarajan et Anil Menon, « Cause-Related Marketing : A Coalignment of Marketing Strategy and Corporate Philanthropy », *Journal of Marketing,* juillet 1988, p. 58-74. Les exemples cités proviennent de cet article et de ceux de Daniel Kadlec, « The New World of Giving », *Time,* 5 mai 1997, p. 62-63 ; et « Companies Trumpet Virtues of Causes in Selling Products », *Dallas Morning News,* 15 février 1998, p. 1J, 11J.
22. « Reinventing Cause Marketing », *Brandweek,* 27 octobre 1997, p. 17 ; « A Market For Charity », *Dallas Morning News,* 15 février 1998, p. 1J, 11J ; « Switching for a Cause », *American Demographics,* avril 1997, p. 26-27 ; et Kadlec, *op. cit.*
23. Ces étapes sont adaptées de l'ouvrage de J. J. Carson et G. A. Steiner, *Measuring Business Social Performance : The Corporate Social Audit,* New York, Committee for Economic Development, 1974. Voir également Setra A. Waddock et Samuel B. Graves, « The Corporate Social Performance–Financial Performance Link », *Strategic Management Journal,* vol. 18, 1997, p. 303-319.
24. D. A. Rondinelli et G. Vastag, « International Standards and Corporate Policies : An Integrated Framework », *California Management Review,* automne 1996, p. 106-122.
25. « Santa's Sweatshop », *U.S. News & World Report,* 16 décembre 1996, p. 50-60.
26. Cyndee Miller, « Marketers Weight Effects of Sweatshop Crackdown », *Marketing News,* 12 mai 1997, p. 1, 19. Voir également « Nike Battles Backlash From Overseas Sweatshops », *Marketing News,* 9 novembre 1998, p. 14.
27. Pour obtenir une liste de pratiques douteuses, voir Robert E. Wilkes, « Fraudulent Behavior by Consumers », *Journal of Marketing,* octobre 1978, p. 67-75. Voir également Catherine A. Cole, « Research Note : Determinants and Consumer Fraud », *Journal of Retailing,* printemps 1989, p. 107-120.
28. Voir, par exemple, « Consumers Lean Toward Green », *Marketing News,* 31 août 1998, p. 2 ; et Tibbett L. Speer, « Growing the Green Market », *American Demographics,* août 1997, p. 45-49.
29. Speer, *op. cit.*
30. Dicter Bradbury, « Green Forest Products Gain Marketing Niche », *Maine Sunday Telegram,* 11 mai 1997, p. B1, B14.

Références relatives à la fixation des prix dans l'industrie pharmaceutique : « U.S. Has Developed an Expensive Habit ; Now, How to Pay for It ? », *The Wall Street Journal,* 16 novembre 1998, p. A1, A10 ; « Drug Costs Can Leave Elderly a Grim Choice : Pills or Other Needs », *The Wall Street Journal,* 17 novembre 1998, p. A1, A15 ; « Why Generic Drugs Often Can't Compete Against Brand Names », *The Wall Street Journal,* 18 novembre 1998, p. A1, A10 ; et « Who's Really Raising Drug Prices ? », *Time,* 8 mars 1999, p. 46-48.

CAS DU MODULE 1

1. Tom Nicholson, « The Great Technology Race », *Managing Intellectual Property,* juillet-août 1998, p. 24.
2. Andy Riga, « The Web Now Sells Toys to Vegetables », *The Financial Post (National Post),* 10 décembre 1998, p. C10.
3. www.e-business.pwcglobal.com.
4. Tony Lisanti. « The new stealth competitor », *Discount Sotre News,* 8 mars 1999, p. 11.

5. Amazon.com, *Form 10K,* 1998.
6. Steven M. Zeitchik. « Amazon.com moves into auction, pet markets », *Publishers Weekly,* 5 avril 1999, p. 12.
7. Andy Riga. « Canada Warns to E-Buying : Orders via Internet Jump For Montreal Firm's Gift Baskets », *The Gazette,* Montréal, 23 décembre 1998, p. D1, D8.
8. Saroja Girishankar. « Short Online June From Medical Books to Suppliers », *Internetweek,* 5 avril 1999, p. 18.
9. Christine Larson. « E-valanche », Chief Executive, *Beyond the Internet Supplement,* 1999, p. 10-18.
10. « E-comm's Countdown to Ignition », encart publicitaire, *Canadian Business,* 12 février 1999, p. 65-70.
11. Cal Slemp. « Electronic Commerce Success Is a Matter of Trust », *Network World,* 14 décembre 1998, p. 42.

CHAPITRE 5

1. Renseignement obtenu de la société W. K. Buckley ltée.
2. Ces prévisions s'appuient sur *Direction of Trade Statistics Yearbook,* Washington, Fonds monétaire international, 1998, et sur l'extrapolation des tendances effectuée par les auteurs. À moins qu'il n'en soit précisé autrement, les statistiques commerciales présentées dans ce chapitre sont également tirées de ces références.
3. « American Trade Policy », *The Economist,* 30 janvier 1999, p. 63-65.
4. « Bartering Gains Currency in Hard-Hit Southeast Asia », *The Wall Street Journal,* 6 avril 1998, p. A10 ; et Beatrice B. Lund, « Corporate Barter as a Marketing Strategy », *Marketing News,* 3 mars 1997, p. 8.
5. Statistique Canada, CANSIM, matrice 6 548 et catalogue 65-001, Ottawa, 1999.
6. Statistique Canada, CANSIM, matrices 3 651 et 3 685, Ottawa, 1999.
7. « Rougher Sailing Across the Atlantic », *Business Week,* 27 juillet 1998, p. 29 ; « Japan's Price of Protection », *Fortune,* 6 mars 1995, p. 48 ; et « New World Trade Chief Fears Economic Nationalism », *Dallas Morning News,* 22 mars 1995, p. 11D.
8. « Trade Winds », *The Economist,* 8 novembre 1997, p. 85-86.
9. « The Beef Over Bananas », *The Economist,* 6 mars 1999, p. 65-66 ; Gary C. Hufbauer et Kimberly A. Elliott, *Measuring the Cost of Protection in the United States,* Washington, Institute for International Economies, 1994.
10. « It Ain't Just Peanuts », *Business Week,* 18 décembre 1995, p. 30.
11. « The WTO Crunch », *The Economist,* 4 avril 1998, p. 78-79 ; Paul Magrusson, « Why the WTO Needs an Overhaul », *Business Week,* 29 juin 1998, p. 35.
12. « Industrial Evolution », *Business Week,* 27 avril 1998, p. 100-101 ; pour un rapport détaillé sur la stratégie marketing de l'Union européenne, voir Colin Egan et Peter McKiernan, *Inside Fortress Europe : Strategies for the Single Market,* Reading, Mass., Addison-Wesley, 1994.
13. « Special Report : The Euro », *Business Week,* 27 avril 1998, p. 90-108.
14. Joachim Bamrud, « Setting the Agenda : From Miami to Brazil », *Latin Trade,* juin 1998, p. 3A-12A.
15. « Special Report : East Asian Economies », *The Economist,* 7 mars 1998 ; et « Will East Asia Slam the Door ? », *The Economist,* 12 septembre 1998, p. 88.
16. Ces renseignements proviennent du rapport annuel 2002 de General Mills. Ce rapport est disponible en format pdf à l'adresse suivante : www.media.corporate-it.net/media_files/NYS/gis/reports/2002ar.pdf.
17. Pour un excellent survol des différentes catégories de transnationales et de leurs stratégies marketing, voir Warren J. Keegan, *Global Marketing Management,* 6ᵉ éd., Upper Saddle River, N. J., Prentice Hall, Inc., 1998, p. 43-54.
18. « Global Companies Don't Work ; Multinationals Do », *Advertising Age,* 18 avril 1994, p. 23.
19. Pour un texte fouillé sur l'identification des consommateurs à l'internationale, voir Jean-Pierre Jeannet et H. David Hennessey, *Global Marketing Strategies,* 4ᵉ éd., Boston, Houghton Mifflin Company, 1998.
20. « Ready to Shop Until They Drop », *Business Week,* 22 juin 1998, p. 104 et suiv. ; Chip Walker, « Can TV Save the Planet ? », *American Demographics,* mai 1996, p. 21-29 ; *Global Teenager Is a Myth, But Asian Teenagers Are Going Global,* New York, McCann-Erickson, 1997 ; « Teens Seen as the First Truly Global Consumers », *Marketing News,* 27 mars 1995, p. 9 ; Shawn Tully, « Teens : The Most Global Market of All », *Fortune,* 16 mai 1994, p. 90-97 ; et Dan S. Acuff, *What Kids Buy and Why,* New York, The Free Press, 1997.
21. Pour obtenir des références détaillées sur les facettes transculturelles du marketing, voir Paul A. Herbig, *Handbook of Cross-Cultural Marketing,* New York, The Halworth Press, 1998 ; et Jean-Claude Usunier, *Marketing Across Cultures,* 2ᵉ éd., Londres, Prentice Hall Europe, 1996. À moins qu'il n'en soit précisé autrement, les exemples paraissant dans ce chapitre proviennent de ces excellentes sources de référence.
22. « McDonald's Adapts Mac Attack to Foreign Tastes With Expansion », *Dallas Morning News,* 7 décembre 1997, p. 3H ; et « Taking Credit », *The Economist,* 2 novembre 1996, p. 75.
23. Roger E. Axtell, *Do's and Taboos Around the World,* compilé par la société Packer Penn, New York, John Wiley & Sons, 1985.
24. Ces exemples sont tirés du chapitre 2 de l'ouvrage de Del I. Hawkins, Roger J. Best et Kenneth A. Coney, *Consumer Behavior,* 7ᵉ éd., Burr Ridge, Ill., Irwin/McGraw-Hill, 1998.
25. « Greeks Protest Coke's Use of Parthenon », *Dallas Morning News,* 17 août 1992, p. D4.
26. Saeed Samiee, « Customer Evaluation of Products in a Global Market », *Journal of International Business Studies,* 3ᵉ trimestre, 1994, p. 579-604.
27. « Geo Gaffes », *Brandweek,* 23 février 1998, p. 20.
28. Les exemples suivants sont tirés de « Global Thinking Paces Computer Biz », *Advertising Age,* 6 mars 1995, p. 10 ; et « U.S. Firms Sometimes Lose It in the Translation », *Dallas Morning News,* 17 août 1992, p. D1, D4.
29. Terrence A. Shimp et Subhash Sharma, « Consumer Ethnocentrism : Construction and Validation of the CETSCALE », *Journal of Marketing Research,* août 1987, p. 280-289.
30. Jill Gabrielle Klein, Richard Ettenson et Marlene D. Morris, « The Animosity Model of Foreign Product Purchase : An Empirical Test in the People's Republic of China », *Journal of Marketing,* janvier 1998, p. 89-100 ; et Shimp et Sharma, *op. cit.*
31. Cet exemple s'appuie sur « Global Coffee Market Share Comparisons », *Advertising Age,* 10 décembre 1995, p. 47 ; Carla Rapoport, « Nestlé's Brand Building Machine », *Fortune,* 19 septembre 1995, p. 147-156 ; et le Rapport annuel de 1997 de la société Nestlé.
32. « Selling in Russia : The March on Moscow », *The Economist,* 18 mars 1995, p. 65-66.
33. « Rubles ? Who Needs Rubles ? », *Business Week,* 13 avril 1998, p. 45-46.
34. « Russia and Central-Eastern Europe : World's Apart », *Brandweek,* 4 mai 1998, p. 30-31 ; « We Will Bury You … With a Snickers Bar », *U.S. News & World Report,* 26 janvier 1998, p. 50-51 ; et « Selling in Russia », *op. cit.*
35. Chip Walker, « The Global Middle Class », *American Demographics,* septembre 1995, p. 40-47.
36. « Consumer Abroad : Developing Shopaholics », *U.S. News & World Report,* 10 février 1997, p. 55.
37. « Mattel Plans to Double Sales Abroad », *The Wall Street Journal,* 11 février 1998, p. A3, A11.
38. Philip R. Cateora et John L. Graham, *International Marketing,* 10ᵉ éd., Burr Ridge, Ill., Irwin/McGraw-Hill, 1999, p. 560.
39. Cette présentation s'articule autour de l'ouvrage de Jean-Louis Mucchielli, Peter J. Buckley et Victor V. Cordell, *Globalization and Regionalization : Strategies, Policies, and Economic Environments,*

New York, The Halworth Press, 1998 ; « European Union : Europe's Mid-Life Crisis », *The Economist,* 31 mai 1997, p. 38-42 ; et « Special Report : East Asian Economies », *op. cit.*

40. « Small Firms Flock to Quality System », *Nation's Business,* mars 1998, p. 65-67.

41. On retrouve ces exemples in « It's Goo, Goo, Goo, Goo Vibrations at the Gerber Lab », *The Wall Street Journal,* 4 décembre 1996, p. A1, A6 ; Donald R. Graber, « How to Manage a Global Product Development Process », *Industrial Marketing Management,* novembre 1996, p. 483-489 ; et Usunier, *op. cit.*

42. Cette présentation s'appuie sur l'ouvrage de John Fahy et Fuyuki Taguchi, « Reassessing the Japanese Distribution System », *Sloan Management Review,* hiver 1995, p. 49-61.

43. Edward Tse, « The Right Way to Achieve Profitable Growth in the Chinese Consumer Market », *Strategy & Business,* 2e trimestre 1998, p. 10-21.

44. « Copyright Scope Limited for Some Firms », *The Wall Street Journal,* 10 mars 1998, p. B10 ; « Parallel Imports : A Grey Area », *The Economist,* 13 juin 1998, p. 61-62 ; et « When Grey Is Good », *The Economist,* 22 août 1998, p. 17.

L'étude de cas 5-1, « CNS, Inc. et 3M : les bandes nasales Breathe Right® » a été préparée par Giana Eckardt. Références : Rapport annuel de 1997 de la société CNS, Inc., Minneapolis, Minn., CNS, Inc., 1998 ; ainsi que des entretiens avec M. Daniel E. Cohen, président-directeur général de CNS, juin 1998.

CHAPITRE 6

1. Elena Scotti, « Born to be Mild, or Wild ? », *Brandweek,* 16 mars 1998, p. 22-23 ; Jon Berry, « Consumers Keep the Upper Hand », *American Demographics,* septembre 1998, p. 20-22 ; « GM Taps Harris to Help Lure Women », *Advertising Age,* 17 février 1997, p. 1, 37 ; « Dealer Dilemma », *Brandweek,* 16 mars 1998, p. 22 ; et « Elle Launches Guide for Women Car Buyers », *Advertising Age,* 6 avril 1998, p. 34.

2. James F. Engel, Roger D. Blackwell et Paul Miniard, *Consumer Behavior,* 9e éd., Fort Worth, Tex., Dryden Press, 1998. Voir également Gordon C. Bruner III et Richard J. Pomazal, « Problem Recognition : The Crucial First Stage of the Consumer Decision Process », *Journal of Consumer Marketing,* hiver 1988, p. 53-63.

3. Pour obtenir des descriptions minutieuses de l'expérience et de l'expertise en matière de consommation, voir Stephen J. Hoch et John Deighton, « Managing What Consumers Learn from Experience », *Journal of Marketing,* avril 1989, p. 1-20 ; et Joseph W. Alba et J. Wesley Hutchinson, « Dimensions of Consumer Expertise », *Journal of Consumer Research,* mars 1987, p. 411-454.

4. Pour consulter des études approfondies sur la recherche externe, voir l'article de Sridhar Moorthy, Brian T. Ratchford et Debabrata Tulukdar, « Consumer Information Search Revisited : Theory et Empirical Analysis », *Journal of Consumer Research,* mars 1997, p. 263-277.

5. William J. McDonald, « Time Use in Shopping : The Role of Personal Characteristics », *Journal of Retailing,* hiver 1994, p. 345-366 ; Robert J. Donovan, John R. Rossiter, Gillian Marcoolyn et Andrew Nesdale, « Store Atmosphere and Purchasing Behavior », *Journal of Retailing,* automne 1994, p. 283-294 ; et Eric A. Greenleaf et Donald R. Lehman, « Reasons for Substantial Delay in Consumer Decision Making », *Journal of Consumer Research,* septembre 1995, p. 186-199.

6. Jagdish N. Sheth, Banwari Mitral et Bruce Newman, *Consumer Behavior,* Fort Worth, Tex., Dryden Press, 1999, p. 22.

7. Russell Belk, « Situational Variables and Consumer Behavior », *Journal of Consumer Research,* décembre 1975, p. 157-163. On trouve de récentes études sur les influences situationnelles dans l'ouvrage de Mowen et Minor, *op. cit.,* p. 451-475.

8. A. H. Maslow, *Motivation and Personality,* New York, Harper & Row, 1970. Voir également Richard Yalch et Frederic Brunel, « Need Hierarchies in Consumer Judgments of Product Designs : Is It Time to Reconsider Maslow's Hierarchy ? » dans *Advances in Consumer Research,* s. la dir. de Kim Corfman et John Lynch, Provo, Ut., Association for Consumer Research, 1996, p. 405-410.

9. Arthur Koponen, « The Personality Characteristics of Purchasers », *Journal of Advertising Research,* septembre 1960, p. 89-92 ; Joel B. Cohen, « An Interpersonal Orientation to the Study of Consumer Behavior », *Journal of Marketing Research,* août 1967, p. 270-278 ; et Rena Bartos, *Marketing to Women Around the World,* Cambridge, Mass., Harvard Business School, 1989.

10. Terry Clark, « International Marketing and National Character : A Review and Proposal for an Integrative Theory », *Journal of Marketing,* octobre 1990, p. 66-79.

11. Pour une analyse intéressante du concept de soi, voir Russell W. Belk, « Possessions and the Extended Self », *Journal of Consumer Research,* septembre 1988, p. 139-168.

12. Myron Magnet, « Let's Go for Growth », *Fortune,* 7 mars 1994, p. 70.

13. Cet exemple est présenté dans Michael R. Solomon, *Consumer Behavior,* 4e éd., Upper Saddle River, N. J., Prentice Hall, 1999, p. 59.

14. Pour en apprendre davantage sur la perception subliminale, voir Anthony G. Greenwald, Sean C. Draine et Richard L. Abrams, « Three Cognitive Markers of Unconscious Semantic Activation », *Science,* septembre 1996, p. 1 699-1 701 ; Joel Saegert, « Why Marketing Should Quit Giving Subliminal Advertising the Benefit of the Doubt », *Psychology & Marketing,* été 1987, p. 107-120 ; Dennis L. Rosen et Surendra N. Singh, « An Investigation of Subliminal Embed Effect on Multiple Measures of Advertising Effectiveness », *Psychology & Marketing,* mars-avril 1992, p. 157-173 ; et Kathryn T. Theus, « Subliminal Advertising and the Psychology of Processing Unconscious Stimuli : A Review of Research », *Psychology & Marketing,* mai-juin 1994, p. 271-290.

15. « I Will Love This Story », *U.S. News & World Report,* 12 mai 1997, p. 12 ; « Dr. Feelgood Goes Subliminal », *Business Week,* 6 novembre 1995, p. 6 ; et « Firm Gets Message Out Subliminally », *Dallas Morning News,* 2 février 1997, p. 1H, 6H.

16. « Customer Loyalty : Going, Going ... », *American Demographics,* septembre 1997, p. 20-23 ; *Brand-Driven Marketers Are Beating Themselves in the War Against Price-Based and Private Label Competition,* New York, Bates USA, 1994 ; et Jo Marney, « Building Splurchases », *Marketing,* 27 janvier 1997 ; www.marketingmag.ca, site consulté le 18 juillet 1997.

17. Martin Fishbein et I. Aizen, *Belief, Attitude, Intention and Behavior : An Introduction to Theory et Research,* Reading, Mass., Addison Wesley Publishing, 1975, p. 6.

18. Richard J. Lutz, « Changing Brand Attitudes through Modification of Cognitive Structure », *Journal of Consumer Research,* mars 1975, p. 49-59. Voir également Mowen et Minor, *op. cit.,* p. 287-288.

19. « Pepsi's Gamble Hits Freshness Dating Jackpot », *Advertising Age,* 19 septembre 1994, p. 50.

20. « The Marketing 100 : Colgate Total », *Advertising Age,* 29 juin 1998, p. 544.

21. « The Frontiers of Psychographics », *American Demographics,* juillet 1996, p. 38-43 ; www.future.sri.com. Voir également « You Can Buy A Thrill : Chasing the Ultimate Rush », *American Demographics,* juin 1997, p. 47-51.

22. Voir, par exemple, Lawrence F. Feick et Linda Price, « The Market Maven : A Diffuser of Marketplace Information », *Journal of Marketing,* janvier 1987, p. 83-97 ; et Peter H. Block, « The Product Enthusiast : Implications for Marketing Strategy », *Journal of Consumer Marketing,* été 1986, p. 51-61.

23. « Survey : If You Must Know, Just Ask One of These Men », *Marketing News,* 25 octobre 1992, p. 13.

24. « Maximizing the Market with Influentials », *American Demographics,* juillet 1995, p. 42.

25. « Put People Behind the Wheel », *Advertising Age,* 22 mars 1993, p. S-28.

26. F. G. Crane et T. K. Clarke, « The Identification of Evaluative Criteria and Cues Used in Selecting Services », *Journal of Services Marketing*, printemps 1988, p. 53-59.
27. On trouvera des travaux récents sur le bouche à oreille dans Robert E. Smith et Christine A. Vogt, « The Effects of Integrating Advertising and Negative Word-of-Mouth Communications on Message Processing and Response », *Journal of Consumer Psychology*, vol. 4, 1995, p. 133-151 ; Paula Bone, « Word-of-Mouth Effects on Short-Term and Long-Term Product Judgments », *Journal of Business Research*, vol. 32, 1995, p. 213-223 ; Chip Walker, « Word of Mouth », *American Demographics*, juillet 1995, p. 38-45 ; et Dale F. Duhan, Scott D. Johnson, James B. Wilcox et Gilbert D. Harrell, « Influences on Consumer Use of Word-of-Mouth Recommendation Sources », *Journal of the Academy of Marketing Science*, automne 1997, p. 283-295.
28. « We Will Bury You ... With a Snickers Bar », *U.S. News & World Report*, 26 janvier 1998, p. 50 et suiv. ; « A Beer Tampering Scare in China Shows Peril of Global Marketing », *The Wall Street Journal*, 3 novembre 1995, p. B1 ; et « Pork Rumors Vex Indonesia », *Advertising Age*, 16 février 1989, p. 36.
29. Pour un examen approfondi des groupes témoins, voir Wayne D. Hoyer et Deborah J. MacInnis, *Consumer Behavior*, Boston, Houghton Mifflin Co., 1997, chap. 15.
30. Pour un examen approfondi de la socialisation des consommateurs, voir George P. Moschis, *Consumer Socialization*, Lexington, Mass., Lexington Books, 1987.
31. « Get 'em While They're Young », *Marketing News*, 10 novembre 1997, p. 2.
32. Ce texte s'appuie sur les travaux suivants : J. Paul Peter et Jerry C. Olson, *Consumer Behavior and Marketing Strategy*, 5e éd., New York, Irwin/McGraw-Hill 1999, p. 341-343 ; Robert E. Wilkes, « Household Life-Cycle Stages, Transitions, and Product Expenditures », *Journal of Consumer Research*, juin 1995, p. 27-42 ; et Jan Larson, « The New Face of Homemakers », *American Demographics*, septembre 1997, p. 45-50.
33. Diane Crispell, « Dual-Earner Diversity », *American Demographics*, juillet 1995, p. 32-37.
34. « Wearing the Pants », *Brandweek*, 20 octobre 1997, p. 20 et 22 ; et « Look Who's Shopping », *Progressive Grocer*, janvier 1998, p. 18.
35. « Marketing », *Brandweek*, 18 mai 1998, p. 46-52 ; et « Teen Green », *American Demographics*, février 1998, p. 39. Voir également James V. McNeal, « Tapping the Three Kids' Markets », *American Demographics*, avril 1998, p. 37-41 ; et « Hey Kid, Buy This », *Business Week*, 30 juin 1997, p. 62-69.
36. Pour consulter une étude sur les classes sociales au Canada, voir Crane et Clarke, *op. cit.*, p. 127-149.
37. Milton Yinger, « Ethnicity », *Annual Review of Sociology*, 1985, p. 151-180.
38. François Vary, « Quebec Consumer Has Unique Buying Habits », *Marketing*, 23 mars 1992, p. 28 ; Louise Gagnon, « Metro Plays to Decline in Impulse Purchases », *Marketing*, 12 mai 1997, www.marketingmag.ca, site consulté le 20 juillet 1997 ; Louise Gagnon, « Eaton's Quebec Ads Target Hip Shoppers », *Marketing*, 16 juin 1997, www.marketingmag.ca, site consulté le 18 juillet 1997 ; Louise Gagnon, « Price Cuts Escalate Beer Battle », *Marketing*, 30 juin 1997, www.marketingmag.ca, site consulté le 17 juillet 1997.
39. Ann Boden, « Aiming at the Right Target », *Marketing*, 28 janvier 1991, p. 6.

L'étude de cas 6-1, « Le Café des trois sœurs », a été préparée par Frederick G. Crane.

CHAPITRE 7

1. Agence des douanes et du revenu du Canada, *Loi de l'impôt sur le revenu – Organisations à but non lucratif*, bulletin nº IT-496R, 2001, www.ccra-adrc.gc.ca/F/pub/tp/it496r-f.html.
2. Valerie Howe et Paul Reed, « Renseignements et observations à l'intention du secteur sans but lucratif – Élaboration d'une base de connaissances », Ottawa, Statistique Canada, nº 75F0033MIF, catalogue nº 3, 2000.
3. Howe et Reed, *op. cit.*
4. Henry B. Hansmann, « The Role on Non Profit Enterprise », *The Yale Law Journal*, vol. 89, avril 1980, p. 835-901.
5. Voir la note 4 du chapitre 1.
6. Christopher H. Lovelock et Charles B. Weinberg, *Marketing for public and nonprofit managers*, New York, Toronto, 1984, 607 p.
7. Philip Kotler et Alan R. Andreasen, *Strategic marketing for nonprofit organizations*, 5e éd., Upper Saddle River, N. J., Prentice Hall, 1996, 632 p.
8. Croix-Rouge canadienne, *Coup d'œil sur nos activités*, 1999, www.info.redcross.ca:2000/redcross/pdf/francais/aproposdelacroixrouge/publications/2001-02coupdoeilsurlesactivites.pdf.
9. Musée canadien de la nature, *Profil du musée – Notre mandat*, 2002, www.nature.ca/museum/profile_f.cfm, tiré de la *Loi sur les musées*, chap. M-13.4 (1990, chap. 3).
10. Croix-Rouge canadienne, *Les principes fondamentaux*, 1999-2002, www.croixrouge.ca/main.asp?id=000327.
11. Musée canadien de la nature, *Profil du musée – Les valeurs du musée*, 2002, www.nature.ca/museum/profile_f.cfm.
12. J. P. Foley et P. Pastore, Éthique en publicité, Conseil pontifical pour les Communications sociales, 1997, www.vatican.va/roman_curia/pontifical_councils/pccs/documents/rc_pc_pccs_doc_22021997_ethics-in-ad_fr.html.
13. Statistique Canada, « Exportations de biens sur la base de la balance des paiements », www.statcan.ca.
14. Statistique Canada, « Recettes et dépenses de l'administration fédérale générale », www.statcan.ca.

L'étude de cas 7-1, « Energy Performace Systems, Inc. », a été rédigée par William Rudelius. Références : entretiens de l'auteur avec L. David Ostlie, Tom Kroll et Paul Helgeson.

CHAPITRE 8

1. Taylor Nelson Sofres Interactive, *Global eCommerce Report*, 2002, www.+sofres.com/ger2002, site consulté le 8 janvier 2003.
2. Renseignement obtenu de MediaLinx Interactive, Toronto, juin 1999.
3. A. J. Campbell, « Ten Reasons Why Your Company Should Use Electronic Commerce », *Business America*, mai 1998, p. 12.
4. Groupe de travail sur le commerce électronique, « Qu'est-ce que le commerce électronique ? ». Disponible en ligne à l'adresse suivante : www.e-com.ic.gc.ca/francais/.
5. Michael Krantz, « Click Till You Drop », *Time*, 20 juillet 1998, p. 34-39. Voir également Paul Foley et David Sutton, « Boom Time for Electronic Commerce–Rhetoric or Reality », *Business Horizons*, septembre-octobre 1998, p. 21-30 ; et « When the Bubble Bursts », *The Economist*, 30 janvier 1999, p. 23-25.
6. Statistique Canada, « Enquête sur l'utilisation d'Internet à la maison », *Le Quotidien*, 25 octobre 2002, référence 56M002XCB.
7. G. Peterson, « L'utilisation du commerce électronique et de la technologie », Statistique Canada, Ottawa, septembre 2001, www.statcan.ca/francais/research/56F004MIF/56F004MIF2001005.pdf, site consulté le 8 janvier 2003.
8. Voir « An R_x for Communication, ELVIS Saves Eli Lilly Time, Money », *PC Today Processor*, www.pctoday.com, site consulté le 28 janvier 1999.
9. Raymond S. Bamford et Robert A. Burgelman, « Internet-Based Electronic Commerce in 1997 : A Primer », Graduate School of Business, Stanford University, 1997.
10. Shawn Tully, « How Cisco Mastered the Net », *Fortune*, 17 août 1998, p. 207-210.

11. David Kirkpatrick, « The E-Ware War », *Fortune,* 7 décembre 1998, p. 102-112 ; et Eryn Brown, « VF Corp. Changes Its Underware », *Fortune,* 7 décembre 1998, p. 115-118.
12. Heather Green et Seanna Growder, « Cyberspace Winners : How They Did It », *Business Week,* 22 juin 1998, p. 154-160.
13. Taylor Nelson Sofres Interactive. *Global eCommerce Report,* 2002, tiré du site Web du cabinet de recherche, www.+sofres.com/ger2002. Site consulté le 8 janvier 2003.
14. Cette présentation s'appuie sur les sondages Nua Internet, www.nua.ie/surveys, site consulté le 27 janvier 1999. Le site www.angusreid.ca a également été consulté.
15. Ernst & Young, *Global Online Retailing Report,* 2001, www.ey.com, site consulté le 25 janvier 2002.
16. B. Poussart, « L'utilisation d'Internet par les ménages québécois en 2000 », Direction des comptes et des études économiques, Institut de la statistique du Québec, décembre 2001.
17. Ernst & Young, *Global Online Retailing Report,* 2001, www.ey.com, site consulté le 25 janvier 2002.
18. Taylor Nelson Sofres Interactive. *Global eCommerce Report,* 2002, www.+sofres.com/ger2002, site consulté le 8 janvier 2003.
19. « The E-commerce Cometh », *Brandweek,* 21 septembre 1998, p. 10.
20. « A Cybershopper's Best Friend », *Business Week,* 4 mai 1998, p. 84.
21. « It's a Woman's Web », *Brandweek,* 7 septembre 1998, p. 46-47.
22. « Now It's Your Web », *Business Week,* 5 octobre 1998, p. 164-174.
23. Matt Lake, « The New Megasites : All-in-One Web Supersites », *PC World Online,* www.pcworld.com, site consulté le 9 février 1999 ; et « Portals Rethink Retail Strategies, Shopping Agents », *Advertising Age,* 1er février 1999, p. 28, 32.
24. « Branding on the Net », *Business Week,* 9 novembre 1998, p. 78-86.
25. www.angusreid.ca, site consulté le 5 juin 1999 ; et John Gustavson, « Netiquette and DM », *Marketing,* www.marketingmag.ca, site consulté le 1er juin 1999.
26. « Cookies », *PC Webopaedia Definition and Links,* www.webopedia.com, site consulté le 10 février 1999.
27. Clay Hathorn, « Online Business : Trying to Turn Cookies into Dough », *Microsoft Internet Magazine Archive,* www.microsoft.com, site consulté le 15 février 1999.
28. Pour une description datée mais toujours pertinente de la manière dont le nouveau marché influera sur le marketing, voir Jeffrey F. Rayport et John J. Sviokla, « Managing in the Marketspace », *Harvard Business Review,* novembre-décembre 1994, p. 141-153 ; Jeffrey F. Rayport et John J. Sviokla, « Exploiting the Virtual Value Chain », *Harvard Business Review,* novembre-décembre 1995, p. 75-85 ; et Donna L. Hoffman et Thomas P. Novak, « Marketing in a Hypermedia Computer-Mediated Environment : Conceptual Foundations », *Journal of Marketing,* juillet 1996, p. 50-68. Voir également Robert A. Peterson, Sridhar Balasubramanian et Bart J. Bronnenberg, « Exploring the Implications of the Internet for Consumer Marketing », *Journal of the Academy of Marketing Science,* automne 1997, p. 329-346.
29. Cette présentation s'appuie sur le texte de John Deighton, « Note on Marketing and the World Wide Web », *Harvard Business School,* remarque nº 9-597-037, Boston, Harvard Business School Publishing, 1997. Voir également John Deighton, « The Future of Interactive Marketing », *Harvard Business Review,* novembre-décembre1996, p. 151-162.
30. « Random Access : Dell's Sell », *Forbes ASAP,* 22 février 1999, p. 16 ; et « Online with the Operator », *American Demographics.*
31. « The Corporation of the Future », *Business Week,* 31 août 1998, p. 102-106 ; « Net Sales », *Sales & Marketing Management,* avril 1998, p. 90-91 ; et www.cisco.com, site consulté le 10 février 1999.
32. On trouve ces exemples dans« Met Life Backs Local Agents With Sidewalk Sponsorship », *Marketing News,* 18 janvier 1999, p. 38 ; et « Branding on the Net », *op. cit.*
33. Deighton, *op. cit.*
34. George E. Belch et Michael A. Belch, *Advertising and Promotion : An Integrated Marketing Communications Approach,* 4e éd., New York, Irwin/McGraw-Hill, 1998. Pour une recherche fouillée des différentes formes de publicité électronique, voir William F. Arens, *Contemporary Advertising,* 7e éd., New York, Irwin/McGraw-Hill, 1999, p. 515-524.
35. « A Shameless Bribe », *Online Media Strategies for Advertising.* Un supplément à *Advertising Age,* printemps 1998, p. 60A.
36. www.acnielsen.ca, site consulté le 5 juin 1999.
37. Nelson Wang, « Sponsorships Popular with Web Advertisers », *Internet World,* www.internetworld.com, site consulté le 17 février 1999.
38. « Berkeley Systems Finds Interstitials Beat Other Ads », *Advertising Age,* 12 août 1998, p. 3.
39. « Intermercials, Sponsorships Will Emerge as New Online Ad Models », *Advertising Age,* 27 juin 1997, p. 24.
40. Pour un examen en profondeur de la télédiffusion sur le Web, voir *Webcasting and Push Technology Strategies,* Charleston, Car. du Sud, Computer Technology Research Corp., 1999.
41. « IAB/PricewaterhouseCoopers Reports $1.46 Billion Internet Ad Revenue for Q2 2002 », New York, www. iab.net, site consulté le 21 octobre 2002.
42. Amy Cortese, « It's Called Webcasting, and It Promises to Deliver the Info You Want, Straight to Your PC », *Business Week,* 24 février 1997, p. 95-104.
43. Bob Donath, « Managing the Workhorses of the Web », *Marketing News,* 18 janvier 1999, p. 6.
44. Scott Woolley, « I Got It Cheaper Than You », *Forbes,* 2 novembre 1998, p. 82, 84.
45. A.-L. Béranger, « Marc Refabert (fromages.com) : "Comment j'ai réussi à être rentable" », *Journal du Net,* 7 juin 2001, www.journaldunet.com/itws/it_refabert.shtml, site consulté le 27 avril 2002.
46. On trouve des renseignements utiles sur les défis que pose le marketing interactif dans Don Peppers, Martha Rogers et Bob Dorf, « Is Your Company Ready for One-to-One Marketing ? », *Harvard Business Review,* janvier-février 1999, p. 151-160 ; et Larry Downes et Chunka Mui, *Unleashing the Killer App : Digital Strategies for Market Dominance,* Boston, Mass., Harvard Business School Press, 1998.
47. Mary Beth Grover, « Lost in Cyberspace », *Forbes,* 8 mars 1999, p. 124-128.

L'étude de cas 8-1, « America Online, Inc. », a été rédigée par Michael Vessey.

CHAPITRE 9

1. John Horn, « Studios Play Name Game », *Star Tribune,* 10 août 1997, p. F11.
2. Peter Passell, « As Cost of Movie Making Rises, Hollywood Bets It All on Openings », *Star Tribune,* 29 décembre 1997, p. D1, D4.
3. Thomas R. King, « How Big Will Disney's "Pocahontas" Be ? », *The Wall Street Journal,* 15 mai 1995, p. B1, B8.
4. Richard Turner et John R. Emshwiller, « Movie-Research Czar Is Said by Some to Sell Manipulated Findings », *The Wall Street Journal,* 17 décembre 1993, p. A1.
5. Helene Diamond, « Lights, Camera ... Research ! », *Marketing News,* 11 septembre 1989, p. 10-11 ; et « Killer ! », *Time,* 16 novembre 1987, p. 72-79.
6. Jeff Strickler, « Titanic Director Was Floating on Air After Local Test », *Star Tribune,* 26 décembre 1997, p. D1, D2.
7. Bruce Orwall, « "Primary Colors" Had So Much Going for It, and Then It Just Sank », *The Wall Street Journal,* 15 avril 1998, p. A1, A10.
8. « The Business of Blockbusters », *Wharton Alumni Magazine,* automne 1997, p. 8-12.

9. « New Marketing Research Definition Approved », *Marketing News,* 2 janvier 1987, p. 72-79.
10. Joseph Pereira, « Unknown Fruit Takes on Unfamiliar Markets », *The Wall Street Journal,* 9 septembre 1995, p. B1, B5.
11. « Agenda », *Le Monde,* 15 décembre 2001, p. 29.
12. Michael J. McCarthy, « Ford Companies Hunt for a "Next Big Thing" but Few Can Find One », *The Wall Street Journal,* 6 mai 1997, p. A1, A6.
13. « Focus on Consumers », *General Mills Midyear Report,* Minneapolis, Minn., 8 janvier 1998, p. 2-3.
14. Michael J. McCarthy, « Stalking the Elusive Teenage Trendsetter », *The Wall Street Journal,* 19 novembre 1998, p. B1, B10.
15. Roy Furchgott, « For Cool Hunters, Tomorrow's Trend Is the Trophy », *The New York Times,* 28 juin 1998, p. 10 ; et Emily Nelson, « The Hunt for Hip : A Trend Scout's Trail », *The Wall Street Journal,* 9 décembre 1998, p. B1, B6.
16. Scott B. Dacko, « Data Collection Should not Be Manual Labor », *Marketing News,* 28 août 1995, p. 31.
17. Dale Burger, « Pushing Creativity to the Limit », *Computing Canada,* 24 mai 1995, p. 37.
18. Ken Riddell, « Shoppers Adds Life to Pop Market », *Marketing,* 26 juillet 1993, p. 2.
19. John Gaffney, « How Do You Feel About a $44 Tooth-Bleaching Kit ? », *Business,* 20 septembre 2001, www.business2.com/articles/mag/0,1640,41346,00.html?ref=bonus, site consulté le 11 mars 2003.
20. Kenneth Wylie, « Special Report : Eager Marketers Driving New Globalism », *Advertising Age,* 30 octobre 1995, p. 28-29.

L'étude de cas 9-1, « La librairie Au pays des livres », a été préparée par James E. Nelson.

CHAPITRE 10

1. Joseph Pereira, « Board-Riding Youths Take Sneaker Maker on a Fast Ride Uphill », *The Wall Street Journal,* 16 avril 1998, p. A1, A8 ; et Joseph Pereira, « Sneaker Company Tops Out-of-Breath Baby Boomers », *The Wall Street Journal,* 16 janvier 1998, p. B1, B2.
2. Steven Greenhouse, « Groups Reach Agreement for Curtailing Sweatshops ; Approve Monitoring and a Code of Conduct », *The New York Times,* 5 novembre 1998, p. A20.
3. Kenneth Labich, « Nike vs. Reebok : A Battle for Hearts, Minds, and Feet », *Fortune,* 18 septembre 1995, p. 90-106.
4. Robert Lohrer, « Reebok in Tailored Clothing Business ; Greg Norman Collection Adds Blazers, Dress Slacks », *Daily News Record,* 29 janvier 1997, p. 1 ; et « Reebok DMX Trac Golf Shoe Is Giving Retailers a Profitable Playing Partner », *PR Newswire,* 22 juillet 1998, p. 7.
5. Jeff Jensen, « Reebok Backs New Shoe with Anti-Nike Stance », *Advertising Age,* 25 mai 1998, p. 4 ; et « Air Apparent », *Time,* 2 mars 1998, p. 20.
6. Goldfarb Consultants, Toronto, février 1999.
7. Exemple fourni par Allison Scoleri, Goldfarb Consultants, Toronto, 1er février 1999.
8. *Ibid.*
9. James Pollock, « Ault Whips Up the Dairy Industry With Purfiltre », *Marketing,* 13 mars 1995, p. 2.
10. Sanjay S. Mehta et Gurinderjit B. Mehta, « Development and Growth of the Business Class : Strategic Marketing Implications for the Airline Industry », *Journal of Customer Service in Marketing and Management,* vol. 3, nº 1, 1997, p. 59-78.
11. Craig S. Smith et Rebecca Blumenstein, « In China, GM Bets Billions on a Market Strewn With Casualties », *The Wall Street Journal,* 11 février 1998, p. A1, A11 ; et Rebecca Blumenstein, « GM Is Building Plants in Developing Nations to Wow New Markets », *The Wall Street Journal,* 4 août 1997, p. A1, A4.
12. Gregory L. White, « GM to Crunch Five Marketing Divisions into One », *The Wall Street Journal,* 5 août 1998, p. A3, A6 ; et « GM Aims to Cut Time to Market with $1.5 Billion Modernization », *Star Tribune,* 11 novembre 1998, p. D7.
13. Angelo B. Henderson, « U-Turn on Caddy Truck Detours GM Strategy », *The Wall Street Journal,* 26 mars 1998, p. B1, B9.
14. Alex Taylor III, « Is Jack Smith the Man to Fix GM ? », *Fortune,* 3 août 1998, p. 86-92 ; et Bill Vlasic, « Too Many Models, Too Little Focus », *Business Week,* 1er décembre 1997, p. 148.
15. Kathleen Kerwin, « Why Didn't GM Do More for Saturn ? », *Business Week,* 16 mars 1998, p. 62.

L'étude de cas 10-1, « Rogers », a été préparée par Frederick G. Crane.

CAS DU MODULE 3

1. Jeffrey F. Rayport et John J. Sviokla, « Managing In the Marketspace », *Harvard Business Review,* novembre-décembre 1994, p. 141-153.
2. Clinton Wilder, « Web Data–Tapping the Pipeline–Web Sites Can Offer a Wealth of Customer Data ; Smart Companies are Mining, Analyzing, and Acting On It for Competitive Advantage », *Information Week,* 15 mars 1999, p. 38.
3. *Ibid.*
4. Christopher C. Nadherny, « Technology and Direct Marketing Leadership », *Direct Marketing,* novembre 1998, p. 42-45.
5. Roger O. Crockett, « A Web That Looks Like the World », *Business Week* E.BIZ, 22 mars 1999, p. EB46-47.
6. Marcia Mogelonsky, « Book biz boon », *American Demographics,* mars 1999, p. 16-17.
7. *Ibid.*
8. Bob Metcalfe, « A Glutton for Punishment : Back With More Predictions on the Future of the Internet », *InfoWorld,* 12 avril 1999, p. 118.
9. Marcia Mogelonsky, « Book biz boon », *American Demographics,* mars 1999, p. 16-17.
10. James A. Matin. « Spinning a New Web », *Publishers Weekly,* 26 avril 1999, p. 36.
11. Amazon.com, *Form 10K,* 1998.

CHAPITRE 11

1. Entretien particulier avec Todd DiMartini, 3M, 1998.
2. Bob Kearney, « Joining Forces : 3M Puts Stock in Bonding », *3M Today,* janvier 1995, p. 2-5.
3. Les définitions présentées dans ce chapitre proviennent de Committee on Definitions, *Marketing Definitions : A Glossary of Marketing Terms,* Chicago, American Marketing Association, 1960.
4. Frank Gibney fils, « A New World at Sony », *Time,* 17 novembre 1997, p. 56-64 ; et Frank Gibney fils et Sebastian Moffett, « Sony's Vision Factory », *Time Digital,* 10 mars 1997, p. 30-34.
5. Neil Gross et Paul C. Judge, « Let's Talk ! », *Business Week,* 23 février 1998, p. 61-72.
6. Greg A. Stevens et James Burley, « 3,000 Raw Ideas = 1 Commercial Success ! », *Research-Technology Management,* mai-juin 1997, p. 16-27.
7. R. G. Cooper et E. J. Kleinschmidt, « New Products–What Separates Winners from Losers ? », *Journal of Product Innovation Management,* Elsevier Science Publishing Co., Inc., septembre 1987, p. 169-184 ; et Robert G. Cooper, *Winning at New Products,* 2e éd., Reading, Mass., Addison-Wesley Publishing, 1993, p. 49-66.
8. Ces renseignements sont extraits du site Web de la Faculté des sciences de l'éducation de l'Université de Montréal (www.scedu.umontreal.ca/sites/histoiredestec/histoire/chap7.htm) et du site Web de *PC Magazine* (pcmag.com/article2/0,4149,64379,00.asp).
9. Marcia Mogelonsky, « Product Overload ? », *American Demographics,* août 1998, p. 5-12.
10. John Gilbert, « To Sell Cars in Japan, U.S. Needs to Offer More Right-Drive Models », *Star Tribune,* 27 mai 1995, p. M1.

11. Dan Morse, « High-Tech Bat Swings for Fences », *The Wall Street Journal,* 9 juillet 1998, p. B1-B7.
12. Magelonsky, *op. cit.,* p. 5.
13. Ces renseignements sont extraits du site Web de Largeur.com, www.largeur.com/printArt.asp?artID=1186.
14. Larry Armstrong, « Channel-Surfing's Next Wave », *Business Week,* 31 juillet 1995, p. 90-91.
15. « They're Still Talkin' about "Team Talk" », *3M Stemwinder,* 17 mai 1995, p. 1, 4.
16. *Parade Magazine,* 27 décembre 1998, p. 7.
17. Gibney et Moffett, *op. cit.*
18. Otis Port, « Xerox Won't Duplicate Past Errors », *Business Week,* 29 septembre 1998, p. 98-101.
19. Larry Armstrong, « Video : Eye-Popping TV–But It Will Cost You », *Business Week,* 23 février 1998, p. 118-120 ; Janet Moore, « Television's Digital Future ? », *Star Tribune,* 8 août 1998, p. D1-D3 ; et Chris O'Malley, « HDTV Is Here ! So What ? », *Time,* 5 octobre 1998, p. 52.
20. William M. Bulkeley, « Scientists Try to Make Broccoli "Fun" », *The Wall Street Journal,* 17 juillet 1995, p. B1, B3.
21. Dennis Berman, « Now, Tennis Balls Are Chasing Dogs », *Business Week,* July 23, 1998, p. 138.
22. Cynthia Clark, « We're Stuck On Magnetic Poetry », *Publisher's Weekly,* 28 septembre 1998, p. 27.
23. Bill Vlasic, « When Air Bags Aren't Enough », *Business Week,* 8 juin 1998, p. 84-86.
24. William M. Carley, « Engine Troubles Put GE Behind in Race to Power New 777s », *The Wall Street Journal,* 12 juillet 1995, p. A1, A6.

L'étude de cas 11-1, « Palm Computing, Inc. », a été rédigée par Michael Vessey.

CHAPITRE 12

1. « Stirring Things Up at Quaker Oats », *Business Week,* 20 mars 1998, p. 42 ; « Gatorade Frost : Sue Wellington », *Advertising Age,* 29 juin 1998, p. SB ; « Gatorade Re-Ups With NFL at $130M », *Brandweek,* 8 juin 1998, p. 4 ; Rapport annuel de 1997 de la société Quaker Oats, Chicago, The Quaker Oats Company, 1998 ; et « Gatorade Gets Fierce with Next Sub-Brand », *Brandweek,* 19 octobre 1998, p. 6.
2. Pour une présentation plus approfondie sur la courbe du cycle de vie d'un produit, voir David M. Gardner, « Product Life Cycle : A Critical Look at the Literature », dans *Review of Marketing 1987,* s. la dir. de Michael Houston, Chicago, American Marketing Association, 1987, p. 162-194.
3. « The Sun Chip Also Rises », *Advertising Age,* 27 avril 1992, p. S2, S6 ; et « How Gillette Brought Its MACH3 to Market », *The Wall Street Journal,* 15 avril 1998, p. B1, B8.
4. Orville C. Walker fils, Harper W. Boyd fils et Jean-Claude Larréché, *Marketing Strategy,* 3e éd., New York, Irwin/McGraw Hill, 1999, p. 231.
5. Quelques parties de la présentation sur l'industrie des télécopieurs s'appuient sur le texte « Atlas Electronics Corporation » dans *Strategic Marketing Problems : Cases and Comments,* Roger A. Kerin et Robert A. Peterson, 8e éd., Upper Saddle River, N. J., Prentice Hall, 1998, p. 494-506 ; « Think It's New ? Think Again ! », *Popular Mechanics,* décembre 1997, p. 32 ; « The Facts on Faxes », *Dallas Morning News,* 12 mai 1997, p. 20 ; et « The Technology that Won't Die », *Forbes,* 5 avril 1999, p. 56.
6. « E-Mail, IP Transmission Will Imitate, Not Replace, Fax Machines », *News Release,* San Jose, Calif., Dataquest, 1er juin 1998 ; et « Old Champions, New Contenders », *The Economist,* 11 octobre 1997, p. 78-79.
7. Liz Parks, « Three-Blade Shaving Drives Category », *Drug Store News,* vol. 24, no 3, 2002, p. 37.
8. Pour lire davantage sur les modes du moment, voir « The Theory of Fads », *Fortune,* 14 octobre 1996, p. 49, 52.
9. Fondé sur l'article « The Games Sony Plays », *Business Week,* 15 juin 1998, p. 128-130 ; « Giants of Video-Game Industry Rallying for Rebound », *The Wall Street Journal,* 31 mai 1996, p. B3 ; « Zap, Kaboom ! Video Games Sizzle for Holidays », 13 novembre 1997, p. B1, B15 ; « Looking for a Sonic Boom », *Brandweek,* 2 mars 1998, p. 26-29 ; et « U.S. Retail Sales of Video Games Up 32% for Year », *The Wall Street Journal,* 6 novembre 1998, p. B10.
10. « Sonic Strikes Back », *Brandweek,* 16 février 1998, p. 1, 6 ; et « Sony Unveils 128-bit PlayStation », *Dallas Morning News,* 3 mars 1999, p. 20.
11. Everett M. Rogers, *Diffusion of Innovations,* 4e éd., New York, The Free Press, 1995.
12. S. Ram et Jagdish N. Sheth, « Consumer Resistance to Innovation : The Marketing Problem and Its Solution », *Journal of Consumer Marketing,* printemps 1989, p. 5-14.
13. www.marketingmag.ca, site consulté le 8 mars 1999.
14. « Haggar, Farah, Levi's Iron Out the Wrinkles », *Advertising Age,* 6 mars 1995, p. 12 ; et Nancy Boomer, « Frozen Iced Tea Heats Up Summer Drink Category », *Marketing,* 2 juin 1997, www.marketingmag.ca, site consulté le 18 juillet 1997.
15. « E-Z Rider », *Brandweek,* 18 août 1997, p. 24-28 ; et « Sony and Nintendo Battle for Kids Under 13 », *The Wall Street Journal,* 24 septembre 1998, p. B4.
16. « P&G's Soap Opera : New Ivory Bar Hits the Bottom of a Tub », *The Wall Street Journal,* 23 octobre 1992, p. B11.
17. « Will the British Warm Up to Iced Tea ? Some Big Marketers Are Counting on It », *The Wall Street Journal,* 22 août 1994, p. B1 ; et « Sneaker Company Tags Out-of-Breath Baby Boomers », *The Wall Street Journal,* 16 janvier 1998, p. B1, B2.
18. « Food for What Ails You », *Brandweek,* 4 mai 1998, p. 37-42 ; et « Nutri-Grain Targets Kids with Enhanced Calcium », *Brandweek,* 5 avril 1998, p. 6.
19. « Marketers Try to Ease Sting of Price Increases », *Marketing News,* 9 octobre 1995, p. 5-6 ; « It's the Pits », *Consumer Reports,* février 1992, p. 203 ; et John G. Hinge, « Critics Call Cuts in Package Size Deceptive Move », *The Wall Street Journal,* 5 février 1991, p. B1, B8.
20. Cette présentation s'appuie sur les écrits de Kevin Lane Keller, *Strategic Brand Management,* Upper Saddle River, N. J., Prentice Hall, 1998 ; et Jennifer L. Aaker, « Dimensions of Brand Personality », *Journal of Marketing Research,* août 1997, p. 347-356. Voir également Susan Fournier, « Consumers and Their Brands : Developing Relationship Theory in Consumer Research », *Journal of Consumer Research,* mars 1998, p. 343-373.
21. Pour de plus amples renseignements sur la personnalité de marque, voir David A. Aaker, *Building Strong Brands,* New York, The Free Press, 1996 ; et Tom Duncan et Sandra Moriarity, *Driving Brand Value,* New York, McGraw-Hill, 1997.
22. « License to Sell », *Brandweek,* 8 juin 1998, p. 37-42.
23. « Losing the Name Game », *Newsweek,* 8 juin 1998, p. 44.
24. « A Good Name Should Live Forever », *Forbes,* 16 novembre 1998, p. 88.
25. Rob Osler, « The Name Game : Tips on How to Get It Right », *Marketing News,* 14 septembre 1998, p. 50 ; et Keller, *op. cit.* Voir également Pamela W. Henderson et Joseph A. Cote, « Guidelines for Selecting or Modifying Logos », *Journal of Marketing,* avril 1998, p. 14-30.
26. « Buying the Ranch on Brand Equity », *Brandweek,* 25 octobre 1992, p. 6 ; et « Kellogg Changes Name of Controversial Cereal », *Marketing News,* 19 août 1991, p. 22.
27. « A Survey of Multinationals », *The Economist,* 24 juin 1995, p. 8.
28. Pour un survol sur le capital marques et l'élargissement de la marque, voir Vicki R. Lane, « Brand Leverage Power : The Critical Role of Brand Balance », *Business Horizons,* janvier-février 1998, p. 25-84.

29. « When Brand Extension Becomes Brand Abuse », *Brandweek*, 26 octobre 1998, p. 20, 22.
30. www.rogers.com/RCI, site consulté le 13 novembre 1996 ; et Lara Mills, « Companies Conclude That Two Big Brands Can Market Better Than One », *Marketing*, 23-30 décembre 1996, www.marketingmag.ca, site consulté le 18 juillet 1997.
31. www.marketingmag.ca, site consulté le 8 mars 1999.
32. « Kodak Pursues a Greater Market Share in Japan with New Private-Label Film », *The Wall Street Journal*, 7 mars 1995, p. B11.
33. « The National Peztime », *The Dallas Morning News*, 9 octobre 1995, p. 1C, 2C ; David Welch, *Collecting Pez*, Murphysboro, Ill., Bubba Scrubba Publications, 1995 ; et « Pez : Dispense with Idea It's Just for Kids », *Brandweek*, 26 septembre 1996, p. 10.
34. « Coca-Cola Finds Success Trading New for the Old », *The Wall Street Journal*, 24 mars 1995, p. B5.
35. « Which Hue Is Best ? Test Your Color I.Q. », *Advertising Age*, 14 septembre 1987, p. 18, 20 ; et « Supreme Court to Rule on Colors as Trademarks », *Marketing News*, 2 janvier 1995, p. 28.
36. Cette présentation se fonde en partie sur les études suivantes : Barry N. Rosen et George B. Sloane III, « Environmental Product Standards, Trade and European Consumer Goods Marketing », *Columbia Journal of World Business*, printemps 1995, p. 74-86 ; « Life Ever After », *The Economist*, 9 octobre 1993, p. 77 ; et « How to Make Lots of Money, and Save the Planet Too », *The Economist*, 3 juin 1995, p. 57-58. Voir également Stuart L. Hart, « Beyond Greening : Strategies for a Sustainable World », *Harvard Business Review*, janvier-février 1997, p. 66-77 ; et Ajay Menon et Anil Menon, « Enviropreneurial Marketing Strategy : The Emergence of Corporate Environmentalism as Market Strategy », *Journal of Marketing*, janvier 1997, p. 51-67.
37. Paula Mergenbagen, « Product Liability : Who Sues ? », *American Demographics*, juin 1995, p. 48-54 ; et « Bottled Up », *The Economist*, 17 décembre 1994, p. 69.
38. Pour consulter une recherche représentative sur les garanties, voir Joydeep Srivastava et Anusree Mitra, « Warranty as a Signal of Quality : The Moderating Effect of Consumer Knowledge on Quality Evaluations », *Marketing Letters*, novembre 1998, p. 327-336 ; Melvyn A. Menezes et John A. Quelch, « Leverage Your Warranty Program », *Sloan Management Review*, été 1990, p. 69-80 ; et « Broken ? No Problem », *U.S. News & World Report*, 11 janvier 1999, p. 68-69.

L'étude de cas 12-1, « Polaroid Canada », a été préparée par Frederick G. Crane et adaptée à partir de *Canadian Advertising Success Stories*, Toronto, Congrès canadien de la publicité, 1995.

CHAPITRE 13

1. www.confederationbridge.com et entretien avec les représentants de CBSL.
2. www.lamborghini.itg.net/main/diablo et www.kelleybluebook.com.
3. Adapté à partir de Kent B. Monroe, *Pricing : Making Profitable Decisions*, 2e éd., New York, McGraw-Hill, 1990, chap. 4. Voir également David J. Curry, « Measuring Price and Quality Competition », *Journal of Marketing*, printemps 1985, p. 106-117.
4. Nombre d'études ont porté sur le rapport qualité-prix. Voir, par exemple, *Perceived Quality*, s. la dir. de Jacob Jacoby et Jerry C. Olsen, Lexington, Mass., Lexington Books, 1985 ; Kent B. Monroe et William B. Dodds, « A Research Program for Establishing the Validity of the Price-Quality Relationship », *Journal of the Academy of Marketing Science*, printemps 1988, p. 151-168 ; Akshay R. Rao et Kent B. Monroe, « The Effect of Price, Brand Name, and Store Name on Buyers' Perceptions of Product Quality : An Integrative Review », *Journal of Marketing Research*, août 1989, p. 351-357 ; William D. Dodds, Kent B. Monroe et Dhruv Grewal, « Effects of Price, Brand, and Store Information on Buyers' Product Evaluations », *Journal of Marketing Research*, août 1991, p. 307-319 ; et Roger A. Kerin, Ambuj Jain et Daniel J. Howard, « Store Shopping Experience and Consumer Price-Quality-Value Perceptions », *Journal of Retailing*, hiver 1992, p. 235-245. Pour un examen rigoureux du rapport qualité-prix, voir Valerie A. Ziethaml, « Consumer Perceptions of Price, Quality, and Value », *Journal of Marketing*, juillet 1988, p. 2-22. Voir également Jerry Wind, « Getting a Read on Market-Defined "Value" », *Journal of Pricing Management*, hiver 1990, p. 5-14.
5. Ces exemples sont tirés de Roger A. Kerin et Robert A. Peterson, « Carrington Furniture (A) », dans *Strategic Marketing Problems : Cases and Comments*, 8e éd., Englewood Cliffs, N. J., Prentice Hall, 1998, p. 307-317 ; et « Software Economics 101 », *Forbes*, 28 janvier 1985, p. 88.
6. F. G. Crane, « The Relative Effect of Price and Personal Referral Cues on Consumers' Perceptions of Dental Services », *Health Marketing Quarterly*, vol. 13, no 4, 1996, p. 91-105.
7. N. Craig Smith et John A. Quelch, *Ethics in Marketing*, Homewood, Ill., Richard D. Irwin, 1993 ; et F. G. Crane, « What's Ethical and What's Not With Canadian Business Students », *Working Paper*, 1997.
8. Carol VinZant, « Electronic Books Are Coming at Last », *Fortune*, 6 juillet 1998, p. 119-124.
9. J. C. Conklin, « Don't Throw Out Those Old Sneakers, They're a Gold Mine », *The Wall Street Journal*, 21 septembre 1998, p. A1, A20 ; Richard Gibson, « Bean Market ? Some Worry That Beanies Are Ripe for a Fall », *The Wall Street Journal*, 25 septembre 1998, p. A1, A11 ; et Ken Bensinger, « Racing for Mint-Condition Toys », *The Wall Street Journal*, 25 septembre 1998, p. W10.
10. Daniel Levy, Mark Bergen, Shautanu Dutta et Robert Venable, « The Magnitude of Menu Costs : Direct Evidence from Large U.S. Supermarket Chains », *The Quarterly Journal of Economics*, août 1997, p. 791-825.
11. David Wessel, « The Price Is Wrong, and Economics Are in an Uproar », *The Wall Street Journal*, 2 janvier 1991, p. B1, B6.
12. Ron Winslow, « How a Breakthrough Quickly Broke Down for Johnson & Johnson », *The Wall Street Journal*, 18 septembre 1998, p. A1, A5.
13. Bruce Orwall, « Theater Consolidation Jolts Hollywood Power Structure », *The Wall Street Journal*, 21 janvier 1998, p. B1, B2.
14. Jeff Lobb, « The Right (Pepsi) Stuff », *Marketing*, 8 juillet 1996, p. 15.
15. « Price War Is Raging in Europe », *Business Week*, 6 juillet 1992, p. 44-45.
16. Michael Garry, « Dollar Strength : Publishers Confront the New Economic Realities », *Folio : The Magazine for Magazine Management*, février 1989, p. 88-93 ; Cara S. Trager, « Right Price Reflects a Magazine's Health Goals », *Advertising Age*, 9 mars 1987, p. 5-8 et suiv. ; et Frank Bruni, « Price of Newsweek ? It Depends », *Dallas Times Herald*, 14 août 1986, p. S1, S20.
17. Vanessa O'Connell, « How Campbell Saw a Breakthrough Menu Turn into Leftovers », *The Wall Street Journal*, 6 octobre 1998, p. A1, A12.
18. Pour un survol de différentes études portant sur l'élasticité-prix, voir Ruth N. Bolton, « The Robustness of Retail-Level Elasticity Estimates », *Journal of Retailing*, été 1989, p. 193-219 ; et Gerald J. Tellis, « The Price Elasticity of Selective Demand : A Meta-analysis of Econometic Models of Sales », *Journal of Marketing Research*, novembre 1988, p. 331-341.
19. Voir, par exemple, Susan L. Holak et Srinivas K. Reddy, « Effects of a Television and Radio Advertising Ban : A Study of the Cigarette Industry », *Journal of Marketing*, octobre 1986, p. 219-227 ; et Rick Andrews et George R. Franke, « Time-Varying Elasticities of U.S. Cigarette Demand, 1933-1987 », *AMA Educators' Conference Proceedings*, Chicago, American Marketing Association, 1990, p. 393.
20. Andrew E. Serwer, « Head to Head with Giants–and Winning », *Fortune*, 13 juin 1994, p. 154.
21. Monroe, *op. cit.*, p. 24-26.

22. Gregory L. White, « General Motors to Take Nationwide Test Drive on Web », *The Wall Street Journal,* 28 septembre 1998, p. B4.

CHAPITRE 14

1. Mark Moremont, « How Gillette Brought Its MACH 3 to Market », *The Wall Street Journal,* 15 avril 1998, p. B1, B8 ; « Taking It on the Chin », *The Economist,* 18 avril 1998, p. 60-61 ; et « Gillette's Edge », *Business Week,* 19 janvier 1998, p. 70-77.

2. « New Gillette MACH 3 Shaving System Begins Shipping to Stores Across North America », *The Gillette Company New Release,* 26 juin 1998.

3. « Sony Prices Its Advanced Game Player at $299, Near Low End of Expectations », *The Wall Street Journal,* 12 mai 1995, p. B4.

4. « Sony Slashes the Price of Play Station Game by More Than 25% », *The Wall Street Journal,* 5 mars 1997, p. B6.

5. Pour une description classique d'écrémage et de la stratégie de pénétration du marché, voir Joel Dean, « Pricing Policies for New Products », *Harvard Business Review,* novembre-décembre 1976, p. 141-153. Voir également Reed K. Holden et Thomas T. Nagle, « Kamikaze Pricing », *Marketing Management,* été 1998, p. 31-39.

6. Jean-Noel Kapferer, « Managing Luxury Brands », *The Journal of Brand Management,* juillet 1997, p. 251-260.

7. « Luxury Steals Back », *Fortune,* 16 janvier 1995, p. 112-119. Voir également « Buying Time », *Fortune,* 8 septembre 1997, p. 192.

8. Voir, par exemple, V. Kumar et Robert P. Leone, « Measuring the Effects of Retail Store Promotions on Brand and Store Substitution », *Journal of Marketing Research,* mai 1998, p. 178-185 ; et « AT&T Simplifies Price Tiers », *Dallas Morning News,* 5 novembre 1997, p. 10.1D.

9. Robert M. Schindler et Thomas M. Kibarian, « Increased Consumer Sales Response Through Use of 99-Ending Prices », *Journal of Retailing,* été 1996, p. 187-199. Pour parfaire tes connaissances sur la fixation des prix, voir Mark Stiving et Russell S. Winer, « An Empirical Analysis of Price Endings with Scanner Data », *Journal of Consumer Research,* juin 1997, p. 57-67 ; et Robert M. Schindler, « Patterns of Rightmost Digits Used in Advertised Prices : Implications for Nine-Ending Effects », *Journal of Consumer Research,* septembre 1997, p. 192-201.

10. « PCs : The Battle for the Home Front », *Business Week,* 25 septembre 1995, p. 110-114 ; David Kirkpatrick, « The Revolution at Compaq Computer », *Fortune,* 14 décembre 1992, p. 80-82 et suiv. ; et « Compaq Worldwide PC Leadership Expands in Third Quarter », *Compaq News Release,* 26 octobre 1998.

11. Thomas T. Nagle et Reed K. Holder, *The Strategy and Tactics of Pricing,* 2e éd., Englewood Cliffs, N. J., Prentice Hall, 1995, p. 225-228.

12. Monroe, *op. cit.,* p. 326-327.

13. Robert J. Dolan et Hermann Simon, *Power Pricing : How Managing Price Transforms the Bottom Line,* New York, The Free Press, 1996, p. 249.

14. « Lawyers Start to Stop the Clock », *Business Week,* 17 août 1995, p. 108.

15. George E. Belch et Michael A. Belch, « Introduction to Advertising and Promotion », 4e éd., New York, Irwin/McGraw-Hill, 1998, p. 85.

16. Pour une présentation fouillée de cette notion, voir Roger A. Kerin, Vijay Mahajan et P. Rajan Varadarajan, *Contemporary Perspectives on Strategic Market Planning,* Boston, Allyn and Bacon, 1990, chap. 4.

17. « HDTV SETS : Too Pricey, Too Late ? », *The Wall Street Journal,* 7 janvier 1998, p. B1, B11.

18. « Gillette Co. Sees Strong Early Sales for Its New Razor », *The Wall Street Journal,* 17 juillet 1998, p. B3.

19. Aimee L. Stern, « The Pricing Quandry », *Across the Board,* mai 1997, p. 16-22.

20. « Hewlett-Packard Cuts Office-PC Prices in Wake of Moves by Compaq and IBM », *The Wall Street Journal,* 22 août 1995, p. B11.

21. « Retailers Using Cut-Rate Videos as Lures », *Dallas Morning News,* 4 octobre 1995, p. 5H.

22. www.confederationbridge.com.

23. www.strategis.ic.gc.ca.

24. Jeffrey A. Trachtenberg, « Sony Sells 100,000 Video-Game Units on First Weekend », *The Wall Street Journal,* 12 septembre 1995, p. A12.

25. Monroe, *op. cit.,* p. 304.

26. F. G. Crane, « The Relative Effect of Price and Personal Referral Cues on Consumers' Perceptions of Dental Services », *Health Marketing Quarterly,* vol. 13, nº 4, 1996, p. 91-105.

27. Pour une présentation fouillée sur les remises, voir Monroe, *op. cit.,* chap. 14 et 15.

28. Ian Ayres et Peter Siegelman, « Race and Gender Discrimination in Bargaining for a New Car », *The American Economic Review,* juin 1995, p. 304-321 ; « Saturn's Uniform Pricing Extended to Used Cars », *Dallas Morning News,* 14 août 1995, p. 4D ; et « Goodbye to Haggling », *U.S. News & World Report,* 20 octobre 1997, p. 57.

Références : « My Own Meals », entretien particulier avec Mary Anne Jackson ; Mike Duff, « New Children's Meals : Not Just Kids Stuff », *Supermarket Business,* mai 1990, p. 93 ; Heidi Parson, « MOM, Incorporated », *Poultry Processing,* août-septembre 1989 ; Lisa R. Van Wagner, « Kids Meals : The Market Grows Up », *Food Business,* 20 mai 1991 ; Mary Ellen Kuhn, « Women to Watch in the 90's », *Food Business,* 10 septembre 1990 ; et Arlene Vigoda, « Small Fry Microwave Meals Become Big Business », *USA Today,* 4 juin 1990.

CHAPITRE 15

1. Alan Goldstein, « Off-Line Opportunity », *Dallas Morning News,* 9 décembre 1998, p. 1D, 11D ; « About Gateway », www.gateway.com, site consulté le 9 décembre 1998 ; « Gateway to Use Its Stores to Lure Small Businesses », *The Wall Street Journal,* 8 avril 1999, p. B1, B4.

2. Voir *Dictionary of Marketing Terms,* 2e éd., s. la dir. de Peter D. Bennett, Chicago, American Marketing Association, 1995.

3. Fondé sur l'ouvrage de Frederick E. Webster fils, *Industrial Marketing Strategy,* 2e éd., New York, John Wiley & Sons, 1998.

4. PepsiCo, Inc., Rapport annuel, 1997.

5. « Compaq Computer Picks Dealers to Finish Assembling Its PCs », *The Wall Street Journal,* 7 juillet 1997, p. B6.

6. Donald V. Fites, « Make Your Dealers Your Partners », *Harvard Business Review,* mars-avril 1996, p. 84-95.

7. Cette présentation s'appuie sur l'ouvrage de Bert Rosenbloom, *Marketing Channels : A Management View,* 6e éd., Fort Worth, Tex., Dryden Press, 1999, p. 452-458.

8. *Economic Impact : U.S. Direct Marketing Today,* New York, The Direct Marketing Association, 1998.

9. Pour plus d'information sur les alliances stratégiques de distribution, voir P. Rajan Varadarajan et Margaret H. Cunningham, « Strategic Alliances : A Synthesis of Conceptual Foundations », *Journal of the Academy of Marketing Science,* automne 1995, p. 282-296 ; et Johny K. Johansson, « International Alliances : Why Now ? », *Journal of the Academy of Marketing Science,* automne 1995, p. 301-304. Les exemples sont tirés de « Pepsi, Ocean Spray Renew Deal ; Fruitworks Expands », *Brandweek,* 6 avril 1998, p. 14 ; et « GM Pondering Consolidations in Field Marketing », *Advertising Age,* 11 mai 1998, p. 4.

10. General Mills, Inc., Rapport annuel, 1998 ; et « Spoon-to-Spoon Combat Overseas », *The New York Times,* 1er janvier 1995, p. 17.

11. Kroger, Inc., Rapport annuel, 1998.

12. « Future Shop », *Forbes ASAP,* 6 avril 1998, p. 37-53.

13. « General Motors to Take Nationwide Test Drive on Web », *The Wall Street Journal,* 28 septembre 1998, p. B4.

14. « Radio Shack to Sell Only Compaq PCs », *Dallas Morning News,* 29 janvier 1998, p. 2D.

15. « Gillette Tries to Nick Schick in Japan », *The Wall Street Journal,* 4 février 1991, p. B3, B4.
16. Cette présentation s'appuie sur les écrits de John Fahy et Fuyuki Taguchi, « Reassessing the Japanese Distribution System », *Sloan Management Review,* hiver 1995, p. 49-61 ; Michael R. Czinkota et Jon Woronoff, *Unlocking Japanese Markets,* Chicago, Probus Publishing Co., 1991, p. 92-97 ; et « Japan Keeping U.S. Products Out of Asia ; Intricate Network Known as "Keiretsu" Excludes Outsiders », *The Baltimore Sun,* 9 novembre 1997, p. 6F.
17. Fondé sur un entretien avec Pamela Viglielmo, directrice du marketing international chez Fran Wilson Cosmetics ; « U.S. Firm Gives Lip (Coloring) Service to Japan », *Marketing News,* 16 mars 1992, p. 6 ; et « At Last, a Product That Makes Japan's Subways Safe for Men », *Advertising Age,* 16 janvier 1995, p. I-24.
18. « Black Pearls Recast for Spring », *Advertising Age,* 13 novembre 1995, p. 49.
19. Parmi les études qui s'intéressent aux différents types d'influence au sein des circuits de distribution, on compte celles-ci : Gul Butaney et Lawrence H. Wortzel, « Distributor Power versus Manufacturer Power : The Customer Role », *Journal of Marketing,* janvier 1988, p. 52-63 ; Kenneth A. Hunt, John T. Mentzer et Jeffrey E. Danes, « The Effect of Power Sources on Compliance in a Channel of Distribution : A Causal Model », *Journal of Business Research,* octobre 1987, p. 377-398 ; John F. Gaski, « Interrelations Among a Channel Entity's Power Sources : Impact of the Exercise of Reward and Coercion on Expert, Referent, and Legitimate Power Sources », *Journal of Marketing Research,* février 1986, p. 62-67 ; Gary Frazier et John O. Summers, « Interfirm Influence Strategies and Their Application within Distribution Channels », *Journal of Marketing,* été 1984, p. 43-55 ; Sudhir Kale, « Dealer Perceptions of Manufacturer Power and Influence Strategies in a Developing Country », *Journal of Marketing Research,* novembre 1986, p. 387-393 ; George H. Lucas et Larry G. Gresham, « Power, Conflict, Control, and the Application of Contingency Theory in Channels of Distribution », *Journal of the Academy of Marketing Science,* été 1985, p. 27-37 ; et F. Robert Dwyer et Julie Gassenheimer, « Relational Roles and Triangle Dramas : Effects on Power Play and Sentiments in Industrial Channels », *Marketing Letters,* vol. 3, 1992, p. 187-200.
20. Pour vous former une idée de l'ampleur des frais de présentation dans le secteur de l'alimentation, voir Nancy Millman, « Grocers' Aisles the Arena in the Battle for Shelf Space », *Chicago Tribune,* 29 juillet 1996, p. NW1.

CHAPITRE 16

1. David Bovet et Yossi Sheffi, « The Brave New World of Supply Chain Management », *Supply Chain Management Review,* printemps 1998, p. 14-23 ; et H. Lee, V. Padmanabhan et S. Whang, « The Bullwhip Effect in Supply Chains », *Sloan Management Review,* printemps 1997, p. 93-102.
2. Ces estimations s'appuient sur « U.S. Logistics Closing on Trillion Dollar Mark », *Business Week,* 28 décembre 1998, p. 78.
3. *What's It All About ?,* Oakbrook, Ill., Council of Logistics Management, 1993.
4. Ken Cottrill, « Reforging the Supply Chain », *Journal of Business Strategy,* novembre-décembre 1997, p. 35-39.
5. Cette présentation s'appuie sur l'ouvrage de Robert B. Handfield et Earnest Z. Nichols, *Introduction to Supply Chain Management,* Upper Saddle River, N. J., Prentice Hall, 1998, chap. 1.
6. Cette description se fonde sur les articles suivants : Robert M. Monczka et Jim Morgan, « Supply Chain Management Strategies », *Purchasing,* 15 janvier 1998, p. 78-85 ; « Survey of Manufacturing », *The Economist,* 20 juin 1998, Special Report ; « Restructure of Dealer Networks Will Change Retailing », *Marketing News,* 26 octobre 1998, p. 10 ; et Handfield et Nichols, *op. cit.*
7. John Holusha, « P&G Downy Bottles Use Recycled Plastic », *The New York Times,* 14 janvier 1993, p. C5 ; et Bruce Van Voorst, « The Recycling Bottleneck », *Time,* 14 septembre 1992, p. 52.
8. Bovet et Sheffi, *op. cit.*
9. Joseph Pereira, « In Reebok-Nike War, Big Woolworth Chain Is a Major Battlefield », *The Wall Street Journal,* 22 septembre 1995, p. A1, A5.
10. Pour une description détaillée des frais de logistique, voir Douglas M. Lambert, James R. Stock et Lisa M. Ellram, *Fundamentals of Logistics Management,* New York, Irwin/McGraw-Hill, 1998, p. 15-24.
11. Ronald Henkoff, « Delivering the Goods », *Fortune,* 28 novembre 1994, p. 64-78.
12. Toby B. Gooley, « How Logistics Drive Customer Service », *Traffic Management,* janvier 1996, p. 46.
13. Pour un survol des perceptions et définitions relatives au service clientèle, voir « A Compendium of Research in Customer Service », *International Journal of Physical Distribution and Logistics Management,* vol. 24, nº 4, 1994, p. 1-68.
14. Michael Levy et Barton A. Weitz, *Retailing Management,* 3e éd., New York, Irwin/McGraw Hill, 1998, p. 331.
15. *Ibid.,* p. 332 ; et Handfield et Nichols, *op. cit.,* p. 18.
16. Jon Bigness, « In Today's Economy, There Is Big Money to Be Made in Logistics », *The Wall Street Journal,* 6 septembre 1995, p. A1, A9.
17. Robert C. Lieb et Arnold Maltz, « What's the Future for Third-Party Logistics ? », *Supply Chain Management Review,* printemps 1998, p. 71-79.
18. « IBM Moves Procurement to the Web-Big Time », *Purchasing,* 10 décembre 1998, p. S13 ; et Sherree DeCovny, « Electronic Commerce Comes of Age », *Journal of Business Strategy,* novembre-décembre 1998, p. 38-44.
19. Scott Leibs, « Using IT to Grow », *Industry Week,* 21 décembre 1998, p. 56-59 ; Christina Duff et Bob Ortega, « Watch Out for Flying Packages », *Business Week,* 14 novembre 1995, p. 40 ; Roy Rowan, « Business Triumphs of the Seventies », *Fortune,* décembre 1979, p. 34 ; et Lieb et Maltz, *op. cit.*
20. Henkoff, *op. cit.*
21. Cottrill, *op. cit.*
22. Marshall L. Fisher, « What Is the Right Supply Chain for Your Product ? » *Harvard Business Review,* mars-avril 1997, p. 105-116.
23. Pour un excellent survol sur la logistique inverse, voir Edward J. Marien, « Reverse Logistics as Competitive Strategy », *Supply Chain Management Review,* printemps 1998, p. 43-53.
24. Doug Bartholomew, « IT Delivers for UPS », *Industry Week,* 21 décembre 1998, p. 60-63.

CHAPITRE 17

1. www.marketingmag.ca et www.retailcouncil.org, sites consultés le 15 juillet 1999.
2. Kenneth Cline, « The Devil in the Details », *Banking Strategies,* novembre-décembre 1997, p. 24 ; et Roger Trap, « Design Your Own Jeans », *The Independent,* 18 octobre 1998, p. 22.
3. Statistique Canada, « Manuel statistique pour études de marché », catalogue 63-224, Ottawa, 1997.
4. « Canadian Markets », *The Financial Post,* Toronto, 1999.
5. « World's Top Stores », *Marketing,* 1er mars 1993, p. 18.
6. « Retailers Rush to Capture New Markets », *Financial Times,* 13 mars 1998, p. 2 ; Carla Rapoport et Justin Martin, « Retailers Go Global », *Fortune,* 20 février 1995, p. 102-108 ; William Symonds, « Invasion of the Retail Snatchers », *Business Week,* 9 mai 1994, p. 72-73 ; et Eugene Fram et Riad Ajami, « Globalization of Markets and Shopping Stress : Cross-Country Comparisons », *Business Horizons,* janvier-février 1994, p. 17-23.
7. Jo Foley, « To Buy or Not to Buy in Dubai », *The Times,* 7 mars 1998 ; et « Fly, Buy a Bigger Dubai », *The Hindu,* 15 mars 1998.

8. Gene Koretz, « Those Plucky Corner Stores », *Business Week,* 5 décembre 1994, p. 26.

9. Alison L. Sprout, « Packard Bell Sells More PCs in the US than Anyone », *Fortune,* 12 juin 1995, p. 82-88 ; Marcia Berss, « We Will Not Be in a National Chain », *Forbes,* 27 mars 1995, p. 50 ; et Steve Kichen, « Pick a Channel », *Forbes,* 2 mars 1992, p. 108, 110.

10. Christopher Palmeri, « Who's Afraid of Wal-Mart ? », *Forbes,* 31 juillet 1995, p. 81.

11. Richard C. Hoffman et John F. Preble, « Franchising into the Twenty-First Century », *Business Horizons,* novembre-décembre 1993, p. 35-43.

12. Allen Whitehead, « Trouble in Franchise Nation », *Fortune,* 6 mars 1995, p. 115-129 ; et Jennifer S. Stack et Joseph E. McKendrick, « Franchise Market Expands as Rest of Economy Slumps », *Marketing News,* 6 juillet 1992, p. 11.

13. LaVerne L. Ludden, *Franchise Opportunities Handbook,* Indianapolis, Ind., JIST Works, Inc., 1999 ; et Scott Shane et Chester Spell, « Factors for New Franchise Success », *Sloan Management Review,* printemps 1998, p. 43-50.

14. Marc Rice, « Competition Fierce in Complex Business of Delivering Packages », *Marketing News,* 22 mai 1995, p. 5 ; Tim Triplett, « Scanning Wet Makes Checkout Lines Disappear », *Marketing News,* 4 juillet 1994, p. 6 ; et Tara Parker-Pope, « New Devices Add Up Bill, Measure Shoppers' Honesty », *The Wall Street Journal,* 6 juin 1995, p. B1, 13.

15. Cyndee Miller, « Nordstrom Is Tops in Survey », *Marketing News,* 15 février 1993, p. 12 ; « Daytons Is Top Retailer in Customer Satisfaction Survey », *Marketing News,* 6 juin 1994, p. 8 ; et Richard Stevenson, « Watch Out, Macy's, Here Comes Nordstrom », *New York Times Magazine,* 27 août 1989, p. 40.

16. Hank Kim et Andrew McMains, « Games A Foot at Toys "R" Us », *Adweek,* 11 janvier 1999, p. 2.

17. Lesley Dow, « Maxi Advances into Loblaws' Home Turf », *Marketing,* 14 juillet 1997, www.marketingmag.ca, site consulté le 4 août 1997.

18. Laurie M. Grossman, « Hypermarkets : A Sure-Fire Hit Bombs », *The Wall Street Journal,* 25 juin 1992, p. B1.

19. Steve Scrupski, « Tiny "Brains" Seen for Vending Machines », *Electronic Design,* 1er décembre 1998, p. 64F ; Dan Alaimo, « Two Stores Are Recording a Hit with CD Vending Machine », *Supermarket News,* 15 juin 1998, p. 65 ; « Scoop », *Seventeen,* janvier 1999, p. 28 ; « Vending Machine Software », *Marketing News,* 8 mai 1995, p. 1 ; et « Coke Machine Modems Send Distress Signals », *Marketing News,* 9 octobre 1995, p. 2.

20. Anne D'Innocenzio, « Getting Booked : Coping with Catalog Crunch », *WWD,* 9 décembre 1998, p. 8.

21. Edward Nash, « The Roots of Direct Marketing », *Direct Marketing,* février 1995, p. 38-40 ; et Edith Hipp Updike et Mary Kurtz, « Japan Is Dialing 1 800 BUYAMERICA », *Business Week,* 12 juin 1995, p. 61-64.

22. Susan Chandler et Therese Palmer, « Can Spiegel Pull Out of the Spiral ? », *Business Week,* 28 août 1995, p. 80 ; Gary McWilliams, Susan Chandler et Julie Tilsner, « Strategies for the New Mail Order », *Business Week,* 19 décembre 1994, p. 82-85 ; et Annetta Miller, « Up to the Chin in Catalogs », *Newsweek,* 20 novembre 1989, p. 27-58.

23. Christopher Palmeri, « Victoria's Little Secret », *Forbes,* 24 août 1998, p. 58 ; Robert Lenzner et Philippe Mao, « Banking Pops Up in the Strangest Places », *Forbes,* 10 avril 1995, p. 72-76 ; et Dyan Machan, « Sharing Victoria's Secrets », *Forbes,* 5 juin 1995, p. 132-133.

24. Gail DeGeorge et Lori Bongiorno, « Polishing Up the Cubic Zirconia », *Business Week,* 31 juillet 1995, p. 83-84 ; Chad Rubel, « Home Shopping Network Targets Young Audience », *Marketing News,* 17 juillet 1995, p. 13, 26 ; et Kathy Haley, « Keys Are Interactive TV and Channel Expansion », *Advertising Age,* 22 février 1993, p. C16.

25. Raymond R. Burke, « Do You See What I See ? The Future of Virtual Shopping », *Journal of the Academy of Marketing Science,* automne 1997, p. 352-360 ; Ellen Neuborne et Stephanie Anderson Forest, « Retailing », *Business Week,* 12 janvier 1998, p. 116 ; et Maricris G. Briones, « On-line Retailers Seek Ways to Close Shopping Gender Gap », *Marketing News,* 14 septembre 1998, p. 2, 10 ; et www.forrester.com, 15 juin 1999.

26. Mary J. Cronin, « Business Secrets of the Billion-Dollar Website », *Fortune,* 2 février 1998, p. 142 ; Robert D. Hof, Ellen Neuborne et Heather Green, « Amazon.com : The Wild World of E-Commerce », *Business Week,* 14 décembre 1998, p. 106-119 ; « Future Shop », *Forbes ASAP,* 6 avril 1998, p. 37-52 ; Chris Taylor, « Cybershop », *Time,* 23 novembre 1998, p. 142 ; Stephen H. Wildstrom, « "Bots" Don't Make Great Shoppers », *Business Week,* 7 décembre 1998, p. 14 ; et Jeffrey Ressner, « Online Flea Markets », *Time,* 5 octobre 1998, p. 48.

27. Steve Casimiro, « Shop Till You Crash », *Fortune,* 21 décembre 1998, p. 267-270 ; De'Ann Weimer, « Can I Try (Click) That Blouse (Drag) in Blue ? », *Business Week,* 9 novembre 1998, p. 86.

28. Chris O'Malley, « No Waiting on the Web », *Time,* 16 novembre 1998, p. 76 ; B. G. Yovovich, « Webbed Feat », *Marketing News,* 19 janvier 1998, p. 1, 18 ; Joseph Alba, John Lynch, Barton Weitz, Chris Janiszewski, Richard Lutz, Alan Sawyer et Stacy Wood, « Interactive Home Shopping : Consumer, Retailer, and Manufacturer Incentives to Participate in Electronic Marketplace », *Journal of Marketing,* juillet 1997, p. 38-53.

29. Donna Bursey, « Targeting Small Businesses for Telemarketing and Mail Order Sales », *Direct Marketing,* septembre 1995, p. 18-20 ; « Inbound, Outbound Telemarketing Keeps Ryder Sales in Fast Lane », *Direct Marketing,* juillet 1995, p. 34-36 ; « Despite Hangups, Telemarketing a Success », *Marketing News,* 27 mars 1995, p. 19 ; Kelly Shermach, « Outsourcing Seen as a Way to Cut Costs, Retain Service », *Marketing News,* 19 juin 1995, p. 5, 8 ; et Greg Gattuso, « Marketing Vision », *Direct Marketing,* février 1994, p. 24-26.

30. « TeleWatch to Help Control Unethical Telemarketing », *Telemarketing & Call Center Solutions,* avril 1998, p. 28.

31. Bill Vlasic et Mary Beth Regan, « Amway II : The Kids Take Over », *Business Week,* 1er février 1998, p. 60-70.

32. Mathew Schifrin, « Okay, Big Mouth », *Forbes,* 9 octobre 1995, p. 47-48 ; Veronica Byrd et Wendy Zellner, « The Avon Lady of the Amazon », *Business Week,* 24 octobre 1994, p. 93-96 ; et Ann Marsh, « Avon Is Calling on Eastern Europe », *Advertising Age,* 20 juin 1994, p. 116.

33. La présentation qui suit est adaptée à partir de l'ouvrage de William T. Gregor et Eileen M. Friars, *Money Merchandizing : Retail Revolution in Consumer Financial Services,* Cambridge, Mass., Management Analysis Center, Inc., 1982.

34. Eva Houre, « Stores Must Get Creative to Survive », *The Chronicle Herald,* 13 août 1999, p. C-1.

35. Gail Tom, Michelle Dragics et Christi Holdregger, « Using Visual Presentation to Assess Store Positioning : A Case Study of JCPenney », *Marketing Research,* septembre 1991, p. 48-52.

36. William Lazer et Eugene J. Kelley, « The Retailing Mix : Planning and Management », *Journal of Retailing,* printemps 1961, p. 34-41.

37. Francis J. Mulhern et Robert P. Leon, « Implicit Price Bundling of Retail Products : A Multiproduct Approach to Maximizing Store Profitability », *Journal of Marketing,* octobre 1991, p. 63-76.

38. Gwen Ortmeyer, John A. Quelch et Walter Salmon, « Restoring Credibility to Retail Pricing », *Sloan Management Review,* automne 1991, p. 55-66.

39. William B. Dodds, « In Search of Value : How Price and Store Name Information Influence Buyers' Product Perceptions », *Journal of Consumer Marketing,* printemps 1991, p. 15-24.

40. « A Time To Steal », *Brandweek,* 16 février 1999, p. 24.

41. Rita Koselka, « The Schottenstein Factor », *Forbes,* 28 septembre 1992, p. 104, 106.

42. Rice, *op. cit.* ; et Gary Strauss, « Warehouse Clubs Heat Up Retail Climate », *USA Today,* 7 septembre 1990, p. 1B, 2B.

43. « Warehouse Clubs Fine-tune Units », *Chain Drug Review,* 29 juin 1998, p. 38 ; James M. Degen, « Warehouse Clubs Move from Revolution to Evolution », *Marketing News,* 3 août 1992, p. 8 ; Dori Jones Yang, « Bargains by the Forklift », *Business Week,* 15 juillet 1991, p. 152 ; et « Fewer Rings on the Cash Register », *Business Week,* 14 janvier 1991, p. 85.

44. Ira P. Schneiderman, « Value Keeps Factory Outlets Viable », *Daily News Record,* 20 juillet 1998, p. 10 ; Stephanie Anderson Forest, « I Can Get It for You Retail », *Business Week,* 18 septembre 1995, p. 84-88 ; et Adrienne Ward, « New Breed of Mall Knows : Everybody Loves a Bargain », *Advertising Age,* 27 janvier 1992, p. 55.

45. Anne Faircloth, « Value Retailers Go Dollar For Dollar », *Fortune,* 6 juillet 1998, p. 164-166.

46. James R. Lowry, « The Life Cycle of Shopping Centers », *Business Horizons,* janvier-février 1997, p. 77-86 ; Eric Peterson, « Power Centers ! Now ! », *Stores,* mars 1989, p. 61-66 ; et « Power Centers Flex Their Muscle », *Chain Store Age Executive,* février 1989, p. 3A, 4A.

47. Pierre Martineau, « The Personality of the Retail Store », *Harvard Business Review,* janvier-février 1958, p. 47.

48. Julie Baker, Dhruv Grewal et A. Parasuraman, « The Influence of Store Environment on Quality Inferences and Store Image », *Journal of the Academy of Marketing Science,* automne 1994, p. 328-339 ; Howard Barich et Philip Kotler, « A Framework for Marketing Image Management », *Sloan Management Review,* hiver 1991, p. 94-104 ; Susan M. Keaveney et Kenneth A. Hunt, « Conceptualization and Operationalization of Retail Store Image : A Case of Rival Middle-Level Theories », *Journal of the Academy of Marketing Science,* printemps 1992, p. 165-175 ; James C. Ward, Mary Jo Bitner et John Barnes, « Measuring the Prototypicality and Meaning of Retail Environments », *Journal of Retailing,* été 1992, p. 194 ; et Dhruv Grewal, R. Krishnan, Julie Baker et Norm Burin, « The Effect of Store Name, Brand Name and Price Discounts on Consumers' Evaluations and Purchase Intentions », *Journal of Retailing,* automne 1998, p. 331-352. Pour une récapitulation sur l'image des magasins, voir Mary R. Zimmer et Linda L. Golden, « Impressions of Retail Stores : A Content Analysis of Consumer Images », *Journal of Retailing,* automne 1988, p. 265-293.

49. Mary Jo Bitner, « Servicescapes : The Impact of Physical Surroundings on Customers and Employees », *Journal of Marketing,* avril 1992, p. 57-71.

50. Jans-Benedict Steenkamp et Michel Wedel, « Segmenting Retail Markets on Store Image Using a Consumer-Based Methodology », *Journal of Retailing,* automne 1991, p. 300 ; et Philip Kotler, « Atmospherics as a Marketing Tool », *Journal of Retailing,* vol. 49, hiver 1973-74, p. 61.

51. De'Ann Weimer, « The Softest Side of Sears », *Business Week,* 28 décembre 1998, p. 60-62 ; Susan Chandler, « Drill Bits, Paint Thinner, Eyeliner », *Business Week,* 25 septembre 1995, p. 83-84.

L'étude de cas 17-1, « Ikea », a été préparée par Frederick G. Crane.

CHAPITRE 18

1. Wilbur Schramm, « How Communication Works », dans *The Process and Effects of Mass Communication,* s. la dir. de Wilbur Schramm, Urbana, Ill., University of Illinois Press, 1955, p. 3-26.

2. F. G. Crane et T. K. Clarke, *Consumer Behaviour in Canada : Theory and Practice,* 2e éd., Toronto, Dryden, 1994, p. 287-298.

3. David A. Ricks, Jeffrey S. Arpan et Marilyn Y. Fu, « Pitfalls in Advertising Overseas », *Journal of Advertising Research,* vol. 14, décembre 1974, p. 47-51.

4. Renseignements extraits du site Web du *Guide Internet,* www.guide-internet.com/Gitarifs.htm.

5. Renseignements extraits du site Web du magazine *L'actualité,* www.lactualite.com/. Cliquez sur le bouton Publicité pour en savoir davantage.

6. Adapté à partir du *Dictionary of Marketing Terms,* 2e éd., s. la dir. de Peter D. Bennett, Chicago, American Marketing Association, 1995, p. 231.

7. B. C. Cotton et Emerson M. Babb, « Consumer Response to Promotional Deals », *Journal of Marketing,* vol. 42, juillet 1978, p. 109-113.

8. Robert George Brown, « Sales Response to Promotions and Advertising », *Journal of Advertising Research,* vol. 14, août 1974, p. 33-40.

9. Adapté à partir de *Economic Impact : U.S. Direct Marketing Today,* New York, Direct Marketing Association, 1998, p. 25.

10. Robert J. Lavidge et Gary A. Steiner, « A Model for Predictive Measurement of Advertising Effectiveness », *Journal of Marketing,* octobre 1961, p. 61.

11. Brian Wansink et Michael Ray, « Advertising Strategies to Increase Usage Frequency », *Journal of Marketing,* janvier 1996, p. 31-46.

12. www.marketingmag.ca/media-digest/html, site consulté le 4 juillet 1999.

13. Don E. Schultz et Eters Gronstedt, « Making Marcom an Investment », *Marketing Management,* automne 1997, p. 41-49 ; et J. Enrique Bigne, « Advertising Budget Practices : A Review », *Journal of Current Issues and Research in Advertising,* automne 1995, p. 17-31.

14. John Philip Jones, « Ad Spending : Maintaining Market Share », *Harvard Business Review,* janvier-février 1990, p. 38-42 ; et Charles H. Patti et Vincent Blanko, « Budgeting Practices of Big Advertisers », *Journal of Advertising Research,* vol. 21, décembre 1981, p. 23-30.

15. James A. Schroer, « Ad Spending : Growing Market Share », *Harvard Business Review,* janvier-février 1990, p. 44-48.

16. Jeffrey A. Lowenhar et John L. Stanton, « Forecasting Competitive Advertising Expenditures », *Journal of Advertising Research,* vol. 16, no 2, avril 1976, p. 37-44.

17. Daniel Seligman, « How Much for Advertising ? », *Fortune,* décembre 1956, p. 123.

18. James E. Lynch et Graham J. Hooley, « Increasing Sophistication in Advertising Budget Setting », *Journal of Advertising Research,* vol. 30, février-mars 1990, p. 67-75.

19. Jimmy D. Barnes, Brenda J. Muscove et Javad Rassouli, « An Objective and Task Media Selection Decision Model and Advertising Cost Formula to Determine International Advertising Budgets », *Journal of Advertising,* vol. 11, no 4, 1982, p. 68-75.

20. Don E. Schultz, « Olympics Get the Gold Medal in Integrating Marketing Event », *Marketing News,* 27 avril 1998, p. 5, 10.

21. Kate Fitzgerald, « Beyond Advertising », *Advertising Age,* 3 août 1998, p. 1, 14 ; Curtis P. Johnson, « Follow the Money : Sell CFO on Integrated Marketing's Merits », *Marketing News,* 11 mai 1998, p. 10 ; et Laura Schneider, « Agencies Show That IMC Can Be Good for Bottom Line », *Marketing News,* 11 mai 1998, p. 11.

22. Carol Krol, « Columbia House Looks Down the Road for Gains from Play », *Advertising Age,* 1er mars 1999, p. 20.

23. *Statistical Fact Book '98,* New York, The Direct Marketing Association, 1998.

24. Adapté à partir de *Economic Impact : U.S. Direct Marketing Today,* New York, Direct Marketing Association, 1998, p. 25-26.

25. Carol Krol, « Club Med Uses E-mail to Pitch Unsold, Discounted Packages », *Advertising Age,* 14 décembre 1998, p. 40.

26. Carol Krol, « Insurer Fireman's Fund Sees Direct as "Channel of the Future" », *Advertising Age,* 15 février 1999, p. 18.

27. Julie Tilsner, « Lillian Vernon : Creating a Host of Spin-Offs From Its Core Catalog », *Business Week,* 19 décembre 1994, p. 85 ; et Lisa Coleman, « I Went Out and Did It », *Forbes,* 17 août 1992, p. 102-104.

28. Carol Krol, « Pizza Hut's Database Makes Its Couponing More Efficient », *Advertising Age,* 30 novembre 1998, p. 27.

29. Alan K. Gorenstein, « Direct Marketing's Growth Will Be Global », *Marketing News,* 7 décembre 1998, p. 15 ; Don E. Schultz, « Integrated Global Marketing Will Be the Name of the Game », *Marketing News,* 26 octobre 1998, p. 5 ; et Mary Sutter et Andrea Mandel-Campbell, « Customers Are Eager, Infrastructure Lags », *Advertising Age International,* 5 octobre 1998, p. 12.

30. Juliana Koranten, « European Privacy Rules Go into Effect in 15 EU States », *Advertising Age,* 26 octobre 1998, p. S31 ; et Rashi Glazer, « The Illusion of Privacy and Competition for Attention », *Journal of Interactive Marketing,* été 1998, p. 2-4.

31. Laura Loro, « Downside for Public Is Privacy Issue », *Advertising Age,* 2 octobre 1995, p. 32 ; Cyndee Miller, « Concern Raised over Privacy on Infohighway », *Marketing News,* 2 janvier 1995, p. 1, 7 ; « Telemarketing Rules OK'd », *Marketing News,* 11 décembre 1995, p. 1 ; Judithe Waldrop, « The Business of Privacy », *American Demographics,* octobre 1994, p. 46-55 ; et Mag Gottlieb, « Telemarketing and the Law », *Direct Marketing,* février 1994, p. 22-23.

CHAPITRE 19

1. Maricris G. Briones, « Plotting a Course for Internet Ads », *Marketing News,* 28 septembre 1998, p. 1, 12 ; Kate Maddox, « P&G's Plan : Jump-Start Web as Viable Ad Medium », *Advertising Age,* 17 août 1998, p. 1, 14 ; et Jane Hodges, « P&G Tries to Push Online Advertising », *Fortune,* 28 septembre 1998, p. 280 ; et www.marketingmag. ca/media-digest/html, 4 juillet 1999.

2. David A. Aaker et Donald Norris, « Characteristics of TV Commercials Perceived as Informative », *Journal of Advertising Research,* vol. 22, nº 2, avril-mai 1982, p. 61-70.

3. Larry D. Compeau et Dhruv Grewal, « Comparative Price Advertising : An Integrative Review », *Journal of Public Policy & Marketing,* automne 1998, p. 257-273 ; et William Wilkie et Paul W. Farris, « Comparison Advertising : Problems and Potentials », *Journal of Marketing,* octobre 1975, p. 7-15.

4. Jennifer Lawrence, « P&G Ads Get Competitive », *Advertising Age,* 1er février 1993, p. 14 ; Jerry Gotlieb et Dan Sorel, « The Influence of Type of Advertisement, Price, and Source Credibility on Perceived Quality », *Journal of the Academy of Marketing Science,* été 1992, p. 253-260 ; et Cornelia Pechman et David Stewart, « The Effects of Comparative Advertising on Attention, Memory, and Purchase Intentions », *Journal of Consumer Research,* septembre 1990, p. 180-192.

5. Bruce Buchanan et Doron Goldman, « Us vs. Them : The Minefield of Comparative Ads », *Harvard Business Review,* mai-juin 1989, p. 38-50 ; Dorothy Cohen, « The FTC's Advertising Substantiation Program », *Journal of Marketing,* hiver 1980, p. 26-35 ; et Michael Etger et Stephen A. Goodwin, « Planning for Comparative Advertising Requires Special Attention », *Journal of Advertising,* vol. 8, nº 1, hiver 1979, p. 26-32.

6. Lewis C. Winters, « Does It Pay to Advertise to Hostile Audiences With Corporate Advertising ? », *Journal of Advertising Research,* juin-juillet 1988, p. 11-18 ; et Robert Selwitz, « The Selling of an Image », *Madison Avenue,* février 1985, p. 61-69.

7. Bob Donath, « Match Your Media Choice and Ad Copy Objective », *Marketing News,* 8 juin 1998, p. 6.

8. Demetrios Vakratsas et Tim Ambler, « How Advertising Works : What Do We Really Know ? », *Journal of Marketing,* janvier 1999, p. 26-43.

9. Michael S. LaTour et Herbert J. Rotfeld, « There Are Threats and (Maybe) Fear-Caused Arousal : Theory and Confusions of Appeals to Fear and Fear Arousal Itself », *Journal of Advertising,* automne 1997, p. 45-59.

10. Bob Garfield, « Allstate Ads Bring Home Point about Mortgage Insurance », *Advertising Age,* 11 septembre 1989, p. 120 ; et Judann Dagnoli, « "Buy or Die" Mentality Toned Down in Ads », *Advertising Age,* 7 mai 1990, p. S-12.

11. Hank Kim et Scott Hume, « Positioning : Blue Cross, Kaiser Permanente Ads Play Big on HMO Trust Factor », *Brandweek,* 14 septembre 1998 ; Jeffrey D. Zbar, « Fear ! », *Advertising Age,* 14 novembre 1994, p. 18-19 ; John F. Tanner fils, James B. Hunt et David R. Eppright, « The Protection Motivation Model : A Normative Model of Fear Appeals », *Journal of Marketing,* juillet 1991, p. 36-45 ; Michael S. LaTour et Shaker A. Zahra, « Fear Appeals as Advertising Strategy : Should They Be Used ? », *The Journal of Consumer Marketing,* printemps 1989, p. 61-70 ; et Joshua Levine, « Don't Fry Your Brain », *Forbes,* 4 février 1991, p. 116-117.

12. Dana L. Alden, Wayne D. Hoyer et Chol Lee, « Identifying Global and Culture-Specific Dimensions of Humor in Advertising : A Multinational Analysis », *Journal of Marketing,* avril 1993, p. 64-75 ; et Johny K. Johansson, « The Sense of "Nonsense" : Japanese TV Advertising », *Journal of Advertising,* mars 1994, p. 17-26.

13. Source : Association canadienne de marketing, www.the-cma.org/rsvp/winners.html ; et *Infopresse,* « LG2 remporte le Best of Best aux RSVP Awards », 22 novembre 2001, www.infopresse.com/ArticleComplet.asp?IdArticle=4283, site consulté le 27 mars 2003.

14. Kim Cleland, « More Advertisers Put Infomercials into Their Plans », *Advertising Age,* 18 septembre 1995, p. 50 ; et John Pfeiffer, « Six Months and a Half a Million Dollars, All for 15 Seconds », *Smithsonian,* octobre 1987, p. 134-135.

15. www.marketingmag.ca/media-digest/html, site consulté le 4 juillet 1999.

16. Giles D'Souza et Ram C. Rao, « Can Repeating an Advertisement More Frequently than the Competition Affect Brand Preference in a Mature Market ? », *Journal of Marketing,* avril 1995, p. 32-42.

17. www.marketingmag.ca/media-digest/html, site consulté le 4 juillet 1999.

18. *Ibid.*

19. Source : Dupont, *op. cit.* p. 21.

20. Surendra N. Singh, Denise Linville et Ajay Sukhdial, « Enhancing the Efficacy of Split Thirty-Second Television Commercials : An Encoding Variability Application », *Journal of Advertising,* automne 1995, p. 13-23 ; Scott Ward, Terence A. Oliva et David J. Reibstein, « Effectiveness of Brand-Related 15-Second Commercials », *Journal of Consumer Marketing,* nº 2, 1994, p. 38-44.

21. J. William Gurley, « How the Web Will Warp Advertising », *Fortune,* 9 novembre 1998, p. 119-120 ; et Joe Mandese, « In New Growth Phase, Cable Feeding on Itself », *Advertising Age,* 27 mars 1995, p. S-1, 2, 10.

22. Jacqueline M. Graves, « The Fortune 500 Opt for Infomercials », *Fortune,* 6 mars 1995, p. 20 ; et William McCall, « Infomercial Pioneer Becomes Industry Leader », *Marketing News,* 19 juin 1995, p. 14.

23. Jean Halliday, « Volvo Ready to Act on Leads after Infomercial Success », *Advertising Age,* 25 janvier 1999, p. 61.

24. www.marketingmag.ca/media-digest/html, site consulté le 4 juillet 1999.

25. Source : Dupont, *op. cit.*, p. 57.

26. www.marketingmag.ca/media-digest/html, site consulté le 4 juillet 1999.

27. Judy Strauss et Raymond Frost, *Marketing on the Internet : Principles of Online Marketing,* Englewood Cliffs, N. J., Prentice Hall, 1999, p. 196-249 ; et Maricris G. Briones, « Rich Media May Be Too Rich for Your Blood », *Marketing News,* 29 mars 1999, p. 4.

28. Strauss et Frost, *op. cit.* ; et Heather Green, « The New Ratings Game », *Business Week,* 27 avril 1998, p. 73-78.

29. Arch G. Woodside, « Outdoor Advertising as Experiments », *Journal of the Academy of Marketing Science,* nº 18, été 1990, p. 229-237.

30. Ed Brown, « Advertisers Skip to the Loo », *Fortune,* 26 octobre 1998, p. 64 ; et Brian Dunn, « Zooming in on the Target », *Marketing,* 17 novembre 1997, www.marketingmag.ca, site consulté le 5 juillet 1998.

31. Sehoon Park et Minhi Hahn, « Pulsing in a Discrete Model of Advertising Competition », *Journal of Marketing Research,* novembre 1991, p. 397-405.

32. Rob Norton, « How Uninformative Advertising Tells Consumers Quite a Bit », *Fortune,* 26 décembre 1994, p. 37 ; et « Professor Claims Corporations Waste Billions on Advertising », *Marketing News,* 6 juillet 1992, p. 5.

33. Pat Sloan et Judann Pollack, « Wrigley to Compensate BBDO on Performance : Gum Marketer Exec Says Plan in Works for U.S. Advertising », *Advertising Age,* 14 avril 1997, p. 4 ; et Mary Kuntz, « Now Mad Ave Really Has to Sing for Its Supper », *Business Week,* 18 décembre 1995, p. 43.

34. La présentation sur les « post-tests » s'appuie sur l'ouvrage de William F. Arens, « Contemporary Advertising », 6e éd., Burr Ridge, Ill., Richard D. Irwin, 1996, p. 181-182.

35. David A. Aaker et Douglas M. Stayman, « Measuring Audience Perceptions of Commercials and Relating Them to Ad Impact », *Journal of Advertising Research,* vol. 30, août-septembre 1990, p. 7-17 ; et Ernest Dichter, « A Psychological View of Advertising Effectiveness », *Marketing Management,* vol. 1, no 3, 1992, p. 60-62.

36. David Kruegel, « Television Advertising Effectiveness and Research Innovation », *Journal of Consumer Marketing,* été 1988, p. 43-51 ; et Laurence N. Gold, « The Evolution of Television Advertising-Sales Measurement : Past, Present, and Future », *Journal of Advertising Research,* juin-juillet 1988, p. 19-24.

37. Keith McIntyre, « Sometimes Smaller is Better », *Marketing,* 28 novembre 1994, p. 14.

38. Magid M. Abraham et Leonard M. Lodish, « Getting the Most Out of Advertising and Promotion », *Harvard Business Review,* mai-juin 1990, p. 50-60 ; Steven W. Hartley et James Cross, « How Sales Promotion Can Work for and against You », *Journal of Consumer Marketing,* été 1988, p. 35-42 ; Robert D. Buzzell, John A. Quelch et Walter J. Salmon, « The Costly Bargain of Trade Promotion », *Harvard Business Review,* mars-avril 1990, p. 141-149 ; et Mary L. Nicastro, « Break-Even Analysis Determines Success of Sales Promotions », *Marketing News,* 5 mars 1990, p. 11.

39. *The 1998 Review of Couponing Trends,* Markham, Ontario, NCH Promotional Services, janvier 1999.

40. Kapil Bawa et Robert W. Shoemaker, « Analyzing Incremental Sales from a Direct-Mail Coupon Promotion », *Journal of Marketing,* juillet 1998, p. 66-78.

41. Roger A. Strang, « Sales Promotion–Fast Growth, Faulty Management », *Harvard Business Review,* vol. 54, juillet-août 1976, p. 115-124 ; et Ronald W. Ward et James E. Davis, « Coupon Redemption », *Journal of Advertising Research,* vol. 18, août 1978, p. 51-58. Alvin Schwartz a rapporté des résultats similaires sur les bons de réduction distribués par voie postale dans « The Influence of Media Characteristics on Coupon Redemption », *Journal of Marketing,* vol. 30, janvier 1966, p. 41-46.

42. « Competing with Coupons », *Marketing News,* 15 mars 1999, p. 2 ; et Larry Armstrong, « Coupon Clippers, Save Your Scissors », *Business Week,* 20 juin 1994, p. 164-166.

43. Kathleen Deveny, « Displays Pay Off for Grocery Marketers », *The Wall Street Journal,* 15 octobre 1992, p. B1, B5 ; « VideOcart Is Rolling Again », *Promo,* août 1991, p. 1, 36 ; et Bradley Johnson, « Retailers Check Out In-Store », *Advertising Age,* 16 décembre 1991, p. 23.

44. Source : respectivement www.toyota.ca, www.gmcanada.com et www.hyundaicanada.com.

45. Marvin A. Jolson, Joshua L. Wiener et Richard B. Rosecky, « Correlates of Rebate Proneness », *Journal of Advertising Research,* février-mars 1987, p. 33-43.

46. Danon Darlin, « Junior Mints, I'm Going to Make You a Star », *Forbes,* 6 novembre 1995, p. 90-94.

47. Cette présentation provient largement de l'ouvrage de John A. Quelch, *Trade Promotions by Grocery Manufacturers : A Management Perspective,* Cambridge, Mass., Marketing Science Institute, août 1982.

48. Michael Chevalier et Ronald C. Curhan, « Retail Promotions as a Function of Trade Promotions : A Descriptive Analysis », *Sloan Management Review,* vol. 18, automne 1976, p. 19-32.

49. G. A. Marken, « Firms Can Maintain Control Over Creative Co-op Programs », *Marketing News,* 28 septembre 1992, p. 7, 9.

50. Leon Reinstein, « Intel's Pentium : A Study in Flawed Public Relations », *Business Week,* 23 janvier 1995, p. 13 ; et David Kirkpatrick, « Intel's Tainted Tylenol ? », *Fortune,* 26 décembre 1994, p. 23-24.

51. Scott Hue, « Free "Plugs" Supply Ad Power », *Advertising Age,* 29 janvier 1990, p. 6.

52. Marc Weinberger, Jean Romeo et Azhar Piracha, « Negative Product Safety News : Coverage, Responses, and Effects », *Business Horizons,* mai-juin 1991, p. 23-31.

53. Martin O'Hanlon, « Meat Lovers Not Complete Lovers », *The Chronicle-Herald,* 11 août 1999, p. A1, A2.

CHAPITRE 20

1. Richard Gibson, « A Cereal Maker's Quest for the Next Grape-Nuts », *The Wall Street Journal,* 23 janvier 1997, p. B1, B7.

2. David Leonhardt, « Cereal-Box Killers Are on the Loose », *Business Week,* 12 octobre 1998, p. 74-77.

3. Ellen Neuborne, « MMM ! Cereal for Dinner », *Business Week,* 24 novembre 1997, p. 105-106.

4. *1997 General Mills Annual Report,* Minneapolis, General Mills, Inc., 1997, p. 5.

5. Pankaj Ghemawat, « Sustainable Advantage », *Harvard Business Review,* septembre-octobre 1986, p. 53-58.

6. Roger A. Kerin, P. Rajan Varadarajan et Robert A. Peterson, « First-Mover Advantage : A Synthesis, Conceptual Framework, and Research Propositions », *Journal of Marketing,* octobre 1992, p. 33-52.

7. Murali K. Mantrala, Prabhakant Sirha et Andris A. Zoltners, « Impact of Resource Allocation Rules on Marketing Investment-Level Decisions and Profitability », *Journal of Marketing Research,* mai 1992, p. 162-175.

8. *1998 General Mills Annual Report,* Minneapolis, General Mills, Inc., 1998, p. 7.

9. Ce texte et la figure 22.3 sont adaptés de l'article de Stanley F. Stasch et Patricia Longtree, « Can Your Marketing Planning Procedures Be Improved ? », *Journal of Marketing,* été 1980, p. 82, avec l'aimable autorisation de l'American Marketing Association.

10. Terry Fledler, « Soul of a New Cheerios », *Star Tribune,* 28 janvier 1996, p. D1, D4 ; et Tony Kennedy, « New Cheerios about to Sweeten Cereal Market », *Star Tribune,* 25 juillet 1995, p. 1D, 2D.

11. *Ibid.*

12. Fledler, « Soul of a New Cheerios », p. 1D.

13. Adapté avec l'aimable autorisation de The Free Press, une division de Macmillan, Inc., à partir de *Competitive Advantage : Creating and Sustaining Superior Performance,* de Michael E. Porter. Copyright 1985, Michael E. Porter.

14. William B. Wertner fils et Jeffrey L. Kerr, « The Shifting Sets of Competitive Advantage », *Business Horizons,* mai-juin 1995, p. 11-17.

15. Michael Treacy et Fred Wiersema, « How Market Leaders Keep Their Edge », *Fortune,* 6 février 1995, p. 88-89.

16. Keith Naughton et Bill Vlasic, « The Nostalgia Boom », *Business Week,* 23 mars 1998, p. 58-64 ; et David Woodruff et Keith Naughton, « Hard Driving Boss », *Business Week,* 5 octobre 1998, p. 82-90.

17. J. Martin Fraering et Michael S. Minor, « The Industry-Specific Basis of the Market Share-Profitability Relationship », *Journal of Consumer Marketing,* vol. 11, no 1, 1994, p. 27-37.

18. Zachary Schiller, Greg Burns et Karen Lowry Miller, « Make It Simple », *Business Week,* 9 septembre 1996, p. 96-104.

19. John Greenwald, « Slice, Dice, and Devour », *Time,* 26 octobre 1998, p. 64-66.

20. Stratford Sherman, « How Intel Makes Spending Pay Off », *Fortune,* 22 février 1993, p. 57-61.

21. Lee Ginsburg et Neil Miller, « Value-Driven Management », *Business Horizons,* mai-juin 1992, p. 23-27 ; Richard L. Osborn, « Core Value Statements : The Corporate Compass », *Business Horizons,* septembreotobre 1991, p. 28-34 ; et Charles E. Watson, « Managing with Integrity : Social Responsibilities of Business as Seen by America's CEOs », *Business Horizons,* juillet-août 1991, p. 99-109.

22. Reproduit avec l'aimable autorisation de la *Harvard Business Review.* Une annexe à « Making Your Marketing Strategy Work » de Thomas V. Bonoma, mars-avril 1984. Copyright ©1984, président et collègues de l'Université Harvard, tous droits réservés.
23. Larry Hirschhorn et Thomas Gilmore, « The New Boundaries of the "Boundaryless" Company », *Harvard Business Review,* mai-juin 1992, p. 104-115.
24. Hans Hinterhuber et Wolfgang Popp, « Are You a Strategist or Just a Manager ? », *Harvard Business Review,* janvier-février 1992, p. 105-113 ; Thomas Steward, « The Search for the Organization of Tomorrow », *Fortune,* 18 mai 1992, p. 92-98 ; George Stalf, Philip Evans et Lawrence Shulman, « Competing on Capabilities : The New Rules of Corporate Strategy », *Harvard Business Review,* mars-avril 1992, p. 57-69 ; et Jon Katzenbach et Douglas Smith, *The Wisdom of Teams,* Boston, Harvard Business School Press, 1992).
25. Daniel Roth, « This Ain't No Pizza Party », *Fortune,* 9 novembre 1998, p. 158-164. La quatrième valeur est *PAPA,* c'est-à-dire *People Are Priority no. 1, Always* (NDT).
26. Thomas J. Peters et Robert H. Waterman fils, *In Search of Excellence : Lessons from America's Best-Run Companies,* New York, Harper & Row, 1982.
27. Ralph Vartabedian, « Built for the Future », *Minneapolis Star Tribune,* 7 avril 1992, p. 1D, 7D ; Roy J. Harris fils, « The Skunk Works : Hush-Hush Projects Often Emerge There », *The Wall Street Journal,* 13 octobre 1980, p. 1 ; et Tom Peters, « Winners Do Hundreds of Percent over Norm », *Minneapolis Star Tribune,* 8 janvier 1985, p. 5B.
28. Ben Rich et Leo Janos, *Skunk Works,* Boston, Little Brown & Company, 1994, p. 51-53.
29. L'exemple d'ordonnancement est adapté de l'ouvrage de William Rudelius et W. Bruce Erickson, *An Introduction to Contemporary Business,* 4e éd., New York, Harcourt Brace Jovanovich, 1985, p. 94-95.
30. Peter Galuska, Ellen Neuborne et Wendy Zellner, « P&G's Hottest New Product : P&G », *Business Week,* 5 octobre 1998, p. 92-96.
31. Robert W. Ruekert et Orville W. Walker fils, « Marketing's Interaction with Other Functional Units : A Conceptual Framework and Empirical Evidence », *Journal of Consumer Marketing,* printemps 1987, p. 1-19 ; et Steven Lysonski, Alan Singer et David Wilemone, « Coping with Environmental Uncertainty and Boundary Spanning in the Product Manager's Role », *Journal of Consumer Marketing,* printemps 1989, p. 33-43.
32. Doug McCuaig et Christopher Holt, « Getting Intimate with Customers », *Marketing,* 14 juillet 1997, www.marketingmag.ca, site consulté le 17 juillet 1997.
33. Linda Grant, « Outmarketing P&G », *Fortune,* 12 janvier 1998, p. 150-152.
34. John Grossman, « Ken Iverson : Simply the Best », *American Way,* 1er août 1987, p. 23-25 ; Thomas Moore, « Goodbye, Corporate Staff », *Fortune,* 21 décembre 1987, p. 65-76 ; et Michael Schroeder et Walecia Konrad, « Nucor : Rolling Right into Steel's Big Time », *Business Week,* 19 novembre 1990, p. 76-81.

L'étude de cas 20-1, « Clearly Canadian », a été préparée par Frederick G. Crane à partir de renseignements que lui a fournis la société d'embouteillage Clearly Canadian.

CAS DU MODULE 5

1. Ann Sacoomano, « Not the Same Old Story », *Traffic World,* 21 juin 1999, p. 19.
2. Toutes les données de cette section sont en dollars américains.
3. Amazon.com, *Form 10K,* 1998.
4. Kim Cleland, « Amazon.com : David Risher », *Advertising Age,* 28 juin 1999, p. S16.
5. *Ibid.*
6. Barnes & Nobles Inc., *The Industry Standard,* www.thestandard.net, 6 mai 1999.
7. James Overstreet, « Barnes & Noble Plans 600-Employee Memphis Center », *Birmingham Business Journal,* 28 juin 1999, p. 9.
8. Borders Group, Inc., *The Industry Standard,* www.thestandard.net, 6 mai 1999.
9. CDNow, Inc., *The Industry Standard,* www.thestandard.net, 6 mai 1999.
10. « Amazon.world », *Newsweek,* 12 avril 1999, p. 14.
11. « Sony and Time Warner Make Music Deal », *Weekly Corporate Growth Report,* 26 juillet 1999, p. 10 293.
12. « Amazon.com Names Joseph Galli President and Chief Operating Officer », *PR Newswire,* 25 juin 1999, p. 6 246.
13. Financial, « Amazon Adds New President », *The Washington Post,* 26 juin 1999, p. E02.
14. « Amazon.com Names Joseph Galli President and Chief Operating Officer », *op. cit.,* p. 6 246.
15. Amazon.com, *Form 10K,* 1998.
16. Marc Pollack, « Amazon flows with Liquid Audio », *Hollywood Reporter,* 18 juin 1999, p. 4.
17. « Amazon sells coins », *New Media Age,* 24 juin 1999, p. 4.
18. « fashionmall.com, Inc. Inks Deal With Amazon.com », *PR Newswire,* 30 juin 1999, p. 2 816.
19. « Amazon to Open Southeastern DC. », *Discount Store,* 21 juin 1999, p. 6.
20. Heather Clancy, « The Engines of E-Business », *Computer Reseller News,* 21 juin 1999, p. 15.
21. Michael Gannon, « Amazon.com, Wal-Mart Settle Suit », *Venture Capital Journal,* 1er mai 1999, p. 1.
22. Robert Preston, « IT Innovation Is A Fragile Thing Indeed », *Internetweek,* 12 avril 1999, p. 7.
23. Dominick Callicchio, « Amazon.com : Back on the defensive ? », *Informationweek,* 19 avril 1999, p. 14.
24. Owen Thomas, « Amazon builds a wall », *Red Herring The Business of Technology,* www.redherring.com/insider, 1er février 1999.

ANNEXE A

1. Entretien particulier avec Arthur R. Kydd, St. Croix Venture Partners.
2. Voici quelques guides portant sur la rédaction d'un plan marketing : William A. Cohen, *The Marketing Plan,* New York, John Wiley & Sons, Inc., 1995 ; Mark Nolan, *The Instant Marketing Plan,* Santa Maria, Calif., Puma Publishing Company, 1995 ; et Roman G. Hiebing fils et Scott W. Cooper, *The Successful Marketing Plan,* 2e éd., Lincolnwood, Ill., NTC Business Books, 1997.
3. Rhonda M. Abrahms, *The Successful Business Plan : Secrets & Strategies,* 2e éd., Grants Pass, Or., The Oasis Press/PSI Research, 1993, p. 30.
4. Quelques-uns de ces arguments ont été adaptés à partir de l'ouvrage de Mme Abrahms, *op. cit.,* p. 30-38 ; d'autres l'ont été à partir de celui de William Rudelius, *Guidelines for Technical Report Writing,* Minneapolis, Minn., University of Minnesota, s. d.

ANNEXE B

1. James Heckman, « Marketers Making $$$ in High Tech », *Marketing News,* 23 novembre 1998, p. 1, 20 ; et Michael J. Metel et Toddi Gutner, « Your Next Job », *Business Week,* 13 octobre 1997, p. 64-70.
2. « Jobs, jobs, jobs », *Marketing,* 30 juin 1997, www.marketingmag.ca, 17 juillet 1997.
3. Linda M. Gorchels, « Traditional Product Management Evolves », *Marketing News,* 30 janvier 1995, p. 4.
4. David Kirkpatrick, « Is Your Career on Track ? », *Fortune,* 2 juillet 1990, p. 38-48.

5. Robin T. Peterson, « Wholesaling : A Neglected Job Opportunity for Marketing Majors », *Marketing News,* 15 janvier 1996, p. 4.
6. « The Climb to the Top », *Careers in Retailing,* janvier 1995, p. 18 ; www.simslatham.com/retail et www.cirass.com, sites consultés le 15 juillet 1999.
7. Michael R. Wukitsch, « Should Researchers Know More about Marketing ? », *Marketing Research,* hiver 1993, p. 50.
8. « Market Research Analyst », dans *Jobs Rated Almanac,* 3e éd., s. la dir. de Les Krantz et coll., New York, John Wiley & Sons, 1995.
9. Cyndee Miller, « Marketing Research Salaries Up a Bit, But Layoffs Take Toll », *Marketing News,* 19 juin 1995, p. 1, 3.
10. Joby John et Mark Needel, « Entry-Level Marketing Research Recruits : What Do Recruiters Need ? », *Journal of Marketing Education,* printemps 1989, p. 68-73.
11. Kathryn Petras et Ross Petras, *Jobs 95,* New York, Fireside, 1994, p. 100-118.
12. « Your Job Search Starts with You » dans *Job Choices : 1996,* 39e éd., Bethlehem, Penn., National Association of Colleges and Employers, 1995, p. 6-9.
13. Arthur F. Miller, « Discover Your Design », dans *CPC Annual,* vol. 1, Bethlehem, Penn., College Placement Council, Inc., 1984, p. 2.
14. Robin T. Peterson et J. Stuart Devlin, « Perspectives on Entry-Level Positions by Graduating Marketing Seniors », *Marketing Education Review,* été 1994, p. 2-5.
15. Callum J. Floyd et Mary Ellen Gordon, « What Skills Are Most Important ? A Comparison of Employer, Student, and Staff Perceptions », *Journal of Marketing Education,* août 1998, p. 103-109 ; « What Employers Want » dans *Job Outlook '98,* Bethlehem, Penn., National Association of Colleges and Employers ; et Andrew Marlatt, « Demand for Diverse Skills Is On Upswing », *Internet World,* 4 janvier 1999.
16. Diane Goldner, « Fill in the Blank », *The Wall Street Journal,* 27 février 1995, p. R5, R11.
17. Constance J. Pritchard, « Small Employers–How, When & Who They Hire » dans *Job Choices : 1996,* 39e éd. Bethlehem, Penn., National Association of Colleges and Employers, 1995, p. 66-69.
18. Adapté à partir du texte de C. Retall Powell, « Secrets of Selling a Résumé » dans *The Honda How to Get a Job Guide,* s. la dir. de Peggy Schmidt, New York, McGraw-Hill, 1985, p. 4-9.
19. Joyce Lain Kennedy, « Computer-Friendly Resume Tips » dans *Planning Job Choices : 1999,* 42e éd., Bethlehem, Penn., National Association of Colleges and Employers, 1998, p. 49.
20. Arthur G. Sharp, « The Art of the Cover Letter » dans *Career Futures,* vol. 4, no 1, 1992, p. 50-51.

SOURCES DES PHOTOS

CHAPITRE 1

p. 4, Gracieuseté de Rollerblade, Inc. ; p. 11, New Product Showcase et Learning Center, Inc., Photographie de Robert Haller ; p. 13 (à gauche), Wal-Mart ; p. 13 (à droite), LifeScan Canada ; p. 16 (en haut), Gracieuseté de Rollerblade, Inc. ; p. 16 (en bas, les quatre), Gracieuseté de Rollerblade, Inc.

CHAPITRE 2

p. 22, Reproduit avec la permission de la Commission canadienne du tourisme ; p. 32, Adidas ; p. 39, Gracieuseté de Specialized Bicycles ; p. 44-56, Reproduit avec la permission de la Commission canadienne du tourisme.

CHAPITRE 3

p. 58, Microsoft ; p. 61, Shell ; p. 63, Kodak ; p. 65, Wal-Mart ; p. 66, Stouffer's ; p. 67 (en haut), Kamouraï ; p. 67 (en bas), Visa, RBC Banque Royale ; p. 70 (à gauche), Panasonic ; p. 70 (au milieu), Brita ; p. 70 (à droite), Bell ; p. 73, Collège Boréal ; p. 81 (les deux), Gracieuseté de Evillusion Inc.

CHAPITRE 4

p. 82, Gracieuseté de la LCBO ; p. 83, Gracieuseté de la LCBO ; p. 87, Rex USA Ltd. ; p. 89, Bon Départ de Nestlé ; p. 91, Photographie de Sharon Hoogstraten ; p. 92 (en haut), Couverture du livre de Chantale Boutin, Carole Émard, Gilles Lalonde, Alain Lévesque, René Robitaille, André L. Rollin et Isabelle Thibeault, *ISO 14 000 – Systèmes de management environnemental*, Montréal, Presses internationales Polytechnique, 1996 ; p. 92 (au milieu, à gauche), Hydro One ; p. 92 (au milieu, à droite), Enbridge ; p. 93, Gracieuseté de McDonald's Corporation.

CHAPITRE 5

p. 102, Gracieuseté de W. K. Buckley Ltd. ; p. 104 (à gauche), Canon ; p. 104 (à droite), Mirage ; p. 110 (au milieu), Huggies ; p. 110 (en bas), Ericson ; p. 111, Gracieuseté de ALMA/BBDO, Sao Paulo ; p. 112 (les deux), Gracieuseté de L'Oréal ; p. 114, Travelpix/FPG International ; p. 115, Gracieuseté de Nestlé S.A. ; p. 116, Reproduit avec la permission de Reader's Digest/Photographie de Richard Hong ; p. 117, Gracieuseté de The Coca-Cola Company ; p. 120, Gracieuseté de The PRS Group ; p. 122, Gracieuseté de The Gillette Company ; p. 126, Copyright ©1997 Universal Press Syndicate. Tous droits réservés.

CHAPITRE 6

p. 128, Gracieuseté de Ford Motor Company of Canada Limited ; p. 135, Visa ; p. 136, Reproduit avec la permission de General Motors of Canada Limited ; p. 138 (en haut, à gauche), Gracieuseté de Mercedes-Benz Canada Inc. ; p. 138 (en haut, à droite), Becel ; p. 138 (en bas), Tide ; p. 140, Honda ; p. 141, Gracieuseté de Mercedes-Benz Canada Inc. ; p. 143 (à gauche), LifeScan Canada ; p. 143 (à droite), Chrysler; p. 144, Les Stone/Sygma ; p. 145, Grant ; p. 147, Nesbitt Burns.

CHAPITRE 7

p. 154, SPCA, Recyclage Canada, Club optimiste, Centre national des arts, Postes Canada ; p. 157 (à gauche), Photographie de Françoise Lemoyne ; p. 157 (à droite), Théâtre la Nouvelle Scène ; p. 158 (en bas), Gracieuseté de Michel Dutremble ; p. 159 (en haut), Musée des sciences et de la technologie du Canada ; p. 159 (au milieu), Mira ; p. 159 (en bas), L'Institut national canadien pour les aveugles ; p. 160, Centraide ; p. 163, Armée du Salut ; p. 165, Musée canadien de la nature ; p. 170 (à gauche), Gracieuseté de l'UNICEF ; p. 170 (à droite) Eva Melhuish ; p. 171, Fondation canadienne de l'arbre ; p. 175 (en haut), Campagne en faveur du règlement anti-tabac de la Ville du Grand-Sudbury ; p. 175 (en bas), Forces armées canadiennes ; p. 176, McKesson Canada ; p. 177, Postes Canada ; p. 179, Musée canadien de la nature ; p. 180, Gracieuseté de Energy Performance Systems, Inc.

CHAPITRE 8

p. 188 (en haut), Photographie de Michel Verreault ; p. 195, eBay ; p. 197 (en bas), © Netgraphe Inc. www.canoe.qc.ca ; p. 198, © Matt Mahurin Inc. ; p. 200 (en haut), Cisco Systems ; p. 201 (à gauche), Patrimoine canadien ; p. 201 (à droite), Fitness Dépôt ; p. 207, Gracieuseté de AOL Canada Inc.

CHAPITRE 9

p. 210, Shooting Star ; p. 212, Photographie de Françoise Lemoyne ; p. 214, Les Producteurs laitiers du Canada ; p. 218, Gracieuseté de Ocean Spray ; p. 219, ACNielsen ; p. 220, Photographie de Françoise Lemoyne ; p. 222 (en haut), Gracieuseté de Classic Industries ; p. 222 (en bas), Gracieuseté de Campbell's Soup Company ; p. 224, Wendy's ; p. 227 (en haut), Gracieuseté de Shoppers Drug Mart ; p. 227 (en bas), Procter & Gamble ; p. 228, Gracieuseté de Fisher-Price.

CHAPITRE 10

p. 236, Brent Jones ; p. 238 (en haut), Gracieuseté de New Balance Athletic Shoe, Inc. ; p. 238 (en bas), Gracieuseté Vans, Inc. ; p. 239, Reebok ; p. 242, Trimark ; p. 243, Photographie de Michel Verreault ; p. 244, Hewlett-Packard ; p. 248 (les quatre), Apple Computer ; p. 249 (les deux), Reproduit avec la permission de General Motors of Canada Limited ; p. 251 (à gauche), Chevrolet ; p. 251 (à droite), Buick ; p. 253 (à gauche), Rogers AT&T ; p. 253 (à droite), Bell Mobilité.

CHAPITRE 11

p. 260, 3M ; p. 262, Société canadienne du sang ; p. 263, Nike, Inc. ; p. 264, Imprimerie Plantagenet ; p. 265 (en haut), Tag Heuer ; p. 265 (en bas), Nikon ; p. 267, Photographie de Michel Verreault ; p. 268 (en haut), Photographie de Michel Verreault ; p. 268 (à gauche), Dep ; p. 268 (à droite), M. Net ; p. 270 (à gauche), Apple Computer ; p. 270 (à droite), Palm, Inc. ; p. 273, Smart ; p. 275, 3M ; p. 276 (en haut), Val Nature ; p. 276 (en bas), Sony Corporation; p. 278 (en haut), Marriott ; p. 278 (au milieu), Gracieuseté Penn Racquet Sports ; Agence : Veritas Advertising, Inc. ; p. 278 (en bas), Michel Verreault ; p. 280, Procter & Gamble ; p. 281 (en haut), Jose Azel/Aurora ; p. 281 (en bas), John Madere/The Stock Market ; p. 283, Photographie de Michel Verreault ; p. 284, Gracieuseté de Hewlett-Packard Company.

CHAPITRE 12

p. 290, Gracieuseté de Clearly Canadian Beverage Corporation ; p. 295 (en haut), Febreze ; p. 295 (en bas), Honda ; p. 299, Whitehall Robins ; p. 300 (en haut), Hellmann's ; p. 300 (en bas), Pantene Pro V ; p. 302, Tropicana ; p. 303, Apple Computer ; p. 304, Intel est une marque déposée ou enregistrée d'Intel Corporation ou de ses filiales, aux États-Unis et dans d'autres pays ; p. 305 (à gauche, en haut), Bombardier ; p. 305 (à gauche, en bas), Gracieuseté de Ford Motor Company Limited ; p. 305 (à droite), Gracieuseté de Elite Foods, Inc. ; p. 307 (les deux), Reproduit avec la permission de Nérée Lavictoire Roofing & Siding ; p. 308, Gracieuseté de Louis Vuitton ; p. 309, L'Oréal ; p. 310, Gracieuseté de Pez Candy, Inc. ; p. 311, French's.

CHAPITRE 13

p. 316, ©John Sylvester Photography ; p. 320, ©Kohler Company ; p. 322 (à gauche), Michael J. Hruby ; p. 322 (à droite), Gracieuseté de Nike, Inc. ; p. 325, Alliance Atlantis ; p. 331, Michelina's.

CHAPITRE 14

p. 342, Photographie de Françoise Lemoyne ; p. 346, Swatch ; p. 354, Frito-Lay.

CHAPITRE 15

p. 366, Gracieuseté de Gateway 2000 ; p. 368, Century 21 ; p. 370, Esso ; p. 374, Gracieuseté de Nestlé S.A. ; p. 379 (en bas), Zellers/Mossimo ; p. 381 (en haut), Gracieuseté Dai-Ichi Kikaku Co., Ltd. et Warner Lambert ; p. 381 (en bas), Heinz.

CHAPITRE 16

p. 388, Reproduit avec la permission de *Business Week* ; Illustration par David Cale ; p. 390, Metro Canada Logistique ; p. 393 (en haut), Photographie de Michel Verreault ; p. 393 (en bas), Gracieuseté de Saturn Corporation ; p. 398, Mark Richards/PhotoEdit ; p. 400 (à gauche), Port de Montréal ; p. 400 (à droite), Reimer ; p. 401, Gracieuseté du CN ; p. 402 (à gauche), GoJIT ; p. 402 (à droite), Fast as Flite ; p. 403, Équipement Johnston ; p. 404, Gracieuseté de Rapistan Demag Corporation ; p. 407 (les deux), Fritz Hoffmann/Imageworks.

CHAPITRE 17

p. 414, Corbis/Bettmann ; p. 415, Reproduit avec la permission de Tandy Corporation ; p. 416, Gracieuseté de Mario Lalonde, franchisé de Stéréo Plus ; p. 420, Paul Chesley/Tony Stone Images ; p. 421 (en haut), Gracieuseté de QVC Network, Inc. ; p. 422, Amazon.ca ; p. 423 (à gauche), Reproduit avec la permission de Land's End, Inc. ; p. 423 (à droite), Gracieuseté de Cybersmith, Cambridge, MA.

CHAPITRE 18

p. 435 (à gauche), Gracieuseté de Ford Motor Company of Canada Limited ; p. 435 (à droite), Dodge ; p. 437 (à gauche), Toyota ; p. 437 (à droite), Historia ; p. 438, Couverture fac-simile de l'édition 2002/2003 du *Guide du Routard Canada Ouest et Ontario* © Hachette-livre (Hachette-Tourisme), 2003; p. 440, Gracieuseté de Taco Bell ; p. 447, Association canadienne du marketing (AMC) ; p. 448, MasterCard.

CHAPITRE 19

p. 456 (en haut), Ministère du Tourisme du Nouveau-Brunswick ; p. 456 (en bas, à gauche), Nissan ; p. 456 (en bas, à droite), Brita; p. 457 (en haut), Merck Frosst ; p. 457 (en bas), MADD Canada ; p. 458, Bosch ; p. 459 (en bas), Nuvel ; p. 460 (les quatre), Copyright, Nissan 1997 ; Nissan, Frontier et le logo de Nissan sont des marques déposées de Nissan ; p. 461 (à gauche), Revlon ; p. 461 (à droite), Omega ; p. 463, Teletoon ; p. 465, Couverture de la revue franco-ontarienne *Infomag* ; p. 467, Fédération des producteurs d'œufs de consommation du Québec ; p. 468, Benylin ; p. 471, Natrel ; p. 473, Ray Marklin ; p. 474, Motoneige Ski-Doo* Mx Z*-REV* (*Marque(s) de commerce de Bombardier Inc. ou de ses filiales) ; p. 477 (en haut et au milieu), Festival franco-ontarien ; p. 477 (en bas, de gauche à droite et de haut en bas), Université d'Ottawa, Infomag, Fondation franco-ontarienne, Conseil des arts de l'Ontario.

CHAPITRE 20

p. 484, Photographie de Françoise Lemoyne; p. 486, Roulés aux fruits ; p. 492 (les deux), Cheerios ; p. 494 (à gauche), Onstar ; p. 494 (à droite), Volkswagen ; p. 495, Tylenol ; p. 499, Gracieuseté de Papa John's International ; p. 502, Gracieuseté de Clearly Canadian.

ANNEXE B

p. 509 (en haut, tous les logos), Gracieuseté de Procter & Gamble ; p. 509 (en bas), Gracieuseté du magazine *Logistics* ; p. 511 (les deux), Gracieuseté de Geneviève Lebel et de Denis Baby et d'Everest Communication Marketing ; p. 513, Gracieuseté de Lyne et Louis LaHaie et des Aliments M&M ; p. 518 (en haut), Jobboom Ontario ; p. 518 (en bas), Monster ; p. 519, IPS ; p. 524, Thatch cartoon par Jeff Shesol, Reproduit avec la permission de Vintage books.

INDEX

J

K

L

M

S

T